KB179048

한국 문단 작가 연구 총서

作家研究

6

작가연구 편

국학자료원

2001년(상반기)

작가연구

제11호

새미

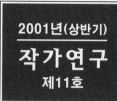

2001년(상반기)

작가연구
제11호

편집주간　　　서종택
편 집 인　　　강진호
편집위원　　　이상갑 채호석 하정일 안남일

탈분단 시대의 문학논리
(강진호 평론집)

'탈분단 시대의 문학논리'라는 제목은 책의 내용을 모두 포괄하는 말이라기보다는 시대와 문학적 가치를 함축하는 말이다. 분단 이후 우리 문학의 전개과정이란 분단이라는 상황적 변수 속에서 그것을 제거하기 위한 처절한 몸부림이 아니었던가. 냉전 이데올로기에 맞서온 참혹한 운명의 궤적이 바로 현대문학의 표정이고, 그 운명의 굴레는 아직도 벗겨지지 않은 채 엄존하고 있다. 그리하여 '탈분단'이란 분단으로 초래된 삶을 저해하는 온갖 요인들을 제거하고 평등하고 자유로운 삶을 일구기 위한 도정이다.

신국 양장, 364쪽, 가격 18,000원

한국문학을 보는 새로운 시각
(이동하 평론집)

저자의 사유를 지배해 온 "역사의식에 입각하여 우리 문학을 보아야 한다"는 명제. 이 명제는, 첫째는 아득한 태곳적부터 오늘에 이르기까지의 문학의 과정을 역사적으로 올바르고 깊이 있게 파악해야 한다는 것과, 이 땅에서 전개되고 있는 문학이 후일 어떤 존재로 기록될 것인가를 진지하게 질문하는 가운데서 문학활동을 수행해 가야 한다는 의미가 담겨 있다.
이러한 명제를 구현하고자 한 저자의 노력이 엿보이는 평론집.

신국 양장, 360쪽, 가격 18,000원

전화: (02)442-4626 팩스: (02)442-4625　　새미

근원에 대한 천착과 연구의 방향성

새로운 천 년의 문턱을 넘어섰는가 했더니, 그 첫 해가 20세기의 꼬리표와 함께 역사의 어둠 속으로 사라지고, 이제 21세기가 되었다 한다. 21세기의 아침, 그러나, 새로운 세기의 새벽 여명을 우리 주변의 현실에서 체감하기란 도무지 힘들다. 끊임없는 구조조정의 터널은 아직도 그 끝을 보이지 않은 채 계속되고 있고, 그 와중에서 노동자들은 하루하루를 유지하기도 힘들 정도의 부하를 견디고 있다. 다시 실업자가 100만 명을 넘어섰고, 길거리에는 전보다도 더 많은 수의 노숙자들이 쏟아지고 있다.

이런 현실을 바탕으로 해서 존립할 수밖에 없는 문학 또한 불안정하기는 마찬가지이다. 이제 더 이상 문학을 통해서 희망을 노래하는 사람은 없다. 이리 저리 눈치를 봐야 하는 천덕꾸러기와도 같은 존재, 문학을 한다는 것은 시대 흐름에 동참하지 못하는 무능력과 부끄러움인 양 회자되는 시대가 된 것이다. 일간지의 한 모서리를 차지했던 신문 연재소설이 어느 순간 슬그머니 꼬리를 감춘 것처럼 이제 사람들은 값싼 정보와 오락물만을 선호한다. 문학의 상황이 이러하니, 그것을 근거로 하는 문학연구 또한 한층 궁벽한 지경으로 몰릴 수밖에 없다. 계량화와 효율성의 신화가 사회 전반을 휩쓸면서 오랜 시간을 투여할 수밖에 없는 연구활동은 시대착오적인 수공업으로밖에 인식되지 않고 있으며, 각고의 노력 끝에 얻은 박사학위는 더 이상 현실적 효용성을 상실하였다. 학회는 내실보다는 외형과 규모를 중시하고, 논문은 발표지면이 어딘가에 의해서 그 질이 가늠되는 천박한 구조 속에 우리는 서 있는 것이다.

이런 현실에서 사람들은 사물의 근원에 대해서 질문하고 성찰하는 행위를 망각할 수밖에 없다. 우리의 의지와는 무관하게 빠르게 변해 가는 현실에서 문제의 근원을 천착하고 삶의 방향을 조정하는 일은 마치 거센 물살 속에서 징검다리를 놓는 것 이상으로 힘들어 보인다. 하지만 첨단 과학의 시대에도 사람들은 밥을 먹어야 하고 농사를 짓고 수공업적인 생산을 계속해야 하지 않는가. 전자통신기술이 쌀을 대신해 주지는 못하고, 벤처의 화려한 행렬이 식탁의 음식물을 대신할 수는 없는 것이다. 근원을 망각하고 과정의 괴로움을 생략한 채 화려한 결과만을 꿈꿀 수는 없는 일이다. 문학 또한 예외가 아닌 법, 현란한 문체와 감각적인 글쓰기로 잠시 독자들의 시선을 사로잡을 수는 있어도 삶과 시대에 대한 통찰이 없다면 결코 오랜 수명을 누리지 못할 것이다. 문학연구란 화려한 외형으로 가려진 바로 이 근원에 대한 성찰이라 할 수 있다. 벤처와 정보통신의 신화에 가려진 존재의 고통스러운 이면을 들추고 그 속에 내재된 구조와 체계를 오늘의 현실에 비추어 해석해내는 행위가 연구활동이다. 그렇기에 거기에는 현실에 대한 냉철한 인식과 아울러 논리적 정합성이 견지되어야 하고, 궁극적으로는 인간다운 삶에 대한 지향과 꿈이 내장되어 있어야 할 것이다. 모두가 걸어가는 길을 외면하고 그 정반대의 길을 걷더라도 그 길을 결코 포기할 수 없는 것은 이런 믿음 때문일 것이다. 연구란 본원적으로 시대의 흐름과는 배치될 수밖에 없는 것이다. 연구자들이 꿈꾸는 것은 물질적인 풍요로움과 사회적 명성이 아니라 자유롭게 연구하고 그 결과를 민주적으로 소통할 수 있는 공간이다.

이번 특집은 '청록파(靑鹿波)'이다. 조지훈, 박두진, 박목월 세 시인이 해방 직후 출간한 시집 『청록집(靑鹿集)』(1946)에서 유래한 편의상의 명칭이지만, 우리가 다루고자 하는 '청록파'는 명칭 이상의 의미를 내포한다. 사실, '청록파'의 시세계를 함께 논한다는 것은 상당한 위험이 따를 수도 있다. 박목월, 박두진, 조지훈의 시세계가 하나의 유파로 묶을 수 없는 이질성을 갖고 있고, 또 공유하는 대목도 그리 많지 않아 보이기 때문이다. 이런 위험성에도 불구하고 이번 특집을 '청록파'로 한 것은 다음 몇 가지 필요성에서 비롯된다. 우선, 이들의 문학적 실체를 온당하게 구명해야 하리라는 생각이다. 그 동안 많은 연구가 쌓였고 또 상당한 정도의 성과를 거두었으나 아직도 모호한 대목이 적지 않은 것으로 판단된다. 둘째는 시의적인 필요성이다. '청록파'가 추구한 시세계는 다소의 차이에도 불구하고 서정시이고, 그것도 자연 서정시로 규정될 수 있다. 오늘의 현실은 서정과는 너무나 거리가 멀고, 심지어 그것을 조롱하는 경우까지 목격된다. 이러한 상황에서 '청록파'를 논한다는 것은 새로운 문제제기이자 서정성에 대한 탐구인 것이다. 근대의 부정적 징후들이 이제는 그 말기적 현상을 드러내고 있는 상황에서 그것을 반성하고 조정하는 힘은 결국 인간과 자연의 근원을 성찰하는 길밖에 없다. 셋째는 최근 유행하는 정신주의, 생태시, 환경시 등의 문제를 '청록파'를 통해서 반성적으로 인식하려는 의도이다. '정신'과 '생태'를 빙자한 최근 시들은 소기의 성과에도 불구하고 그리 만족스러운 수준은 아닌 것으로 판단된다. '정신'이라는 옷을 입었다고 해서, 또 사뭇 묵상적인 포즈를 취한다고 해서 정신주의 시가 되는 것은 아니다. 인간과 그를 둘러싼 제반 환경에 대한 깊은 통찰과 실천적 인식에서 탄생할 수 있는 게 정신주의이다. '청록파'가 그것을 제대로 보여주었다고는 생각하지 않지만 이들의 지향과 태도에서 오늘의 우리를 반성할 계기를 포착하는 것은 가능하고 또 필요한 일이다.

총론으로 수록된 김기중 선생의 「청록파의 시세계」, 금동철 선생의 「청록파 시인의 서정화 방식연구」, 노철 선생의 「청록파 시에 대한 생태학적 해석」, 김춘식 선생의 「낭만주의적 개인과 자연·전통의 발견」 등은 모두 이런 문제의식을 담고 있는 논문들이다. '존재론적 생명의식의 형상화'라는 점에서 세 시인의 시세계를 각기 자기동일성의 유지와 자기통합성의 확대, 그리고 자기초월성의 지향이라는 측면에서 고찰한 김기중 선생의 논문이나, 서정시는 자아와 대상이 완전히 통일되는 세계라는 전제를 바탕으로 세 시인의 서정화 방식의 차이를 천착한 금동철 선생의 논문은 '청록파'에 대한 기존의 논의를 한층 심화시키고 확대한 글들이다. 청록파 시에 대한 생태학적 해석을 시도한 노철 선생의 글은 오늘의 시점에서 왜 청록파 시가 문제가 되는가를 새삼 환기시켜 주면서 오늘의 시를 이해하는 데 많은 도움을 줄 것이다. 김춘식 선생의 「낭만주의적 개인과 자연·전통의 발견」은 '자연'의 의미를 재해석해 내고, '청록파'의 현재성을 새롭게 고찰한 글이다.

개별 각론에서는 각 시인 당 세 편의 논문을 수록하였다. 조지훈론으로는 김용직 선생의 「시와 선비의 미학」, 김종태 선생의 「조지훈 초기 자연서정시에 나타난 세계와 자아의 대응 양상」, 강웅식 선생의 「조지훈의 생명시론과 그 초월론적 성격」을 수록했고, 박두진론으로는 심원섭 선생의 「박두진의 사상적 특성 그 구조」, 한영일 선생의 「박두진 시의 자연과 현실인식 양상」, 김신정 선생의 「박두진 시에 나타난 '신자연'의 의미와 특성」을 수록하였다. 그리고 박목월론으로는 이희중 선생의 「박목월 시의 변모과정」, 서림 선생의 「서정시와 지적 구원—60년대 박목월의 경우」, 박현수 선생의 「이미지의 존재론; 박목월 초기시의 이미지 연구」를 수록하였다. 모두 이들 시인에 대한 깊은 천착과 고민을 담고 있는 글로 기존 연구를 한 단계 진전시킨 역작이고, 독자들의 기대에 부응할 것으로 판단된다. 그리고, 연구자들의 편의를 돕기 위해서 각 시인에 대한 연구 서지목록을 부록으로 첨가하였고, 자신의 삶을 회고한 글과 주요 작품들을 붙여 놓았다.

서평으로는 세 분의 글을 수록하였다. 최승호 선생의 편저『21세기 문학의 유기론적 대안』에 대한 임도한 선생의 「윤리, 생태학적 자각과 실천문제」, 이정옥 선생의『1930년대 한국 대중소설의 이해』에 대한 김한식 선생의 「대중문학에 대한 관심과 대중소설 연구의 어려움」, 그리고 김신정 선생의『정지용 문학의 현대성』에 대한 권정우 선생의 「포정의 소각뜨기와 문학연구」가 그것이다.『작가연구』는 앞으로도 심도 있는 서평을 통해서 값진 연구의 성과를 소개하고 검증하는 일을 게을리 하지 않을 것이다.

이 자리를 빌어서 좋은 글을 주신 여러 선생님들께 감사드린다. 특히 노구에도 불구하고 청탁에 응하시고 좋은 글을 보내주신 김용직 선생님께 감사드리며, 아울러 11호를 꾸미는 과정에서 많은 조언과 도움을 아끼지 않으신 시인 서림(최승호) 선생님께 깊은 감사의 마음을 전한다.

이제『작가연구』는 창간 6년이 되었다. 그 동안 출판과 편집을 비롯한 여러

가지 어려움이 있었음을 솔직히 고백하지 않을 수 없다. 편집진 사이의 의견 조정과정에도 적잖은 어려움이 있었고, 출판 상황도 독자층의 급속한 감소와 시장의 위축으로 힘들기는 마찬가지였다. 이런 악조건 속에서 11호를 내게 된 것은 전적으로 편집진의 사심 없는 헌신과 출판사 여러분들의 노고에 힘입은 것이다. 이 자리를 빌어서 다시 한번 여러분들께 감사의 말씀을 올린다. 이번 호의 부록으로 지난 10호까지의 목차를 첨부한 것은 그간의 행적을 반성하고 새롭게 출발하기 위한 다짐으로 이해해도 좋을 것이다. 그 동안의 노고를 살펴 봐 주시고 질책을 아끼지 않으시기를 소망한다.

『작가연구』는 이제 출발선상에 놓여 있다는 게 편집진의 생각이다. 최근의 학회 단위의 폐쇄적인 소통 구조 속에서 좋은 연구물을 대중화하고 새로운 문제제기를 통해서 소통의 가교 역할을 맡는 일은 매우 중요하고 의미 있다. 학연과 지연으로, 그리고 몇몇 사람을 중심으로 관장되는 학회의 폐쇄성을 넘어서 어느 누구에게나 공평하게 『작가연구』는 문호를 개방할 것이고 또한 적극적으로 다가갈 것이다. 그래서 『작가연구』는 학술지평가를 비롯한 최근 제도권의 움직임과는 다른 차원에서 모색을 진행할 것이다. 관료화되고 권력화된 학술지가 감히 손대지 못하는 영역을 찾아서 연구의 영역을 확충하고 새로운 필진을 발굴하며 종국에는 국문학 연구의 명실상부한 장(場)으로 거듭나고자 한다. 『작가연구』의 갱신을 위한 행보에 선배, 동학들의 질정과 애정을 당부드린다. (편집인 강진호)

특집 청록파

총 론

청록파의 시세계

김기중*

1. 청록파와 '자연의 발견'

청록파 시인들의 시세계를 전반적으로 다룬 초기의 논의들은 대부분 『청록집』에 나타나는 자연의 의미가 무엇인가 하는 데 집중되어 왔다. 이의 선편을 쥔 것은 김동리이다. 그는 「三家詩와 自然의 발견」이란 글에서 이들 세 시인의 시적 특질을 '자연의 발견'이라는 말로 요약한다. 그는 이들 세 시인의 시세계가 자연이라는 공통분모를 기반으로 하여 조지훈은 '禪感覺'의 표현으로, 박목월은 '향토적 서정'의 탐구로, 그리고 박두진은 '메시야'의 추구로 각각 그 특색을 드러내고 있다고 지적한다.1) 김동리의 이같은 견해는 그 이후의 논의에서도 크게 달라지지 않는다. 김춘수2), 정한모3), 양왕용4), 등 청록파 시인들을 유파적 범주를 통해 고찰한 기존의 논의를 보면 각각의 논지에 있어 약간의 차이가 있기는 하지만 청록파 시인들의 시세계가 지니는

---

* 순천향대 국문과 교수. 주요논문으로 「해체된 세계와 회복의지 – 백석론」, 「시의 밀도와 윤리적 삶의 밀도 – 김수영론」 등이 있음.

1) 김동리, 「三家詩와 自然의 발견」, 『예술조선』, 1948.4.
2) 김춘수, 「청록집의 시세계」, 『세대』, 1963.6.
3) 정한모, 「청록집의 시사적 의의」, 『청록집 기타』, 현암사, 1968.
4) 양왕용, 「청록집을 통한 삼가시인의 작품연구」, 경북대 대학원 석사학위논문, 1968.

◀ 『청록집』

근본적 특성을 '자연의 발견'에서 찾는 데에는 대체적인 의견의 일치를 보이고 있다.

『청록집』에 대한 최근의 논의 가운데서는 김춘식, 이숭원 등의 논의가 주목된다. 김춘식은 『청록집』에 수록된 시에서는 '근원적인 것'에 대한 향수와 결핍의식이라고 지적하였다.5) 이숭원은 『청록집』에 나타난 자연의 특징을 보다 섬세하게 구분한다. 그에 따르면 박목월의 자연 심상들은 풍족하고 충만한 근원의 상태에서 멀리 떨어진 것이기 때문에 그것은 정신의 갈증을 불러 일으키며 이 정신의 갈증이 심화될 경우 그것은 공백감을 메우기 위한 환상의 창조로 전환된다. 이에 반해 조지훈 초기 시의 자연은 박목월 시의 환상적 자연과는 달리 실재하는 자연, 미시적 관찰의 대상으로 존재하는 자연으로, 그의 시의 자연 묘사는 환상이 착색되지 않은 아름다움을 드러내며 박목월 시에서 보는 것과 같은 애잔함은 없으나 은자적 여유를 느끼게 한다는 것이다. 이숭원은 또한 이들에 반해 박두진의 시에서 자연은 현실과 가장 밀착되어 있으며 제시된 자연의 정경도 단순한 심정보다는 정신적 의지의 측면과 결부되어 있다고 주장하였다.6)

이와 같이 청록파 시의 특징을 논한 논의들은 『청록집』에 나타나는 자연

---

5) 김춘식, 「근대적 자아의 자연·전통 발견」, 『우리 시대의 시집, 우리 시대의 시인』, 계몽사, 1997, p.195.
6) 이숭원, 「청록파의 시적 특질과 문학사적 성격」, 『문학사상』, 1998.10. pp.65~66.

의 문제에 집중되면서 이들 세 시인의 시세계에 대한 우리의 이해를 풍성하게 해 주었다. 그런데 이처럼 세 시인들의 작품 세계를 유파적 범주 안에서 고찰하는 논의는 대체로 그 대상을 『청록집』에 수록된 시편에 한정함으로써 개별 시인들의 작품 전체가 지니는 의미구도를 제대로 드러내지 못한다는 아쉬움이 없지 않다. 또한 '자연의 발견'이라고 하는 측면이 청록파 시인들의 초기시가 갖는 공통분모임을 인정한다 하더라도 그 같은 공적이 우리 현대시의 역사에서 유독 그들에게만 돌려져야 하는가 하는 데 대해서는 의문의 여지가 없지 않다.

결국 청록파 시를 보다 포괄적으로 그리고 깊이 있게 이해하려는 노력은 다음의 두 방향으로 전개될 필요가 있다. 그 하나는 확대의 방향이다. 비교검토의 대상을 초기시에 한정하지 않고 이들 세 시인의 전체 시로 확대함으로써 서로간의 공통성과 차이 그리고 총체적 특성을 보다 거시적인 의미망 속에서 드러내는 일이다.7) 다른 하나는 심화의 방향이다. 청록파시의 핵심적인 특징으로 운위되는 '자연'이 우리 현대시의 역사에서 차지하는 정신사적 의미가 무엇인가를 밝히는 일이다. 청록파의 시세계에 대한 연구는 이 두 가지의 상호보완적인 노력을 통해 한결 진전된 성과를 거둘 수 있을 것이다.

---

7) 청록파 시인들의 시세계가 공유하는 유파적 특징이 비단 『청록집』에만 제한되는 것이 아니라 약간의 변화에도 불구하고 그 이후에도 지속적으로 유지되고 있는 데 대해 권영민은 그의 『한국현대문학사』에서 "청록파의 세 시인 박두진, 박목월, 조지훈은 전후의 시작활동을 통해 해방 이후 시단에서 가장 중요한 시적 성과를 거두어들이고 있다. 이들은 어떤 경우이든지간에 시적 완결성에 대한 신념을 지킴으로써 청록파다운 풍모를 유지한다. 그리고 이러한 공통성을 유지하면서, 전후에 이르러 각각의 개성을 발휘하는 변모를 조금씩 겪게 된다."라고 지적한 바 있다. 권영민, 「제 2장 전후의 현실과 문학의 분열」, 『한국현대문학사』, 민음사, 1993, p.111 참조.

2. 자연 체험과 존재론적 생명의식

청록파 시인들이 자연을 시적 대상으로 삼았다고 하지만 우리 시사에서 그들만이 자연을 노래한 것은 아니다. 우리 고전 시가의 대다수가 이러한 범주에 들 것이며, 청록파 이전의 현대시에 있어서도 자연을 시적 대상으로 삼은 시들은 일일이 열거하기 어려울 정도로 많은 것이다.

그렇다면 문제는 새롭게 설정될 필요가 있다. 그 시대와 역사 속에서 청록파 시인들은 왜 자연을 문학의 주된 대상으로 삼았으며 그것이 갖는 정신 사적 의미는 무엇인가 하는 점이 그것이다. 실상 이에 대해서는 우리가 오랫동안 낯익어 온 부정적인 답변이 마련되어 있다. 해방 직후 좌파 문인들에 의해 처음으로 내려졌던 '현실도피의 문학'이란 규정이 그것이다. "조선 민족이 해방되려면 승무를 잘 춘다든지 무녀도를 잘 그린다든지 하는 것이 선결 문제가 아니라 일제 36년 동안 압박과 착취를 당하던 노동자, 농민 근로지식인 등 이른바 조선의 인민이 물질적으로 자유로운 나라가 되어야 할 것"8)이라고 한 김동석의 견해가 그 같은 입장을 대표하고 있다.

청록파의 자연을 현실도피적 경향과 관계짓는 이 같은 경향의 견해는 어느 정도 수긍할 수 있는 측면이 없지 않지만 그렇다고 해서 이를 전적으로 받아들이기는 어렵다. 왜냐하면 청록파의 자연탐구를 현실도피로만 규정하는 것은 청록파의 자연이 가질 수 있는 긍정적인 측면과 그들의 문학이 우리 현대시사에서 지니는 정신사적 의의를 올바로 가늠하는 데 지나치게 편향적인 잣대로 기능할 수 있기 때문이다. 그렇다면 청록파의 자연이 갖는 긍정적인 측면은 무엇이며 그들의 문학은 우리의 현대시사에서 어떠한 정신사적 의의를 지니고 있는가. 이에 대한 해답을 마련하기 위한 실마리로 본고는 청록파 시인 자신들이 문학과 자연과의 관계를 어떻게 보았으며 자

---

8) 김동석, 「비판의 비판」, 『예술과 생활』, 박문출판사, 1947, p.157.

연 체험이 어떠한 것이었는지를 먼저 간략하게 검토해 보고자 한다. 시인들의 자연관과 자연 체험은 그들의 시에 나타나는 자연의 의미를 이해하는 데 있어서 도움이 될 수 있을 것으로 판단되기 때문이다.

> 이와 같이 문학은 자연과 인간 사이에서 살고 있으므로 문학은 인간을 통해 나타나는 자연총체의 결정이요 자연을 통해 나타나는 인간정신의 究竟的 表現이라 할 수 있습니다. 단지 물질과 물질 사이의 보편적 관계를 생각하는 자연과학적 또는 유물론적 세계관은 인간의 정신현상에 대해선 적은 부분을 생리학적으로 해명하는 길밖에 없습니다. 이와 같이 자연과학이 부분을 합쳐서 전체를 이루는 데 비하여 문학은 먼저 전체를 받아들이고 그 세포로서 부분을 이루는 것이며 자연을 과학처럼 논리적 구조로만 파악하지 않고 살아 움직이는 生命의 全一狀態에서 파악하는 것입니다. 그러므로, 문학은 처음부터 끝까지 살아 움직이는 자연을 취재하고 그것을 양식으로 하는 것입니다.9)

위의 글은 문학과 관련된 자신의 자연관을 분명하게 나타내고 있는 조지훈의 글이다. 이 글에서 알 수 있는 바와 같이 조지훈은 자연을 문학 창작에 있어서 가장 근본적인 조건으로 이해한다. 문학은 자연을 통해 나타나는 생의 구경적 표현이라는 것이다. 여기서 무엇보다 주목되는 점은 그가 문학적 대상으로서의 자연을 '살아 움직이는 生命의 全一狀態'로 파악한 사실이다. 그의 문학 속에서 자연은 단순히 심미적 관조의 대상이 아니라 살아 움직이는 생명체로 감지되는 것이다. "저 자신의 사상이란 곧 우주의 생명의 직관에 통하는 길이라는 말이 아닐 수 없다. 이는 자기 심화의 구극은 언제나 인생의 영위 내지 자연의 현상 모두가 하나의 커다란 보람 속에 혈연적 유대로 맺어져 있다는 것을 느끼게 하는 까닭이다."10)라는 조지훈의 언명은 보편 생명의 흐름 속에서 인간과 자연을 융합된 하나로 이해하는 그의 생명적

---

9) 조지훈, 「자연과 문학」, 『조지훈전집 제3권』, 일지사, 1973, p.313.
10) 조지훈, 「시의 우주」, 『조지훈전집 제3권』, 일지사, 1973, p.13.

자연관을 보다 극명하게 보여준다. 이처럼 조지훈의 문학 속에서 자연은 생명의식으로 충전된 자연이다.

그런데 이 같은 생명이란 언제나 끊임없는 운동 가운데 그 본질을 실현한다. 그것은 생성의 질서와 소멸의 질서를 동시에 구현하고 있기 때문이다. 전체로서의 생명은 생성의 힘 속에서 끊임없이 확대되고 번성하면 상승한다. 그러나 개체로서의 유한한 생명은 소멸의 힘 속에서 점차 축소되고 줄어들어 마침내 스러진다. 생명이 생성의 모습 속에서 그 아름다움을 발휘한다면 또한 그것은 소멸의 한계 속에 있기 때문에 애처롭고 소중한 것이다. 자연과 인간이 함께 공유하는 이러한 소멸의 운명과 그 속에서의 삶의 의미에 대해 박목월은 다음과 같이 밝히고 있다.

> 나는 그녀를 길거리에서 만났다. 눈발이 치는 날이었다. 그녀의 눈동자에도 눈발이 내리고 있었다. 내리는대로 녹고마는 허무하게 아름다운 눈발이 상징하는 그대로 인간에게 주어진 것은 모두가 소멸하는 것 뿐이다. 다만 소멸하는 것의 의지를 인간은 영원과 결부하여 하나의 불멸의 영상을 그려 올리게 된다.[11]

박목월은 이와 같이 생의 현상을 소멸의 질서 속에서 이해한다. 그러나 그 같은 소멸의 운명만이 생의 모든 것이 아니다. 소멸의 현상은 생멸과 시공을 초월하는 영원과의 관계 속에서 '불멸의 영상을 그려 올'리기 때문이다. 박목월의 생명의식은 이처럼 소멸의 현상과 그 같은 소멸의 현상을 초극하려고 하는 생성의지의 사이의 긴장 속에 위치한다.

이러한 박목월과는 달리 박두진의 자연체험은 생과 존재의 영원을 확신케 하는 생성의 세계와 결부된다. 소멸로 끝날 수밖에 없는 생이 "자연과의 동화 속에서 슬픔을 돌이켜 영원한 안식일 수 있게 하는 깨달음을 가지는

---

11) 박목월, 「달빛에 목선 가듯」, 『그는 나에게로 와서 별이 되었다』, 문음사, 1983, p.166.

것"[12]은 자연이야말로 영원한 생성의 공간이기 때문이다.

> 그 바람 소리는 삶과 인생의 목숨의 덧없음을 알게 했고 시간과 공간, 황
> 토흙과 죽음과 백골의 풍화를 알게 했다. 이러한 소박한 허무감, 말하자면
> 어떤 인생관적인 인식론적인 깨달음과 터득은 하나의 발전을 가져오게 하
> 면서 도리어 그 뿌리 깊은 반발로서의, 그러한 강렬한 욕구로서의 생의 영
> 원과 존재의 영원과 무궁한 피안적인 다달음을 볼 수 있게 했다.[13]

앞에서 본 바와 같이 박목월의 생명의식이 소멸의 운명 앞에서 영원과 결
부하여 '불멸의 영상'을 그려보는 데서, 바꾸어 말하면 소멸의 현상과 생성
의 본질이라고 하는 양극성의 갈등 속에 위치하는 데 반해 박두진의 생명의
식은 소멸의 현상을 넘어 생성의 본질로 나아가는 뚜렷한 의지적 지향을 보
인다. '삶과 인생의 목숨의 덧없음'을 깨닫게 한 박두진의 자연 체험은 그
뿌리 깊은 반발과 강렬한 욕구로서의 '생의 영원과 존재의 영원과 무궁한
피안적 다달음'을 볼 수 있게 만들고 그 결과 소멸의 현상을 극복할 수 있는
생성의 본질을 추구하게 만든 것이다.

이와 같이 청록파 시인들의 자연관과 자연 체험을 간략하게나마 살펴볼
때, 이들 시인의 자연은 생명의식을 공통분모로 하면서 소멸과 생성, 그리고
그들 양극성 사이의 갈등과 긴장을 그 변별적 특징으로 삼는 바, 조지훈, 박
두진, 박목월의 자연이 각각 그에 해당되는 것으로 보인다. 그런데 청록파의
이러한 생명의식은 '억압된 리비도의 분출'[14]과 같은 원시적인 생명 욕구와
관련되지 않는다는 점에서 1920년대 낭만주의 시인들의 그것과 구분되며,
원초적인 생명의지의 적극적인 표출을 지향하지 않았다는 점에서 1930년대
생명파의 지향과 차이를 나타낸다. 자연 속에 구현되는 소멸과 생성의 양극
성을 통해 생명 있는 것에의 근원적 유대와 사랑을 드러낸 청록파의 생명의

---

12) 박두진, 「자유, 사랑, 영원」, 『그래도 해는 뜬다』, 어문각, 1986, p.131.
13) 박두진, 위의 책, p.132.
14) 오세영, 「송아 주요한 연구」, 『한국 낭만주의시 연구』, 일지사, 1982, p.218.

식을 우리는 '존재론적 생명의식'[15]이라고 규정할 수 있을 것이다.

3. 청록파 시의 의미 구도

1) 고립된 세계와 수직성의 시학

조지훈은 1939년부터 그 이듬해에 이르기까지 『문장』지에 「古風衣裳」과 「僧舞」를 1·2회에, 「鳳凰愁」·「香紋」 등을 3회에 추천받아 작품 활동을 시작한다. 추천을 받은 이후 『문장』지에 시 「아침」(1940.12.) 「정야」(1941.4.) 등을 발표하였다. 1946년 박목월, 박두진과 더불어 3인시집 『靑鹿集』을 발간한 후 1952년 개인 시집 『풀잎단장』을 발간하였다. 이후 『조지훈시선』(1956), 『역사 앞에서』(1959), 『餘韻』(1964)이 발간되었으며, 1968년 타계한 후 「병에게」 외 10여 편의 유고시가 사상계사에서 발표된 바 있다.

조지훈의 초기 작품이자 출세작인 「僧舞」, 「古風衣裳」 등 추천기의 작품들이 일제하의 질곡적 상황 속에서 소멸해 가는 우리 문화를 소재로 삼아 슬픔과 아름다움의 내면정서를 살리고 있음은 이미 여러 차례 지적되어 온바와 같다. 그런데 여기서 먼저 고려해야 할 점은 「古風衣裳」 등의 작품에서 보이는 바와 같이 이들 '추천기'(推薦期) 작품들이 형상화하고 있는 전통적

---

15) 폴 틸리히에 따르면 생명의 자기 실현은 중심화의 원리 아래 진행되는 자기 통합(self-integration)과 성장의 법칙을 통해 구현되는 자기 창조(self-creation), 그리고 승화의 본질에 따라 이루어지는 자기 초월(self-transcendence)의 세 방향을 향한다. 본고에서 청록파의 존재론적 생명의식으로 제시된 조지훈의 자기동일성 추구가 틸리히가 말한 자기통합의 방향에 부합된다고 한다면, 박목월의 자기통합성 추구는 자기 창조의 방향, 그리고 박두진의 자기초월성 지향은 틸리히가 제시한 자기 초월의 방향에 각각 부합된다.
Paul Tillich, "*Life and the Spirit*", Systematic Theology Vol 2(Chicago : The University of Chicago Press, 1971), pp.31~32 참조.

아름다움이란 실상 수평적 세계와의 관련이 차단된 고립된 미의식의 공간이며, 이들 추천기의 작품에 선행하여 소위 「地獄記」 시편이 쓰여졌다는 사실이다. '추천기' 시편들이 드러내고 있는 고립된 미의식은 실상 '지옥기' 시편들에 그 뿌리를 두고 있는 것이다.

'추천기' 작품들 이전에 쓰여진 「손」이나 「지옥기」 등의 작품에서 참혹한 죽음의 이미지로 형상화되어 나타나는 삶의 철저한 불모성은 비단 이들 작품에서뿐만 아니라 다른 지옥기 시편들에 있어서도 공통된 세계인식의 기저음이 되고 있다. 이들 지옥기 시편들에서 시인의 세계인식은 이중으로 비극적이다. 그것은 그의 절망감이 "靑年의 찢어진 心臟은 神의 領土의 한모퉁이를 붉게 물들였으나 神은 그의 靈魂을 불러주지 않았다." 「손」은 시구에서와 같이 삶 또는 죽음의 실존적 무의미함에 연유할 뿐만 아니라 "여기에도 太陽은 있습니다. 太陽은 검은 太陽, 빛을 위해서가 아니라 차라리 어둠을 위해서 있습니다" 「지옥기」에서처럼 시대, 사회 상황의 폐쇄되고 전도된 모습에도 기인하기 때문이다.

'추천기' 시편들이 빚어내는 고립된 미의식은 이 지옥기 시편들이 지니는 두겹의 비극성에 조명됨으로써 그 의미가 보다 선명하게 떠오를 수 있다. 고립된 미의식은 고립된 세계인식의 소산이다. 미래, 혹은 외재적인 초월의 가능성으로부터 차단되어 있을뿐더러 현재의 공동체적 삶에 행복하게 참여할 수 있는 통로마저 철저히 막혀있는 폐쇄된 상황 속에서 분열된 시적 자아가 선택할 수 있는 길은 제한된 것일 수밖에 없다. 사회적으로 소외된 삶을 극복하려는 내면적 지향이 전통적 세계에의 탐닉으로 표출되며, 삶의 실존적 무의미를 초극하려는 의식이 아름다움을 통한 진실의 발견이라는 방향으로 나아가는데 이 양자가 합치점을 이루는 곳이 곧 추천기 시편에서 형상화된 고립된 미의식으로서의 '전통적 아름다움'의 세계인 것이다.

조지훈의 초기 시편에 해당되는 '지옥기' 시편과 '추천기' 시편 이후 그의 시세계는 크게 보아 두 갈래로 전개된다. 그 하나가 자연을 시적 대상으로 삼아 쓰여진 '자연' 시편이라고 한다면 다른 하나가 역사·사회적 체험을 계기로 창작된 '역사' 시편이다. 그 양과 질의 측면에서 '자연' 시편은 '역사' 시편에 비해 압도적으로 우세하며 결국 조지훈 시의 근간을 이루고 있다고 할 수 있다.

조지훈의 '자연' 시편은 꽃의 시편이라고 해도 좋을 만큼 꽃의 이미지로 가득하다. 이는 꽃이 가장 자주 등장하는 소재일 뿐만 아니라 그것이 조지훈 시의 자연 공간에서 지배적인 심상으로 자리하고 있음을 가리킨다. 꽃의 심상이 형성하는 미적 공간이 「꽃 그늘에서」와 「洛花」의 개화와 낙화, 생명의 설레임과 사멸에의 덧없음 사이에 존재한다면 그 시적 미학의 정신적 근거는 「念願」에 보이는 내재적 초월의 세계관에 바탕을 두고 있음을 알 수 있다. 조지훈 시에서 자연은 꽃이 피는 자리에서 열려 낙화의 자리에서 마무리지어지는 '심미적 진실'의 세계이다.

조지훈에게 자연은 그 속에서의 삶이 시간의 무상함을 넘어 충만한 깊이를 얻을 수 있는 내재적 초월의 공간이었다. 조지훈의 자연 시편에서 이러한 내재적 초월의 미학이 가장 잘 드러나 있는 것은 앞서 말한 꽃의 이미지와 촛불의 이미지이다. 촛불의 이미지가 존재의 무상성을 딛고 본래적인 모습을 회복하려는 갈망을 담고 있다면 꽃의 이미지는 유한한 생명의 아름다움과 슬픔을 상징하는 원초적 심상으로서의 위치를 갖는다고 할 수 있다.

조지훈의 시에는 시적 자아의 수평적 이동을 보여주는 시들이 거의 없다. 그 드문 예외인 「玩花衫」과 「律客」 같은 시편에서의 여행은 비감함과 애수에 깊이 젖은 모습을 보여준다. "다정하고 한많음도 병이냥하여 / 달빛 아래 고요히 흔들리며"「玩花衫」가는 시적 자아의 비감함은 수평적 움직임의 상상력이 시인에게 얼마나 부정적으로 인식되고 있는지를 잘 드러내 준다. 조지훈의 자연 시편에서 동물 심상을 거의 찾아보기 어려운 점도 수평적 움직임에 대한 시인의 부정적 의식과 관계되는 것으로 보인다. 그 가벼움과 상승의 이미지로 인해 초월적인 상징성을 지니는 나비 이외의 다른 동물 심상들은 조지훈의 자연 시편에 거의 나타나지 않는다. 초월적인 차원을 가지지 않는 지상의 동물들에게 있어서 그 본질적 속성은 공간적인 측면에서 볼 때

수평적 이동의 움직임 속에 있기 때문이다.

이처럼 조지훈의 자연 시편에서 시적 자아의 움직임은 거의 대부분 수직성의 모습을 보여준다. 그는 "높으디 높은 산마루" 「山上의 노래」에 서있거나 "마음의 문을 열고 하늘을" 「그리움」 바라보며, "깊은 밤 빛나는 별" 「窓」과 이야기한다. 수직성의 지향만이 시인에게 깊은 정신적 의미를 갖게 하는 것이다.

고립된 세계 속에서 수직성의 지향을 통해 고통과 외로움을 딛고 일어서고자 한 조지훈의 내면지향은 "부처님은 말이 없이 / 웃으시는데 /西域 萬里ㅅ길 / 눈부신 노을 아래 / 모란이 지"는 「古寺 1」의 세계에서 그 추구의 해답을 얻는다. 그것은 바로 내재적 초월의 세계이다. 바람직한 삶의 공간이 옆을 향해서가 아니라 위로 열려 있다는 믿음의 측면에서 그러한 내면적 지향이 초월적이라고 한다면 그것이 신이라든가 다른 어떤 외재적 힘에 의지하지 않고 일상적 삶의 차원에서 추구된다는 점에서 그 성격은 내재적이다. 존재의 소멸이라고 하는 수직 하강의 움직임과 그 극복으로서의 상승적 지향이 변증법적 종합을 이루어 하나로 합쳐지는 곳, 거기에 탄생하는 것이 내재적 초월의 미학이다.

그러나 이러한 내재적 초월의 지향은 실상 관념의 깊이에서만 가능한, 무너지기 쉬운 것이다. 그러므로 관념이 아닌 현실적인 감각의 섬세함에 의해 포착된 시적 자아의 모습은 대개 고립감과 상실감을 동반한 슬픔의 정서로 물들여진다. 「落花」는 이 같은 시인의 정서를 담고 있는 대표적인 작품이다. 이 시에서 꽃의 이미지는 촛불의 심상과 함께 소멸과 상실이라는 의미를 이루면서 슬픔을 바탕으로 하는 부드러운 서정 공간을 형성하고 있다. 촛불의 꺼짐과 꽃의 소멸은 "하얀 미닫이가 / 우런 붉어라"와 같은 시행에서 소멸하는 생명의 아름다움이라고 하는 원체험의 내면 풍경으로 승화되는 것이다.

조지훈은 1964년 그의 제4 시집이자 마지막 시집인 『餘韻』을 상재한다. 이 시집에는 그 이전의 작품들과 다른 경향이 나타나는데 그 가장 중요한 특징은 회귀의식의 표출이다.

이 시집에서 시인의 의식은 거리에서 집으로, 현실 공간에서 내면 공간에로의 돌아감을 그 중심축으로 삼고 있는데 이는 그의 후기 시편에서 창의 이미지가 주요 심상으로 등장하는 것과 무관하지 않다. 자연 시편에서 꽃이 생명의 설레임과 유한성을 상징하는 이미지였다면 후기 시편에서 의 窓은 생성과 소멸의 변모과정을 관조하는 틀의 의미를 가지기 때문이다. 창을 통해 바라보는 시인의 시선은 사물의 바깥을 바라보기보다는 "바쁜 季節을 보내고 / 이제는 돌아와 / 창 앞에 앉고 싶어라." 「가을의 感觸」의 시구에 나타나는 것처럼 그 안으로 열려 있으며 근원적인 것에의 회귀 욕구를 담고 있다. 그리고 시인의 이러한 근원회귀 지향은 과거에의 단순한 회귀가 아니라 "그러나 봄은 겨울 속에 있다 / 풀과 꽃의 열매는 / 얼음 밑에 감추어 있다." 「소리」의 시행이 보여주듯 죽음의 끝에서 삶의 자리로, 그리고 꿈의 공간에서 미래의 기대로 열리는 초월적 지향을 보여주는 것이었다.

2) 갈등의 세계와 건넘의 상상력

1939년 『文章』지를 통해 등단한 후 1978년 타계할 때까지 박목월은 6권의 시집과 한 권의 유고신앙시집을 세상에 남겼다. 조지훈, 박두진과 더불어 간행한 『靑鹿集』(1946)과 개인 시집 『山桃花』(1955), 『蘭, 其他』(1959), 『晴曇』(1964), 『慶尙道의 가랑잎』(1968), 『無順』(1976), 그리고 유고신앙시집 『크고 부드러운 손』(1979)이 그것이다.

박목월의 시세계는 '건넘의 상상력'을 근간으로 삼고 있다. 그리고 이는 고통과 동경, 단절과 유대, 죽음과 영원이라고 하는 인간의 존재론적 갈등을 형상화하는 근원동력으로 작용한다. 그의 시세계에서 이러한 건넘의 상상력은 서정적 자아가 세계와 맺는 관련에 따라 동경의 지향과 일상적 삶의 의식, 소멸과 관련되는 존재론적 성찰과 영원에의 지향 등으로 변모되면서 내면공간을 형성하는 미학적 틀로 기능하고 있다.

박목월의 초기 서정시가 지니는 부드럽고 맑은 울림은 낭만적인 동경을 바탕삼고 있다. 삶의 고단한 현실과 그로 인한 내면적인 갈등이 떠남을 꿈꾸게 하고 그러한 꿈꾸기가 서정의 투명한 부드러움으로 인간과 자연을 화해롭게 껴안을 때 쓸쓸함과 넉넉함, 비감함과 아늑함이 복합적인 울림을 가지는 「나그네」의 세계가 열리게 된다. 이 「나그네」의 서정공간에서 건넘의 상상력은 표면적으로는 고통스러운 삶의 현실로부터 "南道 三百里"가 환기하는 바의 따뜻하고 부드러운 공간에로의 떠남을 꿈꾸지만 심층적 차원에서 그것은 "구름에 달 가듯이"의 어사에 암시되듯이 나타남의 세계에서 있음의 세계로, 현상의 차원에서 본질의 차원으로 향하는 시적 자아의 존재론적 지향을 담고 있다.

그런데 이러한 「나그네」의 낭만적 동경과 떠남의 의식은 이상화된 자연으로서의 「青노루」의 상상공간을 거쳐 「閏四月」의 산지기의 세계에 이르면서 점차 체험의 무게를 더하게 되어 홀로 버려진 자의 비애감으로 나타나게 된다. 「나그네」의 낭만적 동경이 끝간 데에 "산직이 외딴 집/눈먼 처녀사 // 문설주에 귀 대이고 엿듣고 있"는 「閏四月」의 뼈저린 고립감이 놓인다면 그같은 고립과 소외로부터 벗어나는 길은 「나그네」의 떠남이 비롯되었던 바로 그 장소인 집과 고향을 향한 향수와 귀환 속에서 발견될 수밖에 없다. 그것은 상상력의 방향에서는 밖을 향한 움직임으로부터 안을 향하는 움직임으로, 그리고 서정적 자아의 지향에 있어서는 동경의 정서로부터 일상 의식에로의 전회이다. 「一泊」, 「皮紙」, 「寂寞한 食慾」등이 그 같은 내면의식을 담고 있다.

"찌걱거리는 뗏목 위에 / 잠자리를 펴고 / 이부자리 자락으로 / 귀를 덮"는 가난한 시인 자신의 가족들의 모습을 그리고 있는 「一泊」이나 "이랑 짧은 돌밭머리 / 모진 상나무"를 삶의 터전을 삼고 살아가는 가난하고 소박한 농민의 삶을 묘사한「皮紙」는 모두 고통스런 삶의 현실을 견디어 가는 힘으로 인간적인 유대감을 제시하고 있는데 이러한 인간적 유대감과 일체감이 보다 폭넓은 의미의 자장을 이루면서 고통스러운 행복감으로 형상화된 것이

「寂寞한 食慾」에 나오는 "허전한 마음이 / 마음을 달래는 / 쓸쓸한 식욕이 꿈꾸는 / 음식"인 모밀묵의 이미지이다. 그런데 이러한 「寂寞한 食慾」의 내면 공간은 '함께 건넘'으로서의 생체험이 빚어낸 의미 있는 정점인 동시에 그 같은 생체험과 삶의식이 도달하는 한계가 된다. 그것은 생명의 운명적 조건인 죽음, 그 존재론적 절망 안에서 누구도 '함께' 있을 수 없고 오직 홀로 그 한계상황을 감내해야 하기 때문이다. 여기서 건넘의 상상력은 생체험에서 죽음의 체험들을 드러내는 것으로 전환되며 시인과 세계와의 관계는 '함께 있음'의 의식에서 '홀로 머무름'의 인식으로 깊어진다. 「離別歌」, 「사력질」, 「江 건너 돌」과 같은 작품들이 그 같은 경향을 담고 있는 작품이다.

나그네의 따뜻하고 풍요로운 정서로부터 비롯된 서정적 자아의 '건넘'의 상상력은 「一泊」에서의 '함께 건넘'의 의식을 거쳐 「江 건너 돌」의 춥고 황량한 공간에 이르러 절망을 절망으로 온전히 받아들이면서 그 절망의 고통스러운 깨달음 위에 이 지상에서 스스로의 삶의 자리를 마련하고 홀로 머무는 자의 존재론적 인식을 완성하는 것이다.

이처럼 고통스러운 깨달음 위에 마련되는 생의 비극적 인식은 그러나 그 같은 유한한 생의 조건을 넘어서려는 긴장된 노력마저 멈추게 하는 것은 아니다. 추락하고 흩어지며 소멸해버리는 존재의 운명이 필연적이면 필연적일수록 상승하고 하나로 결합되며 생성하려는 생명의 욕구 또한 강렬해지는 것이다. 존재의 비극성에 맞서는 이러한 강렬한 생명에의 욕구를 바탕으로 박목월은 또 하나의 그리고 궁극적인 세계로의 건넘을 시도하게 된다. 「크고 부드러운 손」으로 형상화된 종교적 귀의가 그것이다. "인간의 종말이 / 이처럼 충만한 것임을 / 나는 미처 몰랐다." 「크고 부드러운 손」이라는 싯귀에 나타나듯이 무한자와의 결합 속에서 경험되는 이 새로운 탄생과 영원한 현재의 체험은 박목월의 시적 지향이 이르는 가장 높은 지점이 된다. 분리와 고독의 현상 속에서 끊임없이 결합과 생의 충만함을 추구했던 박목월의 삶의식과 시세계는 「크고 부드러운 손」에 이르러 궁극적인 해답을 얻게된다. 이와 같이 그의 마지막 건넘은 바로 허무와 절망의 존재론적 자기 인식으로부터 행해진다. 종교적인 귀의에 의해 삶의 비극적인 한계를 넘어서려는 이 같은 건넘의 시도에 의해 박목월은 상실과 낯설음의 세계에서 근원적인 유대를 회복하고 궁극적인 구원의 가능성을 기대할 수 있게 되는 것이다.

3) 대립의 세계와 초극의지

박두진이 우리 문단에 얼굴을 내민 것은 1939년 6월 『文章』지에 「香峴」「墓地頌」 두 작품이 정지용에 의해 초회 추천되면서이다. 같은 해 9월에는 「落葉松」이, 그리고 이듬해 1월에는 「蟻」와 「들국화」 등이 각각 추천되어 시인으로서의 생애를 시작하게 된다. 해방 이후 공동시집 『靑鹿集』을 간행한 이후 「해」(1949), 「午禱」(1953), 「거미와 성좌」(1962), 「인간밀림」(1963), 「고산식물」(1973), 「사도행전」(1973), 「수석열전」(1973), 「속, 수석열전」(1976), 「야생대」(1977), 「빙벽을 깬다」(1990) 등의 창작시집과 「박두진시선」(1956), 「예레미아의 노래」(1981), 「나 여기 있나이다 주여」(1982), 「청록시집」(1983), 「일어서는 바다」(1986), 「불사조의 노래」(1987) 등의 시선집을 남기고 1998년 타계하였다.

박두진 시학의 핵심은 "그러나 나는 마침내 문학 — 시야말로 종교와 .함께 인간의 혼을 근본적으로 움직이고 정화시키고 고무하고 행복하게 하는 첩경이며 참다운 길이며 강력한 무기라고 생각하게 되었다"[16]라는 자신의 언명에서 그 단초를 찾아볼 수 있다. 그는 표현 방식이 다를 뿐 문학과 종교는 그 표현 방식이 다를 뿐 인간의 혼을 근본적으로 움직이는 참다운 길로서 동일하며 인류를 보다 행복하게 만들고 신에게 영광을 돌린다는 목표에서 동일할 수 있다고 본 것이다. 어떠한 고난의 환경에도 불구하고 그의 시가 결코 희망의 끈을 놓지 않고 근원적 진실의 세계를 빚어내게 되는 것은 바로 이처럼 투철한, 그리고 일생을 통해 변함없었던 확고한 시의식에 기인

---

16) 박두진, 「나의 추천시대」, 『시인의 고향』, 범조사, 1958, p.209.

하는 것이다.

박두진의 초기시를 지배하는 주요심상은 '해'이다. 해로 상징되는 희망의 세계는 극복할 수 없어 보이는 장애 앞에서도 끝내 좌절하지 않게 하는 근거가 된다. 해는 고통스러운 현실 속에서도 세계의 어둠에 굴하지 않는 믿음의 대상으로 기능하는 것이다. 그런데 작품 「墓地頌」에서 비롯하여 「해」에서 가장 고조된 모습을 보인, 미래를 선취하는 의식으로서의 희망의 세계, 환희와 도취의 감정은 「道峯」을 거쳐 「새벽바람에」에 이르러서는 희망을 향해 나아가는 삶의 현실적인 고통과 윤리적 성찰에 자리를 내어주게 된다. 시적 이미지의 차원에서 그것은 '해솟음'의 심상에서 '피흘림'의 심상으로 전환되는 모습을 보여주는 것이기도 하다.

'피흘림'의 심상은 희망의 실천적인 성격과 관련된다. 다가올 미래에 대한 막연한 기다림이나 단순한 낙관주의로서의 기대 섞인 전망을 넘어 희망이 삶의 궁극적인 목표와 결부될 때 그것은 현실의 부정과 불의, 죄악과 고난의 소용돌이를 향해 정면으로 부딪쳐가는 힘이 되며 '피흘림'은 그 부딪침의 결과로 생기는 원형적인 심상이 된다. 있어야 할 선한 세계의 빛과 있는 세계의 어둠 사이에서 '해'가 희망의 원천으로 작용한다면, 있어야 할 선한 세계와 현실로 존재하는 악한 세계 사이의 갈등과 길항 속에서 '피'는 두 세계 사이의 불화와 그로 인한 고통스러운 체험을 집약하는 이미지로 기능한다. 「꽃과 港口」, 「旗를 단다」, 「薔薇 1」, 「江2」 등의 작품에서 보이는 이러한 '피흘림'의 심상들이 바로 이러한 맥락에 놓이는 이미지들이다.

「꽃과 港口」에서 「江2」에 이르기까지 '피흘림'의 심상들이 보이는 공통점은 그것들이 세계와의 불화에 대한 적극적인 의식과 관련된다는 데서 찾을 수 있다. 피는 힘세고 불의한 세력, 또는 세계의 근원적 모순에 의해 정의의 편에 서 있지만 힘이 약한 세력들이 고통받는 정황을 상징하거나 정의를 지키기 위한 불굴의 투지를 형상화하는 근원 심상으로 기능하고 있는 것이다. 해의 심상에서 환희 상태로 나타난 희망은 피의 심상에서는 그것을 맞이하기 위한 적극적인 노력과 그로 인한 고통의 의미로 드러나는 것이다. 그런데 이러한 적극적인 실천으로서의 희망은 그 실천과 '피흘림'에도 불구하고 부정적인 현실이 바뀌어질 기미가 쉽사리 보이지 않음으로 해서 변모의 계기를 맞게 된다. 그것은 내면화의 방향이다. 피의 심상으로 제시된 희망의 성격은 내면화된 불의 심상으로 바뀌면서 그 수직적인 깊이를 심화하게 되는 것이다.

희망의 세계에 대한 흔들림 없는 믿음과 그를 향한 실천적 지향에도 불구하고 삶의 암담함이 깊어만 가는 상황에서 세계의 존재는 냉혹한 겨울로 인식되며 그러한 냉혹한 세계 상황 속에서도 희망의 시간에 대한 믿음을 간직하려 하는 내적 열망이 불씨 혹은 불꽃의 이미지로 나타나게 되는데 「사도행전 1」, 「자는 얼굴 1」, 「薔薇孤獨」, 「林間학교」 등이 이 같은 시적 지향을 형상화하고 있는 작품이다.

내면에서 타는 불의 상상력은 "장미 한 송이 빈 뜰에 타고 있다 / 오직 스스로 타는 열기 / 곱디고운 빛을 사뤄 활활 태운다." 「薔薇孤獨」의 시행이 보여 주듯 세계와 불화적인 관계를 맺고 있는 시적 자아의 단절감과 고립감을 바탕으로 한다. 세속적인 삶의 세계가 안겨다 주는 아픔과 응어리가 시적 자아의 내면 속에서 희망의 힘에 의해 연소될 때 불의 이미지가 탄생하는 것이다. 현실적으로 극복할 수 없을 듯이 보이는 장애물 앞에서도 쉽사리 좌절하지 않는 삶의 태도, 시련과 고통 속에서 감추어진 희망의 비전을 보는 삶의 의식이 곧 용기이다. 불의 시학을 통해 박두진의 시학이 궁극적으로 도달하는 지점이 바로 이 존재에의 용기와 고통 속의 희망인 것이다.

4. 공통심상으로서의 '돌'의 이미지

문학 작품 속에서 반복적이며 지속적으로 사용되는 심상은 그 작품 전체를 해명하는 데 중요한 상징적 의미를 갖게 된다. 청록파 시인들의 경우 돌의 심상이 바로 그러한 상징적 심상에 해당되는 것으로 보인다. 왜냐하면 이들 세 시인의 작품세계 속에서 돌의 이미지는 공통되게 "무형의 삶에 형태를 부여하여 그 형태를 하나의 압축 응고된 생명적 덩어리로 조직하려는 힘"[17]으로 나타나고 있기 때문이다. 그렇게 본다면 우리는 세 시인들의 시에 공통되게 나타나는 돌의 이미지 분석을 통해 세 시인의 공통점과 차이점, 나아가 청록파 시의 총체적 특성을 한층 분명히 파악할 수 있을 것이다.

조지훈의 시에서 돌의 이미지는 먼저 역경과 시련의 현실 속에서도 끝내 좌절하지 않고 다가올 희망의 미래에 대한 의지적 자세를 가다듬는 시적 자아의 내면을 담고 있다. 시적 자아를 "물결 속에 외로이 부닥치는 바위"로 형상화하고 있는 「바람의 노래」는 그 같은 돌의 이미지를 담고 있는 작품이다. 그런데 조지훈의 시에 등장하는 돌의 심상이 「바람의 노래」가 형상화하고 있는 바와 같은 굳센 의지적 자세만을 담고 있는 것은 아니다. 「바람의 노래」가 바위가 갖는 부동성(不動性)을 통해 부정적 상황을 견디어 나가는 의지적 자세를 형상화하고 있다면 「念願」과 같은 작품은 돌을 주요심상으로 삼고 있으면서도 모래알의 부동성(浮動性)을 통해 기다림의 간절함을 그려내고 있기 때문이다.

「바람의 노래」에서 돌의 이미지는 먼저 역경과 시련의 현실 속에서도 끝내 좌절하지 않고 다가올 희망의 미래에 대한 의지적 자세를 가다듬는 시적 자아의 내면을 담은 '물결 속에 부닥치는 바위'이다. 그런데 「念願」에서 돌은 이러한 강인한 현실 저항성 대신 소멸에의 방향으로 나아가는 생명적 존재의 모습을 담아내는 이미지로서 "아무리 깨어지고 부서진들 하나 모래알이야 되지 않겠습니까"라는 어사에 나타나듯이 '부서지는 돌' 곧 '모래알'의 이미지로 나타난다. 그리고 이러한 돌의 이미지가 「언덕길에서」에서는 이편의 소멸의 세계를 넘어 저편 생명의 세계에 이르고자 하는 시적 자아의 염원을 가로막는 존재, 곧 두드려도 "열리지 않는 돌문"의 이미지로 제시되는

---

17) 김화영, 「물·돌·빛의 이미지와 상상력의 질서」, 『문학상상력의 연구』, 문학사상사, 1986, p.26.

데 바로 이러한 열리지 않는 돌문의 심상이 조지훈의 시에서 돌의 이미지가 도달하는 마지막 지점이 된다.

박목월의 초기시에서 돌의 이미지는 자아와 세계간의 불화적 관계를 드러내는 데 사용된다. 『청록집』에 실린 「임」은 바위를 통해 그 같은 자아와 세계간의 불화적 관계를 담고 있는 작품이다. "어느날에사 / 어둡고 아득한 바위에 / 절로 임과 하늘이 비치리오" 「임」의 싯귀에 나타나듯이 「임」에서 돌의 이미지는 '임'과 '하늘'로 상징되는 소망적 대상에의 희망을 좌절시키는 존재로 제시되고 있는 것이다. 이 같은 경향은 그의 중기시에까지도 이어지는데 그의 세 번째 개인 시집 『晴曇』속에 수록된 작품 「돌」에서 돌의 심상은 "지금은 돌 / 더운 핏줄이 가신, "의 어사가 나타내듯이 석화의 상상력과 관계되면서 쇠퇴한 생명력을 표상하고 있다. 이처럼 박목월의 초기시 「임」에서 중기시 「돌」에 이르기까지 돌의 심상은 자유로운 생명력의 발현을 가로막는 부정적 대상이나 석화(石化)의 상상력과 관계되면서 비생명감의 의식을 표출하는 매개체로 기능한다.

그러나 이 같은 돌에 대한 부정적 의식은 그의 네 번째 시집 『경상도의 가랑잎』에 와서는 변모의 양상을 보인다. 이 시집에서는 돌의 심상이 여전히 石化의 상상력과 관계되면서도 돌의 심상 속에 그 이전의 시처럼 전적으로 부정적 의식만을 담는 대신 "타버리고 남은 것은 / 무엇이나 정결하다. / 타고 남은 / 隕石. / 가벼운 돌." 「隕石」의 싯귀가 암시하듯 다소의 긍정적 의식도 함께 담아내기 때문이다.

「隕石」에서 돌의 이미지가 갖는 이 같은 부정적 의식과 긍정적 의식의 이중성은 이후 박목월의 시에서 지속적으로 발견된다. 박목월의 후기시에서 돌의 이미지가 갖는 이중성은 실상 삶과 죽음, 허무와 영원의 문제 같은 보다 근본적이고 근원적인 문제의식을 형상화하는데 더 많이 쓰이고 있음을 알 수 있다. 「紫水晶 幻想」, 「간밤의 페가사스」, 「江건너 돌」과 같은 시들이 바로 그 같은 삶의 근원 문제들을 돌의 이미지가 갖는 이중성을 통해 형상화하고 있는 작품들이다.

이처럼 박목월의 후기시에서 돌의 이미지들은 죽음과 삶, 허무와 영원 등과 같은 양극성의 의식을 형상화하고 있다. 그러나 돌의 이미지를 통해 형상화된 이러한 이중성 혹은 양극성의 의식은 박목월 시의 마지막 지점에 이르러 긍정적 지향의 의식으로 전환하게 된다. 그의 유고 시집 『크고 부드러운 손』에 수록된 「바위 안에서」는 바로 시인의 삶의식이 돌의 이미지를 통해 도달하는 넉넉하고 너그러운 마지막 자리를 인상깊게 보여주는 작품이다.

박두진의 시에서 돌의 심상은 먼저 시적 자아의 초월적 지향을 드러내는 매개체로 나타난다. 그의 시에서 돌은 하강적인 움직임보다는 오히려 생성적인 움직임과 관계되는데 「碑」는 이러한 돌의 생성적 움직임을 중심축으로 삼고 있는 작품이다. 「碑」의 내면 공간에서 돌의 이미지는 세계에 대한 시적 자아의 초월 지향을 형상화하면서 생성적 움직임을 보이고 있다. 그리고 이 같은 시적 자아의 초월 지향이 현재 상황에 대한 부정적 의식과 결부되어 보다 내면화된 돌의 이미지로 나타나는 작품이 바로 「돌의 노래」이다.

박두진의 시에서 돌의 이미지는 비생명적인 존재나 부정적인 삶의 모습을 드러내는 매개체로 작용하는 데 그치지 않고 그것이 생명의 약동 가능성을 내재한 근원심상으로 자리한다는 데 그 뚜렷한 특징이 있다. 「돌의 노래」나 「碑」에서 돌의 이미지는 "오, 돌. / 어느 때나 푸른 새로 / 날아오르랴"「돌의 노래」나 "－한 마리만 푸른 새가 날아오르라. 碑"「碑」에서처럼 서정 자아의 상상적 변용 과정을 통해 수직 상승의 역동적 움직임을 보이는 새의 이미지로 변용됨으로써 자아와 세계의 부정적 현존 상태를 넘어서고자 하는 시인의 상승적 초극의지를 형상화하게 되는 것이다.

그러나 박두진의 시에 나타나는 돌의 심상이 모두 「돌의 노래」나 「碑」에서와 같이 새의 이미지를 빌어서 서정 자아의 초월적 내면 의식을 드러내고 있는 것은 아니다. 그렇다면 무게와 부동성을 지닌 돌이 그 자체의 심상만으로 어떻게 생성적 움직임을 드러낼 수 있을 것인가. 이 같은 의문에 대한 해답으로 제시될 수 있는 것이 석탑의 심상이다. 석탑은 하늘을 향한 수직성의 돌이며 하나의 돌이 아니라 여러 개가 위로 포개어져 이룩되는 구조를 지니기 때문이다.

「內塔」은 이러한 탑의 형상을 통해 돌의 생성적 움직임을 드러내고 있는 작품이다. 작품 「內塔」에서 시의 제목이 되고 있는 '내탑'은 서정 자아의 마음 속 탑으로서 "달에 씻기고 남은 층계 / 꿈 서서 꾼다."의 시구에 드러나 있듯이 맑고 정결한 삶의 자세 속에서 하늘을 향한 꿈을 꾸는 탑이다. 그리고 이같이 맑고 정결한 삶의 자세 속에서 수직적 초월의 꿈을 꾸는 내면적인 탑의 모습은 박두진의 시에서 돌의 상상력이 도달하는 마지막 자리가 된다.

이상에서 살펴 본 바와 같이 청록파 세 시인들의 시에서 돌의 심상은 핵심적인 상징심상으로 기능하면서 존재론적 생명의식을 담고 있다는 점에서 공통된다. 그러나 이들이 갖는 차이점 또한 없지 않다. 조지훈의 시에서 돌의 심상은 생명이 갖는 소멸에의 운명을 드러내는 매개체로 작용하는 데 반해, 박목월의 시에서 돌의 심상은 소멸과 생성, 현세와 내세, 순간성과 영원성의 양극성을 드러내는 상징 심상이 되고 있기 때문이다. 그리고 박두진의 시에서 돌의 심상은 일관되게 생명이 갖는 소멸의 운명을 넘어서고자 하는 초극의지와 생성적 의식, 곧 생명의 영원 지향을 형상화하고 있다는 점에서 다른 두 시인의 그것과 변별된다.

결국 이들 청록파 시인들의 시세계에서 돌의 심상은 소멸과 생성의 양극성을 갖는 '존재론적 생명의식'을 형상화하는 중심 이미지라고 할 수 있다. 조지훈의 경우 돌의 심상은 소멸의 측면에서 생명의식을 형상화하고 있으며, 박목월의 경우는 소멸과 생성의 양극성의 측면에서, 그리고 박두진의 경우는 생성의 측면에서 존재론적 생명의식을 각각 형상화하고 있는 것이다.

5. 청록파 시의 총체적 특성

지금까지 살펴본 바와 같이 청록파 세 시인의 시세계가 지니는 총체적인 특성은 존재론적 생명의식의 형상화라는 점에서 찾을 수 있다. 조지훈의 시는 개별 생명의 시간성과 유한함 속에서 생명적인 것에의 사랑을 표현한다. 그의 시에서 세계는 소멸의 운명에 처해 있다. 모든 것은 떨어지고 흩어지며 스러지고 만다. 그러나 그 같은 유한함 때문에 생명을 지닌 세계는 더욱 아름답고 애틋한 것이다. 박목월의 시는 개별 생명의 유한함과 전체 생명의 무한함 사이에서 생명적인 것에 대한 유대와 연민을 드러낸다. 그의 시에서 삶과 세계는 소멸의 현상에 처해 있으면서도 동시에 생성의 힘을 본지로 삼는다. 모든 것은 결국 떨어지고 흩어지고 스러지는 것이지만 그럼에도 불구하고 혹은 그럴수록 그것은 상승과 유대와 초월을 꿈꾼다. 삶은 그러한 이중적 양상 속에서 고독하고 동시에 충만하다. 박두진의 시는 전체 생명의 영원성과 무한함 속에서 생명적인 것에의 친밀감을 나타낸다. 그의 시에서 세계는 생성의 힘을 그 본질로 가진다. 모든 것은 결국 상승하고 서로 어울리며 스스로를 넘어선다. 그리고 그 같은 무한과 영원에의 움직임 속에서 삶과 세계는 고통 속의 희망을 지닐 수 있게 된다. 이와 같이 청록파 세 시인은 생명이 지니는 존재론적 양극성에서 서로 구분되며, 생명에의 사랑을 그들의 시적 본질로 삼았다는 점에서 서로 공통된다.

　이처럼 생명에 대한 사랑을 바탕으로 한 청록파의 존재론적 생명의식은 자아와 세계와의 관련 속에서 자기동일성의 유지와 자기통합성의 확대, 그리고 자기초월성의 지향이라고 하는 세 양태로 표출된다. 조지훈이 자기 동일성의 유지와 관련하여 '소멸하는 세계'라고 하는 생체험 속에서 수직성의 시학을 시적 미학의 중심점으로 삼았다면, 박두진은 자기초월성의 지향과 관련하여 삶의 근원적 진실로서의 '생성하는 세계'라고 하는 삶의식 속에서 '초극의지'를 그 시정신의 바탕으로 삼았다. 그리고 박목월은 이 양자의 사이, 소멸과 생성, 자기동일성의 유지와 초월에의 지향 사이에서 갈등하면서 세계와의 교섭을 통해 '건넘의 상상력'을 통해 자기통합성을 형성하는 방향으로 그의 시세계를 구축해 나간 것으로 보인다. 새이

청록파 시인의 서정화 방식 연구

금동철*

1. 서정성의 본질과 서정화 방식

청록파 세 사람의 시세계를 함께 논한다는 것은 상당한 위험이 따른다. 박목월, 박두진, 조지훈 세 명의 시세계를 전체적으로 놓고 볼 때는 하나의 유파로 묶어서 생각하기 어려운 부분들이 많기 때문이다. 그럼에도 불구하고 청록파라는 명칭을 사용할 수 있는 것은 이들이 모두『문장』이라는 잡지를 통해 비슷한 시기에 등단했으며, 1946년에『청록집』이라는 시집을 함께 출판했을 뿐만 아니라 이 시기의 시세계에는 상당한 공통점이 존재하기 때문이다. 그래서『청록집』을 발간한 시기의 이들 세사람의 시세계를 함께 청록파라는 측면에서 연구할 수 있는 것이다.

본고는 이러한 사항들을 고려하여 이들 세 사람의 시세계를 청록파라는 유파명을 사용하여 함께 연구하되, 그 연구의 대상을『청록집』에 실린 작품들을 대상으로 한정하고자 한다. 그래야만 이들의 청록파적인 특성이 좀더 명확하게 부각될 뿐만 아니라, 이러한 공통점 속에서 나타나는 각각의 차이에 대해 주목할 수 있을 것이기 때문이다. 사실『청록집』에 실린 시들을 보

---

* 아주대, 경원대, 서울여대 강사. 주요논문으로「박목월 시에 나타난 근원의식」과 저서로『구원의 시학』등이 있음.

면 여기에는 명확하게 확인되는 공통점들이 존재한다. 많은 사람들이 지적한 바와 같이 이들은 모두 자연을 소재로 다루고 있다는 점에서 그 특징이 가장 선명하게 나타난다. 김동리에 의해서 이 자연이 '세기적 심연에 직면하여 절대절명의 궁극에서 불려진 신의 이름'으로서의 '자연'[1]이라고 규정지어진 이래 청록파의 시에 나타나는 자연은 다양한 논의의 초점에 자리잡고 있는 것을 볼 수 있다.

이들이 보여주는 자연은 그 이전의 낭만주의나 모더니즘 등에서 보여주는 자연과는 상당히 다른 모습을 보인다. 김동리의 지적처럼 단순한 전통성에 머무르는 것이 아니라 나름의 새로운 세계를 보여주고 있기 때문이다. 이와 같은 특징을 통해서도 이들이 지닌 공통성이 드러난다. 그런데 이러한 공통점으로서의 자연도 세밀히 살펴보면 세 시인 사이에는 미묘한 차이가 나타난다. 박목월의 경우에는 현실적이고 실제적인 모습으로서의 자연보다는 환상적인 자연의 모습이 더욱 강하고, 박두진의 경우는 미래적 상황으로서의 자연의 모습이 강하다면, 조지훈의 경우에는 전통적인 유가적 자연이 나타나는 것을 볼 수 있다. 이러한 자연의 존재방식의 차이는 서정시에서 서정화 방식의 차이로 나타난다.

서정시는 본질적으로 자아와 세계 사이에 형성되는 동일성을 기반으로 하는 장르이다. 서정시에서 대상으로서의 자연은 자아와 정서적으로 분리되어 존재하는 것이 아니라 하나의 동일화된 세계를 형성하게 되는 것이다. 슈타이거는 서정시가 '주·객체의 간격이 성립하지 않음'[2]을 특징으로 하는 장르이며, 이러한 특징은 주체와 대상이 완전히 하나로 융화되는 과정을 통해 도달할 수 있는 세계라고 주장한다. 이러한 자리에서 대상은 객관적인 묘사의 대상이 되는 것이 아니라 주체와 일체화되어 존재하게 되며, 자아와 대상 사이에는 거리가 사라지는 '거리의 서정적 결핍'[3]이 나타나게 되는 것

---

1) 김동리, 「三家詩와 自然의 發見」, 『예술조선』 제3호, 1948. 4.p.8.
2) E. 슈타이거(오현일 외역), 『시학의 근본개념』, 삼중당, 1978, p.82.
3) 김준오, 『시론』, 삼지원, 1997, p.96.

이다. 이러한 서정적 동일성의 세계를 달성하는 방법은 대상으로서의 세계를 자아의 정서와 일체화시키는 것, 즉 세계의 자아화라고 할 수 있는 것이다.

화자의 일인칭 독백4)이라는 서정시 본래의 특성을 고려한다면 이러한 서정시의 특징은 좀더 명확하게 드러난다. 이 서정적 자아에 의해 묘사된 세계는 그 자체의 객관성을 인정받은 존재가 아니라 자아의 내면적인 정서에 의해 덧씌워진 존재가 되는 것이다. 이는 다시 말하면 자아와 세계가 분리되고 분열되어 서로 소외되거나 초월하지 않고 연속되어 존재하는 것5)을 말한다.

그런데 현대 서정시에서 자아는 자연과 하나의 구분도 없이 완전히 동일화된 상태6)로 존재할 수는 없다. 근대화 과정을 통해 문명화되어버린 현대 사회에서 이러한 완전한 동일성의 세계는 달성하기 힘들기 때문이다. 자연이나 사물들은 인간의 의식 속에서 인식의 대상으로 내려앉는 과정에서 차가운 물질로 고착되어버렸기 때문에 자연과 인간 사이의 교감이나 동일시를 가능하게 하는 신비적 세계관은 더 이상 존재하지 않게 된 것이다. 근대성이 추구한 탈신비화의 과정이 자아와 세계를 명확하게 구분해 놓은 것이다.

여기에서 서정시인은 본질적으로 이러한 '상실한 자연'을 추구할 수밖에 없게 된다. 자아와 자연이 온전히 하나가 되기 힘든 현실 속에서도 동일성의 세계를 추구하는 서정시인은 살아서 대화하고 정서적으로 일체화되는 자연을 꿈꾸고 이상화하여 표현하게 되는 것이다. 근대적인 탈신비화의 힘

4) N. 프라이(임철규 역), 『비평의 해부』, 한길사, 1982, p.384.
5) 김준오, 앞의 책, p.40.
6) 김준오, 위의 책, p.38.
   김준오는 이러한 서정적 자아의 존재방식을 쉴러가 이야기하는 '소박한 시인' 혹은 이기철학에서 말하는 본연지성의 시인이라는 개념으로 설명하고 있다. 이러한 자아는 자아와 세계 사이의 어떠한 구분도 없고 자아가 순수한 자연으로 존재하게 되어 전체가 조화된 존재로 행동하는 존재를 말한다.

▲ 청록파 시인의 캐리커쳐(조지훈, 박두진, 박목월)

속에서 이처럼 서정시는 자아와 대상이 완전히 통일되는 세계, 즉 물신적이고 후기 부르조아적인 세계를 뛰어넘어 '근원'에 이른 세계7)에 대한 동경을 지니게 된다. 서정화 방식은 이러한 '근원'에 도달하는 방식과 관련된다.

서정시에 나타나는 서정화 방식은 자아와 세계의 존재방식과 그것들이 서로 관계 맺는 방식에 따라 결정된다. 다시 말해 자아가 세계를 어떠한 방식으로 바라보며, 그것을 어떠한 방식으로 동일화하느냐에 따라 서정화 방식이 결정되는 것이다. 그러므로 자아가 어떠한 양상으로 존재하며 대상으로서의 자연이 어떤 속성을 지니고 있는지를 면밀히 분석하는 것은 이러한 서정화 방식의 특징을 따지는 데 있어서 필수불가결한 과제이다.

『청록집』에 실린 세 시인의 시에 나타나는 자아와 자연은 서로 소통하며 동일성의 세계를 형성한다는 측면에서는 서정시 본래의 특징을 잘 드러내고 있지만, 그 각각의 존재 방식에는 미묘한 차이를 보인다. 이러한 차이가 어떠한 양상으로 나타나며 어디에서 오는지를 살펴보는 것이 세 시인의 서정화 방식을 살펴보는 방법이 될 것이다.

---

7) 에른스트 피셔(김성기 역), 『예술이란 무엇인가』, 돌베개, 1984, p.175.

2. 환상적 자연에의 동일시
– 박목월

이 시기 박목월의 시에 나타나는 자연은 풍요롭고 생명력이 넘치는 자연
이기보다는 왜소하고 위축된 모습이다. 이러한 측면은 『청록집』에 실린 많
은 시편에서 확인된다. 자연은 외롭고 슬픈 정서를 지니면서 가난하고 힘겨
운 당대 삶의 모습을 반영하고 있는 듯한 인상을 풍기는 것이다. 특히 이러
한 모습은 환상적인 공간으로서의 자연에서보다는 현실적인 속성을 지닌
자연의 이미지 속에서 더욱 선명하게 나타나는 것을 볼 수 있다.

> 松花가루 날리는
> 외딴 봉오리
>
> 윤사월 해 길다
> 꾀꼬리 울면
>
> 산직이 외딴 집
> 눈 먼 처녀사
>
> 문설주에 귀 대이고
> 엿듣고 있다
>
> —「閏四月」

이 시에 나타나는 세계는 분명히 세속적인 잡티가 섞이지 않는 순수한 자
연의 한 모습임이 분명하다. 외딴 봉우리에 사는 처녀의 이미지, 그리고 그
처녀가 눈멀었다는 데서 아직 속세의 때가 전혀 묻지 않은 순수한 자연의
세계를 보여주는 것이다. 그런데 여기서 주목해야 할 것 중의 하나가 이러

한 자연이 순수함을 간직하고 있다고 해서 풍요롭거나 기쁨이 넘치는 공간
은 아니라는 사실이다. 송화가루가 날리고 꾀꼬리가 울기는 하지만, 가득 찬
풍요의 느낌을 주는 것이 아니라 무언가 비어있는 허전함을 느끼게 하는 것
이다. 이러한 측면은 박목월이 창조한 세계가 생명력이 충일한 공간이 아니
라 생명력이 다소 위축되어 쓸쓸한 공간임을 말해주는 것[8]이다. 생명력이
위축된 공간은 결코 풍요의 공간이 될 수 없다. 그 속에 흐르는 것이 일종의
'흐느낌'[9]임을 시인이 스스로 밝히고 있는 부분도 이러한 자연의 속성과 관
련된 것이다.

> 산이 날 에워싸고
> 씨나 뿌리며 살아라 한다
> 밭이나 갈며 살아라 한다
>
> 어느 짧은 山자락에 집을 모아
> 아들 낳고 딸을 낳고
> 흙담 안팎에 호박 심고
> 들찔래처럼 살아라 한다
> 쑥대밭처럼 살아라 한다
>
> 산이 날 에워싸고
> 그믐달 처럼 사위어지는 목숨
> 그믐달 처럼 살아라 한다
> 그믐달 처럼 살아라 한다.
>
> —「산이 날 에워싸고」

　자연이 위축되고 왜소한 모습이라면 그 속에 몸을 던져 넣은 자아의 모습

---

8) 최승호, 「『청록집』에 나타난 생명시학과 근대성 비판」, 『한국시학연구』 제2호,
　1999, p.299.
9) 박목월, 『보라빛 소묘』, p.78.

또한 결코 풍요나 안식을 누릴 수 없음은 당연할 것이다. 이 시에서 나타나는 자아는 자진해서 풍요로운 자연과 하나가 되어 그 속에서 안식을 누리는 자의 모습은 결코 아니다. 오히려 시인은 자연으로 유배당한 듯한 모습을 보여준다. '씨나 뿌리며' '밭이나 갈며'라는 표현에서 보듯이 씨뿌리고 밭가는 삶은 자아가 바라는 아름다운 삶이 아니다. 자아가 이루고자 하는 것은 오히려 다른 데 있는데 어쩔 수 없이 씨뿌리고 밭가는 삶을 강요당하는 것이다. 이러한 자아에게 자연 속에 들어가서 사는 삶은 들찔레 같은 삶이요 쑥대밭 같은 삶이 될 수밖에 없다. 들찔레와 쑥대밭으로 이루어진 땅은 경작을 통해 풍요로움을 약속하는 공간이 아니라 오랫동안 방치해 둔 황무해진 공간을 말한다. 그러므로 이처럼 황무한 공간에서 살아가는 자아의 삶은 '그믐달 처럼 사위어지는 목숨'을 연명하는 삶이 될 수밖에 없는 것이다.

왜소하고 위축된 자연 속에서 자아의 모습 또한 한없는 외로움을 느끼는 존재로 나타난다. 전통 자연시에서 자아는 풍요로운 자연과 하나됨으로써 자연의 생명력을 마음껏 누리는 존재로 묘사되었다. 그런데 박목월의 시에서 자아는 상당히 다른 모습을 취한다. 자아는 자연 속에서도 끝없이 외로움을 호소하고 있을 뿐만 아니라, 가는 흐느낌마저 내보이는 것이다. 그믐달처럼 사는 삶은 타인과의 소통이 차단당한 삶을 말한다. 자아와 타자 사이의 의사소통이 그만큼 힘들어지는 것을 말해주는 것이다.

서정시에서 자아와 대상과의 관계의 단절은 자아에게 심각한 문제를 야기한다. 위축된 자연과 한없이 작아진 자아의 모습이 서로를 억압하고 있기 때문이다. 이러한 측면은 일제말의 극한적인 상황과도 관련이 있을 것이다. 억압적인 제국주의적인 상황 속에서 자연과의 관계가 단절되는 것은 그 자연이 온전한 모습으로 생명력을 유지하지 못하고 있기 때문일 것이다. 이는 또한 제국주의로 상징되는 근대성의 한 모습이기도 하다.

물론 이러한 상황이 자아와 자연 사이의 완전한 단절을 가져오는 것은 아니다. 그 속에서 시인은 자아와 자연 사이를 연결하는 작은 끈들을 마련한다.

머언산 구비구비 돌아갔기로
山 구비마다 구비마다
절로 슬픔은 일어……

뵈일듯 말듯한 산길
산울림 멀리 울려 나가다
산울림 홀로 돌아 나가다
……어쩐지 어쩐지 우름이 돌고

생각처럼 그리움처럼……

길은 실낱 같다

－「길처럼」

'실낱' 같은 길이란 표현의 의미는 새로운 주목을 요한다. 자아와 대상을 연결하는 끈이 그만큼 협소함을 말해주는 것이면서 동시에 그 끈이 완전히 단절된 것은 아니라는 점을 보여주기 때문이다. 자아의 시선은 구비구비 돌아 나가는 먼 산길을 향해 있다. 그런데 이 산길은 자아를 기쁨과 풍요의 자리를 이끌어주는 생명력 넘치는 자연과 만나게 하는 길이 아니라, 생각과 그리움을 던져주는 길이다. 그것은 어쩌면 홀로 떠난 님 때문일 수도 있겠지만, 더 심층적인 부분에서는 자아와 대상을 연결해 주는 관계의 끈의 협소함 때문일 것이다. 산울림이 '홀로' 울려나가는 데서 진한 그리움을 읽을 수 있다.

자아와 세계 사이를 연결하는 끈이 가냘프다는 점은 여러 곳에서 발견된다. "가느른 가느른 들길에 / 머언 흰 치마자락 / 사라질듯 질듯 다시 뵈이고"(「가을 으스름」 중에서), "길은 외줄기 / 南道 三百里"(「나그네」 중에서), "먼 수풀 質고운 나무에는 상기 가느른 가느른 핏빛 年輪이 감긴다"(「年輪」 중에서) 등에서 쉽게 확인할 수 있는 것이 바로 이러한 자아와 세계 사이의 관계의 끈의 협소함이다. 이것은 그만큼 자아와 세계 사이의 동일시가 쉽게 이루어질 수 없는 상황을 말해준다.

이러한 상황을 극복하기 위해 시인이 찾아낸 것이 바로 환상적 자연이다. 시인이 환상적 공간을 창조해 낸다는 것은 서정시의 측면에서 볼 때 매우 의미심장하다. 근대화의 과정에서 상실해버린 '근원'을 회복하고자 하는 장르가 바로 서정시임은 앞에서 살핀 바 있다. 박목월 시인은 서정시 속에서 근원이 회복된 자연을 환상적 공간 속에서 찾고 있는 것이다. 좁은 관계의 끈으로 연결되던 자연을 자아의 내면적 공간으로 끌고와 변형시킴으로써 시인은 온전한 서정적 동일성의 세계를 만들어낸 것이다.

> 머언 산 靑雲寺
> 낡은 기와집
>
> 山은 紫霞山
> 봄눈 녹으면
>
> 느릅나무
> 속ㅅ잎 피어가는 열두구비를
>
> 靑노루
> 맑은 눈에
>
> 도는
> 구름
>
> ―「靑노루」

환상적 공간으로서의 자연의 모습을 보여주는 대표적인 작품인 이 시에서도 풍요로움은 잘 나타나지 않는다. '낡은 기와집'이나 '느릅나무'와 같은 이미지가 바로 그것이다. 그가 바라보는 자연과 그 속에 자리잡고 있는 기와집은 풍요와 기쁨의 세계는 결코 아님을 이 부분에서 확인할 수 있다. 낡은 기와집이란 부유하게 사는 집은 결코 아닐 것이기 때문이다. 자연 또한 마찬가지이다. 시인이 밝히고 있듯이 느릅나무는 '결코 태산준령에 자라는 나무가 아니다. 오히려 속취가 분분한 야산수목이다'[10]. 태산준령에 당당하게 뿌리를 내리고 자라는 나무라면 그 생명력이나 풍요로움은 분명 넘쳐날 것이다. 그러나 느릅나무는 그러한 넘치는 풍요로움을 갖춘 나무가 아니라 왜소하고 볼품없는 나무에 지나지 않는다. 이것은 박목월이 창조한 자연이 결코 풍성하고 아름다운 자연은 아니라는 점이다.

그럼에도 불구하고 이 시가 지닌 중요한 특징은 자연을 자아 속으로 끌고 와 동일화하고 있다는 점에 있다. 자아의 시선은 자연과 멀리 떨어져 있던 자리에서부터 차츰차츰 자연 사물의 세세한 부분에 대한 집중으로까지 확대되면서 청노루의 맑은 눈에 돌고 있는 구름에까지 이르게 된다. 청노루의 맑은 눈은 이제 자아의 시선과 완전히 하나가 되어 하늘로 열리게 되는 것이다. 박목월 시에 존재하는 환상적 자연은 여기에 이르면서 자아와 완전히 일체화된다.

시인이 스스로 밝힌 바와 같이 「청노루」나 「산도화」 등에서 묘사된 자연이 현실 공간에 존재하는 자연이 아니라, 일제하라는 최악의 상황에서 어딘가 은신하고 안식할 수 있는 <마음의 지도> 혹은 <영혼의 자연>이었다는 점[11]은 자아와 세계와의 관계에서 본다면 매우 중요한 문제 중의 하나이다. 세계를 자아화하는 서정시적 특징이 그대로 나타나는 것이라고 할 수 있기 때문이다. 이러한 환상적 세계는 자아가 대상으로서의 자연과 동일성을 형성하는 세계이다. 이처럼 『청록집』에서 박목월은 자연을 자아의 세계 속으로 끌어들여 환상적 공간을 창조함으로써 자아와 세계가 서로 동일성을 형

---

10) 박목월, 위의 책, p.84.
11) 박목월, 『보라빛 소묘』, 신흥출판사, 1958, p.83.

성할 수 있는 길을 마련한다. 물론 시인이 바라보는 현실적인 공간은 어둡고 서글픈 정서로 가득한 것이 사실이지만, 이러한 현실 공간 너머에 존재하는 서정적인 세계를 시인은 스스로 창조한 환상적 공간 속에서 찾아내는 것이다.

이러한 양상은 그 이후의 그의 시세계에서도 중요한 특징으로 나타나게 된다. 중기에 주로 나타나는 생활시에는 힘겹고 고통스런 현실 공간과 이러한 현실 공간 너머에 존재하면서 시인이 끝없이 동경하는 세계로서의 '고향' 이미지가 항상 함께 제시되는 것을 볼 수 있다. 그런데 여기서 나타나는 고향 이미지는 거의 대부분 현실적이고 실제적인 공간으로서의 고향이 아니라 환상적이고 유토피아적인 이미지로 형상화되는 것이다[12]. 그만큼 그의 시에서 자연은 서정적인 환상적 공간을 형성하게 되며, 자아는 이러한 환상적 공간과 동화되어 가는 것이다.

3. 미래적 자연에의 동일시
- 박두진

박두진의 초기시에 나타나는 자연은 두 가지 모습을 지니고 있다. 어둡고 암울한 현재적 자연과 밝고 환한 모습을 회복한 미래적 자연이 그것이다. 시인은 이러한 두 가지 자연의 모습 중에서 현재적 자연에 대한 부정과 함께 미래적 자연에 대한 동일시를 보여준다. 이러한 측면은 자아와 세계와의 관계를 고려할 때 몇 가지 생각해 보아야 할 문제를 제시한다. 시제상으로 현재가 아니라 미래적 상황 속에서 자아와 대상을 동일시하게 된다는 것은 자아와 세계가 만나는 방식이 단순한 관조적 상황과는 다른 것임을 보여주는 것이다. 여기에는 세계를 인식하고 다가가는 자아의 의지가 무엇보다 강

---

12) 금동철, 「박목월 시에 나타난 근원의식」, 『관악어문연구』 제24집, p.284.

조되어 있음을 명확하게 볼 수 있다. 자아는 세계를 명확하게 자아 중심적인 것으로 끌고와서 변형시키고자 하는 의지를 분명하게 내보이는 것이다. 세계는 이제 자아의 내면 속에서 변형된 상태로 자아와 만나게 된다.

> 아랫도리 다박솔 깔린 山 넘어 큰 山 그 넘엇 산 안보이어 내마음 둥둥 구름을 타다.
>
> 우뚝 솟은 山, 묵중히 업드린 山 골골이 長松 들어섰고, 머루 다랫넝쿨 바위 엉서리에 얼켰고 샅샅이 떡깔나무 윽새풀 우거진데 너구리, 여우, 사슴, 山토끼 오소리 도마뱀, 너구리等 실로 무수한 짐승을 지니인,
>
> 山, 山, 山들! 累巨萬年 너히들 沈默이 흠뻑 지리함즉 하매,
>
> 山이여! 장차 너희 솟아난 봉우리에, 업드린 마루에, 확 확 치밀어 오를 火焰을 내 기다려도 좋으랴?
>
> 피ㅅ내를 잊은 여우 이리 등속이 사슴 토끼와 더불어 싸리ㅅ순 칡순을 찾아 함께 즐거이 뛰는 날을 믿고 길이 기다려도 좋으랴?
>
> ─「香峴」

이 시에서 특히 주목해야 할 것은 산을 묘사하는 데 있어서 사용되는 시제이다. 여기에는 두 개의 시간이 나타나 있다. 하나가 현재라면 다른 하나는 '기다림'으로 표상되는 미래이다. 시인은 이 두 시제를 통해 자연의 현재의 모습과 미래의 모습을 다르게 묘사하고 있는 것이다. 3연에는 자연의 현재적 모습이 잘 나타나고 있다. 이제까지 산은 '침묵'으로 일관하고 있었다. 침묵은 세계로서의 자연이 더 이상 인간에게 말을 걸지 않는 상황, 다시 말해 자아와 세계가 분리되어버린 상황을 일컫는 것이다. 이러한 자연 속에도 마찬가지로 여러 동식물들이 존재하고 있음이 사실이다. 2연에 제시된 다양

한 동식물들, 즉 장송, 머루 다래, 떡갈나무 같은 식물들 뿐만 아니라 너구리, 여우, 사슴 등의 동물들이 바로 그것이다. 그러나 이러한 동식물들은 결코 생명력이 넘치는 활동하는 존재들이 아니다. 이것들은 현재 엎드려 있는 산 속에서 그 이름만으로 존재할 뿐인 정지된 존재들에 불과하다. 그것이 산의 침묵으로 나타나는 것이다.

그러나 미래적 상황으로 바뀌면서 그 존재방식은 달라진다. 산봉우리와 산마루에 '화염'이 치밀어 오르는 날, 다시 말해 새로운 생명력이 찬란하게 밝아 오는 날, 5연에서와 같이 모든 동물들이 '즐거이 뛰는 날'이 도래하게 되는 것이다. 동물들이 살아서 움직인다는 것은 곧 생명력이 약동하는 공간으로 변했음을 의미하는 것이다. 이러한 생명력 있는 산의 모습은 식물들에게서도 그대로 나타난다. 현재적 자연 속에서 산에는 장송이 들어서 있고 머루 다래 넝쿨이 그저 얽켜 있을 뿐인데 반해, 미래적 자연 속에서 산에는 싸리ㅅ순 칡순과 같은 '순'이 피어나는 것을 볼 수 있다. 순이 피어나고 있으며 동물들이 그 순을 찾아 뛰는 모습은 침묵하고 있던 산이 생명력을 회복하여 소생하고 있음을 보여주는 것이라고 하겠다. 그와 동시에 그 속에서 자아 또한 그들과 하나가 되어 뛰노는 것으로 파악된다. '함께 즐거이'라는 표현은 자연 속에 있는 동식물에게 뿐만 아니라 자아에게도 동일하게 적용되는 단어이기 때문이다. 이러한 자리에서 자아와 세계 사이의 분리는 없다. 동일한 정서, 동일시된 세계가 존재할 뿐이다.

미래적 자연에의 지향은 「墓地頌」에서도 그대로 드러난다. "살아서 섧던 주검 죽었으매 이내 안 서럽고, 언제 무덤속 화안히 비춰줄 그런 太陽만이 그리우리"라고 노래하는 데서 시인이 취하는 미래적 자연의 모습이 드러난다. 이러한 미래적 자연 속에서 자아는 온전히 자연과 하나가 되는 것이다. 살아 있는 현재적 상황이 서러운 자리, 그리고 죽어서 묻힌 무덤이 오히려 외롭지 않은 자리에 시인은 서 있는 것이다. 여기에는 종교적인 세계 인식이 분명히 존재한다. 죽음이 오히려 외롭지 않고 밝은 빛이 비치는 공간으로 묘사되는 것은 그 공간이 기독교적인 부활의 공간13)이기 때문이다. 그의 시가 지닌 세계관이 본질적으로 기독교적이라는 데는 이론의 여지가 없다. 그런데 이러한 기독교적인 세계관 속에서 바라보는 자연의 모습이 미래적이라는 사실은 서정화 방식의 측면에서 볼 때 매우 중요한 시사를 준다.

자아가 기독교적 세계관을 통해 파악한 미래적 자연과 합일을 이루게 된다는 점은 자아의 의지의 문제와 관련된다. 자아의 시선이 현재의 부정적이고 암울한 자연 공간을 넘어서 미래적 상황 속에서 풍요롭고 생명력이 살아넘치는 자연 공간을 바라본다는 것은 그만큼 그 공간에 대한 자아의 믿음 혹은 의지를 읽을 수 있게 하는 것이다. 여기에서 자연을 그대로 두지 않고 자아의 내면 속에서 변형시키고자 하는 의지를 읽을 수 있다. 자연은 이제 있는 그대로의 현실로 자아와 만나는 것이 아니라, 미래에 대한 믿음에 의해 변형된 모습으로 자아와 만나게 되는 것이다.

사실 이 시기 박두진의 시에서 자아는 의지적으로 산을 찾아나서는 적극적인 모습을 보여준다. 이것은 박목월이 보여주는 환상적 공간으로의 초월과는 또다른 모습을 지닌다. 현실적인 세계와는 분리된 채 시인에 의해 창조된 환상적 공간을 동일시의 공간으로 확정하는 것이 박목월 시에 나타나는 자아와 세계와의 관계라면, 박두진 시에서 세계는 자아의 의지에 의해 변형된 미래적 모습으로 자아와 동일성을 형성하게 되는 것이다.

1
부여안은 치마ㅅ자락 하얀 눈 바람이 흩날린다. 골이고 봉우리고 모두 눈에 하얗게 뒤덮였다 사뭇 무릎까지 빠진다. 나는 예가 어디 저 北極이나 南極 그런데로도 생각하며 걷는다.

파랗게 하늘이 얼었다. 하늘에 나는 후— 입김을 뿜어 본다 스러지며 올라간다 고요— 하다. 너무 고요하여 외롭게 나는 太古! 太古에 놓여있다.

13) 최승호, 앞의 논문, p.307.

2

왜 이렇게 자꾸 나는 山만 찾어 나서는겔까? —내 永遠한 어머니…… 내가 죽으면 白骨이 이런 양지짝에 묻힌다. 외롭게 묻어라.

꽃이 피는 때 내 푸른 무덤엔 한포기 하늘빛 도라지꽃이 피고 거기 하나 하얀 山나비가 날러라. 한마리 멧새도 와 울어라. 달밤엔 杜鵑! 杜鵑도 와 울어라.

언제 새로 다른太陽 다른太陽이 솟는날 아침에 내가 다시 무덤에서 復活할 것도 믿어본다.

—「雪岳賦」 중에서

여기에서도 현재적 자연은 철저하게 어둡고 암울한 모습으로 그려져 있다. 하얀 눈으로 뒤덮인 남극과 북극과 같은 얼음의 세계. 거기에는 생명력이 화려하게 꽃피울 수 없는 공간이다. 그 공간이 고요한 이유는 생명이 존재할 수 없는 차가운 공간이기 때문에 그러하다. 하늘조차 파랗게 얼어버린 공간에 시인은 던져져 있고, 그 속에서 태고의 고독을 경험하게 되는 것이다. 이러한 공간이 지배하는 산임에도 불구하고 자아는 '자꾸 나는 山만 찾어 나서는겔까?'하고 토로한다. 그것은 자아의 의지적 선택의 결과라고 할 수 있다.

물론 자아가 찾아나서는 산의 모습은 차갑고 생명력이 사라진 산의 현재적 모습이라고 할 수는 없다. 오히려 '다른太陽'이 도는 미래적 상황에서의 자연임은 분명하다. 여기서 말하는 다른 태양은 현재적인 자연을 지배하는 암울하고 어두운 현실의 그늘을 벗어난 새로운 세계를 지배하는 태양을 말할 것이다. 그러나 이것은 단순히 당대의 어두운 현실을 벗어난 밝은 미래라는 물리적인 공간의 의미뿐만 아니라, 거기에는 기독교적인 믿음이 깊게 내재되어 있다. 죽음과 어둠의 공간이 부활의 공간으로 바뀔 수 있는 것에는 명확하게 기독교적인 신앙이 내재되어 있는 것이다.

박두진이 바라보고 동일화하고자 하는 자연이 이처럼 미래적 자연이라는 점에서 자연을 변형시켜 자아화 시키는 강한 의지 즉 믿음을 볼 수 있는 것이다. 이러한 자아 앞에서 자연은 분리된 그 무엇으로 존재하는 것이 아니라 자아에게 다가와서 함께 정서를 나누는 존재가 된다.

> 찬란한 아츰 이슬을 차며
> 나는 푸섶 길을 간다.
> 영롱한 이슬들이 내 가벼운
> 발치에 부서지고,
> 불어오는 아츰바람! 산뜻한
> 풀냄새에 가슴이 트인다.
>
> 들 薔薇 海棠꽃
> 시새워 피고,
> 꾀꼬리랑 모두 호사스런 山새들이
> 자꾸 나를 따라오며 울어준다.
> 머언 山엔 아믈 아믈
> 뻐꾹새가 울고ᅳ.
>
> ─「푸른 숲에는」 중에서

푸른 숲은 어둠의 공간이 아니라 생명력이 회복된 부활의 공간을 말한다. 찬란한 아침 이슬이 가득한 공간, 산뜻한 풀냄새에 가슴이 트이는 공간은 어둠과 침묵이 지배하는 현실공간이라고 하기보다는 부활된 생명력이 지배하는 미래적 공간이라고 할 것이다. 이러한 공간에서 자연은 침묵하는 것이 아니라, 이제는 자아에게 다가와 말을 걸고 하나가 되는 것이다. 이처럼 자연이 자아에게 말을 거는 공간, 즉 산새들이 "자꾸 나를 따라오며 울어" 주는 공간은 자아와 세계가 온전히 하나로 합일되는 공간을 말한다. 앞서 살폈듯이 이러한 합일을 가능하게 하는 것이 바로 자아의 믿음이요 의지였다. 박두진의 시에서는 이처럼 자아와 세계가 시인의 믿음을 통해 찾아낸 미래적 자연의 모습으로 온전히 하나로 만나는 것이다.

5. 관조적 자연에의 동화
- 조지훈

『청록집』에 시린 조지훈의 시에 나타나는 자연은 박목월이나 박두진이 바라보는 자연과는 상당히 이질적인 모습을 하고 있다. 박목월이나 박두진이 모두 두 개의 자연을 상정하고 있었다면 조지훈에게서는 이러한 자연의 이중성이 보이지 않는다. 조지훈의 시에서는 당대의 시대 상황으로 야기된 왜소하고 위축된 자연은 사라지고, 유가적인 관점에서 바라본 유유자적하는 관조의 대상으로서의 자연이 존재하는 것이다. 그렇다고 자연이 차가운 물질로 내려앉아 단순한 묘사의 대상으로만 존재하는 것은 결코 아니다. 그의 시에서 자연은 탈신비화되기 이전의 살아있는 생명을 지니고 있으며, 자아와 끊임없이 상호 교감하는 것을 볼 수 있다.

자아와 자연의 이러한 존재방식은 박목월이나 박두진의 그것과는 상당히 다른 모습이다. 현실적인 공간 속에서 동일성을 달성하기 힘들게 되자 그 어려움을 극복하기 위해 박목월의 시에 나타난 자아가 환상적 공간을 창조하였다면, 박두진의 시에 나타난 자아는 미래적 자연을 꿈꾸었던 것을 볼 수 있었다. 그러나 조지훈의 시에서는 이러한 자연에 대한 변형의 의지를 전혀 찾아볼 수 없다. 오히려 자연을 자연 그 자체로 놓고 바라보고 있을 뿐이다. 여기에 그의 시에 나타나는 묘사적 자연이 지닌 의미가 존재한다.

꽃이 지기로소니
바람을 탓하랴.

주렴 밖에 성긴 별이
하나 둘 스러지고

귀촉도 우름 뒤에
머언 산이 닥아서다.

초ㅅ불을 꺼야하리
꽃이 지는데

꽃지는 그림자
뜰에 어리어

하이얀 미닫이가
우련 붉어라

묻혀서 사는 이의
고운 마음을

아는 이 있을까
저허하노니

꽃이 지는 아침은
울고 싶어라

-「落花」

이 시에서 자연은 자아와 완전히 합일된 상태에서 존재하는 것으로 보기
는 어렵다. 꽃이나 별, 산과 같은 것들은 자아의 어떤 행동이나 의지와는 상
관없이 자아와 관계를 맺는 것이다. 꽃이 지는 현상에 대해 자아는 무언가
다른 행동을 보여주지 않는다. 자아는 그저 바라볼 뿐이며, 꽃이 전달하는

정서에 공감하기 위해 불TT는 행동밖에 하지 않는 것이다. 대상으로서의 꽃은 바람이라는 외부적 상황이 아니라 자신의 존재의 법칙에 따라 피었다 지는 것으로 묘사된다. 자연이 고유의 법칙에 따라 운행하는 것으로 묘사된다는 것은 자연이 자아와는 독립된 존재로 나름의 고유한 영역을 유지하며 존재한다는 것을 말해준다.

그러나 이러한 고유한 영역 속에서 살아가는 자연과 자아가 완전히 분리되어 존재하는 것은 아니다. 자신의 법칙에 따라 변화하는 자연은 자아와 무관한 채로 차가운 물질이 되는 것이 아니라 자아에게 말을 걸고, 그러한 자연의 변화에 자아는 끊임없이 반응하고 있기 때문이다. "귀촉도 우름 뒤에 / 머언 산이 닥아서다"에서 볼 수 있는 바와 같이 자연은 자아와는 상관 없이 객관적으로 존재하기만 하는 것이 아니라 자아에게 다가오는 존재로 나타난다. 이것은 자연을 향해 조작의 손길을 뻗치는 박목월이나 박두진이 보여주는 자아와 자연과의 관계와는 상당히 다른 모습이라고 할 것이다. 자연 자체가 독자성을 유지하면서 자아에게 말을 걸어오는 상황, 그래서 자연과 자아가 서로 존재의 본래의 모습을 그대로 유지하면서 함께 상호 교감하는 상황이 만들어지는 것이다. 이러한 자연 속에서 자아는 유유자적하는 존재방식을 보여준다. 이 시에 나타나는 사물들, 즉 꽃이나 성긴 별, 귀촉도 울음, 촛불 등이 나열 병치되면서도 서로 연속되어 나타나는 것에서 동양적 여백의 미학을 읽을 수 있다.[14]

조지훈의 시에서 자아는 자연과 완전히 하나가 되는 낭만주의적인 일체화는 나타나지 않는다. 자아와 자연마저도 부분적인 독자성을 유지하면서 상호 교감하고 있기 때문이다. 자연은 언제나 자신의 존재방식을 유지한 채 자아에게 다가오고, 자아 또한 완전히 자연으로 끌려가 일체화되지는 않은 채 자연을 관조적으로 바라보는 것이다.

---

14) 최승호, 앞의 논문, p.326.

외로이 흘러간 한 송이 구름
이 밤을 어디메서 쉬리라던고.

성긴 비ㅅ방울
파초ㅅ잎에 후두기는 저녁 어스름

창 열고 푸른 산과
마조 앉어라.

들어도 싫지 않은 물소리기에
날마다 바라도 그리운 산아

온 아츰 나의 꿈을 스쳐간 구름
이 밤을 어디메서 쉬리라던고

—「芭蕉雨」

한 송이 구름이 흘러가는 것이 외롭게 느껴지는 것은 자아의 정서에 의한
대상의 파악이 엿보이는 부분이 될 수 있다. 만약 그렇게 된다면 자연은 자
신의 독자성을 그대로 유지하는 것이 아니라 자아의 내면적 정서의 세례를
그대로 받아들인 것으로 볼 수 있게 될 것이다. 그러나 이러한 자연의 존재
방식은 3연에서 창열고 마주앉은 자아의 위치에 의해 절제되는 것을 볼 수
있다. 들어도 싫지 않은 물소리를 들려주는 자연이기에 언제나 그리움의 대
상이 되기는 하지만, 그 자연 속에 온전히 들어앉아 하나가 되는 것이 아니
라 '마조 앉어' 있을 뿐인 것이다. 창을 열고 푸른 산과 마주 앉아 있는 자세
는 곧 자아가 자연과 서로 만나서 상호 조응하는 상태를 말해주는 것이기는
하지만, 결코 완전히 하나로 일체화되는 상태라고 말하기는 어렵다. 자아와
자연이 서로 독립되어 존재하면서 상호 교감을 나누고 있을 뿐인 것이다.
이것은 어느 한쪽이 일방적으로 다른 한쪽을 끌고 가서 동일성의 세계를

형성하는 것은 아님에도 불구하고 자연과 자아가 상호 교감하고 상호 조응하게 되는 경지이다. 마지막 연에서 볼 수 있는 바와 같이 구름은 '나의 꿈'을 스쳐간다. 여기에는 구름이 자아에 의해 변형된 흔적은 보이지 않는다. 스쳐간다는 것은 하나로 만났지만 동일한 사물이 되지는 않았음을 말해주는 것이다. 이러한 구름은 그렇지만 객관적이고 차가운 사물로만 존재하는 것이 아니라, 자아의 정서와 상호 교감하는 존재로 나타난다. 이 밤을 떠도는 자의 정처없음을 구름도 어느덧 닮아 있기 때문이다. 첫 연에 나타나는 구름이 지닌 정서적 표현의 의미는 이러한 관점에서 읽을 수 있다. '외로이' 흘러가는 구름의 정서는 구름이 완전히 자아화하였기 때문에 나타나는 것이 아니라, 상호 독자성을 유지하면서도 자아와 상호 교감하였기 때문에 나타나는 것임을 알 수 있다.

이 시기의 조지훈 시에 나타나는 자연 묘사는 자아와는 별개로 존재하는 자연의 이미지를 살려주는 하나의 방법이다. 대상을 자아와 일체화하여 이해하는 것이 아니라 자아와 분리되어 있는 존재로 바라보면서도 자아와 완전히 분리된 별개의 세계에서 차가운 물질로 존재하지는 않는다는 것이 그의 시에 나타나는 자연이 지닌 중요한 특징이다. 대상과 자아는 상호 분리된 상태에서 정서적 교감을 이루어내는 것이다. 이러한 자아와 자연의 존재 방식이 관조적 자연에의 동화를 만들어낸다.

6. 맺음말

서정시는 본질적으로 세계의 자아화라고 할 수 있으며, 이를 통해 자아와 세계 사이의 동일성을 형성하게 된다. 그러나 근대적인 자연은 탈신비화되는 과정에서 더 이상 자아와 상호 교감할 신비적 생명력은 상실되고 자아의 인식 대상으로서의 차가운 물질로 내려앉고 말았다. 서정시는 자연이 상실해버린 이러한 마술적 힘을 전제로 하여 성립되는 장르이다. 그러므로 서정 시인은 언제나 자아와 대화할 뿐만 아니라 정서적으로 일체화되는 근원적 인 자연의 세계를 동경하게 된다. 여기에서 자연으로서의 사물을 인식하는 태도와 자아의 존재방식, 그리고 이 둘 사이의 관계에 의해 형성되는 서정 화방식이 문제가 되는 것이다.

청록파 시인들의 시 속에는 자아와 세계가 하나의 정서 속에서 서로 의사 소통하는 서정적인 세계를 확인할 수 있다. 그럼에도 불구하고 이 세 시인 들의 시에는 각각 자아와 세계가 만나는 방식에 있어서 미묘한 차이를 보인 다. 먼저 박목월의 시에 형상화되는 자아는 위축되고 왜소한 현실적 자연을 뛰어넘는 환상적 자연을 창조하는 것을 볼 수 있었다. 박목월의 시에서 현 실적 공간은 서글픔과 여린 흐느낌이 존재하는 부정적 공간임과 동시에 자 아와 연결되는 끈이 매우 협소한 것이 특징으로 나타난다. 자아는 이러한 세계 너머에 <마음의 지도>와 같은 환상적 공간을 창조함으로써 자아가 이 자연과 쉽게 동일성의 세계를 이룰 수 있도록 만들어주고 있는 것이다.

박두진의 시에는 현실적 자연과 미래적 자연이라는 두 가지 자연의 모습 의 자연이 형상화된다. 박두진이 바라보는 현실적 자연은 생명력이 사라져 버린 침묵과 죽음의 공간에 불과하며, 이러한 자연은 더 이상 자아와 대화 하지 않는다. 그러나 시인은 침묵과 죽음을 뛰어넘는 미래적 자연을 꿈꾼다. 거기에는 모든 존재들이 생명력을 회복하고 활기찬 삶을 유지할 뿐만 아니 라, 자아와 완전한 동일성의 세계를 형성하게 된다. 이러한 미래적 자연을 만들어낼 수 있는 근거에 기독교적 믿음이 존재한다.

박목월이나 박두진 시에 나타나는 자연은 이처럼 자아의 의지에 의해 변 형되면서 자아와 동일성의 세계를 형성하게 되는 것을 볼 수 있다. 물론 그 모습에 있어서 환상적 자연과 미래적 자연이라는 차이는 있지만, 세계의 자 아화라는 측면은 보다 선명하게 드러나는 것이 사실이다. 이에 비해 조지훈 의 시에는 자아의 일방적인 힘은 드러나지 않는다. 그의 시에서 자연은 그 자체의 법칙에 의해 존재하는 객관 대상으로 나타난다. 자아의 힘에 의해 변형되는 존재가 아닌 것이다. 그럼에도 불구하고 그의 시에 서정적 동일시가 나타나는 중요한 이유는 그렇게 존재하는 자연이 자아와 완전히 분리되어 차가운 인식의 대상으로만 존재하지는 않기 때문이다. 생명력을 지닌 자연이 자아와 한 자리에서 만나 마주보면서 상호 교감하게 되는 것이 조지훈의 시에 나타나는 자아와 자연의 존재방식이다. 이러한 측면은 유가적인 자연 인식 방식과 관련된다.

청록파 세 시인의 서정화 방식이 이와 같다는 것은 현대 서정시의 존재방식에 많은 시사를 던져준다. 서정적 동일성을 이루는 방법의 다양한 양상이 시인의 세계관과 깊은 관련을 맺고 있으며, 이는 또한 세계에 대한 시인의 반응 양상과 관련된 것으로 볼 수 있는 것이다. 세계를 자아화하는 방식에 있어서 나타나는 이러한 차이들은 서정시의 특징과 관련하여 좀더 심층적이고 다양한 연구를 필요로 하는 부분이기도 하다. 세미

청록파 시에 대한 생태적 해석

노 철*

1. 문제제기

청록파의 시에 나타난 생태의식을 살핀다는 것은 처음부터 명쾌한 해답은 없는 셈이다. 생태의식은 환경에 대한 위기 의식으로부터 형성된 시대적 담론이어서 세 시인이 시사에서 중심적으로 활동을 하던 시간대는 이러한 문제의식을 첨예하게 가질 수 없었던 시대였다. 이 글은 다만 생태의식이 시대의 화두가 된 이 시점에서 이들의 시를 반성적으로 생태의식에 비추어 볼 수 있을 따름이다. 특히 생태의식은 자연과 관련되어 있다는 것은 누구나 아는 사실이다. 따라서 이 글은 세 시인의 시에 나타난 자연을 생태의식에 비추어 보는 것을 목적으로 한다.

이를 위해서 우선 세 시인을 자연과 함께 논의하려고 한다. 박두진, 박목월, 조지훈이 『文章』지를 통해 함께 등단하였고, 공동 시집 『靑鹿集』을 발간하였던 점이 시문학사 속에서 함께 놓여 있기 때문이다. 김동리가 세 시인을 아울러서 "自然의 發見"[1]이라는 평가와 정한모가 청록파의 시를 문명시대에

---

* 고려대 강사. 상지대 겸임 교수. 주요논문으로 「김수용과 김춘수의 시작 방법 연구」, 「이용악 시 세계의 변모과정 연구」 등이 있음.
1) 金東里, 「三家詩와 自然의 發見」, 『예술조선』, 3, 4(1948).

대립된 영원한 생명의 고향을 표현했다는 평가2) 이후 청록파 시인들의 시에 대해서 생명의식을 해명하려는 연구가 지속적으로 진행되어 왔다. 그러나 생명의식과 생태의식은 친연성과 차이를 동시에 지닐 수 있다. 생태의식은 자연이 자정능력을 상실하면서 전 지구적 생명의 위기의식에서 비롯된 만큼 생명의식과 밀접하게 관련되어 있지만 생명의 위기의식이 어디서 비롯되었느냐는 점에서는 생명의식과 생태의식의 차이가 노정될 수도 있기 때문이다.

따라서 이 글은 세 시인의 시에 나타난 위기의식과 생명의식이 자연을 통해 나타나는 양상을 살피고, 이러한 양상이 생태의식과 어떤 친연성과 차이를 보여주는 가를 살피고자 한다.

2. 영성이 재구성한 자연과 생태적 자연의 위축
- 박두진의 시

박두진의 시에는 자연이 나타나고 그 자연은 '기독교적 자연'3)이라는 김동리의 지적은 지금까지도 유효한 논리로 보여진다. 시인의 자전적인 진술도 이를 강하게 뒷받침하고 있다.

> 日政 암흑기로부터 해방이 되기까지의 서정적인 방랑과 민족적인 의분과 종교적인 귀의와 지적 관조의 시기를 통해서, 나는 일신상의 시련과 浮沈, 격심하고 심각한 사상 감정의 起伏을 오직 시와 신앙으로 극복하고 위로받고 隱忍해 왔으며, 또 悠長한 기다림과 종교적 법열에도 몸담아 왔다.4)

위 글에서 '지적 관조', '신앙', '隱忍', '기다림과 법열'이란 낱말에 주목할

---

2) 鄭漢模, 「靑鹿派의 詩史的 意義」, 『靑鹿集·其他』, 현암사, 1968.
3) 김동리, 앞의 글.
4) 박두진, 『韓國現代詩論』, 一潮閣, 1977, p.148.

필요가 있다. 현실적 실천이 아니라 지적 관조를 취하는 행위는 시인의 세계관을 잘 보여준다. 암흑기라는 역사적 정황에 따른 수세라는 점도 있겠지만, 박두진의 시가 열정적인 호흡을 보여주는 시들이 적지 않는데도 이러한 시를 지적 관조로 자평하고 있기 때문이다. 이 글의 문맥을 따라가면 열정적인 호흡은 '신앙적인 법열'의 표현이라 할 수 있다. 실제로 박두진의 시는 갈수록 종교적 신앙이 강력하게 표출되는 경우가 많았다. 이런 점에서 박두진의 지적 관조는 외적 정황보다는 내적인 것에서 비롯된다고 할 수 있다.

> 해야 솟아라. 해야 솟아라. 말갛게 씻은 얼굴 고운 해야 솟아라. 산 넘어 산 넘어서 어둠을 살라 먹고, 산 넘어서 밤새도록 어둠을 살라 먹고, 이글이글 애띤 얼굴 고운 해야 솟아라.

> 달빛이 싫여, 달빛이 싫여, 눈물 같은 골짜기에 달빛이 싫여, 아무도 없는 뜰에 달밤이 나는 싫여……

> 해야, 고운 해야, 늬가 오면 늬가사 오면, 나는 나는 청산이 좋아라. 훨훨 훨 깃을 치는 청산이 좋아라. 청산이 있으면 홀로래도 좋아라.

> 사슴을 따라, 사슴을 따라, 양지로 양지로 사슴을 따라 사슴을 만나면 사슴과 놀고,

> 칡범을 따라 칡범을 따라 칡범을 만나면 칡범과 놀고……

> 해야, 고운 해야. 해야 솟아라. 꿈이 아니래도 너를 만나면, 꽃도 새도 짐승도 한 자리에 앉아, 위어이 위어이 모두 불러 한 자리 앉아 애띠고 고운 날을 누려 보리라.

> —「해」 전문

현재 눈물 같은 골짜기에서 미래의 새로운 공간을 갈망하고 있다. 미래의

시간은 '애띠고 고운날'이고, 새로운 공간은 '靑山'이다. 이러한 새로운 시·공간은 '해'를 통해 얻어진다고 믿고 있다. 여기서 주목되는 것은 청산에 충만한 자연의 모습이다. 자연의 모습은 자유롭고 열정적인 호흡이 가득하며, 만물은 차이가 없는 하나의 세계를 이루고 있다. 김인환의 지적처럼 聖書의 「이사야書」(11 : 6~9)의 구절과 친연성을 보여준다.

> 이리가 어린 양과 함께 살고 표범이 어린 염소와 함께 누우며 송아지와 사자가 살찐 짐승이 함께 있어 어린아이에게 이끌리며 암소와 곰이 함께 먹고 그 새끼들이 같이 누우며, 사자가 소같이 풀을 먹는 시절이 온다. 그것은 바다가 물로 덮임같이 여호와를 아는 지식이 온 땅에 충만하기 때문이다.

박두진의 「해」에 표현된 자연은 여호와만 빠져 있다고 해도 과언이 아니다. 이런 점에서 「해」의 자연은 생태적 자연이 아니라 종교적 명상이다. 칡범은 聖書의 사자의 모습이나 다를 바가 없다. 이 모티프는 「香峴」에서 핏내를 잊은 여우 이리 등속이가 싸리순과 칡순을 찾는 모습으로 다시 나타난다. 이러한 환상(fantasy)에서 생태의식을 찾으려는 것은 무모한 일로 보인다. 본래 환상은 신념의 문제이므로 그 환상은 하나의 원리로 승격되기 쉽고, 그 원리는 신념을 통해 현실적인 생활과 감정으로 재구성되기 마련이다. 그러므로 박두진의 시가 체감한 자연의 감각을 살피는 것이 생태의식의 흔적을 찾는 방법으로 더 유효할 것이다.

> 보라, 쏘는 듯 향기로이 피는 저 산꽃들을, 춤추듯 너울대는 푸른 저 나뭇잎을. 영롱히 구슬 빛듯 우짖는 새소리를. 줄줄줄 내려닫는 골 푸른 물소리를…… 아, 온 산 모두 다 새로 일어나, 일제히 수런수런 빛을 받는 소리들……
>
> ─「해의 품으로」 부분

만물이 햇빛을 받아 수런수런거리는 소리를 듣고 있다. 호흡과 리듬이 자연의 생명력을 그대로 소리로 전하고 있다. 그런데 자연에서 빛을 받는 소리를 읽어내는 시인의 감각은 해에 대한 시인의 관념과 관련되어 있다. 해로 상징되는 신의 은총을 받은 자연이 발산하는 생명의 기운을 감지하고 있는 것이다. 그것은 자연에 대한 감각이라기기보다는 자신의 내면에서 나오는 목소리에 귀기울일 때 형성되는 감각이다. 내면에서 들리는 신의 목소리를 따라 세계를 바라보는 신앙인의 시선인 것이다. 이러한 시선은 신의 은총과 영속성을 자연으로 확산한다.

> 낮에는 햇볕 입고
> 밤에 별이 소올솔 내리는
> 이슬 마시고,
>
> 파릇한 새 순이
> 여름으로 자란다.
>
> —「落葉松」 부분

> 우리 族屬도 이어 자꾸 나며 죽으며, 滅하지않고, 오래 오래 이 땅에서 살아갈 것을 생각한다.
>
> —「雪岳賦」 부분

> 마시는 하늘에
> 내가 익는다.
> 능금처럼 내 마음이 익는다.
>
> —「하늘」 부분

「落葉松」에서는 햇빛과 이슬이 대지에서 새순을 돋게 하는 모습에서 자연의 순환적 영속성을 표현하고 있으며, 「雪岳賦」에서는 신이 부여한 인류의 생명이 영속되는 사태를 표현하고 있으며, 「하늘」에서는 신의 은총에 따라 자연과 인간이 소통하는 모습을 보여주고 있다.[5] 이렇듯 다양한 모습은 외적인 자극이 아니라 내면의 목소리가 자연으로 확산된 모습이라 할 것이다.

그러나 박두진의 많은 시는 갈등과 싸움을 보여준다. 이것은 인간과 자연의 이상적 관계로부터 이탈된 현재의 어려움을 극복하려는 시도라 할 수 있다. 이에 대한 김인환의 "朴斗鎭씨가 보기에 現實의 克服은 어떠한 原則이라기보다는 人間의, 다시 말하면 그 자신의 내면적인 生命力의 어쩔 수 없는 활동이다"[6]는 평가를 주목할 필요가 있다. '자신의 생명력'은 바꾸어 말하면 외적 자극과 무관한 것으로, 후기에 쓰인 『使徒行傳』은 박두진의 이러한 자연의식을 잘 보여준다.

> 아, 불려가는 낙엽속에 내가 있었네
> 거기서도 언젠가
> 당신 만났네
>
> 서걱이는 갈대 속에 내가 있었네
> 거기서도 언제나
> 당신 만났네.
>
> ―「使徒行傳9-1」부분

모든 자연에 내가 있고 당신이 있다는 인식은 자연을 존중하는 마음을 불러일으키고 있다. 만물이 서로 소통하는 존재이므로 우주가 하나의 생명이라는 인식이다. 이러한 인식은 동서양 어디서나 아주 오래된 자연관이자 생명의식이다. 다만 생태의식에 비추어 본다면 생명의식을 몸과 마음으로 받아들이는 영성이라는 측면에서 친연성을 찾을 수 있겠다. 세상을 논리로 재

---

5) 「하늘」을 자연과 자기와를 구별할 수 없는 경지에까지 도달하고 있다는 조연현의 지적은 확대해석으로 보여진다(조연현, 「박두진」, 『한국현대작가 연구』, 1981, p.230~238).

6) 김인환, 「朴斗鎭詩論」, 『현대문학』, 1972. 6., pp.318~326.

◀ 청록파 3인
(박두진, 박목월, 조지훈)

단하지 않고 몸과 마음으로 함께 하는 영성은 동물이든 식물이든 산이든 강
이든 모든 것이 훼손되는 것에 함께 아파하는 마음이기 때문이다. 오탁번이
박두진의 시에서 샤머니즘을 읽어낸 것[7]도 이런 맥락이라 할 것이다. 그러
나 박두진의 영성에는 종교적 믿음을 배제할 수 없는 것으로 보인다. 박두
진의 시에서 자연은 있는 그대로의 자연이 아니라 시인 자신의 신앙에 의해
재구성된 자연으로, 그 중심부에 유일신이 전우주를 구성하는 원리로서 권
력을 형성하고 있다. 그것은 자연을 생태적인 세계 그 자체로 보는 것이 아
니므로 신의 뜻에 따라 얼마든지 변형하고 재구성할 수 있는 가능성을 열어
놓고 있는 것이다.

3. 유한한 자아와 전일적 우주의 격차
- 박목월의 시

지용이 박목월의 『文章』지에 등단한 시를 민요적인 수사라는 평가[8]나 김

---

7) 오탁번, 『現代詩散藁』, 고려대학교출판부, 1979, p.154.

우창이 박목월 시를 감정이 채색된 주관적 세계라는 평가9)와 더불어 박목월의 시가 개인적 감각을 심화함으로써 궁극적으로 민요와 같은 보편적인 감동을 만들어낸 아이러니를 지녔다는 오탁번의 평가10)는 율격과 자연을 아울러서 박목월 시를 논의할 수 있는 기틀을 마련하였다.

본래 리듬이란 단순한 장치가 아니라 숨쉬는 것에서부터 서로간의 대화나 놀이까지 리듬이 개진되어 있다. 시는 이러한 리듬을 발견하고 묘사하므로 리듬은 시인의 몸짓이라 할 수 있다.

　　江나루 건너서
　　밀밭 길을

　　구름에 달 가듯이
　　가는 나그네

　　길은 외줄기
　　南道 三百里

　　술 익는 마을마다
　　타는 저녁 놀

　　구름에 달 가듯이
　　가는 나그네

　　　　　　　　　　　　　　　　　　　－「나그네」 전문

운율이 그 자체로 나그네의 걸음걸이와 마음을 효과적으로 표현하고 있다. 구름이나 나그네 모두는 목적이 있는 것이 아니라 그냥 흘러가는 것이

---

8) 鄭芝溶, 「詩選後」, 『文章』, 1940. 9.

9) 김우창, 「한국시의 形而上」, 『궁핍한시대의 詩人』, 민음사, 1978.

10) 오탁번, 앞의 책, pp.154~160.

다. 자연의 이치대로 흘러가는 자연과 인간이 조화로운 상태다. 전통적인 유학의 물아일체에 육박하는 심상이다. 그러나 여기서 주목되는 것은 심상보다는 자연과 인간의 틈을 지워버린 리듬이다. 자연에 자신을 동화시키는 생리(生理)가 리듬을 만들고 있기 때문이다. 박목월의 초기 시에는 급박한 율격이 거의 없다. 감정의 파동이 커지면 그 감정까지 자연 속에 부려낸다.

> 산이 날 에워싸고
> 그믐달처럼 사위어지는 목숨
> 그믐달처럼 살아라 한다
> 그믐달처럼 살아라 한다
>
> ─「산이 날 에워싸고」 부분

이 시의 이면에는 현실적 갈등이 바탕에 깔려 있을 것으로 추정된다. '산이 나를 에워싼다'는 것에서 스스로 현실에서 한 걸음 물러서는 마음을 볼 수 있으며, '그믐달처럼 사위어지는 목숨'에서 목숨이 점점 소진되는 인간의 유한성을 볼 수 있다. 박두진의 초월적인 태도와는 달리 인간 존재의 한계를 시인하고 있는 것이다. 그것은 우주를 하나의 뜻과 구도로 파악하려는 서양적인 사유와 달리 우주를 무한한 것으로 인식하며, 인간을 그 우주 속에 거처하는 작은 존재로 인식하는 존재의식이다. 이런 점에서 '나그네'도 인간의 상징으로 읽을 수 있다. 우주 속에 잠시 기거하는 나그네의 고독은 유한한 생명체가 자신의 생명을 인식하는 사태라 할 것이다.

> 松花가루 날리는
> 외딴 봉오리
>
> 윤사월 해 길다
> 꾀꼬리 울면

산지기 외딴 집
눈 먼 처녀사

문설주에 귀 대이고
엿듣고 있다.

ー「閏四月」 전문

이 시에서 눈먼 처녀가 문설주에 귀를 대이고 있는 모습을 외계와 자아의
분리 혹은 고립과 자폐로 읽을 수도 있다.[11] 이러한 관점에는 전통적 유학
의 물아일체(物我一體) 사상에 미치지 못했다는 시각이 은연중에 깔려 있다.
하지만 오히려 '눈먼 처녀'는 자신의 한계에도 불구하고 자연에 대해 끝없
이 귀기울이는 인간의 표상으로 읽는 것이 더 타당해 보인다. 박목월의 시
는 초월적인 태도를 취하지 않는 것이지 갇혀 있는 것은 아니기 때문이다.

너는
어디로 갔느냐.
그 어질고 안쓰럽고 다정한 눈짓을 하고.
형님!
부르는 목소리는 미치지 못하는.
다만 여기는
열매가 떨어지면
툭 하는 소리가 들리는 세상.

ー「下棺」 부분

동생의 주검을 묻으며 이승과 저승의 넘을 수 없는 경계를 인정하고 소통
할 수 없는 경계를 슬퍼하고 있다. 마지막에 "열매가 떨어지면/ 툭 하는 소
리가 들리는 세상"이라는 표현은 인간의 의지와 상관없이 진행되는 자연에

---

11) 이희중, 「朴木月 詩 연구 : 시세계의 변용을 중심으로」, 고려대학교석사논문, 1985,
p.23.

대한 이해와 수용을 보여준다. 박목월의 시는 본래 주어진 우주와 그 우주 속에 살아가는 인간의 삶을 그리고 있는 것이다. 그러나 박목월의 시는 점차 우주 속의 인간을 조망하던 시선에서 인간의 일상에 지나치게 접근하고 만다.

> 아랫목에 모인
> 아홉 마리의 강아지야
> 강아지 같은 것들아.
> 屈辱과 굶주림과 추운 길을 걸어
> 내가 왔다.
> 아버지가 왔다.
> 아니 十九文半의 신발이 왔다.
> 아니 地上에는
> 아버지라는 어설픈 것이
> 存在한다.
> 미소하는
> 내 얼굴을 보아라.
>
> —「家庭」 부분

아버지의 길이 屈辱, 굶주림, 추운 길을 걷는 것이라는 구절은 생활인으로서 면모를 넘어서는 시인의 원칙을 찾기가 힘들며, 地上에는 아버지라는 어설픈 존재가 있다는 표현 역시 아버지에 대한 상식적인 관념 이상의 통찰력을 읽기가 힘들다. 후기에 오면 우주 속에 유한한 존재로서 인간의 생명을 인식하고, 우주 만물과 교감하려는 신화적 태도는 거의 흔적을 찾기 힘들어 진다.

박목월 시와 생태의식의 친연성은 초기 시에서 찾을 수 있다. 우선 생태의식과의 친연성은 자연과 인간의 소통의 한계를 인정하고 이를 무리하게 초월하려는 태도를 취하지 않는 데서 찾을 수 있다. 인간의 관념과 관계없이 자연은 이치에 따라 움직인다는 사실의 이해와 수용은 생태적 세계를 수용하는 첫 단계이기 때문이다. 그러나 박목월의 이러한 무조건적인 이해와 수용은 일상의 모든 것을 수용할 위험에 노출되어 있다. 실제로 박목월의 시는 조화로운 자연에 대한 지향이나 자연과 인간의 조화로운 세계에 대한 지향이 아니라 개인적인 자아의 발견과 그 자아의 생존에 국한되고 만 것이라 할 수 있다. 생태의식은 초월은 아니지만 그렇다고 개인의 생명에 국한된 생존의식도 아니다. 생태의식은 만물이 서로 의존하고 소통하는 전일적 우주에 대한 인식을 바탕으로 하고 있는 것이다.

4. 천일합일의 이상세계와 현실 생태계와의 오차
- 조지훈의 시

조지훈의 시에 대한 김동리의 '禪적 자연'12)이라는 평가는 이후 조지훈 시를 이해하는 핵심이 되어 왔다. 이러한 논리는 조지훈의 전기적 사실과 산문 등에 의해서 더욱 공고화되었다. 그러나 조지훈의 산문에서는 성리학적인 세계관이 중핵을 이루고 있는 것으로 보인다.

> 자신의 사상이란 곧 '우주의 생명의 직관(直觀)'에 통하는 길이라는 말이
> 아닐 수 없다. 이는 자기 심화의 구극(究極)은 언제나 인생의 영위(營爲) 내
> 지 자연 현상 모두가 하나의 커다란 보람 속에 혈연적 유대로 맺어져 있다
> 는 것을 느끼게 하는 까닭이다. 이러한 자각은 이론에서 오는 것이 아니라
> 감성적 인격에서 온다.13)

직관의 강조는 이론이 아니라 감성적 인격이라는 말과 같은 맥락으로, 그 것은 시정신에 대한 설명이다. 시 정신으로서 사상을 체득하는 방식인 셈이다. 이것은 꼭 시정신이 아니더라도 인문학적 깨달음이나 예술 정신에서는 상

---

12) 김동리, 앞의 글.
13) 조지훈, 『시의 원리』, 나남출판, 1996, p.22.

식적인 것이다. 오히려 주목해야 할 것은 '자기 심화의 구극(究極)'이다. 자신의 내면으로 침잠하여야 자연과 혈연적 유대가 맺어져 있다는 사실을 느낄 수 있다는 말이다. 이것은 성리학적 우주관을 몸으로 체득하는 방법을 설명한 것이라 할 수 있다. 이를 이해하기 쉽게 논리적 순서를 바꿔 볼 필요가 있다.

이러한 사고는 우주를 연쇄반응체계로 보는 인식에서 출발한다. 우주에서 한 사물이 움직이는 것은 다른 사물에 자극이 되어 그 사물이 반응하게 되며, 이러한 과정이 무한히 반복된다고 보는 것이다. 이것은 성리학적 우주관이라 할 수 있다. 우주의 연쇄반응체계는 주기론(主氣論)이든 주리론(主理論)이든 간에 우주 속에 기가 작용하는 법칙으로 인간과 자연, 자연과 자연 간에 상호작용을 승인하는 세계관이다. 이러한 전일적 우주는 서로가 복잡하게 얽힌 무한한 연쇄 반응이므로 인간이 이것을 아는 것은 거의 불가능하며, 인위적으로 연쇄반응을 바꿀 수 없는 일이다. 그러므로 인간은 내면으로 침잠하여 그 움직임을 감응(感應)할 수밖에 없다는 것이다. 직관(直觀)이나 관조(觀照)는 모두 이러한 내면 침잠과 감응의 방식과 태도를 가리키는 용어라 할 수 있다. 그러나 많은 논자들이 세계관과 시의식을 혼돈하고 있는 것으로 보인다. 조지훈이 구체화한 시론을 통해 이를 살펴보자.

> 대자연의 생명을 현현(顯現)시키는 시인은 먼저 천분(天分)으로 뜨거운 사랑을 가진 사람이 아니면 안 되고 노력으로 살아하고자 애쓰는 사람이 아니면 안 될 것이다. [……] 시의 세계를 이루는 개개의 생명은 각각 그 본성의 요구대로 생을 긍정하면서 서로 사이의 생을 방해하지 않는다. 이는 다른 생을 긍정함으로써만 자신의 생을 표현할 수 있기 때문이다.[14]

이황의 「도산십이곡(陶山十二曲)」에 나오는 '어약연비(魚躍鳶飛) 운영천광(雲影天光)'을 연상시키는 구절이다. 천지자연의 오묘한 이치와 만물이 제각기 자신의 본성대로 생명을 발휘하여 조화를 이룬 상태를 말하고 있다.

---

14) 조지훈, 앞의 책, p.26.

중요한 것은 이 구절이 조지훈의 시의식이라는 점이다. 조지훈은 시를 가장 이상적인 세계관의 실천으로 설정하고 있는 것이다. 이렇듯 이상적인 시적 세계는 현실적인 진실을 어느 정도 담아내겠지만 현실과는 거리를 지닌 인공적 세계가 될 위험성도 그만큼 높아진다.

닫힌 사립에
꽃잎이 떨리노니

구름에 싸인 집이
물소리도 스미노라.

단비 맞고 난초 잎은
새삼 치운데

볕바른 미닫이를
꿀벌이 스쳐간다.

바위는 제 자리에
옴쯕 않노니

푸른 이끼 입음이
자랑스러라.

아스럼 흔들리는
소소리바람

고사리 새순이
도르르 말린다.

                                        ─「山房」전문

닫힌 사립에 꽃잎이 떨리고, 구름에 쌓인 집에 물소리가 스미고 있다. 사립과 집, 구름, 꽃잎과 물소리는 서로 방해하지 않는다. 제 각기 자신의 본성대로 자리잡고 반응하고 있을 뿐이다. 바로 다음에는 각 생명의 반응 관계가 조금 더 복잡해진다. 난초 잎은 비를 맞아 치웁고, 볕바른 미닫이에 꿀벌이 스쳐 간다. 응달의 난초는 식물이라 움직일 수 없고, 양지 바른 곳을 동물인 벌은 스쳐 날아가고 있다. 식물은 그 기운대로 자연에 반응하고, 동물은 또 그 기운대로 자연에 반응하고 있는 모습이다. 바위는 제자리에 움직이지 않아서 그 위에 이끼가 끼어 있다. 시인은 이끼를 입은 바위의 본성이 호연지기를 닮은 듯하여 자랑스러워한다. 그렇다고 바위를 앞세우고 다른 생명을 뒤로 돌리는 우를 범하지 않는다. 소소리바람에 새순이 도르르 말리는 고사리의 생명에서도 그 아름다운 기운을 바라본다. 눈에 비치는 만물의 생명이 제각기 자신의 본성대로 반응하고 서로 얽히는 모습을 아름답게 묘사하고 있다. 「僧舞」 등의 시가 단아한 묘사에 의탁하는 것도 이러한 시의식의 발로로 볼 수 있겠다.

그러나 조지훈의 이러한 묘사는 현실을 철저히 배제할 때만 형성되는 상상의 세계다. 상상이 조금만 흔들려도 이 조화로운 아름다운 세계는 흔적도 없이 부서질 불안정한 세계다.

아, 우리들 太初의 生命의 아름다운 分身으로 여기 태어나

고달픈 얼굴을 마조 대고 나즉히 웃으며 애기 하노니

때의 흐름이 조용히 물결치는 곳에 그윽히 피어 오르는 한떨기 영혼이여
　　　　　　　　　　　　　　　　　　　　　－「풀잎 斷章」

상상의 세계에서 완전히 진입하지 못하면 시인의 생명은 힘겨워지고 다른 사물에서도 그 고달픔을 읽을 수밖에 없다. 현재 고달픈 시인은 풀잎에게서도 아름다운 생명을 읽고자 하지만 그 일이 자연스럽게 진행되지 못하

고 있다. 조용히, 그윽히 등의 수식어는 풀잎의 자연스런 생명을 묘사하지
못하고 자꾸 설명적 진술이 덧붙고 있다. 조지훈의 시에서는 직설적인 표현
이 증대될수록 자연스러운 상상의 세계는 점점 붕괴된다. 이 시에서도 한떨
기 영혼이란 영탄을 통해 상상적인 세계로 상승을 시도하고 있지만 그 목소
리의 강도에 비해 감동의 폭은 미미하다. 결국 조지훈은 상상의 세계와 현
실 세계의 격차에 고통을 느끼는 존재의 심경을 토로하기도 한다.

> 나는 아직도
> 괴로운 짐승이로다
>
> 모래밭에 누워서
> 햇살 쪼이는 꽃조개같이
>
> 어두운 무덤을 헤매는 亡靈인 듯
> 가련한 거이와 같이
>
> 언젠가 한번은
> 손들고 몰려오는 물결에 휩싸일
>
> 나는 눈물을 배우는 짐승이로다
> 바다가 보이는 언덕에 서면
>
> ─「바다가 보이는 언덕에 서면」 부분

시인은 아직 괴로운 짐승이다. 자신의 생명조차 아름답게 긍정하지 못하
는 비극적 사태다. 미래에 도래할 혁명적 기운을 기다리며 눈물을 흘리는
짐승이다. 바다 앞에만 서면 작아지기 때문이다. 한정된 세계 속에서는 아름
다운 생명과 조화를 이룰 수 있을지 모르지만 거대한 세계 앞에서는 그 조
화는 여지없이 무너지는 모습이다. 조지훈에게 바다는 역사였는지도 모른
다. 조지훈의 많은 시는 역사와 만나면서 직접적인 진술에 의존하는 산문적

경향이 두드러지거나 사소한 일상에 매몰되는 경향이 증대된다. 물론 「梵鐘」이 수사적인 언어를 통해 개념적 진술을 넘어서 초기 시에서 보여준 상상적 세계에 근접하기도 했지만, 그것은 극히 예외적인 작품일 뿐이다.

조지훈의 시는 스스로 밝혔듯이 "인간 의식과 우주 의식의 완전 일치 체험'이 시의 구경(究竟)"15)이라는 유기적 우주관을 추구했지만 현실과의 오차로 인하여 유기적 우주의 세계는 소망의 대상이자 수사적 세계로 전락하고 만다. 조지훈의 이러한 우주의식은 천인합일(天人合一)의 성리학적 사상으로 생명존중 사상임에는 틀림없어 보인다. 그러나 과거의 천일합일 사상이 현재도 똑같이 적용될 수는 없는 것이다. 현재의 문제를 해결하는 실천을 담보로 하지 않기 때문이다. 조지훈의 천일합일 사상은 우주를 연쇄반응체계로 보고 인간은 단지 내면적 감응만을 추구하는 관조적 자세를 유지하여야 하며, 더군다나 상상세계로만 존재하기 때문에 그의 사상은 현실적인 거주지를 읽어버린 것이다. 그러므로 조지훈의 생명의식은 생태의 위기를 해결하기 위한 실천적 담론으로 현실적 지평을 열어 가는 생명의식과 오차를 보여준다.

5. 맺음말

청록파의 자연에 나타난 생태의식을 살피는 과정에서 자연, 생명의식, 생태의식이 일정정도 친연성을 확인할 수 있었다. 그러나 박두진이 영성을 통해 재구성한 자연은 생명 존중의 신앙을 보여주지만 생태를 그 자체로 인정하는 것이 아니라 신앙에 의해서 변형하거나 지배할 위험이 크다는 것을 보았다. 또, 박목월의 유한한 생명으로서 자아 의식은 생태계를 그 자체로 이해하고 수용하는 사유로서 현실적인 설득력을 주었지만 자아와 우주의 소통이 막히면서 개인의 생존의식으로 한정되는 위험이 있었다. 마지막으로

15) 조지훈, 앞의 책, p.26.

조지훈은 성리학적 천일합일사상에 의거해 이상적인 생태계를 상정했지만 내면에 침잠하는 관조적 태도는 현실적 실천이 결여되어 현실 속에 자리잡을 수 없었다.

이 세 시인들뿐만 아니라 당대의 거의 모든 시인의 시를 생태의식에 비추어보면 미흡할 밖에 없을 것이다. 생태의식은 자본주의의 물질문명으로 인해 전지구적 생태계의 위기에 대항하는 담론이기 때문에 당대 시인들에게는 생각지도 못한 문제의식이었을 것이다. 그럼에도 이 세 시인의 시를 생태의식에 비추어 본 것은 현재 생산되는 생태시 혹은 녹색시가 아직도 다분히 세 시인이 보여주었던 구도에서 자유로운 시가 많지 않다는 데서 타산지석이 될 수 있을 것이라는 믿음 때문이었다. 새미

- ## ▪ 참고문헌

김동리, 「三家詩와 自然의 發見」, 『예술조선』, 3·4, 1948.

김문주, 「趙芝薰 詩에 나타난 生命意識 硏究」, 고려대학교 석사논문, 1997, 12.

김석진, 『대산 주역강의 【1】』, 한길사, 1999.

김용민, 「생태학- 환경운동-환경, 생태시」, 『이론』 1991년 겨울호.

김우창, 「한국시의 形而上」, 『궁핍한시대의 詩人』, 민음사, 1978.

김욱동, 『문학생태학을 위하여』, 민음사, 1998.

김인환, 「朴斗鎭詩論」, 『현대문학』 1972. 6.

김종철, 『녹색평론선집 1』, 녹색평론가, 1993.

김종철, 『시적인간과 생태적 인간』, 삼인, 1999.

김지하, 『생명』, 민음사, 1992.

남송우, 「생명시학을 위하여」, 『시와 사람』 1996년 가을호.

노 철, 「녹색시의 예술성」, 『돈암어문학』 13. 2000.9. pp.19~34.

박두진, 『韓國現代詩論』, 一潮閣, 1977.

_____, 『한국현대시문학대계 20』, 지식산업사, 1983.

박목월, 『박목월전집 9권』, 서문당, 1984.

박상배, 「생태-환경시와 녹색운동」, 『현대시』 1992년 6월호.

박이문, 「생태학과 예술적 상상력」, 『현대예술비평』 1991년 겨울호.

박철희 편, 『박두진』, 서강대학교출판부, 1996.

박희병, 「한국고전문학의 전통과 생태적 관점」, 『창작과 비평』 1995년 가을호.

신덕룡, 「생명시 논의의 흐름과 갈래」, 『시와 사람』 1997년 봄.

신현락, 『韓國 現代詩와 東洋의 自然觀』, 한국문학사, 1998.

오탁번, 『現代詩散藁』, 고려대학교출판부, 1979.

이건청, 「시적 현실로서의 환경오염과 환경파괴」, 『현대시학』 1992년 8월호.

이기서, 「芝薰詩가 지닌 狀況의 意志化」, 『趙芝薰 研究』, 고려대출판부, 1978.

이남호, 「녹색문학을 위하여」, 『포에티카』 1997년 겨울호.

이숭원, 「생태학적 상상력과 우리 시의 방향」, 『실천문학』 1996년 가을호.

이진아, 「한국 사회와 생태학적 상상력」, 『실천문학』 1996년 가을호.

이형기 편, 『박목월』, 문학세계사, 1993.

이희중, 「朴木月 詩 연구 : 시세계의 변용을 중심으로」, 고려대학교석사논문, 1985.

_____, 「새로운 윤리적 문학의 요청과 시의 길」, 『현대시』 1996년 5월호.

임도한, 「韓國 現代 生態詩 研究」, 고려대 박사논문, 1998. 12.

정지용, 「詩選後」, 『文章』1940. 9.

정한모, 「靑鹿派의 詩史的 意義」, 『靑鹿集・其他』, 현암사, 1968.

정호웅, 「녹색사상과 생태학적 상상력」, 『문학사상』 1995년 12월호.

정효구, 「우주공동체와 문학」, 『현대시학』 1993년 9월호.

조지훈, 詩의 원리. 나남출판, 1996.

_____, 조지훈접집 1. 나남출판. 1996.

최동호, 「趙芝薰의 「僧舞」와 「梵鐘」」, 민족문화연구. 24. 고려대. 1991. 7.

낭만주의적 개인과 자연·전통의 발견

김춘식*

1. 청록파에 대한 논의의 현재성

90년대 이후 한국문학의 근대성을 논의하는 과정에서, 특히 시문학의 경우에, 자연·전통·서정이라는 세 가지 문제틀은 언제나 그 논의의 중심권에서 벗어나본 적이 없다. 90년대 이후 한국문학의 시적 성취를 평가하는 자리에서도 자연서정시의 미학적 문제라든가 혹은 정신주의, 생태·환경 등은 한국시의 전통지향성과 자연 친화성의 미학에 대한 새로운 반성의 기회를 제공하고 있다는 중요한 평가를 항상 받아 왔다.

더욱이 동아시아적인 전통의 논의와 더불어 1990년대 이후 '자연'과 '정신주의'의 문제는 한국문학 100년을 검토하는 주요한 화두로서 견고하게 자리를 잡았다. 이런 현재적 상황은 '자연', '서정', '정신주의' 등의 용어가 '전통' 혹은 '반근대'의 측면과 '근대성', '근대적 미학'의 양편 사이에서 경계적 위치에 놓여 있기 때문에 발생하는 것이다. '생태·환경'의 측면에서 바라보면, 소재만으로 평가할 때 자연서정시·정신주의는 반근대적이면서 동시에 탈근대적인 위치를 확보하고 있는 용어이다. 또, 탈식민주의 혹은 '다문화적

---

* 문학평론가. 동국대 강사. 주요논문으로 「개화기 문학적 근대성」, 「장르의 소멸과 근대적 장르 인식」 등이 있음.

글쓰기'라는 다원성의 시각에서 접근하면 '자연·서정·전통·정신'의 항목은 동아시아적인 전통과 밀접한 글쓰기로 인식됨으로써 역시 근대성을 넘어서는 '글쓰기'의 한 축으로 평가된다.

크게 바라볼 때, 이런 두 가지 측면에서 '자연·서정·전통·정신주의'가 재평가됨으로써 문학사적인 인식에서도 일정한 변화가 나타났다. 특히, '자연·서정·전통·정신'이라는 항목을 시적 미학으로 형상화했던 기원에 해당하는 청록파 3인에 대한 평가는 새로운 형태를 보일 수밖에 없는 것이다.

과거의 경우에는 청록파의 시를 대체로 식민지 현실에 대한 도피, 분열적 현실에 대한 의도적인 자기 망각[1] 등으로 평가하면서 그 미학적인 한계를 지적하거나, 청록파의 복고적 취향, 이상주의 등의 허구성을 비판하는 방향으로 그 연구가 진행되어 왔다면, 앞으로는 주로 '근대성'과 결부된 방향에서 미학적인 실체를 재검토하거나 한국문학사의 전통, 자연, 서정의 세 항목이 지니고 있는 공과를 평가하는 작업에 연구자들의 관심이 집중될 가능성이 있다. 특히, 청록파에 관한 기존 박사학위 논문의 대부분이 '형식 미학'에 관련된 '내재비평'이라는 사실은 그 동안의 청록파 연구에 대한 사적 평가의 빈곤을 가감없이 보여줌으로써[2] 이러한 연구의 필연성을 어느 정도 뒷받침하고 있다.

그래서, 우리는 청록파에 대한 기존의 평가를 대표하는 글로서 여전히 김우창 교수의 「한국시의 형이상 — 하나의 관점」을 꼽을 수밖에 없다. 이 글은 이미, 1970년대에 발표된 것으로 한국의 자연서정시를 동양적인 조화의 가치관에 안주함으로써 분열된 세계에 대한 미학적 대응에 실패한 것으로 간주한다. 특히, 청록파에 대한 평가는 김소월의 감정주의와 정지용의 정신

---

1) 김우창, 「한국시의 형이상-하나의 관점」, 『궁핍한 시대의 시인』, 민음사, 1977.
2) 박사논문으로는 이문걸, 「청록집의 원형심상연구」, 동아대대학원 박사논문, 1996 ; 백승수, 「청록집의 기호학적 연구」, 동아대대학원 박사논문, 1994 ; 김기중, 「청록파시의 대비연구」, 고려대대학원 박사 논문, 1991. 등이 있는데 문학사적인 연구가 상대적으로 빈약함을 알 수 있다.

기술의 방법으로서의 이미지즘을 결합시켰지만 결국 이들의 해결은 "한국 문화의 전반적인 붕괴 속에서 급한대로 단편적인 피난처를 구한 결과"[3]라고 결론 짓는다. 이런 시각은 최근에 대산재단 심포지움 "현대 한국문학 100년 -20세기 한국문학 어떻게 볼 것인가"에서 「한국 현대문학에 나타난 자연」 이라는 제목으로 발표한 이남호 교수의 글에서도 동일하게 나타난다. 예를 들면 다음과 같은 평가가 그것이다.

> 청록파의 자연은, 일제 말기의 가혹한 현실 속에서 발견된 자연이다. 그 자연은 사실적 세계가 아니라 정신적 공간이다. 박목월이나 조지훈의 자연은 도교적이거나 불교적인 성격을 지닌다. 그러나 그 공간은 종교적이거나 형이상학적이라기보다는 미학적이다. [……] 청록파 시인들은 일제에 의해 현실을 잃어버림으로써 현실의 자연도 잃어버렸다. 그 대신 그들은 현실을 초월할 수 있는 상상 속의 자연을 추구했다. 청록파에 이르러 우리 문학은 사실적 자연의 모습은 잃어버렸지만 상상적 자연의 모습은 풍요해졌다고 말할 수 있을 것이다.[4]

이 두 평자의 견해는 식민지 상황이라는 궁핍한 현실에 대한 대응이 이들 청록파의 시적 한계로 작용하여 '가상의 미학', '거짓의 정신세계'와 '현실회 피', '창조된 미학에 의한 정신적 만족' 등에 머물고 있다는 것이다. 이러한 지적은 청록파의 시가 지니고 있는 단순화, 형식미학적인 속성에 대한 비판 으로는 일단 적합하게 생각되지만 그 한계에 대한 지적이나 원인에 대한 해 명은 지나치게 도식적인 면이 없지 않다. 예를 들면, "[한국시의-인용자] 개 인적인 문화에의 도피는, 앞에서 말한 바와 같이 동양의 전통이 본질적으로 조화의 전통이었기 때문에 더욱 조장되었다고 할 수 있다. 그것은 조화를 깨뜨리는 부정적인 요소를 어떻게 다룰 것인가에 대하여는 별다른 대책을

---

3) 김우창, 앞의 글, p.57.
4) 이남호, 「한국 현대문학에 나타난 자연의 모습」, 『현대 한국문학 100년-20세기 한국문학 어떻게 볼 것인가』, 민음사, 1999. p.375.

◀ 『청록집』 출판기념회(1946.9.)
앞줄 왼쪽부터 곽종원, 박목월, 조지훈, 박두진.

가지고 있지 않은 전통이었다. 否定의 전통을 갖지 않은 곳에서 의지할 수 있는 전통이라고는 禪的인 것밖에 없었던 것이다. 아니면 시인은 '고발'이 아니라 '한탄' 속에서 혼란으로부터의 출구를 찾을 수밖에 없었다"와 같이 '동양의 전통'에 대한 야스퍼스의 견해를 근거로 한 진술은 조화의 전통과 부정의 전통, 선적(禪的) 전통을 차별화하고 계서화(階序化)한다는 점에서 서구중심적인 오리엔탈리즘을 반복하는 견해이다.

실제로 과거 한국 자연서정시의 전통이 근대적인 형식미학에 경도되어 있는 점이 없지 않지만 이러한 형식미학에 대한 비판을 근대적 미학 자체의 한계와 결부시켜 바라보느냐, 아니면 근대적 미학을 기준으로 한국의 자연서정시가 그것에 미달하는 것으로 평가하느냐는 엄청난 차이가 있는 것이다. 이런 시각에서 바라본다면, 김우창 교수의 청록파에 대한 평가는 필연적인 결과일 수밖에 없다. 계몽주의적인 합리성으로부터 낭만주의로의 내면화를 거쳐 모더니즘적인 기술에 이르기까지 한국의 현대시가 근대성 혹은 서구적 형이상학의 철저한 실천이 없었기에 마침내는 '교리와 분열된 현실'의 간격을 뛰어넘지 못하고 감정적, 정신적 만족과 위안에 머물렀다는 그의 평가는 이 점에서 근대적 보편주의자의 당연한 논리적 귀결점이다.

그러나, 동양의 전통에 대한 근대적 보편주의의 평가가 '오리엔탈리즘'이나 '문화적 식민주의(Culture Colonialism)'의 결과에 따르고 있다는 '탈식민주의(Post-colonialism)'의 비판을 염두에 둔다면 야스퍼스가 말하는 동양의 전통은 보편주의를 가장한 하나의 편견에 불과하다. 더구나, 거기에서 논리적 근거를 얻은 김우창 교수의 추론적인 평가는 '동양의 미학' 혹은 그 '전통'의 긍정적인 계승이나 재창조를 근원적으로 차단하는 '재단적인 비평'이 될 수밖에 없는 것이다. 실제로 김소월과 주요한, 정지용, 김기림에 대한 그의 평가도 근대적인 형식 미학의 미완성에 대한 지적의 측면에서는 타당하지만 이러한 한국시의 내면적 특징, 그 원근법적인 내면 풍경에 대한 평가에서는 마찬가지로 서구보편주의의 도식(圖式)을 앞세우고 있다. 근대성을 최우선으로 한 그의 평가는 '보편성'을 표방할 수는 있지만 한국시의 고유한 가치에 대해서는 상당한 편견을 보여준다. 이런 편견은 그의 견해가 동양이라는 '숙명론'에 함몰된 '인과론'이거나, '순환론적이면서 결정론적인 사유'의 결과임을 보여주는 것이다.

한국 근대시사에서 자연·전통·선적 정취 등의 발견은 근대성과 서로 모순되기보다는 그 '일부'라고 보아야 할 것이다. 한국시에서의 자연서정, 전통의 발견은 한국의 역사적 근대체험의 산물이며 그 결과물로서 창안되거나 발견된 것이다. 따라서 한국 자연서정시의 전통에는 한국적 근대의 한계와 가능성이 동시에 내포되어 있다.

'전통', '동양정신', '민족', '민요'의 개념은 김우창 교수의 생각과는 달리 선험적인 산물이 아니라 타자에 대한 인식과 더불어 발견되고 새롭게 체계화된 '근대적 원근체계'에 속하는 것이다. 이 점은 청록파 논의의 현재성과 관련해서 가장 중요한 부분이기도 하다. '자연서정·전통'의 문제가 그것을 둘러싼 주관적 가치관과 인식·미학적 차원을 중심으로 전개될 수밖에 없다는 말은 달리 말하면 '자연·서정·전통'이 상대적인 미학적 규범으로서 시인의 '내부세계의 질서'에 속하는 문제가 되기 때문이다. 이 말은 니체의 '원근법적 도착'에 의해 차별화된 자연관의 내면화 과정이 근대적인 '자연'

의 개념 속에 스며 있다는 뜻이다. 따라서 청록파를 비롯한 한국의 자연서정시가 '전통'과 밀접한 상호 연관성을 갖는다는 사실은 '자연의 내면화된 원근법', '내부세계의 질서 속에 편입된 자연관'이 '전통적 측면'을 내적으로 흡수하고 있음을 의미한다. 즉, 청록파의 '자연묘사'가 보여주는 — 박목월·조지훈의 — 현저한 전통적 풍경, 민요적 가락의 지향 등은 상상된 자연의 미적 체계 안에 이미 '전통'이 깊이 틈입하고 있음을 암시한다.

이때의 '전통'은 '미적인 것'과 동일하며 시인에 의해 발견되거나 창안된 것이다. 조지훈의 「승무」, 「봉황수」, 「고풍의상」, 「고사(古寺)」 등 초기 작품에 나타난 관조적이고 정적인 풍경은 미적 주체의 정신적 스토이시즘(Stoicism)과 복고취향을 드러낸다. 또 목월의 민요적 가락과 동화적인 자연 풍경은 그의 이상주의적인 태도와 동양적 산수화와 민요의 리듬을 미적 규범으로 내면화하고 있는 주체를 발견하게 한다. 그리고 다소 이질적이지만 박두진은 기독교적인 에덴(낙원)을 이상적인 미의 형상으로 그려 넘으로써 정신적인 해방과 충일을 지향한다. 결국 이들 세명의 시인에게 전통은 '미적 절대치', '미적 규범'과 대치될 수 있는 것이다. 박목월, 조지훈이 동양적인 풍경에 대한 관조와 산수화, 민요 등에서 미적 절대성을 발견했다면, 박두진은 기독교적인 자연의 환희로부터 자신의 미적 절대 규범을 발견한다. 달리 말하면 이들 세명의 시인 사이에도 '자연'은 각기 다르게 '보이고' '해석'된 것이다. 또한 그들이 기대고 있는 '전통' 또한 기독교, 선적 정관, 민요, 산수화적 풍경 등 조금씩의 편차를 지니고 있다.

청록파 논의의 현재성은 이처럼 근대적인 형식미학 안에서 탐구된 '내면풍경'이 자연에 투사되는 과정에 대한 평가와 해석의 차원에서 일차적인 의미를 얻을 수 있다. 그리고 두 번째는 그러한 형식미학이 발견한 '상상으로서의 자연'의 공과를 평가함으로써 새로운 미학의 가능성을 모색하는 것이다. 이런 과정에서 형식미학의 한계를 둘러싼 근대성 비판의 여러 논의들을 차례로 검토함으로써 한국 문학사의 전개과정에 대한 재정리와 평가를 수행할 수 있으며 특히 '전도된 근대의 기원', '동양적인 것과 전통의 상관관계' 등의 다양한 문제를 함께 논의할 수 있는 것이다.

2. 낭만적 이로니(Irony)와 파시즘

청록파가 대표하는 자연서정시의 전통에 대한 비판 중에서도, 우리는 최근에 한국의 자연서정시가 유기시론의 범주 안에 머물기 때문에 탈근대적 차원에서 볼 때 위계성의 미학·제국주의적 착취의 미학을 재생산한다는 비판5)과 더 나아가서는 파시즘 미학의 한 부분인 유기체론과 폭력적인 동일성의 미학에 머물고 있다6)는 두 비판을 주목함이 좋을 듯하다.

이 두 비판은 파시즘의 원리가 이미 근대성의 내부, 근대적 형식 미학의 내부 안에 깊게 뿌리내리고 있다는 시각으로부터 비롯된다. 그리고, 여러 가지 면에서 이러한 비판은 90년대 이후 자연서정시의 전망과 반성에 대한 중요한 지침을 제공하고 있는 것이 사실이다.

그러나, 한국문학사의 자연서정시 전통이나 유기시론에 대해서 이 두 견해는 다소 일면적인 비판에 경사된 측면도 없지 않다. 기억하건데, 과거 파시즘의 시대에 그것과 저항하는 반체제 문학도 완고한 중심성과 대항권력이라는 면에서는 그 비판의 대상과 일정한 '상동성'을 지니고 있었음을 우리는 익히 알고 있다. 이런 상동성의 측면 때문에 반체제문학이 파시즘에 동조하는 문학과 동일한 것이라고 말할 수 없듯이, 유기시론과 파시즘 미학의 원리가 '상동성' 혹은 동일한 기원을 지닌다고 해서 양자가 같은 것이라고 할 수는 없을 것이다.

특히, 이러한 '상동성' 때문에 과거 청록파를 비롯한 식민지 시대의 순수

---

5) 구모룡, 『문학과 근대성의 경험』, 좋은날, 1998.
6) 김철, 「민족─민중문학과 파시즘 : 김지하의 경우」, 『현대 한국문학 100년─20세기 한국문학 어떻게 볼 것인가』, 민음사, 1999.

문학이 '파시즘' 앞에서 무기력하거나, 심정적인 동조를 보였다고 평가하는 것은 다소의 비약이 개입된 해석이 아닐 수 없다.

문제는, 파시즘적인 '도구성'이 모든 것을 '포식'한다는 사실에 있다. 심지어 파시즘이 근대성의 원리를 도구적으로 먹어치운다고 해도 그것은 별로 놀라운 일이 아닐 것이다. 파시즘의 영역은 기술, 미학, 신비주의, 종교에 이르기까지 끊임없이 확장한다. 이런 확장은 파시즘 자체에는 어떤 '실체'나 '영혼'이 없기 때문이다. '수단'과 '도구성'이 목적과 윤리를 마비시키는 현상을 파시즘에서 쉽사리 목격할 수 있었듯이, 그것은 근대적인 전도의 체계를 그 원리로 삼는다. 따라서 문제는 유기시론이나 신비주의가 아니라 그것을 도구적으로 이용하는 '체제'에 있는 것이다.[7]

실제로, 일제의 파시즘이 점차 극으로 치닫고 있던 1930년대에 식민지 조선의 문학은 파시즘적인 도구성의 위협 아래 전면적으로 노출되어 있었고, 『인문평론』과『문장』이 폐간되기 직전의 시점에서 발표된 최재서의 「서사시·로만스·소설」[8]과 김남천의 「소설의 운명」[9]은 로만개조론을 앞세워 '개인주의를 청산'하고 리얼리즘으로 나가자는 공통된 주장을 펼친다. 이 점에 대해 김윤식 교수는 "이러한 현상이 30년대 말기의 식민지 한국사회에서 어떤 의미를 띠는 것일까를 우리는 묻지 않을 수 없다. 과연 한국소설에서 개인주의가 그 난숙한 단계에 한 번이나 도달한 적이 있었는가. [······] 이런 사정을 철저히 인식하지 않은 마당에서 새로운 로만 개조로서의 서사시에의 지향은 파시즘에 나아갈 논리적 지름길을 닦는 일로 된다"[10]라고 하여 개인주의의 청산이 곧 파시즘으로 직결될 수 있음을 신랄하게 지적한다.

식민지 현실 아래에서 개인주의 문학이 한 번도 난숙한 경지에 도달한 적

---

7) 파시즘 미학과 정신주의에 대한 논의는 필자의 「근대성과 정신주의」,『한국문학연구』 22집, 동국대학교 한국문학연구소, 2000. 3. 참조.
8) 최재서, 「서사시·로만스·소설」,『인문평론』, 1940. 8.
9) 김남천, 「소설의 운명」,『인문평론』, 1940. 11.
10) 김윤식,『한국근대문학사상비판』, 일지사, 1978, pp.130~131.

이 없다는 점에서 '개인주의의 청산'은 한 마디로 현실추수적인 논리에 불과하다. 빈약한 식민지 조선의 개인주의적인 토양과 일찍이 임화가 지적했던 시민 계급의 미성숙성이 '비평적 논리의 붕괴'로 직결되는 현장을 우리는 여기서 가감없이 지켜볼 수 있는 것이다.11) '개인주의의 청산'이라는 논리로 파시즘적인 논거가 마련되기 시작했을 때, 30년대 후반 조선에서 가장 결핍된 요소가 '개인주의'라는 점은 하나의 아이러니가 아닐 수 없다. 더구나 30년대 후반은 김기림이 '근대성의 파산'을 선고한 시점이라는 사실에 비추어 보면, 빈약한 낭만주의적 개인성 혹은 내면성이 채 정립되기도 전에 '근대성의 파산'을 선고하고 자아상실, 전통상실, 전망부재, 가치관의 분열 앞에 허덕이다 서둘러 전체주의로 투항하는 식민지 지식인의 모습은 참으로 나약하기 짝이 없는 것이다. 특히, 최재서는 그의 비평적 궤적 속에서 분열된 현대의 세계관에 새로운 질서를 부여하는 수단으로 '지성'을 선택했다는 점에서, 결국은 현실의 분열 앞에 좌초한 역설적인 낭만주의자가 되고 말았다. 낭만주의적인 개인과 분열된 세계의 대결이라는 본질적인 대립 앞에서 '지성론', 즉 '과학'이 패배하는 순간을 우리는 그를 통해서 이렇듯 상징적으로 바라볼 수 있는 것이다.

그렇다면, 이 무렵『문장』을 통해서 문단에 나온 청록파 3인에 대하여 우리는 어떤 평가를 내릴 수 있을 것인가? 김윤식 교수가 지적한 바처럼, 전통 지향적인『문장』파에 비하면『인문평론』을 이끌던 최재서, 김남천, 임화 등 이론가의 전체주의에 대한 투항은 좀더 자발적이었다는 사실을 주목할 필요가 있을 것이다. 이 점은 조지훈의 다음과 같은 고백을 통해서도 짐작할 수 있는 것이다.

그렇게 快適하던 절간 생활도 몇 달이 안가서 처참하게 무너지게 되었다. 일본의 대륙 침략은 말기로 접어들어 민족문화를 말살하는 强力同化政策

---

11) 김춘식, 「낭만주의에서 파시즘까지─최재서론」, 『한국문학평론』, 2000. 여름, p.112.

이 실시됨으로써 우리말은 교육에서 뿐만이 아니라 일상의 회화와 언론 출판에서까지 금지되기 시작했다. 東亞, 朝鮮 兩大新聞이 폐간되고 「文章」이 폐간되고 「人文評論」은 「國民文學」이라 개제하여 日本文雜誌가 되고 만 것이다. 나는 五臺山에서 「文章」 폐간호를 받고 울었다. 거기에는 <靜夜>라는 拙詩가 실려 있었다. 이 시는 推薦詩에 응모했던 작품인데 住所不明이 되어 연락이 안되어서 옛날의 원고뭉치에서 이것을 골라 실었던 모양이다. 그것은 무슨 종말을 예견하는 詩와도 같았다. 山中에도 감시의 눈이 뻗치고 고독과 침울과 憤恨에 젖는 정신은 毒酒만을 기울여 나는 마침내 다시 轉地療養이 불가피하게 되었던 것이다.[12]

인용한 글에서 알 수 있듯이, 청록파 3인에게 『문장』은 단순한 등단지면으로서의 의미를 초월해서 조선, 전통, 우리말을 대표하는 상징적 존재에 비교할 수 있는 듯하다. 실제로 『文章』이라는 제호와 문장의 미학을 강조하는 이태준의 성향, 가람 이병기의 복고취향, 고전부흥론과 전통주의 반근대적인 정신구조 등은 다분히 상상된 미학으로서의 '전통'일 망정 이들이 '전통적인 미'와 '낭만적인 이로니'에 의한 대체물로서의 '예술'에 심취되어 있음을 알 수 있다.

'과학'으로서의 '합리성'이 파시즘 앞에서 몰락하는 상황에서 낭만적인 개인의 '미적 심취'가 오히려 파시즘에 대한 대항기제가 된다는 것은 무척이나 뜻밖의 결과이다. 그러나, 절대성의 상실, 분열된 세계 앞에서 좌초한 합리주의자 최재서에 견주어 보면, 이들에게는 '미적 신념'과 '전통'으로 그들의 상실을 대체하는 '낭만적 이로니(irony)'[13]가 작용함으로써 현실의 상황

---

12) 조지훈, 「나의 시의 편력」, 『청록집이후』, 현암사, 1968.

13) "현실에의 패배를 다른 대치물로 극복하려는 의지이되, 그것이 현실에의 패배라는 객관적 사실을 인정하지 않을 수 없는 태도, 그것이 낭만적 이로니이다."(김윤식, 「문장」지의 세계관, 『한국근대문학사상비판』, 일지사, 1978, p.180). 저자는 이어서 「문장」지의 낭만적 이오니에 대해서 다음과 같이 설명한다. "이러한 시적 비전은 아무리 현실부정의 요인을 머금고 있더라도 현실적으로 그것이 이데올로기로 작용되지 않을 때 지극한 보수주의에로 유착된다. 또한 그들의 시적 비전이 진보(근대화)에 동조하지 않는 내적 필연성에 의해 돋아난 것이기에 근대적 개인의 숨은

에 대한 '격렬한 부정과 패배감'이라는 이중적(아이러니한) 상황 속에서 특정한 '비전'을 창출하게 된다. 특히, 청록파 3인에게는 그것이 '자연', '전통', '기독교적인 에덴'으로 각각 형상화되어 나타난 것이다.

결과적으로, 현실부정으로서의 '반근대'와 그 현실에 대한 패배의 인정으로서의 '새로운 미학'의 창안(대체물로서의)이라는 '낭만적 이로니'의 작용은, 문장파를 포함해서 청록파 3인의 시인을 의식적인 반근대주의, 전통부흥론자이면서 동시에 가장 근대적인 미학에 충실한 '창작가'라는 이중적인 존재로 만든다. 이미 상실되었다는 의미에서 이들의 전통이나 자연은 현실속에 존재하지 않는다. 그것은 오직 가상의 세계, 미학의 세계, 내면 안에서만 존재하는 것이다. 실제로 조선어, 전통, 조선은 1930년대 후반의 상황에서는 이미 패배한 가치들일 뿐이다. 이러한 사라져가는 존재들을 시와 미학으로 '되살려내는 행위'가 갖는 의미는 그것이 현실적인 이데올로기나 실천적인 행위를 포함하지 않는다고 할지라도 그 잠재적인 '부정성'은 상상을 불허한다.

따라서, 청록파가 발견한 근대적인 자연, 전통은 이식문화로서의 일본식 근대, 신문명에 대해서 의식적인 반근대주의를 지향하지 않을 수 없다. 이 점에서 청록파는 근대 초창기부터 일종의 담론체계로서 이식되어온 '동양', '전통'이라는 이념을 '내면으로부터 극복한 미학적 성취'를 달성해 낸 것이다.

3. '동양'적인 것의 이식

'전통'이나 '동양'이라는 용어로부터 심정적인 '반근대성' 혹은 '비근대성'을 읽어내는 것은 지금까지는 어느 정도 일반화된 견해로 통하곤 했다. 그

음성의 어떤 부분을 대변할 수는 있고 나아가 전통의 상실을 포함한 의식적인 전통부흥자이며, 이 점에 한정하여 보면 그들은 반근대주의자로 규정된다."

러나, 실제로는 이러한 용어들이 비교적 최근의 시기에 '창안'된 것이며 근대 이전의 역사적 정통성이나 선험적인 숭고한 혈통 또는 정체성을 보장하는 용어들이 아니라는 새로운 지적은 연구자들에게는 '근대성의 기원'에 대한 심각한 회의를 불러 일으키는 사건이 된다. 서구인의 '동양'에 대한 편협한 인식을 지적한 에드워드 사이드의 '오리엔탈리즘'과는 반대로 상대적으로 동양인의 우월성과 자존심을 보장하는 용어로서 '발견' 혹은 창조된 '동양'과 '전통'의 개념도 이런 맥락에 비추어 본다면 그 자체로 지적인 '근대기획'의 성격을 띠고 있는 셈이 된다.

창안된 '근대적 담론' 혹은 '근대의 지적 기획'으로서 '전통'과 '동양'을 취급하는 것은, 달리 말하면 '근대성의 체계' 안에서 '전통'과 '동양'이라는 용어의 기원을 다루는 것을 의미한다. 하나의 특정한 용어가 내포한 이데올로기적인 함의와 그 의미의 확장으로서의 '제도'의 기원에 대한 탐색은 이러한 접근의 핵심이라고 할 수 있다. 특히, 한국문학사의 특수한 정황(식민지 체험, 일본신문학의 이식)에 비추어 볼 때, 이러한 지적 기획과 제도의 기원에는 심상치 않은 '정치적 변수'들이 '은폐'되어 있게 마련이다.

특히, 그러한 지적 기획의 연원에는 중화주의(中華主義)의 전통으로부터 이탈하면서 그 정통성을 민족주의적인 우월담론으로 변형시키는 형태의 '근대적 창안'이 심각하게 작용하고 있는 것이다. 따라서 특히 동아시아 3국, 즉 한국, 일본, 중국은 각기 '전통'과 '동양'에 대한 인식에서 서로 상이한 '담론틀'에 기반한 민족적 정체성을 수립해 왔다고 할 수 있다. 표면적으로 '동양의 전통'은 이 세 국가가 서로 공유하는 공통항처럼 보이지만 실제로는 서로 좁힐 수 없는 '정치적 입장'의 차이를 가장 심각하게 노출하고 있는 개념이다.

동아시아적 정체성이나 동아시아론이 쉽사리 해결되기 어려운 까닭은 이것이 민감한 정치적 입장을 대변하고 있기 때문이다. 과거의 '대동아공영권' 주장이 정치적인 것뿐만 아니라 '동양적인 것'과 그 '전통'의 미적 재생산에도 심각한 영향을 미쳤다는 사실을 감안한다면 '전통'이나 '동양'의 문제는 민족주의적인 틀과 한계를 쉽게 벗어날 수는 없는 것이다.

'동양'이라는 말 속에 새겨진 개념들은 이 시기의 이론에 존재했던 다양하고 상호 괴리되는 경향들을 통합하는 데 기여했다는 게 필자의 생각이다. 이 말을 둘러싼 논의가 최초의 또는 유일한 담론이었던 것도 아니고 다른 담론들보다 더 진전된 것도 아니었지만 그것은 일본에게 새로운 자기 정체감과 외부세계와의 새로운 관계설정을 가능케 해준 통합언어를 제공했다. ① 일본과 '동양'의 과거를 담지하고 질서를 부여한 이 개념을 통해 일본인들은 자신들의 근대적 정체성을 창출해냈다. 데이비드 로웬탈의 말대로 "이전 시대의 유물과 기록들을 바꿈으로써 우리는 우리 자신들도 바꾸었다. 재창조된 과거는 다시 우리 스스로의 정체성을 바꾸어 놓았던 것이다. 충격의 성격은 변화를 추동한 사람들의 목적과 힘에 좌우된다."

② 동양이 학자들에 의해 창조된 것은 아니지만 이 "새로운" 실체는 그 역사적 과학적 신빙성을 이 시기에 등장한 도요시(동양사)라는 학문분야에서 획득했다. '동양사' 창출의 주요 공헌자요 도쿄 제국대학 역사학 교수였던 시라토리 구라키치 같은 일본 학자들은 '동양'이라는 개념에 "초계급성·불변성을 부여하기 위해" 아시아와 유럽, 그리고 일본의 갖가지 과거들을 동원했다. 도쿄대학 1백년사에서 시라토리는 다소 자화자찬격이긴 하지만 대체로 다음과 같이 정확하게 말했다. "동양사가 일본인의 역사관을 수립했으며 [……] 도쿄대학 문학부 역사학과가 사실상 이에 결정적인 역할을 했다." 동양은 도쿠가와 시대(1600~1686) 후반기 이후의 변화들 — 중국의 몰락, 온갖 기술적·문화적 문물을 지참한 서구의 도래, 인간사의 보편성에 관한 새로운 문제 제기, 문화적 정체성 문제 — 을 포괄적인 이념체계, 즉 단일화된 통합언어에 맞춰넣을 수 있게 해 주었다. 이 체계의 중요성은 그 것이 통합, 또는 단일화된 언어를 통해 일본이 자율적으로 활동할 수 있는 질서와 능력을 확립해 냈다는 데 있다. 그것은 그들의 역사를 규정했다.[14]

인용한 글에서 보듯이, 일본의 근대 지식인들은 중국 상인들이 자바 주변

14) 스테판 다나까, 「근대 일본과 '동양'의 창안」, 『동아시아, 문제와 시각』, 문학과지성사, 1995, pp.186~187.

해역을 지칭하던15) 동양[토우요우 とうよう]이라는 말을 지나(支那 china)를 대신하는 '오리엔트'의 개념으로 전도시킴으로써 '일본'을 근대 동양의 중심에 자리매김한다. 이러한 '동양'이라는 지리적 개념의 재편은 '중화주의'로부터 일본을 이탈시키고 더 나아가서는 서구에 대등한 아시아의 맹주로서 일본의 위상을 굳히는 기능을 한다. 실제로 밑줄 ②의 '동양사'라는 학문 분야의 정립과정은 '화혼양재'를 걸쳐 '탈아입구'에 이른 근대국가 '일본'의 성립과 일치한다. 그래서, 서양에 대해서는 '화혼양재'를 통해 동양을 대표하는 반서구주의(반근대주의)를 내세우고, 다른 여타의 아시아 국가에 대해서는 '탈아입구'를 달성한 선진적 '근대화 국가의 표상'으로 자부하는 상호모순되는 이중적인 위치를 '일본'이라는 '국가'가 차지하게 된 것이다.

지리개념의 재편과정과 역사와 전통을 재창안하는 데 기여한 주요담론이 '동양정신'과 '전통', 그리고 동양학이라는 점에서, '근대일본'의 정치적 의도는 언제나 이러한 담론체계 안으로 신속하게 반영되게 마련이다. 실제로 일본의 "정한론"이나 "합방론"의 배후에는 '동양정신', '동아시아적 공동체'라는 담론이 은폐되어 있다. 그리고 이런 담론은 1930년 이후 일본의 파시즘 체제가 더욱 노골화되는 시점을 전후해서 '동양주의', '대동아공영권', '동아협동체' 등으로 포장되어 널리 선전되었고 쑨원, 왕징웨이 등 중국 국민당의 일부 인사들조차16) 이에 대해 일정한 호감을 나타내기도 한다.

그러나 신채호는 이러한 동양주의를 "한국인이 동양주의를 이용하여 국가를 구하는 자는 없고 외국인이 동양주의를 이용하여 국혼(國魂)을 찬탈하는 자가 있으니 경계하며 삼갈 것이다."17)라고 하여 일찍이 동양주의가 조선을 병탄하기 위한 일제의 책략에 불과함을 신랄하게 비판한다. 그러나 신

---

15) 위의 글, p.174.
16) 쑨원, 「대아시아주의」 ; 왕징웨이, 「중일전쟁과 아시아주의」, 『동아시아인의 '동양' 인식』, 문학과지성사, 1997.
17) 신채호, 「동양주의에 대한 비판」, 『대한매일신보』, 1909. 8. 8, 10. 위의 책(p.220)에서 재인용.

채호의 이런 비판에도 불구하고 '동양주의'의 호소력은 상당한 것이어서 "동양제국이 일치단결하여 서력(西力)의 동점함을 막는다"는 주장은 조선인에게도 일정한 영향력을 주고 있는 듯하다.18)

예를 들면 이인직을 비롯한 일부 개화파 지식인들의 자발적인 친일행위는 많은 부분에서 '동양주의'로 대표되는 '인종적 연대주의'에 따른 것이다. 특히, 계몽주의의 세속성과 국제주의적 성격에 비해 상대적으로 취약한 당시의 '민족적 정체성의 자각'은 한말 중인 계층의 일부를 자연스럽게 친일의 과정으로 유도하고 있다.19) 이렇듯 '동양'이라는 개념의 인위적 이데올로

---

18) 다음과 같은 신채호의 발언은 당시 동양주의의 영향이 이미 우려할 만한 수위에 이르렀음을 말해 주는 것이다. "오늘날을 당하여 정부당(政府黨)과 일진회(一進會) 및 유세단(遊說團)의 꾀는 농락과 일본인의 농락 중에서 동양주의설(東洋主義說)을 얻어듣고 이 말을 믿고 이리저리 떠들어 대는 자이다.
그들이 이와같은 동양주의를 부르짖자 일본인이 그 소리에 화답하며, 그들이 이와같이 동야주의를 펼치매 일본인이 공의(共義)를 주(註)하여 화답함이 날마다 그치지 않으매, 한 나라 2천만 무교육의 인민이 빠르게 이 마설에 빠져들어, 동양에 있는 나라면 적국도 우리나라로 보며, 동양에 있는 종족이면 원수의 종족도 우리 종족으로 인식하는 자가 점점 생기는 것이다."
19) 김춘식, 「계몽주의적 세속성과 낭만주의적 내면」, 『불교어문론집』 5, 불교어문학회, 2001. 4. 참조. "계몽주의와 낭만주의의 교체시기의 특성에 주목하는 것은 한국 문학사의 기원을 살펴보는 데 상당히 유용한 일이다. 우선 계몽주의의 세속적 특성에 주목할 때, 한국의 친일문학과 계몽주의의 연관성은 어느 정도의 필연성을 지닌 것으로 판단된다. 이인직, 이해조, 최찬식, 안국선 등의 신소설 작가가 본래 친일적이었거나 1910년대 이후 친일적 성향으로 변화하는 것 등은 실제로는 계몽주의적 교양과 합리성의 세속성, 그리고 국제주의적인 연대의식에 일정한 요인이 있다고 여겨진다.
이런 사실은 이광수, 최남선을 비롯해서 독립협회나 안창호의 준비론 사상, 더 거슬러 올라가면 유길준을 비롯한 개화파 지식인에 이르기까지 '문명', '개화', '교양', '교육', '계몽' 등의 논리가 민족주의적인 애국의 구호를 능가하는 최상의 가치로 받아들여지고 있음을 통해서도 다시 확인된다. 즉, 계몽주의의 세속성은 신흥 부르조아 혹은 중인 계층의 실리성과 적절하게 부합된다는 점에서, 민족주의적인 '명분'보다는 문명과 교양, 교육을 매개로 한 친일적 연대에 경사될 성향이 농후하다. 이광수, 최남선의 민족주의가 관념적인 수준에 머문다거나 그들의 계몽주의적인 실천이 현실과 괴리된 '선각자' 의식의 차원을 벗어나지 못하는 점은 이것을 뒷받침하는 증거이다. 특히, 이인직의 신소설 전반에 드러나는 노골적인 친일적

기를 일본을 통한 '근대성'의 수입과정에서 함께 받아들인 조선의 '근대적 전통 인식' 안에는 상당 부분 왜곡된 '식민주의(colonialism)'가 내장되어 있다. 이런 식민주의의 흔적은 실제로 1910년대 계몽주의의 한계, 그리고 1920년대 국민문학파와 카프, 그리고 1930년대 후반 고전부흥론에 이르기까지 지속적인 영향을 미치고 있다.

이미 앞 장에서 살펴봤듯이 1930년대 고전 부흥론과 『문장』을 중심으로 한 전통지향적인 예술주의는 그 체계면에서 근대적 자아의 인식틀을 벗어나지 않은 것이지만 많은 측면에서 식민지적인 속성에 대한 저항적 면모를 지니고 있었다. '반근대적 의지'의 표출을 민족문화에 대한 정체성과 미적 주체의 자각으로 나타냈다는 점에서, 1930년대 후반의 문학은 문화적, 예술적인 민족주의를 담보하고 있다. 그리고 이러한 민족주의는 여러 면에서 낭만주의적인 예술관을 공유하고 있고 이 점은 이 시기를 논의하는 중심적인 논점이다.

청록파 시인들의 중요성은 1930년대 후반 『문장』의 문학적 성격을 그들의 시문학이 완성태로써 보여주고 있는 점에서 획득된다. '동양'이라는 관념틀의 이식으로부터 벗어나 근대적 '자기 발견'의 과정을 미학화한 점은 청록파 시문학의 가장 큰 성과이다.

청록파의 문학사적 의의에 대한 논의와 그 현재적 의의를 거론하기에 앞서 다소 장황하기는 하지만, 필자가 이미 발표한 논문의 내용과 중복되는 점이나 오해를 피하기 위해서 다음과 같은 필자의 글을 인용하고 소개함이 좋을 듯하다.

　　오카쿠라는 근대 일본의 위치를 '아시문명의 박물관'으로 규정한다. 그것
　　은 아시아 전통의 근대적 재창조라는 역할을 담당할 자격이 오직 근대국가
　　인 '일본'에게만 있음을 강조하기 위한 하나의 장치이다. 위의 글에서 오카

───────────

성향은 한말 '중인 계층'의 '세속적 합리성'과 신문명, 교양에 대한 동경의 욕구가
자연스럽게 발현된 것으로 보인다."

쿠라는 '동양의 이상과 문화'를 말하는 척하면서 사실은 일본의 국민문화의 가치와 이상을 말한다. 이 점은 19세기말 일본 근대 지식인의 자기정체성을 명확하게 보여주는 예이다.

위의 글에서 우리는 또 한가지의 중요한 사실을 발견할 수 있다. 그것은 위에 인용한 오카쿠라의 글에서 '근대적 미학주의'의 흔적을 발견할 수 있다는 점이다. 미학주의는 과학주의와 대립되는 한 쌍으로서 칸트로 표상되는 근대적 사고의 유형을 그대로 반영한다. 그것은 방법적 망각 혹은 괄호 묶기에 해당되는 것으로서 '미학'을 완전히 독립된 영역으로 분리시켜 과학주의나 여타의 영역과 병립시키는 체계이다. 이러한 사고는 가라타니 고진이 「오리엔탈리즘 이후―미와 지배」[20]에서 예리하게 지적하고 있듯이 문화적 보편주의, 객관주의를 표상하지만 실은 어떤 대상에 대한 기원을 은폐하는 속성을 지니고 있다. '방법적 망각'이나 '괄호로 묶기'는 도구적 이성에 의한 방법론적 차원을 벗어날 수 없다. 따라서 미학주의의 함정은 그것이 괄호 안에 묶여져 있는 한, 언제나 미적 대상의 기원을 은폐할 수밖에 없다는 것이다.

오카쿠라의 '동양정신'은 이 점에서 다분히 '미학주의적'이다. 그리고 그 미학주의의 근간에는 위장된 객관주의와 배타적 국수주의 혹은 제국주의로 변용될 요소가 충분한 '도구적 이성주의'가 있다. '아시아 문명의 박물관으로서의 일본문화'에 대한 미학적 가치발견이 '근대적 강국 일본', '아시아의 혼으로서의 일본 국민의식'을 합리화하는 수단으로 전락하고 있는 것이다.

한국 근대문학의 성격에 개입될 수 있는 뚜렷한 함정을 우리는 위의 글을 통해서 확인할 수 있다. 일본에 의해 창안된 '동양', '동양정신'의 개념은 한국문학사의 인식에 중요한 변수로 작용할 수밖에 없게 된다. 일본에 의해 굴절된 근대적 사고체계의 이식과정에서 가장 중요한 위치를 차지하는 것이 바로 '동양', '동양정신'과 그 일부로서의 자기정체성에 대한 확립과정이라고 할 수 있기 때문이다. 앞에서 살펴 봤듯이 일본을 통한 근대문학의 체험은 '근대', '반근대' 논리의 심각한 변용으로 나타날 수 있다. 반서구주의를 '반근대'로 그리고 '반중국'을 '근대'로 인식하는 사고틀의 교묘한 이식 과정이 한국문학사에서 그대로 이루어진 것이다. 국민국가인 '일본'을 지탱

---

20) 가라타닌 고진, 「오리엔탈리즘 이후―미와 지배」, 1997년 방한 시의 세미나문.

하는 제도가 '국민국가'를 형성하지 못한 식민지 조선에 '이식'되는 과정에서 이 점은 더욱 심각한 굴절로 나타난다. 예를 들면 '동도서기론'으로 표상될 수 있는 개화기 근대화론과 1920년대 국민문학파의 성격은 '근대적 국민국가'의 부재와 '인식론적인 모순'에 의해서 상당히 불안정한 성격을 지닐 수밖에 없는 것이다.

'동도서기론'은 '전통'의 근대적 재창조와 새로운 '동양' 인식이 없이는 불가능한 것이다. 즉, 동시대적인 자기정체성에 근거할 때만이 '동도서기론(東道西器論)'은 그 의미를 지닐 수 있다. 그러나 이러한 근대적 정체성의 확립은 필연적으로 앞선 세대에 대한 인식론적인 단절과 고대적 전통의 부활, 재창조를 통해서 가능한 것이다. 이 점에서, 한국이나 중국은 일본에 비해서 중세적 전통과의 인식론적인 단절과정이 다소 미약했다. 그리고, 그 주된 이유는 일본식 근대화 개념의 영토인 '반중화주의' 안에서 근대적 기획을 구상했기 때문이다.

'동도서기론'과 '화혼양재(和魂洋才)'를 서로 비교한다면 이 점은 좀더 명확해진다. 일본의 근대화론이 '국민국가'의 성격에 좀더 명확하게 부합된다는 것은 주지의 사실이다. '동도서기론'이 지역적 문화구도의 재편성을 의미한다면 '화혼양재'는 국민국가를 지탱하는 '민족주의'의 표어임이 분명하다. 이러한 격차는 '동양', '동양정신'의 개념을 처음부터 민족주의적인 논리로 풀어 나간 일본이, 그렇지 못했던 한국과 중국보다 그 근대성의 심도에서 좀더 쉽게 진척될 수 있었음을 의미한다. 동도서기론은 애국계몽기까지도 과거의 '중화주위적 전통'으로부터 그다지 자유롭지 못한 상태였다. 그리고 한편으로는 '반중화주의'를 내부에 숨기고 있는 일본의 근대주의를 구한말 '개화'의 모델로 삼고 있었다. 따라서 이러한 이중성에서 비롯되는 자기 정체성의 모순은 근대주의 형성과정의 중요한 장애가 될 수 있는 것이다.

다음은 미학주의와 근대적 미의식의 함정이다. 앞에서 보았듯이 근대적 미학주의에 틈입되어 있는 '괄호묶기' 혹은 '방법적 망각'의 흔적을 우리는 1930년대의 순수문학과 모더니즘에서 발견하게 된다. 그것은 카프로 표상되는 정치의 논리가 무너진 한쪽에서 '미적 자의식'의 차원을 밀고 나갔다는 긍정적인 평가를 가능하게 하지만 한편으로는 그 안에 감추어져 있는 심각한 자기모순과 정체성의 위기를 직감하게 한다. 해방공간에서 드러난

이태준, 정지용, 오장환의 모습과 30년대 후반 임화의 '문학사 기술'21)에 대한 관심에는 이러한 측면이 잘 나타난다. 과학과 미학은 보편성을 위장하고 있는 근대적 인식체계의 양면이라고 할 수 있다. 따라서 카프의 과학주의와 모더니즘의 미학주의가 근대적 주체에 대한 위기의식을 진정으로 극복할 수 없었던 까닭은, 근대라는 폭력적인 보편주의와 객관주의를 은폐하는 정치적 담론의 실체를 명확하게 인식하지 못했기 때문이다.22)

과학주의와 모더니즘적의 미학주의가 내포한 한계에 대한 지적은 1930년대 후반의 문단적 상황을 함축적으로 드러낸다. 이 점은 모더니즘의 미학주의가 '보편성'을 전제로 한 박래품이라는 사실에 있다. 전통, 동양이 근대 일본에 의해 창안되었듯이, 과학주의와 미학주의는 근대의 쌍생아라고 할 수 있다. 이 점에서 특히, 한국의 모더니즘적인 미학주의는 개인과 체험이 누락된 공동체적인 통합과 세계의 분열상을 '이미지즘'이라는 풍경묘사로 괄호치는 사상의 '의도적 망각'을 그 특징으로 보여준다. 파시즘의 압박 아래서

---

21) "현실에 철저히 패배한 자들의 현실 초극방식이 신의 노예가 됨으로써 가능했다면, 서정주는 신의 자리에 미를 앉혔고, 따라서 미가 지배하는 영토의 왕자일 수 있었다. [……] 주인으로서의 서양(근대성)을 섬기고 그것의 노예가 되는 일이란 무엇인가. 만일 서양이, 즉 이성의 계몽주의(료타르가 말하는 큰 이야기)가 보편성을 곧바로 가리킴이라면, 근대성의 종이 되어 이를 이 땅에 심고자 하고, 이를 휘두른 임화는 이로써 주체성을 세운 경우라 할 수 있다. 그렇지만, 이 근대성을 하나의 허구(서양 것이지 내 것이 아님의 인식)로 본다면 어떻게 될 것인가. '삶의 구경적 형식' 또는 '원형적 인간성의 존재방식'을 신이라고 보고 그것에 스스로 종이 되고자 한 조연현의 처지에서 보면 임화가 경배하는 신인 근대성이란 한갓 허깨비일 따름이었다."(김윤식, 『김윤식선집3 – 비평사』, 솔, 1996, pp.332~333).
임화나 모더니스트가 추구한 미와 과학성은 근대적 주체가 의지하는 보편적 가치의 양대 기둥이라고 할 수 있다. 위의 인용에서 김윤식은 임화의 과학성(마르크시즘, 근대성)과 서정주의 미의식, 그리고 조연현의 구경적 삶의 형식을 '주체형성'의 세 과정으로 보고 논의를 전개시켜 나가고 있다. 본고에서는 임화의 과학성과 서정주의 미의식(혹은 모더니스트의 미적 자의식)이 근대성의 양면에 해당한다고 보고 그것의 허위성을 자각함으로써 나타난 위기의식이 임화의 문학사 기술과 해방 후 모더니스트의 변화에 대한 원인이 되었다는 관점을 취하고 있다.
22) 김춘식, 「개화기의 문학적 근대성」, 『동악어문론집』 33, 1998. 12, pp.299~302.

모더니즘적인 지성과 과학주의의 허무한 붕괴는 이러한 손쉬운 망각과 체험, 내면의 빈곤이 함께 작용했기 때문에 비롯된 현상이다. 청록파 시인의 의의는 이러한 낭만주의적인 내면성의 빈곤을 '미학적으로 극복'했다는 점에 있다.

그러나, 청록파의 반근대적인 주체성과 낭만적 이로니에 근거한 미적 주체의 부정성은 현실적으로는 폐쇄적인 형식 미학 안에 갇혀 있다는 보수성과 한계를 내포한다. 이러한 점은 '괄호치기'를 통한 현실의 배제에 속하는 것이다. 낭만적 이로니가 최재서에게 미숙성으로 보였듯이, 낭만주의적인 미적 주체는 세계의 분열을 자기의 내면으로 이동시킨다. 그것은 모더니즘의 입장에서는 진정한 통합이 아니며 현실을 가상과 신비주의 안에 가두는 것이 된다. 그러나, 흄의 분열적 세계관을 따르는 모더니즘의 미적 통합원리와 절대적 통합을 믿는 낭만주의의 분열된 내면 사이의 '상동성'에 주목한다면, 이 둘은 거울에 비춰진 동일체의 상호 전도된 '역상(逆像)'에 불과함을 알 수 있다. 결국, 모더니즘의 기술과 낭만주의적인 내면은 '근대적 예술'의 양면성을 상징한다. '내면 없는' 기술과 '기술 없는 내면'은 모두 불완전한 미학이라고 할 수 있다. 청록파의 시는 이 점에서 낭만주의적인 내면과 모더니즘적인 기술이 비교적 완성적인 형태로 만나고 있는 셈이다. 그러나, 문제는 이들이 발견한 '자연', '전통'이 그렇듯이 이들의 분열된 내면이 '시'와 '미학' 속에서 지나치게 쉽게 '치유'되고 '통일'된다는 점이다. 그것은 애써 형상화한 '자연'과 '전통'을 고립된 형식 속에 가두는 보수주의와 폐쇄성을 낳는다. 청록파의 시적 한계는 근대적인 '미학주의'의 도식성과 함정을 이들이 극복해 내지 못한다는 사실에 있다. 그것은 이들의 기교가 그들의 내면적 분열을 감추거나 은폐시키는 역할을 하기 때문이다. 낭만적 이로니 속에 내장된 '불완전한 존재에 대한 상실감'이 미학적인 단순화에 의해서 소거되는 감이 없지 않다는 점은 청록파 시의 중요한 단점이다.

4. 청록파의 재평가[23]

청록파를 비롯한 1930년대 말~40년대 초 신세대 문인의 성격은 여러 가지 점에서 주목할 부분이 많다. 어쩌면 전통의 근대적인 재창조는 '청록파'를 비롯한 이 시기 문인의 내면의식 속에서 비로소 발견할 수 있을 것이다. 그것은 과거의 전통을 답습하지 않으며 피상적인 계승과 변형을 넘어서 '내면화된 상태'의 특징을 주로 보여준다. 일본 제국주의의 패권의식을 담고 있는 '동양정신'의 당대적 영토와 이들의 문학은 일정한 거리를 지키고 있다. 특히 청록파로 표상되는 이 시기 자연의 발견은 내면화된 자기정체성의 정수라고 할 만하다.

근대성에 대한 인식이 '전통'에 대한 인식을 수정했다는 예는 '청록파' 혹은 30년대 신세대문인 혹은 문협전통파의 정신적 경향에서 찾을 수 있다. 이 점은 반근대주의의 주장이 실은 근대적 인식체계의 일부라는 주장으로서 김동리, 서정주, 그리고 청록파 시인들의 전통주의가 사실은 전혀 반근대적이지 않다는 것이다. 이 점은 종래에 이들의 문학적 경향 속에 내포되어 있는 비합리성을 지적하면서 근대성에 대한 함량미달로 평가하던 견해를 비판하는 주장이다.

실제로 청록파 시인들의 시는 근대적인 자아의 자연발견에 해당되는 것으로서 오히려 30년대까지의 한국시사가 지닐 수 없었던 내면화된 풍경을 시로 보여준 대표적인 경우이다. 이 점은 청록파 시인의 자연발견이 전통적인 자연의 발견이나 산수시와 다른 위치에 있음을 의미한다. 이미 앞에서 말했듯이, 전통적인 형태의 자연은 근대적 인식체계를 통해서 내면풍경으로서의 자연을 발견한 시인들에게는 그 정확한 실체를 알 수 없는 신기루 같

---

23) 김춘식, 위의 글, pp.302~303. 이 글과 논의 주제가 중복되므로 그 내용을 재수록함.

은 것이다. 따라서 청록파 시인 3인의 자연에 대한 인식이나 전통의 발견은 그 대상만 자연과 전통이라는 것일 뿐 그 인식적 틀은 철저하게 근대적이다. 조지훈처럼 전통적 고적의 세계에 심취했던 경우에도 그것은 근대적 심미주의의 태도를 표방한 것으로서 전통적 선비취향보다는 무관심성의 관조에 가깝다고 할 수 있다. 이 점은 칸트의 심미주의 혹은 무관심성이 박목월, 조지훈의 시적 태도에 스며들어 있다는 의미이다.

이제 청록파에 대한 좀더 자세한 검토로 들어가 보기로 하자.

우선, (1) 서정주가 이들에게 '자연파'라는 이름을 붙이게 된 동기가 세 시인이 각기 시적 지향이나 표현의 기교, 율조는 달랐지만 자연을 제재로 하고 자연의 본성을 통하여 인간적 염원과 가치를 성취시키려는 시 창작 태도의 공통점을 지니고 있기 때문이었다는 점, 그리고 (2) 이 시집에 수록된 작품들이 광복 직전의 일제 치하에서 쓰여진 것으로서 시사적으로 당연히 중요한 의의를 지닐 수밖에 없다는 점 등 두 가지 사실을 통해서 당시 이 세 시인의 시사적 의의를 유추해 볼 수 있다.

앞의 두 가지 사실은 광복 직전의 열악한 현실이라는 상황적 측면과 '그 상황에 대한 시적 대응으로 나타난 자연의 발견'이라는 '상황과 시인'의 두 축을 그대로 반영하는 명제이다. 결국 『청록집』의 발간으로 인한 '청록파', '자연파'의 탄생은 일제 말기의 현실에 대한 시적 대응을 '자연의 발견과 새로운 해석'이라는 차원에서 생각하게끔 하고 있는 것이다. 그리고 바로 이 점이 박두진, 박목월, 조지훈으로 대표되는 일제 말기 1940년대 시인들의 공통된 세대의식 또는 시대의식을 나타내는 척도라고 할 수 있다. 이런 이유로 『청록집』의 발간은 한국문학사, 시사에서 '자연의 새로운 발견'을 가능하게 했고, 그 자연의 발견과정에서 나타난 '전통적 감각과 요소'에 많은 시인, 독자, 비평가, 문학 연구자의 시선을 주목하게끔 만들었다.

그렇다면 "어떤 까닭에서 세 시인이 마치 약속이나 한듯이 자신의 시적인 제재를 자연으로 택했고 그 안에서 새로운 시적 전통을 발견하게 된 것일까? 혹시 이 점이 앞에서 말한 일제 말기 시인들의 공통된 시대의식, 또는 세대감각에서 연유하는 것은 아닐까?"하는 생각도 해 볼 수 있을 것이다.

이런 생각에 대한 해답은 1930년대 후반 카프와 모더니즘의 쇠퇴 이후 있었던 한국문학사의 '전통론', '고전부흥론'과 관련시켜 파악한다면 비교적 쉽게 찾아진다. 우선, 당시 '전통론'의 주요 논의가 『문장』지를 중심으로 이루어졌다는 점과 청록파 시인들이 모두 『문장』지를 통해서 처음 문단에 나왔다는 사실은 '청록파'의 자연관과 『문장』의 전통지향성이 서로 밀접한 관계 아래 있다는 것을 증명한다. 두 번째로 청록파와 거의 비슷한 시기에 『문장』지로 등단한 이한직, 김종한, 박남수의 시와 한국시사에서 거의 같은 세대에 속하는 서정주, 유치환, 오장환, 이육사, 백석, 이용악 등의 시를 비교해 봄으로써 이들 시인들 사이에 '전통'과 '자연'을 인식하는 어떤 공통된 세대감각이 존재한다는 사실을 발견할 수 있다.

서정주, 유치환이 보여준 삶과 생명에의 의지와 격정, 분노는 이용악의 '한', '설움과 비통', '유랑민의식'과 같은 시대적 맥락을 지니고 있고 또한 이한직, 오장환의 소시민적 모더니즘은 그 언어표현 이면의 정서에서 오히려 박남수, 박목월, 박두진과 유사한 면이 있다. 이런 사실은 1950년대 이후 한국시사의 흐름을 전통주의와 모더니즘의 대립으로 도식화하는 견해에 대한 부분적인 유보조건이 된다. 좀더 분명하게 말하면 청록파는 1940년대 한국시단에서 '전통'과 '자연'을 현대적인 정신과 형식으로 재발견했다는 점에서 이미 '전통주의'와 '모더니즘'의 경계를 넘어서고 있다. 다시 말해서 청록파는 자연과 전통의 재발견을 통해서 시적 모더니티의 새로운 영토를 개척해낸 것이다.

청록파의 출현은 일제치하 말기의 시대적 현실이 주는 억압이 젊은 세 명의 시인에게 공통적으로 작용한 결과로서 한국의 근대적 자연시의 한 유형을 특징적으로 보여주었다. 이는 근대의 자연시란 결과적으로 그 시대 현실에 대한 반작용일 수 있다는 점을 보여주는 좋은 예이기도 하다.

자연시나 전원시라는 말은 근대 이후의 역사적 인식이 변화하는 과정에서 그 의미가 새롭게 형성된다. 전통적으로 동, 서양의 자연관은 '본질 혹은 모방의 대상'이라는 측면을 지니고 있었다. 자연이 인간 삶의 환경이자 세계 그 자체였고 문명적 요소보다는 자연적인 요소가 인간에게 더 친밀하고 완벽한 신의 창조물로 여겨지던 시대에 시나 예술의 평가 척도는 그것이 어느 만큼 자연을 완벽하게 흉내내는가에 달려 있었다. 그러나 근대에 접어들면서 자연에 대한 인간의 의식은 크게 변화되는데, 먼저 전통적인 자연미에 대립하는 인위적인 인공미의 출현이 그것이다.

모더니즘의 출현은 '모방의 시', '감정분출의 시'에서 '인위적인 창조와 기교로서의 시'라는 개념으로의 변화과정을 그대로 담고 있다. 자연은 이제까지 누리고 있던 '본질적인 아름다움'의 영역에서 물러나 단지 인간을 둘러싼 외부적 환경 중의 하나에 불과한 것이 된다. 그것은 인간의 창조물인 건축, 즉 도시 자체가 신의 창조물인 자연과 대등한 혹은 우월한 위치를 차지하게 되었다는 사실을 의미한다.

청록파의 자연에 대한 새로운 발견도 본질적으로는 이러한 '근대적 자아의 인식 구조' 안에 존재한다. 즉 청록파의 자연은 현실적인 완성태에 대한 모방의 의미로서의 자연이 아니라 이들 시인에게 내면화되어 있는 '이상적 현실에 대한 동경'이 하나의 형상으로 표현된 것이다. 청록파는 이 점에서 시적 모더니티의 중요한 특징인 '인위적인 창조'의 영향권 안에 존재하며 '현실부정과 유토피아 의식'을 함께 공유하고 있다.

청록파의 시는 1940년대의 억압적 현실을 이러한 시적 모더니티를 통해서 극복하려고 한 노력의 산물이다. 『청록집』에 실린 시 중에서 특히 박목월의 시가 현실적 자연이 아닌 시인의 내면에 있는 '이상적 자연'을 그려내고 있다는 점이 종종 지적되곤 하는데 이 점도 바로 청록파의 시적 모더니티를 증명하는 좋은 예라고 할 수 있다. 현실부정의 인식이 내면 속의 자연을 새롭게 발견, 창조하게끔 유도했고 결국 자연이라는 전통적 소재가 시적 모더니티의 하나로 변신하게 된 것이다. 조지훈의 '정적인 전통주의와 동양적 미의 발견'도 역시 자연을 매개로 한 전통접목과 현실부정이라는 중요한 특성 안에서 설명이 가능하다. 또한 박두진의 '기독교적 낙원(에덴) 이미지'도 현실부정의 테두리 안에 존재한다. 이러한 사실은 이들 세 시인의 자연 인식이 궁극적으로는 현실부정이라는 공통된 의식을 그들이 지향하는 개성있는 이상주의로 채색하는 과정에서 나타난 것이라는 점을 알게 한다.

결국 『청록집』에 실린 시들은 현실부정이라는 내적 정신의 긴장이 '자연'이라는 매개를 통해서 표현된 것이며 그 시들이 보여주는 '자연'은 세 시인의 개성있는 부정정신에 의해서 각각 새롭게 해석된다. 박목월은 정적, 수평적 이동의 이미지를 통해서 자연을 '이상적인 동화(童話) 혹은 동양적 산수화의 세계'로 그려내고 있고 조지훈은 자연을 '전통적 미와 멋의 세계를 발견하고 입적의 경지'에 이르는 수단으로 삼는다. 또 박두진은 기독교적 신앙을 바탕으로 의지적, 수직적, 상승적인 식물 이미지를 통해 자연을 '기독교적 에덴'이라는 이상적 공간으로 그려내고 있다. 이런 특징은 이들 청록파의 시가 현실적 공간으로서의 자연이 아닌 이상적 공간으로서의 자연을 그리고 있다는 중요한 사실을 명확하게 드러내는 것들이다. 그리고 그러한 이상적 공간은 내면의 풍경을 유토피아주의로 바꿀 줄 아는 근대적 자아의 인식틀에 속하는 것이다.24) 새미

---

24) 졸고, 「개화기의 문학적 근대성」, 『동악어문론집』 33, 1998, pp.299~306.

청록파 시인론

詩와 선비의 미학

- 조지훈론

김용직*

1. 머리말

趙芝薰은 우리 현대사에서 거연히 솟아오른 크고 높은 산봉우리다. 그는 시인으로 자처했으나 여느 시인처럼 시작만을 일삼은 데 그치지 않았다. 시를 쓰기 전부터 그는 민족 운동의 선구자적 자질을 보였다.1) 또한 평생을 대학에서 한국문학을 가르치는 교수로 살았고, 6·25 사변 후에 빚어진 자유당 정권의 전제적 폭압이나, 4·19, 5·16에 임하여서는 정치적 비리에 맞서 한 시대를 바로잡으려는 지사의 모습을 보였다. 그가 오랫동안 고려대학의 교수로 후진을 지도하면서 젊은이들에게 올곧은 정신자세와 의기를 가르친 일도 널리 알려진 바와 같다.

그러나 조지훈은 그 모든 일에 앞서 시인이며 문학자로 살고자 했다. 1939

---

* 서울대 명예교수, 문학평론가. 주요저서로 『임화문학연구』와 『한국근대시사』 등
  이 있음.

1) 조지훈이 경상도 주실에서 상경한 것이 그의 나이 17세를 헤아린 1936년이다. 그는
   상경하자마자 곧 기미독립 선언의 33인 가운데 하나인 한용운을 찾았고 이어 다음
   해에는 그와 함께 만주 항일 투쟁의 거벽인 一松 金東三의 죽음에 임해 그의 시신
   을 서대문형무소에서 인수하는 데 일역을 담당했다.

년 『문장』지를 통하여 시가 추천되면서 그는 시인의 길을 걸었다. 8·15직후에는 당시 우리 시단의 화제를 모은 청록파 3인시집 『靑鹿集』을 출간했고 이어 『풀잎 斷章』(1952), 『조지훈 시선』(1956), 『歷史 앞에서』(1959), 『餘韻』(1964) 등을 상재했다. 이와는 달리 그는 『詩의 원리』(1953), 『詩와 人生』(1953) 등의 시론집도 가진다.

이제 우리가 이런 조지훈의 시쓰기를 살피면 거기에는 뚜렷하게 선을 긋고 나타나는 특성 같은 것이 있다. 그 하나가 본론, 정계의 입장을 취하고저 한 점이며 다른 하나가 가능한 한 외래취향에 젖기보다는 한국적인 시를 쓰고저 한 점이다. 후자와 같은 단면은 정서, 기법 면을 통해서 동시에 그 모습이 드러난다. 많은 경우 그의 시는 제재부터를 한국, 또는 동양적인 것에서 택했다. 형태, 기법에 있어서도 그는 그 무렵 다른 시인들이 즐겨 택한 모더니즘계의 것과는 다른 시를 발표했다. 『문장』의 추천 작품인 「古風衣裳」이나 「僧舞」 등은 이런 경우 우리에게 좋은 보기가 된다.

> 하늘로 날을듯이 길게뽑은 부연 끝 풍경이운다.
> 처마끝 곱게 드리운 주렴에 半月이 숨어
> 아른아른 봄밤이 두견이 소리처럼 깊어가는 밤
> 곱아라 고아라 진정 아름다운지고
>
> ―「古風衣裳」 일부[2]

> 얇은 紗 하이얀 고깔은
> 고이 접어서 나빌레라
>
> 파르라니 깎은 머리
> 薄紗 고깔에 감추오고
>
> 두볼에 흐르는 빛이

---

2) 『文章』(3)(1939. 4), pp.128-129, 『靑鹿集』(을유문화사, 1946), pp.40~41.

정작으로 고아서 서러워라.

빈 臺에 黃燭불이 말없이 녹는 밤에
오동잎 잎새마다 달이 지는데

소매는 길어서 하늘은 넓고
돌아설듯 날아가며 사뿐이 접어올린 외씨보선이어.

—「僧舞」3)

　본래 한국어는 인구어와 달라서 격조사가 유난히 많으며 곡용의 겨우 형
태부를 이루는 어미도 그 양이 매우 풍성하다. 「고풍의상」에서는 그런 우리
말의 특성에 의거한 자취로 「곱아라 고아라 진정 아름다운지고」와 같은 부
분이 있다. 의미내용으로 보아 「곱아라」와 「고아라」 사이에는 큰 차이가 없
다. 그러나 음운상의 맛은 두 개의 말에 상당한 거리가 생긴다. 또한 「아름
다운지고」는 「아름답다」의 고어형이다. 이것으로 전통의상을 입고 내당에
선 한국여인의 모습이 기능적으로 나타난다.
　다음 「승무」의 첫 연에 대해서도 비슷한 이야기가 가능하다. 「하이얀」은
「희다」의 의태상 변형이다. 그리고 「나빌레라」의 기본형은 「나비이다」가 된

◀ 조지훈

3) 『文章』(1939. 12), pp.119~120, 『靑鹿集』, pp.66~67.

다. 그런데 기본형에 형태부를 잘 살려 쓴 것으로 이들 시는 한국어의 결과 맛을 매우 기능적으로 살린 것이다. 뿐만 아니라 이 시의 제재 내지 제목인 「고풍의상」이나 「승무」 또한 서구 취향의 것이 아니라 매우 한국적인 것이다. 등장 초기부터 조지훈의 시가 갖는 한국적인 것의 추구, 전통 지향성은 이와 같이 뚜렷한 선으로 나타난다.

2. 전통지향과 재래종 미학

초기시를 통해서 보면 조지훈은 모든 것에 앞서 시를 우선시킨 단면을 드러낸다. 그에게는 시의 예술성 확보가 최우선 과제였고 그밖의 사상, 관념, 정치적 목적의식은 시를 위해서 배제되거나 부차적인 뜻밖에 지니지 않았다. 이런 목표달성을 위해서 조지훈은 강하게 전통추구의 시를 썼다. 이를 검증하기 위해서 우리는 다시 그의 추천작을 검토해 볼 수 있을 것이다. 그 제목으로 짐작되는 바와 같이 「고풍의상」은 한국의 고유의상을 입은 여인의 자태를 노래한 것이다. 그리고 「승무」는 한국의 전통종교 가운데 하나인 불교에서 파생된 춤이다.4) 그것은 범박하게 보아도 우리의 고유한 문화적 표상이다. 그러므로 얼마간의 역사적 시각을 곁들여도 이 작품은 민족의식을 담을 수 있었다. 그런데 조지훈은 이 작품에서 전혀 그런 입장으로 말을 쓰지 않았다. 이 작품들에서 그는 마지막까지 객체를 객체로 둔 채 그에서 빚어지는 미감만을 노래했다. 그 나머지 이 작품에서는 정치나 역사, 현실이 의식적으로 배제된 낌새가 생긴다.

초기의 조지훈 시에 나타나는 이와 같은 의식상의 특성을 우리는 일종의 순수시 지향이라고 할 수 있다. 그러나 그의 순수는 흔히 서구에서 시도된 절대시의 개념과는 다르다. 현대문학의 단계에서 서구시인들은 시에서 일체

---

4) 시작과정에 대하여, 『詩와 原理』, 『조지훈 전집』, 일지사, 1973, pp.100~101.

의 시 아닌 요소를 제거하려고 들었다. 그 나머지 유리알과 같이 투명한 의식을 전제하게 되고 그런 절대의 경지에서 쓰이는 시를 순수시라고 생각했다. 그러나 조지훈은 출발 초기에 투명인간을 생각하지는 않았다. 그 단적인 보기가 되는 것이 『文章』의 추천작품이다. 절대순수의 경지를 추구하면 한국의 전통적인 미인이 아름다운 것으로 노래되지 않았을 것이다. 오동잎 잎새마다 달이 지는 밤의 「승무」가 갖는 재래적 정서도 배제될 수밖에 없었다. 이것은 무엇을 뜻하는 것인가. 이에 대한 답이 궁금한 우리에게 해답의 실마리를 주는 것이 「문학의 근본과제」라는 글이다.

여기서 조지훈은 문학이 지적인 것이 아니며 윤리도덕과도 별개의 범주에 든다고 전제했다. 문학이 주는 감동은 미의 범주에 드는데 그 미는 아름다운 꽃을 볼 때 받는 느낌과 같다. 그것은 도덕적 희생이나 과학적 발견에서 얻을 수 있는 기쁨과 근본적으로 다르다는 것이다. 이렇게 독자성을 가진 것이 문학이며 시이므로 그 존재의의를 다른 영역과 격절시킬 수밖에 없다. 여기서 빚어지는 심리가 조지훈으로 하여금 역사, 현실과 시를 격리시키게 한 것이다.

지금 돌이켜 보면 초기의 조지훈 시에 나타나는 심미적 세계의 제한은 일종의 결벽증에서 빚어진 결과였다. 그가 전제로 한 인간의 정신영역 구분부터가 문제를 내포한다. 지식이나 도덕이 시와 이해상반된다는 생각부터가 그랬다. 시와 문학, 또는 심미의 차원이 고정되어 있다는 생각은 아무래도 정신의 편향을 낳을 수밖에 없다. 그 부작용으로 빚어질 사태는 시를 온실의 화초로 만들거나 정체의 늪에서 떠돌게 할 것이 필연적이었다.

다음 조지훈의 초기시에 나타나는 전통지향성에 대해서도 우리는 의문을 제기하게 된다. 훗날 그가 실토한 바에 의하면 『문장』 시대에 그가 사숙한 것은 서구쪽의 시인들이었다.

> 내가 조선에서 자랐을 뿐 나의 마음의 고향은 한곳에 고요히 있는 것이 아니다. 괴에테와 하이네의 고향도 나의 마음의 고향이었다. 보오드렐의 퇴

폐, 베르렌느의 비애, 랭보의 유현, 콕토의 기지가 사는 불란서의 하늘이 그리워 때로는 내 마음 새하얀 캡을 쓰고 스틱을 두르며 파리장이 되어 푸른 파리의 거리를 헤매는 것이다.[5]

조지훈은 철이 들자 곧 조부인 柳寅錫 옹 슬하에서 漢文을 배웠다. 그는 또한 그 무렵 영남지방의 내방에서 널리 퍼진 내방가사에도 익숙했다고 한다.[6] 그러나 감수성이 예민한 청소년기에 이들 재래종 시문이 주는 충격은 서구 근대문학의 비가 되지 못했을 것이다. 그는 열여섯 때 제도 교육을 받기 위해 상경했는데 그 직후부터 「승무」계의 작품과 함께 모더니즘의 유형에 드는 작품도 썼다. 그 단적인 보기가 되는 것이 『白紙』에 실린 「계산표」이하 다섯 편의 작품이다.

고오이 자라다.
窒息하다

슬픈 가슴 華美로운 惰性

玉같다 부서진 쪽빛 桎梏에
뜬 구름 하나 둘이 고운 輓歌라

가울었다. 하이얀 조각달조차
야윈 요카낭의 肋骨아 울어라.

작은 水族館 三角의 破窓

맑은 性 살아오다 가는 호들기
기리 悔恨없이 고오이 눈감다

---

5) 『詩와 人生』, 신흥출판사, 1959, p.320.
6) 『趙芝薫 硏究』, 고려대출판부, 1978, p.39.

-「浮屍」7)

　조지훈은 훗날 『白紙』를 통해 발효한 그의 시를 그의 사화집에 수록하지
않았다. 그 가운데 단 하나 예외가 된 것이 이 작품이다. 이 작품은 두 가지
점에서 동양적이며 전통적인 쪽의 것이 아니라 서구 지향의 단면을 드러낸
다. 우선 여기에는 「요카낭의 늑골」이 나오며 「수족관」이 소재로 등장한다.
이 자체가 재래종의 테두리를 벗어난 서구취향이다. 그와 아울러 이 작품
의 제목이 되어 있는 「浮屍」도 서구적인 것이다. 여기서 「부시」, 곧 「물위
에 떠오른 시체」는 생명이 끝나 배를 뒤집고 뜬 물고기를 가리킨다. 동양에
서는 물고기의 죽음이 시의 제재가 된 예는 거의 없다. 특히 그 죽은 모습
자체가 인생사에 대비되지 않은 채 심미의 차원에서 노래된 예는 잘 나타
나지 않는다. 그러나 서구, 특히 보오드렐과 같이 탐미적인 성향이 짙은 시
인의 작품에서는 죽음이 그 자체로 미화된 예가 얼마든지 있다. 뿐만 아니
라 이 작품의 「玉같다 부서진 쪽빛 柩槥에/ 뜬 구름 하나 둘이 고운 輓歌라」
와 같은 부분은 모더니즘의 단면까지가 지적될 수 있을 정도로 주검이 감
각화되어 있다. 이 역시 재래종의 정서가 아니라 이 무렵 조지훈 시에 내포
된 서구취향이다. 이렇게 보면 초기 조지훈 시에 나타난 전통성이 시인 자
신의 의도한 바가 아닐 수도 있음이 짐작된다. 처음 그는 이런 점에서 상당
히 유동적인 시인이었다. 그의 등장이 1939년 「문장」 4월호를 통해서였음
은 이미 밝혀진 바와 같다. 이때에 조지훈은 「古風衣裳」으로 『문장』 추천제
의 첫 관문을 통과했다. 그런데 이 경우 그가 제출한 작품은 「고풍의상」 하
나만이 아니라 「부시」계의 것도 있었다고 한다. 이때의 선고위원은 심사기
준이 엄격하기로 이름이 나 있었던 정지용이었다. 그는 첫회부터 모더니즘
의 영향을 느끼게 하는 「부시」계의 작품을 뒷전으로 돌리고 「고풍의상」, 「
승무」, 「봉황수」 등을 추천했다. 그리고는 이례적인 찬사로 그의 추천사를

7) 『白紙』, 창간호(1937. 7), pp.14~15.

마쳤다.

  趙君의 회고적 에스프리는 애초에 명승고적에서 날조한 것이 아닙니다. 차라리 고유한 푸른 하늘 바탕이나 고매한 자기 살결에 무시로 去來하는 一林雲瑕와 같이 자연과 人工의 극치일까 합니다. 가다가 明鏡止水에 細雨와 같이 뿌리며 내려앉는 悲哀에 artist 趙芝薰은 한마리 白鷺처럼 도사립니다. 詩에 있어서 깃과 죽지를 고를 줄 아는 것도 天成의 기품이 아닐 수 없으니 詩壇에 하나 新古典을 紹介하며…… 뿌라보우[8]

  이런 정지용의 찬사는 그 내용이 조지훈의 추천시들이 갖는 예술적 완성을 산 것으로 집약된다. 그러나 여기서 우리가 지나쳐 버릴 수 없는 말이 있다. 그것이 「회고적 에스프리」라고 한 부분이다. 여기서 회고적의 뜻은 반외래, 전통지향성을 이른 것이다. 추천을 받기 전에 조지훈은 서구의 근대시에 보다 많은 매력을 느낀 것같다. 그 나머지 「고풍의상」과 함께 그와 대척되는 성향의 시로 「華悲記」를 투고했다고 한다. 그런데 추천자인 정지용이 「화비기」를 뒷전으로 돌리고 「고풍의상」을 택했다. 이 「화비기」가 바로 모더니즘 계의 작품 곧 「浮屍」의 성향을 지닌 쪽의 것이었다.[9]

  단적으로 말해서 조지훈의 전통적 시 선택은 그가 스스로 택한 길이었기 보다는 다분히 타율적인 것이었다. 이런 그의 시적 경향에 더욱 박차를 가한 것이 그의 성장 배경이다. 그는 영남 북부지방의 유서를 지닌 가문출신이다. 그의 조부인 柳寅錫 옹은 봉건 유생의 후예였으나 일찍부터 개화개혁의 열정에 불탄 사람이었다. 그는 몇 차례의 서울 출입 다음 집안과 문중의 구습타파와 신문화 수입에 발벗고 나섰다. 그러나 차례로 동경에 유학시킨 자제들이 일제치하에서 요시찰 낭인이 되는 것을 보자 신교육의 부작용도 통감한 듯하다. 그 나머지 총애하는 손자들에게는 신교육 대신 집에서 재래

---

8) 정지용, 「詩選後」, 『文章』(1940. 2), p.171.
9) 나의 시의 편력, 『靑鹿集 이후』, 현암사, 1968, pp.352~353.

시와 선비의 미학 | 109

식 서당교육을 받게 했다.[10] 그리하여 조지훈은 여느 경우처럼 적령기에 그에 걸맞은 공적 교육과정을 이수하지 못했다. 그가 훗날 혜화전문에 든 것은 독학 자습에 의해서 자격시험에 합격했기 때문이다.

조지훈이 제대로 제도권 교육 과정을 이수하여 중등교육과 전문교육을 받았을 경우를 생각할 수 있다. 그랬다면 아마도 그는 내방가사와 고담소설, 한문과 한학의 분위기에 젖기 전에 상당히 깊속히 서구의 근대문화에 매료되었을 것이다. 그랬다면 「고풍의상」과 「승무」는 애초부터 나오지 않았을 가능성이 있다. 어떻든 『문장』 추천과 함께 그는 전통지향의 시인이 되었다. 그리고 그것은 다분히 타의가 작용한 결과이기도 했다. 이 경우 우리에게 참고되어야 할 것이 『문장』 추천때부터의 문우인 朴木月의 추억담이다. 그 무렵 박목월은 『문장』의 관문을 통과한 시인으로 경주의 금융조합에서 근무하고 있었다. 그런 그를 조지훈이 찾아갔다고 한다. 박목월에게 그때 조지훈의 모습은 여간 인상적인 것이 아니었다. 그런데 훗날에 이르기까지 박목월은 이때 경주 역두에 나타난 조지훈이 흰 두루마기 차림이었다고 기억했다. 그러나 그가 세상을 떠난 후 박목월이 사진첩을 뒤적이다가 그것이 기억의 착오임을 알았다.

밤물결처럼 치렁치렁 장발을 날리며, 경주역두에서 내게로 걸어오던 芝薰은 틀림없이 수수한 흰 두루마기를 입고 있었다. 그의 웃는 눈매며 허연 이마까지도 나의 기억에 선명한 것이다. 그럼에도 그가 세상을 떠난 후, 나는 오래된 사진첩을 뒤지다가 우리들이 함께 박은 사진을 발견하고 놀랐다. 석굴암에서 가즈런히 서 있는 사진에 그는 희꾸무레한 양복을 입고 있는 것이다. 물론 해방되기 전 그와 내가 만난 것은 단 한번뿐이며 그러므로 거짓이 있을 리 없다.[11]

일상생활을 통해서 우리는 끊임없이 실제 겪은 일에도 착각을 일으키고

---

10) 지훈의 고모 조애영 여사의 증언, 『조지훈 연구』, p.39.
11) 박목월, 「芝薰 회상 이제」, 『조지훈 연구』, pp.417~418.

사실과는 다른 판단을 한다. 박목월의 조지훈에 대한 첫 대면의 기억도 그에 속할 것이다. 그러나 중요한 것은 이런 기억 속의 착각이나 오류와 진실 사이의 거리가 아니다. 생전 조지훈과 가장 가까운 문우 가운데 한 사람인 박목월이 그것도 인상적인 첫 만남에서 입은 의상의 종류를 혼동했다. 양복을 한복으로 바꾸어버린 것이다. 이것은 무엇을 뜻하는 것인가. 여기서 우리는 조지훈의 시에 나타나는 전통지향성이 애초부터 예정된 것은 아니었음을 짐작하게 된다. 그것은 그의 성장 배경과 함께 주변 여건이 빚어낸 타율적 의사들의 결과와 같은 것이었다.

3. 순수의 변모양상, 지훈 시의 세 단계

비록 그것이 여건과 상황의 영향에 의한 것이긴 했으나 조지훈의 시가 전통에 의거한 것은 평생 한 시인의 방향타 구실을 했다. 이미 살편 바와 같이 그는 등장과 동시에 이 갈래에 드는 시를 썼다. 그리고 범박하게 보면 그런 정신성향을 평생 바꾸지 않았다. 그러나 화제가 순수시 쪽으로 이동하면 이와는 사정이 좀 달라진다. 큰 테두리로 보면 조지훈은 목적의식이나 이념에 앞서 시를 추구한 시인이다. 그런 의미에서 그는 평생을 바쳐 순수의 편에 선 시인이기는 하다. 그러나 30년을 헤아리는 역정을 살펴 보면 조지훈의 시작경향에 적지 않은 변모 양상이 나타난다.

등장 초기부터 8·15 직후에 이르기까지 조지훈의 시는 다분히 회고적이며 세속회피의 단면을 드러낸다. 이 유형에 속하는 작품들이『문장』의 추천작인「승무」,「봉황수」등이며, 그 후에 발표한「가야금」,「古調」,「古寺」,「芭蕉雨」,「玩花衫」,「律格」,「落花」,「피리를 불면」등이다.

　　차운 산 바위 우에

하늘은 멀어
산새가 구슬피
우름 운다.

구름 흘러가는
물길은 七百里

나그네 긴 소매
꽃잎에 젖어
술익는 강마을의
저녁 노을이여

이 밤 자면 저 언덕에
꽃은 지리라

다정하고 한 많음도
병인양 하여
달빛 아래 고요히
흔들리며 가노니……

―「玩花衫」 전문[12]

외로이 흘러간 한송이 구름
이 밤을 어디메서 쉬리라던고

성긴 빗바울
파초잎에 후두기는 저녁 어스름

창 열고 푸른 산과

---

12) 『상아탑』(5)(1946.4), p.11. 단 이때의 행과 연 구분은 훗날 시집 출간 때와 상당히
   거리가 있다. 여기 작품 형태는 『조지훈 詩選』(정음사, 1956), pp.124~125에 의한
   것이다.

마조 앉아라.

들어도 싫지 않은 물소리기에
날마다 바라도 그리운 산아

온 아침 나의 꿈을 스쳐간 구름
이 밤을 어디메서 쉬리라던고

― 「芭草雨」13)

「완화삼」은 조지훈이 박목월을 경주로 찾았을 때 선물로 지니고 간 작품
이다. 조지훈은 첫 만남의 자리에서 그것을 푸른 줄이 든 원고지에 훌륭한
글씨로 써서 박목월에게 보여 주었다.14) 그 무렵 그는 아직 혜화전문의 학
생이었고 당시 한반도의 정세는 일제의 전시체제 강화로 질식상태가 되어
있었다. 그럼에도 이 작품에는 산과 가람 그 속에서 풍류를 아는 사람이 느
끼는 정감이 피력되어 있을 뿐 각박한 현실은 의도적으로 배제되어 있다.
「파초우」 또한 철저하게 물외한인, 관조의 세계에 젖어 있는 작품이다. 여
기서 작품의 화자가 노래하고 있는 것은 파초잎에 후두기는 빗방울이며 아
침과 저녁 산과 들판을 지나간 구름이다. 그 구름은 자연의 일부일 뿐 현실
과 생활의 테두리에서는 벗어나 있다. 조지훈이 속한 청록파의 이런 시에
대해서 한때 『상아탑』을 통해서 그 발표무대를 제공한 비평가가 김동석이
었다. 그런데 청년문학가협회가 발족하고 청록파의 시가 문학가동맹의 경우
와 현저하게 거리를 두게 되었다. 그러자 김동석은 이들의 작품경향에 대하
여 「그대들이 「神」이나 「黃金」이나 혹은 「당파」나 기타 어떤 세력에도 예속
하지 않고 순수한 정열을 가지고 앞으로 나아간다면 [……] 하지만 그대들
이 詩나 소설을 쓸 동안 밥을 누가 먹여 주느냐가 문제이다」15)라고 핀잔을

13) 『청록집』, 을유문화사, 1946, pp.64~65.
14) 박목월, 「처음과 마지막, 芝薰에의 회상」, 『조지훈 연구』, p.420.
15) 김동석, 비판의 비판, 청년문학가에게 주는 글, 『예술과 생활』, pp.108~109.

던졌다. 7호로『상아탑』간행을 종결한 다음 김동석은 급격하게 이데올로기 쪽으로 빠져 들었다.16) 따라서 그의 청년문학가협회에 대한 공격은 그런 각도에서 파악되어야 한다. 다만 이때의 그의 비판을 통해 우리가 읽어야 할 사실이 꼭 하나 있기는 하다. 그것이 이 무렵 조지훈의 시가 초세속, 현실과 인간에서 상당한 거리를 둔 점이다.

조지훈 시의 또 다른 유형을 이루는 것이 1940년대 말경부터 6·25 동란 속에서 발표된 그의 작품이다. 그 이전 그의 작품에 인간의 일상생활이 철저하게 배제되었음은 이미 살핀 바와 같다. 그런데 40년대가 저물면서 조지훈의 이런 시세계에는 뚜렷하게 균열 현상이 나타난다. 그 구체적 보기가 되는 것이 「민들레꽃」(1949), 「풀밭에서」(1949), 「산길」(1949), 「花體開顯」(1949), 「絶頂」(111952), 「코스모스」(1954) 등이다. 여기서 「민들레꽃」은 「까닭 없이 마음 외로울 때」와 같이 민들레를 그의 그리움과 일체화시킨 상관물이다.17) 그런데 이 작품은 「잊어버리다 못잊어 차라리 병이 되어도 / 아 얼마나한 위로이랴 / 그대 맑은 눈을 들어 나를 보느니」로 끝난다. 「민들레꽃」이전에 조지훈의 객체는 모두가 인생의 고뇌, 갈등을 초탈한 자리에 있었다. 그것이 이 작품에서는 인간적인 애증의 촉매제 내지 등가물이 되어 있는 것이다. 이것은 물아일체, 일상과 인생에서 초월한 경지가 명백히 아니다. 이런 사정은 「산길」같은 작품에서 더욱 증폭된다.

> 혼자서 산길을 간다. 풀도 나무도 바위도 구름도 모두 무슨 얘기를 속삭
> 이는데 산새 소리조차 나의 알음알이로는 풀이할 수가 없다.
>
> [……]
>
> 이따금 내 손끝에 나의 발가숭이 영혼이 부디쳐 푸른 하늘에 천둥 번개

---

16)『상아탑』은 1945년 12월10일 창간, 타블로이드판으로 10면 주간지 체제의 문학지 였는데 1946. 6·25에 7호(16페이지)를 내고 종간되었다.
17)『조지훈 시선』, 권말 작품연표, pp.174~175.

가 치고 나의 마음에는 한나절 소낙비가 쏟아진다.

-「山길」 1연, 3연.18)

이 작품 이전의 조지훈 시에 나타나는 정신의 차원은 거듭 살핀 바와 같다. 「완화삼」이나 「파초우」를 통해서 확인된 바와 같이 이 단계 이전의 조지훈의 시에서 「나」와 객체, 인간과 자연은 별개로 인식되기 전의 하나였다. 그것이 이 작품에 이르면 서로는 독립된 실체로 나타난다. 특히 1연 마지막 부분인 「산새 소리조차 나의 알음알이로는 풀이할 수 없다」는 매우 충격적이다. 이것으로 우리는 이 작품의 인간이 자연의 일부인 채 존재하는 동양의 그것이 아니라 서구적인 단면을 지녔음을 알 수 있다. 여기서 우리는 하나의 의문을 품지 않을 수 없다. 대체 조지훈의 이 무렵 시에 나타나는 이런 류의 변모가 무엇을 뜻하는가 하는 것이 그것이다. 아울러 이것이 그의 순수에 대한 포기인가 아닌가도 문제삼지 않을 수 없다.

조지훈의 시가 현실과 대중에서 괴리된 것이며 음풍영월, 봉건시대의 낡은 것이란 비판을 가한 것은 문학가동맹측이었다. 다시 김동석에 따르면 조지훈이 소속된 청년문학가협회는 물질과 현실을 도외시한 채 꿈과 관념만 뒤쫓는 바보들의 집단이 된다.19) 『청록집』을 전후해서 조지훈이 반계급주의의 입장을 취한 것은 사실이다. 그러나 이 무렵 그의 시가 인간을 전혀 뒷전으로 돌린 것은 아니다. 8·15 직후에 쓴 그의 시론 가운데 하나를 보면 조지훈이 배제한 것은 「정치에서 출발하여 정치」로 돌아가는 시였다. 이때부터 그는 사상과 시대 현실도 시의 자료일 수 있다고 보았다. 다만 그 자체가 시의 목적은 아니라고 본 것이다.20) 이렇게 보면 제 2단계에 나타나는 조지훈 시의 인생 수용은 근본적인 방향전환이 아니다. 그것은 시간의 흐름에 따른 조지훈 시의 필요한 변모양상이라 할 것이다.

---

18) 『풀잎단장』, 창조사, 1952, pp.4~5.
19) 김동석, 청년문학가에게 주는 글, 『예술과 인생』, 박문출판사, 1947, pp.102~103.
20) 순수시의 지향, 『조지훈 전집』(3), 일지사, p.212.

다음 6·25를 거치면서 조지훈의 시에는 또 하나의 국면이 전개되었다. 6·25가 일어나고 서울에 인민군이 들어오자 조지훈은 창황한 피난길을 나섰다. 대구에서 그는 종군 문인이 되어 싸우는 병사의 대열에 끼어 일선에 서고 처참한 전투 현장도 목격했다. 이때에 얻은 몇편의 시를 그는 1950년대 막바지에 나온『역사 앞에서』에 수록했다. 거기에는「절망의 일기」이하 16편의 전선시가 실려 있다. 그 가운데서「다부원에서」는 대구 북방의 한 마을이며 6·25 동란 중 최대의 격전지로 손꼽히는 전적을 노래한 것이다.

조그만 마을 하나를
自由의 國土 안에 살리기 위해서는
한해살이 푸나무도 온전히
제목숨을 다 마치지 못했거니
사람들아 묻지 마라
이 荒廢한 風景이 무엇 때문의 犧牲인가를

얼핏 보아도 나타나는 바와 같이 이 작품의 무대가 된 것은 가열한 전투가 벌어진 전장터. 그 처절한 풍경을 제시하기 위해서 조지훈은 푸나무를 의인화시켰다. 그들조차가 치열한 전투로 사라져 버린 정경을 통해 조지훈은 전란의 막대한 희생을 유추케 했다. 여기에서 이미 우리는 산수소요가 아니라 우리가 현실에서 겪을 수 있는 비극적 체험의 집약을 읽는다. 이와 또 다른 전선시에서 조지훈은 운명 직전의 인민군 병사를 노래했다.

義城에서 安東으로 竹嶺으로
바람처럼 몰아가는 進擊戰의 한때를

내 추럭에서 뛰어내려 목을 축이고
조찰히 피어난 들국화를 만지노라니

길가 푸섶에 白墨으로 써서 꽂은
나무 조박이 하나─.

「여기 괴뢰군 병사가 쓰러져 있다」

그 옆에 아직 실낱 같은 목숨이 붙어 있는
少年의 屍體

검붉은 피에 절인 그의 四肢는 썩었고
반만 뜬 눈망울은 이미 풀어져 말을 잊었다.

아프고 목마름에 너 여기를 기어와
물고에 머리를 박고 마냥 물을 마셨음이려니

같은 祖國의 山河
네 고장의 흙냄새가 바로 이러하리라.

[……]

　　　　　　　　─「여기 괴뢰군 전사가 쓰러져 있다」[21]

　이 작품을 쓸 때 조지훈은 종군문인의 자격으로 전선에 선 몸이었다. 그
런 입장에서 보면 괴괴군 전사, 곧 인민군 병사는 그의 적이었다. 전투가 시
작되면 적과 나는 죽이느냐 죽느냐로 맞서 싸운다. 그런 원수인 적이 죽은
것이 여기서 노래된 시체다. 본래 '나'와 적 사이에 가로 놓인 감정은 증오
뿐이다. 그러나 여기서 그런 원수의 하나인 인민군 병사는 목마름에 목을
축이고저 다다른 샘물가에서 숨을 모으는 중이다. 그는 이미 전투능력을 상
실한 사람이며 화자와 피를 같이 하는 동족이다. 모든 인간의 생은 존엄한
것이며 죽음도 엄숙한 것이다. 이 작품에서 조지훈은 그런 생명 존중의 감

---

21) 상게서, pp.85~86.

정을 노래했다. 그런 감정은 「들국화」, 「白墨으로 써서 꽂은 나무조박이」 등의 객체를 등장시킨 가운데 기능적인 심상으로 제시되어 있다. 이 전선시는 조지훈의 다른 시 못지 않게 성공적이다.

그러나 조지훈의 시의 이와 같은 의식의 지각변동 현상은 전선시 쓰기에 그치지 않았다. 한국 정치사에서 1950년대 후반기는 일종의 암흑기에 접어든 때다. 1953년 7월 한국동란의 막을 내리게 한 휴전협정이 체결되기는 했다. 그러나 그것은 평화시대의 개막이 아니라 휴전선을 사이에 두고 남북이 무장을 한 채 대치한 상태에서 전투행위를 유보한 것이다. 동란의 휴유증으로 우리 경제는 나락을 헤매는 중이었고 사회의 구성원들은 모두가 절망을 곱씹고 있었다. 그로 하여 우리 사회의 정치 경제적 불안은 가속일로로 치달렸다. 그러자 정국 안정을 내세운 이승만 정권이 잇달아 자유민주주의 체제를 훼손, 유린하는 폭거를 자행했다.

대한민국 헌법은 1948년 처음 공포되면서 대통령의 임기를 4년으로 하고 재임이 가능한 것으로 되어 있었다. 그것을 1954년 2대 국회에서 삼선이 가능하도록 개헌이 이루어졌다. 헌법의 개정은 출석 국회의원의 3분의 2선이 확보되어야 가능한 것이었다. 그러나 이승만 정권의 여당인 자유당은 필요로 한 표수를 얻어내지 못했다. 그러자 사사오입의 논리를 내세워 일단 부결된 3선 금지 조항을 삭제하는 폭거를 자행했다. 그후에도 야당과 반체제 활동은 전면 봉쇄되었고 민의는 철저하게 유린되었다. 그 나머지 1956년의 정부통령 선거에는 이승만과 함께 자유당 후보인 이기붕이 부통령에 당선한다. 이 역사의 파행기에 조지훈은 새 시대와 새 날을 부르는 시를 썼다. 1957년 신년송으로 쓴 「빛을 부르는 새여」가 그것이다. 이 시에서 조지훈은 이 해의 간지에 해당되는 닭을 상관물로 등장시켰다. 허두에서 닭은 '빛을 부르는 새'이며 '새벽을 다스리는 새'로 나타난다. 조지훈에게 그의 시대는 온갖 사악이 판을 치는 암흑의 밤이었다.

百鬼夜行의 소름기치는 공포를 몰아내는

神祕한 呪力을 가진 네 울음이여
다가오는 公道를
生命으로 豫見하는 詩人의 노래여
모가지를 비틀리어 붉은 피를 뚜욱 뚝
흘리면서 죽어갈지라도 背信할 수 없는
이 志操의 絶叫여
깊은 잠에 혼자 깨여 하늘을 향해
외치는 불타는 목청이여

 ─닭이 운다. 새로운 하늘이 열린다고
새해 첫닭이 운다. 어둠 속에서 빛을
거느리고, 빛이여 오라 鷄林八道에
첫닭이 운다.

─「빛을 부르는 새여」 후반부[22]

 여기서 「계림팔도」는 말할 것도 없이 우리나라를 가리킨다. 조지훈은 그
상황을 「百鬼夜行의 소름기치는 공포」의 지역으로 파악했다. 닭은 그런 공
포를 몰아내는「신비한 주력」의 새다. 그러나 그것은 울기만 하면 새날, 새
시대가 도래할 것이라는 안이한 생각을 전제로 하지 않는다. 「닭」이 「百鬼夜
行」의 공포를 몰아내기 위해서는 「모가지를 비틀리어 붉은 피」가 뚜욱 뚝
떨어지는 희생이 필요하다. 그것을 조지훈은 또 하나의 말로 「志操의 絶叫」
라고 노래했다. 여기에 이르면 조지훈은 이미 「창열고 푸른 산과 자주 앉아
라」의 시인이 아니다. 사나운 동란의 틈서리에서 병사를 만나면 인간적 동
정을 토로하고 적군의 시체 앞에서 생과 사의 의미를 되새기는 인도주의자
에 그치지도 않는다. 이 단계에 이르러 그는 명백하게 체제의 비판자가 되
고 일종의 정치적 행동도 불사할 단면을 드러낸다.

---

22) 『역사 앞에서』, p.119.

4. 시대와 시, 순수시인의 현실 참여

50년대 후반기에 접어든 다음 우리 문단에서 일종의 유행어가 된 말이 있다. 그것이 참여라는 말이다. 본래 참여의 반대개념을 지닌 말은 순수다. 이미 드러난 바와 같이 문학이나 시에서 순수란 인간과 사회, 정치, 경제를 부차적인 것으로 돌리고 예술성 확보를 최우선 과제로 삼는 입장이다. 이런 시각에서 보면 조지훈의 시는 1950년대 후반기부터 두드러지게 참여의 편으로 기울기 시작했다. 개헌이 자행된 바로 그 다음해 벽두에 그가 한국의 정치, 사회상을 「百鬼夜行」의 밤으로 비유한 사실은 이미 살핀 바와 같다.

한국의 정치적 상황은 60년대에 접어들자 더욱 악화되었다. 1960년 자유당 정권은 또 하나의 부정선거를 자행하여 이승만을 4선의 대통령으로 추대했다. 이에 격분한 민의를 학생들이 대변하고 나타났다. 3.15 부정선거 규탄으로 명명된 이 데모 사태는 단초가 대구의 고등학교 시위로 열렸다. 이어 3월 15일 저녁에는 마산에서 대규모의 학생데모가 벌어졌다. 그리고 부산에서 그에 잇따른 데모 시위가 벌어지자 곧 사태는 서울로 비화했다. 서울에서는 3월 18일 고려대학교 학생들의 궐기 데모가 있었다. 이어 다음날 그것은 바로 서울시내 각 대학이 총동원되어 독재정치 타도를 부르짖는 양상으로 나타났다. 이것이 훗날 4·19 혁명으로 명명된 학생의거였다. 이때 조지훈은 고려대학의 교수로 재직중이었다. 그는 아직 철들기 전이라고 생각한 어린 학생들, 곧 제자와 후배들이 역사를 외치며 피흘리는 사태에 직면하자 입을 닫고 있을 수가 없었다. 그의 시 「사랑하는 아들 딸들아」의 후반부는 다음과 같다.

> 사랑하는 아들딸들아 우리는 아직도 모른다.
> 너희 부모와 조상이 쌓아온 죄를 대신하여

피 흘리지 않으면 안되었다는 것을

연약한 가슴을 헤치고 목메어 웨치는 늬들의 순정을
총칼로 무찌른 무리가 있다는 것을
아무리 죄지은 자일지라도 늬들 앞에 진심의 참회
부드러운 위로 한마디의 언약만 있었더라면
늬들은 조용히 물러 나왔을 것을
그렇게까지 너희들이 怒하지 않았을 것을
그 값진 피를 마구 쏟고 쓰러지지는 않았을 것을
사랑하는 아들 딸들아
너희는 종래 돌아오지 않는구나
어느 거리에서 그 향기 높은 선혈을 쏟고 쓰러졌느냐.
어느 병원 베드 위에서 외로이 신음하느냐 어느 산골에서
굶주리며 방황하느냐

고귀한 희생이 된 너희로 하여
民族萬代 脈脈히 살아 있는 꽃다운 魂을
폭도라 부르던 사람들도 이제는 너희의 공을
알고 있다.
떳떳하고 귀한 일 했으며 너희
부모들 무슨 말이 있겠느냐마는 아무리 너희들의 꿈이
조국의 역사에 남아도
너희보다 먼저 가야할 우리 어버인 된 자의 살아남은
가슴에는
죽는 날까지 빼지 못할 못이 박히는 것을 어쩌느냐.
　　　　　　　　　　　　　　　－「사랑하는 아들 딸들아」에서23)

　조지훈으로 하여금 이런 시를 쓰게 한 4·19는 학생들 가운데 130명의 목
숨을 앗아 갔고 1,000여 명에 이르는 부상자를 내게 했다. 이승만은 대통령

23) 『조지훈 시선, 승무』, 미래사, 1991, pp.232～233.

직을 물러났고 정권은 교체되었다. 그러나 부정부패의 척결을 전제로 한 참신한 정치, 건강한 사회는 오지 않았다. 민생은 도탄에 빠지고 물가는 천정 모르고 치솟는 가운데 뜻있는 사람으로 나라 살림을 걱정하지 않는 자가 없었다. 그러자 이 틈을 타서 군인들이 쿠테타를 일으켰다. 박정희 소장이 이끄는 군부세력이 주축이었는데 처음 그들은 혁명공약을 내걸었다. 그 가운데 하나가 도탄에 빠진 민생고를 해결한 다음 군인 본연의 임무에 따라 국방의 대열로 돌아 갈 것이라는 공약이었다. 그러나 이 공약은 그후 제대로 지켜지지 않았다. 쿠테타를 일으킨 군인들은 그후 군복을 벗고 정권을 장악하여 정국을 좌우해갔다.

5·16 군사혁명이 일어나자 조지훈은 처음 얼마간 그 나름의 기대를 걸었던 것 같다. 「군사혁명에 부치는 글」에서 그는 군인들의 궐기가 4·19 의거의 정신, 곧 기성세대의 무능과 부정부패를 극복하는 것으로 작용하고 민주사회 건설에 매진하기를 요망했다.[24] 「나라를 다시 세우는 길」은 군사정부가 시도한 「재건국민운동」을 논한 글이다. 여기서 조지훈은 타성에 젖은 무능정치를 극복하고저 하는 충정에서 5·16이 일어난 것으로 보았다.[25] 그러나 시간이 흐르면서 군사정권은 장기집권의 야심을 드러내기 시작했다. 그러자 조지훈은 군사정권에 대한 우호적 태도를 철회하고 시시비비의 입장을 취하게 되었다.

박대통령이 지식인을 옹졸하다고 하는 것은 정부를 비판하는데 용기가 없다는 말이 아니고, 정부의 잘하는 일을 칭찬할 용기가 없다는 뜻이니 애기가 다르지만, 우리는 역대 정권이 조금씩 잘한 일은 기억하고 있고, 이것은 언제든지 찾아서 정당(正當)히 평가해 줄 수가 있다.

그러나 잘 한 일보다는 잘못한 일이 훨씬 더 많고 잘못한 일은 언제나 방대한 문제여서 거기 비해서는 너무나 미세한 잘한 일을 찬양할 여유가 없

---

24) 「지조론」, 『조지훈 전집』(5), 나남출판, 1997, pp.157~158.
25) 상게서, p.226.

다는 것도 또한 사실이다. 발등에 떨어지는 불이 연달은 나머지에, 이제는 이마빼기에 불이 붙어 떨어지게 되었으니 어느 겨를에 "잘했다 잘했다"고 할 수가 있을까말이다.[26)

　여기서 조지훈의 글이 갖는 뜻을 제대로 파악하려면 당시 상황을 알 필요가 있다. 5 · 16후 군사정권이 민간정부로 탈바꿈하면서 곧 시도된 것이 한일회담이었다. 군사정권이 정권을 장악한 명분 가운데 하나가 도탄에 빠진 민생고의 해결이었음은 이미 밝힌 바와 같다. 그를 위해서는 경제 건설과 산업진흥이 반드시 이루어져야 했다. 그런데 당시 우리나라에는 그에 소요되는 자금이 없었다. 그 해결책으로 박정권은 일본측에서 전후보상을 받아내는 길에 착안했다. 그 나머지 1962년부터 한일회담이 시작된 것이다. 그런데 일단 한일회담이 시작되자 지식인 교수들과 학생들의 거센 반발이 일어났다. 그 무렵까지 우리 사회에는 아직도 일제가 36년 간 우리 민족을 지배한 식민지 탄압의 악몽이 살아 있었다. 언론은 잇달아 교수, 지식인들의 반대 논설을 실었다. 그리고 학생들의 데모 행렬은 한일회담 결사반대의 구호를 내걸고 나섰다. 이것은 당시 정부의 수장인 박대통령으로서는 크게 못마땅한 일이었다. 그 나머지 박대통령이 격앙된 목소리로 지식인, 언론, 학생들을 싸잡아 비난했다. 그에 따르면 언론은 무책임하며 학생은 데모만 일삼고 지식인은 옹졸하다는 것이었다.[27)

　이런 비난의 말이 박정희 대통령에 의해 나왔을 때 당시의 우리 정치 상황은 농도가 짙은 군사문화의 영향 아래 있었다. 일반적으로 군인들은 명령을 복종하는 것이 체질화되어 있고 다양한 의견 제기에 익숙하지 못했다. 그런 그들에게 조지훈의 박대통령에 대한 반론 제시는 그 자체가 명령 불복종으로 생각될 소지가 많았다. 조지훈은 또한 한일회담을 반대하는 지식인 성명에도 앞장을 섰다. 그리하여 한때 그는 정치교수로 낙인 찍혀서 교단에

---

26) 「그들은 과연 비애국적이며 무책임하고 옹졸한가」, 상게서, pp.183~184.
27) 상게서 p.182.

서 추방될 위기에 처했다. 이때 정부에서는 서명교수 명단을 확보하여 해당 교수의 소속대학에 넘겼다.

소속대학에서는 해당교수를 징계회의에 부쳐 해임조치하도록 되어 있었다. 조지훈이 소속한 고려대학이 그 예외일 수는 없었다. 그 앞에도 징계위원회 회부의 통고가 날아갔다. 그러자 조지훈은 의연한 태도로 징계위원회 인정보다는 차라리 사표를 내겠다고 맞섰다.

> 잘못한 것이 없는데 왜 징계 위원회 앞에 서야 하는가. 그런데도 징계위
> 원회 앞에 서지 않을 수 없다면 나는 차라리 사표를 내겠다.[28]

여기서 우리가 볼 수 있는 것은 이미 시와 문학을 위해 정치가 배제될 요소라고 본 왕년의 순수시인, 조지훈이 아니다. 그보다 그는 정치의 비리에 맞서 한 몸을 던져 맞서는 지사의 모습으로 탈바꿈해 있다. 이 무렵에 그는 몇 편의 행사용 작품을 제외하고는 거의 시를 쓰지 않았다. 그 대신 그는 진술형태로 그의 생각을 토론한 논설을 많이 발표했다. 「큰 일을 위해 죽음을 공부하라」는 「사월의 학생들에게」란 부제를 단 글이다. 여기서 조지훈은 4·19의 주역인 학생들이 손쉽게 세속과 타협하는 일을 경계했다. 그에게 청년은 이상과 용기로 역사의 새 국면을 타개해 나갈 역군이다. 그를 위해서는 희생을 각오해야 한다.[29] 여기서 조지훈은 명예롭게 살고 그렇게 죽는 길을 배우라고 외쳤다.

「우리의 신념에 의혹은 없다」는 한미행정 협정체결을 촉구한 글이다. 60년대에 접어들면서 데모의 구호 속에 한미행정 협정체결을 외치는 것이 있었다. 이것을 미국측에서는 직접적인 반미시위로, 그리고 정부측에서는 한미 양국의 이간을 위한 시위, 북쪽을 이롭게 하는 데모로 보았다. 조지훈은 이 데모가 자유민주주의의 기치 아래서 이루어지는 것이며 한미양국 간의

---

28) 김종길, 『진실과 언어』, 일지사, 1974, p.145에서 재인용.
29) 「지조론」, 『조지훈 전집』, 나남, pp.167~168.

우의를 더욱 든든히 할 것이라고 설파했다.30) 또한 「혁명정부에 직언한다」 를 통해서는 군인정치의 획일화와 도식주의를 경계했다. 여기서 조지훈은 언론과 인사행정 등에서는 유연성이 전제되어야 함을 역설했다. 그와 동시 에 정책에 일관성을 확보하고 문화행정을 문화부문의 자율적 기능에 맡기 라고 종용했다.31)

조지훈의 이들 시국 발언은 그 성격이 모두가 비판을 위한 비판이 아니었 다. 혁명정부가 그것을 잘 수용하는 경우 그것은 좋은 의미의 방향타 구실 을 할 수 있었다. 그럼에도 군사문화의 체질을 벗지 못한 박정희 정권은 조 지훈의 이런 발언과 정부 비판을 상당히 못마땅하게 생각했다. 그 나머지 한때 그는 정치 교수로 낙인찍혀 고려대학교 강단에서 추방당할 뻔도 했다. 그때마다 그는 지사의 기개를 보이면서 상황에 대처했고 당당하게 정책 당 국자와 맞섰다. 이 무렵 그는 어느 의미에서 역사를 온몸으로 살고저 한 선 비였다.

이제 우리 앞에는 하나의 물음이 던져진다. 순수시인 출신인 조지훈의 후 기에 보인 전신 성향, 곧 역사와 현실 참여는 무엇을 뜻하는가. 그에게 있어 서 시와 행동은 별개의 것이었던가 아닌가. 이런 물음에 해답을 마련하기 위해서 우리는 조지훈의 시론을 검토할 필요가 있다. 『시의 원리』에서 조지 훈은 시를 시정신과 작품을 이루는 기법(이것을 그는 형식 또는 기교라고도 했다)의 두 요소로 보았다. 여기서 정신은 시인의 몫이다. 그에 대해서 기법 은 외재적으로 나타나는 형태, 형식의 문제다.32) 그러면서 조지훈은 다른 자 리에서 시인 우위론 내지 정신 우선주의의 입장을 택했다. 다음은 그가 한 국시의 이상을 순수시로 규정하면서 그 본질이 어디에 있는가를 밝힌 글이 다.

---

30) 상게서, pp.173~174.
31) 상게서, pp.180~181.
32) 『조지훈 전집』(3), 일지사, 1973, p.11.

순수한 시정신을 지키는 이만이 詩로서 설 것이요 진실한 민족정신을 지키는 이만이 民族詩를 이룰 것이니 詩를 정치에 파는 경향시와 민족의 해체를 목표로 하는 羊頭狗肉의 民族詩인 계급시의 결탁은 도리어 詩 및 民族詩의 한 이단이 아닐 수 없다. 時流의 격동 속에서 흔들리지 않는 변하는 가운데 변하지 않는 영원히 새로운 것이 詩 본래의 정신이며 이른바 자본주의와 함께 일어나고 그와 함께 사라지는 것이 아니고 언제나 새로운 의의를 가질 수 있는 것이 민족정신이다. [……] 이 두 가지 정신의 합치에서만 우리 민족문학의 대화는 이루어지는 것이니 본질적으로 순수한 시인만이 개성의 자유를 옹호하고 인간성의 해방을 전취하는 혁명시인이며 진정한 민족시인만이 운명과 역사의 공동체로서의 민족을 자각하고 정치적 해방을 절규하는 애국시인일 수 있는 것이다.[33]

여기서 드러나는 바와 같이 조지훈은 한때 시가 시류에 흔들리지 않는 정신의 확보와 함께 가능한 것으로 보았다. 이것은 범박하게 보아도 상당한 경사도를 가진 정신주의다. 그런데 시인이 정신주의의 길을 택하는 경우 불가피하게 그는 그 기준이 되는 고전에 의거하게 된다. 시인이 아닌 사상가, 철인이라면 그는 이상적 행동철학을 스스로 개발해낼 수가 있다. 그러나 시인에게는 그런 능력이 보유되어 있지 않다. 그 나머지 시인은 행동의 영원한 원천을 고전에서 얻어내지 않을 수 없는 것이다.

조지훈의 경우 이런 일은 두 가지 각도에서 모색될 수 있었다. 그 하나가 서구에서 그 원천을 구하는 길이었고 다른 하나가 동양고전의 세계에 의거하는 길이었다. 조지훈은 후자의 길을 택했다. 그 까닭을 지적하는 것은 별로 어려운 일이 아니다. 文靑時代에 매력을 느꼈다고 하지만 서구의 근대시와 문학은 아무래도 그에게 거리가 있는 것이었다. 무엇보다 그는 「파우스트」나 「실락원」을 원서로 읽을 능력이 없었다. 보오드렐, 말라르메, 발레리, 릴케 등의 작품도 일본어 번역으로 읽을 수 있을 뿐이었다.

그러나 동양고전, 특히 한문으로 된 경전과 당시나 한국의 한문시로 화제

---

33) 순수시의 지향, 『조지훈 전집』(3), 일지사, pp.211~222.

가 바뀌어지면 사정은 그와 180도 달라질 수가 있었다. 이미 드러난 바와 같이 조지훈은 상경하기 전까지의 청소년기에 한문교육을 받았다. 거기서 얻은 능력으로 『고문진보』와 『당송팔가문』을 터득한 터였고 두보와 이백의 시의 상당수는 암송과 평설이 가능할 정도였다. 여기서 한 걸음 더 나아가 조지훈은 한시의 창작 능력도 보유하고 있었다. 이런 경우의 좋은 보기가 되는 것이 未刊 한시집인 『流水集』에 포함된 그의 작품 「旅懷」다.

千里春光燕子歸　雲心水性動柴扉
苔封路石寒山雨　酒熟江村暖夕暉
客窓殘燭思今古　故國遺墟論是非
多恨多情仍乃病　惜花愛月拂征衣

가이 없는 봄빛이라 제비들 찾고
물인 양 구름 마음 삽짝을 여네
이끼 긴 돌길에는 차운 뫼의 비
술익는 강마을엔 따뜻한 노을
나그네 몸 촛불 앞에 옛일 헤이니
옛 나라 끼친 터전 가슴 아프다.
다정하고 한많음도 병인 양하여
아쉬운 꽃 고운 달에 걸친 옷 터오.[34]

언뜻 보아도 드러나는 바와 같이 이 작품은 조지훈의 또 다른 작품인 「완화삼」을 연상케 한다. 이미 제시된 바와 같이 「완화삼」은 「차운산 바위 위에 하늘은 멀어」로 시작한다. 또한 거기에는 「나그네 긴소매 꽃잎에 젖어/ 술익는 강마을의 저녁 노을이어」가 포함되어 있는데 이 두 줄은 그대로 「旅懷」의 마지막 두 줄에 대비될 수 있는 것이다.[35] 뿐만 아니라 조지훈의 작품 가

---

34) 원문은 김종균, 조지훈 한시연구, 『한국외대 논문집』(17) (1984), p.111에서 재인용, 단 의역은 필자에 의한 것임.
35) 이에 대해서는 필자에 앞서 김종길 교수가 지적한 것이 있다. 『진실과 언어』,

운데는 제목만이 다르게 붙여진 한글시와 한시도 있다. 그의 한시 「送人」은 「送子靑山路/ 滿山花政飛/ 行行白日暮/ 應悔振衣非」로 되어 있는데 이에 대비되는 작품 「송행 1」은 다음과 같다.

그대를 보내노니
푸른 산ㅅ길에

자욱히 꽃잎이
흩날리노라

가고가면 꽃비 속에
白日은 지리

날 두고 그대 홀로
떨치고 간 소매가

섧지 않으랴.

　　　　　　　　　　　　　　　　　　　　　　　－「송행 1」 전문.36)

　여기서 우리는 하나의 사실을 지적해 볼 수 있다. 그것이 『청록집』이 나올 무렵까지 조지훈이 이외에도 깊숙히 한시의 세계로 빠져든 점이다. 이 무렵 그의 시 대부분은 발상단계에서 두보나 이백 또는 한국 한시인들의 작품을 염두에 둔 가운데 이루어진 것 같다. 그런 뼈대에 우리말을 문맥화시킨 것이 이 무렵 그의 시가 된 셈이다. 그런데 이런 시 해석과 조지훈의 정신주의 성향 및 일방적으로 생각되는 세속적 비리와 맞서는 태도 사이에는 어떤 상관관계가 있는 것인가. 이를 위해서 일단 우리는 조지훈의 가계 내지 혈통을 살필 필요가 있다. 본래 조지훈의 윗가지는 한양에 살았고 그 핏

---

p.148 참조.
36) 『조지훈 시선』, pp.134~135.

줄 가운데는 「聖學至治」를 지향한 靜庵 趙光祖가 있다. 조선왕조가 건국이념을 유학에 둔 사실은 널리 알려진 바와 같다. 유학은 임금을 섬기면서 이루어지는 정치지만 올바른 정치를 위해서는 임금조차가 절대자는 아니다. 유학이 이상으로 하는 왕도정치를 위해서는 임금조차가 끝없이 성학인 유학을 익히며 배우는 가운데 나라를 다스려야 한다.

이런 기준에 따라 신하들 특히 그 가운데 간관들은 언제, 어디에서나 임금에 충간의 말을 올릴 수 있다. 그런데 실제 정치에 임하고 보면 나라 다스리기가 반드시 「聖學至治」의 논리대로 이루어지지는 않는다. 사람에 따라서는 이것을 정치현실로 인정하는 경우가 생겼다. 그들이 바로 수구파 권신들로 지칭된 현실 정치론자들이다. 趙靜庵 등 신진사류는 이런 현실론을 있을 수 없는 패덕으로 규정했다. 그리고 그 대체 개념으로 성학을 외곬으로 믿는 이상정치를 기한 것이다. 개략해서 보아도 이것은 상당히 경직된 정신주의다. 그런데 조지훈의 조상이 바로 이런 趙靜庵의 피붙이였다.

조지훈의 조상은 趙靜庵이 士禍를 입자 남행 길을 택해 영양 주실의 산골에 숨어 들었다. 그리고 그후 다시 벼슬 길에 올라 권좌를 차지하지도 못했다. 그러면서 글과 덕행으로 영남 남인의 일원이 되기는 했다. 그런데 영남 남인들의 특징을 이루는 것이 교조적으로 유학을 주장하고 그것으로 가통을 삼는 점이다. 조지훈은 그 성장시기를 이런 문화환경 속에서 자랐다. 그나머지 그에게는 훗날의 정신주의가 어렸을 때부터 이미 깊숙히 자리잡은 것이다. 이런 정신주의가 현실 배제, 반정치의 단면을 띠고 나타난 일도 그 해석이 어렵지 않다. 철철자 조지훈이 곧 한시에 경도된 사실은 이미 지적된 바와 같다. 시인을 지망했을 때도 그가 이상으로 하는 시는 두보나 이백의 것일 수밖에 없었다. 그런데 철이 들면서 그가 읽은 시 가운데는 한국의 계급시가 있었다. 그 조잡한 형태에 조지훈은 생리적인 반발을 느꼈다고 한다.[37] 카프의 시에 조지훈이 반발한 것은 거기에 문학과 시를 뒷전에 돌린

37) 『시와 인생』, pp.319~320.

정치적 목적의식이 판을 친 때문이었다. 그런데 8·15가 되자 그런 카프의 후신인 문학가동맹이 문단을 뒤흔들었다. 이때 조지훈은 문학가동맹 곧 정치지망 문학집단으로 본 것 같다. 그 나머지 그는 현실과 정치에서 한 획을 긋는 반세속주의 시를 제창하고 나섰다. 그가 영원한 생명을 누릴 시, 동양 고전에 의거한 반정치의 순수시를 지향한 것 역시 그 연장선 상에서 이루어졌다.

다음 제 2단계의 조지훈 시는 그가 시대와 역사의 전신으로 떠받치고자 한 후기시의 과정에서 빚어진 것으로 볼 수 있다. 4·19를 그가 전면적 진실로 작품에 수용한 사실은 이미 밝힌 바와 같다. 5·16 이후 빚어진 군사문화의 거센 탁류를 조지훈이 온몸으로 물리치고자 한 것도 두루 알려진 대로다. 조지훈의 이와 같은 행동 양태는 그의 청소년기부터 예견된 일이다.

본래 조지훈이 배제한 것은 계급 지상주의의 행동양태에 국한되어서였다. 그와 다른 양태에 속하는 행동 곧 민족의 편에 서는 경우에 그는 일찍부터 그런 의식을 짙게 지니고 있었다. 나이 열여섯 살로 시골 생활을 접고 처음 상경하여 그가 찾은 것이 만해 한용운이었다. 다음 해 그가 해외 항일무장투쟁의 거벽 一松 金東三의 시신을 만해와 함께 수습한 일은 이미 밝힌 바와 같다. 이런 그의 단면은 혜화전문을 마치고 조선어학회의 사전편찬사업에 자진 참여한 일로도 입증된다. 연보를 보면 조지훈이 혜화전문을 마친 것이 1941년이다. 이 무렵 이미 일제는 세계제패의 야욕 달성에 여념이 없었다. 그 나머지 한반도에는 초전시 체제가 선포되어 어느 시인이 노래한 것처럼 「꽃한송이 피워낼 地球」가 없는 상황이 몰아닥쳤다. 학교를 마치자 조지훈에게는 일정한 보수와 안정된 신분이 보장되는 직장을 가질 기회가 있었다. 당시로서는 한반도에서 몇 안되는 연구기관으로 滿蒙民俗資料館에서 근무할 기회가 생겼다. 이것은 경성제대의 교수인 赤松, 秋葉의 양 교수가 그의 능력을 인정한 결과였다.[38] 그런데 조지훈은 이렇게 좋은 조건의 직장을 거

---

38) 나의 역정, 『조지훈 전집』(4), 일지사, 1973, pp.161~162.

절하고 나가지 않았다. 뿐만 아니라 이때 그가 택한 것이 조선어학회의 우리말 사전편찬에 관계하는 일이었다.

조지훈의 이때에 택한 사전편찬사업 참여는 한푼의 보수도 없는 가운데 이루어졌다. 뿐만 아니라 일제는 조선어학회 주변에 삼엄한 사찰의 눈을 번득이고 있었다. 이때 조지훈이 택한 어학회 참여는 1942년에 일어난 어학회 관계자의 일제 검거로 끝이 났다. 다행히 그는 그때 정식 어학회회원의 명부에 이름이 오르지 않아 투옥은 면했다고 한다. 그 나머지 연행 당하여 문초를 받는 것으로 석방이 되었다.39) 그러나 어떻든 이것은 그가 어려운 시기에 민족을 의식하면서 산 자취임에 틀림없다.

조지훈의 이런 민족 의식에 남인정신이 결부되면 역사, 사회의 위기 국면이 몰아닥쳤을 때 「捨身取義」의 행동양태가 나타난다. 남인이 강하게 정신주의자들의 집단이었음은 이미 밝혀진 바와 같다. 그들에게는 현실적인 정치 논리 이전에 절대를 의미하는 聖學이 있었다. 이 성학이 국가, 민족을 외연으로 삼는 경우 현실과의 타협은 존재할 수 없다. 거기에는 비판이 선행하고 그에 뒤따른 성토와 행동이 있을 뿐이다. 나아가 그것이 거부, 배제되는 경우가 상정될 수 있다. 이것은 국가 사직을 위한 대의와 도가 끊어지는 경우다. 이렇게 되면 목숨을 내걸고 그것을 광정하고자 나서는 것이 선비의 길이었다. 6·25를 통해 조지훈은 그의 순수가 문학을 위해서도 절름발이임을 통감한 것 같다. 그 나머지 그는 종군문인의 일원으로 전선에 임했으며 「다부원에서」, 「여기 괴뢰군 병사가 누워 있다」 등의 전선시를 썼다. 그리고 일단 현실과 역사에 눈뜨자 그는 이승만 정권의 부정부패와 정치적 비리도 좌시할 수가 없었다. 그 나머지 4·19 이전의 혼미한 문단 일각에서 그는 「선비의 직언」을 썼고 「지조론」을 썼다. 이들 글은 「선비는 나라 기강이요 사회정의의 지표다」40)를 골자로 한다. 그 문맥 속에는 그런 지식인 선비가 이

---

39) 花洞時節의 추억, 『돌의 미학』, 고려대출판부, 1964, pp.39~41.
40) 『지조론』, 나남, p.102.

정권의 비리를 좌시할 수 있느냐 식의 결의가 담겨 있다.

5·16 이후 조지훈의 시작활동은 현저하게 그 숫자가 줄어든다. 이것을 그의 건강에 결부시켜 정력감퇴로 보는 것은 매우 빗나간 생각이다. 시가 아닌 산문, 논설을 통해서 조지훈은 그 어느 때보다 많은 양의 글을 발표했다. 또는 조지훈의 논설활동과 시를 별개로 보는 것도 과녁을 찌르지 못한 생각이다. 평상시 선비에 속하는 사람들은 풍류에 젖고 시를 짓는 것으로 주업을 삼는다. 그러나 국가, 사직이 위기에 처하면 그들은 그 무엇보다 앞서 논책을 준비하고 시국광정을 기하는 상소문을 짓는다. 그리고는 궁궐 앞에 엎드려 잘못을 바로 잡든가 목을 베이는 일 중 양자 택일을 외치는 것이다. 이때 선비의 가슴을 차지한 것은 「破邪顯正」의 의기일 뿐이며 「捨身取義」의 행동원칙일 따름이다. 거기에는 이미 시가 먼저냐 역사, 현실이 더 중요하냐의 한계가 없다. 이런 시각에서 볼 때 조지훈은 우리 시대를 산 선비 중의 선비다. 그의 시와 인생은 그런 의미에서 유례가 없을 정도로 독특한 것이며 志氣에 차 있다. 앞으로 이루어지는 조지훈론에는 이런 시각이 수용되어야 한다. 새터

조지훈의 생명시론과 그 초월론적 성격

강웅식*

1.

지훈 조동탁(1920~1968)을 "얇은사 하이얀 고깔은"이란 구절로 시작되는 「승무」의 시인, 혹은 '청록파의 한 사람'으로만 기억하는 사람들에게 '지훈'이라는 기호표현은 대개의 경우 낡았다는 느낌을 불러일으킬 것이다. 지훈이 작고한 지 5년이 되는 1973년에 전집이 출간되고[1], 그로부터 다시 5년이 지난 1978년에 지훈과 관련한 그 동안의 연구 성과들을 정리한 『조지훈 연구』[2]가 출간되는 등 그 시점까지만 해도 '지훈'이라는 기호표현은 매우 다양하고 풍성한 기호내용을 거느린 살아 있는 어떤 것이었다. 그러나 그 이후 지훈에 대한 학위논문이 간간이 나오긴 하였으나[3], '지훈'이라는 기호표현의 울림은 매우 공허해졌고 그 자체가 철지난 느낌을 불러일으키게 되었

---

* 고려대학교 대학원 연구교수, 주요논문으로 「김수영의 시의식 연구」 등이 있음.
1) 1973년에 일지사에서 일곱 권으로 된 전집이 출간되었으나 절판되었으며, 그 후 1996년에 나남에서 아홉 권으로 된 지훈 전집이 다시 출간되었다.
2) 김종길 · 정한모 · 인권환 · 박노준 외, 『조지훈 연구』, 고려대학교출판부, 1978.
3) 박호영, 「조지훈 문학 연구」, 서울대 대학원 박사학위논문, 1988.
서익환, 「조지훈 시 연구」, 한양대 대학원 박사학위논문, 1988.
박경혜, 「조지훈 문학 연구 : 시의 변모과정을 중심으로」, 연세대 대학원 박사학위논문, 1992.

다. 김동리와 함께 이른바 문협전통파의 이념적 지주였고, 전통적 선비의 풍류에 대한 감각과 지조에 대한 신념을 한몸에 융합하여 생활화하였으며, 훌륭한 시인이자 시론가이면서 동시에 민속학과 역사학을 두 기둥으로 하는 한국문화사라는 한국학의 토대를 마련한 탁월한 학자였던 지훈이 시대의 관심에서 멀어져온 이러한 현상은 한국근현대문학사, 더 넓게는 한국근현대사와 관련한 어떤 상처를 건드린다.

지훈의 사후 30년간은 전통의 토대 위에서 시를 쓰거나 사유하는 사람들은 시대착오적인 발상의 소유자로 퇴물 취급을 받았던 근대 지향 일색의 시대였고, 존재론이나 초월론과 같은 형이상학적 사유가 배척 당하고 유물변증법과 사적 유물론에 근거한 사회과학적 방법이 풍미하던 시대였다. 이에 비해 지훈은 문제가 복잡하면 복잡할수록 전통으로 돌아가 사유하고자 한 전통주의자였고 동양적 생명론에 근거한 초월론적 형이상학의 소유자였다. 그러나 지훈은 전통주의자였음에도 불구하고 근대의 과학과 기술을 배척하지 않았으며, 초월론적 형이상의 소유자였음에도 불구하고 물질적·정신적·경제적·이념적인 일체의 요인들이 서로 분리될 수 없이 상호 의존 관계로 맺어져 있다는 인식을 적극적으로 수용하였다. 지훈은 우리 시대의 중심적 색조인 과학과 기술만능주의와 물질중심주의에 대해 깊이 고민하고 반성하였지만, 우리와 시대는 지훈의 사유의 토대였던 전통과 형이상학을 정당한 이유 없이 배척한 것인지도 모르겠다.

새로 출간된 지훈 전집 편집자의 말처럼 지훈은 전체가 부분의 집합보다 큰 인물이었다. 다시 말해 지훈의 전모는 단순히 문학의 범주와 관련한 시각만으로는 포착되지 않을 만큼 한국현대정신사의 지형도에서 하나의 커다란 산맥이다. 그러나 우리는 어떤 산맥의 전모를 파악하기 위해서는 우선 그 산맥과 닿아 있는 조그만 산의 산자락으로부터 출발하지 않으면 안 될 것이다. 이 글에서는 지훈의 시론이라는 산자락을 탐사함으로써 지훈의 전모에 대한 이해로 나아가는 교두보를 마련하고자 한다.

지훈의 시론에 대해서는 이제까지 그렇게 왕성하다고는 할 수 없으나 어

느 정도는 해명이 이루어졌다. '순수시론', '유기적(체) 시론', '생명사상' 등
이 지훈의 시론에 대한 기존 이해의 대표적 내용항목들이다.4) '순수시론'과
관련한 논의들은 이른바 해방공간이라 불리는 시기에 지훈의 시론이 담당
했던 역사적 역할과 정치적 의미에 대한 고찰에 편중됨으로써 지훈 시론의
미학적 본질에 대해서는 주의를 기울이지 않았다. '유기적 시론'과 '생명사
상'에 관련한 논의들은 지훈 시론의 미학적 본질로 관심을 전환하기는 하였
으나, 이들의 경우는 시에 관한 지훈의 사유의 흔적들을 코울리지의 '유기적
시론'이나 '동양의 유가적 자연관' 등의 도식으로 번역하는 데 치중함으로
써 정작 지훈의 사유 자체에 대한 고찰은 소홀히 하였다. 본고에서는 기존
의 연구 성과를 바탕으로 하여 지훈 시론의 핵심이라 판단되는 '초월론적
성격'에 대해 규명해보고자 한다. 지훈 시론의 '초월론적 성격'에 대한 해명
은 어째서 지훈 시론이 기존의 논의에서 '순수시론'이나 '유기적 시론' 그리
고 '생명사상'의 관점에서 포섭될 수 있었는가 하는 점을 밝혀 줄 수 있을
것이다.

지훈이 시에 대한 사유의 개진을 발표하기 시작한 것은 이른바 해방공간
시기인데, 이때 발표된 글들에 담긴 내용은 1953년에 피난중의 대구에서 간
행되었다가 1959년에 나온 개정판『시의 원리』에 거의 그대로 수록되어 있
다.『시의 원리』의 저자 서문에서 지훈이 그것을 기초(起草)한 것이 1947년
봄이라고 밝힌 점에 근거할 때, 우리는 시에 대한 그의 사유의 대강이『시의
원리』에 고스란히 담겨 있다고 보아도 무방할 것이다.『시의 원리』개정판

---

4) 김윤식, 「유기적 문학관」,『한국근대문학사상사연구 I』, 일지사, 1984.
   권영민, 「조지훈과 민족시로서의 순수시론」,『한국민족문학론연구』, 민음사, 1988.
   정효구, 「유기체시론의 의미」,『시와 젊음』, 문학과비평사, 1989.
   박호영, 「조지훈의 시론 연구 : 유기체시론을 중심으로」,『한국 현대 시론사』, 모
   음사, 1992.
   최승호, 「조지훈 순수시론의 몇 가지 이론적 근거」,『한국적 서정의 본질 탐구』,
   다운샘, 1998.
   ____, 「조지훈, 멋의 미학과 생명사상」,『학구적 서정의 본질 탐구』, 다운샘, 1998.

이 나온 이후인 1960년대에 지훈은 시작(詩作)과 시론의 전개보다는 한국문화사 연구를 통해 한국학의 토대를 마련하는 데 주력하였다. 60년대에 발표한 소수의 시 관련 글들에서도 지훈은 이전에 표명한 자신의 시관(詩觀)에 별다른 변화를 보이지 않았다. 따라서 이 글에서는 분석의 주요 텍스트를 『시의 원리』로 삼고 그 밖의 다른 글들을 보조 텍스트로 하여 지훈의 시론을 살펴보기로 하겠다.

2.

지훈의『시의 원리』는 시의 존재론의 문제를 다룬 '시의 우주', 시의 창작 과정의 문제를 다룬 '시의 인식', 그리고 시의 효용과 감상의 문제를 다룬 '시의 가치' 세 부분으로 이루어져 있다. 결론부터 말하자면,『시의 원리』는 "시는 우주의 생명적 본질이 인간의 감성적 작용을 통해 표현되는 언어의 순일(純一)한 구상(具象)이다"라는 문장을 확대해 놓은 것이다.[5] 다시 말해 지훈에게 "시는 독특한 언어의 순일한 구상을 통해서 표현되는 인간의 감성적 작용이 우주의 생명적 본질에 융합하는 길"이다.[6] '인간의 감성적 작용' 과 '우주의 생명적 본질'은 지훈의 초월론적 생명시론을 떠받치는 두 개의 기둥이며, 지훈의 문맥에서 '융합'은 바로 초월적 이행의 다른 표현이다. 일반적으로 초월은 주어진 삶의 부분성이나 범속성을 전체적이고 고양된 이념으로 극복하는 것을 말한다. 바꾸어 말하면 초월적 이행이란 매개적 확장

---

5) 조지훈,『조지훈전집 제2권 시의 원리』(나남출판, 1996), p.165. 나남출판사에서 나온 지훈 전집은 모두 아홉 권으로 되어 있다 :『제1권 시』,『제2권 시의 원리』,『제3권 문학론』,『제4권 수필의 미학』,『제5권 지조론』,『제6권 한국민족운동사』,『제7권 한국문화사서설』,『제8권 한국학연구』,『제9권 채근담』. 본고에서는 이 전집을 텍스트로 하였으며 앞으로 이를 인용할 때는 전집의 권수(로마 숫자)와 쪽수(아라비아 숫자)만 표시한다.

6) II, 165.

과 변증적 상승, 즉 부분적인 것들을 서로 이어서 소통하게 하고, 그런 소통의 맥락 속에서 전체와 중첩시키는 것이다. 그것은 개체와 전체, 특수와 보편, 구체와 추상을 상호 매개하는 과정이다. 『시의 원리』의 서문에서 지훈은 "이 글에서 나 개인의 시론만을 고집하고 강조하는 것을 피하고 그보다는 모든 대립되고 착종된 시론의 공통한 바탕으로서의 시의 통일된 자리를 찾고자 하였다"[7] 고 밝혔는데, 그처럼 대립하던 것들이 배타적 갈등의 질곡에서 벗어나 일치하게 하는 고양된 이념이 바로 지훈 시론의 핵심인 바 '우주의 생명적 본질'에 근거한 생명의 초월적 이행이다.

지훈의 시론 전체에서도 그렇지만, 시의 존재론의 문제를 다룬 '시의 우주'에서 가장 중요한 용어는 '생명'이다.[8] 지훈은 우주라는 전체성 안에서 자기를 형성해 가는 조화로운 의지를 생명으로 사유하고 있다.

> 생명은 자라려고 하는 힘이다. 생명은 지금에 있을 뿐 아니라 장차 있어야 할 것에 대한 꿈이 있다. 이 힘과 꿈이 하나의 사랑으로 통일되어 우주에 가득 차 있는 것이 우주의 생명이 아니겠는가. 우주의 생명이 분화된 것이 개개의 생명이요, 이 개개의 생명의 총체가 우주의 생명이라 볼 것이다.[9]

이처럼 유기적 전체화가 생명의 본래적인 존재방식인 것은, 생명을 품고 있는 우주(혹은 자연) 자체가 변화하면서도 통일적인 원리 속에 영원한 것으로서 지속하기 때문이다. 지훈의 이러한 우주관(혹은 자연관)은, '往來古今 謂之宙 四方天下 謂之宇'라는 회남자(淮南子)의 말을 빌려 '우주'는 시공의 통칭개념이라고 말하거나 "코스모스는 결코 유한한 것이 아니요, 성괴(成壞)

---

7) II, 15.
8) '시의 생명', '시의 감성', '시의 언어' 세 절로 다시 나뉘는 '시의 우주'에는 생명이라는 낱말이 무려 85회나 나온다(나남출판사에서 간행한 지훈 전집의 편집과 조판 체제에 근거할 때, 『시의 원리』는 170쪽 분량, 그리고 '시의 우주'라는 첫 장은 46쪽 분량이다).
9) II, 26.

를 되풀이하면서도 무한히 지속하는 조화와 질서의 통일"이라고 말하는 데에서도 확인되듯10), 『주역』에서 말하는 존재의 '상관적 통합체' 혹은 '유기적 통합체'로서의 자연관에 근거한 것이다.

『주역』의 관점에서 본다면, 우주(자연) 속에서는 어떤 고립된 사물의 존재도 발견할 수가 없다.11) 왜냐하면 한 사물의 독특한 존재적 성격 역시 상대적 상관성에 의해서 결정되기 때문이다. 상대적 상관성을 『주역』에서는 시(時)와 위(位)로 표현하고 있다. 시위(時位)라는 개념은 바로 하나의 사물 존재가 가지는 '상대성'의 보편적 형식이다. 시와 위는 일반적으로 시간과 공간을 의미하는 것이나, 단순한 물리학적 시공간 개념뿐만 아니라 형이상학적 의미까지도 포함하고 있다. 시위라는 것은 바로 사물의 상대적 상관성과 관련하여 말하는 것으로, 우주로서의 자연은 사물의 상대적 상관성이 전개되는 곳이고 동시에 또한 상대적 상관성의 전개가 가능한 근거가 되는 곳이다.12) 또한『주역』에서는 건곤(乾坤)이라는 기본적 은유로 상징되는 음양(陰陽)의 상호작용으로 자연 만물의 변화와 생성을 설명한다. 즉 양의 성질인 강(剛)과 음의 성질인 유(柔)가 서로 작용하여서 변화를 일으키는 것으로 설명한다. 이것이 바로 자연의 법칙인 것이다. 이러한 자연의 법칙으로서의 천도(天道)가 드러내는 규율은 단순한 기계적 법칙이 아닌 생명의 원칙을 말하는 것이다.13) 왜냐하면 우주는 부단히 생성 변화해 가는 유기적 과정으로

---

10) II, 27.
11) 이 글에서『주역』에 관한 내용은 정병석의 다음 논문을 요약 정리한 것이다. 정병석, 「주역의 자연관에 나타난 생성과 가치내함의 의미」, 계명대학교 철학연구소편, 『인간과 자연』(서광사, 1995), pp.53~85.
12) 이러한 '상대적 상관성'은 지훈이 사유하는 시의 이념으로 거의 그대로 수용된다 : "시의 생명을 이루는 개개의 생명은 각각 그 본성의 요구대로 생을 긍정하면서 서로 사이의 생을 방해하지 않는다. 이는 다른 생을 긍정함으로써만 자신의 생을 표현할 수 있기 때문이다."(II, 26).
13) 이러한 생명 원칙에 근거한 시의 이념을 우리는 다음과 같은 지훈의 주장에서도 확인할 수 있다 : "詩는 時! 되풀이하면서도 항상 새로운 天道의 순환이 바로 시의 법이다"(III, 177) ; "영원히 변하는 가운데 영원히 변하지 않는 그 무엇이 시에 있다."(II, 173).

파악되고 있기 때문이다. 그러므로 "생하고 또 생하는 것을 역이라고 한다" 고 말하는 것이다(「繫辭傳」上, 5장 "生生之謂易"). 『주역』은 이런 '생'의 개념으로 동태적인 전체로서의 우주를 설명하고 있다. 이런 생명은 건(乾)과 곤(坤)으로부터 시작된다. '건'과 '곤'은 '생'의 의미로 근원적 시작을 뜻하는데, 모든 존재는 이 '건'과 '곤'을 통하여 생성된다. 건원(乾元)의 창조능력과 곤원(坤元)의 잉육능력(孕育能力)에 의하여 '생생지덕'(生生之德)을 가지게 되는 것이다. 건곤의 상대적 상관성을 통하여 무한히 전개되는 생성의 과정은 바로 『주역』이 자연을 무한한 생명활동의 장으로 보고 있음을 말해주는 것이다. 이것이 바로 유기적 통합체로서의 자연관이다.14)

이와 같이 『주역』의 유기적 자연관에 근거하여 사유된 '생명'은 인간의 현실과 언어 그리고 예술작품(시) 모두를 말 그대로 살아 있게 만들어주는 원천이 된다.15) 그것은 시가 궁극적으로 추구하고자 하는 의미론적 지평이며 형이상학적 모태이다.16) 이제 시는 '우주의 삼라만상과 인간 생활의 내용 속에 편만해 있는 자연', 즉 '생명적 진실'을 시로써 구체적으로 나타나

---

14) 지훈의 시론을 코울리지의 유기적 시론과 관련시키는 것도 바로 이와 같은 맥락에 근거한 것이다. 최승호는 일련의 논문에서 지훈 시론의 유기적 성격이 '유가적 자연관'에서 비롯한 것임을 자세하게 논증하고 있다. 그런 논증에도 불구하고 그는 지훈의 시론에 내재한 초월론적 성격을 파악하지는 못하였다. 그러나 그는 지훈의 시론에 형이상학적 충동이 작동하고 있다는 점을 포착하였다.

15) 『시의 원리』에서 지훈은 '유기체'라는 표현과 '유기적'이라는 표현을 각각 세 번 쓴다. 그 두 표현 모두 '생명'과 관련된 것임은 물론이다 : "[……] 모든 독자성의 유기적 연락으로 이루어지는 인생총체[……]"(II, 35) ; "시는 제2의 자연이요, 생명의 표현이므로 하나의 유기체이다"(II, 45) ; "하나의 생명을 이루기 위해서는 먼저 모체가 살아 있어야 하고, 살아 있다는 것은 생명 전체가 유기적으로 움직인다는 말이므로[……]"(II, 46) ; "앞에서 나는 시를 새로운 생명적 자연으로서 하나의 유기체라고 하였다"(II, 57) ; "[……] 화성(和聲)하는 언어를 배열함으로써 비로소 그 전체가 유기적 구성 속에 한 편의 시가 탄생하는 것이다"(II, 58) ; "시가 자연한 구성의 유기체가 되지 못하고 '뼈다귀의 포엠'이라는 죽은 시를 사산(死産)하게 되는 것이다"(II, 58).

16) "[……] 우주의 생명적 진실을 수정(受精)함으로써 시를 생탄시키는 것은 시인의 보편한 지향이 될 것이다."(II, 26).

게 해야 한다. '우주의 생명적 진실'을 포착할 수 있는 능력의 소유자인 시인은 '정서적 감동'이라는 시의 작용을 통하여 '언어의 율동적 조형'이라는 시의 표현을 갖춤으로써 비로소 한 편의 시를 나타나게 한다.17) 지훈의 시론에서 '우주의 생명적 진실'은 모든 생명체의 내재적 본성 속에 잠재되어 있는 생명의 꿈과 힘이고, '정서적 감동'은 시를 비롯한 모든 예술의 존재 근거이며, '언어의 율동적 조형'은 예술 가운데 하나인 시의 특별한 개성이다. 시에 대해 이야기하면서 '정서적 감동'과 '언어의 율동적 조형'을 강조하는 것은 특별할 것이 없는 평범한 일이다. 그러나 그것들에 대한 설명에 부단히 '생명의 꿈과 힘'을 삼투시킴으로써 모든 부분이 초월론으로 집중되게 한 데에 『시의 원리』의 특별한 점이 있다. 이처럼 초월론으로 집중되는 시의 이념은 우주의 생명적 진실과 시의 일치에 있다 : "시의 세계는 질서와 조화의 세계이다. 하나의 우주이다."18)

우주적 생명과 시의 일치라는, 지훈이 사유하는 시의 이념은 우리에게 매우 흥미로운 문제를 제기한다. 이는 우주적 생명과의 일치를 통해 시 자체가 하나의 유기적 생명이 된다는 것이다. 그렇게 되면, '생명은 하나의 위대한 사랑이요, 그 사랑은 꿈과 힘을 지니고 있다'는 생명 자체의 초월적 성격으로 인해 시는 그 본성상 그것이 대상으로 삼는 현실과는 다른 어떤 것이 된다.19) 『시의 원리』의 두 번째 장에 해당하는 '시의 인식'은, 시인이 이른바 '우주의 생명적 진실'을 잉태해서 시로써 나타내는 과정, 즉 시인의 창작과정을 서술한 것이다. 이 부분에 이르러 지훈 시론은 그 초월론적 성격이 가장 강하게 드러난다. 지훈에 의하면, 시인이 '우주의 생명적 진실'을 잉태하는 것은 "생명이 특수하게 고조된 상태에서"이고, 그 이유는 "생명의 고조된 상태는 넘치는 생명력 속에 인간혼이 앙양되는 때문"이다.20) 지훈에게는 시

---

17) II, 60.
18) II, 27.
19) "시는[……] '가시(可視)의 세계'를 뛰어넘어 '가고(可考)의 세계'에 통하기 때문에 시는 '유한을 계기로 이루어지는 무한자의 의욕의 표상'인 것이다."(II, 27).

를 쓴다는 것 자체가 어떤 초월적 차원을 획득하는 것이다. 왜냐하면 "시를 쓴다는 것은 자기도 그 원인을 알 수 없을 정도로 고조된 힘을 느낀다든가 또 자기의 강렬한 힘이 어느 이상을 향해 느끼는 꿈을 표현하는 것"기 때문이다.[21] 생명 자체의 초월적 지향에 의해 인도되는 시작(詩作) 행위를 통해 구축되는 '시적 진실'(예술적 진리)은 어떤 통합적 진리로서의 위상을 확보한다. 시적 진실은 감성으로써 받아들이고 감성으로 표현하며 감성에 자극되는 정서적 감동을 매개로 하여 구성되는 것인데, 여기서 '시적 감성'은 '감성'을 중심으로 하여 '지성'과 '윤리'를 아우른 어떤 것이다.[22] 따라서 삶의 조화로운 통일성을 산출하는 '시적 진실'은 '학문적 진실'(이론적 진리)이나 '도덕적 진실'(실천적 진리)과 공속적 관계에 있으면서도 그들과는 구별되며 나아가 생명의 초월적 지향이라는 초점에 의해 마련되는 위계화의 좌표에서 그것들보다 우월한 지위를 차지한다. 지훈의 시론에서 '정서적 감동'은 '상상적 실현'과 동일한 의미를 내포한다. 언어를 통하여 생명의 율동이 표현되고 그 율동적 언어가 생명이 꿈꾸는 새로운 의미를 포함하는 시작 과정에서 가장 중요한 역할을 담당하는 것은 '상상력'인데, 지훈은 시인에게 주어진 상상력의 원소가 바로 '생명의 꿈과 힘'이라고 주장한다.[23] 이와 같이 시의 본질과 작품 생성의 전과정에 삼투되어 있는 생명의 초월적 이행은 시로 하여금 "항상 현실의 앞에 있게 함으로써 있는 현실보다 있어야 할 현실에로 비상하게" 한다.[24]

여기서 우리는 지훈 특유의 거꾸로 뒤집어 놓은 모방론을 보게 된다. 시가 모방하는 것은 현실의 것이 아니라 현실 너머를 가리키는 것, 한마디로 말해 우주적 생명을 담고 있는 자연미인 것이다. 그것은 현실에서는 아직

---

20) II, 67.
21) II, 68.
22) "감성의 윤리는 양심의 발로요, 감성의 지혜는 사랑의 발로이다. 다만, 여기서 말하는 감성이란 지성과 이성을 포함하여 거느린 감성임을 알아야 한다"(II, 47).
23) II, 78.
24) II, 67.

존재하지 않는 것, 그럼에도 마땅히 있어야 하는 이상적 질서이다. 하나의 우주로서의 시가 존재하는 방식인 '조화'와 '통일'과 '질서'는 그 개념 자체가 모두 현상의 차이와 개성의 존엄을 내포하고 있다.25) 시라는 우주에서 이루어지는 조화와 통일은 이질적인 것, 통합할 수 없는 것, 침묵하고 있는 것들을 억압하고 배제하는 현실 세계의 피상적이며 날조된 통일성을 부정하는 것이다. 시의 우주에서는 그 어느 것도 자신의 차이와 개성으로 인해 상처받지 않는다. 거기에서는 차이와 개성을 존중하는, 다수의 비강제적 통합에 따른 '질서'와 '조화'가 이루어지기 때문이다.

『시의 원리』의 세 번째 장인 '시의 가치'는 시의 효용과 감상의 문제를 다루고 있다. 우선 지훈은, 예술은 물질적 효용과는 거리가 멀다고 생각한다. 심지어 원시 공동체 시대의 경우조차, 예술은 실질적 목적 이상으로 자기 표현 내지 자기 고양을 지향했을 것이라고 주장한다. 굳이 장식이 필요 없는 도구나 그릇에 공예적 장식을 가한 것은 자기 표현 내지 자기 고양을 통해 삶의 전체적인 조화와 고양 혹은 삶의 건전한 미적 향상을 지향했기 때문이라는 것이다. 예술의 충동은 인간의 근원적 충동이며, 이것은 인간이 자신의 삶을 창조적 기쁨으로서 또 우주적 생명의 진실과의 조화로서 실현해 보려는 충동이라는 거의 신념에 가까운 생각을 지훈은 『시의 원리』뿐만 아니라 시와 관련한 다른 여러 글에서도 피력하고 있다. 예술이 물질적 효용이기에는 그 창조의 의미가 너무나 잉여적이자 비실질적이라고 생각하는 지훈은, 동시에 예술이 유희이기에는 그 창조의 동기가 너무나 절실하고 심각하다고 생각한다. 이는 예술이 결코 단순한 유희적 조작의 산물일 수 없다는 신념에 근거한 것인데, 지훈이 보기에 "예술가는 실로 정신의 구원, 곧 정신의 건강을 위하여 정신적 고행과 정신적 수술을 감행"26)하는 존재이다. 여기서 예술가의 정신적 고행은 마땅히 있어야 할 어떤 이상적 질서의 전제에서 비롯하는 행위이다. 왜냐하면 주체는 하나의 전체로서의 그 이상적 질서의 부분인데, 주체 스스로 이상적 질서에로 초월하지 않으면 전체로서의 이상적 질서가 실현될 수 없을 것이기 때문이다. 이상에서 살펴본바, 예술(시)의 효용에 대한 지훈의 생각은 다음 문장 속에 압축적으로 제시되어 있다.

> 모든 예술이 우리에게 주는 효용은 우리가 예술을 창작하거나 감상함으로써 우리의 정신이 이제까지 자각하지 못하였던 진실과 선과 미를 깨닫고 그 용해융합의 정조 속에서 자아의 모순을 극복하며 정신의 파괴된 균형을 복구하고 이해득실의 염(念)을 초월할 수 있기 때문이다.[27]

위의 인용 부분에서 우선 눈에 띄는 것은 '정신'이라는 낱말이다. 지훈의 문맥에서 '정신'은 사물화할 수 없는, 다시 말해 그 어떤 경우라도 결코 물질로 환원되지 않는 어떤 것이다. 그런 정신은 예술작품(시)의 창작이나 감상, 즉 미적 체험을 통해 전에는 자각하지 못하던 것을 깨닫고, 우주적 생명의 존재 방식인 조화와 균형을 되찾으며, 자기보존 본능의 사회적 변형태인 이해득실을 넘어설 수 있는 가능성을 인식한다. 지훈에 따르면, 시의 효용은 어떤 정치적 사상을 열변을 토함으로써 선전하는 데 있는 것이 아니라 정서적 감동을 통해 정신의 어떤 변화를 이루는 데 있는 것이다. 그리고 바로 그러한 감동과 효용만이 "공간적으로 시간적으로 확장하는 생명을 가지게 된다."[28]

3.

이제까지 우리는 지훈의 『시의 원리』에 '힘과 꿈'이라는 생명의 초월적

---

27) II, 158.
28) II, 165.

이행이 얼마나 촘촘하게 삼투되어 있는가 하는 점을 살펴보았다. 『시의 원리』에서 '생명'이라는 말을 빼버리면 시문학에 관한 지극히 평범하고 일반적인 내용만 남게 된다. 여기서 이러한 사정에만 착안하여 지훈 시론의 본질적 성격을 생명사상으로 규정하고 그 기원이 유가적 세계관에 있다고 단정할 수도 있을 것이다. 그러나 『시의 원리』의 독특한 점은 시에 관한 모든 설명이 생명의 초월적 이행으로 집중된다는 데에 있다. 그와 같은 '집중'의 현상 이면에 놓여 있는 보다 근원적인 맥락을 검토하지 않으면 우리는 결코 지훈의 초월론적 생명시론의 본질적 성격을 제대로 파악하지 못하게 될 것이다. 지훈은 『시의 원리』의 한 부분에서 이렇게 주장한다.

> 마음속에 커다란 허무를 지님으로써 일체를 통찰하면서 퇴폐에 떨어지지 않아 순정으로 진실되게 살려는 심정! 이것이 시를 구성하는 힘이 되는 것이다.[29]

『시의 원리』와 관련하여 이제까지 이루어진 우리의 이해를 근거로 할 때, '시를 구성하는 힘'이란 '자라려고 하는 힘'과 '있어야 할 것에의 꿈'이 융합된 생명의 초월적 이행일 것이다. 그런데 지훈은 그러한 힘의 근거를 놀랍게도 '커다란 허무'에서 찾고 있다. 이 '커다란 허무'는 『시의 원리』의 문맥에서는 매우 돌발적으로 등장한 것이라서 그 의미연관을 정확히 파악하기 어렵지만, 우리는 「대도무문」이라는 수필의 다음 구절과 관련시켜 이해해 볼 수 있다.

> 일찍이 이 무문관을 들어갔다가 나온 사람 하나 — 실달다(悉達多)는 세 개의 법인을 찍고 갔다.
> '제법무아(諸法無我) 제행무상(諸行無常) 일체개고(一切皆苦)'
> 출발점은 언제나 귀착점이다. 이 염세관(厭世觀)을 보라, 이 제세관(濟世

---

29) II, 85.

觀)을 보라.30)

위의 인용문에서도 확인되듯 지훈은 불교(혹은 실달다)에 근거하여 '염세관'을 '제세관'과의 긴밀한 상호관련 속에서 파악한다. 다시 말해 허무주의를 심리적 비관주의의 발생론적 뿌리로서가 아니라 유토피아로서의 휴머니즘의 객관적 조건으로 파악하는 것이다. 아마도 『시의 원리』의 문장에서 지훈이 '허무'라는 말 앞에 '커다란'이라는 수식어를 연결시킨 것도 바로 그와 같은 맥락 때문일 것이다. 지훈은 내일의 삶을 위하여 오늘을 괴로워하는 '고행주의'나 내일을 모른다고 해서 오늘에 집착하는 '쾌락주의'를 모두 부정한다.31) 그것들은 모두 극단적인 것들이라서 자연스럽지 못하다고 보기 때문이다. 지훈은 괴로움 속에서 즐거움을 찾음으로써 그 괴로움을 즐거움으로 전화시켜야 하고, 즐거움 속에서 괴로움을 봄으로써 부자연한 극도의 쾌락을 피해야 한다고 생각한다. 아마도 지훈의 그런 생각은 불교에서 말하는 중도(中道)의 논리와도 통하는 것일 것이다. 중도의 논리는 굳이 불교와 관련시키지 않아도 누구나 쉽게 알 수 있는 논리이다. 그러나 중도의 논리는 특별한 논리는 아니지만 좀처럼 실천하기는 어려운 논리라서 그것을 실제로 실천할 수 있기 위해서는 부단한 노력이 필요하다. 지훈은 그렇게 노력하는 태도와 관련하여 다음과 같이 말한다.

> 내 오늘 허무의 기반 위에 성실(誠實)의 세계를 본다.
> '제법실존(諸法實存) 제행원융(諸行圓融) 일체개락(一切皆樂)'
> 귀착점은 언제나 출발점이다.32)

지훈이 여기서 말하는 '성실의 세계'는, 앞서 인용된 부분에서 말한 '일체

---

30) IV, 175.
31) IV, 306.
32) IV, 175.

를 통찰하면서 퇴폐에 떨어지지 않아 순정으로 진실되게 살려는 심정'과 동일한 뜻일 것이다. 이 '성실의 세계'는 고행주의를 통한 정신의 고공비행도 쾌락주의의 산물인 퇴폐도 인정하지 않는다.[33] 그것들은 현실과 전체적 삶의 맥락을 놓쳐버린, 부자연스러운 극단이기 때문이다. 현실과 전체적 삶의 맥락 위에서 퇴폐에 떨어지지 않고 진실되게 살기 위해서는 생명의 자연스러운 율동에 따르는 수밖에 없다. 『시의 원리』에서 지훈이 "상상적 실현은 실상은 자연이라는 한 말로 돌아가지 안을 수 없다"[34]고 한 것도 그가 보기에는 자연이야말로 새로운 생명을 기르는 조화로운 협동의 장이자 바로 그 작용이기 때문이었을 것이다.

'허무를 기반으로 한 성실'이라는 지훈의 정신적 지향에서 우리는 불교적 허무주의와 유교적 현세주의의 변증법적 융합을 목격한다. 그러나 우리는 전통을 매개로 한 그러한 융합의 근거를 지훈이 어린 시절부터 조부에게서 한문 교육을 받았다거나 혜화전문학교를 졸업하였다는 단순한 사실의 기계적 적용에 두어서는 곤란하다. 지훈에게 있어 전통이란 역사와 운명의 공동체인 한 민족이 일정한 지역에서 오랫동안 축적해온 독특한 생명가치의 창조능력과 보존 및 해석능력 이외의 다른 것이 아니다. 따라서 그것은 공중에 매달린 두엉박처럼 따오고 싶으면 아무나 쉽게 따오고 버리고 싶으면 언제든 쉽게 버릴 수 있는 물건 같은 것이 아니다.[35] 전통은 언제나 자기 안에 숨어 있는 생명을 고심참담한 노력 속에서 창조적으로 발견하는 것이라는 것이 지훈의 근본적인 믿음이었다. 지훈은 "쓰일 곳 없는 세상이자 쓰이고

---

33) 「비승비속지탄」(非僧非俗之嘆)이란 수필에서 지훈은 자신의 호인 '증곡'(曾谷)의 뜻이 '비승비속'(非僧非俗)이라고 설명한다. '증'(曾)자에 인(人) 변이 붙으면 '승'(僧)자가 되고, '곡'(谷)자에 인 변이 붙으면 '속'(俗)자가 되기 때문이라는 것이다. 비승비속의 뜻으로서의 '증곡'이란 지훈의 호 역시 정신의 고공비행과 퇴폐의 쾌락주의라는 양 극단을 지양하고 현실과 전체적 삶의 맥락에서 사유하고 생활하려는 그의 정신적 지향을 보여준다고 보아도 무리한 해석은 아닐 것이다(IV, 61).

34) II, 69.

35) II, 20.

싶지도 않은 세월"이었던 '나라 잃은 시대'의 끝 무렵을 살면서도 전통의 맥락에 근거하여 "자신을 가누려는 혈투의 몸부림"을 보여주었다.[36] 단순한 사실의 적용만으로는 그의 정신적 지향의 근거를 제대로 파악할 수 없는 이유가 바로 거기에 있다.

생명가치로서의 전통에 눈을 뜸으로써 그것을 자신의 정신적 자양으로 삼는 노력을 기울이기 이전에 지훈은 한때 스스로 탐미주의자라고 고백할 정도로 유미주의 문학에 깊이 이끌리기도 하였다.[37] 미적 체험에 대한 인간의 근원적 충동, 기술제일주의와 물질만능주의의 마법에 걸린 경험세계로부터 예술을 철저하게 대립시키려는 부정과 비타협주의 정신 등을 지훈은 유미주의 문학관으로부터 받아들였다. 그러나 지훈은 유미주의 문학의 범주에 포함시킬 수 있는 시인들의 스타일 자체를 하나의 규범적 정전으로 받아들이지는 않았다. 유미주의를 중심으로 한 서구문예사에 대한 성찰을 통해 지훈이 파악한 것은 세계사의 맥락에 근거한 근현대의 정신사적 지형이었다. 지훈이 보기에, 시대정신이라는 '시계추'의 운동은 신본주의와 물본주의라는 진폭의 좌우 극한 사이를 오가는 인본주의의 역학 이외의 다른 것이 아니었다 : "중세의 교권(敎權)이라는 경향에서 인간중심에로 끌려 온 휴머니즘은 그 힘을 과학정신에서 빌려왔기 때문에 그 힘의 타성은 인간주의 중심에서 다시 유물사관 또는 메커니즘으로 표현되는 물본주의의 극한에 이르지 않았던가."[38] 따라서 지훈은 새롭게 생탄해야 할 현대의 시대정신은 중세의 종교정신과 근대의 과학정신을 변증법적으로 지양한 예술정신이어야 한다고 주장한다. 왜냐하면 심미적 체험과 인식은 "이상과 현실의 생명적 창조의 조화작용이 있기 때문이다."[39] 이처럼 지훈이 '생명적 창조의 조화작용'을 예술정신의 본질로 파악한 것은 현대의 문제가 자연과 소통하거나

36) IV, 42, 43.
37) III, 68.
38) III, 174~175.
39) III, 43.

접촉하는 기회를 상실함으로써 삶의 유기적 통합성을 망각하고 있다고 보았기 때문이다. 유기체적 자연관에 근거한 자연미의 전체적 생명이야말로 시가 작품 안에서 생성해내야 할 진리내용이자 그 생성(형상화)의 방식이라는『시의 원리』의 핵심적 주제는 근현대의 정신사적 지형에 대한 지훈의 도저한 이해에서 비롯한 것이었다.

4.

이상에서 우리는『시의 원리』의 검토를 통해 지훈의 '생명시론'의 초월론적 성격을 규명해 보았다. 지훈은 우주라는 전체성 안에서 자기를 형성해 가는 조화로운 의지를 생명으로 사유하였다. 이렇게 이해된 생명은 인간의 현실과 언어 그리고 예술을 말 그대로 살아 있게 만들어주는 원천이 된다. 그리하여 생명은 시가 궁극적으로 추구하고자 하는 의미론적 지평이며 형이상학적 모태가 된다. 시의 본질과 작품 생성의 전과정에 삼투되어 있는 생명의 초월적 이행은 시로 하여금 '항상 현실의 앞에 있게 함으로써 있는 현실보다 있어야 할 현실에로 비상하게' 한다.

생명의 초월적 이행에 근거한 문학관(혹은 예술관)에서 우리는 지훈 특유의 거꾸로 뒤집어 놓은 모방론을 보게 된다. 시가 모방하는 것은 현실의 것이 아니라 현실 너머를 가리키는 것, 한마디로 말해 우주적 생명을 담고 있는 자연미인 것이다. 그것은 현실에서는 아직 존재하지 않는 것, 그럼에도 마땅히 있어야 하는 이상적 질서이다. 하나의 우주로서의 시가 존재하는 방식인 '조화'와 '통일'과 '질서'는 그 개념 자체가 모두 차이와 개성의 존엄을 내포하고 있다. 시라는 우주에서 이루어지는 조화와 통일은 이질적인 것, 통합할 수 없는 것, 침묵하고 있는 것들을 억압하고 배제하는 현실 세계의 피상적이며 날조된 통일성을 부정하는 것이다. 시의 우주에서는 그 어느 것도 자신의 차이와 개성으로 인해 상처받지 않는다. 거기에서는 차이와 개성을 존중하는, 다수의 비강제적 통합에 따른 '질서'와 '조화'가 이루어지기 때문이다.

'시의 세계는 질서와 조화의 세계이다'라는 원리에 입각하여 시의 제반 문제를 파악하는 지훈은 '우아한 시'(우아미)와 '비장한 시'(비장미)와 '관조하는 시'(관조미)라는, 스스로 구분한 시의 세 가지 기본 성격 가운데 첫 번째와 세 번째의 스타일을 선호하는 듯하다. 지훈에 따르면, "우아미는 인간과 자연 사이에 조화 융합하는 미라면 비장미는 대개 인간과 인간 사이에 모순, 갈등되는 미"이다 ; 우아미는 평화로운 상태나 삶의 즐거움 같은 균형과 조화를 내용으로 하기 때문에 초월한 자연미가 되고, 비장미는 참혹한 운명이나 파멸, 혹은 죽음과 몰락을 내용으로 하기 때문에 고통받는 인간미가 되는 것이다 ; 우아미가 동양적 정신미의 한 최고 경지라면 비장미는 현대문학의 성격이 되고 있다 ; 관조미는 대상의 깊은 곳에 파고 들어가 그 본성을 파악하는 지적 직관, 다시 말하면 감각적이면서도 철학적, 종교적 의미에 도달한 것을 말한다.[40] 지훈의 대표작들은 대개가 '우아미'와 '관조미'에 기반한 것들이라 볼 수 있다. 이처럼 조화와 균형을 강조하는 그의 문학관과 관련하여 우리는 한 가지 의문을 제기하지 않을 수 없다.

지훈의 문맥에서 조화와 균형은 작품 안으로 수용된 무수한 타자들의 개성과 차이를 존중하는 작품의 화해적 통일의 방식이었다. 그것은 그 자체로써 작품 바깥에서 이루어지는 피상적이며 날조된 통일성, 즉 구성의 계기들을 억압하는 경험세계의 강압적 통일에 대한 부정의 기능을 하게 된다. 그것은 비진리를 부정한다는 측면에서 진리의 성격을 띤다. 그러나 작품의 내용 자체가 그런 화해적인 통일 방식으로서의 조화와 균형을 이미 이루어진 것으로 상정한다면, 그것은 여전히 그렇지 못한 현실 상황을 거짓으로 보여준다는 점에서 비진리의 성격을 띠게 된다. 물론, 우리는 그런 조화와 균형

---

40) II, 86~100.

조차도 초월적 이행의 관점에서 볼 때 현실의 경험 세계를 넘어 이루어진 통일상을 선취한다는 점에서 그것 역시 진리의 성격을 띤다고 파악할 수도 있을 것이다. 그러나 그와 같은 초월적 이행을 통해 조화와 균형을 선취한 작품의 화해적 형상은 여전히 화해를 이루지 못한 사회의 추악한 형상을 가려주는 이데올로기적 보완물로 이용될 소지가 있다. 그런 점에서 지훈의 초월론적 생명시론은 한쪽의 진리와 다른 한쪽의 비진리가 뒤섞여 있는 형국이라 할 수 있다. 그 스스로도 이러한 사정을 파악하고 있었던 지훈은 1962년에 발표한 것으로 되어 있는 글에서 다음과 같이 말한다.

> 현대시가 상실한 문학적 지주를 회복하기까지에는 오직 서정정신과 비평정신의 고도한 융합이 있을 뿐이라고 생각한다. 시대성과 사회성을 비평성이라는 이름으로, 예술성과 주체성을 서정성이라는 이름으로 대치시킬 때 우리는 현대가 요청하는 '고절성의 지양'과 '통속성의 탈출'을 기도할 수 있으며, 이는 현대인의 어쩔 수 없는 양식의 지향이요, 안이한 절충론적 견해로 버림받을 성질의 것이 아니다. 산문의 세기에서 광대한 산문예술에 압도되는 시를 소생시키기 위해서는 산문예술에 압도되는 배리를 구명해야 할 것이니, 그것이 바로 시의 핵심이 되는 '서정성'의 세계이다. 또 압도적인 산문예술을 초극하고 시가 권위를 회복하기 위해서는 산문예술의 우수한 부분을 섭취함으로써 그것을 독자적으로 방법화해야 할 것이니, 이것이 바로 근대정신의 결정이 되는 '비평성'인 것이다.[41]

여기서 우리는 지훈이 말한 '서정성'과 '비평성'이라는 것을 '형식'과 '내용'의 문제로 단순화시켜서는 아니 된다. 문맥상 지훈이 말하는 '비평성'은 근대와 관련한 부정적 내용을 작품에서 직접적으로 비판하는 것을 의미하지 않는다. 그것은 방법화의 문제이다. 다시 말해 작품 자체를 현실 경험세계의 부정성과 논쟁시킬 수 있도록 하는 형식화의 계기와 관련된 것이다. 그러나 이러한 종류의 '비평성'과 '서정성'에 관한 견해는 작품 자체로써 제

---

41) III, 249.

시되지 않는다면 그 속성상 '절충론적 견해'의 범주를 벗어나기 어렵게 된다. 그러나 아쉽게도 1962년 무렵에 지훈은 이미 본격적인 창작으로부터 멀어지기 시작한다. 오늘날 서정시의 운명이나 이념과 관련하여 무한한 논의를 촉발시킬 수 있는 왕성한 생산력에도 불구하고 지훈의 시론이 어딘지 모르게 활력과 생동감을 결여한 것처럼 보이는 것은 실패와 좌절을 두려워하지 않는 부단한 모색과 실험의 정신이 직접적인 창작과정으로 드러나지 않은 데에서 기인하는지도 모르겠다. 그러나 우리는 분열과 고립이 우리의 운명처럼 고착화된 오늘의 상황에서 생명의 자연스러운 율동을 통해 조화와 균형을 꿈꾸었던 지훈의 시론을 하나의 준거로 삼아 새로운 시적 직관을 이끌어내도록 노력해야 할 것이다. 圝団

조지훈 초기 자연서정시에 나타난 세계와 자아의 대응 양상

김종태*

1. 서 론

조지훈은 1939년 4월『문장』지 제1권 3호에「고풍의상」으로 첫 추천을 받았고 같은 해 12월 같은 잡지 제1권 11호에「승무」로 2회 추천을 받았으며 1940년 2월「봉황수」,「향문」으로 추천 완료되어 문단에 등장하였다. 등단 무렵 그의 시 세계는 "趙君의 懷古的 에스프리는 애초에 名所古蹟에서 捏造한 것이 아닙니다. 차라리 固有한 푸른 하늘 바탕이나, 高邁한 磁器 살결에 無時로 去來하는 一抹雲霞와 같이 自然과 人工의 極致일까 합니다."[1]라는 정지용의 추천 소감에서 보여지듯 전통적이고 고유한 우리 것에서 소재를 찾아내어 일제 말기 기울어져 가던 민족 정신을 예술적으로 복원하였다.

조지훈은 일제 강점이라는 비극적인 역사 현실 속에서 시를 썼다. 한편 이 시기는 문화적으로 보면 민족 정서의 확립, 개인과 사회 및 민족에 대한 인식, 언어 예술로서의 시에 대한 자각이라는 한국 현대시 확립을 위한 현대문학 태동 과정[2]이기도 하다. 일본 제국주의자들은 근대성을 함양시킨다

---

* 시인. 호서대 국문학과 겸임교수. 주요논문으로「백석시의 세계 대응 양상 연구」가 있음.
1)『문장』제2권 제2호, 1940.2, p.171.
2) 김현・김윤식,『한국문학사』, 민음사, 1976, p.136.

는 명분 아래 우리 민족의 정체성을 말살하는 과정에서 우리의 고전 문학과 언어를 폄훼(貶毁)하였다. 이런 왜곡된 현실을 극복하고자 조지훈은 민족 정체성을 복원하고 확립하기 위하여 창작과 연구에서 공히 전통을 지향하였다.3) 그는 일제의 계몽주의에 동조하지도 않았으며 당대의 절망을 비현실적으로 무화하는 낭만주의자가 되지도 않았다. 그는 동양 전통 사상에 입각하여 문학론을 펼치고 시를 창작하였다. 조지훈은 지식인 예술가로서 위와 같은 실천적 담론으로 당대의 억압 구조에 맞섰던 것이다.

박두진은 조지훈의 작품 세계를 그 주제면에서 살피면서 초기의 고전, 중기의 자연, 후기의 자아로 나누었다.4) 박두진은 첫째, 고전에 대한 민족문화적인 애착과 회고에서 그의 민족의식을, 둘째 자연에 대한 허탈한 관조와 방랑에서 그의 인생을, 셋째, 자아에 대한 내적 응시(凝視)와 철학적 탐색에서 그의 우주 감각을 도출해 낸다. 해당 계열의 분류를 '초기의 고전민속 = 고풍의상, 승무, 봉황수(1939)', '중기의 자연 = 산방, 파초우, 낙화(1941~1943)', '후기의 자아 = 화체개현, 묘망, 절정(1949)'과 같이 하고 있다.5) 조지훈의 자연서정시를『청록집』의 세계와『풀잎단장』의 세계로 나누어 고찰하는 본고는, 박두진의 이와 같은 구분을 참조하였다. 본고는『청록집』과『풀잎단장』까지를 조지훈의 초기시로 보고 여기에 실린 자연서정시를 조지훈의 초기 자연서정시라고 일컫겠다.『풀잎단장』에 실린「아침」,「절정」,「흙을 만지며」같은 시들을 자연서정시로 간주하고 이들이『청록집』에 실린 자연서정시인「낙화」,「고사」등의 시들과 어떻게 다른 자아의 세계 대응 방식

3) 김종태,「조지훈 <한국현대시문학사>의 의의와 한계>」,『인문논총』제17집, 호서대학교 인문과학연구소, 1998, pp.103-110.
4) 이밖에 조지훈 시의 변모 과정을 시기별로 살핀 연구물로서 서익환의「조지훈시연구」(한양대학교 대학원 박사학위 논문, 1989)와 박경혜의「조지훈 문학 연구」(연세대학교 대학원 박사학위 논문, 1992)가 설득력 있는 성과를 보이고 있다. 한편 김지연의「조지훈 시 연구」(숙명여자대학교 대학원 박사학위 논문, 1994)는 시대별 분기를 고려하지 않고 조지훈 시 전반에 나타나는 동질적 이원성으로서의 순수 의식을 상세하게 추출하였다.
5) 박두진,「조지훈의 시세계」,『조지훈 연구』, 고려대학교 출판부, 1978, p.4.

을 보이느냐에 연구 초점을 두겠다.

동양학에서는 인간도 자연이다. 동양인들은 자연을 우주의 근본으로 생각했을 뿐만 아니라 살아 움직이는 유기체 혹은 인간 성정(性情)의 상징으로 보았다. 나아가 자연은 도의 영상(映像)이었다. 또 우주는 전체가 기(氣)이며 그 기는 끝없는 순환을 하는데 우주 속의 만물은 바로 기의 일부이다. '동양적 자연관'은 자연 자체에 대한 관점을 뛰어넘어 인간과 자연의 어우러지는 모습, 자연 속에 인간이 편입되는 현상까지를 모두 파악할 수 있어야 한다. 필자는 이러한 자연관을 바탕으로 한 시를 자연서정시라고 부르겠다. 여기서 '서정시'라 함은 '시'와 동일한 개념으로 사용함을 밝혀 둔다. 서정시라는 개념이 정착된 데에는 많은 우여곡절이 있었음에도 불구하고, "서정, 서사, 극이라는 가장 지속적인 분류법에 의거해 볼 때 오늘날 서정 양식의 총화로서 존재하는 것은 오직 시뿐"[6]이기 때문이다.

동양의 예술은 '근원으로서의 자연'에 주목하고 자연 형상 속에 정신 세계를 구축하였다. 더욱이 예술 행위가 직업적 예술가가 아닌 문인들에 의해 이루어졌기 때문에 기교보다는 내용을 중시하며, 창작 주체의 정신 세계를 중요한 비평 대상으로 삼았다. 한국 현대시에서도 자연은 소재에서 배경이나 주제에 이르기까지 여러 의미를 형성했다. 특히 '동양적', '전통적'이라는 문화적 자장을 의식하며 시를 쓴 시인들에게는 자연은 그들의 정신 세계를 반영하는 핵심으로 자리잡았다.[7]

민족 정서나 전통의 계승 양상에서 조지훈 시에 접근한 연구로는 김용직, 이동환, 박정남, 권택우, 최승호, 윤동재 등의 논의가 주목된다. 김용직[8]은

---

6) 한영옥, 「서정시, 다시 생각하기」, 『서정시의 본질과 근대성 비판』, 다운샘, 1999, p.27.

7) 조민환, 『중국철학과 예술 정신』, 예문서원, 1997, p.416.
   方東美, 『중국인의 인생철학』, 정인재 역, 탐구당, 1983, pp.151~183.
   김문주, 「조지훈 시에 나타난 생명의식 연구」, 고려대학교 대학원 석사논문, 1997. p.2.

8) 김용직, 「현대시와 전통의 계승」, 『심상』, 1973.12.

한국 현대시인 중에서 시와 전통 의식의 측면에서 가장 두드러진 시인으로 조지훈을 꼽고 그 근거로 전통에 대한 소양과 한국문화에 대한 안목을 제시하였다. 이동환9)과 윤동재10)는 조지훈이 의식한 한시 전통이나 동양 문화 전통은 중국적인 것으로서 한자 문화에 기초하고 있다고 전제하고 한시 전통 수용 양상을 구체적인 작품을 통해 해명했다. 박정남11)은 조지훈 시에 나타난 전통성을 내용과 형태, 언어수사적 측면에서 해명하였으며, 권택우12)는 동양화의 예술 정신과 기법의 관점에서 조지훈 시의 자연관과 자연 형상화 방법으로서의 여백의 미학을 설명한다. 최승호13)는 조지훈의 동양적 생명 의식을 주제로 하여 자연시에 나타난 자아의 태도를 분석하였다.

위와 같은 연구사에서도 짐작할 수 있듯 조지훈의 자연서정시를 연구하는 것은 한국 현대시에 면면히 흐르고 있는 동양적 전통을 이해하고 전통단절론을 극복하는 길이다. 동서의 인문학은 서로 다른 방법론으로 인간과 세계를 탐색해 왔는데, 그 출발은 모두 자연에 두고 있다. 이는 자연이 인간의 세계 인식에 있어 가장 중요한 계기라는 사실을 입증한다. 거의 모든 예술 작품은 인간의 자기 이해와 자연에 대한 해석을 심미적 형식을 통해 표현한 것이며, 작품 속에 형상화된 자연은 이러한 인간 인식을 반영한다. 예술 작품의 창작 주체가 자연을 경험하는 태도나 자연을 포착하는 방식을 고찰하는 것은 창작자의 문학 의식을 이해하는 단초가 된다. 그러므로 자연을 중심으로 한 미의식 탐구의 궁극은 시인의 세계관 연구에 닿을 것이다.

9) 이동환, 「지훈시에 있어서의 한시 전통」, 『조지훈연구』, 고려대 출판부, 1978.
10) 윤동재, 「오일도 · 조지훈 · 김종길의 한시와 현대시 상관성 비교 연구」, 고려대학교 대학원 박사학위 논문, 2000.
11) 박정남, 「조지훈 시의 전통성 연구」, 대구대학교 대학원 석사학위 논문, 1986.
12) 권택우, 「동양화법으로 본 지훈시 연구」, 부산대학교 대학원 석사학위 논문, 1987.
13) 최승호, 「1930년대 후반기 시의 전통지향적 미의식 연구 : 문장과 자연시를 중심으로」, 서울대학교 대학원 박사학위 논문, 1994.

2. 쇠락(衰落)하는 자연과 자아의 정적화(靜寂化)

조지훈의 초기 자연서정시에는 쇠락하는 자연 풍경을 서경적 방법으로 묘사하거나 나아가 그 풍경에 자아의 슬픈 내면을 투사하는 시들이 많다. 이러한 시들은 대부분 시인이 세속잡사를 떠나 자연에 묻혀 은거하던 시기에 쓰여진다. 은거란 함은 사회적 활동을 기피하여 숨어사는 것으로 둔거(遁居) 또는 은서(隱棲)라고도 한다. 논어 미자편(微子篇)을 보면 은거방언(隱居放言)이란 말이 나오는데 이는 은거하며 살면서 마음속에 품고 있는 생각을 털어놓는 것을 이른다. 속세의 일을 멀리하며 살아갈 때 인간은 이 세상에 대하여 새로운 존재 방식을 체득하여 이 세계를 거침없이 형상화하기도 하는 것이다.

조지훈은 두 번의 은거를 하였다. 이 두 경우 모두 불합리한 세계 질서에 대한 자아의 대응이었다. 이 대응은 한편으로 소극적 도피라는 의미를 지니면서 동시에 그 나름대로의 저항 방식이라 할 수 있다. 그의 은거 공간은 여느 은거자와 마찬가지로 옛 동네이거나 옛 농가이며 고향이며 산 속 사찰이다. 그곳은 바깥 세계의 무질서가 쉽게 침해할 수 없는 안전한 곳으로 그곳에서 시인은 존재의 자유를 구현한다.

그의 자유 찾기는 자연의 모습을 관찰하고 그것을 시라는 창조물로 만드는 것으로 나아간다. 그러나 세상을 등지고 온 은거자의 눈에 자연이 활력 넘치는 생산적 주체로서만 보여질 리는 만무하다. 특히 유가적 세계관을 신봉하던 조지훈에게는 독선(獨善)과 독락(獨樂)을 위한 은일의 시간 역시 항상 겸선(兼善)과 동락(同樂)으로 나아가는 과정의 일부일 수밖에 없었다. 그러므로 그는 경물의 아름다움만을 찬양할 수는 없었을 것이며 자연을 시화함에 있어 어떤 이념성을 추구하여야 했는데, 그것이 조락하는 자연 현상과 자아의 비애 및 정적을 일치시키는 작업이었을 것이다. 여기에는 동양적 정경론(情景論)의 이치가 배어 있다.

전술했듯이 그는 두 번의 은거를 하였다. 첫 번째의 은거는 1942년 4월부터 같은 해 12월까지 월정사 불교강원으로 근무하던 시기였고 두 번째의 은거는 1943년 9월부터 8·15 해방까지로 고향 마을에서 지내던 시기이다. 최승호는 조지훈의 말을 참고하여14) 첫 번째 은거 기간 동안 쓴 은거시는 주로 소품의 서경시로 선미와 관조에 뜻을 두어 '슬프지 않은' 자연시이며 두 번째 은거시는 영남 사림파의 후예들인 한양 조씨의 집성촌인 주실에서 생산된 것답게 유가적인 한만(閑漫)한 정서를 담고 있다고 하였다. 조지훈은 첫 번째 은거 무렵 지은 「마을」(1942), 「달밤」(1942), 「고사」(1941), 「산방」(1941) 등의 시를 두고 '슬프지 않은' '자연시'라 하였다.15) 하지만 두 번째 은거 때에 쓴 자연서정시에는 '슬픔'의 정서가 깊이 배어 있었다.16)

월정사에서 외전 강사 생활을 하면서 조지훈은 탐미적 서구 지향과 민족문화적 소재 지향에서 벗어나 동양적 자연의 세계에 깊이 몰입한다. 그는 이 무렵 자신의 시 세계의 변화를 "이 절간 생활은 나의 시를 또 한번 변하게 하였다. 그것은 변이된 생활의 쾌적미와 당시 내가 심취했던 詩仙一如의 경지 때문이었다. 일체의 정서와 주관을 배제하고 자연을 있는 그대로 직관하고 관조하는 敍景의 小曲調를 찾았다."17)라고 술회한다. 일본 제국주의의 포악함이 극에 달하던 이 시기는 조지훈에게 고통스러운 기다림의 시간이었다. 이 시기에 그가 자연의 품속으로 들어가 산 것은 언뜻 보면 소극적인 도피이기도 하겠지만 자연의 세계에서 우주의 생성론적 이법을 발견하여 새로운 시대의 도래에 대한 깨달음을 얻으려고 했다는 점에서는 또 하나의 저항 방식이라고 할 수 있다. 이는 유가적 지식인이 택한 불가피한 처세술이었다.

---

14) 최승호, 『한국 현대시와 동양적 생명사상』, 다운샘, 1995, p.191.
15) 조지훈, 『조지훈 전집』 3권, 나남출판사, 1996, p.203.
16) 본고의 제2장은 두 번째 은거시를 중심으로 논의를 전개한다. 이 시기의 작품이 유가적 자연 인식 방법에 더욱 투철하다고 판단되었기 때문이다.
17) 조지훈, 「나의 시의 편력」, 『청록집 이후』, 현암사, 1968, p.355.

동양인들은 예술 행위를 통하여 정경합일(情景合一)과 천인합일(天人合一)을 도모하였다. 산수의 세계로 찾아가 자연과 자아의 일체화를 추구하기도 하고 산천계곡의 맑은 햇살과 시원한 바람을 맞으며 세속의 찌든 때를 씻어버리려 노력하는 동양인의 삶은 이러한 예술 정신과 맞물린다. 그들은 자연 속에서 얻은 자유와 해방감으로 자연과 자아의 융합을 예술로 승화시켰다. 한편 동양미학은 이러한 유(遊)와 소요(逍遙)의 정신 이외도 예술가의 인격성과 도덕성을 중시하였다. 특히 유가 미학은 인간 정신의 순수성, 도덕적 진실성이 창작의 바탕이 되도록 요구한다. 조지훈의 초기 자연서정시는 소요 정신과 도덕성이라는 두 가지 동양미학의 지향점을 충실히 반영하고 있다.

자연은 늘 생성과 조락을 반복하는 것이며 또한 그 순환의 원리는 인간 역사의 원리이기도 할 것이다.『청록집』에서 조지훈이 바라본 자연의 모습 중 가장 두드러진 것은 조락과 죽음의 자연으로 특징지을 수 있겠다. 그는 자연을 관조하면서 자아의 자유와 해방을 생각하면서도 마음 한 구석에는 늘 외부 현실에 대한 유가적 지식인으로서의 걱정을 두고 있었다. 그가 아름다운 자연 질서 앞에서 비애와 정적에 빠진 자아를 숨기지 못한 것은 이 때문이다. 그가 조락과 죽음의 자연을 많이 노래했던 것도 이 때문이다.

꽃이 지기로서니
바람을 탓하랴

주려 밖에 성긴 별이
하나 둘 스러지고

귀촉도 울음 뒤에
머언 산이 닥아 서다

촛불을 꺼야하리

꽃이 지는데

꽃지는 그림자
뜰에 어리어

하이얀 미닫이가
우련 붉어라

묻혀서 사는 이의
고운 마음을

아는 이 있을까
저허하노니

꽃이 지는 아침은
울고 싶어라

－「낙화(洛花)」 전문18)

조지훈은 조선어학회 사건으로 인한 일본 경찰의 감시를 피해 은신했을
때 이 시를 지었다. 그는 자연과 우주 질서와 상반하는 파시즘적 세계의 폭
력을 피하여 자연으로 도피하였고 이때 주로 바라본 자연의 현시적 모습은
생성보다는 조락의 형상에 가깝다. 박호영19)의 지적처럼 이 시의 초반부는
유교의 이기철학과 연결되어 있다. 즉 "꽃이 지기로서니/ 바람을 탓하랴"라

18) 조지훈은 『靑鹿集』(박두진 · 박목월 공저, 을유문화사, 1946), 『풀잎斷章』(창조사,
   1952), 『조지훈시선』(정음사, 1956), 『역사앞에서』(신구문화사, 1959), 『餘韻』(일조
   각, 1964) 등 다섯 권의 시집을 간행하였다. 또 일지사(1973)와 나남출판사(1996)에
   서 전집이 간행된 바 있다. 본고에 인용된 시는 각 시집의 표기를 따르는 것을 원
   칙으로 하였으며 같은 작품이 여러 시집에 수록된 경우는 그 출처를 각주로 명기
   하였다.
19) 박호영, 「조지훈 문학연구」, 서울대학교 대학원 박사학위 논문, 1988, p.84.

는 표현은 꽃의 떨어짐은 바람 때문이 아니며 꽃의 존재성 안에 이미 조락의 원리가 내포되어 있다는 뜻이다. 이러한 세계 인식을 통하여 시인은 존재의 조락을 슬퍼하지도 하고 그것에 연연하지도 않으려는 태도를 보여준다. 2연 역시 1연과 마찬가지로 해석할 수 있다. '주렴 밖에 성긴 별/ 하나 둘 스러지'는 일 역시 어둠이 그 별을 침탈하기 때문이 아니다. 그 별 자체의 존재 원리 안에 이미 존재의 귀결이 내포되어 있는 것이다. 2연 이하는 꽃이 지는 아침의 정경을 표현한 것으로 자연의 움직임을 균형과 안정의 구조 속에서 파악해 내는 조지훈 특유의 미의식이 숨어 있다.

"머언 산이 닥아 서다"에서 '머언 산'은 자연의 원리를 총체적으로 담고 있는 상징이라 할 수 있다. 귀촉도의 울음을 매개로 하여 멀리 있는 산이 화자 가까이로 다가오고 있는데 이는 자연의 원리 속으로 화자 자신이 서서히 빠져들고 있음을 뜻한다. "꽃지는 그림자/ 뜰에 어리어"나 "하이얀 미닫지가 우련 붉어라"와 같은 표현 역시 자연의 모습 변화에 화자 자신이 제유적으로 움직이고 있음을 드러낸다. '꽃'과 '별'과 '귀촉도 울음'과 '촛불'과 '미닫이'는 서로서로 제유적으로 존재한다. 제유적 세계 인식은 세계를 하나의 유기체로 인식하며 모든 존재물들이 소유한 제각각의 생명력을 인정한다. 그러므로 뜰과 방은 화자가 위치해 있는 공간인 동시에 위의 사물들과 화자가 제유적으로 어우러진 총체적인 배경으로 기능한다. 여기에 화자는 자신의 감정과 마음을 이입시키고 있다. 화자의 마음은 그 다음 연에서 구체적으로 나타난다. 그것은 다름 아닌 '묻혀서 사는 이의/ 고운 마음'으로 요약되는데 그 마음이 곱기 때문에 이러한 자연의 원리에 쉽게 젖어 들 수 있다. 속세의 권력과 명예를 좇는 자세로는 자연에 젖어들 수 없을 뿐만 아니라 궁극에는 자연의 원리에 역행한다.

묻혀서 사는 이의 고운 마음을 아는 이가 있을까 두려워하는 것은 안분지족(安分知足)하는 자신의 심정이 속세의 관여로 인하여 훼손되는 것을 싫어하지 때문이다. 안분(安分)이야말로 은거하는 자의 가장 기본적인 자세라 할 수 있는데 그 마음은 생명력이 이완하는 자연의 조락을 겸허하게 받아들일 수 있는 마음이기도 하다. 마지막 연에서 시인이 울고 싶어하는 것은 양가적 의미를 지닌다. 그것은 생명력의 이완에 대한 감정적 대응인 동시에 자연의 존재 원리에 대한 깨달음을 나타낸다. 그 깨달음 속에는 숨길 수 없는 비애가 있기 때문에 화자의 심리 상태는 정적화한다. 「낙화」는 생명력이 이완하는 자연 현상을 그리고 있는 시이지만 관찰자는 그 자연 현상을 대자연의 이법으로 상정한다. 그러나 조락의 과정이 대자연의 순리이기는 하겠으나 그것을 바라보는 화자는 어찌할 수 없는 슬픔과 고독을 느끼고 만다.

맹자는 "만물이 모두 나에게 갖추어져 있다(萬物皆備於我)"고 하였다. 인간은 만물을 사랑으로 아껴줄 때 성품의 발현을 이룰 수 있다. 인간이 만물과 유대할 때 비로소 인과 선이 나타나서 천지간에 질서가 생기게 되며 만물 또한 자생하여 번성하게 된다. 「낙화」에는 자연에 대한 사랑과 연민이 동시에 나타난다. 낙화라는 자연 현상은 생명 순환 원리의 일부이기도 하겠으나 그것은 안타까운 생명의 소실이기도 한다. 다음의 시에서는 자연의 생명력이 더욱 위축되어 나타나므로 시인의 심리 상태는 더욱 정적화한다.

嶺넘어 가는 길에
임자 없는 무덤 하나
주막이 하나

시름은 무거운데
주머니 비었거다

하늘은 마냥 높고
古木가지에

서리 가마귀 우지짖는
저녁 노을 속

나그네는 홀로 가고
별이 새로 돋는다

嶺넘어 가는 길에
산 사람의 무덤 하나
죽은 이의 집

－「枯木」 전문

이 시에는 부정적인 세계관에 침윤되어 있는 우울한 모습이 드러난다.[20]
이러한 자아의 슬픈 모습은 폭력과 광기로 물든 저 바깥 세계를 떠나서 은
거한 자의 내면 풍경이다. 고목은 말라죽은 나무이다. 조락의 끝에 죽음이
있다. 생명력을 완전히 상실한 고목은 잎과 꽃이 지는 조락의 과정을 이미
겪은 것이다. 화자는 어디론가 가고 있는데 그가 가고자 하는 곳이 어디인
지에 대한 정보는 없다. 그는 다만 정처 없이 떠나고 있는 나그네일 뿐이다.
끊임없이 방랑하는 자에게 비친 세계의 모습은 어둡고 누추하다. 그는 임자
없는 무덤과 주막 하나를 볼 뿐이다. 아무도 찾지 않고 누구의 것인지도 모
르는 무덤이 황막함과 쓸쓸함을 가중시킨다. 이러한 마음을 조금이라도 달
래줄 수 있는 주막을 발견하였음에도 불구하고 그는 '주머니'가 비어서 그
곳에 들어가지 못한다.

3연과 4연이 제시하는 분위기는 더욱 음울하다. 높은 하늘 아래 고목이
서 있고 죽은 가지에 의탁하여 '서리 가마귀'가 울고 있다. 무리진 까마귀
떼는 화자를 더욱 내성화시켜서 고적과 시름에 젖어들게 한다. 낮은 생명력
왕성한 삶의 시간이며 밤은 생명력이 위축되는 죽음의 시간이므로 높은 삶
과 죽음의 경계에 머뭇거리는 시인의 내면을 대변한다. 까마귀 떼의 울음소
리가 들려오는 저녁은 더욱 처연한 분위기를 연출한다. 그 속으로 나그네는
홀로 가고 있고 차츰 밤이 깊어온다. 하지만 밤이 깊어도 나그네는 쉴 곳이

20) 김기중, 「지훈시의 이미지와 상상력 구조」, 『민족문화연구』 제22호, 1989, pp.174~
176.

없다. 그 길에서 '산 사람의 무덤 하나'를 발견한다. '산 사람'은 산에 사는 사람이다.21) '산 사람'은 화자 자신처럼 자연 속에 은거하여 일생을 보냈으며 산중턱에 자신의 무덤을 만들었다. '죽은 이의 집'은 '산 사람'이 살았을 때 살던 무덤 근처의 집이기도 하겠으며 그 무덤 자체를 뜻하기도 한다. 화자는 산 사람의 무덤을 보고 은거 중인 자신의 죽음을 생각한다. 요컨대 은거의 시간을 건디고 있는 시인은 자연의 조락과 죽음에 천착하면서 거기에 의탁하여 자신의 시름과 고독을 나타내고 있다.

자연의 조락 앞에서 내성화하던 자아는 「완화삼」, 「파초우」 같은 여행을 소재로 한 자연서정시에서는 달관과 초탈의 자세를 보이기도 하지만 "외로이 흘러간 한송이 구름/ 이 밤을 어디메서 쉬리라던고"(「완화삼」 부분), "차운 산 바위 우에 하늘은 멀어/ 산새가 구슬피 울음 운다"(「완화삼」 부분) 등의 구절에서 알 수 있듯 거기에도 늘 우수와 고독은 깔려 있다. 구체적이지는 않지만 고단한 삶의 무게가 개입되고 있는 것이다. 그 삶은 시인의 전기적 맥락으로 미루어 역사 현실적인 면이 강한 것 같다. 그러므로 조지훈의 초기 자연서정시에 자주 나타나는 비애는 현실의 결핍을 채워줄 무언가에 대한 기다림의 자세와 연결된다.

기다림에 야윈 얼굴
물 위에 비초이며

가녀린 매무새

---

21) 서익환과 최승호는 '산 사람'을 '살아 있는 사람'으로 보고 있는 듯하다. 서익환은 『조지훈 시와 자아 · 자연의 심연』(국학자료원, 1998)에서 "시 「枯木」의 상징인 죽음은 나그네의 이미지의 緣起이다. 그래서 嶺 넘어 가는 길에서 볼 수 있는 '임자 없는 무덤 하나'는 '산 사람의 무덤'으로 그것은 '죽은 이의 집'을 상징하는 이미지들이다."(p.180)라고 말하고 있으며, 최승호는 위의 저서에서 "이런 고적감이 맨 마지막 연에서는 심각하게 나타나는데, 그 무덤이 '산 사람'의 무덤이라는 것이다. 이는 조지훈이 자신의 은거 공간이 무덤과 같다고 인식한 결과로 보여진다"(p.203)라고 설명한다. 필자는 '산 사람'을 '山에 사는 사람'이라는 뜻으로 보고자 한다.

홀로 돌아 앉다.

못견디게 향기로운
바람결에도

입 다물고 웃지 않는
도라지꽃아.

ー「도라지꽃」 전문22)

도라지꽃을 '야윈 얼굴', '가녀린 매무새'라고 표현한 것은 도라지꽃의 생
태 자체가 여리고 가늘기 때문이기도 하겠지만 도라지꽃이라는 객관적 상
관물에 시인의 고달픈 심사를 이입시켰기 때문이기도 하다. 시인은 생명력
넘치는 새 삶에 대한 기다림으로 애태우고 있다. 그 기다림이 끝나지 않는
이상 '못 견디게 향기로운/ 바람결'도 아무런 의미가 없는 것이다. '입 다물
고 웃지 않는/ 도라지꽃'은 결핍된 세상을 견지는 자의 태도이다. 「도라지꽃
」은 창작 연대가 1942년인 것으로 보아 조지훈이 월정사 시절에 지은 작품
으로 추정된다. 월정사의 적막한 삶 속에서 새로운 시대를 갈구하던 시인의
마음이 투영되었다. 이처럼 조지훈의 초기 자연서정시 중에서 해방 전의 작
품들은 주로 조락하거나 죽어가거나 혹은 야위어 가는 자연물의 모습을 형
상화하고 있다. 이때 그 자연물을 관조하는 자아는 비애와 고독의 정조를
띠면서 내성화하고 정적화한다. 조지훈의 초기 자연서정시가 이러한 성격을
띤 것은 시인 자신이 처해 있는 현실 상황과 밀접한 관련성이 있음을 알 수
있었다. 이러한 검토는 조지훈이 자연을 명철보신(明哲保身)과 천석고황(泉
石膏肓)의 세계로만 인식하지 않고 그곳에 세상 질서의 왜곡으로 인한 자아
의 고단한 심정을 이입시켰던 점을 알게 한다.

---

22) 「도라지꽃」은 『풀잎단장』에 수록되어 있으나, 그 창작 연도나 주제 의식으로 보아
서 『청록집』의 세계와 닿아 있는 작품이다. 그러므로 본고의 2장에서 논의되고 있
다.

3. 생동하는 자연과 자아의 우주적 고양(高揚)

여기서는 『풀잎단장』에 실린 시들 중에서 해방 후의 작품을 집중적으로 언급한다. 이 시집에 실린 자연서정시 중 해방 후의 작품들은 주로 생동하는 자연의 모습을 다루고 있다는 점에서 『청록집』의 세계와 구분된다. 조지훈 시에 나타난 자아의 정서적 태도는 자연이라는 객체의 운동성과 밀접하게 관련된다. 시인은 자연에 감정을 이입하여 자연의 존재성에 자신의 존재성을 일치시켜 나간다. 즉 쇠락하는 자연의 모습을 관찰한 시인은 비애와 고독과 우수의 정조를 감추지 못했던 반면 생성하는 자연물 앞에서 자아는 정서적으로 고양되어 존재론적 즐거움을 누리기도 한다. 『풀잎 단장』은 조지훈이 처음으로 간행한 개인 시집이다. 1952년 대구에 있는 창조사에서 발행한 이 시집은 추천 시기의 작품 1편과 『청록집』에 수록했던 9편과 이후 49년까지 쓴 25편 등 총 35편을 수록하고 있다. 『풀잎단장』을 두고 "자연이나 전통의 세계를 잠시 멀리 하고, 존재의 내면을 응시하는 자세를 갖춤으로써 자아 인식을 확보하는 방법을 시도한다"23)라는 진술은 이 시집의 한 특징을 잘 지적하고 있는데 '자연을 잠시 멀리하였다는 지적'은 이 무렵의 자연서정시에는 적용되지 못하는 설명이다.

조지훈은 『청록집』에서 동양적 심미성 즉 전통문화에 대한 회고적 에스프리를 탐색하기도 하였으며 선적인 물아일체 속에서 생성과 소멸이 반복되는 자연을 서정적으로 관조한 미의식을 보이기도 하였는데 이러한 경향이 『풀잎단장』에 와서 구도적 생명 탐구 의식으로 변용된다. 일제 말기부터 6·25 사변 직전까지의 상황은 혼돈의 연속이었다. 구도적 생명 탐구 의식은 세계 현실의 물질적 폭력성에 대한 분노를 시적으로 승화시킨 결과이다.24) 이 시기의 작품에 나타난 자연물은 꿈틀거리는 생명력을 가지고 자아

---

23) 서익환, 위의 저서, p.184.
24) 최병준, 『조지훈 시 연구 : 시와 삶의 미학』, 한국문화사, 1997, p.71.

의 정신적 고양을 제고시킨다. 이러한 문학적 태도는 해방 전에 낙향과 은거를 거듭하던 시인이 해방 후 문화단체와 학교에서 '아주 진지하고 엄숙하고 또 열중하였던'[25] 전기적 생애의 특징과도 일맥 상통한다. 해방 조국은 시인의 유가적 세계관을 확충시킬 수 있는 가능성의 공간이었다. 그는 이 무렵 전국문화단체총연합회 창립위원, 한국문학가협회 창립위원 등을 지내면서 새롭게 탄생한 조국의 문예 부흥을 위하여 활약하였다. 이러한 삶과 사상은 창작에도 영향을 주었다. 조지훈은 자연서정시를 쓰다가『역사 앞에서』,『여운』등의 시집을 중심으로 사회시·참여시를 쓰게 되는데『풀잎단장』에 나타난 구도적 생명 탐구 의식은『청록집』의 세계와『역사 앞에서』·『여운』의 세계를 이어주는 교량적 역할을 한다. 왜냐하면 그에게 '구도'의 '도'라 함은 유가적 인애를 깊이 함의하고 있는 것이었으며, 인애사상은 6·25 전쟁과 이승만 독재라는 불의의 시간에 더욱 실천적 사상으로 자리매김될 수 있었기 때문이었다.

실눈을 뜨고 벽에 기대인다 아무것도 생각할 수가 없다

짧은 여름밤은 촛불 한자루도 못다녹인채 사라지기 때문에 섬돌우에 문득 柘榴꽃이 터진다

꽃망울 속에 새로운 우주가 열리는 波動! 아 여기 太古쩍 바다의 소리없는 물보래가 꽃잎을 적신다

방안 하나 가득 柘榴꽃이 물들어 온다 내가 柘榴꽃 속으로 들어가 앉는다 아무것도 생각할 수가 없다

—「아침」 전문[26]

25) 조지훈, 「나의 역정」, 『조지훈 전집』 3권, 나남출판사, 1996, p.205.
26) 『풀잎 斷章』에서 「아침」이라는 제목을 달았던 이 시는 『조지훈시선』에서는 「花體

화자는 무아지경에 빠져 있다. 이는 자류꽃이 처지는 순간에 다가올 새로운 깨달음을 얻기 위한 호흡 고르기이다. 자류꽃[27]의 개화는 무념무상(無念無想)의 각성을 주는 동시에 새로운 우주 생성이라는 의미를 준다. 한 자루의 촛불도 태우지 못하는 짧은 여름밤이지만 그 짧은 시간이 우주적 깨달음을 부여하는 데 더욱 용이하게 기능한다. 여름밤이 순식간에 사라지기에 이른 아침 자류꽃이 터진다는 진술은 이 때문이다. 3연에 이르러 화자는 그 작은 꽃망울 속에서 생성하는 우주를 본다. 작디작은 꽃망울 속에서 거대한 우주를 체득하는 자아의 모습에서 신성한 생명의 향연을 즐기는 무아지경을 엿볼 수 있다. 작은 꽃망울이 우주로 확대되어 나가듯 짧은 개화의 시간은 태고 속으로 파동한다. '바다의 소리 없는 물보래'는 우주적 시공을 화자의 눈앞으로 끌어당기는 기능을 한다. 마지막 연에서 화자가 현재 위치한 방의 공간은 우주적 공간으로 치환되는데 그리하여 화자가 방안에 들어앉아 있는 것은 곧 우주적 각성의 지평 속에 있는 것이며 이는 다시 자류꽃망울 속에 있는 것과도 같다. 이 방이 '靈魂이 常主하는 處所的 표현'[28]으로 해석되는 것도 이 때문이다. 화자가 자류꽃 속에 들어가 앉는 의식적 행위는 자아의 우주적 고양을 통한 자아와 대상의 상호 상승적 교감이다. 목가적 즐거움을 노래한 자연서정시[29]에서도 외향적으로 고양된 자아의 모습을 찾

開顯」으로 그 제목을 바꾸었다. 나남출판사에서 간행한『조지훈 전집』에서는 다른 제목을 한 같은 시를 각각의 시집 부분에 싣고 있다.

27) 자류(柘榴)는 석류(石榴)의 다른 이름이다. 그러나 자류를 석류로 잘못 표기했거나 '柘榴'라 써 놓고 석류로 잘못 읽은 연구 논문들이 많다. 뜻이 같더라도 원문에 충실하게 표기하여야 하며 그 독음도 정확히 달아야 한다. 자류를 석류와 다른 것으로 해석한 연구도 있는데 이 역시 오독이다. 한글학회 편『우리말 큰사전』(어문각, 1992)과 금성판『국어대사전』(금성출판사, 1991)의 자류(柘榴) 항목 참조.

28) 김용태, 「지훈시의 선과 시」,『수련어문논집』3, 부산여대, 1975, p.24.

29) 최승호는 위의 저서에서 이와 같은 시를 전원시라고 칭한다. 그는 조지훈의 전원시에는 자아가 방관자로 있기 때문에 언뜻 보면 자아와 대상간의 교감이 없는 것 같은데, 실상은 그 교감이 대상을 바라보는 자아의 태도 속에 녹아 있다고 지적한다(p.182). 자아가 방관자로 나타난 시로는 「마을」, 「아침2」등을 들 수 있겠고, 자아와 대상간의 교감이 직접 보이는 시로는 「산중문답」, 「흙을 만지며」등을 들 수

아볼 수 있다. 목가적인 전원 공간 역시 자연물의 생산적 동력을 지니고 있기 때문이다.

> 여기 피비린 玉樓를 헐고
> 따사한 햇살에 익어가는
> 草家三間을 나는 짓자.
>
> 없는 것 두고는 모두다 있는 곳에
> 어쩌면 이 많은 외로움이 그물을 치나.
>
> 虛空에 박힌 화살을 뽑아
> 한자루 호미를 벼루어 보자.
>
> 풍기는 흙냄새에 귀 기울이면
> 뉘우침의 눈물에서 꽃이 피누나.
>
> 마지막 돌아갈 이 한줌 흙을
> 스며서 흐르는 산골 물소리.
>
> 여기 가난한 草家를 짓고
> 푸른 하늘이 사철 넘치는
> 한그루 나무를 나는 심자.
>
> 있는 것 밖에는 아무것도 없는 곳에
> 어쩌면 이 많은 사랑이 그물을 치나
>
> —「흙을 만지며」 전문

이 시를 지배하는 심상은 흙이다. 대지를 구성하는 흙은 무진장의 창조력

있겠다.

을 지닌 생산의 원천이다. 특히 식물은 흙에 의지하지 않고서는 생명을 유지할 수 없다. 화자는 지금 흙을 만지면서 외로움과 슬픔을 무화시켜 줄 가능성을 생각한다. 그러므로 화자는 깨끗한 흙으로 가득 찬 터전에 초가삼간을 짓고자 한다. 지금 이곳에는 피비린내 나는 '옥루'가 있는데 '옥루'는 '초가삼간'과 대조적 의미를 지니는 것으로서 안분지족(安分知足)하고자 하는 삶과 어긋난다. 흙냄새 풍기는 이 공간은 '없는 것 두고는' 모두 다 있는 공간으로 진술되는데 이러한 인식이 가능한 것은 화자 자신이 안빈낙도하는 마음을 지녔기 때문이다. 안빈낙도하는 이에게 외로움이라는 것은 수행의 걸림돌이 아니다. 그는 외로움을 즐긴다. '화살'은 '옥루'와 연결되는 사물로 세계와 자아가 교감하는 데 방해가 되니 그것으로 전원 생활에 필요한 농기구를 만들고자 한다. 4연의 흙 냄새는 화자의 정신을 더욱 고양시킨다. 흙냄새는 세속에 찌들어 살던 정신적 궁핍을 반성케 하여 그를 완전한 자연인으로 만들어 준다. 흙은 죽은 사람의 가슴에 뿌려진다. 인간은 흙 속에 묻혀 자연으로 돌아간다. 그러므로 '마지막 돌아갈 이 한줌 흙'에는 자연의 원리가 있다. 흙을 '스며서 흐르는 산골 물소리'는 새로운 생성을 향한 동력이다. '가난한 초가'나 '한그루 나무' 모두 매우 소박한 것들이지만 이것들은 자연과 인간의 화해를 열어갈 '많은 사랑'이 그물 치고 있는 존재들이다.

끝으로 언급할 것은 『풀잎단장』에 실린 관념적 사유의 시이다. 철학적 통찰 속에 자연 심상이 중요한 소재로 자리잡고 있다는 점에서 이러한 시편들도 자연서정시의 맥락에 넣어야 한다. 주지했듯이 조지훈에게 해방은 새로운 문학적 공간을 개척할 수 있는 동인(動因)이었다. 해방 후 그는 자연의 무상성을 초극하기 위하여 관념적이고 철학적인 사유를 통하여 자아의 외향화를 추구하는 경향을 보이기도 한다. 은거 시기에 쓰여졌던 시들이 허무적 애상을 위주로 하여 자연의 소멸을 형상화했다면, 해방 후에 조지훈은 자연의 질서에 대한 적극적이고 총체적인 사유를 통하여 생명의 영원성과 불변성에 천착한다.

나는 어느새 천길 낭떨어지에 서 있었다 이 벼랑끝에 구름속에 또 그리고 하늘가에 이름 모를 꽃 한송이는 누가 피워 두었나 흐르는 물결이 바위에 부디칠 때 튀어 오르는 물방울처럼 이내 공중에서 사라져 버리고 말 그런 꽃잎이 아니었다.

몇만년을 울고 새운 별빛이기에 여기 한송이 꽃으로 피단 말가 죄 지은 사람의 가슴에 솟아 오르는 샘물이 눈가에 어리었다간 그만 불 붙는 심장으로 염통 속으로 스며들어 작은 그늘을 이루듯이 이 작은 꽃속에 이렇게도 크낙한 그늘이 있을줄은 몰랐다.

한점 그늘에 온 宇宙가 덮인다 잠자는 宇宙가 나의 한방울 핏속에 안긴다 바람도 없는곳에 꽃잎은 바람을 일으킨다 바람을 부르는것은 날 오라 손짓하는것 아 여기 먼 곳에서 지극히 가까운 곳에서 보이지 않는 꽃나무 가시에 心臟이 찔린다 무슨 野獸의 體臭와도 같이 戰慄할 향기가 옮겨 온다.

나는 슬기로운 사람이 아니었다. 그러기에 한송이 꽃에 永遠을 찾는다 나는 또 철모르는 어린애도 아니었다 永遠한 幻想을 위하여 絶頂의 꽃잎에 입맞추고 기리 잠들어 버릴 自由를 抛棄한다.

다시 산길을 내려온다 조약돌은 모두 太陽을 呼吸하기 위하여 匕首처럼 빛나는데 내가 산길을 오를때 쉬어가던 주막에는 옛 주인이 그대로 살고 있었다 이마에 주름살이 몇 개 더 늘었을뿐이었다 울타리에 복사꽃만 구름같이 피어 있었다 청댓잎 잎새마다 새로운 피가 돌아 산새는 그저 울고만 있었다.

문득 한 마리 흰나비! 나비! 나비! 나를 잡지말아다오 나의 人生은 나비 날개의 가루처럼 가루와 함께 絶命하기에- 아 눈물에 젖은 한 마리 흰나비는 무엇이냐 絶頂의 꽃잎을 가슴에 물들이고 邪된 마음이 없이 죄 지은 懺悔에 내가 웃고 있었다.

—「絶頂」 전문[30]

오탁번은 「절정」의 꽃은 "모든 꽃을 포괄하면서도 구체적으로는 어느 특정의 꽃이 아닌 추상적이요 일반적인 꽃"[31]이라 하였고 서익환은 여기 꽃은 소멸의 질서를 극복할 수 있는 의지적 자아요 이상적 자아라고 하였으며[32] 신현락은 이 시는 꽃의 이미지와 관련되는 조지훈의 선적 상상력의 비밀을 가장 잘 나타내 보여주는 작품이라고 하였다.[33] 이처럼 꽃 이미지는 이 시를 제대로 이해하는 데 매우 중요한 실마리를 제공한다. 화자는 극한 상황에서 꽃 한 송이를 발견한다. 꽃은 낭떠러지 끝에만이 아니라 '구름속'과 '하늘가'에도 동시에 피어있다. 이 점으로 보아 꽃은 일상적인 꽃이 아니라 추상화된 꽃이다. 그 생명력이 '물결이 바위에 부딪칠 때 튀어오르는 물방울'과는 달리 영구적이라는 진술은 꽃의 추상성을 강화시킨다. 벼랑과 구름과 하늘에서 3차원화된 꽃은 영구한 생명력으로 화자의 정신을 고양시키면서 스스로 더욱 신비화한다. 한 송이 꽃의 생성은 무한한 우주적 시공의 생성을 의미한다. 즉 그 꽃은 '몇만년 울고 새운 별빛'의 시절을 지나서 피어난 것으로 우주적 공간만큼의 그늘을 지닌 채 화자의 정신을 매혹시키고 있다. 우주적 시간이라는 기나긴 세월 동안 품었던 염원이 그 별빛에 투사되고 그 별빛은 다시 현생의 꽃으로 환원된다. 그러므로 이 꽃이 지닌 그늘은 죄지은 사람의 불붙는 심장과 염통의 고통을 씻을 줄 수 있는 가능성을 지닌다. 화자는 그 꽃 앞에서 죄와 욕망의 세월을 참회하며 그 꽃과 일체화를 이루려 한다.

3연에서도 작은 꽃의 생명력이 우주적으로 확산된다. 한 점 그늘이 온 우주를 덮듯이 그 우주는 다시 화자의 핏속으로 들어와 화자를 고양시킨다. 그 꽃은 '야수의 체취'로 화자를 전율시켜 그에게 심장을 찔리는 듯한 고통

---

30) 「절정」은 『풀잎단장』과 『조지훈 시선』에서 그 표기를 약간 달리 하고 있다. 본고는 『풀잎단장』의 표기를 따른다. 『조지훈 시선』에서는 2연의 '꽃속'이 '꽃잎'으로, 3연의 '가시'가 '가지'로 수정되었다.
31) 오탁번, 「지훈시의 의미와 이해」, 『한국현대시사의 대위적 구조』, 1988, p.187.
32) 서익환, 위의 저서, p.192.
33) 신현락, 『한국 현대시와 동양의 자연관』, 한국문화사, 1998, p.394.

을 안겨 준다. 이 고통은 존재를 억압하는 고통이 아니라 존재가 진정한 참회를 통하여 승화할 수 있는 과정이다. 그것은 존재의 열락이기도 하다. 화자는 '먼 곳'과 '가까운 곳'을 구분하지 못한 채 고통스러운 축제 속에서 무아지경(無我之境)에 빠져 있다. 화자는 꽃나무 가시에 심장이 찔리는 듯한 정신적 충격을 통하여 꽃과 일체화하는 황홀경을 경험한다. '슬기로운 사람'이란 형이상학적 진리 추구를 포기한 채 현실의 명예와 권력을 위하여 세속에 머무는 사람이다. 화자는 그런 사람이 아니므로 꽃의 우주적 생명성에 탐닉할 수 있었다. 또한 화자는 철부지 아이도 아니기 때문에 낭떠러지의 꽃을 꺾기 위하여 자신의 목숨을 버리지도 않는다. 그러므로 그는 영원한 환상과 죽음의 자유를 멀리하고 정신의 비상을 갈구한다.

1연에서 4연에 이르는 과정은 정신적 통과의례였다. 5연에서 화자는 희열과 깨달음을 안고 하산한다. 그는 이제 산인(山人)이 아니라 선인(仙人)이다. 주막 옛 주인의 이마에 늘어난 주름살은 통과의례의 고난한 시간의 상징이어서 그것은 화자 자신의 주름살이기도 하다. 이제 존재물들의 본질은 많이 달라져 있다. 조약돌은 하늘의 태양을 호흡하기 위해서 빛나고 복사꽃은 구름같이 피었다. 청댓잎의 푸른 색채와 피의 붉은 빛은 황홀한 대조를 이루어 자연의 역동성을 제고시킨다. 장자의 제물론(齊物論)에 나오는 호접몽(胡蝶夢)을 연상케 하는 마지막 연에서 화자는 다시 한번 비상의 몸짓을 거듭한다. '나비! 나비! 나비!'의 반복은 정신적 고양을 향한 갈구이면서 그 형상의 역동성을 의미한다. 육신은 나비 날개 가루처럼 보잘것없이 허무한 것이지만 정신은 나비의 영혼이나 절정의 꽃잎처럼 영원한 지향성을 지닌다. 화자는 나비의 영혼을 체득하여 절정의 꽃잎을 지향한다. 이때 비로소 사(邪)된 마음으로 인한 젖은 눈물은 마른다. 참회의 웃음은 우주적 자아를 구체화시킨다. 화자는 꽃잎의 생명성에 합일함으로써 자연의 무상성을 완전히 초극한다. 「절정」은 관념적인 측면이 많으나 자아의 세계 대응이 자연의 형상성과 밀접히 교접하여 자연의 형상성이 자아의 심정적 발현과 상응함을 보여 준다.

4. 결 론

본고는 자아와 세계의 대응 양상을 중심으로 조지훈의 초기 자연서정시를 살펴보았다. 여기서 세계라 함은 우선 자연과 자연물을 뜻하며 나아가 사회와 사회 현상을 뜻한다. 필자는 조지훈의 초기 자연서정시를 『청록집』과 『풀잎단장』에 실린 시들로 한정시켰다. 물론 조지훈은 그 이후로도 다수의 자연서정시를 창작하였지만 여기에 대한 연구는 다음 기회로 미루기로 한다. 필자는 이 두 시집을 면밀하게 살핀 결과 자연 세계에 대한 시인의 대응이 『청록집』과 『풀잎단장』에서 많은 차이를 보이고 있다고 판단했다. 『청록집』의 경우, 여기 실린 작품 중 두 번째 은거 무렵의 시들을 중심으로 논의하였다. 또 『풀잎단장』에는 『청록집』에 수록되었던 시들 중 9편이 재수록되어 있는 등 해방 전에 창작한 작품이 다수 실려 있지만 본고는 이 시집에 실린 작품 중 해방 후의 것만을 연구 대상으로 삼았다. 「도라지꽃」 같은 작품은 그 창작 연대가 1942년이면서 『풀잎단장』에 실려 있는데 이 작품은 창작 연대나 주제 의식으로 보아 오히려 『청록집』의 세계에 이어졌기 때문에 2장에서 논의되어야 한다고 생각하여 그렇게 하였다. 그래야만 해방 전에 쓰여진 『청록집』의 세계와 『풀잎단장』에 실린 해방 후 작품들의 세계가 대비적 방법으로 해석될 수 있으며, 나아가 이 두 시집이 더욱 포괄적이고 적절한 차별성을 지닐 수 있다고 판단하였기 때문이다. 본고는 두 시집의 세계를 각각 '제2장. 쇠락하는 자연과 자아의 정적화(靜寂化)', '제3장. 생동하는 자연과 자아의 우주적 고양'으로 나누어 살폈다.

제2장에서는 『청록집』을 중심으로 해방 이전에 창작된 자연서정시를 언급하였다. 여기에서 시인은 주로 조락하거나 죽음에 다가서는 자연 현상에 관심을 보인다. 이는 세상의 질서로부터 도망쳐 와 은거의 시간을 보내던 시인의 자의식이 은연중에 나타났기 때문이다. 「낙화」, 「고사」, 「도라지꽃」 등의 분석에서 알 수 있듯 시인은 쇠락하는 자연의 모습 앞에서 내성화하거나

정적화하는 자아의 모습을 보인다. 이때 화자가 비애와 우울을 보이는 것 또한 당연한 일이다. 제3장에서는 『풀잎단장』에 실린 시들 중에서 해방 후에 창작된 시들을 언급하였다. 「아침」, 「흙을 만지며」, 「절정」 등의 시를 분석한 결과 이 시기 시인은 구도적 생명 탐구와 자아의 우주적 확대를 보이고 있다. 즉 생동하는 자연에 관심을 보이기 시작했고 그것에 일체화하여 존재론적으로 승화하는 자아의 모습을 구현한다. 「절정」에서는 그 자아가 우주적 생명으로 확대되는 경지에까지 나아가고 있다. 두 가지 맥락에서 조지훈 초기 자연서정시를 연구한 결과 조지훈은 해방을 기점을 하여 자연과 세계에 대한 대응 방식을 달리하고 있음을 알 수 있었다. 해방 전에는 비애와 우수의 정서에 젖어서 주로 자연의 소멸과 죽음을 시화하였다면 해방 후에는 무한성과 불변의 진리를 응축하고 있는 자연에 몰입하여 축소된 자아를 극복하고 실존의 한계를 우주적으로 극복했다.

오늘날 인문학 위기의 불안이 확산되는 것은 인간의 미래에 대한 불확실성이 증폭되었기 때문이다. 이와 맞물려 문학의 위기가 담론화하였다. 문학위기의 원인은 인문학이 위축되고 정보 테크놀로지가 우리 사회를 지배하는 외적 상황에 있다고도 할 수 있겠으나 더 중요한 문제는 문학 내부적인 것에 있다. 현대문학 100년 동안 우리 문학이 이룬 성과의 이면에 존재하는 문화적 열등 의식을 지적해야겠다. 그 열등 의식과 맞물려 외국 문학 전공자들에 의해서 외국 문예이론이 대량 수입되었고 국문학계에서는 한국적 근대를 서구적 근대의 의미와 동일시하면서 한국 문학 속에서 서구적 근대논리를 찾아내려는 연구에 에너지를 소진시켰다.

그러나 근대 극복은 서구적 근대의 의미를 찾아낸다고 해서 이루어지는 것이 아니다. 우리의 현대시는 동양 철학의 풍부한 사상성을 계승하지 못한 채 자본과 물건의 논리 속에서 예술의 진정성을 훼손시켰다. 후기산업사회의 조류는 우리 시의 상상력을 더욱 탈자연화시켜 상품 속에 투신하여 상품에 대한 비판력을 잃어버린 문학적 자아를 양산하기도 하였다. 이런 분위기와는 사뭇 달리 이미 오래 전에 한용운, 정지용, 이병기, 신석정, 조지훈, 박목월 등이 우리 고전을 깊이 탐구하고 자연서정시를 창작하여 한국현대시사에 한국적 현대를 불어넣었던 전공(前功)은 매우 의미 있다. 앞으로 더욱 깊어질 이들 자연서정시에 대한 연구가 '동양', '고전', '전통', '자연', '생명'의 논리를 새롭게 계승하여 왜곡된 근대성을 비판해 주길 바란다. 새미

박두진의 사상적 특성과 그 구조

– 후기 산문을 중심으로 본

심원섭*

1.

한국 근현대시사의 거목에 해당하는 박두진은 흔히 '청록파 시인' '자연
파 시인', '해의 시인', '빛의 시인' '돌의 시인' 혹은 '신앙시인' 등으로 불린
다. 또 박두진의 자평(自評) 내용인 '자연・인간・신'이라는 범주1) 역시도 그
의 시 세계와 사상을 논할 때 흔히 사용되는 범주의 하나다. 이러한 용어들
이 그의 시세계를 특징짓는 중요한 근거들이며 또한 이를 근거로 한 논의들
이 박두진 연구의 장에서 큰 기여를 해 왔음은 의심할 바 없다. 그러나 이러
한 용어들은 한편으로는 그의 특정 시기의 업적을 그의 시와 생애 전체와
동치시키려는 무언중의 의도를 드러내고 있다든가, 박두진이 그의 시나 자
작 해설문 등에서 사용한 비유적 언어나 그 논리들을 그대로 차용하여 비평
작업에 임하는 등의 문제점 역시도 노출해 왔다는 점에서 재고의 여지를 남
기고 있다고 하겠다.

---

* 경기대학교 한국동양어문학부 대우교수. 저서로『한일문학의 관계론적 연구』,
  『원본이육사전집』,『윤동주자필시고전집』등이 있음.
 1) 박두진,『한국현대시론』, 일조각, 197, p.451.

이러한 문제는 그의 시와 사상을 기독교적 차원에서 접근하는 경우 더 문제시할 수 있다고 생각한다. 과연 특정 종교의 교리를 객관적인 학술적 연구의 대상으로 삼을 수 있느냐 하는 문제, 체험적 깊이나 실감이 근본을 이루고 있는 신앙체험을 과연 일반적인 논의의 장에서 다룰 수 있느냐 하는 근본적인 문제점이 있음에도 불구하고, 상당 경우의 연구성과들이 기독교적 담론들을 그대로 사용한다든가, 동종교배적인 호교(護教)적 논의를 해온 것을 부정할 수 없기 때문이다.

이러한 의미에서 박두진의 사상 연구는 몇 가지 관점에서 그 접근 방법이 재고되어야 할 필요성이 있다고 생각된다. 첫째는 시인 자신이 작품이나 자작 해설 등에서 사용한 용어 및 그 접근방법에 과도하게 의존하는 경향을 재고할 것. 두번째는 그의 신앙 세계를 논의하는 경우, 가급적 객관적이고 학술적인 논의의 장으로 끌어내어 논의할 것이 그것이다.

이러한 문제점에서 충분히 자유롭다고는 할 수 없지만, 박두진의 사상이 갖고 있는 특성과 그 논리를, 비종교인을 포함한 일반 독자나 연구자들 역시도 충분히 논의가 가능한 장으로 끌어내어 검토하려 한 본고의 의도가 여기에 있다. 검토 대상 자료는 1970년대 후반부터 1980년대 초반에 걸쳐 씌어진 후기 산문들을 택하였다. 미적 형상물인 작품보다는 개념적 진술이 많은 산문 쪽이 그의 사상의 특성과 그 논리구조를 파악하기에 편리하다는 점,

◀ 박두진

그리고 이 시기의 자료들이 신앙시 시대라고 불리는 그의 후기 시대에 나왔기 때문에 그의 사상 전체를 조망할 수 있는 자격이 있다고 보여졌기 때문이다.2)

2. 현대 사회와 인간론

대표적인 기독교시인으로 알려져 있는 박두진의 시는, 종교문화에 익숙하지 않은 일반인들의 관점에서 보면, 그 사상적인 맥락을 파악하기가 쉽지 않다. 그러나 그는 그의 사상의 특성과 구조를 시보다 비교적 용이하게 파악할 수 있는 보조 텍스트들을 다수 남겨 놓았다. 그가 시작업 못지 않게 정력을 기울여 온 산문들이 그것이다. 물론 그의 산문들이라 해서 접근이 무조건 쉬운 것은 아니지만, 「귀뚜라미와 우주」(1981), 「일용할 양식」(1981)과 같은 글은 비유적 언어나 그가 항용 사용하는 비약적·상징적 언어가 적다는 점에서, 또한 비교적 조리정연한 논리로 현대사회와 문명을 비판하고 있다는 점에서 주목해 볼 만한 자료라고 생각된다.

　㉠ 과학과 기술의 고도한 정밀화·초속화는 자연과 물량의 완전 지배뿐만 아니라, 인간 생활의 유물적 물리적 지배를 가속화해가는 과정에서, ㉡ 또 정치와 이데올로기는 국제, 국가, 민족간 혹은 국가 내부의 역학관계로 갈수록 권력의 목적화와 집체화를 통한, 이른바 대중화, 대중조작화의 경직성으로 치닫고 있는 것이 현대의 한 특징입니다.
　㉢ 이러한 현상은 곧 한 개인과 개체의 사고와 판단 행동의 기준에 선행해야 할 이성과 자유, 선택의 의지와 자각, 그러한 자의식을 점차로 둔화시

<hr>

2) 최근의 학위논문은 박두진의 시세계를 총5단계로 나누고, 마지막 단계를 '1970년대 이후'의 '신앙시 시기'로 보았다. 박두진에 대한 종합적 연구는 앞으로도 계속 진행되어야 할 것이겠지만, 현재로서는 가장 신뢰할 수 있는 시기 구분이 아닌가 생각된다(김응교, 「빛의 힘, 돌의 힘」, 연세대 박사논문, 1997, p.10 참조).

키거나 마비시켜, 무력하게 만듦으로써, 인간을 무비판, 무개성적인 존재로 만듭니다.

ⓡ 뿐만 아니라 더 나가서 이러한 유물적이며 속물적인 가치관, 감각과 관능과 자극과 호기심으로, 조직적이며 지속적이며 압도적인 대중매체를 통해서, 저속한 행락주의와 맹목적·충동적인 우상숭배주의에 빠져들게 합니다.[3]

1981년이라는 시점에서 제시된 견해이긴 하지만, 21세기의 세계사적 문제에 대한 진단이라고 보아도 별 지장이 없을 정도의 무난함과 보편성을 위 논의는 갖고 있는 것이 아닌가 생각된다. 가령 서구의 근대화가 신(神)을 대체하는 인간의 이성 능력에 대한 확신, 그리고 중세적 질의 세계를 양적 세계관으로 바꾸는 데 기여한 수학과 물리학, 근대 합리론과 경험주의를 기초로 한 것이며,[4] 그 현실적인 결과로 자연에 대한 인간의 지배력의 무한정한 신장과 생태론적 문제, 상품 사회의 문제점 등을 생산한 것으로 규정할 수 있다면, ⓖ의 논리는 이러한 서구적 근대화가 파생시킨 문제점들, 혹은 자본주의 사회의 일반적인 문제점을 진단한 대(對)대중 차원의 담론으로 보아 별 손색이 없다고 생각된다.

ⓛ과 ⓡ의 논리 역시도 이와 유사하다고 생각된다. 비록 국가나 민족간의 분쟁, 혹은 그 내부의 문제들 속에 내재되어 있는 경제적 관계를 비롯한 사회적 관계망에 대한 친절한 논의는 없다 하더라도, 사회주의나 자본주의의 체제 내적 문제 그리고 현대 대중사회와 그 문화가 안고 있는 보편적인 문제점들을 지적한 논의로서 큰 문제가 없다고 생각된다. 특히 90년대부터 세계사의 핵심적인 문제로 대두된 민족 분쟁 문제를, 1981년이라는 시점에서 제시한 것은 시대를 앞서간 논의인 듯한 느낌마저 준다.

이상과 같은 논의가 박두진의 시각의 보편성을 드러내고 있다고 한다면,

---

3) 박두진, 「귀뚜라미와 우주」(1981. 10), 『문학적 자화상』, 한글, 1994. pp.280~81.
4) 골드만, 『숨은 신』, 송기형·정과리 역, 연구사, 1990, p.41.

ⓒ과 같은 경우는 박두진의 시각의 개성을 드러내는 예라고 할 수 있을 것이다. 박두진은 위에서 보는 바와 같이, 사회역사적 문제들이 최종적으로 집약되어 나타나는 지점으로 '개인'의 문제를 들고 있다. 개인들이 '이성과 자유, 선택의 의지와 자각' 등을 상실해가고 있는 것이 현대사회의 궁극적인 문제라고 제시하고 있는 것이다.

이런 논리는 뒤에도 지속되는 바이지만, 이것은 박두진이 중요하게 보는 인간의 국면이 어떤 곳인가를 잘 보여주는 예라고 생각된다. 그가 중시하고 있는 국면은 사회적 존재로서의 인간, 물적 생산관계나 계급 관계 혹은 제도 속에 존재하는 인간이 아니다. 다소 단정적으로 말한다면, 고립된 차원에서 다뤄져도 무방하다고 생각하고 있는 듯한 개인의 내면 세계, 정신 세계다. 이어지는 논의를 본다.

> 추상과 관념, 형이상적인 것, 정신적인 것보다는, 즉 물적 형이하적인, 찰나적인 것을 좋아하게 됩니다. / 진리와 옳은 것에 대한 몰아적인 탐구와 개성적인 지향보다는, 참이든 거짓이든, 자기 이외의 누군가에 의해서 강요받는 몰개성적이며 무저항적인 동의와 동조에 만족합니다.
>
> 물량 대중시대, 집체 권력중심주의가 빚어내는 오늘날의 속물주의, 이른바 기술, 과학, 산업시대의 인간무력화 현상은 그러므로 그 개개인으로 하여금, 깊고 엄정한 사색과 정연한 논리를 싫어하고, 정의와 선에 대한 가치관과 당위성에 대한 신념과 참과 옳은 일에 대한 책임감을 가질 수 없게 합니다. 이상과 그 실현에 대한 열의와 성실성을 점점 더 견지할 수 없게 합니다.
>
> 불멸의 진리, 영원한 가치, 몸과 목숨을 바쳐서 의를 이루는 일에 대한 참뜻과 긍지에 아무런 감동도 의욕도 가지지 않게 됩니다. / 개인의 개성, 자기의 자아의식이 점점 더 흐려져서 몽롱해 가고, 그러면서도 왜 그렇게 되는가에 대한 원인이나 이유에 대한 성찰도 기피·망각함으로써 모르게 되는 상태에 우리는 빠져들고 있습니다.[5]

---

5) 박두진, 「귀뚜라미와 우주」, 앞의 책, pp.281~282.

박두진의 가치관 속에 포진하고 있는 이분법적 구도의 내용이 간명하게 드러나 있는 것이 아닐까. 그 내용을 위의 자료에 제시되어 있는 용어를 빌려 나열해 보면 아래와 같다.

긍정적 가치	부정적 가치
추상과 관념, 형이상적인 것, 정신적인 것	물적·형이하적인 것, 찰나적인 것
사색과 논리, 정의와 선, 책임감	속물주의, 인간무력화 현상
개성과 자아의식	몰개성적, 무저항적 동조

정신적인 영역과 물질적인 영역을 극단적일 정도로 선명하게 갈라놓고 전자의 우위를 주장하는 사고방식이 위에 잘 요약되어 있음을 알 수 있다. 그리고 전자의 경우에는 그 이상적인 가치가 '정의' '선' '책임감' 등 일반적이고 교과서적인 윤리적 명제로 구성되어 있으며, 근대문학 초창기에 염상섭 등에 의해 표어화된 '개성'과 '자아의식' 같은 용어도 포함되어 있음이 발견된다.

박두진은 위와 같은 진단에 이어 현대 문명의 문제점을 해결할 수 있는 방법을 다음과 같이 제시하고 있다.

> 졸고 있고 잠들어 있고 꿈꾸는 상태에서 깨어나기 위해 나 개인·가족·사회·민족·인류의 테두리에서, 비록 몹시 작은 일, 아주 일시적인 일로부터라도, 차근차근 자아와 개성, 인간과 인간정신, 참과 옳음, 영원한 것과 불멸의 것을 위해, 또 그것을 향해 깨어 있고 사색하고 판단하고 행위하는 일에 대해, 가슴에 손을 얹고 우러러 기도를 올린다면, 이것은 무익하고 부질없는 일일는지요.

그가 현대문명의 문제점의 치유책으로 제시한 내용에는, 물질 생산 구조의 변화나 사회구조나 제도의 변혁과 같은 사회적 차원 혹은 집단적 차원의 내용이 전혀 결여되어 있다. 여기에서도 그는 어디까지나 개인적 차원의 사색과 판단, 신변적인 것에서부터 시작되는 개인 윤리상의 노력을 중시하고 있다. 다음과 같은 글은 위와 같은 박두진의 발상법을 보다 적극적이고 요약적인 형태로 드러낸 것이라고 할 수 있을 것이다.

> 거두절미하고, 인간적 인류적 차원에서 말할 때, 그것은 다름 아닌 우리의 도덕적 결함과 파탄의 문제로 압축될 것이다. / 불신과 증오, 이기와 배타로 이어지는 반도덕성은, 자유와 사랑, 신뢰와 관용을 박탈 파괴하고, 인간성의 상실과 생명의 존엄을 부정 말살하기에 이르렀다. / 질병과 천재지변, 빈곤과 기아, 무지와 인종적·종교적 편견의 문제까지도 이 도덕적 의지와 윤리적 책임으로 귀착된다. / 부의 편재와 독점, 착취와 낭비 역시 도덕적 결함의 책임이다. /
> 이른바 사상과 이데올로기와 체제의 문제도 과학과 더불어 인간과 인류의 행·불행에 직결되고 그것을 좌우하는 현실적인 요소이다. 그러나 이것 역시 구체적 궁극적으로는 도덕적·윤리적 능력과 책임을 배경으로 하는 자유의 문제로 귀착된다.
> 결국 인간과 인류를 파멸에 이르게 하는 악을 물리치고 전멸시키는 가장 유일한 힘은, 도덕의 최고의 가치규범인 사랑 이외에는 있을 수밖에 없다. 그 사랑으로 얼마나 어떻게 언제 이 모든 악과 악의 근원을 현실적·원칙적으로 소멸 극복하느냐가 인간 인류의 행·불행을 결정하는 핵심이 되는 것이다. / '일용할 양식'은 곧 입으로 들어가는 먹을 양식 외에도, 두뇌와 마음, 감정과 정서, 밖으로부터 들어오는 이목구비의 충족 조건뿐만 아니라 안으로부터 일으키는 참과 아름다움, 착함과 거룩함에 대해 생각하는 양식, 느끼는 양식, 판단하고 선택하고 실행하는 의지의 양식이 더 중요한 그 뜻이 되어야 한다고 생각한다.6)(밑줄 : 인용자)

앞의 글에 다소 소극적인 데가 있었다면, 이 글에서 박두진은 정신 세계에 우위를 두는 자신의 사유법을 매우 적극적이고 단정적으로 제시하고 있

---

6) 박두진, 「일용할 양식」(1981), 『문학적 자화상』 한글. 1994. pp.33~34.

다. 그에 의하면 '불신과 증오, 이기와 배타'와 같은 일상윤리 차원의 문제가 발생하게 된 원인, '빈곤과 기아', '부의 편재와 독점', 심지어는 '질병과 천재지변' 등의 물적 차원의 문제를 포함한 인류사의 모든 문제의 원인이 개인의 '도덕적 결함과 파탄의 문제'로 귀결된다. 그러므로 인류사의 문제를 해결할 수 있는 유일한 힘은 역시 '도덕의 최고의 가치규범인 사랑'에서만 나올 수밖에 없다고 보고 있다.

물론 위와 같은 발상법을 '기독교적'이라고 간단히 정의할 수도 있다. 그러나 그렇게만 규정해 버리면 박두진의 사유법에 대한 더 이상의 규명은 불가능해지고 만다. 또한 비기독교 문화권에서 살아가고 있는 독자 · 연구자들과 박두진과의 사상적 대화 역시도 단절될 수 있다. 또 '기독교적'이라 해도, 그 안에 내포되어 있는 박두진적인 개별적 특성 역시 규명되어야 할 필요가 있는 것은 물론이다.

박두진의 신앙에 대한 판단을 신학자나 관계 전문가의 손에 맡기기로 한다면, 위의 두 자료를 통해서 우리가 확인할 수 있는 박두진의 사상적 특성은 넓은 의미에서 '관념론적 사유법'에[7] 속하는 것으로 볼 수 있다고 생각된다. 그 이유를 세 가지 제시하면 다음과 같다.

첫째, 물질 문제를 포함한 인류사의 모든 문제가 인간의 정신적 차원의 문제, 특히 개인 윤리 차원의 문제로 환원된다고 보고 있다는 점, 물질적 영역의 가치를 매우 낮게 보는 한편 정신적 영역의 가치를 매우 높게 보고 있다는 점, 그리고 현실 문제의 유일한 해결책 역시도 개인 차원의 윤리적 각성과 '사랑'이라는 원리의 의지적 실천에 있다고 본다는 점에서 그는 극단적인 관념론적 사유법의 소지자로 볼 수 있다고 생각된다.

---

7) 일반적으로 관념론은 정신(관념)을 중시하며 이것이 세계를 구성하는 기반이라고 본다. 그러므로 인식적 측면에서는 명상 등을 중시하며, 윤리적 측면에서는 자신 속에 잠재해 있는 무한한 능력을 지닌 '자아'을 완성시켜 간다는 발상법을 갖고 있으며 자연스럽게 '신(神)' 혹은 '의사(擬似) 신'이라는 범주를 소유하는 경향이 있다. 관념론의 대략에 대한 요약적 설명은 구노 오사무 · 쓰루미 슌스케, 『일본근대사상사』, 졸역, 문학과지성사, 1994, p.12 참조.

두번째로 지적할 수 있는 것은, 그가 인류사의 물질적 영역들은 물론, 천재지변과 질병 등과 같은 '우발적' 차원의 문제까지도 개인의 윤리적 결함에 그 원인이 있다고 보는 발상법을 갖고 있다는 점이다. 이런 발상법은 인간의 외부 세계에서 벌어지는 물적 차원의 현상과 인간의 내면에서 벌어지는 윤리적 현상 사이에 필연적인 인과 관계가 있다고 보는 발상법에 속한다. 이런 사고방식은 대체로 합리적인 세계관 속에서 살아가고 있는 현대인에게는 신비주의적인 것으로 비쳐지는 경향이 있으나, 이것도 기실 압도적인 자연 환경에 초월적 인격성을 부여하던 고대인의 경험으로부터 중세를 거쳐 현대의 종교문화에 계승되고 있는 매우 오래된 발상법에 속하는 것이기도 하다. 이런 사고방식을 흔히 '종교문화'라고 규정하고 있기는 하나 이 역시도 넓은 의미에서는 관념론적 발상법에 속하는 것이다.

셋째로 지적할 수 있는 것은 그가 현실 문제의 치유책이나 이상적인 윤리적 덕목으로 제시한 항목들인 '개성'이나 '자아의식' '정의' '자유' '선' '영원' 등의 용어와 관련된 문제다. 이중 상당히 고루한 느낌마저 드는 '개성'과 '자아의식'은 1910년대 일본 유학생이나 1920년대 염상섭에 의해서 논의된 바도 있는 용어로서[8], 이른바 르네상스와 고전주의기를 거치면서 형성된 근대화 담론들 중에서 핵심적인 용어에 속하는 것들이다. 이 용어들은 '정의'나 '자유'와 같은 용어와 더불어 자본제 사회의 '교환관계 속에 내재하는 고립되고 자유롭고 평등한 개인'[9]의 가치규범, 즉 부르주아적 세계관의 전형적 산물로서의 속성을 갖고 있는 것으로 평가받고 있기도 하다. 박두진이 이런 용어를 거리낌없이 무자각적으로 사용하고 있는 것은, 그의 역사관 안에 부르주아혁명 이후의 역사적 전개에 대한 의식, 다시 말하면 계급적 관점에 대한 인식이 희박하다는 것을 의미하는 것으로 볼 수도 있다고 생각된

---

8) 졸고, 「1910년대 일본유학생시인들의 대정기 사상 체험」, 『한·일문학의 관계론적 연구』, 국학자료원, 1998. pp.84~87 참조.
염상섭, 『개성과 예술』(1922), 『염상섭전집 12』 민음사, 1987, pp.33~40 참조.
9) 골드만, 앞의 책, p.37.

다. 그가 해방기에 보여준 정치적 선택이나 소작제의 고통이 만연했던 가난 체험 속에서도 계급적 인식의 여지를 조금도 보여주지 않았던 유년기 기억 내용10), 유물론적 세계관에 대한 전적인 부정 등도 이런 점을 뒷받침하는 보조적 증거라고 볼 수 있을 것이다.

3. '나'의 존재론과 인식론

박두진은 위의 자료에서 현대 사회의 문제점을 진단하면서 그것의 종국 적인 문제점이 개인의 문제로 집약되어 나타난다고 진단한 바 있으며, 그 문제의 치료 역시도 개인의 정신적 차원의 변혁, 윤리적 차원에서의 의지적 노력에 의해서만 가능하다고 본 바 있다. 그러나 위와 같은 논의는 그 이전 에 몇 개의 과제가 해결되어야 할 것을 요구한다. 누군가 '개인'이 사색을 통해 현실에 대해 올바른 진단을 내릴 수 있다면, 그 '개인' 즉 '나'는 무엇 이며, 그리고 그가 내린 진단의 진위를 무엇이 보증해 줄 수 있는가 하는 문 제가 그것이다. 다시 말하자면 정신적·윤리적 존재인 인간의 본질은 무엇 이며 그는 무엇을 기반으로 하여 현실을 올바로 인식할 수 있는가 하는 존 재론적 문제와 인식론적인 문제가 그것이다. 다음과 같은 자료는 위의 과제 중 박두진이 '나란 무엇인가'라는 존재론적 과제를 가지고 탐색해들어간 내

---

10) 그의 유년기 체험담들은 안성의 자연환경에 대한 직관적 영탄과 경이의 체험을 기록한 것이 대부분이다. 그 중에는 드물게나마 자신의 가난 체험과 고장치기 마을의 지주·소작농 갈등을 그린 것도 있다. 그러나 계급적 인식을 형성하게 하는 원천으로 작용했을 수도 있는 마을의 지주·소작농 갈등은 일인 지주와 조선인 소작농 사이의 갈등으로 모두 해소되어 있어, 그의 가난 체험은 모두 민족적 갈등의 국면으로 집중되고 있다. 이런 체험이 후일의 그가 보여준 민족주의자로서의 면모와 무관하지 않은 것으로 생각되는 것은 물론이다. 이에 관한 구체적 검토는 김광길·심원섭, 「박두진 문학의 시원(始原)으로서의 안성 체험」, 『우리 문학연구』 13집, 2000. p.361 참조.

용을 갖고 있어 매우 흥미롭다.

㉠ 어떠한 나가 나인가, 나는 누구인가 하고 스스로 물을 때, 내가 나를 느끼고 알게 되는 것은 바로 그 무엇인가를 생각하고 느낄 때임을 알 수 있고, 그렇게 말할 수밖에 없다. [⋯⋯]

㉡ 그 허다하게 또 부단히 흐르고 변하고 이어지고 끊어지고 하는 의식, 이른바 생각과 느낌의 흐름, 의식의 흐름 중에 어느 토막 어느 순간 어떠한 내용의 질의 것을 잡아서 나의 나, 진정한 나의 그것이라고 할 수 있을 것인가. 어떤 것이 지속적 본성적인 것이고 어떤 것이 비본성적 우발적 일시적 순간적인 것이라고 할 것인가. 일관된 성격이나 본질에서 우러나는 것이란 어떤 것이고 그렇지 않은 것이란 어떤 것인가. 그것을 어떻게 그렇다고 말할 수 있고 단정할 수 있는가. 어떠한 나가 진정한 나인가를 알게 하는 확실한 기준을 무엇으로 정해야 하는가.

나의 나다운 것을 가령, 하나의 개성·특별성·본성 따위의 말로 표현한다 할지라도 그것은 기질·성격과 관련이 없을 수 없을 것이다. 그것이 선천적이든 후천적이든 나의 나다운 것이 엄존한다고 보면 그 지속적으로 정상적·평상적인 것은 물론 단속적이고 비정상적이고 일시적 것조차도 그 개성, 나의 나다운 특징에 포괄되는 것이어야 할 것이다. [⋯⋯]

㉢ 나는 누구인가. 어떤 때의 나가 나인가. [⋯⋯] 죽일 놈, 죽일 놈 할 때가 있고, 주여 저들을 용서하여 주소서 할 때가 있다. 어느 때의 내가 정말 나인가. [⋯⋯] 정의는 이기는 것이고, 속으로는 다 변함없는 동지이고 바로 하나님이 우리 편이라고 기고만장하다가도 무변광야, 바람불고, 비·눈보라치는 무인지경에 혼자 기진해 쓰러진 나를 본다. 어느 편의 나가 진정한 나인가.

눈을 감고 조용히 앉아 묵상을 하면, 어쩌면 한 천 년쯤의 미래를 보는 것 같고, 또 당장 오늘 내일의 올 일을 땅띔도 못할 것 같은 때가 있다. 어느 편의 생각이 나 자신의 나인가. / 가족에게 친구에게 혹은 제자들을 대할 때, 근엄하게 혹은 여유가 있게 혹은 자상한 척, 품위있는 척, 인생과 사회, 혹은 학문이라는 것, 예술과 문학, 시를 말하는 것이 보통이다. 그러다가 전혀 그런 것에서 해방되어 나 혼자 무인 벌판 돌밭을 헤매여 무방비 상태로 완전 자연인으로 돌아가 되는 대로 흥얼거리고 되는 대로 감상에 젖고 되는 대로 천진난만해 보는, 그 어느 장면이 정말 나 자신으로 돌아간 진정한 나인가.[11] (밑줄 : 인용자)

박두진은 '나란 무엇인가'하는 화두를 놓고, 자신 속에 자리하고 있는 다양한 경험들을 꼼꼼히 검색해 나가는 면모들을 보여준다. 그리고 그러한 사유 과정 속에서 자신의 인간으로서의 존재성을 확인하는, ㉠을 포함한 전반적인 모습을 통해, 관념론적 사유법의 소지자인 박두진의 사상적 특성을 다시 한 번 확인해 볼 수 있다.

우선 그가 탐색해가는 세계는 자신의 의식 세계 속에 존재하는 다양한 경험들이다. ㉡의 예가 보여주는 바와 같이, 의식은 '생각'과 '느낌'이라는 영역으로 구성되어 있다고 나름대로 규정한 후, 그것이 자신의 내면 속에서 부단하게 움직이면서 '흐름'을 형성하고 있다는 점에 주목하고 있다. 그리고 그 흐름 중의 어느 것이 본질적인 나인가 하고 질문을 하고 있다. 하나의 가정이긴 하나, 그의 질문은 이 지점에서 다음과 유사한 방식으로 결론이 날 수도 있었을 것이다.

그 [내면의] 본질은 순수지속이요. 기억이다. 모든 과거는 하나의 지속으로서 우리의 정신 속에 흐르고 있다. 그런 점에서 과거는 우리가 의식하든 못하든 우리의 현재와 한몸을 이루고 있으며 우리의 현재에 끊임없는 울림을 보내고 있다. 그것은 분해되지 않는다. 과거는 현재에 암암리에 활약하고 있으며, 우리의 성격을 형성하고 있다. 현재 지닌 개성은 지나온 자기 체험 사이의 은밀하고 내밀한 영향이다. 나의 역사는 내가 지금 다 기억하고 있지 못하지만, 전적으로 나의 현재적 상황에 연속적으로 작용하고 있다.

인간의 의식 안에서 일어나는 모든 사건들은 서로 상이하게 병치될 수 있는 물건 놓기와 다르다. 그냥 양적으로 다양하게 진열되는 것이 아니라, 서로 싸고 돌면서 연속적으로 흐르는 강물과 같다. 흐르는 강물과 같은 연

---

11) 박두진, 「나에 대하여」(1975.4) 『문학적 자화상』, 한글, 1994, pp.131~133.

속과 지속 속에서 과거는 현재와 한몸을 이루게 되고, 그 현재는 새로이 예견할 수 없는 미래를 창조하기 위해 또 어디로 흘러간다.12)

베르그송은 인간의 내면을 애초부터 '본질과 비본질'이라는 영역으로 나누지를 않는다. 의식이 지니고 있는 특정한 내용과는 상관없이, 그 부단히 흐르고 변화하는 성질 자체를 '순수지속'이라는 용어로 포착하고 그것이 인간의 내면의 본질에 해당한다고 규정한다. 불교적 인간 존재론 속에 포함되어 있는 유명한 명제인 '무상(無常)' 개념과도 상통하는 바가 많다.

기왕에 박두진이 인간의 의식 세계가 갖고 있는 부단한 변화성과 흐름의 성질에 주목을 했다면, 그는 이런 방식으로 논의를 귀결지을 수도 있었을 것이다. 그러나 여기에서 박두진이 결론을 낼 수 없었던 것은, 그의 사유의 범주 속에 '본질과 비본질'적 영역을 나누는 이분법적 구도가 강하게 자리잡고 있었기 때문이 아닐까. 부단히 변화하는 의식 전체의 성질에 주목하는 대신, 그 속에서 중심적인 것과 주변적인 것을 갈라보려는 사고방식을 그가 갖고 있었기 때문이 아닐까 생각된다.

그외에 박두진이 보여준 자기 탐구 내용에서 인상적인 것은, ⓒ의 예가 보여주는 바와 같이, 그가 자신의 의식내용뿐만 아니라, 자신의 실제 경험 세계 속에서 현실화되는 행동의 다양성과 모순성에 주목을 하고 그것을 직선적으로 고백하고 있다는 점이다. 저명 시인이자 교수인 그의 사회적 명예를 생각해 볼 때, 이러한 고백 내용은 그가 상당한 심도를 갖고 이 작업에 임하고 있었음을 보여주는 예라고 보아도 좋을 것 같다. 이런 수준에 이르면, 박두진의 자기 탐구는 자신의 인격의 모순성을 고백하면서 주를 찾는 사도 바울(「로마서」)이나 교부(敎父) 아우구스티누스의 다음과 같은 자기 탐구를 방불케 하는 무게를 갖게 되는 것이 아닐까.

---

12) 김진성, 『베르그송 연구』, 문학과지성사, 1985. pp.50~51.

하느님이시여, 이 얼마나 마음 조이게 하는 깊고도 한없이 넓은 오의로
충만된 세계입니까! 이것이 곧 영혼이며 이것이 곧 나 자신인 것입니다.! 그
렇다면 하느님이시여, 바로 나는 도대체 무엇이겠습니까? 나는 도대체 그
어떤 성질의 존재란 말입니까?[13]

아아구스티누스가 이 지점에서 '예정조화설'과 '신국'의 사상, '삼위일체
설'과 같은 웅대한 신학적 구도를 완성시켜 갔다면, 박두진의 경우에는 이
자기 탐구를 더 이상 논리화하지 않고 '신에 대한 귀의'로 마무리를 하는 면
모를 갖고 있는 것이 아닌가 생각된다. 다음이 윗글의 마지막 부분이다.

내가 햇살이고 내가 모두이고 내가 영원이고 내가 불멸로 느껴질 때가
있다. 그러면서 나는 언제나 한 무력한 인간, 아무것도 아니고 아주 조그맣
고 불안정하고 하잘것없는 미물의 버러지로 돌아간다. 인격·지식·능력·
도덕성으로나 기질·성격·도량·의지력·정신력·재질 따위에서 전혀 아
무것도 못되는 불쌍한 존재로 여겨진다.
그래서 나는 언제나 속으로 외고 다니는 기도가 있다.
"주여 불쌍히 여기시고 도와주소서."
백 번 천 번을 이 말만 왼다. 길 가다가, 혼자 방에서, 차 안·들길·산·
강가, 자기 전, 자고난 뒤, 밤낮이나 언제나 나는 "주여 불쌍히 여기고 도와
주시옵소서"를 왼다. 물론 "주여! 하나님이시여! 저 자들을 치소서. 당신의
능력으로 멸하게 하소서"할 때도 있다. 그러나 이내 나 자신의 처지로, 나
자신에 대한 자책으로 돌아와 또다시 나 자신을 위한 "주여 불쌍히 여기시
고 도와주시옵소서"로 돌아온다. 어느 때의 내가 정말로 나인가.[14]

자신의 이성적 능력을 통하여 자기 존재의 본질을 규명해내는 작업은 위
와 같이 박두진 자신에게 항시적으로 엄습하는 자기 존재의 허무성이나 왜
소성에 대한 인식과 더불어 중지된다. 그리고 신에게 자신을 도와달라는 간

13) HJ 슈퇴릭히, 『세계철학사 (上)』, 임석진 역, 분도출판사, 1989. p.297.
14) 박두진, 「나에 대하여」(1975.4) 앞의 책. p.134.

구가 그 자리를 대신하게 된다. 물론 자기 존재의 왜소성을 인식한다는 것은 문자 그대로 그 존재가 왜소하다는 것을 의미하는 것은 아니다. 그것은 자신의 존재를 왜소하게 볼 수 있을 만큼, 자기 속에 자리하는 또 다른 자신의 안목이 거대하다는 것을 의미하는 것이기도 하기 때문이다. 그런 의미에서 신에 대한 이러한 간구는 실은 자신의 존재가 갖고 있는 가치성을 은연중에 극대화하는, 역설적인 자기 규정 방법이기도 하다.

명확한 결론이 내려진 것은 아니지만, 위와 같은 자기 탐구 내용을 통해서 우리는 박두진의 삶의 스타일 속에 사색과 정신세계의 작용을 중시하는 특성이 내재되어 있음을 충분히 느낄 수 있다. 그리고 현실을 바라보고 판단하는 자신의 의식과 행동 세계에 대한 면밀한 자의식의 내용을 살펴볼 수 있다. 윗 자료 이후 6년 뒤에 씌어진 아래의 자료는, 박두진이 보다 명료하고 선언적인 형태로 자신을 규정하고, 자신이 외부 세계를 올바로 인식하는 데 필요한 인식적 근거를 제시하고 있다는 점에서 그의 사상적 면모의 다른 점을 확인해 볼 수 있다고 하겠다.

> 문득 새벽에 잠이 깨어 이 생각 저 생각 끝없이 생각한다. 갑자기 정신이 투명해진다. 깜깜한 어둠 속에 누운 채 너무나 무거운 침묵의 엄습, 현실과 생활을 얽매던 모든 일과는 완전히 다를 만큼 아주 순수한 자아를 이때에 의식한다. 엄숙하고 무엇인가 두렵다. 나와 영원, 나와 하나님, 나와 내 인생의 정면·직각적인 대면에 직면한다. 아주 외로워지고 겸허해진다. / 나 자신을 방어하거나 꾸미거나 과장·과시할 아무런 필요도 욕망도 안 느낀다. 참으로 조용하게 나 자신의 순수자아, 다만 나 혼자의 조그만 나로 되돌아 올 수 있다. 가장 인간적인 나, 그리고 가장 나 자신의 나로 되돌아 올 수 있다.15) (밑줄 : 인용자)

'순수 자아' '가장 나 자신의 나' 그리고 자신이 '투명해진다'는 용어들에

---

15) 박두진, 『일용할 양식』(1981), 앞의 책, p.31.

주목할 필요가 있다. '순수 자아'가 구체적으로 무엇을 의미하는가는 분명하지 않다. 박두진이 구사하는 개념어들의 상당 부분이 그런 것처럼, 이 용어역시도 학술적으로 검증될 수 있는 것이 아니라, 박두진 자신의 주관적 감정이나 이성의 충일상태를 그 나름으로 기술해 본 것이 아닐까 생각된다. 그러나 이 자리에서 중요한 것은 이 용어의 외연적 의미의 규정이 아니다. 중요한 것은 그가 자신의 가치관의 정점에 존재하는 '신'과 조우한다고 볼만큼, 일상적 자아와는 그 존재의 위상이 매우 다른 고차원적인 자아의 범주를 자신의 정신 세계 내부에 설정하고 있다는 점, 그리고 자신이 단속적이나마 이러한 자아에 도달하는 순간이 있다고 믿고 있다는 점이다. 다음은 박두진이 일상적 자아를 벗어나 그 '순수 자아'에 도달하는 과정, 그리고 그 '순수자아'가 갖고 있는 기능을 기술한 부분이다.

> 중구난방, 무질서, 선후도 체계도 없이 사색에 잠김, 깨어 있는 상태로 투명해지는 것이다.
> 찌든 영혼, 찌든 지성, 찌든 감성, 찌든 감각을 아주 파랗게 높은 가을의 하늘 바탕처럼 깨끗하게 씻어보는 것이다. 잠자는 의식과 잠자는 예지, 잠자는 영감을 두들겨 깨우는 것이다.
> 잠들어 꿈꾸는 꿈의 세계와 그 실제는 전혀 수동적인 것이고, 어떻게도할 수 없게 내맡겨진 상태의 피동형이 아닌가. 그러나 내가 지금 잠에서 빠져나와 스스로 사색하고 일깨우는 일은 그 주제를 취사선택할 수 있는 것이며 전개할 수 있는 것이다. 몇겹씩 껍질을 벗겨, 더 높게, 더 높게 이끌어올릴 수 있지 않은가. 그렇게 의식적, 능동적일 수 있고 스스로의 깊이, 스스로의 맑음, 스스로의 내면의 우주를 측정해 볼 수 있는 것이다.
> 그렇게 내가 맑고 내가 정확해짐으로써, 바로 오늘 이 시대, 이 민족, 이 세계, 인류의 현실을 직시할 수 있는 것이 아닌가. 그 어제와 오늘 내일도 바로 보고, 무엇이 가장 절실한가, 무엇이 가장 중요한가를, 그 진실과 궁극을 투시할 수 있지 않은가.16) (밑줄 : 인용자)

---

16) 박두진, 앞의 글, pp.31~32.

박두진의 사상적 특성과 그 구조 | 191

박두진은 일상적 자아가 갖고 있는 '찌든' 상태를 차례차례 벗기면서 영혼을 '투명하게' 혹은 '깨끗하게' '높게' 고양시켜가는 실제 체험 과정을 보여주고 있다. 그 결과가 앞서 말한 바 '맑고 정확해'진 '순수자아'의 상태이며 그 상태에서만, 현실과 시대를 올바로 투시할 수 있다고 보고 있다.

이 기술 내용은 어떻게 보면 매우 단순한 사색의 과정을 기술한 것 같지만, 실은 박두진과 같은 혹은 유사한 사유법을 갖고 있는 이들만이 체험하는 특수한 삶의 방법이라고 보는 것이 옳을 것으로 생각된다. 이 과정을 좀 더 자세하게 부연해 보면 다음과 같다. 첫째 '나'의 안에는 지혜롭고 맑은 '순수자아'가 선천적으로 내재해 있다. 둘째 그 '순수자아'는 찌들어있는 '일상적 자아'로 뒤덮여 있다. 세째, 그 순수자아를 회복하기 위해서는 '찌든 일상적 자아'를 계속 벗겨내는 의지적이고도 지속적인 노력이 필요하다. 네째, 그 작업 과정에서 특정 사상이나 과학적 연구 성과 등, 외부적 지식의 도움을 받을 필요는 없다. 그 작업은 오로지 자신의 내부에서 행해지며, 자신의 정신적 특질 중의 하나인 의지와 노력으로서만 가능하다. 다섯째, 이러한 수행의 결과로 도달하게 되는 '순수자아'는 진실을 바로 볼 수 있는 능력이 있다.

이 논리는, 말하자면 현실을 바로 보기 위해서는 그 현실 자체에 눈을 돌릴 것이 아니라, 그것을 바라보는 자신을 맑게 닦아서 거울처럼 만들어야 한다는 논리이다. 이것이, 현실을 바로 보려면 현실의 물질적 구조를 분석해야 한다는 유물론적 사고방식과는 정면으로 반대되는 사고방식임은 물론이다. 이렇게 인식 주체의 내면을 정화해 나감으로써 현실을 바로 볼 수 있다는 사고방식은 자기의 내면에 '이상적인 자아'가 존재함을 믿고 그것을 발현시켜가는 것이 생의 궁극적인 목표라고 간주하는 관념론적 사유법의 범주에 속하는 것이다. 이런 유형의 사유법이 '고요함 속에 몰입하여 자기를 성찰하는' 유교적 수행론이나[17] 자신 속에 존재하는 진아(眞我), 즉 부처를

---

17) 이 황, 『성학십도(聖學十圖)』, 조남국 역, 교육과학사, 1999. p.33.

찾아가는 불교적 수행론, 신과의 합일을 일궈가는 기독교적 수행론의 구조, 혹은 자기(self)라는 개념을 인간 심리의 저변에 설정한 C. G. 융의 사고방식, 그리고 일반적으로 '명상'이라고 부르는 문화가 갖고 있는 사유법과 유사한 데가 있다는 것은 두말할 필요도 없다. 그리고 이것이 앞장에서 살핀 박두진의 사유법의 특징 - 현실을 변화시키기 위해서는, 현실 자체를 움직이는 것이 아니라 개인의 내면을 변화시켜야 한다는 - 과도 논리적으로 정확하게 대응을 이루고 있음 역시도 분명하게 확인해 볼 수 있다.

4. 세계사의 귀결과 인간의 임무

인간론·신론·역사론 등에 걸쳐 총 26개 항목의 단상으로 구성되어 있는 「독어록 초」라는 글은, 개인의 내면세계의 생리나 그 운동과정에 집중적 관심을 갖고 있는 박두진이 세계사의 운동과정과 그 귀결에 대한 문제에까지 나름대로의 확고한 인식 내용을 갖고 있었음을 보여주는 자료다. 말하자면 이 글은 박두진 사상의 종합판이라고도 할 수 있는 것으로서, 그의 관념론적 사상을 세계사의 운동과정에까지 적용시켜 논리화해 본 글이라고 할 수 있을 것이다. 이 자료를 편의상 인간론, 역사론으로 나눠 검토해 보기로 한다.

1) 인간론

자유의지

인간의 자유의지, 그것은 신이 지으실 때 그 자신의 덕과 자애로써 인간에게 허여한 얼마나 아름답고 지극한 은총인가. 그런데 인간들은 그것으로써 오히려 신 자체까지도 배반하기를 주저하지 않으신다.

이성에 대한 귀의 인간이 그의 이성으로써 애써 신의 존재를 부정해 본다 할지라도 신은 그것을 아파하실지언정 미워하시진 않으시리라. 이성, 그 것조차 은혜로 우리에게 신이 주신 것이요 모든 이성적이고 자각적인 사고와 탐구로써 신을 찾아 가까이 오는 것을, 인간이 순전하게 감동적으로 그렇게 하는 것과 함께 기뻐하실 것이기 때문이다.

인간의 완전해짐

신은 인간이 신과 같이 완전해지는 것을 거부하시지 않는다. 오히려 격려하시며 조정해 주신다. 다만 신 이상으로 되려고 할 때 채찍을 내리신다.

인간 이상에의 가능성

인간이 인간이상으로 향상하려 할 때 그것을 가능하게 하는 것은 신뿐이다.

신과 악마

신은 인간이 보다 더 자기가 목적하는 대로 견고하게 하시기 위하여 그 방편으로 때로는 악마까지를 사용한다. 그러나 신은 악마 자체나 악마에 협동하는 인간의 악 그것을 조장하거나 그것에 관여하시지는 않는다.[18]

그는 인간론을 개진하면서 육체적 세계나 물질적 세계에 대해서는 언급하지 않고 역시 정신론의 영역에만 집중하고 있다. 그에 의하면 인간을 구성하는 요소 중 최상의 것은, 이성과 자유의지다. 그러나 이 이성과 자유의지는 인간이 인간 자체로서 완전히 독립된 존재로서 자유롭다는 것을 의미하는 것은 아니다. 그것은 신에게서 부여받은 능력이기 때문이다. 그리하여 인간은 이 이성과 자유의지를 바탕으로 하여, 신을 넘어서려고 하지 않는 한도 내에서, 신의 도움을 받아 인간 이상의 존재가 되거나 완전자가 되기를 지향할 수 있다. 그 완전자가 신임은 물론이다. 그러나 실제적으로 인간은 자신이 부여받은 이 능력을 갖고 신을 배반하는 데에까지도 사용하고 있다. 그리하여 신은 인간이 이성과 자유의지를 올바른 곳으로 써야 할 필요가 있다고 판단될 경우, 악마를 사용하여 인간에게 고통을 주고 징벌을 가

---

18) 박두진, 「독어록 초」, 『문학적 자화상』 한글, 1994. pp.74~75.

할 수도 있다.

2) 역사론

개아와 세계의지

모든 개인의 집합체로서의 한 사회, 사회들의 연결체로서의 한 민족, 또
는 국가, 모든 민족과 국가사회의 더 큰 집합체로서의 세계 또는 인류 — 이
인류들의 그 개개의 성원들의 판단이나 혹은 희망이나 욕구나 이상 같은
그러한 것의 총체적 집합으로서의 어떠한 '세계의 의미'가 형성되어 있고,
그러한 것의 상호관계와 모순과 갈등 같은 것으로서의 오늘의 세계가 이렇
게 고뇌하고 혼돈해 있고 부조화를 이루고 비극적인 것이라면, 그런 것의
종합으로서의 전 인류의 지향은 장차 앞으로 어떠한 것이 될 것이다. 굴러
나갈 길의 방향이 어떠한 것이며 어떠한 성격, 어떠한 상태의 종극이 될 것
이다.[19]

욕구와 이상, 희망과 같은 인간의 정신세계는 개별자적 단위에서만 존재
하고 끝나는 게 아니라, 집단적으로도 존재한다. 그것은 사회적 단위, 민족
적 단위, 국가적 단위, 세계적 단위의 그것으로도 존재할 수 있다. 세계적 단
위의 인간 정신은 '세계의 의미'라고 부를 수도 있는 것으로서, 그것은 현재
의 역사를 움직여가고 있는 동인(動因)일 수 있다. 그것은 일정한 선적(線的)
인 진행 방향을 보여주면서 종말을 향해 가고 있다.

한 마디로 이러한 사고방법은 인간의 정신이 집단적 형태를 이루어 역사
를 움직여간다는 의미에서 관념론의 극치를 보여주는 것이라고 할 수 있겠
다. 주관적 정신, 객관적 정신을 지양한 절대정신이 역사의 움직임을 이끌어
간다는 헤겔의 역사철학이 연상되는 것도 이 때문이라고도 생각된다. 별도
의 고찰을 요하는 것이겠지만, 그가 해방기부터 민족주의적인 정치노선을

---

19) 박두진, 「독어록 초」, 앞의 책. p.80.

선택해 온 이면에도 이러한 사고방법이 그 기반으로서 작용하고 있었을 가능성을 고려해 볼 수 있다고 하겠다.

불행한 조류

반신(反神), 불신, 유물, 인간지상주의, 현재 지상주의를 기초로 한 현대문명의 일부 불행한 조류는 이제 그 막다른 단애에서 전율하고 있다. 더 밀고 나갈 수 없는 암담한 심연을 앞에 두고 전율하고 있다.

책임의 소재

오늘의 모든 혼돈, 비참과 불행은 신이 그것을 있도록 한 것은 아니다. 이미 신이 인류에게 계시하고 허여한 지혜와 능력으로도 충분히 이런 것을 보다 더 이상적으로 해결하고 초극할 방법과 가능성은 있어 왔었다. 그렇게 하지 않고 그렇게 하지 못한 책임은 신에게가 아니라 인간의 편에 있다.

완성과 종말

세계의 완성이 돌변적으로 어느날 하루 아침에 우리에게 올 것인지 또는 두고두고 점진적으로 올 것인지는 아무도 아직 확실하게 모른다. 그것은 오직 신 자신만이 가지는 신성한 기밀이다. 세계의 완성이 아니고 그것과 반대되는 어떤 비관적이고 결정적인 종말이 오는 것에 대해서도 마찬가지다.[20]

인간의 개별적 정신들이 모여 구성한 세계의 의미(의지)는 세계사를 부정적인 방향으로 이끌어 왔을 뿐만 아니라, 종말적인 상황에 근사한 지점에까지 이끌어 왔다고 박두진은 보고 있다. 그 이유는 신앙의 부재와 유물주의, 휴머니즘, 현재적 쾌락에 집중하는 단말마적 사고방식 등이다. 요약하자면, 역사를 종말적인 상황에 이끌어 온 것들은 서구의 주도와 세계인의 동조로 전세계를 움직여가고 있는 '근대화'의 기초 이념들 자체에 이미 포함되어 있다. 그리고 그 종말의 시점은 인간이 알 수 없다. 그것은 신의 독자적 계획 속에만 포함되어 있는 비밀의 영역이기 때문이다.

---

20) 박두진, 「독어록 초」, 앞의 책. pp.76~80.

그러나 박두진은 타락한 인간 세계의 역사가 끝난다는 입장에서는 역사의 끝이 종말을 의미하는 것이지만, 인류사가 천국적인 삶의 역사로 전환되는 날이 온다는 의미에서 그 종말이 역사의 완성, 즉 인류를 구원의 세계로 이끄는 신의 계획의 완성을 의미하는 것일 수도 있다는 주석을 빼놓지 않았다. 어쨌든 박두진은, 최후의 완성(종말) 과정을 향하여 인류의 역사가 선적인 운동을 지속하고 있다는 사고방식을 철저하게 관철하고 있는 역사관의 소유자라는 사실이 이런 논리들 속에서 명백하게 제시되고 있다고 하겠다.

3) 종말에 임하는 인류의 임무

진리에 대한 신념

각각 그 주어진 위치와 조건에서 불멸의 진리에 대한 흔들리지 않는 신념을 스스로 고무하여 얻고 오직 있어 올 장엄하고 찬란한 값진 내일에 대한 희원을 향해서 스스로롤 격려하라. 결단적이고 적극적인 의지로서의 전진, 꾸준하고 씩씩하게 쾌활하게 불굴의 의지로써 가는 것만이 우리가 가질 유일하고 영광에 찬 오늘에 있어서의 최고의 윤리가 될 것이다.[21)]

종말적인 상황을 극복하는 방법으로서 박두진이 제시하는 길은 예의 추상적인 윤리적 명제들이다. 그것은 '불멸의 진리'에 대한 신념을 스스로 다지고 '불굴의 의지'로서 다가올 장엄한 '내일'을 그리면서 가라는 것이다. 과연 '불멸의 진리'가 무엇이며, 다가올 장엄한 '미래'가 무엇이며, '불굴의 의지'의 내용이 구체적으로 무엇을 의미하는가는 이해하기 쉽지 않다고 보는 것이 옳을 것이다. 이것은 기독교 문화권 혹은 그런 세계를 유추를 통해서라도 이해할 수 있는 타종교권 문화에라도 속해 있지 않은 이들의 입장에서는 이해하기 어려운 특수한 내포적 의미를 안고 있는 언어이기 때문이다. 그러나 위의 발언이 갖고 있는 어조나 그 역동적인 에너지를 볼 때, 그가

---

21) 박두진, 「독어록 초」, 앞의 책, p.81.

개인적 확신과 체험적 진실성이 충만한 상태에서 위와 같은 길을 제시하고 있다는 것은 어렵지 않게 확인해 볼 수 있다고 생각된다.

역시 비종교 문화권의 독자들에게는 이해하기 쉽지 않은 내용일 것으로 생각되긴 하나, 박두진은 위와 같은 힘찬 권고를 할 수 있게 한 원동력에 해당한다고 볼 수 있는 글을 같은 글 속에서 제시한 바 있다. 위의 글 속에 포함되어 있는 '불멸의 진리'와 '불굴의 의지', 다가올 장엄한 '내일'이 의미하는 바 역시도 어느 정도 유추해 볼 수 있는 자료라고 생각된다.

기독교 신앙의 특성

기독교 신앙의 특징은 그리스도 자체가 갖춘 무한하고 완전한 인격의 원천에다 근거를 둔, 완전하고 영원하고 찬란한 생명의 세계의 완성과 그것의 향유에 대한 끊임없는 동경과 갈망을 갖는 데 있다. 어디까지나 극복적이고 적극적이고 긍정적이고 진취적이고 충전적이고 개혁적인 데 있다. 건강하고 밝고 힘차고 투지적인 데 있다. 즐겁고 평화롭고 자유의지적인 데 있다.[22]

박두진이 종말을 극복할 수 있는 힘찬 사상을 제시하는 이유를 어느 정도 짐작해 볼 수 있는 자료이지 않을까. 그에게는 그를 포함한 인간 모두가 완전한 신뢰를 보낼 수 있는 스승이자 완전자인 어느 존재가 있다. 그는 인간의 모든 고통과 공포와 불안, 그리고 그것들의 궁극적인 원천이라고 할 수 있는 죽음의 공포와 생의 무상성을 정복하고 영원한 평화와 안식과 기쁨을 누릴 수 있는 길, 완전한 인간으로서의 길을 몸소 보여준 위대한 스승이자 신의 화신이다. 그리고 그를 믿고 따르는 자들에게 그 '영원한 생명의 길'을 약속하는 한편으로, 재림의 그 날, 불완전한 인류의 삶을 완전한 삶의 세계로 완성하겠다는 약속을 한 존재다. 박두진이 말한 '불멸의 진리'란 바로 그의 존재, 그의 가르침을 의미하는 것으로 판단된다.

---

22) 박두진, 앞의 글, p.76.

이렇게 보면, 박두진이 현재의 인류사가 종말적인 징후를 보여주고 있다고 하긴 했지만, 그 종말의 고통과 공포 속에 자신은 포함되어 있지 않다고 보고 있다고 해도 무방할 듯하다. 인류사의 종말은 그에게는 영원한 평화와 기쁨의 삶이 시작되는 '장엄한 내일'의 첫날이기 때문이다. 그 길을 확신에 찬 상태에서 걸어가고 있는 박두진에게 있어, 종말의 시대를 살고 있는 인간이 해야 할 일은 한 가지뿐이다. 그리스도의 길을 좇는 삶, 그것이다. 개인적 영격의 단계가 그것이 가능할 정도에 올라 있지 않다면, 그 최종적 목적의 실현을 위해서 자신을 그리스도에게 강력하게 붙들어매는 '불굴의 의지'가 필요하다. 그리스도, 그리고 그리스도가 보여준 완전한 생명의 세계, 즉 '불멸의 진리' 속으로 들어가기 위해서다. 그 길은 그 최종적 결과가 가져다 주는 기쁨을 고려할 때, '건강하고 밝고 힘차고 투지적'이며 '의지적'이어야 할 필요가 있다.

매우 미흡하게 기술되었으리라고 생각되지만, 박두진이 인류사의 종말적 위기를 극복할 수 있는 대안으로 제시하고 있는 윤리적 처방들과 사상적 구도들은 결국 그의 기독교 체험에 입각한 인간관과 역사관의 대대중(對大衆)용 번역이었다고 보아도 무방할 것으로 생각된다. 일반적으로 잘 알려져 있는 바와 같이, 이런 특징은 종말론 사상에만 국한된 것이 아니라, 그의 전 사상적 구도의 이면에 내재되어 있는 것일 가능성이 매우 높다. 동시에 이 지점에 이르게 되면 박두진의 사상에 대한 객관적인 논의를 더 이상 진전시키기가 어려움을 고백하지 않을 수가 없다. 일반적인 지적 인식의 장에서 특정 종교의 교리와 관련된 문제를 다루기가 어렵다는 사정도 있지만, 무엇보다도 중요한 것은, 종교체험은 '이해'되는 것이 되는 것이 아니라 '체험'되는 것이라는 일반적 원리의 문제가 근본적으로 자리하고 있기 때문이다. 그런 의미에서 이 글은 미흡하게나마, 박두진의 사상이, 이른바 관념론적 사유법에서 확인할 수 있는 특징들을 인간론과 사회론, 역사론 등을 통해 다양하게 보여주었다는 점을 확인해 두는 선에서 그치기로 한다.

5. 결 론

기독교적 담론과 그 사유법을 가급적 배제하려는 관점에서, 즉 비종교인의 입장에서도 거론이 가능한 지적 인식의 장에서 박두진의 사상을 검토하려는 의도 아래, 70~80년대의 그의 산문들에 나타난 사상의 특성과 그 구조를 분석해 보았다. 그 결과 그의 사상은 이른바 관념론이라고 불리는 사상 유파의 특성을 뚜렷하게 보여주고 있었음을 확인할 수 있었다.

우선 그는 「귀뚜라미와 우주」, 「일용할 양식」에서 현대사회 문명 비판론을 전개하고 있는데, 그 비판의 근거들은 서구적 근대화를 뒷받침해 온 기초 이념들과 그것이 파생시킨 상품사회, 대중사회적 특성에 대한 강한 비판의식들에 있었다. 그러나 그가 이 비판 속에서 강조한 것은 그 사회적 문제가 개인을 물적·형이하적·찰나적인 것에 대한 집착과 몰개성적 상황으로 몰아가고 있다는 점, 그것의 최종적인 형태로서 도덕적 결함과 파탄이 야기되고 있다는 점이었다. 그 대안으로서 그는 추상적·관념적·형이상적·개성과 자아의식·사색적 태도 등을 회복할 것을 주장하였다. 더 나아가 그는 질병이나 천재지변 같은 현상 역시도 개인의 도덕적 파탄에 그 원인이 있다고 보았다.

이렇게 물적 영역에서 벌어지는 모든 문제의 근원이, ‘개인의 윤리’ 문제에 있다고 보는 발상법, 그리고 인간의 정신적 영역과 물적 영역을 이분법적으로 다루면서 전자의 가치를 절대시하는 발상법은 전형적인 관념론적 사유법에 속하는 것이라고 판단되었다. 동시에 그의 이러한 발상법은, 유물론적 발상법에 기초한 현실인식 방법에 그가 관심을 보여준 적이 없는 점과도 관계가 있다고 보았다.

「나에 대하여」와 「일용할 양식」은 현실을 인식하는 주체인 ‘나’의 정체성과 그 ‘나’가 무엇을 매개로 하여 현실을 올바로 파악할 수 있는가를 탐구한 글들이다. 이 자료들 속에서 박두진은 ‘나’의 속에 선천적인 지혜를 갖고 있는 '순수자아'가 내재되어 있으며, 수행을 통해 이 '순수자아'를 회복하면 현실을 올바로 진단할 수 있다고 보았다. 이렇게 자신을 맑게 정화함으로써 현실을 바로 볼 수 있다는 발상법은, 현실의 물적 구조를 과학적으로 분석해야 현실을 바로 볼 수 있다는 유물론적 발상법과 정반대의 입장을 취하는 사유법으로서, 이 역시도 전형적인 관념론적 사유법에 속한다. 이 논리는, 현실을 변화시키기 위해서는 개인의 정신 세계를 변화시켜야 한다는 첫 번째 논리와도 정확하게 대응을 이루고 있기도 하다.

「독어록 초」는 그의 인간관, 사회관, 역사관의 종합판이라고도 할 수 있는 자료인데, 그는 우선 인간이 신에게서 자유의지와 이성을 부여받았다고 보았다. 인간은 이 '은총'을 사용하여 완전자에까지 이를 수 있는 능력과 자질을 소유하고 있으며, 이 개별적 능력들은 민족이나 국가 등의 정신으로 집단화할 수 있다고 보았다. 그리고 그것이 세계적 단위가 되면 '세계 의미'를 구성하면서 세계사를 진행시켜 가는데, 인간은 그 능력을 잘못 사용하여, 인류사를 종말론적인 상황으로 몰고 왔다고 보았다. 물론 그 종말의 시기는 신의 전적인 능력에 달린 것이기도 한데, 그 종말론적 상황을 극복하는 길은 기독교적 진리와 신념에 입각한 신앙인으로서의 자세를 굳게 견지하는 데 있다고 보았다. 이 지점에 이르면 박두진의 사상은 하나의 신학적 체계를 갖추고 있다고 해도 과언이 아닐 정도의 체계성을 갖추고 있는 모습을 보여준다. 그리고 정신이 집단화되어 현실계를 이끌어간다는 전형적인 관념론적 사고방식과 동양인으로서는 드물게 보는 서구적인 선적(線的) 발전사관의 소유자였음 역시도 보여준다. **새미**

- ## 참고문헌

박두진, 『한국현대시의 이해와 체험』, 일조각, 1976

_____, 「40년대 박두진의 문학서한」, 『문학사상』, 1981.3

_____, 『햇살, 햇볕, 햇빛』, 대원사, 1991.

_____, 『문학적 자화상』, 한글, 1994.

_____, 『당신의 사랑 앞에』, 홍성사, 1999.

신대철, 「박두진의 수석시의 근원과 인간의 한계」, 『어문학』 2집. 국민대학교어문학 연구소, 1982.

신대철, 「박두진 연구 Ⅲ」, 『어문학』 3집. 국민대학교어문학연구소, 1984.

김응교, 「빛의 힘, 돌의 꿈」, 연세대학교 박사논문, 1997.

정현기, 「박두진론(1)」, 『연세어문학』 9·10합집, 1977.

김진성, 『베르그송 연구』, 문학과지성사, 1985.

이운용, 「자연의 의미와 기독교 시」, 『월간문학』 225호, 1987.11.

이 황, 『성학십도(聖學十圖)』, 조남국 역, 교육과학사, 1999.

신대철, 「인간과 무한한계」, 『박두진』, 서강대학교 출판부, 1996.

김응교, 「빛의 힘, 돌의 꿈-박두진의 상상력 연구」, 연세대 박사, 1997.12.

임영주, 「박두진의 생애와 시적 편력」, 『문학과의식』 1998. 겨울호.

심원섭, 『한 일문학의 관계론적 연구』 국학자료원, 1998.

성균관대학교 교재편찬위, 『유학사상』, 성균관대학교 출판부, 1998.

조동구, 「박두진 시에 나타난 자연」, 『현대문학의 연구』 13집. 1999.

유성호, 「혜산 박두진 시에 나타난 '기독교 의식'」, 『현대문학의 연구』 13집. 1999.

김광길·심원섭, 「박두진 문학의 시원으로서의 안성 체험」, 『우리어문학』 13집, 2000.

프리드리히 헤겔, 『역사에 있어서의 이성』, 임석진 역, 지학사, 1983.

아들러, 『아들러 심리학 해설』, 설영환 역, 선영사, 1987.

루시앙 골드만, 『숨은 신』, 송기형·정과리 역, 연구사. 1990.

HJ 슈퇴릭히, 『세계철학사 (상,하)』 분도출판사, 1991.

아키야마 사도코, 『깨달음의 분석』, 박희준 역, 우리출판사, 1993.

구노 오사무·쓰루미 슌스케, 『일본근대사상사』, 심원섭 역, 문학과지성사, 1994.

정 화, 『삶의 모습을 있는 그대로』, 장경각, 1997.

데이비드 폰 테너(최승자 역), 『상징의 비밀』, 문학동네, 1998.

박두진 詩의 자연과 현실인식 樣態

한영일*

1. 서 론

詩는 시인의 사물이나 자연·현실에 대한 인식의 결합으로, 自我와 시적 대상으로의 사물이나 현실과의 연속적·유기적 관련을 통해 잦은 교류를 가짐으로 詩語가 새롭고 의미의 폭이 깊고 서정적으로 인식되어 형성되는 美的價値이다. 시적 감수성의 배합이나 심화·확대란 정서적 밀도를 끌어올림으로써 기존의 관습적·도식적 사물(자연) 및 현실에 대한 생각의 틀을 과감하게 바꾸는 정서순화적 작용으로 수용된다. 낱낱의 시작품은 자아와 또 다른 세계와의 관계를 심적으로 내면화시킨 수정체라 할 수 있으며 시의 내면심상의 의미나 가치를 사물 및 현실의 서정적 인식작용을 내재적 접근방식(intrinsic approach)을 통해 개진해 나가는 통로의 역할을 담당한다. 인식작용의 현실적 파악은 내면에서의 詩的 작용이나 시적 자아가 사물(자연) 및 또 다른 세계(현실)를 지각하는 대응양식으로 연관되어지는 인식적 작용을 전제함으로써 가능해진다.

본고는 일련의 전제와 관련시켜 박두진 詩作 全課程1)의 변모양상 중 일부

---

* 성균관대·한서대 강사, 시인. 『다박솔의 꿈』, 『별바라기의 합창』(공저시집) 등의 작품집이 있음.

현실상황과 주제의식 사이의 자연과 현실의 인식적 구조를 보고자 한다.

2. 자연·현실 인식의 공간

<청록파>의 한 사람으로 출발한 박두진의 시적 의미구조를 이해하는데 있어 주된 과제가 되는 것은 초기시집 『靑鹿集』과 『해』의 소재가 되고 있는 자연이 그의 시세계에 어떤 모습으로 관여하는가 하는 문제를 검토하는 일로 그것은 자아가 자연과 세계를 어떤 대응구조로 보느냐 하는 문제를 검토하고 인식하는 일이 된다. 서양에 있어서의 자연은 神 혹은 초월적 절대자와 인간사이의 관계를 초월할 수 없는 단절의 관계로 파악되고 그러한 절대자의 표상인 자연과 인간관계 역시 단절의 관계로 이해되고 받아들여져 온 것이 사실이다.

여기에서 정지용은 박두진을 문단에 내보내면서 "시단에 하나의 新自然을 소개하여 선자는 法悅 이상이외다"2)라고 하여 박두진 시의 성격을 <자연>이라는 용어와 관련시켜 경탄하고 있음을 알게 하는 최초의 언급이라 할 수 있다. 이렇게 볼 때, 박두진을 포함한 <청록파>를 일컬어 <자연파>라 부르게 된 것도 "조선의 시가 한 개 문학사적 의미에서 자연을 발견하게 된 것은 1939년에서 1940년에 이르기까지 한 2, 3년간의 일이다. 당시의 순문예 『文章』을 통하여 세상에 소개된 일군의 시인 중 특히 朴木月, 趙芝薰, 朴斗鎭 이 세 사람이 그 사명을 열었던 것이다."3)라는 언급 이후가 아닌가 생각된다. 김동리는 세 사람(청록파)에 있어 성격의 차이나 자연의 質料를

---

1) 詩作 全課程으로의 시집은 『靑鹿集』(1946), 『해』(1949), 『午禱』(1953), 『거미와 星座』 (1962), 『人間密林』(1963), 『하얀날개』(1967), 『使徒行傳』(1974), 『水石列傳』(1974), 『水石戀歌』(1983)등을 가리킴.
2) 鄭芝溶, 『文章』지, 1940년 1월호, 추천사.
3) 金東里, 「自然의 發見, 三家詩人論」, 『문학과 인간』, 청춘사, 1952, 수록됨.

말하는 가운데 박두진에게는 특히 "자연에의 동화 법칙에 의지하고" 이에 더 첨언하여 "어떤 별개의 기적과 메시아를 추구하고 있다"고 지적하면서, 그의 자연은 "모든 동양시인들에 비하여 동뜨게 특이한 호흡을 가진" 그러한 자연이라고 하였다. 박두진에 있어 자연은 시의 소재이자 문제로서의 자연이다. 그에게 있어 자연은 자연 그 자체라기 보다 시인과의 관계를 의미한다. 그에게 있어 자연은 있는 그대로의 객관적 자연이 아니라 의식속에 들어와 설명과 評說을 개입시킨 자연이다. 시인과 자연이 일체화 된 상태에서의 인간적 가치를 부여한 낭만적 자연관으로 이동한다. 그의 시는 "생명력이 충일한 삶, 속박 없이 자유로운 삶, 모든 인간이 서로 돕고 의지하는 박애로서의 삶을 희구하는데 이러한 삶의 이상을 자연의 질서 속에서 찾고 있다"4)고 오세영은 언급한다. 박두진의 자연과 현실인식은 소월의 한(恨)의 자연, 김영랑의 슬픔, 정지용의 감각의 자연이 아니며, 또한 박목월의 향토적 자연, 조지훈의 정관(靜觀)적 선(禪)의 자연과도 성격이 다른, 즉 박두진의 자연은 <삶의 이상>을 찾는 현실인식이자 진원지인 것이다. 그것은 갈망의 세계와 그것이 성취되기를 바란 뒤에 선택되는 귀의(歸依)의 세계가 역설적 상관관계를 드러내는 순간에 보이는 인식의 빛이요 실체이다. 이렇게 볼 때, 갈망과 귀의는 둘이 아닌 함수관계로 하나의 지향점으로 드러날 때, 詩는 현존재의 표출이자 동시에 현실에 개입되어 나타나는 정신적 인식의 확대인 것이다. 그러므로 자연과 현실은 단순한 몰아의 대상이 아닌, 美的대상이거나 관조의 대상도 더욱 아닌 감각적 실재이며 이념(관념)의 상징인 것이다.

　그것은 더 나아가 인간 삶의 본질적인 어떤 것, 즉 인간의 이상이 제시된 시인의 가슴속에 내재한 깊고 그윽한 희망인 것이다. 구원과 부활, 하늘나라의 갈망과 귀의, 밝음과 어둠, 화합과 불화 등 이념적 가치와 현실적 입장 사이의 갈등이나 대립을 통해 자연과 현실의 인식을 대칭구조로 인식하며 풀어나간다.

---

4) 오세영, 「휴머니즘 옹호와 자연의 의미」, 『박두진 전집8』, 범조사, 1984, p.283.

1) 내적 심상(心象)으로서의 고통인식

박두진의 詩에 있어 현실은 순응적·수용적 의미의 <있는 현실> 그대로가 아닌, 모순과 갈등을 극복하고 해소해 나가는 <있어야 할 현실> 그 자체이다. 모순과 갈등은 이겨내야 할 난제이고 이에 따른 해소는 성취해야할 난제이다. 이처럼 현실과 자연에 대한 대응은 시인의 내적 저항의 형식인 고통의 인식과 외적 행동의 형식인 극복의 의지로 나온다. 다시 말하면이원적 질서에로의 자각으로 현실詩의 변모를 갖고 출발한다. 고통의 인식은 당시의 시대적 배경과 연관지어 보면 절박한 상황의 현실 앞에서는 언제나 현존하기 마련으로 지금도 본능적으로 여전히 우리에게 잠재하고 있는내재적 국면인 아픔이다.

> 귀, 눈, 살, 터럭
> 온 心魂, 全 靈이
> 너무도 뜨겁게 당신에게 닿습니다
> 너무도 당신은 가차이 오십니다.
>
> [……]
>
> 당신은 나의 힘
> 당신은 나의 主
> 당신은 나의 生命
> 당신은 나의 모두……
>
> 스스로 버리랴는
> 버레같은 이,
> 나 하나 꿇은 것을 아셨습니까.
> 또약볕에 氣盡한
> 나홀로의 피덩이를 보셨습니까.

6·25동란과 1·4 후퇴 때 大邱에서 씌어진 시집 『午禱』는 초기시집 『청록집』이나 『해』의 시편들에 비해 더욱 行間이 길어지고 빈번한 관념적 용어의 사용과 이미지보다 서술성으로 많이 기운 것도 사실이다. 기다림의 뜻을 중심에다 놓고 영원과 무한에의 지향을 드러내고 있다. 그런 이면에는 일제 강점기 혹독한 암흑속에서 견디어 낸 후에 얻은 조국의 해방이 진정으로 민족적 주체로서 회복되지 못하고 6·25란 동족상잔의 피싸움이 야기됨으로써 시인은 민족적 현실에 대한 철저하고도 고통에 찬 인식을 갖게 된다. 광야에 홀로 선 인간의 벌거벗은 모습, 그것은 개인적(私的)인 죄인의식을 뛰어넘어 모세와 같이 민족의 전위로서의 의지가 숨쉬고 있다5)고 박이도는 말한다. 현실을 역동적으로 자각한다는 것은 현실을 고통으로 느낀다는 것이며 극복의지를 갖는다는 뜻으로 귀결된다. 고통의식은 <밝음>의 세계인 '당신'과 <어두움>인 '나'사이의 심리적 거리감으로 이뤄져 왔고, 작열하는 뙤약볕에 기진한 피투성이가 되어 홀로 선 주체는 예언자적 의지를 지닌 시인 자신을 가리키고 있다. 이렇듯 고통인식을 통해 이뤄진 극복의지는 나의 힘이 아닌 '당신'이라는 절대적 힘에 의해 주어지는 고통의 의지에 눌린 아픔의 인식으로 자리한다. 그렇기에 '당신'은 <나의 힘>, <나의 주>, <나의 生命>, <나의 모두>인 실체적 진실로 자리매김 되고 있다.

> 旗! 그것은 -
> 우리들 젊은, 우리들 뛰는 가슴마다 당신께서 주신 것이다. 旗! 그것은-,
> 奇蹟처럼 찬란하게
> 당신께서 우리 앞에 날리셔야 한다.
> -「旗」

---

5) 박이도, 『한국 현대시와 기독교』, 종로서적, 1987, p.146.

千年 二千年을 三千年을 조으는 것, 이끼마다 눈이 되어 꽃잎으로 피라.
이슬처럼 꽃잎마다 녹아흐르면, 아득한 하늘밖에 별이 내린다.

碑, 오오, 돌…… 무엇을 呼吸는가. 오래 숨이 겹쳐지면 깃쭉지가 듣는가.
목을 뽑아 鶴처럼 구름 밖도 나는가. 비바람과 눈포래와 내려 죄는 또약
볕.
미쳐 뛰는 歲月들이 못을 박는다. 징을 박는다.

—「碑」

산문적 리듬의 뚜렷한 형태의 구축은 基底에 현실적 주제와 닿는 날카로
운 현실 감각의 시적 리얼리티에 뿌리를 내리고 있는 心象的 고통의 맥박에
있다. <旗->의 반복과 '-하여야 한다'의 의지적 다짐은 생명력이 산화된
민족의 碑身에다 징과 못을 박는 내적 심상에서의 아픈 기억을 각인해 내는
고통을 낳고 있다. 「旗」는 생명의 표상으로 인식되는 역사의식의 상징이며,
동시에 신념과 의지로 높은 이념의 폿대를 응시하는 강렬한 의식적 지향성
을 담고 현실을 인식하는 양상이다. 「碑」도 빈 벌판의 이끼 서린 퇴락한 비
석에서 민족의 암울했던 역사를 육성으로 절규하는 고통의식의 분출소리이
다. 죽었으나 살아있고, 모든 내력을 알고 있는 비석은 민족의 내일을 내다
보는 자각의 형태로 인지된다. 이것은 시인의 내면 심상에 날카로운 현실감
각이 투명한 서정성으로 부각되어 내면의식과 접목되어 생명력을 끌고 가
기 때문이다. 인간의 생애를 상징하는 「碑」는 지상에 머물되 영혼은 천상을
향해 비상하려는 수직상승의 자세를 지닌 모순의 표상으로 인식된다. 그리
하여 시인은 신앙적 체험을 바탕으로 새로운 삶의 세계를 예비해 봄으로써
'종교적 체험=시적 체험'으로 볼 때, 사상적·현실적 고난이 곧 詩의 세계
를 열어가는 충동적, 다각적, 근본적인 동기로 인식하는 원인을 제공하고 있
다. 그의 詩는 자아폐쇄나 혼돈을 이겨내고 내밀한 종교적 체험을 시적 감수
성으로 심화시키고 정화하여 절대적 은총과 법열을 희구하는 역설적인 환

희를 맛보고 고통의식을 인지하는 선에 놓여 있다.

2) 외적 저항(抵抗)으로서의 극복의지

박두진의 詩에 자주 등장하는 山은 화해로운 공간으로서의 낙원의 모습, 그리움의 정서만을 낳지는 않는다. 山은 앞을 가로막고 길을 보여주지 않는 우람한 모습의 장애물로 나타나기도 한다. 山은 극복하고 뛰어넘어야 할 대상으로 존재하지만 오른다는 극복의지는 원형적인 해소의 뜻을 내재시켜 고난을 통한 성취의 뜻으로 자리매김 한다. 이런 극복의지는 현재 이곳의 여러 조건을 초월하여 <있어야 할 현실>로 침투하여 참여함을 의미한다. 박두진은 현실을 "가시밭에서 찔리는 아픈 상처"로 표현한다. 이 고통의 인식은 그로 하여금 부정적 현실을 깨닫고 자연과 사회현실에 대한 인식의 폭을 넓게 한다.

> 산에서는 산의 것, 물에서는 물의 것
> 바다에서는 바다의 것
> 흙에서는 흙의 것이,
> 이제야 일제히들
> 휘날리며 휘날리며 깃발을 들라
> 뿔들을 뻗히라, 잇발을 발톱을 부리들을 갈라.
>
> ―「봄에의 檄」

위의 시는 권력의 독재와 부패상황이 무르익던 때, 마침내 무엇인가 일어나야 했던 국내의 상황이 行間에 담겨있는 詩이다. 시인의 의식은 역사적 현실의 모체가 정의로운 힘의 결집임을 주시하고 실천하려는 가치지향의 자세로써 그의 근원적인 삶의 힘이 전체를 포괄적으로 집약 제시하고 그 스스로 일어나는 기세를 장쾌하게 제시[6]한 것으로 받아들여진다. 시인은 차츰 저항과 겨룸의 의지가 표면에 드러남으로써 현실인식과 詩가 합일되는 현상을 보이며 격렬한 저항으로서의 대결의지가 집요하게 지속되어 나감을 감지할 수 있다. 이 밖에도 3·1운동, 8·15광복, 6·25사변, 4·19혁명 등 민족수난을 題材로 한 작품들이 상당한 분량을 차지하고 있다. 언제나 예술적 차원의 울림詩를 쓰고자 하는 자세를 지켜온 그가 4·19를 맞아 써낸 직설적인 고발형식의 시편들은 많은 사람들에게 적지 않은 충격을 안겨주기도 했다.

> 햇볕이 뜨겁게 흐르다가
> 꽃구름 피보래로 하늘이 그물다가
> 물밀어 솟쳐 올라 피불로 폭발하던
> 오늘이여! 四월달
> 오늘의 그 四·一九여.
>
> —「분노가 잠깐 침묵하는」

뜨거운 울림의 詩로 그는 겨레의 정신적 지향을 내다보고 그것을 모아 집중시키고자 했던 자세, 즉 내면의 세계를 마련코자 저항의식을 저변에 간직한 채 극복의 의지를 드러내기도 했다. 그리스도는 구약의 완성인 동시에 심판이며 재림은 세계사의 심판과 완성의 길7)이다. 성서는 우리를 神의 "창조에의 始發"로 이끌어 주고 "메시아의 오심"에 의한 중심이나 "그리스도의 재림"에 의한 종말로 짜여져 있는 인식세계이다. 아울러 구약(舊約)은 그리스도의 재림으로 일단 끝이 나고 동시에 재림으로 완성을 본다고 할 수 있다. 그렇다면 그리스도의 재림을 목전에 두고 신앙인들이 해야 할 일은 신앙을 가진 사람이 저마다 使徒의 길을 걷는 일일것이다. 이처럼 사도의식은 자유(역사)를 등에 지고 찾아 올 終末을 보았을 때, 과거를 버리고 역사의 주

---

6) 신동욱, 「해와 삶의 원리」, 『박두진 전집2』, 범조사, 1982. p.307.
7) 김형석, 「시간의 종말론적 성격과 그 구조」, 『인문과학』(조의설 박사 還曆기념 논총) 제14, 15합집, 연세대 출판부, 1966, p.311.

인, 攝理主의 뜻으로 돌아가는 일이다. 自我의 否定을 통한 神의 肯定이다. 時間的인 것을 버리고 永遠한 實存에로 돌아감을 뜻한다. 自我의 시간속에 神의 뜻과 생명을 받아들임이다. 신앙적인 종말로 新生을 체험함이다. 박두진 시인의 사도의식은 자아의 내면속에 신의 뜻과 생명을 받아들이고 <역사의 주인·섭리주>의 뜻으로 돌아가는 신앙적 결단으로 드러난다. 오규원은 이에 대해 "담담한 묘사, 간결한 行區間, 그리고 서정의 회복 등은 추상적 관념에서 구체적 사물과 개인을 인식함으로써 얻어진 것"[8]이라고 밝히고 있다. 여기서 使徒란 <있는 현실>을 보다 진보적으로 개선하고 <있어야 할 현실>을 향해 절대자의 뜻을 심어 그 뜻에 순종하는 의인을 지칭한다. 그런데 어떤 현실에 직면하여 어떤 외적인 저항으로부터 극복의지를 나타내는 것이다. 그 현실이 어두운 장벽들로 둘러싸여 있을 때 <당신>은 사도로 하여금 결단을 내리게 한다.

> 말하고 싶었던 돌멩이의
> 아브라함이 되어
> 혓바닥 그 돌멩이의 불이 붙어 활활한,
> 아우성의 아벨들의 카인들의 대열
> 쏟아져 내리는 또약볕을
> 아벨들 간다.
>
> ─「사도행전」

여기서 결단이란 <당신>의 그 뜻에 대한 순응과 대항의 선택을 의미한다. 선택이란 의인과 죄인 두 자아 중 하나의 선택을 말한다. 여기서 의인의 길을 택한자는 <당신>의 뜻에 순명하는 의인이 使徒이다. 「사도행전·3」은 자아개체 형성의 원초적 실상이 <당신>의 뜻에 의해 물·불·흙·바람·빛 등의 원소로 이루어짐을 들려준다. <당신>의 뜻에 의해 생성된 자아의

---

8) 오규원, 『현실과 극기』, 문학과 지성사, 1982, p.133.

실체를 <너>라는 분신으로 재생·체험하면서 바람이 넋이 되고, 흙이 살이 되고, 빛이 혼이 되고, 불이 사랑이 되도록 <당신>이 숨결을 불어넣은 것을 상상하고 인식한다. 「사도행전·9」에서도 자연과 현실의 사물인 모래알, 꽃, 별, 낙엽, 갈대 등에서 자신을 발견하면서 <당신>을 만나며, 「사도행전·11」에서는 갈보리 언덕의 聖체험을 자기화시키며 외적 저항에서의 자신의 극복을 개척한다. 이처럼 일련의 詩들에서 <나>와 <당신>이 밀접한 거리를 유지하며 동질성과 일체감을 새로이 깨닫는다. <나>와 <당신>이 하나로 화합, 기쁨 충만한 행복감을 얻는 것, 그것은 신앙의 肉化가 이루어진 것으로 기원(祈願)적 차원의 삶, 진정한 의미의 자기 존재를 분명히 하는 과정으로 빛으로의 인도이자 자아의 개척이다. 두 자아 사이에는 일정한 간격이 없다. 이 두 개의 자아는 하나의 자아를 형성하면서 종교적 직관과 시적 감수성을 통합하게 된다. 구원과 부활에 관련된 의식이 신앙적 자아라 하면, 시적 자아는 신앙적 자아가 이루어지기를 비는 감각적 형상화에 관여된 서정성의 확대이다. 여기에서 내면의 세계로 눈을 돌린 시적자아는 신앙과 예술의 합치를 통해 신 앞에서 낮은 음성으로 일체의 것을 간구하는 수도자의 모습으로 드러난다. 그러나 이러한 신은 나를 버리는 데서 출발하지 않고 자아에 눈떠 허무의 심연을 바라볼 때와 내가 단독자로서 출발할 때 찾아지는 것이다.9)라고 김용직은 말한다.

3. 시의 미학적 공간

『水石列傳』은 박두진의 시집으로 연작시로 발표한 시편들이다. 작품마다 일련번호가 매겨져 낱낱의 작품들은 각각의 독립된 성격을 갖는다. 시인은 수집한 수석마다 각각의 이름을 붙이고 그에 따라 나름의 주제를 불러내어

---

9) 김용직, 「詩와 신앙」, 『한국문학의 비평적 성찰』, 민음사, 1974, p.203.

일정의 틀을 짠 것으로 짐작된다. 대상과 나(시인) 사이에 만남, 이 만남을 통해 획득되어진 그 명칭과 나 사이의 또 하나의 만남이 영위되는 것으로10) 수석이라는 대상과의 만남으로 詩의 미학적 공간으로 자리를 잡는다. 수석은 當時代的인 것과 永時代的인 세계가 압축된 것이라 해도 무방하다11)는 견해도 가능해진다. 수석은 시인이 사물과의 대면을 이루는 서정적 인식의 직접 대상이며, <當時代的인 것과 永時代的인 세계가 축소된> 실체의 모습이다. 이는 시인의 의식속에 살아 있는 내재적 의미체요 詩의 미학적 공간으로의 의식공간이다.

1) 소재적 유형으로의 축소

존재란 선험적 주관에 의해 구성된 의미만으로 그 존재의 타당성을 얻게 되며12) 모든 초월적 존재는 의식과 대상과의 가장 원초적인 관계(공간)에 의해서 이해되어 진다. 현상학에서 <현상>이란 이 같은 의식체험의 공간을 의미한다. 박두진의 시에서도 수석은 단순히 감상적이거나 개념적 의미의 객관적 사물이 아니라 시인의 의식속에 지향의 대상으로 존재하는 공간적 실체로 남는다. 수석과의 만남은 영혼이라는 깊은 심연 속에서 시인의 원초적 순수성을 무한대로 축소시키고 그것으로 하여금 초월적 의식공간으로 빠져들게 한다. 소재적 측면에서는 지금까지 지속되어 온 산이나 바다 등 스케일이 큰 자연이라는 소재들을 돌(水石)로 단일화시켜 그 유형 속에 축소시키고, 주제 공간은 보다 확대시켜 놓았다고 보여진다. 그것은 수석을 통해 자연과 詩가 단순히 합일화의 경로를 밟는다는 의미 이상의 의미를 지니고 있다는 점에서 연유되는 이유이다. 이에 대한 단서를 마련해 주는 시인의

---

10) 천이두, 「자연과의 역설적 만남」, 『문학과 시대』, 문학과지성사, 1982, p.221.
11) 박철석, 「박두진론」, 『한국현대시론』, 학문사, 1982, p.248.
12) 이진홍, 「서정주의 '국화옆에서'」, 『한국현대시의 이해』(영남어문학회편), 문학사, 1987, p.176.

말을 들어보자.

　자연의 정수이자 핵심, 자연이 가진 자연이 보여주는 어떤 구심적이며 초
월적인 본체의 한 현현을 보게 될 때, 그것은 곧 내가 지녀 온 시의 정신,
그 지향과 이상, 꿈과 바람의 가장 순수하고 탄력적인 대응을 체험하게 된
것이다.
―『水石列傳』 자서

　위의 글에서 '초월적인 본체'를 보게 되는 것은 시인으로서는 시적 인식
의 새 지평이며 詩정신으로서 갖게 되는 '지향과 이상', '꿈과 바람'등에 대
한 확대이자 축소로 연결되는 미학적 체험공간이다. 박철희가 『수석열전』으
로 대표되는 그의 시세계를 수석 속에 갖추어진 사물의 내재적 의미의 집요
한 추구이며 인간의 유한성과 한계성을 초월하는 존재에 대한 반성이며 증
언[13]이라고 본 것은 타당성이 인정된다할 수 있다.

　이 세상 모두가 참으로 당신의 것
　당신이 계실 때만 비로소 뜻이 있고 내가 나일 때는 뜻이 없음은
　당신이 당신이신 당신 때문입니다
　나는 당신에게서만 나를 찾고
　나에게서 당신을 찾을 수 없습니다.
―「저 孤獨」

　동반자로서 서정적 분신인 <당신>은 <나>와는 차원을 달리한 내면적
조응(照應)을 갖는다. 조응관계는 『완벽한 산장』에서는 영원한 침묵 속에 있
는 <너>의 존재를 찾게 하고, 『乳房』의 작품에서는 시적 자아의 내면 속에
<그대>를 설정, 내가 가슴을 열지 않으면 가까이 들여다 볼 수 없는 순결
과 꿈의 봉오리로 상징된다. 『묵시록』은 "너와 나 닿고자 하는 언덕의 사랑

---

13) 박철희, 「박두진론」, 『서정과 인식』, 이우출판사, 1982, pp.147~148.

이여 / 이루고 싶은 그 꿈의 꼭대기"라고 하여 초월적인 사랑의 심상을 구원적으로 읊고 있다. 또한『너의 隆起』에서도 "그 죽어도 다시 살을 / 오직 하나 불씨 / 서로 보며 불 튀는 눈과 눈의 영원 / 포옹에 그 육신으로 영으로 / 푸득거릴 / 어떻게 너에게 닿을까 / 사랑이어"라고 한 것도 영육이 인내와 사랑의 불꽃으로 점화되기를 갈망하는 열정에 차 있다. 이처럼 자아는 자연과 현실 사이에서 현실적 갈등의지의 저항 형태로 드러나지 않고 화해의 폭을 넓혀 상상의 포용력으로 대체되고 <초월적 본체>에 대한 동일성 회복의 현실인식적 樣態로 부각되고 있다. 박두진의 시편들은 그 무엇으로도 단순하게 규정할 수 없는 실체로서의 인식이자 상징으로 드러난다. 그의 詩는 대상을 추상적 관념으로 다루기 때문에 외부에서의 울림의 크기가 내부로 잦아들 때, 그것은 압축 내지 축소의 형태를 취하기 때문에 현실의 실재성이 서정적 인식과 만나지 않으면 공감의 영역이 넓지 못하여 축소지향적 공간으로 나아간다. 수석은 분명 그의 詩를 형성하는 압축(축소)된 제재로서 시적 자아와 신앙적 자아 사이의 교량 역할로 서정적 긴장을 유지 내지 완화시켜 주고 있다. 그렇지만 그에게 존재의 기본 형식은 신앙이다. 시의 의미적 공간은 그 만큼 제한적 수준에 머물지만 무한한 신앙적 내밀성과 융화를 받아들일 때 詩의 미학적 공간은 축소되는 공간에 머문다.

2) 체험적 공간으로의 확대

작품이란 언제나 그 作者를 떠난 독립된 對象으로서 끊임없는 歷史의 심판과 嚴正한 문학적 비평을 甘受하지 않을 수 없는 宿命을 지니고 있기 때문이다.

—『水石戀歌』자서

위의 글을 보면 그는 문학작품을 작자와는 별도로 객관적 대상으로 얼마나 철저하게 파악하고 있으며 "역사의 심판과 엄정한 문학적 비평"을 감수하며 각오하고 있는가를 알 수 있게 한다. 『水石列傳』에 이어 나온 『水石戀歌』는 그의 시적 체험의 완숙한 경지를 보여주고 있다.

돌밭의

돌들이 날더러 비겁하다고 한다.
돌들이 날더러 어리석다고 한다.
돌들이 날더러 실망했다고 한다.

[……]

그렇게 내가 손들고 일어서서
진실로 한점
돌이 될 것을 선언하자.

이때 천천만 돌들의
그 돌 속의 불, 돌 속의 물, 돌 속의 빛, 돌 속의 얼음, 돌 속의 시, 돌 속의 꿈,
돌 속의 고독, 돌 속의 눈물, 돌 속의 참음, 돌 속의 힘, 돌 속의 저항,

돌 속의 의지, 돌 속의 평화, 돌 속의 사랑
돌 속의 자유
돌 속의 우주, 돌 속의 환희
있는 것 일체 모두
하나로 엉켜,
하늘 천지 땅 천지 둥둥 뜨는 함성
만세 만세 돌들의 외침 끝이 없었다.

ー「水石 會議錄」

위의 시에서 우리는 『수석연가』가 지닌 전체적 작품의 성격을 내비치는 의미적 요소인 고도의 비유와 만나게 된다. 시적 화자인 <나>는 <돌>과

만나면서 돌에 의해 나의 의식을 깨닫게 된다. 잠재된 의식을 깨고 수동적 나태와 소극적 자세를 깨우치는 일을 돌을 통해 토로하고 있다. <돌>이 <나>로 하여금 시를 쓰도록 <나>가 <돌>의 뜻을 알고 세계가 돌의 내면을 두드려 열리게 함으로써 시적 화자가 <돌>이 되어 스스로를 문책할 때, 그것은 바로 사회적 자아를 갖게 되고 체험적 공간으로의 확대를 의미한다. 박두진의 시에서 '연'이나 '행'은 리듬을 효과적으로 배열하고 이미지나 어조를 드러내는 가장 기초적인 단락으로 이러한 경쾌한 리듬을 김춘수는 "妙한 屈折"[14]이라 부른다. <돌>이 '의지'가 되고 '평화'가 되고 또한 '자유'로 승화된 것은 돌 자체의 속성 때문이 아닌 <돌>을 바라보는 시적 자아와 관련지어 지면서 그 의미 변화가 주어지기 때문에 볼 수 있다. <나>와 <돌>은 미학적 공간에서 <돌>에 대한 시적 자아의 초월적 인식은 시작되고 그것은 말없는 '함성'과 '외침'이란 언어로 잠재되어 드러난다.

> 둑 아래 맑은 웅덩이에 붕어떼 노는 것이 보였다. 금붕어였다. 붉은 빛, 깜정 빛, 무지개 빛 열대어였다. 잡고 싶었다. 어릴 때 마음 그대로, 훌훌 벌거벗고 뛰어들어 모조리 움켜서 잡고 싶었다. 가슴이 두근댔다. 잡을까 망설이는데 이상했다. 갑자기 붕어가 간 곳 없고, 한 마리씩 한 마리씩 호랑나비가 되어 하늘로 날아갔다. 마음이 언짢고 슬펐다. 그렇고나 내가 지금 고향으로 낙향을 온 거지, 정말 그렇게 절실하게 실감이 나는 실감, 그 죽음의 도시 서울, 모든 것 다 버리고 영원히 이곳으로 낙향을 온 거지, 혼자서 엉엉 울면서 걸었다.
>
> —「平原石 異變」

설화적 모티브의 이 작품은 꿈속에서 웅덩이의 붕어들이 호랑나비가 되어 하늘로 날아갔으며, 독사에 잡힌 청개구리가 땅 재주를 넘더니 독사를 삼켜버리고 난 뒤 다시 두꺼비가 되어 하늘에서 내려오는 금빛 열 개의 햇덩어리

---

14) 김춘수, 『의미와 무의미』, 문학과지성사, 1976. p.94.

를 삼켜버리지만 <나>만 혼자 들판에 남아 서 있게 된다는 내용을 담고 있다. 서정적 자아가 한계 상황 속에서 체험적 공간을 통해 고독을 체험하고 그것으로부터 벗어날 때 <당신>과 실존적 만남이 이루어질 수 있음을 말하고 있다. 깊어가는 고독을 참고 견딤으로써 신앙의 깊은 체험을 유지, 확대하게 되고 눈물은 고통이나 슬픔에서 주어지는 눈물이 아닌 <나>와 일체화되는 기쁨의 눈물임을 드러낸다. 『수석연가』는 서정적 충동이 세련된 시적 표현기법과 합치되어 보다 선험적·원초적 아름다움으로 대치된다는 사실이며 수석에 이끌리는 정서적 경험은 마침내 존재의 본래성을 되찾는 주제의식으로 체험적·선험적 공간을 통해 확대되는 미학적 공간으로 남는다.

이처럼 자아와 인식사이에서, 즉 자연과 현실사이에서 빚어진 갈등은 적절한 여과장치를 마련해 놓지 않으면 그에 따른 갈등은 증폭되고 분열의 과정을 밟는다.

> 네가 홀로 잠들어 있을 때 나는
> 네 곁에 깨어 있고,
> 내가 홀로 깨어 있을 때
> 너는 내 곁에 조용히 자고 있다.
> > ─「立像 또는 사랑의 無限空間」

> 내가 잠들 때 너는 깨어 있고
> 내가 깨어 있을 때 너는 자고 있다

> 내가 외로와 품안에 너를 끌어안으려 할 때
> 너는 놀라서 파닥닥 하늘로 날아간다.
> > ─「비둘기, 돌」

위의 시는 너와 내가 합일되지 못하는 서로의 갈등은 멀리 떠나 있다. 네가 잠들어 있을 때 나는 깨어 있고, 내가 깨어 있을 때 너는 자고 있는 가깝고도 먼 他者인 '너'라는 대상을 두고 시적 화자는 체험적 공간에서 실존적 외로움이 확대되고 있다. 내가 외로이 지상의 존재로 남아 너를 자연적 현실공간에서 찾을 때 너는 천상적 존재(새)로 변신되어 현실적 인식의 공간에 머물고 있다. 자연과 현실의 틈새에서 피부로 느끼고 부딪치는 현실인식의 끈은 그렇게 미학적 공간에서 외줄에 육신을 의지한 채 밀집된 공간에 산재해 있다.

멀리에 너를 두고 생각할 때
언제나 너는
너무 가까이 내 곁에 바로 있다.

아주 가까이
너를 내 앞에 마주 볼 때
너는 언제나
너무나 멀리 멀리 내게서 멀어간다.

－「絶頂記」

자아 속에서의 서정적 인식이 강화되면 자아는 자연과 현실과의 대립과 갈등은 서서히 해갈되기 시작한다. 시인이 먼 발치의 '너'를 가까이 불러 대면하기를 바라고 있을 때일수록 오히려 내 마음과는 달리 심정적 거리를 느끼게 되는 현실은 언제나 단절과 갈등 속에 내재해 있다. 이처럼 서정적 긴장은 야기된다. 더 이상 자아와 자연현실 세계와의 폭(간격)이 좁혀지지 않을 때에는 역설적 논리이지만 서정(현실인식)은 화해의 길을 내어놓는다.

4. 결 론

<청록파>라는 이름을 끝까지 지켜 온 박두진에게 있어서의 詩는 기독교 신앙과 함께 그의 개인史(personal history)를 거의 지배해 온 개념이며 두 축

으로 종교적 직관과 시적 감수성을 바탕으로 했다고 볼 수 있다. 그의 詩세계는 祈願의 형태를 갖는 자연에 대한 관심으로부터 출발하여 차츰 현실로 기울어져 마침내 기원과 현실이 통합되는 존재양식에 접근해 온 것으로 이해된다. 개인적인 구원의식 보다는 민족단위의 구원과 그 인도를 神에게 호소하고 간구하는 예언자적 모습으로 작품에 서정성이 충분히 스며들지 못한 연유로 인해 "기독교에 바탕을 둔 斗鎭의 종교적 意志의 시는 친밀하게 시화하지 못한 것이 사실이다."15)라는 견해가 들리기도 한다. 갈망의 세계와 歸依의 세계가 역설적 상관 관계를 드러낸다. 시집 『청록집』이나 『해』는 주요작품들인 <香峴> <墓地頌> <해> 등이 보여주듯 갈망의 세계를 형이상학적 차원으로 일원화시켜 관조적이라기 보다 감각적으로 파악하여 메시아적 이데아 세계를 기다리고 예비하는 자세를 담고 있다. 시적자아는 오랜 갈망 끝에 모성회귀의 귀의처를 찾는다. 갈망과 귀의의 대상으로서 시인의 의식속에 자리잡은 자족적 실체인 자연은 인간에 의해 그 의미가 주어지는 감각적 대상의 자연으로 현실인식의 대면적 실체이다. 종래의 무기력하여 자연에 대한 감상적 범주를 벗어나지 못한 시들을 극복하고 보다 곧은 구원적 자세, 생동감 넘치는 삶의 의욕이 분출되어 나오고 斗鎭은 자연을 自己化하여 그 다음 詩化하는16) 데 성공한 시인으로 우리 詩史에 남게 된다. 그의 초기시에서 자연은 갈망과 귀의의 두 축을 포용하는 祈願의 대상인 것이다. 그러나 갈망과 귀의가 가능하더라도 이 때 일시적인 것임을 알게 된 시인은 자연에서 화해와 포용의 공간과 일체가 되지 못한 자아를 깨달은 연후 현실로 다시 내려오는 연유(緣由)를 갖게 된다. 그의 시적 자아는 민족 현실과의 부단한 교섭으로 문학적 감동을 낳는다. 시를 통해 사회현실이나 민족역사에 대응하여 인간의 德目인 행동양식을 제시한 것이다. 그는 시인과 현실과의 관계를 설정하고 인간적 존재자체가 부정되거나 민족의 역사가 위기에

---

15) 오탁번, 『현대문학 산책』, 고려대 출판부, 1976, p.168.
16) 김혜성, 『한국현대시비평』, 동서문화사, 1979, p.265.

처해 있을 때, 사회 현실에 대한 참여를 기피하지 않았던 바람직한 시인의 길을 보여 준 것으로 파악된다. 그의 현실은 매우 비관적으로 인식되었으며 항상 天上의 세계에 대한 갈망과 자연에의 귀의를 내심 바래왔고 또한 그 현실을 극복, 미래 지향적인 역사의식을 갖고자 했다.

박두진의 현실 인식은 크게 두 방향으로 나타난다. 그것은 내적 저항과 외적 행동의 양태인데 전자는 '고통의 인식'을, 후자는 '극복의지'라는 형태를 갖는다. 여기서 현실은 <있는 현실>과 <있어야 할 현실>로 가정할 때, <있는 현실>이 일상의 타성을 지니고 있다면 <있어야 할 현실>은 보다 이념 지향적이다. 그의 작품세계는 대체로 기다림의 뜻을 중심으로 영원성과 무한에의 지향이자 고통의 인식이기도 하다. 현실을 역동적으로 자각한다는 것은 현실을 고통으로 느낀다는 것이며 나아가 극복의지라는 말로 이어진다. 고통의 인식을 통해 이루어진 자연·현실에 대한 극복의지는 <나>의 힘이 아닌 <당신>이라는 서정적 주체자 神이라는 절대자의 힘에서 가능해진다. 이렇게 볼 때, 시인은 한계적 굴레로부터 자유롭게 풀려난다. 자연과 더불어 현실에 대한 자각은 그에게 있어 대립과 갈등을 해소하며 현실인식 공간은 살아있는 자족적 실체로서 자연과 질서의 압축이며 縮圖이자 詩의 미학적 공간으로서의 현실체험적 확대이다.

필자는 박두진의 시편들을 대상으로 주로 의미구조와 관련시켜 자연과 현실인식이라는 내면 풍경을 살펴보았다. 그의 시적 생명은 자연과 현실 사이에서 신앙을 바탕으로 근원적 진실에 있으면서도 가장 이념지향적 삶을 살았던 至高한 자세에 있다. 우리가 그의 詩에서 본받을 수 있는 것은 높고 올곧은 정신의 기품이며 지칠 줄 모르고 미지의 세계(현실)와 부딪치고 삶을 사랑하면서 창작의 고삐를 늦추지 않았던 의욕적 열정이다. 그는 몇 마디 재치 있는 기교로 시를 다듬거나 짜맞추려 들지 않고 굵은 선을 외곬으로 지니고 있었다는 점에서 인식의 안목을 상점에 올려놓았던 시인이었다. 🔳ㄷ

▪ 참고문헌

신동욱, 「해와 삶의 원리」, 『박두진 전집2』, 범조사, 1982.

김준오, 『시론』, 문장사, 1982.

이승훈, 『시론』, 고려원, 1979.

김상선, 『문장 수사학』, 일조각, 1972.

김재홍, 「박두진론」, 『한국현대시인연구』, 일지사, 1986.

이승원, 「청록파시의 자연표상」, 『근대시의 내면구조』, 새문사, 1988.

하현식, 「박두진론」, 『한국시인론』, 백산출판사, 1990.

정의홍, 「박두진의 해」, 『한국현대시작품연구』, 한국시문학회편, 학문사, 1989.

박철희, 「박두진론」, 『서정과 인식』, 이우출판사, 1982.

정지용, 『문장』지, 1940년 1월호 추천사.

김동리, 「자연의 발견, 삼가 시인론」, 『문학과 인간』, 청춘사, 1952.

오세영, 「휴머니즘 옹호와 자연의 의미」, 『박두진전집8』, 범조사, 1984.

박이도, 『한국현대시와 기독교』, 종로서적, 1987.

김형석, 「시간의 종말론적 성격과 그 구조」, 『인문과학』(조의설박사 환력기념논총)
    제14, 15학집

오규원, 『현실과 극기』, 문학과 지성사, 1982.

김용직, 「시와 신앙」, 『한국문학의 비평적 성찰』, 민음사, 1974.

천이두, 「자연과의 역설적 만남」, 『문학과 시대』, 문학과 지성사, 1982.

박철석, 「박두진론」, 『한국현대시인론』, 학문사, 1982.

이진홍, 「서정주의 '국화옆에서'」 『한국현대시의 이해』(영남어문학회편), 문학사, 1987.

김춘수, 『의미와 무의미』, 문학과 지성사, 1976.

오탁번, 『현대문학 산책』, 고려대 출판부, 1976.

김해성, 『한국현대시 비평』, 동서문화사, 1979.

차한수, 「시적신념과 자연」, 『비극적 삶과 시적 상상력』, 지평, 1992.

조창환, 「박두진의 묘지송」, 『한국현대시작품론』(김용직, 박철희편), 문장, 1983.

김춘수, 『시론』, 송원문화사, 1975.

박두진 시에 나타난 '신자연(新自然)'의 의미와 특성

김신정*

1. 시와 자연

자연은 시인에게 가장 오래되고 보편적인 주제 가운데 하나로 노래불려져 왔다. 낯선 미지의 대상으로서의 자연을 모방함으로써 그 모방의 방식이자 산물로서의 시를 통해 자연이 주는 공포와 두려움에서 벗어나려했던 시초의 존재방식에서부터 서정을 의탁하는 시인의 친숙한 대상으로서 혹은 인간의 외부에 실재하는 심미적인 관조의 대상으로서, 시인이 포착하는 자연의 의미 또는 자연의 형상화 방식은 다양하게 변천되어왔다.

동서고금의 시인들에게 자연이 두루 보편적인 형상화 대상으로서 다루어져왔지만, 자연에 대한 태도와 그 의미는 동양과 서양의 시에서, 그리고 근대 이전과 이후를 기점으로 각기 차이를 보인다. 그 차이를 간략히 대별해 본다면, 서양의 낭만주의 시가 대체로 외부세계로서의 자연경치보다는 자연에 대한 시인의 정서적 경험, 또는 그러한 경험의 이면에 있는 보편적 원리에 대한 암시를 중요시하는 반면, 동양시에서 자연은 서구 낭만주의 시에서처럼 시인의 주관적 변형의 대상이나 시인의 정서를 드러내기 위한 배경으로서 존재하지 않는다. 자연은 시인의 마음의 부속적인 요소가 아니라 시인

* 경원대 강사. 저서로『정지용 문학의 현대성』이 있음.

자신도 그 한 부분으로 존재하는 더욱 큰 자연의 힘과 원리와 율동의 일부분이다. 시인이 자연경치를 삼켜버리는 것이 아니라 자연 속으로 들어가 자신을 바깥에서 바라보는 것이다.[1]

그러나 비록 시적 자아의 역할과 성격이라는 면에서 차이를 보인다 하더라도, 근대 이전의 인간은 자연과의 교감을 통해 정서적 합일의 경험을 누릴 수 있었다는 점에서 동일하게 행복한 인간들이다. 근대 테크놀로지의 물신성이 확산될수록 현실로부터 벗어나 자연을 찾고 그와 교감함으로써 느끼는 인간의 행복은 일시적인 것이 되거나 점차 활력을 잃게 된다. 이같은 과정에서 순진한 자연미보다 기계적 인공미의 예술적 가능성이 부각되고 찬양된다거나, 혹은 사물화된 근대사회 속에서 '고립된 성소'와 같은 자연의 가치를 예술 속에서 회복하고자 하는 움직임이 일어나기도 한다. 최근 인간이 자연의 일부임을 강조하며 자연의 순환적 질서를 되찾으려는 생태주의의 기도는 후자의 예가 근대에 대한 비판과 대안 모색이라는 차원에서 좀더 적극적으로 나타난 예로 볼 수 있을 것이다.

한국 문학에서도 자연은 지속적인 관심의 대상이 되어 왔다. 사대부의 시가에서 도가적 이념의 현현으로서 등장했던 자연이 감각적 실재로서 재발견된 것은 서구와 마찬가지로 근대 이후의 일이다. 그러나 근대의 물신성이 전면화되기 이전에 식민지 체제라는 억압적인 근대적 경험을 거쳐야 했던 한국의 시인들은 자연과 대비된 인공미에 열광한다거나 황폐화된 근대적 자연 앞에 좌절하기 보다는 예술적 창조의 원천으로서 혹은 신성하고 이상적인 삶의 지향으로서 여전히 시를 통해 자연을 추구하는 길을 택했다.

이 글에서 궁극적으로 살펴보려 하는 시인 박두진 역시 한국 근대시의 이같은 흐름에서 크게 벗어나지 않는다. 박두진은 1940년 정지용의 추천으로 『문장』에 등단할 때부터 "신자연(新自然)"[2]의 시라는 평가를 받았다. 이후 그

---

1) J.W.밀러, 문상득 역, 「영국 낭만주의와 중국 자연시」, 『해외문예』 3, 1979, 한국문화예술진흥원, pp.71~96 참조.
2) 정지용, 「詩選後」, 『문장』 제2권 제1호, 1940.1.

의 시에 나타난 '자연'에 대해서는 "원시적 자연", '기독교적 의식의 반영물', 또는 '관념화되고 도덕적인 특성'을 보여준다는 등의 해석이 뒤따랐다. 자연을 형상화한 식민지 시대의 다른 시인들, 특히 함께 자연의 시인으로 분류되는 청록파 시인들 중에서도 박두진의 시가 독특한 점은 자연에 대한 시인의 태도와 그 시적 특성에 있다. 특히 그의 초기시는 대부분의 한국 시가 보여주는, 감정에 채색된 주관적 세계로서의 자연과 거리가 있을 뿐만 아니라 당대의 다른 시인들에게서 발견하기 어려운, 형이상의 세계를 과감하게 끌어들이고 있다. 정지용이 그의 추천글에서 "거기에는 김생이나 뱀이나 개미나 죽음이나 슬픔까지가 무슨 獸臭를 발산할 수 없이 白日에 서늘없고 푹은히 젖어 있습니다."[3]라고 평한 부분은 시인의 감정마저도 자연물과 마찬가지로 하나의 사물로 제시되는 박두진 시의 특성을 간파하고 있는 것이라고 볼 수 있다. 그러나 등단 당시 정지용이 박두진 시에서 지적한 자연 형상화의 특성이 후기 시세계까지 동일하게 나타나는 것은 아니다. '자연'은 박두진 시의 오랜 화두이지만 그 형상화 방식과 의미는 조금씩 다르다. 이 글에서는 그의 시에 나타난 '자연'의 의미와 특성에 주목하고 아울러 한국 근대시사에서 박두진 시의 자연형상화가 지니는 의미를 살펴보는 데 궁극적 관심을 두고자 한다.

2. 감각과 정신

등단 무렵 박두진 시에 나타난 자연의 모습은 일단 한국 근대시단에서 그리 낯익은 것이라고 할 수 없다. 전통적인 한국의 서정시에서 자연은 시적 자아의 주관적 투영물이거나 심미적 관조의 대상, 또는 현실의 고통과 세속적 번뇌에서 벗어날 수 있는 정신적 은거처로서의 의미가 강했다. 그러나 박두진의 시에서 자연은 시인의 내면과 마주한 미적 완상의 대상도, 감정적

---

3) 정지용, 앞의 글, 같은 면.

토로의 대상도 아니며 어떤 단일한 의미로 쉽사리 치환되는 상징물도 아니다. 그의 자연은 일단 자연물들의 연쇄적 배열로 이루어진 감각적 풍요의 공간이다.

아랫 도리 다박솔 깔린山 넘어 큰 山 그 넘엇 山 안 보이어 내 마음 둥둥 구름을 타다

우뚝 솟은 山 묵중히 업드린 山 골 골이 長松 들어섰고 머루 다랫 넝쿨 바위 엉서리에 얼켰고 샅샅이 떠깔나무 윽새풀 우거진데 너구리 여우 사슴 山토끼 오소리 도마뱀 능구리 等실로 무수한 짐승을 지니인

山, 山, 山들! 累巨萬年 너희들 沈默이 흠뻑 지리함즉 하매

山이여! 장차 너희 솟아난 봉우리에 엎드린 마루에 확 확 치밀어 오를 火焰을 내 기다려도 좋으랴?

핏내를 잊은 여우 이리 등속이 사슴 토끼와 더불어 싸릿순 칡순을 찾아 함께 질거이 뛰는 날을 믿고 길이 기다려도 좋으랴?

　　　　　　　　　　　　　　　　　　　　　　　　　－「香峴」 전문

이 시에서 '산'은 균질적이고 단일화된 대상물이 아니다. "아랫 도리 다박솔 깔린山" 너머에 다시 '산' 그리고 '산', 엎드리고 우뚝 솟아 있는 제각기의 '산'들과 그 속에 살고 있는 "머루 다랫 넝쿨", "너구리 여우 사슴" 등의 무수한 자연물들이 서로 "얼키"고 "우거진" 채 살아있는 '산'의 공간을 형성하고 있다. '산'이 어떤 원관념에 직접적으로 대응되는 것이 아니라 그것을 둘러싼, 그 속에 살고 있는 주변의 사물들과 연쇄적으로 늘어선 배열의 방식은 이 시의 시적 공간에 역동적인 움직임을 불어넣는다. 한 사물에서 또 다른 사물로 옮겨다니며 하나의 생명체로서의 '산'의 존재를 두루 환기시키

고 있는 것이다. 따라서 "흠뻑 지리"한 "침묵"의 공간은 부동(不動)과 정지의 공간이 아니라 어떤 기다림과 기대감이 감돌고 있는 공간, 또는 어떤 기운 (氣運)이 내재되어 있는 잠재적 공간이라고 볼 수 있다. 무언가 지루함을 느 낀다는 것은 실상 그 이면에 어떤 기대감이 전제되어 있다는 것을 뜻한다. "累巨萬年"의 "침묵"이 그저 "지리함"을 지나쳐 온 산 가득히 "흠뻑" 젖어있 을 때, 어떤 기운, 생명력의 원천으로서의 "침묵"의 공간은 "확 확 치밀어 오 르"는 "火焰"을 일으키고 온 산이 한 데 어우러져 "질거이 뛰는" 어느 날을 금세 불러올 듯도 하다.

이 시에서 볼 수 있는 것처럼, 초기시에서 자연에 대한 박두진의 태도는 "일단은 관조적이라기보다 감각적이다".4) 그리고 자연에 대한 그의 감각적 인 열중은 자연을 어떤 관념 속으로 밀어넣거나 감정으로 채색하는 것이 아 니라 그 자체로 생동하는 하나의 사물로 그려내고 있다. 이 점이 바로 그를 청록파의 다른 시인들과 구별하게 만드는 요소이면서 그때까지의 한국 근 대시사에서 찾아보기 어려운 '새로움'이라고 할 수 있을 것이다. 박두진의 독특함은 여기에서 그치지 않는다. 이미 김우창 교수가 지적했듯이 "자연에 의 감각적인 열중을 곧 정신적인 경험으로 변형시킬 수 있는 힘"5), 「香峴」에 서 본다면 '산'의 감각적 풍요로움을 생명력의 표상이자 정신적 비전과 자연 스럽게 결합시키는 방식이 그에게서 다시 '새로움'을 논하게 만드는 요인이 다. 인접한 사물로 넘나드는 환유적 배열, 그 과정에서 사물들의 질서없는 어 울림을 통해 이루어지는 시적 공간의 생동성과 자유로움에 대한 환기가 바 로 그에게서 한국 시의 '새로움'에 대한 가능성을 이끌어내고 있는 것이다.

「향현」과 마찬가지로 『문장』의 추천작인 「묘지송」에서도 이러한 태도는 발견된다.

---

4) 김우창, 「한국시와 형이상」, 『궁핍한 시대의 시인』, 1977, 민음사, p.59.
5) 김우창, 위의 글, 같은 면.

北邙 이래도 금잔디 기름진데 동그만 무덤들 외롭지 않어이.

무덤 속 어둠에 하이얀 髑髏가 빛나리. 향기로운 주검의ㅅ내도 풍기리.

살어서 설던 주검 죽었으매 이내 안서럽고, 언제 무덤 속 화안히 비쳐줄 그런 太陽만이 그리우리.

금잔디 사이 할미꽃도 피었고 삐이삐이 배, 뱃쫑! 뱃쫑! 멧새들도 우는데 봄볕 포군한 무덤에 주검들이 누웠네.

－「墓地頌」 전문

이 시에서 '무덤'은 죽음과 고립의 공간이 아니다. 이름모를 "주검들"이 "할미꽃", "멧새", "봄볕"과 더불어 "동그만 주검들" 사이에 나란히 누워있는 공간, 즉 다양한 개체들이 공존하는 공간이자 개체의 감각성으로 충만한 공간이다. '어둠' 속에 빛나는 "하이얀 髑髏", "향기로운 주검의ㅅ내", "인류와 친밀한"6) 멧새의 울음소리는 적막한 무덤가를 생명력의 현장으로 탈바꿈시킨다. 이 시에서도 역시 우리에게 친숙한 자연은 낯선 사물로 제시되고 있다. 시적 자아의 내면적 응시를 거쳐 새롭게 배열된 시 속의 자연은 다양한 개체성의 생성 공간이자 생명력의 잠재적 공간으로서 '죽음'이라는 사건의 의미를 역설적으로 전도시키고 있다. 그 결과 이 시의 '무덤'은 소멸과 고립이 아닌 평화와 생성의 공간으로 새롭게 창조되고 있다. 이처럼 사물의 감각적 풍요로움을 충분히 만개(滿開)시키면서 동시에 어떤 정신적 비전을 저버리지 않는 방식은 박두진 시의 고유한 특성이라고 할 수 있다. 이러한 방식은 해방 직후의 대표작 「해」에서 가장 뚜렷하게 나타나고 있다.

해야 솟아라. 해야 솟아라. 맑앟게 씻은 얼굴 고은 해야 솟아라. 산 넘어

---

6) 정지용, 앞의 글, 같은 면.

산넘어서 어둠을 살라먹고, 산넘어서 밤 새도록 어둠을 살라먹고 이글 이글 애띈 얼굴 고은 해야 솟아라. // [······] // 해야, 고운 해야. 늬가 오면 늬가사 오면, 나는 나는 청산이 좋아라. 훨훨훨 깃을 치는 청산이 좋아라. 청산이 있으면 홀로래도 좋아라. // 사슴을 닮아, 사슴을 닮아, 양지로 양지로 사슴을 닮아 사슴을 만나면 사슴과 놀고, // 칡범을 닮아, 칡범을 닮아, 칡범을 만나면 칡범과 놀고······, // 해야, 고운 해야. 해야 솟아라. 꿈이 아니래도 너를 만나면, 꽃도 새도 짐승도 한자리 앉아, 워어이 워어이 모두 불러 한자리 앉아 애뙤고 고운 날을 누려 보리라.

—「해」 부분

앞의 두 편의 시에 비해 「해」의 특징은 시적 자아가 전면에 나서서 강하게 진술을 이끌어나가고 있다는 점이다. 명령형의 반복과 잦은 쉼표, 그리고 누진적으로 첨가되는 어휘를 통한 구문상의 점층법적 사용[7]은 시적 자아의 고조된 감정과 어우러져 이 시의 시적 상황을 전체적으로 활력이 넘치는 공간으로 만들고 있다. 「해」에 나타나는 자신감있는 명령형의 어조와 강한 시적 주체 등의 특성들은 해방 직후라는 시대적 상황과 연관된 것으로 보인다. 정치·역사적인 것이든 개인의 일상에 밑바탕을 둔 것이든 변화에 대한 기대, 어떤 이상적인 것을 향한 간구와 열정이 고조화된 상황 속에서 「해」의 다짐과 소망의 어조가 가능할 수 있었던 것이다.

그러나 무엇보다도 이 시에서 시적 자아의 열정과 희망을 뒷받침하고 있는 것은 반복·점층의 구문과 대응하는 사물의 환유적 배열 방식, 또한 그러한 사물이 인간의 구체적인 감각적 경험을 무시하지 않는 방식으로 제시된다는 점에 있다. "맑앟게 씻은 얼굴", "이글이글 애띈 얼굴"로 솟아오르는 아침 해, "훨훨훨 깃을 치는 청산"과 "한자리에 앉"아 노니는 "꽃", "새", "짐승"들의 형상, 그리고 적절한 의성어, 의태어의 구사 방식은 이 시의 자연물들을 어떤 '변화'의 힘이 잠재되어 있는 원천으로서 역동적인 생명력의 현

---

7) 조동구, 「박두진 시에 나타난 자연」, 『혜산 박두진의 시세계』, 한국문학연구학회, 제51차 학술 심포지엄 발표문, 1999.11.13., p.4.

장으로 그려내는 데 핵심적인 역할을 하고 있다. 이들 자연물의 감각적인 형상은 이 시의 주요 심상인 '해'로 집약되면서 "애띠고 고운 날", 곧 순진무구의 이상향에 대한 꿈과 기대를 강하게 표출시키고 있다.

지금까지 세 편의 시를 통해 살펴보았듯이, 박두진의 초기시에서 자연은 생동하는 감각의 구현물이자 화해와 평화라는 정신적 비전의 표상이다. 감각의 생동성과 풍요로움은 그가 추구하는 정신적 비전을 관념적으로 추상화하지 않으며 또한 그의 비전을 역사·정치·종교 등 다양한 차원에서 읽게 만든다. 특히 자연을 주관의 투영물로 제시하거나 이념으로 대치하는 것이 아니라 하나의 감각적인 사물로 제시하는 방식은 그때까지의 한국 시의 '새로움'으로 평가할 수 있을 것이다. 그러나 초기시에서 이상적으로 형상화되었던 감각과 정신의 결합은 이후의 박두진 시에서 다른 양상으로 드러나고 있다. 그 변화된 양상을 다음 절에서 살펴보기로 한다.

3. 자연과 인간, 신, 혹은 역사, 현실

박두진 중기시에 나타나는 '자연'의 형상화 방식이 초기시와 어떤 차이를 보이는 것은 분명하다. 그러나 그 차이가 초기 시세계와 급격한 단절 속에서 빚어지고 있는 것은 아니다. 초기시에 나타나는 박두진 시의 주요한 특징이 좀더 강화된 형태로 드러나고 있다고 볼 수 있을 것이다. 초기시에서 '자연'이 생동하는 감각의 구현물이자 정신적 비전으로서의 특징을 동시에 지니고 있었다면, 중기 이후의 박두진 시에서 전자의 성격은 약화되는 반면 후자의 특성은 점차 강화되는 양상을 보인다. 박두진 시에서 자연은 단순한 경치가 아니다. 자연은 신과 인간을 매개하는 관념의 매개체이거나 역사, 현실의 대응물로서의 성격이 강하다. 다만 초기시에서는 자연에 대한 시인의 감각적 열중으로 인해 자연이 지닌 생동성과 구체성을 잃지 않은 채 어떤 관념을 표상하고 있었다면, 이후의 시에서 자연은 어떤 관념, 혹은 존재를 증명하는 대상으로서 비중을 옮기게 된다. 그 중간 변화를 암시하는 작품으로 다음의 시를 보자.

> 일히들이 으르댄다. 양떼가 무찔린다. 일히들이 으르대며, 일히가 일히로 더불어 싸운다. 살점들을 물어 뗀다. 피가 흘른다. 서로 죽이며 작고 서로 죽는다. 일히는 일히로 더불어 싸우다가, 일히는 일히로 더불어 멸하리라.
>
> 처참한 밤이다. 그러나 하늘엔 별! 별들이 남아있다. 날마다 아직은 해도 돋는다. 어서 오너라. …… 황폐한 땅을 새로 파 이루고, 너는 나와 씨앗을 뿌리자. 다시 푸른 산을 이루자. 붉은 꽃밭을 이루자.
>
> —「푸른 하늘 아래」 부분

이 시에서 자연물은 실제적인 대상을 지칭하지 않는다. "일히", "양떼", "밤", "별", "씨앗"과 "꽃" 등의 자연물은 수난의 역사의 현장이자 당대의 현실적 상황을 암시하는 알레고리로서 기능하고 있다. "황폐한 땅" 위에서 "일히"와 "양떼"가 대비적 관계를 이루고 있으며, 밤/별, 땅/씨앗은 각각 현실의 부정성과 미래의 가능성을 환기하는 알레고리적 매개물로 사용되고 있다. 그런데 박두진 시에서 자연의 의미는 다만 여기에서 그치지 않는다. 역사, 현실의 알레고리로서의 자연은 궁극적으로 신이 부재하고 있는 세계, 혹은 신이 현현할 세계로서 의미를 지닌다. 이 시에서도 "푸른 산"과 "붉은 꽃밭"이 암시하는 세계, "난만한 꽃밭에서" 너와 내가 "마주 춤을 추며" "울며 즐기는" 세계는 현실의 부정성을 넘어서 시인이 기대하는 이상적 세계, 즉 신의 계시가 이루어지는 현장으로서 종교적 의미를 강하게 띠고 있다. 자연의 종교적 성격은 다음의 시 「午禱」에서 좀더 뚜렷하게 나타난다.

> 百 千萬 萬萬 億겹 / 찬란한 빛살이 어깨에 내립니다. // 작고 더 나의 위에 / 壓倒하여 주십시오. // 일히도 새도 없고, / 나무도 꽃도 없고, / 쨍쨍,

永劫을 볕만 쬐는 나혼자의 曠野에 / 온 몸을 벌거 벗고 / 바위 처럼 끓어, / 귀, 눈, 살, 터럭, / 온 心魂, 全 靈이 / 너무도 뜨겁게 당신에게 닳읍니다. / 너무도 당신은 가차히 오십니다. // 눈물이 더욱 맑게하여 주십시요. / 땀방울이 더욱 더 진하게 해 주십시요. / 핏방울이 더욱 더 곱게하여 주십시요. // 타오르는 목을 추겨 물을 주시고, / 피 흘린 傷處마다 만져 주시고, / 기진한 숨을 다시 / 불어 넣어 주시는, // 당신은 나의 主. / 당신은 나의 生命. / 당신은 나의 모두. ……// 스스로 버리랴는 / 버레같은 이, / 나 하나 꿇은것을 아셨읍니가. / 또약볕에 氣盡한 / 나 홀로의 피덩이를 보셨읍니가.

—「午禱」 전문

「푸른 하늘 아래」가 장차 신이 현현할 세계로서의 자연을 형상화한 데 비해, 「午禱」는 신과 인간이 만나는 종교적 의미의 '사건'을 그리고 있다. 여기서 자연은 신의 임재를 암시하는 상징물이거나 시인의 신앙심이 침윤된 대상물로서 의미를 띤다. 한 겹이 아니라 "百 千萬 萬萬 億겹"으로 빛나는 "찬란한 빛살"은 곧 "나의 主"이자 "나의 생명"인 신의 존재를 빗대어 환기하는 것이다. 시적 자아는 이처럼 '해'를 빌어 표상되는 신의 존재를 자신의 육체를 통해 체험하고 있다. "땀방울"과 "핏방울"과 "상처"는 신과의 합일의 체험을 육체적 표상을 빌어 응집시킨 것이다. "찬란한 빛살"로 암시되는 신의 존재와 "온 몸을 벌거 벗고" 신과의 합일의 체험을 간구하는 시적 자아는 이 시의 후반부에서 어떤 궁극의 지점에 다다르고 있다. "또약볕에 氣盡한" "나 홀로의 피덩이"는 비로소 '내' 안에 임재하는 신의 현현의 순간을 그리고 있다.

이처럼 자연이 지닌 그 자체의 감각성과 실재성보다 자연이 환기하는 관념적 구현물에 좀더 중점이 두어지면서, 초기 박두진의 시에 드러났던 생동감과 구체성은 크게 약화되고 있다. 중기 이후의 박두진 시에서 짙게 나타나는 것은 진술로서의 성격이다. 다음의 시에서 이러한 특징을 찾아볼 수 있다.

이제는 일어나야 할 때다. / 이제는 잠자던 意識의 나뭇가리에 활활 불을 당겨야 할 때다. / 이제는 죽은듯 식어져 차가웁던 잿더미에서 / 푸드득 푸드득 不死의 새새끼들을 날려올려야 할 때다. / 이제는 우리들의 精神 녹슬고 정체된 감정의 바다에 / 노한 파도밑으로부터 소용돌이쳐 올라오는 힘, / 잃어버렸던, 까맣게 잊어버렸던 스스로의 힘들을 불러일으켜야 할 때다. / 이제는 우리들의 나른하고 해이한 사상, 불투명하고 몽롱하던 관념, 비겁하고 추종적이던, 優柔不斷하고 無事安逸主義的이던 / 도피와 방종, 체념과 눈치와 아부로 썩어져가던 意志의 웅덩이로부터 / 헤어나야 할 때다. / [……] / 그렇게도 가지고 싶었던 / 우리들의 평화 / 그렇게도 가지고 싶었던 / 우리들의 民主主義 / 그렇게도 가지고 싶었던 / 하나의 나라의 永遠을 / 南北 自主 自由 統一 / 하나의 나라의 悲願을 / 아, 이것 하나 못 이뤄 보랴 / 우리겨레 能力 / 불붙이면 타오르는 겨레 얼의 그것 / 精神속의 思想속의 意識속의 그것 / 죽은듯 식어져서 차가웁던 잿더미에서 / 스스로는 몰랐던 그 푸르디푸른 생명의 深淵에서 / 한마리 백마리 천마리 만마리씩 / 不死의 새여 / 푸드득 푸드득 / 이제는 우리들의 날개를 퍼덕여 올려야 할 때다.

                            ―「不死鳥의 노래」 부분

초기시에서 다양한 자연물들의 연쇄적인 배열 관계를 통해 생동감있는 시적 공간을 구현한 데 비해, 위의 「不死鳥의 노래」에서는 '새'의 상징적 이미지를 통해 역사와 현실에 대한 비상(飛翔)의 의지를 펼쳐보이고 있다. 비상에의 의지는 "현실의 질곡으로부터의 저항", 또는 "이상적 경지에 도달코자 하는 지향"8)을 나타낸 것이다. 이처럼 '새'로 응집된 자연물의 표상은 부정적 현실 극복의 의지의 표현이면서 동시에 신의 세계에 가까이 다가가려는 천상적(天上的) 가치지향과도 관련되어 있다. 시인 박두진이 이 현실 가운데 이루려하는 세계는 그가 말하듯, "일체 惡"과 "일체 非"를 벗어버린 자유와 정의와 평화의 세계이다. 그러나 이때의 자유, 정의, 평화란 현실적이고 정치적인 의미를 강하게 띤다기 보다는 오히려 종교적 차원에서 해석하

---

8) 신동욱, 「시에 있어서 저항과 그 지속의 의미」, 박철희 편, 『박두진』, 서강대 출판부, p.165.

기를 유도한다. "도피와 방종", "체념과 눈치와 아부", "무한 횡포", "무한 아부"등 이 시에서 나열된 현실의 부정성이란 시인에게 곧 "신성을 몰각한 타락한 사회"[9]로서 받아들여진다. 이렇게 본다면 "不死의 새"의 상징을 빌어 그 지향성을 드러내고 있는 이상적 동경의 세계란 인간의 강한 의지 뿐만 아니라 신성(神性)의 회복을 통해서 실현될 수 있는 세계이다.

지금까지 세 편의 시를 통해 살펴본 것처럼, 박두진의 중기 시에서 '자연'은 신, 역사, 현실 등과 연관된 어떤 관념의 대응물로서 나타나고 있다. 개별 시편에서 때로는 부정적 현실에 대한 고발과 저항의 의지로서 혹은 신성(神性)에 대한 지향으로 시화되고 있지만, 궁극적으로 그의 시에서 신과 인간, 역사와 현실은 자연이라는 궁극적 존재로 합치되어가는 경향을 보인다. 후기의 일련의 신앙시집으로서 『사도행전』, 『수석열전』, 『포옹무한』 등은 그의 지속적인 종교적 의식의 심화를 보여주는 작품들이다. 그 중에서도 특히 『수석열전』, 『續 수석열전』, 『수석연가』 등은 가장 신성한 궁극의 존재이자 자연사, 인간사, 신성사를 합치시킨 존재로서 '수석'의 신비를 집요하게 형상화한 시집이다. 다음 절에서는 '수석' 연작을 중심으로 박두진 시의 '자연'의 의미를 검토하려 한다.

4. 수석 : 완벽한 자연, 유한한 인간

'수석'은 1970년대 이후 박두진 시의 대표적인 소재일 뿐만 아니라 그의 전체 시세계를 아울러 중요한 의미를 띠는 대상이다. 박두진 시에서 수석은 어떤 의미를 지니는가? 『수석열전』(1973)의 자서에서 시인 스스로가 밝히고 있듯이, 수석이란 그에게 "자연의 순수이자 핵심, 자연이 가진, 자연이 보여주는 어떤 求心的이며 초월적인 본체의 한 顯現"이다. 다시 말해, 자연의 본

---

9) 유성호, 한국문학연구회, 앞의 책, p.7.

질의 집약체이며 근원적 세계의 응축된 현상이 바로 수석인 것이다. 그러나 수석을 형상화한 수석시는 또다른 의미를 갖는다. 수석이 완벽한 자연의 세계, 혹은 신성(神性)을 구현하고 있는 반면, 인간의 손을 거쳐 창조된 수석시는 한 편의 예술작품으로서 수석 안에 내재된 신성한 완벽성의 세계에 끊임없이 일치하려 한다.

수석시에 형상화된 자연은 이전 시기 박두진 시에 나타난 자연의 의미와 적지 않은 차이를 지닌다. 이전의 박두진 시에서 자연과 그것을 형상화한 예술작품은 자연 그대로의 자연과 시 속에 들어와 예술화된 자연의 관계를 이루고 있었다. 이러한 관계를 기본으로 시 밖의 자연에 점차 관념을 투영하고 또한 시 속의 자연은 시 밖의 자연을 향한 경모(敬慕)의 진술 방식을 띠게 되는 것이 박두진 시의 기본방향이라고 할 수 있다. 특히 수석시 연작 시기에 와서는 자연이 어떤 의미의 구현체일 뿐만 아니라 하나의 초월적 존재로서 인식되며, 나아가 "자연이면서 예술품, 인간이 자연을 가지고 창조한 그 의도와 솜씨보다도 더 미묘하고 경이로운 존재물"[10], 즉 지고의 예술품으로서 받아들여진다. 신의 창조물인 수석 안에서 자연과 예술의 구분은 더 이상 의미를 잃게 되며, 더할 나위 없는 최고의 예술품 앞에서 수석시는 수석에 대한 예찬과 감탄 이외에 다른 태도를 취하지 못한다. 수석시의 한계는 이미 출발선에서 시작되고 있다고 볼 수 있다. 수석시의 기본적 특징을 몇 편의 시를 통해 검토해보자.

구름 위 푸른 이마 / 드설레는 바다를 잠재워 포옹하는 / 내 가슴 / 디디고 서서 / 지축의 흔들림을 버티는 / 내 무게의 전신을 아느냐. // [……] 영겁을 몸에 익은 찬 얼음 달빛 / 대로하면 뿜어올릴 안의 / 이 분화를 / 아 아직은 인내하는 의지의 이 오롯 / 찬란한 내 속의 속의 / 뜨거움을 아느냐.

―「인수봉」 부분

---

10) 박두진, 『하늘의 사랑, 땅의 사랑』, 문음사, 1969, p.337.

남한강 정한 물도 / 씻고 가기를 저어했다. / 옥순봉 바람결도 스쳐가기를
/ 저어했다. / 오월볕 싱싱한 햇살도 부끄러워할까 저어했다. / 흰 살결 앳된
자랑 / 흘려 되려 시름겨워 / 어쩔까 안의 바램 홀로홀로 다져왔다. / 하늘의
저 무한 푸르름은 너무 멀은 마음 / 혼자서 안의 외롬 희디희게 운다.

—「純潔」 전문

외형적인 면에서 위의 두 시편은 차이를 지니고 있다. 앞의 시 「인수봉」
의 시적 자아가 '인수봉'이라는 '산'의 탈을 쓰고 있다면, 뒤의 시 「純潔」은
시적 자아가 시적 대상을 향해 진술하는 형태를 보인다. 그러나 시적 자아
의 외형적 형태는 다르다 하더라도 시적 자아의 역할과 서술 방식 면에서는
동일한 요소가 두루 등장한다. 앞의 시에서 시적 자아는 '인수봉'이라는 시
적 대상을 향해 자신의 사고와 감정을 상상적으로 투사시키고 있다. '인수
봉'의 자기 진술은 사실상 '인수봉'과 일체화된 '나'의 진술이다. 뒤의 시 「
순결」역시 '하늘'의 "무한 푸르름"에 시적 자아를 투사시켜 동일화한 형태
를 보인다.

그러나 이처럼 자기 투사를 통해 진술을 주로 하는 방식은 대상의 개성적
특징을 시 안에 두루 살려내기 보다는 대상에 대한 '나'의 관념을 대상 속으
로 밀어넣게 되는 결과를 낳는다. 시 「인수봉」이 위엄있는 산의 자태를 통해
'열정'과 '절제'라는 주제를 응결시키고 있는 것은 그 예가 될 것이다. 또한
시 「순결」에서는 '하늘'의 '맑고 푸르름' 그 자체를 감각적으로 형상화하는
것이 아니라 '순결'이라는 이념으로 응축시키고 있다. 이러한 과정에서 박두
진 초기시에 나타났던 자연물의 생동감과 감각적 구체성을 다시 발견하기
는 힘들다. 그의 시 속에 들어온 자연은 관념으로 응축된 자연이며, 자연으
로서의 예술성을 크게 약화키시고 있다. 실제로 그의 수석시에서 제각기 다
양한 형태로 포착된 자연물들은 무한 역동의 생명력을 상실한 채 시인이 던
진 관념의 그물망 속에 갇혀 있다. 자연의 이러한 특징은 수석시의 창작 조
건에 이미 배태되어 있는 것으로 보인다. 자연을 추상화하고 다시 수석을

추상화하여 한편의 시로 빚어내는 과정에서 자연 본래의 생명력은 잃어버린 채 시적 자아의 관념적 대응물로서 역할하고 있다. 이러한 과정에서 박두진 시에서 차지하는 자연, 신, 역사의 관계망은 좀더 조밀하게 압축된다. 다음의 시는 자연, 신, 그리고 인간의 관계를 특징적으로 보여준다.

> 먼 항하사 / 영겁을 바람부는 별과 별의 / 흔들림 / 그 빛이 어려 산드랗게 / 화석하는 절벽 / 무너지는 꽃의 사태 / 별의 사태 / 눈부신, / 아 / 하도 홀로 어느날에 심심하시어 / 하늘 보좌 잠시 떠나 / 납시었던 자리. / 한나절내 당신 홀로 / 노니시던 자리.
>
> —「天台山 上臺」 전문

이 시는 '天台山 上臺', 즉 하늘에 솟은 높은 산의 가장 꼭대기 자리를 묘사하고 있다. 그러나 엄밀하게 말하면 '天台山 上臺'에 대한 묘사가 아니라 언젠가 잠시 그 '자리'에 "납시었던" "당신" — 신(神)에 대해서 형상화한 작품이다. 여기서 산의 바위는 더이상 있는 그대로의 자연이 아니라 신성화된 자연, 절대 성역의 자리로서 의미를 띤다. 따라서 그 '자리'를 바라보는 시적 자아는 신이 임재하던 그 거룩한 순간을 상상적으로 조형하고 있다. 이 시에서 자연은 이미 신의 형상을 취하고 있다. 그리고 신성화된 자연을 향한 인간의 태도는 인간적인 것을 최대로 절제한 채 다만 신성에 대한 숭모(崇慕)와 감탄만을 내비치고 있을 뿐이다. 그 감탄마저도 "눈부신, / 아"라는 단 두 행으로 응축됨으로써 인간적인 것으로 신성을 훼손시키는 우를 범하지 않는다.

이처럼 자연이 이미 자연성을 상실하고 관념화의 정도를 지나쳐 신성화되는 경우는 수석 연작시편의 곳곳에서 발견된다. "정강이로 오르고 / 무릎으로 오르고 / 가슴과 턱 / 이마로 올라가도 다다를 수 없어라"라고 노래하는 「至聖山」에서 '산'은 이미 '至聖'이라는 관념의 대응물이다. 또한 「완벽한 산장」 역시 수석이 구현한 절대적 초월성과 완벽성의 세계에 대한 예찬으로 흐르고 있다. 그러나 신성에 대한 경모와 예찬, 그리고 신과의 합일의 꿈은 그 한편에 인간의 자기한계에 대한 인식을 바탕으로 한다. 어쩔 수 없는 인간의 유한성을 긍정하고 또한 자각하고 있기에 초월적 존재에 대한 동경을 한편에 품을 수밖에 없는 것이다. 「靜」은 수석이 구현하는 완벽한 조형미 앞에서 지극히 인간적인 태도를 드러내놓고 있는 시이며, 「가을 絶壁」은 신성(神聖)을 멀리한 채 세속화되는 인간의 비극적인 상황을 형상화하고 있다. 그런데 '신'이 아닌 '인간'을 그린 시편 가운데서도 「청어(靑魚)」는 매우 독특한 작품에 속한다.

> 피도 흐르지 않는다.
> 소리질러도 안 들리고,
> 끊어진 향수의 먼 바다.
> 하늘에서 쏟히는
> 쑤시는 햇살의 켜켜의 아픔.
> 머리도 꼬리도 잘리운 채
> 피로 흐르지 않는다.
>
> —「靑魚」 전문

위의 시는 박두진의 수석연작시편 중에서 독특한 특징을 보여주는 작품이다. 시적 자아의 진술이 대상을 뒤덮거나 혹은 시적 대상을 관념화하는 것이 아니라 '靑魚'의 생생한 묘사를 통해 대상이 지닌 감각성을 살려내고 있다. 또한 대부분의 수석시편에서 대체로 '신의 세계', '완벽성의 세계'를 향해 동경의 태도를 강하게 내비치던 것과 달리, 인간의 한계상황 그 자체에 대한 철저한 인정과 자각을 표시하고 있다. '靑魚'가 뛰놀던 "먼 바다", 곧 자유로운 세계에 대한 동경은 여전히 한 편에 품고 있지만 동경은 동경으로만 머물 뿐, 모든 가능성과 자유가 차단된 상황 자체를 그리고 있다.

그런데 박두진의 시에서 어떤 경우에도 인간은 결코 신으로부터 독립된 존재, 혹은 신을 떠난 존재로 그려지지 않는다. 위의 시 「靑魚」에서도 구원의 가능성으로부터 절연당한 채 고통을 감내하고 있는 인간의 형상은 신을 버린 존재가 아니라 신으로부터 부여받은 소명을 완전히 벗어버리지 못한 채 지극히 인간적인 고통 앞에 견디고 있는 신-인간, 즉 '십자가 위의 예수'를 연상시킨다. 인간된 존재로서의 한계를 철저하게 자각할 수밖에 없는 상황 속에서도 유한한 인간 존재를 마치 그림자처럼 뒤에서 받치고 있는 신의 존재를 긍정하고 있는 것이다.

「靑魚」는 박두진의 수석연작시편 가운데 신과 인간의 관계를 가장 밀도 있게 그려낸 작품이라고 평가할 수 있다. 지극히 인간적인 것과 동시에 신성에 대한 긍정을 '靑魚'라는 자연물 속에 효과적으로 압축시킨 작품이다. 특히 초기시의 자연형상화 과정에서 드러나는 감각성과 생동감이 나타날 뿐 아니라 그러한 특징이 유한한 인간의 고통을 그려내는 데 효과적으로 기여하고 있다. 따라서 '자연'에서 '수석'이라는 추상화된 자연물, 그리고 다시 '수석시'로 단계를 거치면서 점차 관념화되는 다른 시편들과 차이를 보인다. 마치 '청어'라는 이름을 붙인 돌이 아니라 실제의 '청어'를 대상화하고 있는 것같은 효과를 낳고 있다. 이 같은 효과는 자연이 자연성을 상실하고 관념화되는 것이 아니라 시 속에 자연성을 되살려내는 방식으로 대상을 형상화하고 있기에 가능한 것이다. 시 속의 자연을 생생하게 살려냄으로써 한 편의 시작품이 지닌 자연으로서의 예술성을 동시에 추구하고 있는 것이다.

5. 맺음말 : 박두진 시의 '자연'과 한국 근대시

'신자연(新自然)'의 시라는 칭호와 더불어 등단한 이래, 자연은 박두진 시의 오래된 주제이자 중심적 화두로 그를 따라다녔다. 자연은 초기시의 집중된 소재로 그 의미가 그쳐버리는 것이 아니라 인간과 신, 혹은 역사, 현실과 기본적 연관관계를 이룬 채 지속적으로 형상화되고 있다. 초기 박두진 시에서 자연은 생동하는 감각의 구현물이자 정신적 비전의 표상이다. 초기의 대표작 「묘지송」, 「향현」, 「해」 등의 시에서 이러한 특징이 잘 나타나고 있다. 이후 그의 시에서 자연은 신과 인간을 매개하는 관념의 매개체, 또는 역사, 현실의 알레고리적 대응물로서 중요한 의미를 지닌다. 한편 10여년에 걸쳐 발표하는 수석연작시편에서는 자연의 본질의 집약체인 '수석'을 통해 신성에 대한 강한 지향과 인간의 유한성에 대한 자각을 드러내고 있다.

그러나 그의 전체시세계를 놓고 볼 때, 자연형상화 방식은 점차 초기시의 발랄한 감각성과 생동감을 상실한 채 관념화·추상화되는 길을 걷는 것으로 평가된다. 수석연작시편은 그 추상성이 가장 강하게 드러난 시라고 볼 수 있다. 초기시, 특히 식민지 시대에 창작된 시편이 다양한 개체들의 충만한 공간을 구현하며, 소재로서의 자연을 형상화하는 것이 아니라 시 자체가 하나의 자연을 이룬다면, 후기로 갈수록 그의 시는 예술작품이 구현할 수 있는 근원적 자연성을 점차 상실해간다고 판단된다. 후기의 시편에서 자주 발견한 수 있는 관념적이고 일방적인 진술로서의 시적 특성은 이러한 면에서 기인하는 것이다.

따라서 한국 근대시사의 흐름 속에서 박두진 시의 자연형상화 방식을 평가한다면, '신자연(新自然)'으로서의 의미는 다만 초기시에 제한되는 것으로 평가할 수 있다. 1930년대 후반, 그때까지의 한국시사에서 자연을 주관적 변이의 대상이나 관조의 대상이 아니라 그 자체로 생동하는 하나의 사물로서 제시한 예는 쉽게 발견할 수 있는 것이 아니다. 특히 자연이 지닌 감각적 풍요성을 그 자체로 살려내면서 또한 정신적 비전의 표상으로서 형상화한 방법은 충분히 한국시사의 새로운 가능성으로 평가받을 수 있는 점이다. 물론 이후의 그의 시에서도 형이상성에 대한 지속적인 추구의 태도는 한국 시의 보기 드문 영역을 탐구했다는 점에서 높이 평가될 수도 있을 것이다. 그러나 그 과정에서 그가 자연을 점차 관념화·추상화하며 예술로서의 자연성을 상실해가는 지점은 결코 그의 자연시를 상찬할 수만은 없는 난점으로 작용한다. 시란 시인의 사상이나 신앙을 대신할 수 있는 어떤 것이 아니라 그 자체로 하나의 '자연'을 이룬 것이기 때문이다. 🔒

박목월 시의 변모과정*

이희중**

1. 서 론

이 논문의 목적은 박목월 시 세계의 변모 과정을 해명하는 데 있다.[1] 1930년대에 한국문학이 이룬 성과를 자양으로 하여 문학적 수업을 시작했고, 등단 후 연배가 어린 덕분에 험난한 식민지 말기를 비교적 큰 정치적 과오 없이 지낼 수 있었던 젊은 문인들은 해방 이후 남쪽 문단의 주역이 되었다. 박목월은 이에 해당하는 대표적 시인이다. 그는, 1939년『문장』의 추천을 기점으로 한다면 1978년 무렵까지 40년의 시간을 시작에 바쳤다. 그 사이 지속적인 실험과 변모를 거듭하며 420여 편의 시를 발표하였다. 이러한 시간적·양적 규모는 이 시인의 시 세계를 특정 유파에 한정하거나 단일한 성향으로 규정하기를 거부한다.

---

* 이 논문은 필자가 1985년에 낸 석사논문 「박목월시 연구」의 요약을 골격으로 첨삭한 것임.
** 전주대, 국어교육과 교수. 저서로『기억의 지도』가 있음.

1) 박목월이 남긴 텍스트 가운데 신앙시와 동시는 이 논문에서 다루지 않는다. 신앙시와 동시에 대해서는 1990년대 들어 다수의 석사학위논문이 나온 바 있다. 신앙시는 박준열(한남대, 1996), 박상숙(숙명여대, 1999), 안효일(영남대, 1999) 등의 학위논문에서, 동시는 한혜영(성신여대, 1990), 박수진(건국대, 1994), 조충신(호남대, 1994), 홍광옥(명지대, 1994), 김진광(강릉대, 1999) 등의 학위 논문에서 다루어졌다.

박목월의 시를 평한 중요한 논자는 시간 순으로 정지용, 김동리, 김종길, 정한모, 오탁번, 김우창, 오세영, 김용직, 박두진, 김윤식, 조상기, 김준오, 이승훈, 김혜니, 박준승, 한광구, 洪禧杓, 洪義杓 등이다. 각 연구자의 논지를 간략하게 요약하면 다음과 같다. 정지용은 '謠的 修辭', 즉 민요 율격의 현대시적 변용을 부정적으로 보아 정리할 과제로 들었다.[2] 김동리는 '自然의 發見'이라는 용어로 박목월 전기시의 의의를 긍정적으로 평가했다.[3] 정한모는 청록파의 유파적 의의를 높이 평가하면서 박목월의 시에서 자연과 전통정서의 결합을 중요하게 보았다.[4] 김우창은 박목월 시가 정지용의 이미지즘과 김소월의 감상주의를 결부한 것이며, 그의 자연이 주관성·자기만족성의 한계를 갖는다고 비판했다.[5] 김종길은 청록파의 기교와 감수성이 1930년대의 분위기에서 성장한 것이라 파악하면서, 鄕愁에 대한 지속적 관심과 소재 변화에 주목하여 박목월 시의 시대구분을 시도하였다.[6] 오탁번은 박목월을 가장 실험적이고 견실한 시정신을 유지한 시인이라 평가하고 민요적 보편성과 서정시적 개별성이 상충되고 있는 한계를 지적했다.[7] 이승훈은 갈등과 화해의 반복적 구도로 박목월 시 전체의 해명을 시도했다.[8] 김혜니는 박목월의 전작품을 하나의 텍스트로 취급하여 전체적인 공간기호체계를 살펴 그 의미론적 구조의 해명을 시도하였다.[9] 한광구는 박목월 시의 시간과 공간 양상을 분석하여 박목월 시의 본질 규명을 원리적으로 규명하고자 하였다.[10] 洪禧杓는 박목월 시의 운율과 심상 사용 등의 사용 특성을 연구해 그의 시사적 위치와 의의를 밝히고자 하였다.[11]

2) 정지용, 「선후평」, 『문장』, 1940년 9월호.
3) 김동리, 「자연의 발견」, 『문학과 인간』, 청춘사, 1952.
4) 정한모, 「청록파의 시사적 의의」, 『현대시론』, 보성문화사, 1974.
5) 김우창, 「한국시와 형이상」, 『궁핍한 시대의 시인』, 민음사, 1978.
6) 김종길, 「향수의 미학」, 『문학과 지성』 1971년 가을호.
7) 오탁번, 「'청록집'의 방향과 의미」, 『현대문학산고』, 고대출판부, 1976.
8) 이승훈, 「세계로 통하는 하나의 창」, 『한국시문학대계』 18, 지식산업사, 1981.
9) 김혜니, 『박목월 시 공간의 기호론적 연구』, 이화여대 박사논문, 1990.
10) 한광구, 『박목월 시에 나타난 시간과 공간 연구』, 한양대 박사논문, 1991.

시집 \ 논자	『청록집』(1946)	『산도화』(1955)	『난·기타』(1959)	『청담』(1964)	『경상도의 가랑잎』(1968)	『무순』(1976) 외
김종길(1971)	자연 환상 꿈의 언어		자아(인간) 현실 생활의 언어		존재일반 철학 유추(상징)의 언어	
김동리(1978)	향토적 리리시즘		자기류의 독특한 시풍		양자의 조화	솜씨와 기량
박두진(1978)	초기시 : 향토적, 한국적 세련된 율조		중기시 : 생활과 인간적인 주제 기법의 밀도 성취		후기시 : 대상을 인상과 사물과 실재 자체에 깊이 접근. 한층 원숙한 경지	
김윤식(1979)	초기		일상적 삶의 무게를 세밀히 포착하는 단계		무절제	악마적 추구
김용직(1979)	자연 침잠세계/ 자신의 분리		스스로의 의미를 파헤침		포괄적 입장	
이승훈(1981)	초기		중기		후기	
한광구(1991)	초기		중기		후기	

  박목월 시의 시대구분에 대해 논의한 대표적 논자는, 시간 순으로 김종길12), 김동리13), 박두진14), 김윤식15), 김용직16), 이승훈17), 한광구18) 등이다. 이들의 의논을 정리하면 표와 같다. 표를 살펴보면 시집 간행을 기점으로 박목월의 시세계를 분별하는 일이 오래 전부터 정착된 하나의 관행임을 우선 확인할 수 있다. 대체로 공동시집『청록집』과 첫 개인시집『山桃花』를 하나로 묶고, 제2,3시집『蘭·其他』,『晴曇』을 다음 하나로 묶고, 제4시집『경상도의 가랑잎』이후를 마지막 하나로 묶는 것이 기본 틀임을 알 수 있다. 관점에 따라 어느 시기를 둘로 나누는가에서 차이를 보일 뿐이다.19)

---

11) 洪禧杓,『박목월 시의 연구』, 인하대 박사논문, 1991.
12) 김종길, 앞 글.
13) 김동리,「삼차원의 본질은 순박과 정한」,『한국문학』1978년 5월호.
14) 박두진,「시의 불꽃과 생명과 함께」,『한국문학』1978년 5월호.
15) 김윤식, 앞 글.
16) 김용직,「해조와 기법」,『심상』1979년 3월호.
17) 이승훈, 앞 글.
18) 한광구, 앞 책.
19) 가장 먼저 박목월의 시대구분에 대한 언급을 남긴 김종길은 분기를 명시하지 않고 세 시기의 특성을 밝혔다. 또한 이 표의 첫줄 마지막 칸의 시집군은 표에 명기된

시대구분은 편의적인 것이므로 정답을 상정하기는 쉽지 않으며 필요하지도 않다. 얼마나 적절하고 논리적으로 대상을 설명하는가에 따라 구분의 방법은 그 타당성을 평가받을 뿐이다. 이 논문은 박목월 시 시대구분의 기본틀인 세 시기 나누기를 택하며, 각 시기를 전기, 중기, 후기로 부르기로 한다. 이를 연대로 환산하면 다음과 같다.

- 전기 : 1930년대 후반에서 1940년대 후반까지
- 중기 : 1950년대 초반에서 1960년대 초반까지
- 후기 : 1960년대 후반부터 1978년 작고까지

2. 시기별 특징과 변모의 양상

1) 자연과 자아의 분리 : 전기시의 세계

박목월의 전기시에 대한 논의는 대체로 형식과 소재의 영역에 집중되었다. '민요 율격의 현대시적 변용', '음수율의 실험', '기교적 완결미' 등의 규정어와 관련한 평가가 형식론이라면, "자연의 발견과 도입" 등의 평가는 소재론이라고 할 수 있다. 박목월의 전기시에 긍정적인 면모가 있음은 사실이며, 이 측면은 그간 논의에 의해 어느 정도 밝혀졌다고 할 수 있다.

소재를 중심으로 박목월 전기시를 "자연", "인간", "자아"의 세 갈래로 나누어 살필 수 있다.[20] '자연'만을 다루는 시의 공통점은 '자연'이 그 자체만

시집 외에『청록집 · 기타』,『청록집 · 이후』,『어머니』,『크고 부드러운 손』,『사력질』 등을 포함시킬 수 있는데, 마지막 시기를 다시 나눌 경우 논자에 따라 범주가 서로 다르다.

20) 1. "자연" 만을 다루는 시 :「삼월」,「靑노루」,「달」,「山色」,「山桃花」연작 등.
    2. "자연", "인간"을 다루는 시 :「閏四月」,「갑사댕기」,「나그네」,「해으름」 등.
    3. "자아", "자연"을 다루는 시 :「임」,「山이 날 에워싸고」,「길처럼」 등.

◂ 박목월

으로 조화롭고 안정된 세계를 이루고 있다는 사실이다. 일체의 인간적 갈등
은 배제되어 있으며 관찰 주체의 선택적 시각만이 전면에 드러난다. 이른바
'목적으로서의 자연', '자연의 객관화'는 이렇게 '자아'의 개입을 방법적으로
제거함으로써 가능했다. 인간의 삶과 주체의 정서적 개입이 차단된 외계의
안정된 정경이 이 시인의 미의식을 반영하고 있음이 사실이나, 이런 사실이
곧 시인 자신의 정신적 안정을 의미하지는 않는다.

　박목월의 전기시는 '자아'와 '외계'를 가능한 한 소격함으로써 잠정적인
자기만족과 안정을 얻을 수 있었던 것으로 보인다. 이런 의식적·무의식적
조작은 시에서는 물론 현실에서도 양자의 완전한 분리가 비정상적이라는
점에서 문제적이다. 이 같은 이해의 선상에서 박목월의 이른바 '순정한 자연

---

4. "자아", "자연", "인간"을 다루는 시 : 「박꽃」, 「年輪」, 「귀밑 사마귀」 등.
이 분류에서 '인간'은 '자아'를 포함하지 않는다. 이는 그리움의 대상인 익명의 인
간이나, 제3인칭의 대상으로 구현된다. 또한 '자연'과 '인간'은, 3과 4의 경우처럼
'자아'와 함께 다루어질 때 단순 소재가 된다. 이는 '자아'의 정서적 특질이 시 전
체를 지배하기 때문이다. 따라서 네 가지 범주는 '외계'와 '자아'의 범주로 이분할
때 각각 1,2와 3,4로 묶어진다. 이 분류를 참조하면 기왕 논의된 전기시의 대표적인
양상과 작품의 예가 대부분 1과 2, 즉 '외계'에 편중되어 있음을 알 수 있다. 박목월
전기시의 전모를 이해하기 위해서는 3과 4, 즉 '자아'의 범주도 함께 고려해야 한
다. '자아'와 '외계' 또는 '자연'을 함께 다룰 경우, 전기시의 평가는 통설과 달라질
수 있다.

시'가 내포한 허구적 일면을 진단할 수 있다. 그의 시에서 외계 또는 '자연'은 삶과 자아와는 무관하게 존재하는 '자기만족의 풍경'이다.[21] 다시 말해 안정한 외계는 자아의 갈등을 외면한 결과이며 나아가 식민지 시대라는 역사적 현실의 수용을 거부한 결과인 것이다.

반면 '자아'를 다루는 시들은 전혀 별개의 방식으로 갈등을 수용한다. 이 경우의 대표적 작품인 「임」은 '외계'와의 교섭을 차단 당한 '자아'의 심리적 상태를 잘 드러낸다. '눈물로 가는 바위'에서 보는 자성과 '절로 임과 하늘이 비치지는 않으리라'는 깨달음은 자아의식을 살필 한 단서가 된다. 전자는 자기 수련의 역동성을 숨기고 있는데, 이때 '바위'는 수단이 아니라 '나' 자신이다. 그러나 이는 결구에서 보듯 막연한 기다림과 섣부른 회의로 인해 '애달픔'이라는 感傷으로 환원되고 만다. 후자의 경우도 깨달음의 배후가 비어 있는 까닭으로 더 든든한 전망으로 나아가지 못하고, 내향적이고 소극적인 세계에 머문다.

박목월 전기시의 '자아'를 규정하는 특징인 '고립'과 '소외'는 '감상', '상실'과 빈번히 결합한다. 이런 고립과 소외의 의식은 자폐로 발전할 소지가 있다. 자폐는, 고립과 소외의 결과인 내면의 불균형을 무마할 수 있는 잠정적인 방책이 된다. 그러나 이 역시 외계와 진정한 교섭을 나눔으로써 얻어지는 정상적인 해결과는 거리가 멀다고 할 수밖에 없다. 같은 맥락에서 「산이 날 에워싸고」는 진정한 해결의 가능성을 얻지 못한 '자아'가 처한 자폐와 정체의 구체적인 상황을 보여준다.

> 산이 날 에워싸고 / 씨나 뿌리며 살아라 한다 / 밭이나 갈며 살아라 한다 / 어느 짧은 산자락에 집을 모아 / 아들 낳고 딸을 낳고 / 흙담 안팎에 호박 심고 / 들찔레처럼 살아라 한다 / 쑥대밭처럼 살아라 한다 // 산이 날 에워싸고 / 그믐밤처럼 사위어지는 목숨 / 그믐달처럼 살아라 한다 / 그믐달처럼 살아라 한다

21) 김우창, 앞 글. p.55.

이 시는 '산'이 '나'에게 주는 전언을 '나' 자신의 목소리로 전하는 화법을 가지고 있다. 산의 전언은 묵시적인데 그 내용은 소극적 삶으로 誘引이다. 이 시에서 전원적 삶이, 자연과 인간의 궁극적인 합일과 동화를 지향하는 것이 아니다. '씨'와 '밭'에 달린 접미사 '-나'는 선행체언의 의미를 왜소화한다. 이 같은 의미의 전원은 무욕과 탈속의 장이기보다는 패배와 좌절의 외지에 가깝다. 아울러 어떤 타율적 억압의 존재를 환기하는 암시도 있다. '그믐달처럼 사위어 가는 목숨'의 인식과 '그믐달처럼 사'는 삶의 강박관념은 그와 같은 의구심을 확인해준다.

'외계'와 삶에 대한 일정한 자기화의 과정을 생략한, 전원적 삶에의 귀의가 탈속과 무욕의 세계에 이르지 못하고, 도피와 타율적 금욕에 그칠 수밖에 없음은 당연한 귀결이다. '외계'와 '자아'의 분리에서 말미암은 의식의 불균형은 '인간'과 '자연'의 교섭에서도 작용한다. 「윤사월」에는 박목월 전기시의 세계인식을 살필 단서가 있다. 우선 주목할 만한 것은 '꾀꼬리/울다'의 심상이다. 이 청각적 심상은 시각적 심상으로 설정된 부정적, 불구적 상황과 대응하며 다시 '처녀/듣다'의 심상과 결합된다. 이들 두 심상은 각각 고립된 자연과 인간을 연결하는 역할을 하는데, 자세히 살피면 '처녀'는 '외딴'이 상징하는 지리적 고립과, 시력의 상실이라는 불구의 제약에 갇혀 있음을 알 수 있다. 이 같은 부정적 조건하에서 '처녀'가 취할 수 있는 '외계'와의 교섭 수단은 청각이 가장 유용할 것이다. 꾀꼬리의 울음에 대한 '처녀'의 관심은 '외계'를 향한 간절한 욕망과 호기심의 표현이다. 그러나, 처녀는 방안을 벗어나지 않으며 문조차 열지 못하고 다만 '문설주'에 귀대이고 '엿들'을 뿐이다. 외딴 곳에 고립되어 있는 사정은 꾀꼬리도 처녀와 다르지 않다. 확정된 고립의 상황과 불구의 조건, 그리고 억압은 시인 내면의 사정에서 말미암는다. 즉 삶의 현실에서 분리된 상상의 자연, 그리고 외계와의 교섭을 차단 당한 소외의 자아라는 인식의 불균형이 근본적 원인이다.

박목월의 전기시는 '외계'와 '자아'의 분리를 전제로 하여 '외계'는 자족의 자연으로 상상 속에 자리잡았으며, '자아'는 진정한 외계와 교섭할 기회를 얻지 못하고 고립와 자폐의 오지에 소외되었다. 이와 같은 인식의 불균형은 박목월의 전기시가 이룬 기교적 완전성과 운율의 실험이 가지는 의의와 순정한 자연시의 아름다움을 한정적인 것으로 만든다. 어떤 의미에서 완전하고 순수한 서경시는 존재하지 않는 것인지도 모른다. 삶과 세계에 대한 나름의 이해가 선행하지 않을 때 형식에 대한 관심과 서경은 회피의 방식이라는 혐의에서 자유롭기 어렵다.22)

박목월 시의 특징이 자연으로 자주 대표되는 외계를 자아의 세계와 분리하고 그 외계를 가능한 한 거리를 둔 채 바라보는 미의식이라는 점은 그의 「나그네」와 조지훈의 「玩花衫」을 비교할 때 잘 드러난다.23) 조지훈의 「완화삼」이 보여주는, 비장미를 바탕으로 하는 주관적 서정은 박목월의 「나그네」에서 찾아지지 않는다. 이는 「완화삼」에서 쓰인 모든 서술어와, 주관적 정서와 관련 있는 시어 또는 심상이 「나그네」에 전혀 반영되지 않았기 때문이다. 이런 여과작용은 갈등과 화해, 제1인칭과 제3인칭, 주관과 객관, 그리고 정서와 사물 등의 용어로 대비되는 두 시의 차이를 이루는 원인이면서 동시에

---

22) 또한 우리는 이런 '분리'의 방식을 역사적인 관점에서 비판할 수 있다. 1930년대의 시문학파의 한계를 논하는 다음과 같은 논리는 박목월의 시에도 부분적으로 적용된다.
"경험적 현실과 시의 분리, 객관적 세계와 주관적 자아의 해체, 그 결과로 나타나는 시의 초역사적 증발 — 우리가 앞서 분리주의라고 부른 이 현상은 시문학파가 1930년대의 식민지적 문화해체에 얼마만큼 깊이 맺어져 있는가를 보여준다."(김흥규, 「영랑의 시와 세계인식」, 『문학과 역사적 인간』, 창작과 비평사, 1979. p.45).
23) 두 시의 각별한 창작배경은 잘 알려져 있다. 즉 1942년 봄 조지훈과 박목월은 박목월의 고향인 경주에서 처음 만났다. 그후 조지훈이 「완화삼」을 써 보냈고 박목월이 이에 화답한 시가 「나그네」이다(조지훈, 「발문」, 박목월, 『산도화』, 영웅출판사, 1955. p.115). 조지훈의 「완화삼」은 방랑하는 자, 즉 '나그네'의 내면적 서정을 통해 형상화한 서정시이다. 이 시는 '나그네'로 제시된 시적 자아의 비극적 심정과 외계의 사물과의 긴밀한 조응, 그리고 의미의 은유적 전이를 바탕으로 하여 비장의 아름다움을 지향하고 있다.

그 결과이다. 두 시에서 알 수 있는 시적 화자의 공간적 위치는 강을 사이에 두고 서로 반대편에 있다고 함축할 수 있다. 「나그네」를 중심으로 할 때 「완화삼」의 화자는 강 건너에 있으며, 그를 포함한 일체의 강 건너의 정경은 「나그네」의 화자에게 관찰의 대상이 된다. 「완화삼」에서 시적 서술의 대상은 방랑하는 자가 보는 세계의 모습과·인간의 삶, 그리고 그와 같은 외계의 모습에서 생겨난 갈등이다. 그러나 「나그네」에서 시적 서술의 대상은 내면 또는 정서의 세계가 아니라 사물의 세계이다. 그런 의미에서 '나그네'도 충분히 객관화된 대상이라고 할 수 있다. 이를테면 '나그네'와 화자가 일정한 물리적, 인식적 거리를 유지하고 있기 때문에 방랑의 현실적 모습도 조화와 아름다움으로 받아들여진다.

2) 자아 편향과 형식의 동요 : 중기시의 세계

박목월 시의 전개에서 전기와 중기 사이의 변모는 다른 시기 사이에 개재된 것에 비해 훨씬 뚜렷하다. 전기의 시세계가 '외계'와 '자아'의 분리라는 방법적 난점을 안은 채 절대적 형식에 몰두했다면, 중기시의 세계는 양자의 교섭에 더 큰 관심을 둔다. 이 교섭은 개인적 삶과 소박한 일상으로 구체화되는데, 이는 주제와 소재의 영역에서 두드러진다.

박목월 자신은 주제와 소재 상의 변화를 '사회와 존재에 대한 인식' 때문으로 이해하였다.[24] 주제와 소재의 변화는 형식과 어떤 관계가 있으며, 중기의 시에서 형식은 어떤 변모를 겪는가? 시인 자신은 형식의 변화를 '음악의 상태'에서 '구술적 상태'로 옮아온 것으로 설명한 바 있다.[25] 구술적 상태는

24) "그 깊은 情緒의 틀에서 한자국 밖으로 내딛게 되자, 나는 形言할 수 없는 混亂의 渦中에 휩쓸리게 되었다. 現實이 크로즈업되면서, 일시에 '나'와 '남'이라는 것, 또는 겨레라는 것, 또는 그야말로 강잉하고 조밀한 그물코처럼 얽힌 사회라는 것, -- 이런 복잡한 배경 위에서, 나의 '存在에 대한 認識'이 새삼스럽게 나를 혼란하게 하는 것이다."(박목월, 『보랏빛 소묘』, 신흥출판사, 1958. p.157.).

운율의 동요와 이완을 가리키는데, 바로 이것이 '깊은 주제'를 요구하게 되
는 것으로 그는 보았다. 박목월은, 형식의 부분적 결함, 즉 운율의 동요를 주
제가 보완해야 하는 것으로 이해했다. 이런 관점의 배면에는, 운율로 대표되
는 순수형식에 대한 탐색이 주제와 무관하게 의의를 거둘 수 있다는 생각이
자리잡고 있다. 하지만 이런 생각은 형식과 내용의 관계를 일방적인 것으로
이해하고 어느 한쪽의 비중을 과대평가하고 있다는 비판으로부터 자유롭지
못하다. 형식의 밀도와 주제의 심도는 전연 별개의 가치로 분리할 수 있는
성질의 것이 아니다. 양자는 일정한 요구를 반비례적 보완관계로 충족시키
기만 하면 되는 것이 아니라 상승지향적 보완관계에 의해 시의 성취를 더욱
완성된 모습으로 자리잡게 하는 데 기여하는 것이다. 결국 형식이 주제와
무관하게 의의를 거둘 수 있다는 생각은 박목월의 전기시에서 지배적으로
드러나는 하나의 환상이었던 것이다. 이런 환상을 기반으로 하여 박목월의
전기시는 극단적인 경우, 아무런 의미의 필연성이 없는 어휘들을 운율 특히
음수율의 조건에 따라 배열하기도 했다.

아울러 박목월의 형식개념은 지극히 협소하다는 사실도 함께 논의할 수
있다. 그에게 형식은 '음수율' '여백의 미학' 등이 대표하는 개념인데, 이는
형식의 일부분일 뿐이다. 총체적인 형식의 개념을 도입할 때 박목월 중기시
의 형식은 주제와 소재의 일정한 변화에 상승하는 몫을 찾기 위한 실험의
과정에 있다고 말할 수 있다. 즉 앞서 언급한 시인의 자술은 고정적 운율의

---

25) "『靑鹿集』系列의, 깨끗하게 音數律을 밟는, 또한 敍述體를 용납하지 못한 '陰數의
狀態'에서 어느 정도, 口逃의인 狀態로 옮아온 것이리라. 그러나 이렇게 敍述體로
풀면서, 詩가 가벼워지는 것을 느꼈다. 語彙 하나 하나의 負擔 — 뉴앙스와 象徵性
을 덜게 함으로 '言語 그 自體의 魔術性'이 풀리게 되고, 또한 文字가 깔고 앉는 餘
白의 含蓄이 경해지면서, 작품은 한결 '깊은 主題'를 要求하게 되는 것이리라."(위
책, p.159). 그러나 형식의 이완이 중기시에서 시종하는 현상은 아니다. 박목월에
의하면, '구술적 상태' 즉 육성의 무절제한 토로는 6 · 25동란 후 '절제'로 회복되었
다고 한다(위 책, p.186). 하지만 운율의 절제가 회복된다고 해서 시 전체가 퇴행한
것은 아니다. 중기에 접어들면서 박목월의 시는 이미 운율 이외의 영역에서 변화
의 몫을 치렀다고 보아야 한다.

해체를 의미하는 것일 뿐 형식 자체를 포괄할 수는 없다. 중기시의 형식이 전기시에 비해 불안정한 것은 사실인데, 이를 적합한 외형을 얻기 위한 방법적 동요로 볼 수도 있다.

요컨대 박목월의 중기시는 더 구체적인 현실의 모습을 시의 소재로 받아들임으로써 형식에 대한 환상을 낳았던 전기시의 분리주의를 극복할 수 있는 바탕을 마련한다. 전기시와 대비되는 가장 현저한 중시기의 특징인 형식의 동요는 주제와 소재의 변모를 포함하는 시 세계 전체의 동요·변이와 함께 고려해야 한다.

박목월의 중기시는 다각적인 실험과 그에 따른 성취들로 대체적 구도를 가늠할 수 있다. 실험과 성취를 편의상 세 가지 범주로 나누자면, 첫째, 자아·개인의 세계, 둘째, 사회·현실의 세계, 셋째, 이상·對岸의 세계로 구분된다. 중기시에서의 '자아'의 범주는 소재의 성격상 전기시의 연장선에 위치한다. 그러나 전기시에서 '자아'의 범주가 '외계'의 범주에 비해 위축된 것이라면, 중기시에 와서 '자아'의 범주는 소재의 중심에 놓인다.

시인이라는 '직업'의 사회적 능력에 대한 회의와, 경제적 궁핍에 대한 고민을 담담한 어투로 이야기하는 「某日」을 비롯하여 생활의 애환을 담은 시들은 육성의 토로에 가까운 개인적 경험을 표현하고 있다. 개인적 고민은 자연인으로서, 한 가정의 가장으로서의 박목월에게 중요한 것일 수 있다. 그러나 개인적 고민이 특히 이 시기에 와서 자연인으로서의 박목월에게 중요한 사실로 떠올랐다고 단정할 수는 없다. 말하자면 이는 개인적 경험을 시의 내용으로 받아들일 만큼 시인의 생각이 달라졌기 때문이다. 이 점은 중기의 벽두에 보인 변모를 일단 긍정적인 것으로 보게 한다. 즉 이는 전기시의 분리주의와 형식 편향을 극복하고, 새로운 화법을 모색하는 과정인 것이다.

그러나 '자아'의 정서적 특질은 전기시의 기조를 크게 벗어나지 않는다. 그것은 상실과 감상으로 지탱되는 '고립'의 의식을 말한다. 「먼 사람에게」와 「눈물의 Fairy」는 중기시에서 '자아'가 전기시의 기조를 어떤 방식으로 받아들이고 있으며, 제나름대로 변형하는지를 보여준다. 이 두 시에는 전기시와 마찬가지로 고립의식 그리고 상실과 感傷이 개재되어 있으나, 그처럼 소박하거나 자폐적이지는 않다. 이는 자아의 세계가 외계와 적극적인 교섭을 시도하고 있기 때문이다. 「먼 사람에게」에서 '나'와 '당신' 사이의 공간적 단절은, "팔을 저으면서 걷는다"라는 심상을 매개로 하여 인간의 보편적 숙명에 연결된다. 이 심상은 '손을 들어 당신을 부르리라'는 시구에서 해결의 출구를 암시한다. '팔을 저으면서 걷'는 인류의 해부학적 습성은 시인의 직관을 통해 인간 일반의 숙명으로 대유된다. 이 숙명이 그 상징의 핵인 '팔'에 의해 해결의 가능성이 암시된다는 사실은 눈여겨볼 만하다.26) 또한 「눈물의 Fairy」에서는 시간의 단절 너머에 있는 과거의 기억이 현재의 상실과 대응되지만, 시인은 이를 '사람 세상의 속절없는 바람'의 인식까지 밀고 나감으로써 고립의식을 보편성에 접근시킨다. 이 두 시에서 보이는 보편적 삶에 대한 시인의 관심은, 전기시에서 '자아'의 세계가 보여주었던 소박성과 자폐적 특성과 비교할 때 중요한 성과가 아닐 수 없다.

또한 「나무」를 통해 외계와 자아의 분리라는 전기시의 구도가, 시 세계 전체의 전환 속에서 어떤 양태로 그 몫을 수행하는지를 알 수 있다. 이 시는 객관적 대상을 주관적 정서를 통해 받아들이고, 이어 주관적 인식의 범주 속에 자리잡게 하는 정밀한 기교적 배려를 보인다. 이 시에서 '외계' 또는 '자연'과 '자아'의 분리는 발견되지 않는다. 분리가 아닌 결합이 정서적 교감을 통해 자리잡고 있다. 한편 이 시는 '고독'의 정서가 시인의 내면의식의 중요한 부분으로 정착된다는 사실도 확인하게 한다. 고독의 정서는 전기의 특징인 고립의식이 발전적으로 전이한 결과라고 할 수 있다. 고독의 정서가 고립과 구별되고, 나아가 고립의식의 발전적 변형일 수 있음은 '전망' 때문이다. 고립이 타율적이며 자폐적이고 소극적이라면, 고독은 상대적인 의미에서 자율적이며 적극적이라고 할 수 있다.

「秘意」에서 침묵은 든든한 전망을 내밀하게 간직하며, 이 전망은 '찬란하

---

26) "그 半圓이야말로 '나'를 에워싼 '남'과의 距離며, 또한 그 안에 생명을 지닌 것의 서러운 호흡을 함께 할 수 있는 '영혼의 통로' 같았다."(앞의 책, p.190).

고 완전한 밤'으로 문면에 드러난다. 이 시는 자아의 세계와 그 갈등을 대변함으로써 성취한 박목월 중기시의 일정한 성과를 적절히 설명한다. 그 성과는 '전망을 내면화한 고독'이라고 부를 수 있다.

앞에서 살펴본 '자아'의 세계와 함께 박목월 중기시의 중요한 특징을 이루는 것이 '현실'의 세계이다. 이 현실의 공간에는 사회적·역사적 관심이 포함된다. 중기시에서 '자아'와 '현실'은, 전기시에서 '자아'와 '외계'처럼 전혀 분리되어 있지 않다. 이제 '현실'은 '자아'의 세계가 그 영역을 넓혀 가는 과정에서 자연스럽게 포함하게 된 세계이다.

「한 票의 存在」와 「同行」을 보면 박목월에게는 인생뿐 아니라 사회적 현실도 인고·순응의 대상이지 극복의 대상은 아닌 듯하다. 그러나 인고의 논리는 부정적 상황에 대응하는 방법적인 것일 때에 한해 의미를 얻을 수 있다. 궁극적으로 현실을 피한 곳에서 해결을 구하게 될 때, 예를 들면 신앙이나 환상에 의해 현실의 부정태가 무마될 경우 인고의 논리는 건강성을 담보할 수 없다. 앞서 살핀 시 「동행」에서는 분단의 현실도 숙명으로 처리된다. 고립과 고독 그리고 방황이 인간의 숙명이었던 것과 동일한 방식으로 분단은 민족의 숙명이 된다. 이런 시인의 현실인식이 정오판단의 대상이 될 수는 없으나 건강성은 이와 다른 논점 위에 있다. 살펴보면 시인이 꿈꾸는 세계는 "미래의 까마득한 시간 속에 / 열리는 한 개의 최선의 열매. / 완전한 결실 / 누억대의 깊은 인고의 지층 속에 자라날. / 참되고 착하고 아름다운 / 한개의 완성품"의 세계이다. 이러한 이상은 물론 소중하고 아름다우나 능동적 참여의 가능성을 거세한 부정적 현실의 형상화는 현실을 숙명적이고 회의적인 것으로 보는 관점의 소산으로 당연히 그 한계를 노정한다.

박목월의 중기시에서 우리는 소재의 확대로 구체화되는 인식적 전환의 중요한 단초를 발견할 수 있었으나 현실인식 또는 세계인식의 규모를 드러내기에는 미흡한 것이었다. 이런 한계는 6·25동란이라는 또 하나의 민족적 비극을 담은 다음의 시에서도 발견된다.

銀杏洞을 / 간다. 불이 환한 銀杏洞. / 그것은 옛날의 / 골목인 것을 / 발자
국이 남는다. / 잿더미 위에. / 廢墟에서 살아오는 나의 발자국을 / 아무런
感動도 / 느낀 바 없음.

— 「銀杏洞」 부분

전란이 휩쓸고 간 후 폐허가 된 지인의 동리에서 느낀 무상함을 담은 이
시에서 주목할 부분은 "아무런 감동도 느낀 바 없음"이라는 결구이다. 일차
적으로 이 구절을 극도의 허무감에서 말미암은 언표불가능의 사정으로 해
석할 수 있다. 그러나 이러한 해석의 한편에서 현실인식의 한계 또한 명료
해진다. 시인이 생애에서 겪은 가장 참담한 사건이라고 할, 인간의 비극, 민
족의 비극 앞에서 취한 자세는 표현불능 또는 표현거부였다.

중기시에서의 '역사' '현실'의 세계는 '자아'의 세계와 독립된 의미의 영
역을 얻지 못하고, 역사와 현실은 자아의 내향성과 소극성에 종속되어 있다.
박목월의 시에서 현실의 상실과 비극은 '나'의 상실과 비극 이상의 의미를
갖지 않는다. 문학적 진실의 획득이 개별적 경험과 보편적 경험의 교호에
의해 가능한 것이라면, 박목월의 중기시가 갖는 정체성은 개별적 경험이 보
편적 경험으로 이행하는 과정에 난점이 있음을 인정하지 않을 수 없다.

앞서 살핀 '자아'와 '현실'의 세계와 함께 또 하나의 의미항을 형성하는
것은 '對岸'의 세계이다. 이 '대안'의 세계는, 자아와 현실의 세계가 구체적
인 삶의 세계에 관련한다고 할 때 시인의 정신 속에서 구성된 이상과 화해
의 세계에 관련한다. '자아'와 '현실'이 전반적으로 위축되어 있고 부정적인
성격의 것으로 파악된다는 전제에서 '對岸'의 세계는 출발한다. 그러므로 이
는 주제와 형식의 동요 및 방황의 일정한 종착점이라고 말할 수 있다. 이런
대안의 구체항은 자연, 고향, 죽음, 만남 등이다.

자연이 자아와의 긴밀한 교감 속에 위치하는 「山·素描 其一」의 단계에서
전기시에서 보았던 자아의 소외는 해소되어 있다. '산'은 '햇빛'과 '그늘',
'웃음'과 '눈물' 등 상반되는 속성을 두루 포용하는 "영원한 모성"의 표상이

다. 이 모순의 속성은 '음양의 따뜻한 회임'으로 수렴되면서, 눈을 "뜨고 감"는 자아의 해동과 미학적 조응을 이룬다. 또한 끝연은 '나'와 '산'의 미학적 조응에, '선녀'의 상징을 연결하고 있다. '선녀'는 "늘 昇天하"며 동시에 "늘 下降하"는 존재이다. '상승'과 '하강'의 대비는 "은드레박 오르내리는 소리"에 의해 재조명된다. 그래서 '오르내림'은 모순되는 별개의 두 상황이 아니라 통합된 하나의 의미 있는 상징이 된다. 이런 사정은 중기시에 이르러 '자연'이 더 이상 분리의 형상이 아님을 알려준다. 자연은 이제 자아와의 직접적인 교감 속에 자리잡는 적극적 인식의 대상이 되었다. '자연'은 부정적이고 회의적인 양태로 시인에게 받아들여진 구체적 삶의 세계에 대응하는 화해와 조화의 종합적 대안이다.

「思鄕歌」가 보여주는 고향의 세계는 박목월의 중기시가 성취한 또 하나의 對岸이다. 이 시에서 '고향'은 경험세계의 고향과는 다른 의미를 가지고 있다. 이를테면 경험세계의 고향이 상상의 단서가 되고 있음은 사실이나 시인의 정신 속에서 색다른 의미부여의 과정을 거친 것이다. "안존하고 잔잔한 영혼의 나라"인 고향은 조화로운 삶을 실현하는 이상의 땅으로 구체화된다. 이 평온과 화해의 나라는 시인에게 '하룻밤'이면 도달할 수 있는 곳으로 일단 인식된다. '족가'와 '쇠고랑이'가 암시하는 형벌의 현실을 새삼스럽게 깨닫는 것이다. 시인은 이상적 삶을 실현하는 '고향'의 존재를 형벌의 현실에 대한 하나의 '對岸'으로 상정하면서도, 현실의 굴레를 벗어날 수 없음을 깨닫는다. 결국 "안존하고 잔잔한 영혼의 나라"는 열망의 彼岸일 뿐이었던 것이다. 그러나 현실의 좌절 속에서도 삶에 대한 사랑을 포기하지는 않는다. 그 지주는 절제와 여유이다.

「蘭」은 그와 같은 절제와 여유를 적절히 보여준다. 이 시에서 찾을 수 있는, '죽음'이라는 절대의 숙명을 대하는 시인의 자세가 바로 여유와 절제이다. 현실의 삶은 하나의 만남으로 비유되며, 그러한 의미의 맥락에서 죽음은 "여유 있는 하직"일 수 있다. "哀惜하게 버린 것에서 / 조용히 살아가고 / 가지를 뻗고 / 그리고 그 섭섭한 뜻이 / 스스로 꽃망울을 이루어"가는 삶은 한을 내면화한 체념의 세계이다. 일상의 번민 속에서 발아하는 인고·순응의 미학은 인간의 절대적 숙명인 죽음의 의미까지도 하나의 아름다움으로 수용한다. 죽음은 시인에게 최종적 화해의 대상인지도 모른다. 이는 어떤 방식으로든 현실의 갈등을 무화하도록 요구할 것이다. 시인은 난에게서 현실의 갈등 즉 한을 내면화하는 절제와 여유를 배운다. 이와 같은 화해로 처리되는 죽음의 세계는 또 하나의 對岸이다. 일상의 번민을 소극적이고 내향적인 거부로 자기화한 박목월의 정신세계 속에서, 이 시가 보여주는 삶과 죽음의 인식은 부정적 현실에 대응하는 대안의 세계이자 소망의 세계를 의미한다.

죽음과 동떨어지지 않은 '소박한 만남'의 세계는 박목월의 중기시가 도달한 또 하나의 대안이면서 동시에 종합적 대안이다.

> 그리고 마디가 굵은 사투리로 / 은은하게 서로 사랑하며 어여삐 여기며 / 그렇게 이웃끼리
> 이 세상을 건느고 / 저승을 갈 때. / 보이소 아는 양반 앙인기요. / 보이소 웃마을 李生員 앙인기요. / 서로 불러 길을 가며 쉬며 그 마지막 酒幕에서 / 洎한 막걸리 잔을 나눈 때 / 절로 젓가락이 가는 / 쓸쓸한 飮食
> ─「적막한 食慾」부분

첫 행에서 '모밀묵'이라는 음식이 중심소재로 제시된다. 첫 행 이후 이 시는 메밀묵을 설명하는 다섯 개의 진술로 이루어지는데, 처음의 진술에서 메밀묵이 이끌어낸 것은 소박한 만남의 세계이다. 촌 잔칫날 사돈을 대접하는 상에 오르는 '모밀묵'은 시인의 삶에 대한 정겨운 인식을 구현하고 있다. 두 번째 진술은 시인의 소박한 식욕을 통해 시인의 내면에서 메밀묵이 어떤 의미를 가지는지를 보여준다. 메밀묵은 시인이 '꿈꾸는' 대상인 것이다. 그러나 시인과 메밀묵의 관계에는 쓸쓸함의 정서가 개재하는데, 이는 세 번째 진술에서 뚜렷해진다. "인생의 참뜻을 짐작한 자의 너그럽고 넉넉한 눈물"은 앞에서 살핀 시「蘭」에서와 같이 한을 내면화한 화해의 세계이다. 네 번

째 진술에서는 한의 세계가 만남에 의해 다시 내면화된다. '아버지'와 '아들' '손'과 '주인'이 겸상을 해서 "슬금슬금 세상 애기하"는 화해로운 만남의 세계에서 '모밀묵'은 그 중심에 놓인다. 가장 긴 마지막의 진술에서는 한을 내면화한 화해·만남의 세계가 죽음의 인식에까지 나아간다. '저승길'에서의 만남과 그 쓸쓸한 자리에 등장하는 '모밀묵'은 시인의 삶에 대한 인식과 세계인식의 표상이다.

3) 명상과 인식의 균형 : 후기시의 세계

후기에 이르러 박목월은, 다양한 관심과 실험을 편력한 후 대가의 면모에 접근한다. 기왕의 관심과 실험들은 대체로 '자아'와 '외계'라는 두 세계의 통합 또는 자기화 과정이었다고 할 수 있다. 전기에는 '자아'와 '외계' 사이의 단절과 분리를 볼 수 있었고, 중기에는 '자아'에 대한 관심이 주류가 되어, '일상적·역사적 현실'로 구현된 '외계'는 다소 위축된 외형을 가질 수밖에 없었다. 이런 양자 사이의 분리 또는 불균형은 후기에 이르러 해소된다.

후기시의 특징은 '명상적 자세'와 '인식의 균형'인데, 이 양자에 의해 자아와 외계의 분리와 불균형은 극복된다. 후기시는 관념의 세계와 사회적 보편·역사, 크게 이 두 가지 양상으로 전개된다. 관념의 세계는 명상과 균형적 인식에 닿아 있는 세계라고 할 수 있지만, 실험의 영역에서 크게 벗어나지 못한다. 반면 사회적 보편과 역사의 세계는 박목월 후기시의 성과를 대표하며 나아가 박목월의 시가 궁극적으로 획득한 인식의 규모를 설명한다.

「敗着」에서 시인은 사소한 일상의 장면에서 삶을 명상한다. 대세가 판가름 난 바둑판에서 인생의 승부를 유추해내는 것이다. 바둑의 승부는 미세한 선택이 쌓여 거대한 결말을 구성한다는 점에서 인생과 동일시된다. 패배를 인정하는 성숙한 수용의 자세는, 인생과 동일시되는 바둑의 승부를 통해 구현된다. 성숙한 수용은 갈등과 고통을 내면화한 결과이다. 과거의 그릇된 선택에 대한 현재의 회한 또한 '순리'에 의해 무마된다. 이처럼 후기의 박목월이 지향하는 삶의 보편은, 있는 것의 세계를 인정하면서도 그것에 함몰되지 않는 명상의 자세와 인식의 균형에 의해 유지된다. 이전의 시들이 보여준 심리적 동요와 불안은 이 단계에서 비로소 자아의 몫인 동시에 세계의 몫이 된다.

후기 박목월의 시에서 보이는 명상의 대상은 일상적 경험에만 머물지 않는다. 「나무」에서 나무는 '숲'에 있는데도 불구하고 적막하고 고독하다. 그 까닭은 개체 사이의 회복할 수 없는 거리 때문이다. 말하자면 나무의 적막과 고독은 '알몸'과 '간격'에서 말미암는다. 전자는 개체의 사정이며 후자는 관계의 현실이다. "밑둥까지 드러낸 알몸"은 개체의 현실이기도 하지만 타자를 향한 몸짓이기도 하다. 그러나 진정한 어울림을 위한 준비의 자세는, 회복할 수 없는 간격 때문에 좌절된다. 그의 명상 속에서, 화해를 위한 개체의 안간힘과 좌절이 주는 허망함은 '차가움'의 감각으로, 개체 사이의 회복할 수 없는 간격은 '두려움'의 정서로 구현된다. 이 시에는 명상의 시선만이 존재할 뿐 표면적으로 자아의 정서는 드러나지 않는다. 자아의 정서는 '나무'라는 자연의 사물에 완전히 침투해 있다. 이런 기법적 장치 역시 앞서 살핀 시 「敗着」에서와 같이, 명상의 자세는 흐트러지지 않으면서 시인의 내면을 온전히 표현해 내는 데 기여한다.

한편 「밸런스」에서 시인은 '흔들림'이라는 삶의 현실을 '완전한 균형으로 이르기 위한 끊임없는 다시 서기'의 과정으로 이해한다. '수평'은 균형의 궁극적인 목적인 동시에 삶의 최종적 의미이며, 균형을 취하기 위한 노력은 그 의미를 획득하려는 절박한 자기운동이다. 따라서 이 절박한 행위가 '곡예일 수 없'음은 당연하다. 이와 같은 삶의 이해는 '죽음'의 문제도 새롭게 해석할 수 있게 한다. 삶을, 균형을 취하기 위한 지난한 노력으로 보는 이해의 구도 속에서, '죽음'은 "두 손으로 허공을 잡으며 떨어지는"는 것이며, "하늘의 추가 한편으로 기우"는 것이다. 이는 결코 "넘어지는 것이 아니"며 전혀 새로운 균형의 세계에 속한다. '죽음'의 세계가 가지는 새로운 균형은 '누움'으로 표상되는 최종적 수평이며, "영원으로 출렁거리는 파도를 타려는 또 하나의 수평자세"이다. 이런 역설을 통해 시인은 균형의 상징을 삶과 죽음의 순환 속에서 하나의 논리로 완성한다. 죽음이 의미하는 최종적 수평은 "가장 편안한" 자세이며, "어린 날"의 망각과 휴식을 회복하는 것이며, 그 유년의 "손에 쥐어진 꽃"이다.

박목월의 후기시에서 '균형'은 단순한 주제나 상징물의 의미에서 나아가 시적 세계관의 중요한 부분이 된다. 분리와 불균형으로 설명할 수 있었던 중기까지의 한계는 여기서 또한 해소된다. "사회는 시궁창에 범람하는 수렁이 아니며, 우리는 이른바 고통의 불모지에 팽개쳐진 말뼈다귀가 아니다"라는 시구는 이전 박목월 시의 태도를 생각할 때 놀라운 변화가 아닐 수 없다.

한편 같은 시기에 진행된 관념적 세계의 실험은 『砂礫質』 연작과 「돌의 詩」 연작에 그 요체가 함축되어 있다. 후기시에서 발견되는 중요한 소재인 '광물'을 표제로 삼은 이들 연작의 시들은 난해하고 생경하다. 『砂礫質』 연작 「1」을 보면, 시멘트 바닥에 깨어져 흩어진 접시를 응시하는 순간의 장면이 제시되어 있다. 상황의 전후관계는 시인의 일차적 관심의 대상이 아니다. 단지 초현실적 시간 속에 정지된 상황만이 냉정한 응시의 대상이다. 이와 같이 극단적으로 구체적인 장면은 그만큼 추상적인 관념 속에서 처리된다.

순수관념의 시가 보여준 난점 즉, 전후상황을 소거한 단순 상황의 사물과 경험 세계의 분리는, 실험의 최종적 성과를 부정적인 것으로 보도록 한다.27) 자아와 외계의 갈등과 부정성을 나름대로 해결한 후 박목월이 실험한 순수관념의 시는 소기의 성과를 거두지 못했다.

---

27) 형식과 주제의 불균형을 지적한 다음과 같은 평가는 동의할 만하다. "[……]높은 主題와 그것을 표현하기 위한 훌륭한 類推를 발견하고 있으면서도 詩語와 文體가 어쩐지 생경하고 生彩가 적어 보인다. 다시 말하면 型式이 主題를 감당하지 못한 느낌이다. [……] 그것[연작 「砂礫質」에서 뚜렷한 조화와 통일성을 느끼기 어려운 이유 : 필자]들은 원래 言語의 구사에 있어서 특출했던 이 시인의 것으로는 눈에 뜨이게 言語의 技巧가 경화되어 있고 瑣末的 경향도 있어 다소의 방법적 亂脈이 보이는 것 같다. 그 원인이야 무엇이든 그것은 이 연작[「砂礫質」 연작]이 主題의 높이와 그 展開에 치우친 나머지 그것에 적합한 言語를 찾지 못한, 다시 말하면 언어가 주제에 짓눌려 버렸음을 뜻할 것 같다."(김종길, 앞 글, p.589).

'명상의 자세'와 '인식의 균형'은 박목월 시가 얻은 미의식이며 삶과 세계를 보는 방법이라면, '보편'과 '역사'는 대상이자 목적이다. 중기시에 이르기까지 박목월의 시가 일정한 한계를 노정했다면 그것은 특수와 개별의 몫일 것이다. 소박하게 보아, 시는 개인의 정신과 화법에 절대적으로 의존한다고 말할 수 있지만 그것은 중요한 한 가지일 뿐이다. 개인의 정신과 화법에 의해 구현되는 시가, 한층 더 포괄적인 경험과 시·공간적으로 공유가능한 세계 속에 자리잡을 때 더욱 온전한 가치를 확보할 수 있다는 진술은 타당하다. 이런 포괄적 경험과 진실의 공유를 우리는 시의 '보편성'이라고 부를 수 있다면 시에 수용되는 '역사'는 보편의 시대적 변용일 수 있다. 시인이 개인적이고 개별적인 가치에 관심을 둘 때 역사와 관련되는 보편적인 가치는 멀어진다. 그러나 어떤 개별적인 가치는 보편적인 가치와 개념적으로 분리되지 않는다. 보편적 가치와 개념적으로 분리되지 않는 특수한 가치는 대개 사회적이고 역사적이다.

「生土」를 보면, 각지에서 관찰한 인간의 모습은 모두가 삶의 지난함을 얼굴에 간직하고 있다. 즉, 노화와 삶의 시련은 그들의 얼굴에 "마른 논바닥같이 척척 금이 가서 억만년을 산 듯"한 흔적으로 남아 있는 것이다. 이 단계에서 삶과 현실은 이처럼 개인이 아닌 다수 인간의 형상으로 표현된다. 이 작품이 구체적 경험을 통해 삶의 보편을 담고 있다면 「離別歌」는 추상적이라 할 수 있는 죽음의 문제를 담고 있다. 이 시에서 죽음은 이별에 비유된다. 죽음은 한 세계에서의 소멸이 아니라 '강 건너'의 다른 세계로 떠나가는 것이라고 한다. 여기서 죽음은 단절 또는 헤어짐의 절대적 비애를 낳는 원인일 뿐, 어느 편이 이승이고 어느 편이 저승인지는 상대적으로 중요하지 않다. '나'는 강을 건너가고 있는 뱃머리에 서 있으며, '너'는 '내'가 떠나온 강기슭에서 있다. 이 물리적 거리와 '바람'의 방해에 의해 '나'와 '너'의 교신은 이루어지지 않는다. 그러나 어떤 의미에서 신호의 내용은 중요하지 않다고 말할 수 있다. '죽음'은 인간이 피할 수 없는 숙명의 가장 절박한 국면이다. 이렇게 안타깝고 절박한 상황, 그리고 '너'의 애타는 몸짓 앞에서 '나'의 반응은 "오냐. 오냐. 오냐."이다. 이는 한을 내면화한 담담한 수용과 최종적 화해의 자세이다. 이것이 타협이거나 회피일 수는 없다. 죽음은 거부를 인정하지 않으며, 궁극적으로 모든 저항을 무의미화하는 것이기 때문이다.

중기시 이후 꾸준히 등장하는 '죽음'의 문제는 박목월의 시에서 더 주의 깊은 관찰을 요구한다. 죽음에 대한 지속적 관심은 후기에 이르러 두 가지 방향으로 갈피를 잡는데, 그 하나는 앞에서 살핀 바 있는 「밸런스」와 같은 인식적 해결이고, 다른 하나는 이 시에서와 같은 정서적 해결이다. 전자의 경우 관념적 진술의 난해성과 경직된 교훈성에 그칠 위험이 있는 반면 후자는 지극히 시적인 접근이라 할 수 있다. 이는 박목월 시의 전개 양상과 자연스럽게 어울리며, 그의 서정시적 성취를 더 의미 있는 것으로 만든다.

「離別歌」에서 또 하나 주목할 것은 '바람'이다. '바람'은 이승과 저승을 포함한 거대한 삶의 공간에 두루 작용하는 숙명 또는 존재의 조건을 상징한다고 말할 수 있다. '죽음'과 '바람'은 개인의 조건이 아닌 인간 일반의 보편적 조건을 상징한다.

보편의 획득은 자연스럽게 '역사' 또는 '사회'의 세계로 이행한다. 중기시 이전의 박목월 시는 '역사'의 문제를 정면으로 다룬 적이 없다고 해도 틀리지 않다. 그러나 후기시에 이르러 내향적이고 소아적인 관심은 웬만한 수준에서 청산되었다고 볼 수 있다. 양적으로는 만족할 만한 것이 못 되나, '역사'와 '사회'로 대표되는 당대적 현실의 수용은 당연한 것이며 따라서 그 의의는 소중하다. 다음의 시는 그 대표적 예의 하나이다.

> 射程距離 안에서 / 산철쭉이 핀다. // 미소가 굳어진 봉오리가 / 불안 속에 밀집하여 / 고개를 남으로 돌린다. // 그 갸륵한 向日性에 / 나의 가슴이 더워온다. // 死角이 없는 / 자연 속에서 // 이편 비알에는 늙은 소나무 / 죽기에 박힌 破片이 / 옹이로 아물었다. // 그 고된 시련은 / 나와 나의 형제의 것이다.
> — 「山철쭉」 전문

자연은 현실의 상징이며 동시에 포괄적인 세계의 구성인자이다. '사정거리'는 '미소가 굳어진' '불안'한 상황의 원인이다. 파멸의 공포 속에서도 살아 숨쉬는 생명의 본능은 '향일성'에 함축되어 있다. 또한 '사각이 없다'는 순진무구를 의미하기도 하지만, 중의적으로 재난의 불가피성을 의미하기도 한다. '늙은 소나무 줄기에 박힌 파편'은 전쟁의 상처를 가리킨다. 종합적으로, 사정거리 안에서의 삶과 미소가 굳어진 불안의 상황에서도 지속되는 생존의 의미 그리고 세월이 지나도 치유되지 않는 과거의 상흔 등이 지시하는 삶과 현실의 조건을 '나'와 '나의 형제의 것'으로 시인은 인식한다. 역사적 현실에 대한 이전의 박목월의 태도를 고려할 때 이와 같은 진술은 소중한 것이 아닐 수 없다.

이 시가 상징적으로 역사적 현실을 담고 있다면, 「鯉魚」는 더 직접적이다. '잉어'는 본래, 국토의 분단에 제약받지 않는 소망스러운 삶을 살고 있었다. 물에서 건져 올려진 잉어는 삶의 조건을 박탈당한 것이며, 상징의 고도 속에서는 분단의 제약 속에 있게 됨을 지시한다. 그것은 '고아들 수 없는 민족의 비극'이다. 또한 고아 들 수도, 놓아줄 수도 없는 속수무책의 상황이 곧 우리의 현실이다. 결구에 제시되는 반성은 의미심장하다. "나의 주례는 겨우 제자나 친구의 자제 그것에 그쳤다"는 반성적 진술이 그것이다.

박목월 시의 궁극적 성과는 '자아'와 '외계'의 교섭을 중심으로 하는 삶의 탐구와 그 인식의 성숙에서 찾아야 할 것이다. 위에서 살핀 '역사'와 '당대적 현실'의 세계는 그의 시세계를 더 윤택하고 균형잡힌 것으로 하는 데 기여한다.

3. 결 론

본론의 논의를 통해 이 논문은 박목월의 전기시가, 대중들의 애호와 미감에도 불구하고, 외계와 자아의 소격에 의해 지탱된다는 사실을 밝혔다. 이는 다분히 시대적 특성과도 무의식적 관련을 맺고 있을 것이다. 그러나 지속적인 시작을 통해 박목월은 점진적으로 자아의 세계와 인간의 세계, 즉 삶과 사회, 역사 영역에서의 갈등과 비애를 포섭하여 성숙한 시정신에 다가설 수 있었다. 물론 그의 시세계는 지속된 시간과 축적된 작품의 양에 걸맞게 다기한 지향과 실험을 포함하고 있는 것이 사실이다. 그러나 중기와 후기의 성취는 인간적 체취가 묻어나는 시편들에서 찾아진다.

한국 현대 서정시의 맥을 김소월, 한용운, 그리고 정지용, 김영랑 등의 흐름으로 가늠할 수 있다면, 박목월은 그 연장선상에 있다. 박목월의 중요한 시사적 기여는 식민지 시대의 성과를 해방 이후로 잇는 가교적 역할에 있다. 단절과 방황 그리고 분단으로 설명되는 역사적·문학사적 궤적에 이와 같은 역할은 그 자체만으로도 소중한 것이다. 이러한 기여는 시사적 국면에서 이른바 청록파의 다른 시인들뿐만 아니라 이른바 인생파 등과 공유하는 것이지만, 개인의 내면에 주된 관심을 두는 서정시의 전통을 염두에 둘 때, 박목월의 시적 노력과 성취는 더욱 값진 것이라 할 수 있다. 새터

▪ 참고문헌

김동리, 「자연의 발견」, 『문학과 인간』, 청춘사, 1952.

김용직, 「해조와 기법」, 『심상』 1979년 3월호.

김우창, 「한국시의 형이상」, 『궁핍한 시대의 시인』, 민음사, 1978.

김윤식, 「도라지빛 하늘꼭지에 이르는 길」, 『심상』 1979년 3월호.

김종길, 「향수의 미학」, 『문학과 지성』 1971년 가을호.

김흥규, 『문학과 역사적 인간』, 창작과 비평사, 1979.

박두진, 「시의 불꽃과 생명과 함께」, 『한국문학』 1978년 5월호.

오탁번, 「'청록집'의 방향과 의미」, 『현대문학산고』, 고대출판부, 1976.

이승훈, 「세계로 통하는 하나의 창」, 『한국시문학대계』 18, 지식산업사, 1981.

정한모, 「청록파의 시사적 의의」, 『현대시론』, 보성문화사, 1974.

한광구, 「박목월 시에 나타난 시간과 공간 연구」, 한양대 박사논문, 1991.

서정시와 시적 구원

- 1960년대 박목월의 경우

서 림*

1.

　근대 이후 서정시를 쓴다는 것은 마치 도도하게 흘러가는 탁류를 거슬러 올라가려는 행위와 같다. 근대 이후 지구상에는 미래로만 향해 엄청난 속도로 흘러가는 탁류가 범람한다. 그 가속도는 갈수록 더해가기만 한다. 서정시가 꿈꾸는 순수의 세계란 바로 그 탁류를 거슬러 올라가 그 강물의 始原에 이르고자 하는 동경의 산물이다. 태초에 있었던 시원으로서의 맑은 샘물을 그리워하고 그곳에 도달하고자 하는 행위가 순수서정시를 낳게 되는 것이다.
　엄청난 양과 속도로 흘러가는 탁류를 거슬러 올라가는 이러한 저항적 태도가 근대 이후 생산되는 순수서정시의 미학적 성격을 규정짓는다. 근대 이후 순수서정시에는 다분히 근대 산업화이데올로기, 부르주아 이데올로기에 대해 저항이데올로기로 작용하는 측면이 있다. 근대 이전에는 서정시가 늘 근원 곧 샘물과 함께 하고 있었다. 샘물에 뿌리를 담그고 있었기에 탁류 속에서 그것을 그리워하는 동경이 필요 없었다. 따라서 그때의 서정시는 매우

---

* 시인, 대구대 사대 국어교육과 교수. 저서로『한국 현대시와 동양적 생명사상』,『말의 혀』등이 있음.

자연발생적인 것이었다. 그러나 근원이 보이지 않는, 탁류 속에서 헤매는 근대 이후의 서정시는 탁류를 거슬러 올라가야 하는 저항적 성격을 지니게 된다. 시대의 흐름에 도전하고 거부하는, 소위 불화의 미학을 보이는 것이 오늘날 서정시의 운명이다. 그래서 오늘날의 순수서정시에는 그것이 지니는 자연발생적 성격에도 불구하고 방법적인 자의식이 분명하게 자리잡고 있는 것이다. 다시 말해, 오늘날의 순수서정시는 뚜렷한 이데올로기적 담론으로 구성되어 있다.

샘, 시원을 꿈꾼다는 것은 단순히 과거에로의 퇴행이 아니다. 서정시가 꿈꾸는 순수세계로서의 시원, 곧 근원은 서정시인이 도달하고자 하는 목표가 된다. 태초에 있었던 완벽한 과거가 미래적 목표로 기능하는 것이다. 이때 그 근원은 현실의 탁류를 비추어보고 비판하는 거울이 된다. 그리고 그 탁류로서의 현실을 개혁할 수 있는 지표가 된다. 그 근원에로 거슬러 올라가 타락한 지금의 현실을 근본적으로 바꾸어보겠다는 의지가 순수서정시에 담겨있는 것이다. 이것은 그 시원, 샘을 불신하고 부정하는 모더니즘과는 다르다. 원래부터 탁류 속에서 배태된 근대의 산물인 모더니즘은 그 탁류를 거부하면서도 탁류 속에서 탁류와 더불어 허무하게 속수무책으로 흘러갈 뿐이다. 모더니즘은 근대 이후의 산물이기에 근원에 대한 소중한 '기억'이 없는 것이다.

이에 비해 순수서정시는 과거에 있었던 '완벽한 세계'에 대한 기억에 의존하고 있다. 인류의 집단무의식 속에 자리잡고 있는 '낙원'에 대한 기억이 모든 순수서정시의 근본 바탕인지도 모른다. 그리고 개인에게는 고향, 유년시절, 모성 등이 기억 속에서 완벽한 세계로 남아 있을 것이다. 연어가 멀고 먼 대양을 돌아와 자신의 고향을 찾아가는 것이 기억에 의존하고 있듯이, 이 기억이 없으면 인간은 그 역사적 시원에로 거슬러 올라갈 수 없을 것이다. 도도한 탁류의 흐름 속에서 그것을 거슬러 태초의 시원에 이르고자 하는 이러한 힘든 서정적 행위는 바로 우리의 의식과 무의식에 잠재하고 있는 위대한 과거, 황금시대에 대한 기억 때문이다.

우리가 기억하고 있는 황금시대로서의 과거, 시원으로서의 공간은 '단단한 가치'들이 용해되거나 증발되지 않고 보존되어 있는 곳이다. 그 '단단한 가치'는 근대 이후의 변화와 속도에 지친 우리들에게 연속감과 자기정체성을 확보해준다. 연속성과 자기정체성은 동일성의 다른 표현이다. 모든 것이 끊임없이 변화해가고 마모되어 가는 근대적 현실, 부박한 현실에서는 이른바 '동일성'이 자신을 보존하는 하나의 정신적, 심리적 기제가 된다. 서정시가 추구하는 동일성이 바로 덧없이 변해가는 부박한 현실에 대응하여 연속성과 자족성, 전체성을 확보할 수 있는 한 방법이 되는 것이다. 서정시가 지니는 이러한 사회적 기능은 결국 그것이 지니는 역사철학적 의미에 결합되어 있다.

순수서정시는 유토피아를 지향한다. 순수서정시가 지향하는 유토피아는 바로 우리가 기억하고 있는 바 낙원이다. 이 낙원에 대한 동경 때문에 순수서정시는 탁류로서의 현실에 대해 강한 불만을 갖고 거기에 저항할 수밖에 없다. 서정시가 꿈꾸는 세계는 현실 그 자체가 아니다. 그렇다고 현실을 외면하지도 않는다. 현실 속에서 현실을 넘어서는 낙원을 꿈꾼다는 점에서 서정시의 구도는 이항대립적이다. 탁류로서의 현실과 이상세계로서의 낙원 사이의 대립 속에 존재하는 것이 서정시이고, 그 가운데서 서정적 긴장이 유지되는 것이다. 이 이항대립적 구도에 의거하고 있는 순수서정시는 다분히 플라톤적인 모방론에 기대고 있다.

플라톤적 모방론이란 초월적인 Idea 세계를 설정하여 그것으로써 현실을 비추어보고 현실을 그쪽으로 개혁해 나가려는 의지의 산물이다. 현실세계에 존재하는 기호로서의 사물을 그 의미의 근원인 Idea와 일치시키려는 행위는 바로 '은유에의 의지'의 산물이다. 완벽한 은유는 결국 기표(현실세계)와 기의(Idea세계)를 일치시키는 것이다. 그리하여 은유는 '구원의 시학'이 되는 것이다. 그런데 근대의 탁류 속에서 기표와 기의는 완전히 어그러져버렸다. 이 탁류 속에서는 결코 기표와 기의를 일치시킬 수 없다. 모더니스트들은 기표와 기의를 일치시키려는 모든 꿈을 무모한 것, 불가능한 것으로 본다.

그들은 기표와 기의가 행복하게 일치하던 '에덴'을 모르기 때문이다. 즉 그들에겐 '에덴'에 대한 기억이 없기 때문이다. '에덴'에서 아담이 모든 동물들에게 이름을 붙이면, 그 동물들은 순종하듯이 흔쾌히 자기 이름으로 받아들였다. 아담의 이름 붙이는 행위는 에덴에서의 우주적 질서를 표상한다. 이렇게 낙원으로서 존재하는 '에덴'은 하나의 Idea로 기능한다. 이처럼 우리가 회복해야 할 이상세계로서의 낙원은 미메시스의 시학을 낳게 한다.

미메시스의 시학이란 존재론적이다. 그러면서도 당위적이다. 모든 서정시학은 당위적인 것이다. 우리가 잃어버린 '위대한 과거'를 기억 속에서 불러내어 현실의 방향을 그 쪽으로 돌이키려는 것, 과거를 미래 속에 회복시켜 놓으려는 것, 이것이 서정시의 궁극 목표이다. 구원의 시학은 서정시의 궁극적 지향점인 것이다. 이제 서정시는 선언적일 수밖에 없고, 따라서 매우 래디칼해질 수밖에 없다.

2.

서정시의 위대한 기능 중에 하나는 '구원'에 있다. 시적 구원, 곧 서정적 구원은 타락한 현실세계를 거부하고 새로운 이상세계를 일구어내는 데 달려 있다. 해체와 분열을 가중시키는 근대의 물화된 세계에 맞서서 새로운 통합의 세계를 설정하고, 거기에다 초점을 맞추어 우리의 타락한 삶을 이끌고 나가는 데 서정적 구원의 길이 열리는 것이다. 따라서 서정적 구원은 불가불 이항대립적 구도를 지닐 수밖에 없다. 타락한 현실세계와 그에 맞서며 초월해 있는 이상세계 사이의 팽팽한 대립구조 속에 서정적 구원은 리얼리티를 확보하는 것이다. 이렇게 구원의 시학은 소망 없는 세계와 소망 있는 세계간의, 신성한 가치가 훼손된 세계와 훼손되지 않은 세계간의 대립적 구도 속에 그 진정성이 확보된다. 순수서정시가 지니는 시적 긴장은 이 이항

대립적 구도가 얼마나 강렬하냐, 얼마나 리얼하냐에 달려 있다.

박목월의 초기시, 즉『청록집』,『산도화』등에 실려 있는 시들은 구원의 시학을 강하게 반영하고 있다. 특히『청록집』의 시세계는 타락한 현실 세계에서 '청노루'가 살고 있는 유토피아 세계를 그리워하는 것으로 이루어져 있다. 그러다가 1964년대에 발간된『晴曇』의 세계에 오면, 그러한 강렬한 이념지향성이 사라진다. 대신에 일상성이 강하게 대두된다.『청담』의 시세계는 한마디로 생활서정시 그것이다. 일상의 생활세계에 매몰되어 가는 소시민 박목월이 그냥 하루하루 견디며 살아가는 모습이 여실하게 드러난다.

제목 '晴曇'에서도 드러나듯이, 하늘이 맑게 개여 있기도 하고 흐려 있기도 하는 일상적 삶의 세계가 이 시기의 주된 정조이다. 완전히 흐린 세계에서 완전히 개어 있는 세계를 꿈꾸는 것이 아니다. 이러한 것은 앞의 시기,『청록집』의 세계다.『청록집』의 작품들이 쓰여질 당시 현실세계는 완전히 흐려져 있었던 것이다. 그러나,『청담』을 쓸 당시 현실세계는 흐려있기도 하고 개어 있기도 한, 그 두 가지가 교차 반복되는 평범한 상황이다. 따라서 뚜렷한 이념지향적 삶이 나타날 수도 없다. 그저 하루하루 조그만 소시민적 행복에 만족해하며 살아갈 수밖에 없다.

> 無題라는/ 제목을 달고
> 나의 시는/ 큰 안방 같기를 열망한다.
> 무심하고 넉넉하고/ 담담하면서도 크낙한 세계……
> 제목을 달 만한 마디는 풀리고/ 인생은 삭아내리고
>
> 계절이 바뀔 때마다/ 느낌이 살아날 때마다
> 無題라는/ 제목을 달고,
> 구김살 없는 마음으로/ 삶을 생각하고
> 애련하지 않는 눈으로/ 山川을 바라보고
> 나의 붓이/ 無題라는
> 제목을 달고/ 자식을 기르고

사람을 생각하고/ 맺히지 않는 길 위에서
머리를 조아려/ 신을 모시고
남은 여생을/ 눈발이 뿌리는
겨울 장미의 뜰에서/ 수굿하게 살아가는
나의 나날을/ 無題라는
제목을 달고/ 큰 안방 같기를/ 열망한다.

−「無題 1」전문

여기에서의 삶은 제목 '無題'에서 암시되듯이 무방향적이다. 이념을 상실
해버리고 일상에 빠져버린 삶은 방향감각이 없다. 그러한 상태에서 쓰여진
시는 기껏해야 '큰 안방' 같기를 열망할 뿐이다. 큰 안방같은 시란 곧 그 속
에 안주하면서 휴식을 취할 수 있는, 삶의 중심으로서의 공간을 꿈꾸는 작
품이다. 그러한 시세계는 넉넉하지만 무심하고, 크낙하지만 담담하다. 그러
한 세계에다 이름을 붙일 만한 말마디는 다 풀어져 내리고 없다. 마치 인생
이 그냥 덧없이 허무하게 삭아져 내리듯이.

그러한 삶은 따분한 현실세계를 이상적인 관념세계로 끌고 나갈 수 없다.
그냥 계절이 바뀔 때마다 수동적으로 또 하나의 '無題'라는 제목을 달고 살
아갈 수밖에 없다. 그러한 삶에는 구김살이 없다. 이념지향성이 없는 만큼
땅으로 떨어져 구겨지는 일이 없다. 그냥 물 흘러가듯이 구김살 없는 마음
으로 삶을 생각하고 애련하지 않는 눈으로 산천을 바라본다. 이렇듯 『청담』
의 시세계에서 山川은 '애련하지 않는 눈'으로 바라보는 대상으로 바뀌어버
렸다. 『청록집』에서의 자연은 지극히 애련하다. '청노루'가 살 수 있는 이상
적인 공간을 설정하고 그것을 멀리 타락한 현실에서 애타게 바라보는 것은
애련할 수밖에 없기 때문이다. 이러한 소시민의 생활서정시에서는 시적 긴
장미가 현저히 떨어진다. 『청록집』에서 보이던 확연한 이항대립적 구도가
여기에서는 현저히 약화되어 있기 때문이다. 그것은 구원에의 열망이 희미
하기 때문이다.

그나마 『청담』의 작품들 중에서 이항대립적 구도가 잘 드러난 것들은 '가

족'을 다루고 있는 시편들이다. 이 시기 그의 시편들이 시적 긴장을 어느 정
도 유지할 수 있는 것은 '가족'과 그것을 둘러싼 바깥 현실세계 사이의 대립
된 구도 때문이다.

지상에는
아홉 컬레의 신발.
아니 현관에는 아니 들깐에는
아니 어느 시인의 가정에는
알전등이 켜질 무렵을
文數가 다른 아홉 컬레의 신발을.

내 신발은
十九文半.
눈과 얼음의 길을 걸어,
그들 옆에 벗으면
六文三의 코가 납짝한
귀염둥아 귀염둥아
우리 막내둥아

미소하는
내 얼굴을 보아라
얼음과 눈으로 벽을 짜 올린
여기는
地上.
憐憫한 삶의 길이여.
내 신발은 十九文半.

아랫목에 모인
아홉 마리의 강아지야
강아지 같은 것들아.

굴욕과 굶주림과 추운 길을 걸어
내가 왔다.
아버지가 왔다.
아니 十九文半의 신발이 왔다.
아니 지상에는
아버지라는 어설픈 것이
존재한다.
미소하는
내 얼굴을 보아라.

―「家庭」전문

위의 시에는 바깥의 현실세계, '얼음과 눈으로 벽을 짜 올린' 세계와 그
속에 포위되어 있으면서도 성곽처럼 울타리를 치고 있는 '가정'이 서로 이
항대립적 구도를 이루고 있다. 시적 화자는 아버지로서 이 가정을 돌보고
있다. 그는 십구문반의 신발을 신고 '눈과 얼음의 길'을 걸어 왔다. 아홉 마
리의 강아지 같은 것들을 기르기 위해 '굴욕과 굶주림과 추운 길'을 걸어 왔
다. 아버지라는 인격체마저 훼손되어버리고 그저 '십구문반의 신발'로만 남
아 왔다. 즉 '어설픈' 존재로 남아 왔다. 이처럼 위의 시에서는 냉혹한 바깥
세계와 대결하는 '가정'이라는 또 하나의 이상적인 공동체가 보인다. 가정은
사랑의 공동체, 혈연공동체로서 소시민인 시적 화자가 지상에서 안주할 수
있는 마지막 공간이다. 여기에서는 어떤 방향성, 이념지향성이 보이지 않는
다. 그런 만큼 여기에서의 이항대립적 구도는 그렇게 강렬하지가 않다. 단지
그 가정을 지키고 유지하려는 '아버지'의 안쓰러운 안간힘만 보일 뿐이다.
이 안간힘마저 사라지면 이 시에서는 긴장미가 완전히 없어진다. 시로서 실
패하게 될 위기에 처해 있다.

위의 시에서 '가정'은 통합적 기능을 수행하고 있다. 혈연과 사랑에 근거
한 공동체를 지향하는 것이 해체화의 시대 새로운 통합의 한 방식이다. 그
러나 그러한 통합은 매우 소시민적이다. 그 통합은 언제 어떻게 깨어질지

모른다. 그 가족간의 통합을 가능케 하는 어떤 형이상학적, 물질적 토대와 연결되지 않으면 안 된다.

이러한 위기를 극복하게 해주는 것은 다시금 선명한 이항대립적 구도를 시에다 도입하는 것이다. 박목월은 '가정'을 지켜줄 수 있는, 즉 냉혹한 현실 세계의 폭력으로부터 보호해 줄 수 있는 장치로 절대자인 '하나님'을 작품 속에 끌어들인다.

> 어린것을 내가 키우나./ 하느님께서 키워 주시지.
> 가난한 자에게 베푸시는/ 당신의 뜻을
> 내야 알지만./ 상위에 찬은 순식물성.
> 숟갈은 한 죽에 다 차는데/ 많이 먹는 애가 젤 예뻐.
> 언제부터 측은한 정으로/ 인간은 얽매여 왔던가.
> 이만큼 낼은 선물을 사 오께./ 이만큼 벌린 팔을 들고
> 신이여 당신 앞에/ 육신을 벗는 날,/ 내가 서리다.
> ―「밥상 앞에서」부분

이와 같이 '어설픈' 아버지로서는 지킬 수 없는 가정을 절대자인 '하나님'에게 의탁함으로써 위기의 국면에서 파탄의 국면에서 벗어나게 된다. 이처럼 박목월의 중기 생활서정시는 느슨한 긴장을 유지해 오다 초월적 세계를 일상세계에다 대립시킴으로써 다시금 긴장을 확보하게 된다.

> 유성에서 조치원으로 가는 어느 들판에 우두커니 서 있는 한 그루 늙은 나무를 만났다. 수도승일까. 묵중하게 서 있었다.
> 다음 날은 조치원에서 공주로 가는 어느 가난한 마을 어귀에 그들은 떼를 져 몰려 있었다. 멍청하게 몰려 있는 그들은 어설픈 과객일까. 몹시 추워 보였다.
> 공주에서 온양으로 우회하는 뒷길 어느 산마루에 그들은 멀리 서 있었다. 하늘문을 지키는 파수병일까. 외로와 보였다.
> 온양에서 서울로 돌아오자, 놀랍게도 그들은 이미 내 안에 뿌리를 펴고

있었다. 묵중한 그들의, 침울한 그들의, 아아 고독한 모습. 그 후로 나는 뽑아낼 수 없는 한 그루의 나무를 기르게 되었다.

-「나무」전문

위의 시 「나무」에는 기독교에서 말하는 '나그네 의식'이 잘 형상화되어 있다. '지금-이곳'의 현실세계를 그림자로 생각하고 더 나은 '本鄕'을 사모하는 이 나그네 의식이야말로 박목월의 중기 생활서정시에서 점점 사라져가던 서정적 긴장력을 다시 한번 환기시키는 구실을 한다. 위의 시에서 나무는 수도승, 과객, 하늘문을 지키는 파수병 등의 이미지로 나타난다. 그리고 지상에 뿌리를 박고 머리는 하늘로 향하고 있는 모습에서 구도자적인 형상을 하고 있다. 즉 모든 나무는 하늘을 향해 기도하고 있는 자세를 취하고 있다. 나무를 사이에 두고 천국과 지상이 이항대립적 구도를 취하고 있는 것이다.

이와 같이 박목월의 1960년대 시집 『청담』에는 가족을 통한 시적 구원의 모습이 보인다. 그러나 바깥 현실세계와 대립하고 있는 '가정'은 너무나도 허약하다. 그 허약한 가정을 '어설픈' 아버지로서의 '나'가 지켜내기에는 역부족이다. 이러한 허약한 가정을 돌봐줄 절대자인 '하나님'의 세계를 시에 끌어들임으로써 팽팽한 이항대립적 구도가 회복되었다. 그리고 이 이항대립적 구도 속에서 그의 중기 생활서정시가 구원의 시학으로서의 기능을 긴장감 있게 수행할 수 있었던 것이다. 어쨌든 이렇게 '가족'을 중심으로 한 구원의 시학이 그로 하여금 일상성 속에서도 해체시학으로 나아가지 않게 한 것은 사실이다. 그만큼 1960년대 생활서정시에서 '가족'의 기능은 중요했다.

3.

서정시의 위대한 기능의 하나는 구원에 있다고 했다. 그리고 그 구원은 타락한 현실을 거부하고 새로운 통합을 일구어 내는 데에 달려 있다고도 했다. 새로운 통합을 이루어내려면 그 통합을 가능케 하는 형이상학적, 물질적 토대가 단단한 반석처럼 있어야 한다. 바위처럼 '단단한 가치'란 근대 이후의 개발에 의해서도 마모되지 않고 삭아버리지 않는, 해체되지 않는 그 무엇이어야 한다. 그것 중에 하나가 고향이고 자연이다. 앞에서도 말했듯이, 시집 『청담』의 세계가 일상 생활세계에서 가족을 중심으로 단단한 그 무엇을 발견하고 유지하려 했다면, 『경상도의 가랑잎』에서는 고향에서 그것을 발견하려 하고 있다.

> 하루를/ 龍舌蘭처럼 살고 싶다.
> 自己忘却의/ 총총한 時間의 分散.
> 분주한 발걸음./ 公轉하는 言語의
> 소용돌이 속에서/ 寂寞한 입을 다물고
> 하루를/ 龍舌蘭처럼 살고 싶다.
> 천연스럽게 앉아/ 메마르지 않게 또한 화사하지 않게
> 자기를 보듬는/ 생각하는 하루의 沈默
> 생각하는 하루의 瞑想./ 삶의 指針을 地心으로 돌리는
> 나의 깊이/ 나의 年齡./ 은주머니를 안으로 차고
> 하루를/ 龍舌蘭처럼 살고 싶다.
> ―「龍舌蘭」 부분

서정적 자아가 살고 있는 당대는 벌써 자기 자신을 망각하게 하는 분산된 시간으로 나타난다. 파시스트적 속도가 자기분열과 해체를 가져오고 있는 형국이다. 이 파시스트적 속도에 의해 모든 사물들 사이의 관계는 해체되고 있다. 사물들과 기호들이 이미 서로 어긋나기 시작하고 있다. 이제 더는 기표가 기의를 지칭하지 못하고 있다. 그것을 두고 서정적 자아는 '公轉하는 言語'라 부르고 있다. 그러한 혼란된 언어의 소용돌이 속에서 서정적 자아는 침묵하고 싶어한다. 그러한 침묵 속에서 자기를 보듬고 삶의 지침을 地心으로 되돌리고자 한다. 자신의 삶을 地心으로 되돌리는 행위, 곧 '중심'으로 되

돌리는 행위는 파편화, 해체화의 길로 치달리는 속도감에 대한 반역이다.

서정시란 '地心', 곧 '중심'을 지향하는 정신적 행위이다. 그 '地心' 속에는 아무러한 세월이 흘러도, 어떠한 속도와 변화 가운데서도 파괴되지 않은 '단단한 실체' 같은 것이 들어있기 때문이다. 서정시란 바로 그 '地心' 속에 들어있는 단단한 핵(알맹이)을 중심으로 자기정체성, 연속성, 동일성을 확보하는 장치인 셈이다. 따라서 서정적 자아는 '은주머니'를 안으로 차고 하루를 용설란처럼 여유롭게 살고 싶다고 고백한다. 이는 내면성의 깊이로 들어가는 한 방식이다. 그리고 그 내면성의 깊이에 바로 '고향'이 들어 있다. 이때 고향은 바로 '단단한 가치'가 실체로 존재하는 본질적인 곳이다. 다시 말해 본질과 현상이 분리되지 않은 곳이다. 적어도 서정적 자아의 기억 속에서 고향은 자아와 세계가 동일성을 이루고, 자아 스스로도 정신적으로 동일성 곧 연속성을 확보하는 공간이다.

> 乾川은 고향/ 驛에 내리자,
> 눈길이 산으로 먼저 간다./ 아버님과
> 아우님이/ 잠드는 先山./ 거리에는
> 아는 집보다 모르는 집이 더 많고
> 간혹 낯익은 얼굴은/ 너무 늙었다.
> 우리집 감나무는/ 몰라보게 컸고
> 친구의 孫子가/ 할아버지의 심부름을 전한다.
> 눈에 익은 것은/ 아버님이 居處하시던 방.
> 아우님이 걸터앉던 마루./ 내일은
> 어머니를 모시고 省墓를 가야겠다.
> 종일 눈길이/ 그 쪽으로만 가는 山
> 누구의 얼굴보다 親한/ 그 山의 구름
> 그 山을 적시는 구름 그림자.
>
> ─「山」전문

고향은 자연과 더불어 있고 자연의 일부이다. 그리고 고향은 시적 자아의 기억 속에서 생생히 살아 있어서 '친근한' 공간이다. 모든 미란 친근함에서 탄생되는 법이다. 낯익은 데서 미를 발견하고 낯선 것에서는 불편함을 느낀다. 미란 친숙한 것인 만큼 편한 것이다. 고향 산천이 친숙하고 편안한 것은 그곳에 혈육인 아버지와 아우가 묻혀있기 때문이다. 그리고 '우리집'이 있고, 우리집의 감나무가 있고, 친구가 있다. 이 낯익음 속에 바로 변화하지 않는 '단단한 가치'가 들어 있는 것이다. 단단한 가치를 내장하고 있는 낯익은 사물 속으로 들어가면 자아는 편안한 가운데 그 사물들과 하나로 만나게 된다. 연속성과 동일성이 이루어진다. 그리고 고향은 대도시에서의 분산된 삶으로 인해 잃어버렸던 전체성과 자족성을 환기시켜준다.

이처럼 위의 시에서 보이듯 고향은 안도감을 주는 공간이다. 1960년대 개발독재하에서 무차별적 발전과 변화 속에 내동댕이쳐진 시적 자아는 고향에 돌아옴으로써 비로소 안도감을 누린다. 1960년대 대중가요에서처럼, 그의 시편들 속에 고향을 그리워하는 정서가 수없이 동어반복적으로 되풀이되는 것은 이렇듯 고향이 서정적 자아에게 정체성을 확보해주고 안도감과 정신적 희열을 가져다주기 때문이다.

水質 좋은 慶尙道에,/ 연한 푸성귀
나와/ 나의 형제와/ 마디 고운 수너리斑竹
사람 사는 세상에/ 完全樂土야 있으랴마는
木器같은 사투리에/ 푸짐한 시루떡.
처녀애./ 처녀애./ 통하는 처녀애.
니 마음의 잔물결과/ 햇살싸라기.

－「푸성귀」 전문

『경상도의 가랑잎』에 오면 이처럼 시적인 긴장미가 다시 살아난다. 그것은 『청담』에서 보이던 느슨한 이항대립적 구도가 『경상도 가랑잎』에 오면 다시 팽팽해지기 때문이다. 이 작품에서의 이항대립적 구도는 타락한 현실

공간과 이상적인 고향인 경상도 땅과의 관계에 놓여있다. 수질 좋은 경상도
란 말은 살기 좋은 곳의 다른 표현이다. 그곳에서는 연한 푸성귀와 나와 나
의 형제가 마디 고운 수너리 斑竹과 구분이 되지 않는다. 사물들 사이에 경
계가 없어진다. 이처럼 경계가 없어지는 그곳은 바로 樂土로 나타난다.

　　樂土로서의 고향 경상도는 木器같이 투박한 사투리로, 푸짐한 시루떡으
로, 그리고 순결한 처녀애로 특징 지워진다. 박목월이 꿈꾸는 순수서정시는
그러한 경상도 처녀애에게서 보이는 순결성과 같은 것이다. 정신적, 육체적
순결, 이것은 모든 서정시가 꿈꾸는 궁극적 지향점이다. 이 순결성 때문에
근대의 타락한 도시문화에 대해 순수서정시는 완강한 저항력을 지니게 되
는 것이다. 서정시 쓰는 행위는 바로 그런 처녀애와 마음이 '통하는' 것과
같다. 그럴 때 일어나는 서정적 감흥은 바로 '니 마음의 잔물결과 햇살싸라
기'처럼 황홀하게 반짝거리는 것이다.

　　고향에서 발견하는 樂土로서의 삶은 그저 황홀하기만 한 것은 아니다. 그
냥 자연 속에 파묻혀 자연스런 리듬에 따라 자연스럽게 살아갈 뿐이다. 그
런 자연스런 삶이 곧 바로 유토피아적이라는 것이다. 박목월이 꿈꾸는 서정
적 구원은 바로 고향에서의 그런 자연스런 삶의 방식을 회복하는 것이다.

　　　아우 보래이./ 사람 한 평생/ 이러쿵 살아도
　　　저러쿵 살아도/ 시쿵둥하구나./ 누군
　　　왜, 살아 사는 건가./ 그렁저렁/ 그저 살믄
　　　오늘같이 杞溪장도 서고/ 허연 산부리 타고 내려와
　　　아우님도/ 만나잖은 가베.
　　　　　　　　　　　　　　　　　　　　－「杞溪장날」부분

이와 같이 자연스런 리듬에 따라 사는 유토피아적인 삶은 '분별 없이' 사
는 것이다. '분별 없는' 삶은 모든 서정시가 지향하는 이상적인 것이다. 서정
시란 곧 사물들 사이에 존재하는 간극, '경계'를 지워버리는 것을 특징으로

한다. 그 경계를 지워버릴 때 바로 사물들 사이의 긴밀한 내적 연속성, 동일성이 확보되는 것이다.

도시에서 살고 있는 박목월이 도시생활을 가지고 시를 쓸 땐 경상도 사투리를 쓰지 않다가, 고향 경주에서의 삶을 다룰 땐 사투리를 쓰게 되었다는 것은 의미심장하다. 사투리는 도시에서 살고 있는 박목월과 고향 사람들 사이에 있는 경계를 지워버리는 역할을 한다. 사투리란 고향과 동격이면서 일부이다. 사투리는 고향과 제유적 관계에 놓여 있다. 따라서 사투리 속에는 '단단한 그 무엇'이 숨어있다. 시대의 변화, 사회발전에 따라가지 않고 오히려 그것을 거부하는, 反근대적 속성이 그 속에 들어가 있는 것이다. 알고 보면 표준어란 근대의 산물이면서 근대를 끌고 가는 중심 요소이다. 이 표준어에 대항하는 사투리는 결국 근대에 저항하는 것이 된다.

> 아즈바님/ 잔 드이소./ 환갑이 낼모랜데
> 남녀가 어디 있고/ 上下가 어딨는기요.
> 분별없이 살아도/ 허물될 게 없심더.
> 냇사 치마를 둘렀지만/ 아즈바님께
> 술 한 잔 못 권할 게/ 뭔기오
> 북망산 휘오휘오 가고 보면/ 그것도 한이구머.
> 아즈바님/ 내 술 한 잔 드이소.
>
> —「恨歎調」 부분

위의 시에서는 건네주고 받는 술잔과 더불어 사투리가 사람들 사이의 경계를 없애고 있다. 남과 여, 신분의 상과 하에 있어서 '분별을 없애는' 행위가 사투리에 의해 가능한 것이다. 서정시는 이처럼 사물들 사이의 경계를 지워버리고, 분별을 없애고, 共同善을 추구하는 것을 이념적으로 지향한다. 북망산을 앞에 두고 자연으로 돌아와 자연과 더불어 하나가 되는 이러한 '분별 없는' 경지는 바로 1960년대 토속 서정시의 진풍경이다. 바로 이러한 진풍경 속에서 시적 구원을 성취하는 것, 이것이 박목월 그가 시집 『경상도의 가랑잎』에서 추구하는 이상적 세계이다. 타락하고, 분별이 앞서고, 계산이 늘 앞서는 냉혹한 현실세계를 초월하여 있는 낙토로서의 고향이 바로 이 시기 목월에게 있어서 시적 구원의 처소인 셈이다.

4.

『경상도의 가랑잎』에서 고향 경상도, 특히 경주가 시적 구원을 위한 하나의 처소로서 낙원으로서 기능함을 살펴보았다. 그런데, 『경상도의 가랑잎』에 나오는 고향은 낙원으로서의 모습이 다소 약해 보이는 게 사실이다. 그 시집에 나오는 경상도의 모습은 기억에만 의존하고 있다기보다는 '관찰'에다 더 많이 기대어 있다. 初老에 접어든 시인이 고향 경상도 땅을 방문하여 지금 눈에 보이는 그곳의 모습에다 과거의 기억을 중첩시키고 있는 것이다. 따라서 순전히 기억에만 의존하고 있는 시편들보다는 낙원으로서의 모습이 상대적으로 약할 수밖에 없다.

이에 비해 시집 『어머니』 속에 나오는 시편들은 거의가 다 기억에만 의존하고 있다. 시를 쓸 때 '관찰'보다 '기억'에 의존할 경우 때로는 더욱 구체적일 수가 있다. 특히 상상력이 탁월한 시인의 경우, 기억에 의존한 상상력이 발동할 때가 관찰의 경우보다 훨씬 더 생생하고 구체적일 수 있는 것이다. 더군다나 낙원으로 설정된 유토피아로서의 고향의 모습을 그릴 땐 더욱 더 생생해질 수가 있는 것이다. 우리의 기억 속에서 사물들은 이미 허구화되어 새로운 질서로 구성되어 있기 때문이다. 기억 속의 사물들은 현실로서의 사물 그 자체가 아니라 유토피아의 세계를 위해 선택되고 재배치되는 허구화의 과정을 거치는 것이다. 현실 그 자체의 압력을 벗어나기 때문에 자유로운 상상이 가능하고, 따라서 훨씬 더 실감나게 그려질 수가 있는 것이다.

그런데 기억 속에 자리잡고 있는 유토피아로서의 고향은 이미 관념화된 고향이다. 시인의 무의식적 동경이 착색된 고향이다. 동경이 강하면 강할수록 착색의 정도가 심하고, 그만큼 유토피아로서의 성격이 짙어진다. 동경이 강하다는 것은 현실이 그만큼 타락해 있다는 것을 반증한다. 그리고 그만큼 구원에의 열망도 강해진다. 현실이 심각하게 타락했을 때, 현실의 압박을 벗어난 상상의 세계로 하여금 자유롭게 날개를 펼 수 있도록 해주는 근원인 '과거의 기억'은 그 자체 현실을 변화시킬 수 있는 계기가 된다. 타락한 현실을 구원할 수 있는 길을 열어준다는 것이다.

> 바다로 기울어진 사래 긴 밭이랑
> 아들은
> 골을 타고
> 어머니는 씨앗을 넣는다.
>
> 어느 시대이기로니
> 근심없는
> 태평성대만이 있으리요마는
> 밭머리에
> 환한 無名 꽃나무.
>
> 진실로
> 어느 시대이기로니
> 젖과 꿀이 흐르는 고을이 있으리요마는
> 밭머리에 나란히 벗어둔
> 두 켤레 신발에
> 나비 한 마리.
>
> 해는 한낮으로 달아오르고
> 음력 삼월 초순의

눈부신 眺望을
사래 긴 밭이랑 끝에 남빛 바다의 잔잔한 고임.
　　　　　　　　　　　　　－「바다로 기울어진」 전문

위의 시는 시집 『어머니』 속에 실려 있는 것인데, 앞선 시집 『경상도의 가랑잎』에서보다 훨씬 더 생생하고 감동적이다. 기억 속에서 사실들이 허구적으로 재구성되었다고 볼 수 있는 것은 맨 마지막 연에서 확인이 된다. 그의 고향 경주 건천에는 바다가 보이지 않는다. 실제 현실공간으로서의 경주와는 달리 무의식 속에서 재구성된 고향의 모습이다. 하나의 강렬한 열망이 투사된 기억 속의 고향에는 바다가 환상적으로 침투해 들어가 있는 것이다. 그때의 바다는 매우 목가적이다. '사래 긴 밭이랑 끝에 남빛 바다의 잔잔한 고임'이란 부분은 박목월이 이상적으로 꿈꾸는 고향에 대한 관념을 실제 고향에다 투사한 것이라고 볼 수 있다.
　이러한 목가적인 정황은 이 작품 전반에 두루 깔려 있다. 어머니와 아들은 소외됨이 전혀 없는 건강한 노동, 원시적 노동을 즐기고 있다. 사실 이 작품 속의 세계야말로 태평성대요, 젖과 꿀이 흐르는 가나안 그 자체다. 약속된 장소로서의 가나안, 낙원, 곧 우리가 도달해야 할 이상세계는 '밭머리에 환한 無名 꽃나무'에 의해 구체화된다. 낙원으로서의 이상적 고향은 자연 속에 있으면서 자연의 일부이다. 그리고 그 속에 살고 있는 어머니와 아들은 자연의 일부로 편입되어 있다. 그것이 곧 '無名 꽃나무'로 나타난다. 무명 꽃나무지만 그들은 행복 그 자체 속에 있다. 환하게 꽃피어 있는 나무이기 때문이다. 그들이 자연에 완전히 동화되어 있는 모습은 '밭머리에 나란히 벗어 둔/ 두 켤레 신발에/ 나비 한 마리'에서도 재차 확인이 된다.
　『어머니』 속의 시편들은 한결같이 '어머니'를 중심으로 이루어져 있다. 유년시절 완벽했던 어머니에의 기억 때문에 고향도 완벽해졌다고 보아야 할 것이다. 이처럼 고향의 중심에는 어머니가 자리잡고 있다. 이때의 어머니는 세계의 중심이고 존재의 근원이 된다. 앞의 시 「바다로 기울어진」에서 보이

듯 시적 자아가 자연과 더불어 동화할 수 있는 것도 순전히 어머니 때문이
다. 그야말로 그는 어머니를 통해 호흡하고 이 세상과 만나고 있는 것이다.
이처럼 행복한 그의 기억 속에서 어머니는 완벽한 존재로 나타난다.

> 엄마의 손을 잡고 함께 걸은
> 天陵 사이 오솔길에
> 눈자위가 풀린
> 봄
> 밤
> 달무리.
> 어디로 가는 길이었을까
> 그건 잊어버렸지만
> 그날 밤의 훈훈한 바람 향기
> 엄마의 손을 잡고 함께 본
> 분황사
> 3층 탑꼭지에 푸른 달.
> 어디서 오는 길이었을까.
> 그건 잊어버렸지만
> 그날밤의 달빛이 아롱지는 냇물.
> 어머니와 함께라면 못 갈 곳이 없는.
> —「어머니의 손을 잡고」 부분

어린아이가 능을 지나간다는 것은 두려운 일이다. 더군다나 달무리가 진
밤에 오솔길을 걸어간다는 것은 더욱 두려운 일이다. 그런데 어머니의 손을
잡고 걷는 아이는 전혀 두렵지가 않다. 실제 그 상황에서 아이는 두려웠을
지도 모른다. 그런데 많은 세월이 흐르고 난 후 어떤 관념이 착색되고 나서
는 그날 밤이 두렵기는커녕 행복하기만 한 밤으로 바뀌었을지도 모른다. 기
억은 순수하지만 않은 것이다. 우리의 관념 속에서 재구성되는 기억은 마술
상자 속과 같은 것이다. 그리하여 그날 밤의 기억은 놀랍도록 생생해지는

것이다. '그날 밤의 훈훈한 바람향기'가 그것을 말해준다. '그날밤 달빛이 아롱지는 냇물'도 그 작용을 한다. 이렇듯 무서운 밤 풍경이 아름다운 것으로 변하여 기억될 수 있는 것은 순전히 '함께라면 못 갈 곳이 없는' 어머니 때문이다. 그리하여 다음과 같은 작품에 이르면 어머니는 만물 속에 스며들어 아들을 보호해주는 존재로까지 발전한다.

> 나는/ 어디서나/ 어머니를 뵈옵게 되고
> 어머니의 응답을/ 느낀다./ 거울 앞에서
> 면도를 하다 말고/ 문득 얼굴 바탕에서
> 살아나는 어머니의 모습/ 길을 가다 말고
> 안으로 속삭이는/ 독백 속에 문득 울리는
> 어머니의 음성/ 어머니를/ 어디서나 발견한다.
>
> —「무지개를 빛으려는」부분

이쯤 되면 어머니는 박목월 개인의 실존적 어머니가 아니라, 세계의 근원적 모성을 지닌 추상적 관념적인 어머니로 바뀌게 된다. 어머니의 사랑은 우주를 창조하고 섭리하고 있는 절대자인 '하나님'의 사랑처럼 萬物 안에 편만해 있다. 우주 만물에서 어머니를 발견한다는 것은 모성을 근원적인 것으로 본다는 것을 의미한다. 일찍이 그는 「山·묘사1」에서 자연을 '영원한 모성'이라 노래한 적이 있다. 이렇게 되면 모성은 만물의 근원이 되면서 또 만물을 통합하는 힘이 된다. 박목월이 생활하던 1960년대 서울은 본격적인 근대화로 인해, 잔인하고 냉혹한 산업화로 인해 인간과 인간간의 관계가, 인간과 자연간의 관계가, 그 모든 관절들이 파괴되고 해체되어 가던 시절이었다.

박목월의 이 시기 서정시는 이런 해체화, 파편화의 현실을 거부하며 동시에 새로운 통합의 가능성을 모색하는 과정의 산물이었다. 이때 그 새로운 통합의 원리로 내세운 것이 바로 어머니, 모성이었던 것이다. 만물의 존재 근거이면서 통합의 근원인 모성, 이는 이미 추상화되고 관념화된, 이데올로기가 투영된 이상적인 어머니이다. 이 어머니를 통해 현실을 시적으로 구원해내고자 하는 것이었다. 구원자로서의 어머니! 실제 이 어머니는 절대자 '하나님'의 사랑이 구체적으로 현시된 모습이다. 궁극에 이르면 이 어머니, 모성은 절대자인 '하나님'에게 이르는 매개체가 된다.

> 갈릴리 바다의 물빛을/ 나는 본 일이 없지만
> 어머니 눈동자에/ 넘치는 바다.
> 땅에 글씨를 쓰시는/ 예수님의 모습을
> 나는 본 일이 없지만/ 믿음으로써
> 하얗게 마르신 어머니./ 圓光은
> 천사가 쓰는 것이지만/ 어머니 뒷모습에
> 서리는 광채./ 아들의 눈에만 선연하게 보이는.
>
> ─「갈릴리 바다의 물빛은」전문

이처럼 관념화된 모성, 이상적인 어머니는 절대자 '하나님'의 사랑이 구체적으로 현시된 모습이다. 이 시기까지 그의 시편들에는 자신의 '하나님'을 직접 만난 모습이 잘 나타나지 않는다. 대신 어머니를 통해 간접적으로 만나고 있는 모습이 주로 나타나고 있다. 그가 자신의 하나님을 직접 만나고 있는 모습은 그의 유고시집『크고 부드러운 손』에 가서야 비로소 확연하게 나타난다. 이렇게 하여 그에게 있어서 어머니는 구원자인 '하나님'에게 이르는 매개체가 된다. 이와 같이 그는 어머니, '영원한 어머니'를 통해 시적 구원에 이르고자 한다. 그 어머니는 「어머니는 머리를 빗는다」에서 보여주듯, 암담한 파시즘 현실에 대항하는 힘의 원천이 되기도 한다. 그리고 우주 만물 속에 편만해 있는 모성은 시적 자아에게 삶의 균형을 잡아주는 기준이 되기도 한다. 그리고 시적 자아로 하여금 신생에의 꿈을, 미래를 향한 도전에의 의지를 불러일으키기도 한다. 서정시의 위대한 힘은 고통스럽고 허무한 타락한 일상을 비판 거부하고 새로운 미래를 예시하며 앞으로 나아가게 하는 데 있다. 모더니스트들로서는 불가능한, 미래에의 청사진을 보여준다는 점에 있어서 서정시는 대안적 기능을 갖는다.

> 겨우 收支均衡이 합치려는/ 생활의 계산 속에서
> 살며시 번진다./ 어머니의 微笑는
> 餘裕롭고 다정하고/ 은근하고 均衡이 잡히는
> 모든 것에서/ 늘 發見되고/ 내일은
> 동트는 새벽의/ 그 신비스러운 빛살로/ 마련된다.
> ─「어머니의 微笑」부분

위의 시에서 어머니의 미소는 '잘 익은 햇살 향기'로 풍겨오고, '움트는 다알리아 뿌리의 연자홍색 빛깔'로 살아나고, '오월 하늘의 구름'으로 풀린다. 그에 그치지 않고 어머니의 미소는 겨우 수지균형이 합치려는 생활의 계산 속에까지 들어와 준다. 어머니의 미소 때문에 모든 삶이 균형을 잡게 되는 것이다. 균형! 이것은 서정시가 '질서'있는 세계를 구축하는 데 너무나도 소중한 것이다. 현대세계는 균형을 상실해버린 곳이다. 이 잃어버린 균형을 어머니를 통해서 바로잡는 것이 박목월 서정시가 추구하는 목표의 하나이다. 이렇게 균형이 잡히게 되는 내일의 삶이야말로 '신비스러운 빛살'로 빛나게 되는 것이다. 이처럼 그에게 있어서 어머니는 시적 구원의 지표로 기능한다. 새미

이미지의 존재론

– 박목월 초기시의 이미지 연구

박현수*

1. 박목월의 초기시와 자연의 문제

박목월의 시는 일반적으로 세 시기로 나누어지는데, 『청록집』과 『산도화』의 초기, 『난 기타』・『청담』의 중기, 『경상도의 가랑잎』・『무순』 등의 후기가 그것이다.[1] 평자에 따라 간혹 5기로 세분하거나[2] 2기로 크게 나누기도 하지만[3],

---

* 재능대학 문예창작과 교수. 시집으로 『우울한 시대의 사랑에게』와 주요논문으로 「토포스의 힘과 창조성 고찰」, 「탈마법의 수사학과 서정주 시의 한계」 등이 있음.
1) 물론 이 3등분에도 제3기의 내용에 다소 차이가 나는데, 신동욱은 3기에 『경상도의 가랑잎』과 「사력질」 연작을, 이승훈은 『경상도의 가랑잎』과 『무순』 등을 든다. 「사력질」 연작은 따로 시집으로 묶이지 않았다.
　신동욱, 「박목월의 시와 외로움의 의식」, 『우리 시의 역사적 연구』, 새문사, 1981.
　이승훈, 「박목월의 시 세계」, 『목월문학탐구』, 민족문화사, 1983.
2) 5기로 나누는 이는 김동리인데, 그는 ① 『청록집』 ② 『산도화』 ③ 『난 기타』와 『청담』 ④ 『경상도의 가랑잎』 ⑤ 『사력질』과 그 이후의 시로 나눈다.
　김동리, 「목월시의 비밀과 강점」, 『현대문학』, 1978. 6.
3) 윤재근은 '詩永言'의 시관(『청록집』, 『산도화』)과 '詩言志'의 시관(『난 기타』 이후)으로, 권명옥과 김광림은 『산도화』까지와 『난 기타』 이후로 이등분한다.
　윤재근, 「목월의 시세계」, 『목월문학탐구』, 민족문화사, 1983.
　권명옥, 「목월시의 연구」 『목월문학탐구』, 민족문화사, 1983.
　김광림, 「박목월의 시세계」, 『백일편의 시』, 삼중당, 1975.

3기로 나누는 것이 시의 흐름으로 볼 때도 가장 자연스러운 방식으로 보인다.
『청록집』과『산도화』에 실린 목월의 초기시는 분량상 그리 많지는 않지만, 문학사적으로 중요한 의미를 지닌 몇 가지 특성을 보여주고 있어 평자들의 관심을 끈다. 특히 박두진, 조지훈, 박목월 공저의『청록집』이 김동리에 의해 '문학사적 의미에서 자연을 발견하게 된 것'4)이라는 평가를 받은 이후 이 초기시는 문학사적으로 고정된 의미를 지니게 되었다.

하지만 박목월의 초기시에 있어서 자연의 문제는 많은 논자들의 검토에도 불구하고 여전히 의문의 대상이 아닐 수 없다. 이 자연이란 구체적으로 어떤 것을 의미하는지 기존의 논의부터 정리해볼 필요가 있다.

먼저 김동리는 문학사적 고찰을 통해 청록파가 시문학파, 생명파의 흐름을 이어받고 모더니즘에 대한 저항을 견지하며 <세기적 심연>에 정면으로 맞선 사실을 지적하였다. 김동리가 말하는 <세기적 심연>이란 상당히 모호하게 사용되고 있긴 하지만 인간이 궁극적으로 극복해야 할 도저한 정신적 가치의 결핍을 의미하는 것으로 보인다.

> 그들(청록파-인용자)은 이 심연이 이미 기독교와 및 18세기 이전의 모든 제신(諸神)을 삼킨 데서 온 것임을 짐작하였고, 그리고 이제 이와는 다른 성격의 새로운 신이 이 심연에 의하여 요구되고 있다는 것을 깨달았다. 그들은 동양사람이었다. 그리하여 그들의 심안(心眼)은 어느덧 <자연>으로 기울어졌다.5)

이처럼 <세기의 심연>은 기독교와 18세기 이전의 제신(諸神)들조차 구원해낼 수 없었던 도저한 허무의 심연이자 '어떠한 대답이든 손에 들지 않고는 통과할 수 없는' 필연적인 극복 대상이라 할 수 있다. 김동리는 청록파의

---

4) 김동리, 「자연의 발견-삼가시인론」, 『문학과 인간(김동리전집7)』, 민음사, 1997, p.46.
5) 김동리, 앞의 글, p.49.

자연에 대해 이처럼 형이상학적인 의미를 부여하여, 그들의 자연은 이러한 '세기적 심연에 직면하여 절대절명의 궁경(窮境)에서 불러진 신의 이름'이라 평가한다. 이처럼 중요한 의미를 부여하고 있는 김동리는 박목월의 자연을 향토적 정서에서 발견한 자연이라 특칭하고, 이처럼 '향토적 정서가 빚어내는 자연의 신비감에다 작시의 기조를 두는 것'이 자연의 육체를 탐색하고 시 예술의 구체적인 면모와 이미지를 탐색하는 데 장점이 있는 반면 특이성에 사로잡혀 보편성을 상실하는 단점도 있음을 지적하고 있다.6) 이런 논의를 종합하면 김동리가 말하는 박목월 시의 자연은 우리나라의 향토적인 정서를 기반으로 하는 구체적인 한국적 자연이라 할 수 있다. 청록파에 대한 공식적인 평가가 되는 김동리의 이런 논의는 이후 상당한 영향력을 행사하게 되는데, 정한모의 논의 역시 그 연장선상에 놓인다고 할 수 있다.

정한모는 문학사적 평가를 통해 청록파의 공통점을 '자연으로서 퇴색한 도시와 위험한 문명시대에 대립하려' 하고, 이를 통해 영원한 생명의 고향을 찾은 점에서 찾고 있다. 다만 시대상황에 대한 고려가 덧붙여지고 대신 형이상학적인 의미부여가 결핍된 것이 다른 점이라 할 수 있다.

　　「청록파」의 시인들은 이러한 시기에 거의 나란히 나타났다. 우연히도 이
　　들은 공통된 고향을 찾고 있었다. 그것은 '자연' 내지 '자연적'인 것이었다.
　　또한 그것은 '순수'이기도 하였다. 잃어버린 하늘과 딛고 설 땅을 빼앗긴 상
　　황 속에서 또 다른 고향을 찾아 나섰던 것이다. 그리하여 그들은 그들의 고
　　향을 찾았다. 그곳에서 세 사람은 서로 만나 같은 혈연을 느낄 수 있었다.7)

박목월의 시에 대한 평가도 김동리의 견해를 부연하고 있는 것처럼 보인

---

6) 김동리, 앞의 글, p.51. 그가 말하는 특이성의 문제는 김춘수의 '목월이 선택한 피지
　　칼한 세계가 고유한 그것에 국한되고 있다'는 언급과 상통한다. 즉 지역적 고유성
　　에 너무 집착한 것이라는 평가이다.
　　김춘수, 「청록집의 시세계」, 『세대』, 1963. 6.
7) 정한모, 「청록파의 시사적 의의」, 『현대시론』, 보성문화사, 1985, p.190.

다. 정한모의 논의에서도 <향토적 정서>는 목월의 자연을 평가하는 핵심 어휘가 되고 있다.

> 목월의 자연은 환상적 아름다움마저 지니고 있다. 환상적이란 말이 지나치다면 '심혼의 고향'이라고 바꾸어 말할 수 있으며 이것이 바로 목월의 자연이었다. 그만큼 향토적 정서를 진하게 동반하고 있는 것이다. [……] 목월은 향토적인 자연의 소재를 끌어올려 하나의 심혼의 자연을 창조하려 하고 있으며 그것은 어느 정도 자기의 의욕대로 달성되었다. [……] 저녁놀 타는 술익는 마을은 충분히 향토적이면서 향토적인 현실의 풍경이 아니라 공간을 초월하여 살아있는 상징적인 실재로서의 한국적 자연인 것이다.[8]

그러나 정한모는 박목월의 자연이 향토적인 현실의 소재를 그대로 옮긴 것이 아니라 의식적으로 창조된 환상적인 심혼의 자연(고향)임을 강조하고 있다. 핍진성이나 사실성이 아니라 창조성에 가치를 부여하며, 공간성을 초월하여 하나의 실체를 획득하고 있는 '상징적인 실재로서의 한국적 자연'에 많은 의미를 주고 있는 것이다. 따라서 이런 논의는 김동리가 제기한 바 있는 향토적 정서의 특이성으로 인한 보편성의 결핍이라는 단점으로부터 자유롭게 될 수 있다. 김동리의 구체적인 향토적 자연은 정한모에 이르러 상상력의 작용으로 형성된 상징적인 실재로 평가되는 것이다. 정창범의 논의도 정한모의 연장선상에 놓이는데, 그는 「청노루」의 자연을 '<심혼의 고향>으로서의 자연이요, <환상의 지도> 속에 있는 상징적인 자연'으로 보고 있다. 이건청은 그의 입장을 절대 이데아의 환치물로서의 자연에의 탐구로 정의하고 있다.[9]

신동욱은 「산도화 1」의 산수미를 서정적 주인공의 마음의 풍경으로 보고 이것이 시대의 어려움을 승화하고 극복하는 귀의처가 되었을 것으로 평가한다. 그의 입장에 설 때 박목월의 자연은 형이상학적인 풍부한 의미를 지

---

8) 정한모, 앞의 글, pp.201~202.
9) 정창범, 「목월시의 시적 변용」, 『현대문학』, 1979, 2.
　이건청, 「박목월론의 방향」, 『목월문학탐구』, 민족문화사, 1983.

닌 존재가 되어 단순한 시적 질료의 차원을 넘어서게 된다. 김우창도 이런 형이상학적인 입장에서 박목월의 자연에 접근하고 있지만 결론은 정반대라 할 수 있다.

　우리는 박목월씨가 자연의 시인이라고 말한 바 있다. 그러나 그의 자연의 특성은 무엇인가? […] 박목월의 자연은 훨씬 더 상상된 자연이라 할 수 있다. 결론적으로 말하여 그의 시의 풍경은 자연과 인간의 진정한 혼융(混融)의 소산이 아니라, 주관적인 욕구에 의하여 꾸며낸 자기만족의 풍경이다.10)

　김우창에 따르면 자기만족의 풍경만을 보여주는 박목월의 시는 모순을 포함시킬 수 있는 질서의 구조를 발전시키지 못한 점에서 한계를 지닌 것이 된다. 목월의 자연은 형이상학적 가치를 제대로 지니고 있지 못하며 정적이고 감정적 만족의 상태에 안주하고 있는 것으로 평가된다.

　청록파와 박목월의 자연을 다룬 지금까지의 논의에 덧붙여 전혀 다른 시각에서 자연관의 문제를 접근하는 논의도 있는데, 그것은 자연의 발견을 일종의 근대적 패러다임의 한 형식으로 보는 입장이다. 가령 백철이 그의 저서에서 전원생활을 예찬하는 「무정」의 일부분을 들고 다음과 같이 평하는 것이 그 일례가 될 것이다.

　이런 장면은 자연주의 문학이 일례가 되는 것보다는 루소의 자연귀환의 사상과 통하는 실례가 되지만, […] 실은 <창조> 시대에 와서도 이러한 자연사상, 자연과 친하는 것, 인간을 자연적 소질로 보는 경향, 그 자연적 소질을 기초로 하여 윤리적 규범을 세우는 태도 등의 사조가 문학자 사이에 널리 유행하고 있은 사실을 지적할 수 있는 것이다. 이 시기를 전후하여 루소가 유행하고 타고르의 자연학원이 소개되고 자연송이 유행하였다.11)

---

10) 김우창, 「한국시의 형이상」, 『궁핍한 시대의 시인』, 민음사, 1977, p.55.
11) 백철, 『신문학사조사』, 신구문화사, 1992, 중판, p.135.

백철은 <창조>를 전후하여 자연 사상이 유행하였음을 언급하고 있는데, 이 부분은 그런 계기를 통해 근대적인 관점에서 자연이 인식되었음을 지적하고 있는 것으로 읽을 수 있다.[12] 이런 시사점에 의의를 두고 근대문학의 자연관을 문제 삼은 이는 박철석인데, 그는 박목월, 김소월의 자연관을 외면적 자연, 객관적 자연, 객체적 자연 또는 향토적 자연으로 명명하고 있다.[13]

지금까지 청록파와 박목월의 시에 나타나는 자연의 의미를 여러 논자의 시각을 통해 점검해 보았다. 그러나 여전히 박목월 초기시의 중요한 특질로 인정되는 자연의 문제는 모호한 채로 남아 있다고 할 수 있다. 그것은 지금까지의 논의가 관념적이고 형이상학적인 의미부여에 충실하다보니 작품의 자세히 읽기와 구체적인 작품 분석이 뒷받침되지 않아 다소 공소한 논의로 귀결되었기 때문이다.

지금까지 박목월이나 청록파의 자연의 문제는 결국 시인의 자연관이나 실제적인 자연 자체의 문제가 아니라 시에서 사용된 자연 이미지의 문제라는 점이 간과되어 왔다고 할 수 있다. 이제 이 문제를 다루는 데 있어서 수사학적인 차원에서 이미지의 문제를 천착하는 것이 하나의 적절한 방법이 될 것이다. 이미지는 시 이론에서 가장 널리 사용되고 있으면서도 가장 허술하게 이해되고 있는 용어이다. 그러나 여기에서는 이미지에 대한 설명 중에서도 이미지의 존재성을 문제삼고 있는 것만을 다루어 박목월 초기시의 특성에 접근하기로 한다.

---

12) 가라타니는 일본문학에 있어서의 풍경의 발견을 메이지 20년대로 잡는데 그 이유로 그 시기가 근대적 제도가 성립했으며, <풍경>이 반제도적인 것으로서가 아니라 그 자체가 제도로서 출현한 것이기 때문이다.
  가라타니 고진(박유하 옮김), 『일본근대문학의 기원』, 민음사, 1997, p.54.
13) 박철석, 「현대시에 나타난 자연관」, 『현대시학』(1976. 2). 이 글은 남궁벽, 유치환, 박두진의 자연관을 다루고 있으며, 박목월의 자연관을 직접적으로 분석하고 있지는 않다.

2. 이미지의 존재론과 자연 이미지

다른 문학 용어와 마찬가지로 이미지라는 용어도 역사상 수많은 변천을 거쳐왔다. 17-8세기 록크와 홉스의 영향으로 이미지에 대한 전통적인 생각은 그전과는 상당히 달라졌다. 회의론의 영향으로 인식체계 자체에 변화가 왔기 때문이다. 이미지는 경험(객체)과 인식(주체)과의 연결고리로 인식되었다. 이때의 이미지는 지각(perception)을 통해 우리의 정신 속에서 발생하는 감각(sensation)의 재생산으로 정의된다. 이미지는 정신 속에 형성되는 객체의 복사나 재판이 된다. 경험론적인 이미지론을 여기에서 문제 삼는 이유는 경험론이 지각이라는 구체적인 계기를 논의의 출발점으로 삼고 있기 때문이다. 경험론에서 외부의 지각이 없는 경우에 이미지의 생성 문제를 어떻게 해결하는지를 고찰하는 것은 앞으로의 논의에 있어 중요한 기반이 된다.

> 그러나 물론 한때 지각되었으나 더 이상 현존하지 않는 어떤 것을 기억하고자 하는 경우와 같이 [……] 직접적인 지각이 없을 때일지라도 정신은 또한 이미지를 생산할 수 있을 것이다. 14)

주어진 지각이 없을 때 경험론에서의 이미지는 최초의 지각 때 각인되었던 것을 재형성할 수밖에 없다. 그런데 그때 그 이미지는 최초의 이미지와는 다른 것으로 된다. 이미 현존하지 않은 최초의 지각은 기억과 상상력이라는 공간 속으로 편입되어 존재한다. 그런데 이것은 최초의 지각이 변형되기 시작했다는 것을 의미한다. 최초의 지각은 그 속에서 점차 상실되어 가고 새롭게 형성되기 시작한다. 같은 상황이나 같은 강도로 지각을 반복할 수 없다는 사실을 염두에 둔다면 이미지는 애초에 부재의식이나 상실의식 속에서 생성되는 것이라 할 수 있다. 최초의 지각이 형성되면서 그 물질성

---

14) Alex Preminger(ed), *Encyclopedia of Poetry and Poetics*(Princeton Univ. Press), p.559.

(구체성)은 상실되어 가는 것이다. 하나의 이미지는 유동적인 기억 속에 있는 한 이러한 운명을 벗어날 수는 없다. 이러한 이미지의 존재론적 한계는 그후 많은 의미상 변천을 겪는 동안에도 변하지 않는 본질적인 것이 된다.

이미지의 이러한 본질은, 낭만주의에 대해서 상당한 철학적 접근을 시도하는 폴 드 만에 의해서 깊이 천착된다. 그는 횔덜린의 시 「빵과 포도주」 중의 다음 구절을 논의의 출발점으로 삼는다.

> 그러나 이제는 사랑하는 이의 이름을 부른다.
> 이젠, 이젠 그것을 나타낼 단어가, 꽃처럼 피어나야 한다.
> (⋯⋯nun aber nennt er sein Liebstes,
> Nun, Nun müssen dafür Worte, wie Blumen, entstehn.)

이 시는 신의 현존이 이루어 질 시간에 대해서 노래하고 있다. 여기에서 중요한 단어는 '피어나다(entstehn; to originate, 유래하다, 발원하다)'는 말이다. 드 만은 이 말을 상당히 철학적인 의미로 사용한다.[15]

여기에서의 자연 대상인 '꽃'은 '단어'라는 말과 비유적으로 연결되어 있다. 여기에서 물질성을 잃어가는 이미지('단어')와는 달리, 개개의 꽃들은 항상 최초의 꽃(근원적인 존재)과 더불어 정체성을 정립한다. 꽃들은 자연 대상으로 자신의 존재 그 이외에서 자신의 기원을 찾지는 않는다. 그래서 꽃들의 존재 상태에는 동요가 있을 수 없는 것이다. 이처럼 구체적인 자연 대상에서 출발한, 시공을 초월하여 존재하는 근원적인 존재는 언제나 선험적이다. 꽃들은 자연 대상인 까닭에, 선험적인 원리의 육화로서 피어나는 것이다. 기원(origin)을 통해 꽃과 같이 구체적으로 존재하는 자연 대상을 인식하려는 시도는 이데아라는 선험적인 개념에 도달하게 된다. 이러한 시도는 결국 이데아를 넘어서 범주로서의 존재(Being)를 찾아내게 된다.[16]

---

15) Paul de Man, *Intentional Structure of Image, The Rhetoric of Romanticism*(Columbia Univ. Press, 1984), p.2.

자연 대상의 영원성은 즉자 속에서의 안정성에 의해 획득된다. 자연 대상에는 시작도 끝도 있을 수 없다. 반면에 자연 존재의 속성과는 다른, 시작(beginning)이라는 것은 영원성에 대한 부정이며 죽음의 불연속성을 의미하는 것이다. 의식에 의해 발생되는 존재(즉 단어나 이미지)는 바로 이러한 방식으로 피어나게(유래하게) 된다. 꽃처럼 피어나는 단어라는 것은 바로 자연 대상으로서의 안정성과 영원성에 대한 갈망의 표현이다. 그래서 그 이미지는 자연 대상에 대한 향수에 의해 고무되고, 더 나아가서는 이 대상의 기원에 대한 향수가 된다. 바로 "시적 이미지의 존재는 신의 부재를 나타내는 기호이며, 시적 이미저리의 의식적 사용은 이와 같은 부재의 승인에 대한 표지인 것이다."[17] 이 같은 이미저리의 유형은 자연 대상의 본질적인 존재론적 우월성에 근거하고 있다. 시어는 대상의 존재론적 상태에 보다 근접하려는 욕망에서 피어난다.

폴드만의 이런 논의는 이미지(자연 이미지)의 존재는 결국 자연 대상의 안정성에 대한 향수나 욕망에 기인하는 것이며, 근원적으로 부재의식을 태생적 한계로 갖게 된다는 점을 지적하는 것으로 읽힌다. 그래서 자연과의 일체감이나 화해의 경험을 다루는 낭만주의 시는 이런 근원적 갈망의 표현일 뿐 그것의 성취는 아니다. 대상과 주체, 즉 물질과 의식 사이의 행복한 관련성을 이야기하는 비평가들은, 그런 관련성이 언어의 매개 내에서 정립되어야 한다고 하는 바로 그 사실이 실제로 그런 관련성이 존재하지 않음을 나타낸다는 것을 깨닫지 못한다.[18]

폴드만의 논의는 자연 이미지를 다루는 데 있어서 상당히 중요한 시사점을 제공해준다. 그가 다루는 이미지는 자연 대상의 이미지에 주로 집중되어 있는데, 이것은 이미지의 존재론적 층위를 분명하게 밝히고 낭만주의의 물아일체의 감각이 허구적임을 밝히기 위한 전략에 기인한 것으로 보인다. 그

16) Paul de Man, 앞의 책, pp.3~4.
17) Paul de Man, 앞의 책, p.5.
18) Paul de Man, 앞의 책, p.8.

러나 이런 전략을 고려하더라도 박목월 초기시의 자연 이미지는 이런 이미지의 규정으로부터 자유롭다고 할 수 없을 것이다.

3. 박목월 초기시의 제한적 자연 이미지

많은 논자들이 공통적으로 지적하는 바처럼 박목월의 초기시의 핵심 이미지는 자연 이미지이다. 이런 사실은 그의 대표적인 작품을 몇 편만 검토해도 분명하게 드러난다. 먼저 박목월 자신이 초기시를 대표하는 작품으로 인정한 「청노루」라는 작품에서부터 논의를 시작하는 것이 도움이 될 것이다.[19]

　　머언 산 靑雲寺
　　낡은 기와집

　　山은 紫霞山
　　봄눈 녹으면

　　느릅나무
　　속ㅅ잎 피어가는 열두 구비를

　　靑노루
　　맑은 눈에

　　도는

19) 박목월은 김종길과의 대담에서 '종래의 제 시란 어떻게 말하면 「청노루」로써 대표되는 것이라고 저 자신 생각하고 있습니다.'라고 밝히고 있다(김종길, 『시론』, 탐구당, 1985, p.48).

구름

— 「청노루」[20]

「청노루」의 중심소재는 원경에서 근경으로 뛰어 넘어오는 청노루가 된다. 청노루는 공간뿐만 아니라 시간(봄눈)도 껑충 뛰어넘어 독자 눈앞에 바로 다가서서 눈망울을 마주하는 존재이다. 이 청노루는 이 시의 구도를 가로질러 정적인 가운데 동적인 역할을 수행하는데, 이는 자연 이미지를 다루는 그의 시 중에 가장 다이나믹한 존재라 할 수 있다. 그러나 이 말은 그만큼 그의 자연 이미지가 정적이라는 사실의 반증도 된다. 이 청노루를 비롯하여 이 시에 사용된 이미지는 일차적으로 자연 대상(natural objects)을 지시하는 자연 이미지(nature images)로 일관하고 있다고 할 수 있다. 청운사나 기와집 등의 이미지도 그 자체로 자연의 일부일 뿐 인위적인 대상이 전혀 아니다.

『청록집』에 나란히 실린 「삼월」이라는 작품도 '암노루'를 등장시켜 비슷한 자연 이미지와 구도를 보여주는데, 「청노루」와 「삼월」 이 두 작품은 각각 서로의 모본(母本)이라 할 수 있을 정도로 유사한 구절과 이미지를 지니고 있다.

芳草峰 한나절
고운 암노루

아래ㅅ마을 골짝에
홀로 와서

흐르는 내ㅅ물에
목을 추기고

---

20) 「청노루」는 『상아탑』 2호(1946. 1)에 발표된 후, 『청록집』(을유문화사, 1946. 6)에 실린다.

흐르는 구름에
눈을 씻고

열 두 고개 넘어 가는
타는 아지랑이

—「삼월」21)

「청노루」의 '자하산'이 여기에서는 '방초봉'이 되어 있으며, '청노루'는 '암노루'에, '봄눈 녹으면'의 물 이미지는 '흐르는 내ㅅ물'에 각각 대응되고 있다. 더 결정적인 유사성은 「청노루」의 눈과 구름의 연계성에서 드러나는데, 「청노루」에서는 '청노루 /맑은 눈에// 도는/ 구름'으로, 「삼월」에서는 '흐르는 구름에/ 눈을 씻고'로 되어 있다. 이처럼 구름을 눈과 연계시키는 표현은 그의 다른 작품에서는 찾아보기 힘든 것으로, 우연이기보다는 근원적인 상동성을 짐작케 하는 구절로 보인다. 그리고 최초 『상아탑』에 발표되었을 때의 표현과 『청록집』의 개작을 비교해보면 이 두 작품의 유사성이 더욱 분명해진다. 『상아탑』에는 다음과 같이 되어 있다.

낡은 靑石 바위
피는 돌옷

푸른 바위의 이끼를 묘사하며 상당히 정적(靜的)으로 끝나는 이 구절은 앞에 보인 바처럼 '열 두 고개 넘어 가는/ 타는 아지랑이'로 더욱 동적인 이미지로 개작된다. 그런데 이 '열 두'라는 수사는 「청노루」의 '느릅나무/ 속ㅅ잎 피어가는 열두 구비'에도 나타나는 표현이다. '느릅나무 속잎-열두 구비-피다'와 '아지랑이-열두 고개-넘다'의 구조는 동일한 문장 구조에 어휘만 교체한 것에 불과한데, 이 때문에 짧은 시형의 이 두 작품은 여러 면에서 서로의

---

21) 「삼월」은 『상아탑』 5호(1946. 4)에 발표된 작품으로 『청록집』에 일부 구절이 수정되어 실리게 된다. 여기에 인용된 것은 『청록집』에 실린 작품이다.

시적 효과와 가치를 상쇄시키고 만다. 그는 개작을 통해 독립적이고 참신한 새로운 작품을 만드는 것이 아니라 몇 가지 고정된 이미지를 재배치하는 방법으로 시를 단조롭게 만들고 마는 것이다.

초기시에서 박목월은 이처럼 상당히 한정된 범위 내에서 몇 가지 이미지만을 집중적으로 사용하는 모습을 보인다. 이것은 두 번째 시집이자 첫 번째 개인시집인 『산도화』에 있어서도 마찬가지라 할 수 있다.

山은
九江山
보라빛 石山

山桃花
두어송이
송이 버는데

봄눈 녹아 흐르는
옥같은
물에

사슴은
암사슴
발을 씻는다.

－「산도화 1」[22]

시집 제목으로 사용되고 있는 이 작품은 이미지의 전개나 구성 방식에 있어서 「청노루」와 동일한 패턴을 보여준다; 원경으로서의 공간적 배경(자하산, 구강산)과 봄눈 녹는 시간적 배경, 은밀한 자연의 변화를 상징하는 개화

---

22) 「산도화」는 『산도화』(영웅출판사, 1955)에 실린 작품이다.

의 이미지(느릅나무 속入잎 피어가는, 산도화 송이 버는데), 중심 소재로서의 청순한 동물(청노루, 암사슴), 그 동물의 깨끗하고 순수한 신체(맑은 눈, 발을 씻는다), 그리고 이 중심 소재의 최종적인 등장 등. 이 두 작품 역시 동일한 구조에 소재의 선택만을 달리한 유사 작품으로 분류될 수 있다.

「산도화」와 더불어 「청노루」, 「삼월」은 이미지의 반복을 극단적으로 보여주며 초기 시의 이미지의 특성과 시작법의 특질을 드러내주는 작품이라 할 수 있다.23) 이처럼 자연 이미지가 한정적으로 사용되고 있음은 통계적인 수치에서도 증명이 되는데, 초기시 33편을 대상으로 한 이형기의 분석이 좋은 예가 된다. 그에 따르면 박목월의 초기시에 나타나는 시어의 빈도수는 '산'이 34회, '달'이 23회, '길'이 17회, '비둘기'가 10회로 나타나는데, 이를 통해 목월 초기시의 중심 소재가 '자연'이란 한 마디로 요약된다는 결론에 도달하게 된다.24) '산'이란 시어가 33편의 시 중에 34회나 등장한다는 것은 그 이미지가 한 작품에 평균 한 번 이상 나타난다는 의미가 되는데 이것은 박목월 초기시의 자연 이미지의 단조로움을 단적으로 보여주는 좋은 예가 된다.

『청록집』의 15편만을 문제 삼을 경우 산과 관련된 시어는 「윤사월」, 「삼월」, 「청노루」, 「길처럼」, 「가을 어스름」, 「귀밑 사마귀」, 「산이 날 에워싸고」, 「산그늘」 등에서 직접 등장하고 있으며, 앞의 작품들을 제외하고도 달은 「나그네」, 「달무리」 등에, 길은 「춘일」에 등장한다. 이 세 시어가 등장하는 시(그중 절반 이상은 이들 시어가 겹쳐서 등장한다)는 모두 11편이나 되는데, 이는 「임」, 「갑사댕기」, 「박꽃」, 「연륜」을 제외한 『청록집』의 절대 다수의 시편에 해당한다. 이것은 박목월 초기시가 특정 이미지를 반복적이고도 집중적으로 사용하고 있음을 그대로 보여주는 실례가 된다.

30여 편에 불과한 『청록집』과 『산도화』의 작품 중에 이미지의 사용이 이

---

23) 여기에 「나그네」라는 작품도 좋은 예가 된다. 그 시는 조지훈의 「완화삼」의 이미지 내에서 형태를 손질한 것으로 볼 수 있을 정도로 「완화삼」의 이미지 세계에 갇혀 있다.

24) 이형기, 「박목월론-초기시를 중심으로」, 『심상』(1983. 10), p.32.

처럼 제한적인 것은 그의 시에 등장하는 자연 이미지의 성격과 상당히 밀접한 관련을 지니고 있다. 따라서 이 이미지의 성격을 구체적으로 검토한 후 그 이유와 의미에 대한 접근을 시도하는 것이 논의의 전개상 자연스러울 것이다.

4. 자연 이미지의 관념성과 기묘한 풍경

『청록집』과『산도화』 등 박목월의 초기시에 사용되고 있는 한정된 자연 이미지들은 상당히 전형적인 특성을 지닌다. 여기에 사용된 모든 이미지는 철저하게 자연 이미지이다. 그러나 이 시에서 '향토적인 자연의 소재'나 '한국적 자연'25)을 언급하거나 '순수하고 솔직한 풍경화가'26)를 읽어내는 것은 다소 성급한 판단이라 할 수 있다. 여기에 사용된 이미지는 오히려 한국적이고 향토적인 이미지가 철저히 탈각되어 가장 보편적으로 사용될 수 있는 자연의 원형적인 이미지라 할 수 있다. 물론 '기와집'을 우리나라의 전형적인 소재라 하기도 하지만, 이것도 사실은 동양에서는 보편적인 건축 형태일 뿐이다. 그렇게 볼 때 이 시에서 한국적 자연의 풍경화를 읽어내는 것은 일종의 비약이라 할 수 있다. 이 시에 사용된 자연 이미지는 어디에도 자연 대상이라는 질료의 핍진성을 지니고 있지 않다. 그래서 이런 이미지의 종합으로 이루어지는 풍경은 이발소 그림처럼 잘 그려지긴 했지만 생동감이나 현실감이 없는 것이다. 박목월 초기시가 보여주는 이런 자연 이미지의 특성은 이 자연 이미지들의 관념성에서 찾을 수 있다.

자연 이미지는 자연의 구체적인 대상으로부터 나온다. 특히 근대문학의 대표적인 사조인 낭만주의의 경우 자연 대상의 풍성한 양에 일치하는 풍부

25) 정한모, 앞의 글, p.201.
26) 최창록, 「청록파에 있어서의 자연의 해석」,『현대문학』(1971. 10), p.358.

한 자연 이미지, 자연의 주제에 밀접히 연관된 상상력의 주제 등이 그 핵심적인 내용이 된다. 그래서 워즈워드나 괴테, 보들레르와 랭보같은 근대시인의 경우 그들 시의 이미지나 비전이 거의 실제의 풍경으로 보이는 것이다.27) 그들의 자연 이미지들은 실제적인 풍경(a real landscape)으로부터 추출되어 사물의 존재성이 이전 시기보다 더 강하게 작품에 반영되게 된다. 이 점은 낭만주의 자연시의 이미지 구조에서도 동일하게 지적되는 내용이라 할 수 있는데, 윔셋은 코올릿지의 시를 분석하면서 '화자는 그의 두 눈을 좀 더 대상에 가까이 접근시키고 있음을 즉각적으로 알게 된다. 좀더 상세하게 그려져 있다. 그 그림은 좀 더 생생하고 사실적'이라는 사실을 강조한다. 이것은 코올릿지의 '시인의 가슴과 지성은 반드시 자연의 위대한 외견과 결합되어야만 한다'는 주장의 실천이다.28) 이처럼 자아의 주관적 절대성이 강조되는 낭만주의에서조차 자연 이미지는 사물의 사실성에 기반을 두고 이미지의 핍진성을 강조한다.

이런 경향에 비춰볼 때, 박목월의 자연 이미지는 오히려 관념적인 방향으로 후퇴한 것처럼 보인다. 그의 시에 드러나는 자연 이미지, 예를 들어 사슴이나 노루의 모습이나 산이나 강 같은 자연 풍경은 현실적이고도 구체적인 세목들을 전혀 담지하고 있지 않다. 거의 대부분의 자연 이미지들은 자연 대상으로부터 괴리되어 추상적인 차원에서 존재하고 있다. 노루나 사슴이 등장하는 풍경은 마치 한 번도 그 광경을 접하지 않은 사람이 상상해서 그려낸 것처럼 비현실적이며 따라서 동화적이고 환상적이다. 따라서 가장 추상화된 자연 이미지의 조합으로 이루어진 「산도화 1」나 「청노루」 등을 두고 '자연을 실제 그 자체로서 보고 묘사하고 있다'29)고 하거나 '자신의 감정이 철저히 배제된 자연물, 자연물로서 구성된 자연'30)이라고 하는 지적 등은

27) Paul de Man, 앞의 책, p.7.
28) W. K. Wimsatt, *The Structure of Romantic Nature Imagery, The Verbal Icon*(University of Kentucky press, 1967), pp.107~108.
29) 감태준, 「한국 현대시의 두 양상」, 『목월문학탐구』, p.266.

작품에 대한 구체적인 검토가 선결되지 않은 상태에서 내린 판단이라 할 수 있다. '청노루'라는 대상 자체는 구체적 자연 대상으로부터 나온 것이 아닌 일종의 상상의 가공물일 뿐이라는 사실을 고려하면 이런 사실은 더욱 분명해진다.

자연 이미지의 이런 관념성은 일차적으로 박목월의 자작시 해설에서 구체적으로 드러난다. 그는 직접적으로 청운사는 '내가 명명한, 내 판테지(Fantasy)의 산에 있는 절'이라고 하고 또 '<청노루>도 완전히 나의 판테지 속에 사는 노루"[31]라고 밝히면서, 그의 시에 등장하는 자연 이미지의 탄생지인 '마음의 지도'를 공개한다.

> '마음의 지도' 중에서 가장 높은 산이 太母山·太熊山, 그 줄기 아래 九江山·紫霞山이 있고 紫霞山 골짜기를 흘러내려와 잔잔한 호수를 이룬 것이 洛山湖·永郎湖, 영낭호 맑은 물에 그림자를 잠근 봉우리가 芳草峰, 방초봉에서 아득히 바라뵈는 자하산의 보랏빛 아지랑이 속에 아른거리는 낡은 기와집이 靑雲寺다.[32]

이런 설명을 통해 자연 이미지의 관념성은 그 이미지의 근원이 추상적인 체계에 뿌리를 두고 있기 때문이라는 사실을 알 수 있다. 즉 그의 자연 이미지들은 자연의 세목으로부터 추출된 것이 아니라, 정반대로 '마음의 지도'라는 관념 속에서 정리되어 있는 이미지의 질서로부터 나온 것이다. 바로 이런 이유 때문에 『청록집』과 『산도화』의 자연 이미지로 이루어진 풍경은 어떤 리얼리티도 지니지 않는 상당히 관념적이고 추상적인 풍경이 되고 말았다. 이 풍경은 우리 현대시가 지닌 가장 기묘한 풍경의 하나라 할 수 있을 것이다. 이런 기묘한 풍경은 문학사적인 감각으로 볼 때 더욱 낯설게 느껴

30) 김용범, 「동양적 자연의 인식과 변용」, 『목월문학탐구』, p.290.
31) 박목월, 『보라빛 소묘』, 신흥출판사, 1958, pp.82~84.
32) 박목월, 앞의 책, p.83.

진다.

앞에서 낭만주의 이래 주체의 관념보다는 사물의 존재성에 강조점이 옮겨가는 사조적 흐름을 언급했지만 우리 문학사에 있어서도 이것은 자연스러운 일이었다. 정한모가 청록파의 시사적 의의를 언급하면서 문학사적 흐름을 짚은 것처럼 우리 문학에서도 청록파 이전에 김기림을 중심으로 이미지즘의 의의가 강조되어 시에 있어서 이미지의 역할이 상당히 중요해진 사실이 있다. 이미지즘의 세례를 받은 후 우리 현대시에서 즉물성이 강조된 것은 자연스런 현상이었다. 우리나라에서 모더니즘이 운위될 때면 그 핵심이 놓이는 것은 언제나 이미지즘이었다는 사실 역시 이런 경향과 동궤에 놓인다. 김기림이 우리나라 최초의 모더니스트로 정지용을 말하였을 때 바로 이미지즘을 모더니즘의 핵심으로 이해한 것이라 할 수 있다.[33]

이와 관련하여 김기림은 "말을 소재로 써야 하는 시는 결국은 그러한 말들이 대표하는 사물의 세계(자연=객관세계)와 어떠한 모양으로든지 관계하지 않을 수 없다"는 점을 말한 뒤 시가 사물(객관세계)에 대해서 가지는 관계를 크게 네 가지로 나누어 분석하고 그것을 낭만주의 이후 근대시의 발전의 여러 단계와 대응시켰다. 그 중 이미지즘의 단계를 '사물에 대하여 (또는 사물에 부딪쳐서) 시인의 마음을 노래하는 것'이라 하여 '사물을 통하여 시인의 마음을 노래하는' 단계, 즉 '주관을 노래하기 위하여 사물을 쓰거나 그렇지 않으면 사물에 대하여 주관을 노래하는 시대나 범주'에서 벗어난 단계로 보았다.[34]

플린트가 정리한 이미지즘 강령을 보면, 주관적이든 객관적이든 '사물'을 직접적으로 다룰 것을 강조한다.[35] 그리고 로웰이 정리한 6항의 원칙 중에

---

33) 김기림의 정지용에 대한 평가에 그 점이 잘 드러난다. '최초의 「모더니스트」 鄭芝溶은 거진 천재적 민감으로 말의 주로 음의 가치와 「이미지」, 청신하고 원시적인 시각적 「이미지」를 발견하였고 문명의 새 아들의 명랑한 감성을 처음으로 우리 시에 이끌어 들였다.'
   김기림, 「'모더니즘'의 역사적 위치」, 『김기림 전집2』, 심설당, 1988, p.57.
34) 김기림, 「객관세계에 대한 시의 관계」, 『김기림 전집2』, p.117.

는 개별적인 것을 정확하게 다루어야 하며, 애매한 보편성을 다루어서는 안 된다는 점과 견고하고 명징한 시를 만들 것을 강조하고 있다.36) 앞서 인용한 김기림의 지적은 이 강령과 관련되는데, 그것은 개별적인 사물 하나하나가 이제 인식의 대상으로 떠오르게 된 것을 말한다. 그리고 제5항 견고하고 명징한 시(poetry that is hard and clear)라는 것도 바로 주관에 복속된 사물의 해방을 뜻하는 것으로, 견고하다는 것은 고양된 주관적인 감정으로부터 벗어나서 사물을 있는 그대로 나타낸다는 뜻이며 명징하다는 것은 그러한 나타남의 화상도가 높아야 한다는 것을 말한 것에 불과한 것이다. 그러므로 이미지즘은 바로 사물 즉 객관세계를 주관에 복속시키지 않고 사물에 대한 감정이입을 절제하는 입장을 가장 중시하는 유파라고 말할 수 있다. 이 점은 이미지즘의 이론가인 에즈라 파운드의 이미지즘을 '시적 리얼리티를 회복하기 위한 운동'으로 보는 관점에서도 확인된다.37) 또한 랜슴이 사물을 궁극적으로 추구한 시, 즉 물리적 사물을 철저하게 추구하는 시를 사물시 (Physical Poetry)라 명명한 것도 이런 경향과 무관하지 않다.38)

이런 이미지즘의 세례 이후 박목월 역시 그런 기법의 문제를 무시할 수는 없었다. 그도 결국 시를 낭만주의적 관점에서 하나의 유기체적으로 이해하는 것이 아니라 모더니즘적 입장에서 기술의 문제로 이해했던 것이다.

> 나대로 말하면 시는 기술의 문제입니다. 감정의 질서와 긴장 체계를 제 나름대로 이룰 수 있는 표현에 있어서의 기술적인 측면이야말로 시인이 예술가라는 사실을 증명해주는 것이며 [……] 기술적인 능력의 숙련도는 내가

35) F. S. Flint, Imagism, *The modern tradition : Backgrounds of Modern Literature*(ed. Richard Ellmann, Oxford Univ.Press,1965), p.142.

36) S. K. Coffman, *Imagism*(Univ.Oklahoma Press, 1951), pp.28~29.

37) 박재열, 「Ezra Pound의 Imagisme」, 『영어영문논총』(1985), 김종윤, 「Ezra Pound의 Vorticism : 회복된 시적 Reality」, 『영어영문논총』(1985) 참조.

38) J .C. Ransom, *Poetry : A Not on Ontology, Twentith Cenry Criticism*(Light and Life Publishers, 1974), p.45.

훌륭한 창조자냐 아니냐의 문제를 판가름해 주는 것입니다.[39]

　어떤 평자는 이런 문학사적 자장 내에서 박목월 시의 이미지를 이해하여 초기시의 자연을 '하나의 객관적 대상' 혹은 '단순한 객관적 상관물'[40]이라 하고, 자연의 인식에 있어서 '극히 객관적인 태도를 취하였다'[41]거나 '사물을 감각적 즉물적으로 처리하는 기교'[42]를 말하기도 하고, 최종적으로 '목월의 시는 철저한 이미지스트였다'[43]는 결론으로 나아가기도 한다.『산도화』에 실린「불국사」가 서술적 이미지를 극단적으로 사용한 즉물시(phisical poetry)의 전형으로 평가되는 것도 앞의 논의의 연장선상에서 나온 것이라 할 수 있다.[44]

　　　흰 달빛
　　　紫霞門

　　　달안개
　　　물소리

　　　大雄殿
　　　큰菩薩

　　　바람소리
　　　솔소리

　　　浮影樓

---

39) 박목월,「초겨울의 서한」,『목월문학탐구』, pp.223~4쪽에서 재인용.
40) 김용범, 앞의 글, p.296.
41) 오세영,「박목월의 변모」,『현대시학』(1971. 6), p.46.
42) 박철석,「목월과 두진의 시」,『현대문학』(1978, 2), p.268.
43) 박치원,「박목월의「산도화」」,『시문학』(1978. 10), p.78.
44) 김춘수,「한국 현대시의 계보1 - 이미지의 기능면에서 본」, 국어국문학회 편,『현대시연구』, 정음문화사, 1984, p.51.

뜬 그림자

흐는히
젖는데

흰 달빛
紫霞門

바람소리
물소리

-「불국사」 전문

그러나 구체적으로 검토해보면 이 「불국사」도 이미지즘이 강조한 바 있
는 견고하고 명징한 시(poetry that is hard and clear)나 사물을 강조한 즉물시
라 하기 힘들다. 사물이 나열되고 있긴 하지만 그 사물들은 몇몇 고유명사
로서의 기능 이상을 하지는 않는다. 그리고 그런 특성은 거의 모든 이미지
들이 구체적인 자연 대상에서 오기보다는 그런 고유명사의 의미를 부연하
는 데에서 나온다는 점에서 확연해진다. 그것을 가장 잘 보여주는 것이 5연
이다. '부영루/ 뜬 그림자'에서의 '뜬 그림자'라는 이미지는 사물에 즉하여
나온 자연 이미지라기보다는 부영루(浮影樓)라는 고유명사의 의미로부터 나
온 일종의 추상적 기호이다. 보라빛 아지랑이라는 의미를 포함한 자하문(紫
霞門)이라는 고유명사가 '흰달빛', '달안개' 등의 이미지와 기호적 연쇄를 이
루고 있다는 사실도 이런 이미지의 특성과 관련이 깊다. 그리고 이 「불국사」
라는 시가 앞에서 살펴본 제한된 이미지의 반복이라고 하는 특성을 그대로
지니고 있는 점도 즉물시로서의 자격을 부정하고 있다. 이 짧은 시에 있어
서 동일한 시어들(흰달빛/ 자하문, 물소리 등)을 필요 이상으로 반복하는 것
은 자연의 구체적 상황을 강조하기보다는 그런 구체적 조건의 결핍을 추상
적 기호로 대체하고자 하는 의도를 보여주는 것으로 판단된다. 다시 말해

이미지의 반복은 오히려 즉물성의 결핍을 드러내주는 표지가 되는 것이다.[45] 결론적으로 이 「불국사」라는 시도 '달빛이 어린 자하문의 실상(實像)을 그려보려고 의도한 것'[46]과는 달리, 「청노루」나 「산도화」처럼 자연대상의 구체성이 결핍된 자연 이미지를 관념적인 차원에서 조작한 시에 불과한 것이라 할 수 있다.

문제는 왜 이런 기묘한 풍경이 이미지즘의 기법이나 가치가 충분하게 내면화된 1940년대에 등장하였는가 하는 점에 있다. 그것은 지금까지의 모든 논의의 결론이 될 것이며, 또한 박목월 초기시의 자연 이미지의 특성과 의미에 대한 평가가 될 것이다.

5. 박목월 초기 자연 이미지의 형이상학

박목월 초기시에 보이는 자연 이미지의 특성은 앞에서 검토한 것처럼 크게 두 가지로 요약될 수 있다. 하나는 한정적인 범위 내에서 몇 가지 자연 이미지만 반복적으로 사용되고 있다는 점이고, 다른 하나는 그런 자연 이미지들이 모두 자연 대상의 구체적 성격과는 무관한 관념적인 성격을 지닌다는 것이다. 이제 이런 특성이 제기하는 시학적 의미를 점검해야만 하는데, 이것은 그런 특성으로부터 도출되는 두 가지 의문에 대한 대답이 될 것이다. 즉 첫번째는 박목월 초기시에 왜 한정적인 자연 이미지가 반복적으로 사용되는가, 두 번째는 이미지의 관념성이 가리키는 의미는 무엇인가 하는 문제

---

45) 박목월의 초기시 「산도화」, 「산색」, 「청노루」를 기호학적으로 분석하고 있는 금동철의 논의는 이런 각도에서 볼 때 결과적으로 박목월 시에 등장하는 자연 이미지의 기호적·특성을 역설적으로 드러내주고 있다고 할 수 있다.
금동철, 「박목월 시의 텍스트 생산 연구─목월시의 기호학적 모형 분석」, 서울대 석사논문, 1994.
46) 박목월, 『보랏빛 소묘』, 신흥출판사, 1958, p.121.

제기에 대한 해결이다.

먼저, 첫 번째 의문은 이미지의 관념성을 지적하는 부분에서 어느 정도 밝혔다고 생각되는데, 다시 정리하자면 자연 이미지의 반복성은 목월이 <마음의 지도>라고 부르는 일종의 관념적인 이미지의 체계 내에 몇 가지 기본적이고 원형적인 자연 이미지를 마련해놓고 그것을 선택적으로 운용하거나 재배치하는 방식에 기인하는 것이다. 그가 보여주는 자연 이미지의 체계는 이미지즘의 다양한 즉물성에는 물론, 유구한 전통을 지닌 한시의 세계에 등장하는 자연 이미지의 풍부함에조차 전혀 미치지 못하는 상당히 편협하고 단조로운 이미지의 집합이라 할 수 있다.

박목월은 「산도화 1」의 배경과 관련하여 '동양화적 풍경'이라고 말하는데, 그의 자연 이미지는 이런 동양화에서의 자연 인식의 방법과 동일한 입장에서 나오고 있다. 동양화 즉 '<산수화>에서 화가는 <사물>을 보는 것이 아니라 선험적인 개념을 보고 있는 것'[47]이기 때문이다. 그런데 이 선험적인 개념이라는 것은 규범적이고 한정적이고 공식적인 성격을 지니고 있기에 이런 시각에서는 자연 대상의 구체적인 소재가 다양하게 취해질 수 없다. 질료의 구체성이 탈각된 몇가지 공식적이고 전형적인 이미지들만이 화면의 구도나 배치에 있어서의 변화를 통해 반복되는 것이다. 목월이 보여주는 자연 이미지 역시 선험적인 <마음의 지도>에 존재하는 지극히 한정된 이미지들, 즉 산수화에 등장하는 몇몇 전형적인 이미지들이 구도나 개별 소재의 변화를 통해 반복 재생산되고 있다.

그러나 이런 자연 이미지의 편협성은 시대적 조건과 무관하다고 할 수 없다는 점이 더 중요하다. 자연의 구체적 세목들을 관조하고 관찰할 수 있는 정신적 여유가 그 당시의 신인 시인에게는 근원적으로 주어지지 않았다고 할 수 있다. 그래서 시인의 시선은 자연 대상의 다양성으로 향하는 대신 점점 내면으로 향하게 되고, 그 내성적인 방향이 자연 이미지의 양을 제한적

---

47) 가라타니 고진, 앞의 책, p.30.

으로 만들고 그 질감을 더 희박하게 만든 것이다. 이것은 청록파의 시인들에 공통적으로 나타나는 현상이라 볼 수 있는데, 박두진의 기독교적 자연 이미지나 조지훈의 한시교양적 자연 이미지들의 제한적 항목이 그 증거가 된다.[48]

다음으로 두 번째 의문, 즉 이미지의 관념성이 지니는 형이상학적 의미의 문제는 앞에서 설명한 이미지의 존재론과 관계된다. 이미지는 현존하지 않는 최초의 지각이 기억과 상상력 속으로 편입되어 근원적인 물질성를 점차 상실하고 전혀 다른 존재로 탄생된 것이다. 이런 근원적인 상실 의식이나 부재 의식 속에 탄생한 이미지의 운명은 기본적으로 관념적이고 추상적인 요소를 지니고 있다. 이런 이미지의 관념성을 즉물성의 방향으로 돌리고자 시도된 문학사적 기획을 우리는 이미 살펴본 바 있지만, 근대문학의 출발은 이미지의 물질성의 회복에 있다고 해도 과언이 아닐 것이다. 폴드만이 자연 이미지라는 것을 '현현에 대한 열망을 나타내지만, 그것이 순수한 시초이기 때문에 현현이 되기에는 필연적으로 실패할 수밖에 없는 단어에 대한 정확한 규정'이라 한 것도 이와 같은 맥락이다.[49] 최초의 근원적인 존재와 더불어 정체성을 정립해가는 자연 대상과 달리 언어의 이미지라는 것은 안정된 존재론적 심급을 지니지 못하고 그 자체로 새로운 차원의 기원이 될 수밖에 없다. 그래서 이미지라는 것은 자연 대상으로서의 선험적인 안정성과 영원성에 대한 갈망의 표현이 되는 것이다.

그런데 이런 이미지의 존재론에서 볼 때 박목월 초기시의 자연 이미지는 의식적인 차원에서 스스로 자연 대상과의 연결 통로를 절연하고 그 자체로 최초의 기원이 되는 과정을 선택하고 있다는 점에서 더욱 극단적인 형태를

---

48) 비록 편수가 적긴 하지만 『청록집』에 실린 박두진이나 조지훈의 자연 이미지에 있어서 유사한 이미지의 반복이 하나의 특징이 된다. 또한 관념적인 특성도 공유하고 있다. 김춘수도 박두진의 시 「해」를 들어 '추상적인 도덕관념과 알레고리에 의지'하고 있다고 평가하고 'Platonic Poetry의 전형'이라 부르고 있다(김춘수, 앞의 글, pp.51~52).

49) Paul de Man, 앞의 글, p.6.

지닌다고 할 수 있다. 이처럼 그의 이미지들이 태생적 조건인 부재성을 더욱 극단적인 방향으로 몰고가는 이유는 무엇일까. 우리는 그 해답을 폴드만의 '시적 이미지의 존재는 신의 부재를 나타내는 기호이며, 시적 이미저리의 의식적 사용은 이와 같은 부재의 승인에 대한 표지'[50]라는 언급에서 찾을 수 있다. 이미지라는 존재 자체는 부재성을 근원으로 하고 있지만, 그 부재성의 형이상학적 근원은 결국 신의 부재에 있는 것이다. 모든 것의 선험적인 근거를 제공해주고 안정성과 영원성을 보장해주는 이 신의 존재에 대한 사고를 박목월과 관련한 한 논의에서 비유적인 형태로나마 우리는 이미 본 적이 있다.

> 오늘날 정치문학 청년들이 <화조풍월(花鳥風月)> 운운하고 애써 무시하려는 <자연>의 발견도 이와 같이 남이 몸으로써 지키는 세기적 심연에 직면하여 절대절명의 궁경에서 불러진 신의 이름이었던 것이다.[51]

김동리는 청록파의 자연을 절대절명의 궁경에서 찾아낸 신의 이름이라고 하고 있다. 이 언급의 이면에는 신의 부재에 대한 함의가 담겨 있다. 그 자신이 하나의 기원으로서 선험적인 존재가 될 수밖에 없는 이 자연(이미지)의 존재는 결국 신의 부재에 대한 반증이 되는 것이다. 그러므로 그런 자연 이미지의 등장은 이 신의 부재로 인하여 상실된 선험적 안정감에 대한 갈구의 흔적이라 할 수 있다. 그렇다면 박목월에 있어서 이 선험적 존재는 무엇인가. 그것은 『청록집』의 맨 첫 자리에 놓인 다음 시를 통해 유추해볼 수 있다.

> 내ㅅ사 애달픈 꿈꾸는 사람
> 내ㅅ사 어리석은 꿈꾸는 사람

---

50) Paul de Man, 앞의 책, p.5.
51) 김동리, 앞의 글, p.49.

밤마다 홀로
눈물로 가는 바위가 있기로

기인 한밤을
눈물로 가는 바위가 있기로

어느날에사
어둡고 아득한 바위에
절로 임과 하늘이 비치리오

-「임」 전문

이 시는 박목월이 『산도화』에 다시 수록하고, 게다가 거기에서 연작시의
형태로 시를 확장시키고 있을 정도로 중요한 비중으로 다루는 작품이다. 여
기에서 '석마사(石磨師)'52)가 된 화자가 바위를 갈아 만든 거울에 비치기를
바라는 '임과 하늘'은 자신에게 삶의 전적인 의미와 근거를 부여해주는 선
험적인 존재가 아닐 수 없다. 이 시는 따라서 의지의 투영으로 만들어진 관
념적인 시라 할 수 있다. 그래서 화자의 간절한 마음과 혼신의 노력을 보여
주는 데 사용된 바위라는 이미지는 자연 대상의 물질성을 보유한 자연 이미
지가 아니라, 화자의 의지를 대체하여 존재하는 이른바 '이미지를 가장한 표
상(emblems masquerading as image)'53)임이 명확하다. 이처럼 화자가 간절하게

52) 박목월, 『보라빛 소묘』, p.73.
53) Paul de Man, *The rhetoric of romanticism*(Columbia Univ., 1984), p.194.
본 논의에서 표상은 'representation'이 아니라 이미지의 하위 개념인 'emblem'의 의
미로 사용된다. 이것은 이미지를 자연적 이미지와 표상으로 나누는 드 만의 논의
를 기반으로 한다. 전자는 구체적인 지각을 바탕으로 한 것인 데 반해 후자는 관념
과 의도의 대리물이 된다. 따라서 알레고리에 사용되는 이미지는 모두 표상으로서
의 이미지가 된다(Paul de Man, 앞의 책, pp.163~165).
'emblem'은 표상 또는 상징도로 번역되기도 한다(Gilbert Durand(진형준 역), 『象徵的
想像力』, 문학과 지성사, 1983, pp.14~24 참조).
이미지와 표상에 대한 구체적인 논의는 박현수, 「육사 시에 끼친 주자학적 영향-
수사적 발현을 중심으로」(서울대 석사 논문, 1996), pp.28~46 참조.

바라는 '임과 하늘'의 부재로 인해 이미지는 더욱 극단적인 차원에서 관념적인 방향을 선택하게 되고, 급기야는 이미지가 아니라 표상(emblem)의 형태를 취하는 것이다. 박목월은 이 시에 대하여 '가위에 눌린 것처럼 억압만 느끼던 절망적인 일제말기 [⋯⋯] 암흑한 시대에 <하늘과 임>을 희구하는 꿈을 지니므로서 한결 절망은 짙었고 또한 한결 높이 솟은 절벽같이 느껴지는 그 시대와의 아득한 거리감 그것이 <바위>라는 것'[54]이라 밝히고 있다. 박목월은 확고한 태도로 이 시를 일제 말기라는 구체적인 시대와 연관시키고 있다. 그렇다면 화자가 어둡고 아득한 바위에 비유되는 암흑의 시대에 간절하게 갈구하던 '임과 하늘'은 바로 '영혼의 자유로운 나라, 임-조국'[55]이라고 할 수 있다. 자신이 선택이 개입되지 않은 채 순수하게 주어지는 이 선험적 존재로서의 조국, 이 조국의 부재가 그의 이미지의 비밀이 되는 것이다.

이제 박목월의 초기 자연 이미지의 관념적인 창고로 사용하고 있는 '마음의 지도'의 존재 이유를 그 자신의 말로 들어보는 것이 논의의 명확함에 도움이 될 것이다.

> 그 당시 나는 나대로의 환상의 지도를 가지고 있었다. 그 어둡고 불안한 시대에 푸근하게 은신할 수 있는 <어수룩한 천지>가 그리웠던 것이다. 그러나, 한국의 천지에는 어디에나 일본 치하의 불안하고 바라진 땅이었다. [⋯⋯] 그래서 나혼자의 깊숙한 산과 냇물과 호수와 봉우리와 절이 있는 <마음의 자연> ─ 지도를 간직했던 것이다.[56]

일제 치하의 불안한 시대는 선험적 존재가 결핍된 시기이기 때문에, 현실로의 통로가 차단되고 시선은 관념적인 방향으로 향하게 된다. 그러나 그 대상이 왜 하필이면 자연인가 하는 점은 언어 외적 상황보다는 자연 이미지

---

54) 박목월, 앞의 책, p.72.
55) 박목월, 앞의 책, p.73.
56) 박목월, 앞의 책, p.83.

의 존재론적 차원에서 해명될 수 있을 것이다. 폴드만이 지적한 바대로 언어의 이미지와 달리 선험적 원리의 육화로서 존재하는 자연 대상의 존재 상태에는 동요나 불안이 있을 수 없다. 신동욱은 자연이 지닌 이런 특성을 잘 지적하고 있다.

> 자연이 제공하는 아름다움은 그것이 영원함의 의미를 우리에게 일깨워주기 때문인 듯하다. 그것은 항상 엄연한 존재이고 또 변함없는 자세로 군림하며, 그리고 거대한 원리적인 힘으로 인식되게 하며, 영원한 조화의 주인으로 인식되는 가장 큰 생성적 대상이기도 하다.[57]

언어는 이런 자연 대상이 지닌 안정성과 영원성을 갈망하는데 그런 간절한 소망을 담고 있는 것이 바로 자연 이미지이다. '임과 하늘'이라는 선험적인 존재의 부재가 가져다 준 근원적인 불안감은 이런 자연 이미지의 지향을 통하여 어느 정도 해결책을 찾게 된다. 그리고 한 걸음 더 나아가 시인은 「마음의 지도」에서 보여주듯이 이미지를 관념적인 차원에서 체계화시키고 질서를 갖게 함으로써 구조적인 안정감을 획득하고자 하는 것이다. 바로 이것이 박목월 초기시에 나타나는 자연 이미지의 특성을 규정하고 있는 것이라 할 수 있다.

이처럼 박목월 초기 자연 이미지의 특성은 결국 일제말기라는 시대적 조건과 거기에서 비롯한 시인의 심리적 압박감, 그리고 이미지의 존재론적 성격에 의해 형성되었다고 할 수 있다. 이 근원적인 조건으로부터 제한적인 자연 이미지의 반복적 등장과 그 이미지의 관념성이라는 특성이 형성되었던 것이다. 이런 분석을 통해 이미지의 탄생은 결코 구체적인 외적 조건으로부터 자유로울 수 없다는 것을 알 수 있으며, 문학의 외재적인 접근의 문제가 단순하지 않음을 확인할 수 있다. 앞으로 이런 이미지의 특성을 확장시켜 청록파의 유파적 특질을 해명하고, 더 나아가 한국 현대시의 지형도를 그려보는 것이 본 논의의 차후의 과제가 될 것이다. ✎

---

57) 신동욱, 앞의 글, p.266.

풍경과 시간

국 변형 양장, 208쪽, 가격 7,000원

우리 앞에 놓인 풍경과 사물들이 있다. 그것은 음악과 같이 움직이며 그림과 같이 우리 앞에 나타난다. 그 흐르는 것들은 붙잡아 맬 수 없는 것이어서 어느 틈엔가 저만큼 물러나 있곤 한다. 그리하여 그것들은 늘 정의되어야 할 대상이 아니라 명상되어야 할 대상으로 우리 앞에 서 있는 것이다.

이 책은 그 우울한 몽상과 배회의 시간들을 모은 것이다. 여기저기 흩어진 글들을 묶으면서 나는 문득 위험한 소파에 나앉은 자의 권태도 함께 보았다. 내가 마침내 그 풍경 속으로 걸어갈 수 있는 통로는 없는 것일까?

－저자 머리말

서종택
전남 강진출생으로 고려대학교 국문학과를 졸업했다.
1969년 『월간문학』 신인상으로 등단하여, 『외출』(1977), 『선주하평전』(1989), 『백치의여름』(1998)등의 창작집과 『한국근대소설의구조』(1982), 『한국현대소설사론』(1999), 『바람의 화가 변시지』(2000) 등의 저서를 냈다.
현재 고려대 문예창작학과 교수.
joytag@tiger.korea.ac.kr

새미

전화: (02)442-4626 팩스: (02)442-4625

모텔 선샤인

**책을 여는 순간 새로운 소설의 세계를
경험하실 수 있습니다.**

신국 반양장 / 202쪽 / 7,500원

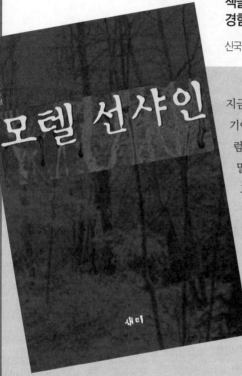

지금은 흥겹고 떠들썩하던 분위기가 지나가고 여
기에 뜨겁게 타오른 흔적만이 갯바람의 시체처
럼 싸늘하게 뒹굴고 있지만 한때 내 안엔 거짓
말처럼 몇 개의 길들, 한 남자와 한 여자, 그리
고 거미를 닮은 한 채의 건물이 있었다.

이제 와서야 누구든 한낱 사방으로 날리는 안
개 같은 잿더미의 잔해를 뒤적여볼 수
있을 뿐이지만 그러나 분명 알 수는 있으리
라. 무언가가 그 자리에서 스스로의
몸을 태웠고, 이제는 우리 앞에 놓인
지난한 행로를 그들이 먼저 짚어 가는 중
이라는 사실을.

– 작가 후기 중에서

저자 /전민석

1980년 안양 출생
2001년 추계예술대학교
        문예창작과 재학 중

새미

전화: (02)442-4626
팩스: (02)442-4625

서 평

대중문학에 대한 관심과 대중소설 연구의 어려움
─『1930년대 한국 대중소설의 이해』(이정옥, 국학자료원, 2000)

김한식*

1.

창작뿐 아니라 문학연구 역시 시대적 분위기를 반영한다. 문학연구가 무엇을 대상으로 하든 궁극적인 방향은 '동시대적 관심'과 무관할 수 없기 때문이다. 문헌의 발굴이나 고전의 번역같이 상대적으로 자유로운 분야가 있기는 하지만 대부분의 문학연구는 연구자의 현재적 삶에서 완전히 독립적일 수 없다. 최근 몇 년 사이 두드러지는 대중문학 연구의 활성화도 이런 관점에서 설명할 수 있을 것이다. 진지하고 '가치' 있는 문학에서 재미있고 '널리' 읽히는 문학으로의 관심 확대라고 할 수 있다.

대중문학에 대한 관심의 확대는 크게 두 가지 의미를 갖는다. 하나는 고급문학 일변도의 연구가 가진 편향성을 지양하고 기존의 연구에서 소외되어 있던 분야로 연구의 영역을 넓힌다는 점이다. 지금까지 우리문학 연구가 작품의 이념성이나 작가의식 등 정신사적·시대사적인 측면에 기울어져 있었던 것이 사실이고 보면 대중문학 연구는 그것 자체로 '새로움'의 의미마저 갖는다. 다른 하나는 문학 연구가 문화 일반의 연구로 확대될 수 있다는

---

* 상명대 강사. 저서로『한국 현대소설의 서사와 형식 연구』가 있음.

점이다. 이는 최근에 일고 있는 타문화에 대한 관심 확대와도 관계 있는 것으로 문학을 하나의 특수한 '예술' 영역으로 보는 관점에서 벗어나 다양한 문화 현상들과 동등한 위치를 갖는 문화의 한 분야로서 자리 매김 해야 한다는 인식을 배경으로 한다. 문학연구에서 이를 구체적으로 천명하는 경우가 많지는 않지만 대중문학에 대한 연구자들의 관심 자체가 이러한 분위기 속에서 나온다 할 수 있다.

90년대 중반까지 대중문학에 대한 연구는 주로 비판적인 관점에서 이루어졌다. 구체적인 작품의 대중성을 분석하고, 우리 문학의 대중성이 갖는 특질을 사회 역사적 관점에서 설명하는 연구가 주류를 이루어온 셈이다. 이러한 연구는 문학의 이념성이 강조되던 1980년대 집중적으로 이루어졌다. 전영태의 「한국근대소설의 통속성에 대한 고찰」과 최원식의 「『장한몽』과 위안으로서의 문학」, 서영채, 권선아의 '찔레꽃' 연구가 대표적인 논문으로 꼽힌다. 전영태는 1930년대의 문학적 상황을 대중들에게 낯선 것, 기이한 것이 본격적으로 도입되는 과정으로 보았다. 이에 대한 거부 반응이 대중 소설의 유행을 불러왔다고 주장한다. 최원식은 '통속소설'의 중요한 축으로 '장한몽'의 망령을 이야기한다. 그는 『장한몽』이 "한국 독자들이 체험한 근대적 장편소설의 최초인 바, 그것이 그 후의 우리 장편소설을 적지 않게 제약했으리란 점"을 지적한 바 있다. 서영채와 권선아의 글은 김말봉의 『찔레꽃』을 중심으로 30년대 대중소설이 유행할 수 있었던 시대적 배경과 작품의 구조를 분석한 논문이다. 이러한 연구들을 통해 대중문학(혹은 통속문학)에 대한 비판적인 시각은 충분히 마련되었다고 할 수 있다. 대중문학을 비판적으로 보는 이후의 연구는 위의 몇몇 관점을 보충하거나 확대하는 수준에서 이루어졌다고 해도 과언이 아니다.

90년대 중반 이후 들어 대중문학에 대한 관심은 더욱 확대되어 많은 대학의 학위논문 주제로 다루어지고 있다. 특히 관심이 집중되는 시기는 30년대 후반이다. 이 시기 대중소설에 대해서는 최근 몇 편의 박사 학위논문에서 체계적으로 정리된 바 있다. 강옥희의 『1930년대 후반 대중소설 연구』(상명

◀ 이정옥, 『1930년대
한국 대중소설의 이해』

대 박사, 1998)는 대표적인 성과라 할 수 있다. 강옥희는 이 논문에서 이 시기 대중소설을 계몽적 대중소설, 이념적 대중소설, 통속적 대중소설로 나누어 그 특성을 고찰하였다. 이런 분류를 통해 당시에 발표된 소설 20편을 다루고 있다. 그는 30년대 후반 대중소설의 특성으로 계몽성과 이상주의, 과학주의의 지향, 흥미추구와 상투성, 작위적 갈등과 결말의 예측 가능성을 든다. 무엇보다도 이 논문의 미덕은 대중 소설 융성의 사회적 배경이 되는 당시의 출판 현황을 자세히 밝혔다는 데 있다. 김강호의 『1930년대 한국 통속소설 연구』(부산대 박사, 1994)는 역사소설을 포함한 '통속소설'의 구조를 분석한 논문이다. 이 밖에 대중소설과 관계된 석사학위 논문은 십 여 편에 이르고 있다. 이제 살펴 볼 이정옥의 『1930년대 한국 대중소설의 이해』는 이런 연구경향의 연장선에 놓이는 논문이라 할 수 있다.

2.

『1930년대 한국 대중소설의 이해』는 대중소설 창작과 유통의 배경보다 작품의 분석에 치중하고 있는 논문이다. 이 논문의 성과는 지금까지 논의의 외곽에 머물러 있던 대중소설 작품들에 대한 구체적이고 체계적인 분석을 시도했다는 점에 있다. 저자는 논문의 서론에서 기존 논문들에 대해 "대중소설에 대한 비판적 시각을 끝내 놓지 않았다"고 강하게 비판하면서 새로운 관점(대중문학을 긍정적으로 보려는)으로 대중소설을 연구해야 할 필요를 역설하고 있다. 이런 관점을 뒷받침하기 위해 다양한 외국 이론을 도입하기도 한다.

이 논문의 저자는 대중문학에 대해 매우 긍정적인 자신의 관점을 문화민주주의적인 입장이라고 말한다. 이런 관점은 회의주의적 입장이나 후기 민중주의적 입장과 구분된다고 한다. 문화 민주주의적 입장을 저자는 "바로 지금 이곳에서 우리의 일상적 삶의 맥락 속에 깃들여 있는 어떤 특정한 문화산물을 부각시키는 개념"이라고 정의한다. 현상을 현상 자체로 인정하고 이해하며 그것의 기능을 선입견 없이 받아들이는 태도 정도로 이해할 수 있을 것이다. 대중문학에 대한 기왕의 비판적인 입장이 비판이론 등에 의지하고 있었던 것과는 달리 문화민주주의는 미국 학자들을 중심으로 전개된 이론이라고 한다.

실제 작품을 분석하고 평가하는 데서는 내재적 접근의 필요성을 강조한다. 내재적 접근은 현실을 인정하고 그 현실에 대한 설명이나 원리의 규명을 중시한다고 말한다. 이런 관점을 가지고 있기에, 당연하게도, 저자는 지금까지 이루어진 대중문학 연구(이념이나 사회적 배경을 중시하는)를 강하게 비판한다. 저자가 보기에 지금까지 이루어진 대중소설 연구의 문제점은 여전히 "대중소설은 무조건 질이 낮은 문학"(74쪽)이라는 전제를 버리지 않은 데 있다. 저자의 입장을 따른다면 지금까지 대중소설에 대한 연구는 일종의 편견을 띠고 있었던 셈이다. 그러한 편견은 실제 존재하는 문학, 그것도 가장 많이 읽히는 문학에 대한 평가로 적당하지 않다고 저자는 주장한다. 이러한 주장은 나름의 설득력을 갖는다. 굳이 대중 소설 자체에 대해 노골적인 문제제기를 하는 경우가 아니더라도 대중소설의 가능성과 실제 평가의 괴리는 여러 연구에서 발견되는 문제점이기 때문이다. 원칙적으로는 대중소설의 중요성을 주장하다가도 실제 작품을 평가할 때는 미학적으로 완결성이 떨어진다거나 시대의 문제에서 벗어나 있다고 비판하는 경우를 자주 볼 수 있었다. 저자는 이런 문제를 의식하고 시종 대중소설의 의미를 강조한다.

『1930년대 한국 대중소설의 이해』는 소설의 대중화와 대중소설 논의의 전개(2장), 대중소설의 원리와 연구 방법론(3장)을 두어 자신의 관점을 구체화하려 한다. 대중소설 연구 방법으로 그가 내세우는 것은 "대중성을 확보하기 위해 충족되어야 하는 세 가지 요소 기대지평과 인물구성과 플롯"(87쪽)이다. 작품을 다루는 4장에서는 대중소설을 추리소설, 연애소설, 역사소설, 농촌계몽소설로 나누고 각 장르에 속하는 작품들을 앞서 든 세 가지 요소에 의해 분석한다. 이렇게 보면 이 논문은 연구방향을 대중소설의 역사적 전개, 대중소설의 본질, 그리고 구체적인 대중소설 작품론으로 다각화하여 대중소설의 다양한 측면을 입체적으로 관찰한 논문으로 평가할 수 있다. 각 작품을 분석하는 기준도 작품에 따라 들쭉날쭉하지 않고 비교적 일관되게 적용되고 있다.

그럼에도 불구하고 이 논문은 그 분량과 노력에 비해 대중소설에 대한 새로운 정보나 시각을 제시하고 있다고 평가하기에는 미흡한 점이 많다. 이는 저자가 주장하고 있는 대중소설에 대한 내재적 접근이 갖는 근본적인 한계와도 통하는 것이다. 엄정하게 볼 경우 이 논문은 스테레오 타입이라 불릴 만한 대중소설의 여러 가지 특성을 '원리'라 부르고 그 원리가 각 작품에 어떻게 적용되고 있는지를 확인하는 데 그친다. 저자가 대중소설과 구분하고자 노력하고 있는 리얼리즘 소설이나 모더니즘 소설과 비교할 때 대중소설은 기존 관습을 받아들이는 경향이 매우 강하며 그것으로 인해 대중소설은 몇 가지의 장르로 나누어진다. 이렇듯 유사한 틀에서 유사한 재료로 만들어진 작품들을 굳이 자세히 분석하여 무엇을 밝혀내려 하는지 의구심이 들지 않을 수 없다. 실제 이 논문은 각 부류(추리, 연애, 역사, 농촌계몽 소설) 작품들의 유사성을 확인하는 것으로 작품 분석의 작은 결론을 삼는다. 작품들간의 유사성을 확인하는 작업이 중요하기는 하지만 문학연구가 궁극적으로 는 작품들간의 차이와 틈을 찾는 행위라고 한다면 이러한 노력은 들인 만큼 의 충분한 성과를 얻어내기 어려운 작업이었다 할 수 있다.

대중소설을 정의하고 범위를 한정하는 데에도 문제가 없는 것은 아니다. 대중소설을 내재적으로 정의하는 방법은 아마 대중소설이 유지되어온 관습 에 대한 탐구일 것이다. 또 대중적 요소에 대한 자세한 분석이기도 하다. 그 런데 저자도 밝히고 있듯 근대 장편소설은 많든 적든 대중적 요소를 포함하 고 있다. 따라서 대중적 요소가 있다고 대중소설로 분류할 수는 없다. 만약 대중적 요소의 다소 수준에서 대중소설을 이야기한다면 그 평가는 작위적 이 될 가능성이 크다. 이광수의『무정』이 가진 대중 소설적 요소를 인정하는 것과『무정』을 대중소설로 분류하는 문제는 같은 것이 아니다. 대중소설의 정의와 범위가 명확하지 않기에 작품 선정도 엄정히 이루어졌다고 보기 어 렵다. 실제로 이 논문에서 이기영의『고향』을『순애보』나『찔레꽃』과 대등 한 위치에서 대중소설로 처리한 점은 그 단적인 예라 할 수 있다. 이런 기준 이라면 신문연재소설을 비롯한 30년대 장편소설 대부분은 대중소설이 될 것이다. 저자의 말대로 대중소설 연구는 내재분석의 대상이 아니라 "대중소 설이 어떻게 대중성을 확보할 수 있는가 하는 문제로 관심을 돌려야 한 다."(79쪽)

대중성에 대한 애매한 규정은 작품에서 평가의 원근법의 부족이라는 심 각한 결과를 낳는다. 저자는 대중소설의 원리로 설정한 몇몇 원칙들이 어떻 게 적용되고 있는지에 관심을 가질 뿐 그런 작품이 독자들 혹은 당시 사회 에 어떻게 받아들여졌는가에 대해서는 무관심하다. 작품의 해석에는 관심을 가지면서 평가에서는 한발 물러서는 태도를 취하고 있는 것이다. 그것은 때 로 논리적인 증명이 놓여야 하는 자리에 추정이나 감상적 동의가 오는 결과 를 낳게 된다.

우선 연애소설이 독자에게 주는 영향, 또는 독자가 소설에 바라는 기대지 평에 대해 논하는 부분을 보자. 저자는 "독자들은 억눌린 억압감을 풀어낼 배출구가 없는 현실을 벗어나서 이 환상적인 소설 세계 속에서나마 자신들의 쓰라린 상처를 보듬어주는 커다란 사랑의 존재를 만남으로써 위안을 보상받을 수 있다."(192쪽)고 말한다. 문학에 위안의 기능이 있다는 사실을 부정할 수는 없을 것이다. 다른 어떤 것과 비교해 더 중요한 요소일 수도 있다. 그러나 저자는 위안의 측면만을 강조할 경우 그에 따르게 마련인 부작용에 대해 질문하지는 않는다. 왜 그런 위안을 주로 하는 소설이 특정한 시대에 크게 유행하게 되는지, 위안의 대상이 갖는 구체적인 내용이 무엇인지, 현실의 억압을 환상 속에서 풀어내는 행위가 과연 어떤 의미를 갖는지 등에 대해 저자는 관심을 갖지 않는다. 우리가 대중문학에서 위안을 받는 것이 사실이고, 사실이기에 그 의미를 인정하는 것이 '문화 민주주의'적 입장이라면 그보다 더 위험한 이론은 없을 것이다. 같은 맥락에서 연애소설 전체에 대한 평가도 자세히 볼 필요가 있다. "자아와 세계가 쉽게 화합하는 결말구조를 통하여 현실사회에 통용되는 질서가 변화하기를 바라는 독자들의 염원은 보상받을 수 있다. 이러한 보상이 크면 클수록 독자들은 더욱 더 연애소설에 탐닉하게 될 것이다."(152쪽)라는 주장 역시 구체적인 평가 없이 이루어진 해석이라 할 수 있다. 염원의 내용과 보상의 실체를 살피는 일이 더 중요한 영역이 아닐까 질문해본다.

같은 종류의 문제점을 작품 해석 곳곳에서 발견할 수 있다. 심훈의『상록수』와 이광수의『흙』, 이기영의『고향』을 농촌 계몽 소설로 정리한 후(세 작품을 이렇듯 하나의 틀로 묶었다는 사실에 대해서는 차치하고) 저자는 이 소설의 기대지평을 다음과 같이 정리한다. "누구보다도 농촌운동의 필요성을 절감하고 있었을 때 대중독자들은 이러한 텍스트를 통하여 농촌운동에 기대를 걸고 농촌의 미래에 대한 희망을 기대할 수 있다.[……]살여울이라는 농촌의 변화과정을 통하여 농촌운동을 하면 농촌문제가 해결될 것이라는 낙관적 전망을 확인"(280쪽)한다고 한다. 이미 많은 연구에서 밝혀졌듯이 30년대 초반 신문사 중심으로 이루어진 농촌운동의 한계는 분명하다. 농촌 계몽운동은 시혜적인 입장에서 관념적으로 이루어진 운동이었다. 이 분명한 한계에 대한 인식이 전혀 없다는 점 때문에 작품 해석 자체가 의심받게 된다. 같은 장에서 저자는 "독자들은 허숭이나 동혁과 영신에게서 지식인이 농촌으로 돌아가야 한다는 당위성에 대한 교훈을 얻었다면, 희준을 통해서는 농촌의 현장으로 파고들어 농민들과 함께 풀어나가는 농촌운동의 실체를 배울 수 있다"(272)고 말하는데 이 역시 매우 단선적인 해석이다. 배움의 내용을 문제삼지 않기 때문이다. 텍스트가 진정성이 있느냐 없느냐, 그것이 독자들에게 어떤 영향을 끼치느냐의 문제는 애써 무시된다. 이는 대중문화 전체에 걸린 문제이기도 하다. 최루성 드라마에 눈물을 흘리는 아주머니들이 현실의 불행에 대해서도 그렇게 적극적인 관심을 보이느냐 하면 결코 그렇지 않다. 별개의 문제라기보다 반비례하는 경우조차 흔하다. 이런 역설적인 현상에 대한 관심 없이 대중문학에 대한 정당한 연구가 가능한지 의문스럽다. 문학을 통해 가르친다고 독자가 그대로 배우는 것이 아니며, 배운다고 행동하는 것은 더욱 아니다. 더구나 가르치는 자의 의도가 의심스러울 경우에는 말할 필요도 없다.

이 모든 문제는 실상 문학사적 관점의 결여로 수렴된다고 할 수 있다. 1930년대 전체를 암흑기라고 부른다든지, 1930년대 리얼리즘 문학은 당대 대중 독자들의 취향이나 기호와 동떨어진 사회주의 리얼리즘의 이념과 유토피아적 이상을 강요하였던 엘리트 중심의 문학이었다 등의 평가는 문학사를 보는 저자의 입장이 매우 성김을 보여주는 증거이다. 문학사에 대한 이런 발언이 다분히 전략적인 차원에서 이루어졌을 수도 있겠지만 그것이 가져올 균형감각의 상실 문제는 여전히 중요하다.

목차로 볼 때 이 논문은 대중소설 일반에 대한 논문이면서도 1930년대 소설에 대한 연구가 되어야 한다. 그런데 30년대 대중소설 논의(실제는 대중소설의 함의를 띤 통속소설 논의)를 검토하면서 실제 그 중심에 놓였던 작품들에 대한 논의는 생략되어 있다. 주지하다시피 30년대 대중소설 논의에서는 소설의 통속화, 세태소설화 등이 중요한 문제였다. 『찔레꽃』, 『사랑』, 『대하』, 『탁류』가 논의의 중심에 놓여 있었다. 이 논문에서는 그 작품들을 모두

생략하고 당시에는 주 논의 대상 작품이 아니었던 『운현궁의 봄』과 『무영
탑』, 『염마』, 『수평선 너머로』 등의 역사소설, 추리소설이 중요하게 다루어
진다. 그러다 보니 작품 선정이 객관적 기준에 의해 합리적으로 이루어졌다
는 인상보다 베스트 셀러가 선택되었다는 인상을 준다. 더 중요한 것은 이
소설이 대중화 논의를 다루고 있음에도 불구하고 논의의 고민과 결과를 이
후에는 고려하고 있지 않다는 사실이다. 같은 대중소설이 창작되어도 그것
이 주목을 받게 되는 시기가 있고, 특별한 관심 없이 자연스럽게 문학판의
한 부분을 형성하고 유지되는 시기가 있다. 그 차이가 어디 있느냐가 중요
한 문제라면 30년대는 그 답을 확인하기에 좋은 시기이다. 그러한 문제의식
에서 출발했음에도 불구하고 앞뒤가 서로 분리된 듯한 서술은 대중소설을
다룬 이전 논문에서 발견되던 그런 한계와 크게 다르지 않다.

3.

대중문학 연구는 문화현상에 대한 연구이고 문화현상의 분석은 문화를
둘러싸고 있는 제반 조건에 대한 탐구가 되어야 한다. 대중소설에서도 특별
히 1930년대와 1970년대가 중요한 관심의 대상이 될 수 있다면 이는 특별히
이 시기 많은 양의 작품이 생산되었기 때문만은 아닐 것이다. 그러한 생산
을 가능하게 했던 조건이 문학사(나아가 문화사)적 의미를 띠고 있기 때문이
라 생각한다. 많이 창작되고 많이 읽힌 작품은 나름대로 이유를 가지고 있
겠지만 그 이유는 작품 내적인 부분과 외적인 부분 모두에서 찾아져야 한다
는 것이 필자의 생각이다. 특히 대중소설의 경우 이러한 양면적인 접근이
이루어지지 않을 경우 제목만 다르게 재생산되는 모방작에 대한 의미 없는,
'성실한' 분석이 되고 말 가능성이 크다 할 수 있다.
또, 문화를 향유하는 것과 문화 현상을 연구하는 것은 구분될 필요가 있

다. 대중소설 연구의 경우도 그렇다. 대중소설의 원리를 밝히는 데는 그리 많은 규칙이 필요하지 않다. 대중의 기대 지평이라고 하는 것은 아마도 대리만족 혹은 현실을 떠난 위안으로 수렴될 것이다. 구체적으로 느끼는 독자의 체험으로는 웃음의 체험에 관련된 해학성(the comic), 눈물의 체험에 관련된 감상성(the sentimental), 폭력의 체험에 관련된 선정성(the sensational), 성의 체험에 관련된 관능성(the erotic) 그리고 몽상의 체험에 관련된 환상성(fantastic) 이상을 발견하기 어려울 것이다. 대중성을 위해서는 흔히 말하는 미학적 완성도를 희생하기도 하는데, 우연의 일치를 포함한 일관성의 결여, 현실적인 언어로 효과를 낼 수 없어서 부리는 특수한 기교, 사건에 걸맞지 않는 해석 등이 중요한 기준이 될 수 있다. 이런 것들로 인해 작품의 완성도가 훼손되면 쉽게 대중소설로 치부되기도 한다. 삼각관계가 등장하느냐 아니냐의 문제, 판에 박은 플롯을 사용하느냐 마느냐의 문제는 차라리 부차적이다.

이 글에서는 이정옥의 『1930년대 한국 대중소설의 이해』를 이런 관점에서 살펴보았다. 논문 자체의 성과 및 한계와 아울러 논문에서 관심을 두지 않은 영역에 대한 아쉬움을 지적하였다. 모방의 성격이 강한 대중소설을 내재분석으로 접근하는 것의 한계가 뚜렷하기에 이후 연구에 대한 바람과 기대를 애써 강조한 것이다. **새터**

포정의 소각뜨기와 문학연구
─『정지용 문학의 현대성』(김신정, 소명출판)

권정우*

포정(庖丁)이 문혜군을 위해서 소를 잡았다. 손을 갖다 대고, 어깨를 기울이고, 발을 디디고, 무릎을 굽히고. 그 소리는 설컹설컹, 칼 쓰는 대로 설뚝설뚝. 완벽한 음률. 무곡 「뽕나무 숲」에 맞춰 춤추는 것 같고, 악장 「다스리는 우두머리」에 맞춰 율동 하는 것 같았다.

문혜군이 말했다. "참 훌륭하도다. 기술이 어찌 이런 경지에 이를 수 있을까?" 포정이 칼을 내려놓고 대답했다. "제가 귀하게 여기는 것은 도(道)입니다. 기술을 넘어선 것입니다. 제가 처음 소를 잡을 때는 눈에 보이는 것이 온통 소뿐이었습니다. 삼 년이 지나자 통째인 소가 보이지 않게 되었습니다. 지금은 신(神)으로 대할 뿐 눈으로 보지 않습니다. 감각 기관은 쉬고, 신(神)이 원하는 대로 움직입니다. 하늘이 낸 결을 따라 큰 틈바귀에 칼을 밀어 넣고, 큰 구멍에 칼을 댑니다. 이렇게 정말 본래의 모습에 따를 뿐, 아직 인대나 건을 베어 본 일이 없습니다. 큰 뼈야 말할 나위도 없지 않겠습니까?"(『장자』양생주에서).

---

* 강남대 강사. 주요논문으로 「정지용 시연구」, 「정지용 동시 연구」 등이 있음.

1. 문학연구의 딜레마

문학작품을 연구 대상으로 삼아 논문을 쓰는 사람들이 부딪치는 문제 가운데 하나는 연구방법론과 문학작품이 조화를 이루기 어렵다는 것이다. 논문의 체계를 갖추기 위해서는 연구 방법론에 입각해서 작품을 해석하고 분석해야 하는데 그 과정에서 방법론과 배치되는 작품이 있을 수도 있고 중요한 시기별 특성이 드러나지 않는 경우도 있다. 문학 연구자들은 방법론과 대상이 조화를 이룰 수 있도록 하기 위해서 작품 분석에 적합한 방법론을 찾아내려고 하지만 실제로 나오는 수많은 논문 가운데 방법론과 작품이 조화를 이루는 경우는 극히 드물다.

이런 문제가 발생하는 이유는 몇 가지를 꼽을 수 있을 것이다. 이 가운데 먼저 한 가지 이유를 들자면, 대부분의 문학연구자들이 연구 방법론을 빌려온다는 것을 들 수 있다. 우리 사회의 문학 연구자들은 주로 서구의 문예이론을 방법론으로 삼아서 우리의 문학작품을 분석하는데, 방법론에 대한 이해가 철저하지 않을 경우에 작품을 분석하는 과정에서 부딪치는 수많은 예외적 현상에 적절하게 대처할 수 없다.

다음으로 보다 근본적인 이유를 들자면, 문학연구 논문이 논리적 체제를 생명으로 하는 데 반해서 작가의 시세계는 체계적이지 않을 수 있다는 이유를 들 수 있을 것이다. 시세계가 체계적이지 않을 때, 있는 그대로의 시세계를 밝히면 논문의 논리적 체제를 보장할 수 없다. 따라서 대부분의 연구자들이 논문의 체계를 갖추기 위해서 자신이 의도하는 결과가 나올 수 있도록 작품을 분석하고 시기별 특성을 설정한다.

문학 연구를 하는 목적은 문학 작품이나 작가의 작품세계가 지니고 있는 특성을 밝히는 데 있으며 연구 방법론이 필요한 이유도 여기에 있다. 그런데 우리의 현실에서는 논문의 체계를 갖추기 위해서 개별 작품을 자의적으로 해석하거나 작가의 작품세계가 지닌 특성을 왜곡하는 현상이 흔치않게 나타난다. 논문의 형식적 요건이 중요시되는 학위논문의 경우에 이런 현상은 더 심하다. 이런 문제의식에 입각해서 본다면, 김신정이 쓴 『정지용 문학의 현대성』(소명 출판사, 2000년)이 지니는 가치를 제대로 발견할 수 있을 것이다.

2. 방법론과 체제의 새로움

『정지용 문학의 현대성』은 1부와 2부로 나뉘어졌다. 제1부 정지용 시에서 '감각'의 의미는 연세대 1999년 박사학위 논문인 「정지용 시 연구—'감각'의 의미를 중심으로」를 부분적으로 수정한 글이고, 제2부 미, 그리고 전통과 현대는 정지용의 시와 산문에 대한 소논문을 모아 놓은 글이다. 1부와 2부 가운데 우리의 눈길을 끄는 것은 1부이다.

1부가 우리의 눈길을 끄는 이유는 방법론의 측면과 논문의 체제와 관련된 측면으로 나누어 볼 수 있다. 먼저, 방법론의 측면에서 이 글이 새로운 이유를 살펴보자. 이 논문의 주된 방법론인 '감각'은 빌려온 방법론이 아니라는 점에서 의미가 있다. 저자는 자신의 방법론을 스스로 설정했는데 근거가 된 것은 정지용의 작품과 당대에 이루어진 비평이다. 그의 방법론은 작품에 근거해서 도출한 방법론이므로 정지용의 작품을 분석하는 데 마찰을 빚을 위험이 적다는 장점을 지닌다.

연구자가 방법론을 스스로 창안하는 것은 쉽지 않은 일이다. 이 글을 예로 들자면 '감각'을 방법론으로 내세우고 있지만 이것은 주된 방법론이므로 '감각'만을 가지고 작품을 분석하고 논문의 체계를 잡는 것은 불가능하다. 이런 이유로 여기에 보조적인 방법론이 수반된다. 보조적인 방법론에는 자아와 타자, 닿음, 비움, 풍경의 안과 밖 등이 있다. 그가 사용하는 보조적인 방법론도 작품 분석을 통해서 도출된 것이며, '닿음'과 '비움'의 예에서 보듯

◀ 김신정, 『정지용
　　문학의 현대성』

이 저자 스스로 용어를 창안하고 개념을 설정한다.

방법론과 마찬가지로 논문의 체제도 새롭다. '감각'을 방법론으로 하여 정지용의 시세계를 규명하려는 논문이 있다고 가정하면 대략적인 논문의 체제를 예상할 수 있다. 서론에서 연구 방법론인 '감각'에 대해 서술하고, 본론에서는 정지용의 시세계를 둘이나 셋 정도로 시기를 구분하여 시기별로 구분되는 감각의 특징을 찾아내고 변화를 보인 원인을 규명하는 것이다.

그런데 저자의 논문은 이와 같은 일반적인 논문의 체제를 따르지 않는다. 논문의 본론에 해당하는 2, 3, 4장은 엄밀하게 말하면 시기를 기준으로 해서 구분되지 않았다. 제 2장 자아와 타자를 연결하는 감각의 운동에서 저자는 전기 시에 해당하는 동시와 일본 유학기에 씌어진 시, 유리창 연작과 종교 시를 대상으로 시편들에 나타나는 감각적 특성을 중심으로 해서 자아와 타자의 관계가 변화하는 양상을 밝힌다. 그리고 제3장 자아가 타자가 서로 '닿는' '풍경'의 세계에서는 그의 후기 시를 대상으로 해서 감각적 특성을 밝히고 자아와 타자가 어떤 관계를 맺고 있는지를 구명한다.

2장이 전기 시를 대상으로 하고 있고 3장이 후기 시를 대상으로 하고 있는 점에서 일반적인 논문의 체제와 다르지 않은 듯이 보이지만 실제는 그렇지 않다. 일반적인 논문이라면 2장과 3장은 전기 시와 후기시의 감각적 차이 내지는 감각의 차이로부터 말미암는 자아와 타자가 맺는 관계양상의 차이를 기술하는 것을 주된 목적으로 할 것이다. 그런데 이 논문의 2장에서 논의된 전기시의 감각적 특성과 3장에서 논의되는 후기시의 감각적 특성은 서로 다르지만 선명하게 대조가 되지는 않는다. 시에 나타나는 '감각'을 예로 들자면, 저자가 정지용이 후기 시로 가면서 시각보다 촉각의 중요성이 더욱 커지는 경향이 있다고 말할 때에도 그의 이런 진술이 정지용의 전기 시는 시각에 주로 의존하고 후기 시는 촉각에 주로 의존한다는 식으로 전기와 후기의 대립되는 차이를 찾아내는 것을 목적으로 하지 않는다. 후기시의 촉각적 특성을 논하는 3장에서 이러한 촉각적 특성의 단초를 전기 바다시편에서 찾아볼 수 있다는 것을 입증하기 위해서 한 개의 절을 할애하는 데에서도 드러나듯이 저자는 전기 시와 후기 시를 대립되는 것으로 여기지 않는다. 그가 2장에서 전기 시를, 3장에서 후기 시를 대상으로 삼고 있지만 이점에 비추어 볼 때, 둘간의 차이를 중요하게 여기는 일반적 논문의 체제와는 다르다.

제4장 '풍경'의 안과 밖을 매개하는 '비움'의 형식에서 저자는 정지용의 후기 시를 대상으로 풍경의 안과 밖을 매개하는 세 가지 비움의 형식이 있다는 것을 밝힌다. 4장은 후기 시를 대상으로 하고 있고 내용상으로도 3장의 마지막 절이 심화된 내용이므로 일반적인 논문의 체제에 비추어 본다면 2, 3장과 대등한 관계가 아니므로 하나의 독립된 장으로 설정될 수 없다.

그의 논문은 일반적인 논문의 체제와는 다른 새로운 체제를 취하고 있기 때문에 일반적인 논문의 체제를 염두에 두고 그의 논문을 읽으면 오독을 할 가능성이 크다. 그의 논문 체제에서 눈에 띄는 것 중 하나는 정지용의 시세계가 전기 시에서 후기 시로 변화된 원인을 규명하는 항목이 없다는 것이다. 저자는 변화의 원인을 규명해야하는 4장을 시인이 자기 삶의 문제를 시에 어떻게 수용하는지를 밝히는데 전부 할애하고 있다. 전기 시에서 후기 시로 변화하는 원인을 밝히는 것은 정지용 작가론을 쓰는 문학연구자라면 반드시 해명해야하는 문제로 여기는데 저자가 이 문제를 거론조차 하지 않은 데에는 나름의 이유가 있을 것이다.

3. 논문을 오독할 가능성

저자는 2장과 3장에서 정지용의 전기와 후기 작품을 분석함으로써 두 가지 영역에서 소결론을 이끌어낸다. 하나는 자아와 타자가 어떤 관계를 맺느냐의 문제이다. 그가 내린 결론은 이렇다. '타자를 통해 자아의 문제를 사유하고, 타자를 통해 자아를 드러내는 것이 전기시의 특징이고 사물이 자립적이고 직접적으로 자기를 보여주는 것이 아니라 다른 사물을 통해 간접적이고 우회적으로 자기를 드러내는 방식을 취하는 것이 후기시의 특징이다'.

그가 제시하는 전기 시와 후기시의 특징은 대립되지 않는다. 대립되지 않기 때문에 전기 시와 후기시의 차이는 분명하지 않은 듯이 보인다. 그렇다고 저자가 두 시기의 차이를 중요하게 생각하지 않는 것은 아니다. 그도 차이를 중요하게 여기지만 발전의 관점에서 차이를 보고 있기 때문에 차이가 분명하게 대조를 이루지 않을 뿐이다.

그는 정지용의 전기 시와 후기 시를 단절적으로 보는 지금까지의 입장을 반대한다. 전기와 후기를 단절적으로 볼 경우에 연구자의 경향이나 연구 상황에 따라서 전기 시 또는 후기 시로 검토가 한정될 뿐만 아니라, 연구대상을 전체시기로 확대한 경우에도 전기와 후기 시에 대한 연구가 서로 다른 차원에서 이루어지는 문제가 발생한다. '전기와 후기', '모더니즘과 전통지향성', '서구적 이미지즘의 방법과 동양정신' 등과 같이 정지용의 시세계를 연구 대상으로 하는 글에서 흔히 발견되는 표현들은 연구자가 그의 시를 전기와 후기로 나누어 대립적이고 단절적으로 파악하는 관점을 취하고 있다는 것을 보여준다. 이를 극복하기 위해서 저자가 취한 기본적인 관점은 '발전'의 관점이다.

연구자가 시세계를 보는 관점이 어떠한가에 따라서 자아와 타자의 관계가 어떤 양상을 띠는가를 서술하는 방식도 달라질 수밖에 없다. 대립적이고 단절적인 관점을 취하는 연구자는 전기시의 자아와 타자의 관계가 후기시의 그것과 어떻게 대조되는가를 입증하려한다. 반면에 저자는 발전의 관점을 취하므로 자아와 타자의 관계가 그의 전체 시세계에서 변화되어나가는 양상을 살핀다.

그도 자아와 타자의 관계가 전기 시와 후기 시에 어떻게 나타나는가를 결론적으로 제시하고 있지만 이런 결론을 도출하는 것이 연구의 목적은 아니다. 그가 보여주고자 하는 것은 정지용의 전체 시세계에서 자아와 타자의 관계가 변화되어 가는 '과정'이다. 이를 위해서 그는 전기 시만 보더라도 동시, 일본 유학기의 시, 유리창 연작, 종교시 등으로 세분해서 각 군의 시편들에 나타나는 자아와 타자의 관계가 어떠한지를 밝힌다. 같은 군으로 묶인 시편들에 나타나는 자아와 타자의 관계를 살필 때에도 시편들에 공통적인 관계를 찾아내려하기보다 차이를 보여주려한다. 그가 지금까지의 정지용 연구자들과 다른 관점을 취하고 있다는 사실을 눈치채지 못한 상태에서 그의 글을 읽으면 논의가 집중되지 않는다는 잘못된 평가를 내리기 쉽다.

그가 내린 또 하나의 소결론은 정지용 시세계의 두 가지 지향성에 관한 문제이다. 그의 전기 시에는 사물의 감각적 풍요로움을 무한히 향유하고자하는 태도인 '시적 의미의 감각적 충동'과 세계를 감각적으로 향수하고 예술적으로 표현하려는 욕망인 '삶의 욕망으로서의 감각적 지향'이 분리되어 긴장을 형성하는데 후기 시에서는 이 두 가지 지향간의 긴장이 해소되는 모습을 보여주고 있다는 것이다.

그가 발전의 관점에서 시세계를 보고 있으므로 이 문제와 관련해서도 전기 시와 후기시의 차이가 어떻게 나타나는지를 밝히는 것은 저자의 관심사가 아니다. 그의 관심사는 정지용의 시세계에서 중요하게 나타나는 두 가지 지향성이 어떤 변화의 과정을 겪는가를 밝히는데 있다. 그에게는 미묘하게 변화하는 양상이 중요하다. 정지용의 후기 시에 세 가지 비움의 형식이 있다는 것을 밝히는 과정에서 시인의 두 가지 지향성이 맺는 관계가 변화하는 과정을 세밀하게 포착하는 이유가 여기에 있다.

시인의 두 가지 지향성을 논하면서 전기 시를 대상으로 하는 2장에서 사용되었던 '시적 의미의 감각적 충동'과 '삶의 욕망으로서의 감각적 지향'이라는 용어는 후기 시를 대상으로 하는 3장과 4장에서는 찾아볼 수 없다. 그 대신 3장과 4장에서는 '풍경의 안과 밖'이라는 새로운 용어가 등장한다. 저자가 발전의 관점을 취하고 있다는 것을 알지 못하는 상태에서는 이것이 혼란스럽게 여겨질 수밖에 없다.

시인의 두 가지 지향성은 전기 시에서는 분리되어 나타나지만 후기 시에서는 양자가 통합을 이룬다. 전기 시에 나타나는 양상이 변화, 발전하여 후기 시에서는 전기 시와 다른 형태를 띠기 때문에 전기 시를 대상으로 할 때 사용했던 용어는 후기 시를 대상으로 할 때 그대로 사용할 수 없는 것이다.

4. 발전의 관점

정지용의 시세계를 단절적인 관점에서 보는 연구자들에게 가장 중요한 것은 전기 이미지즘 시에서 후기 전통시로 변화된 원인을 밝히는 것이다. 정지용의 전기 시와 후기시간에도 차이와 연속성이 모두 존재하겠지만 차이가 너무 확연하기 때문에 연속성에 주목하는 연구자는 거의 없었으며 연속성에 주목한다해도 그것은 전기 시에서 후기 시로 변화한 원인을 설명하는 것에 의해 대체되었다. 변화의 원인을 무엇으로 보느냐에 따라서 약간의 편차가 있을 수 있지만 변화의 원인을 규명함으로써 연속성의 측면을 규명하려는 시도는 연속성보다는 차이를 부각시키는 결과를 낳기 쉽다.

대부분의 정지용 연구자가 전기 시에서 후기 시로 변화한 원인을 밝히는 것을 중요하게 생각하는 것은 그들이 전기 시와 후기 시를 단절적인 관점에서 보고 있기 때문이다. 그런데 저자는 이들과 다른 관점을 취하고 있기 때문에 이들이 중요하게 취급하는 '변화의 원인'에 얽매일 필요가 없다. 예를 들어 발전의 관점에서 자아와 타자의 관계를 중심으로 전기 시와 후기 시를 살펴볼 때, 타자를 통해 자아의 문제를 사유하고 타자를 통해 자아를 드러내는 초기시의 특징이 '발전되어' 사물이 다른 사물을 통해서 우회적으로 자기를 드러내는 후기시의 방식이 나타나는 것으로 설명이 가능하다.

단절의 관점이 인과론적 관점으로서 원인과 결과를 중요시하는데 반해서, 발전의 관점은 변화의 과정을 중요시한다. 발전의 관점을 취하면 변화의 과정을 상세하게 보여주는 것에 의해서 시세계에 대한 해명이 가능하므로 전기 시에서 후기 시로 변화된 원인을 굳이 찾을 필요가 없다. 저자가 자신의 논문에서 변화의 원인을 밝히지 않은 이유는 여기에 있다.

단절적 관점을 취하는 연구자가 '시기별 차이'라는 결과와 '차이가 발생한 원인'을 찾아내는 것을 연구의 목적으로 삼는 것과 달리 발전의 관점을 취하는 연구자는 '시세계의 변화과정'과 '최종적인 변화 형태'가 어떠한지를 밝히는 것을 연구의 목적으로 삼는다. 저자가 이 논문의 2장과 3장에서 정지용 시세계의 변화과정을 밝히는데 주력했다면, 4장에서는 정지용이 최종적으로 도달한 지점이 어디인가를 밝히는데 주력하고 있다. 그가 최종적으로 도달한 지점에서 그의 문학적 성과가 가장 두드러지게 나타나고 그가 이룩한 최고의 수준이 그의 작품 세계를 대표함은 물론이다. 4장이 독립된 장으로 설정되어야만 하는 이유는 여기에 있다.

저자의 논문이 일반적인 논문의 체제와 다른 체제를 취할 수밖에 없었던 이유는 저자가 '발전'이라는 새로운 관점에서 정지용의 시세계를 연구했기 때문이다. 저자가 새로운 관점을 취했기 때문에 이전의 관점에서는 찾아낼 수 없었던 정지용 시세계의 새로운 면모가 드러나기도 한다. 단절적 관점으로 정지용의 시세계를 볼 때에서는 전기 시에 사상이 결여되어 있으며 후기 시에는 역사의식이 결여되어 있다는 부정적인 평가가 자연스럽게 받아들여져왔다. 그런데 저자는 이들과 다른 관점을 취함으로써 전기 시를 논하는 2장에서 감각이 마음과 감정을 포괄하는 개념임을 입증할 수 있었고, 후기 시를 논하는 4장에서 풍경의 안과 밖이 서로 닿아 있는 것을 입증할 수 있었다. 이를 통해 저자는 정지용의 전기와 후기 시편들에 대한 지금까지의 부정적 평가를 비판하고 정지용 시세계의 참모습을 밝힐 수 있었다.

5. 포정의 소각뜨기와 문학연구

문학연구의 목적은 문학작품의 실체를 밝히는 데 있다. 그런데 문학연구 논문 가운데는 방법론으로 작품을 재단하고 논문의 체계를 갖추기 위해서 작가의 작품세계를 왜곡했다는 비판을 받을 소지를 지닌 논문이 많이 있다. 장자 식으로 말한다면 서툰 백정이 작품의 인대와 건뿐이 아니라 뼈마저 자르는 셈이다.

저자의 논문에서는 방법론에 맞지 않는다고 작품의 살과 뼈를 자르려 하는 것을 찾아볼 수 없을뿐더러 논문의 체계를 갖추기 위해서 시기별 특성을 왜곡하는 일도 없다. 그의 논문이 보통의 논문과 다를 수 있었던 직접적인 이유는 작품과 조화를 이루는 방법론, 시인의 작품세계와 자연스럽게 어울리는 논문의 체제를 취했기 때문이다. 그가 이런 기술을 발휘할 수 있었던 것은 기술을 중하게 여기지 않고 나름의 도(道)에 입각해 있기 때문이다.

그가 중하게 여기는 도(道는) 아마도 문학 작품에 대한 애정인 듯하다. 이것이 없었다면 심사위원들에 의해서 씌어진다는 박사학위논문을 쓰면서 스스로 방법론을 세우고, 자신의 감각에 의존해서 작품 분석을 하는 용기와 고집, 그리고 정직함은 지속될 수 없었을 것이다. 정지용 시세계를 대상으로 감각의 문제를 비롯해서 자아와 타자의 관계, 시점, 풍경의 안과 밖, 비움의 형식 등과 같은 무수히 많은 주제를 다루는데서 드러나는 욕심마저도 작품에 대한 애정과 연관짓지 않고는 설명이 불가능하다.

그의 논문을 우리사회의 지배적인 문학연구 관습을 깨뜨리는 새로운 학문적 분위기가 형성되고 있다는 징후로 읽을 소지는 충분하다. 이것이 어쩌면 그의 논문이 지니는 가장 중요한 가치일지도 모른다. 나의 일천한 학문

수준에서는 이제 더 이상 그의 논문과 관련해서 할 수 있는 말은 없다. 다만 한가지, 내 나름의 논리를 위해서 그의 논문을 지탱하는 살과 뼈를 함부로 잘라내지 않았는가 하는 점이 두려울 뿐이다. 새터

윤리, 생태학적 자각과 실천 문제
– 21세기 문학의 유기론적 대안(최승호 편, 국학자료원)

임도한*

1. 생태학적 자각과 문학의 길

경험은, 직접경험이든 간접경험이든 우리가 현재의 삶을 영위하는데 소중한 밑천이 된다. 경칩날 개구리가 자연스럽게 깨어나지 못하는 것도, 봄날 함박눈을 보는 날이 잦아진 것도 그다지 생경한 일이 아니고, 봄이면 어김없이 뒤집어쓰게 되는 황사의 중금속 함유량이 해마다 배가되는 현상을 이해하는데도 별다른 어려움이 없다면, 우리의 어떤 경험 때문일까? 혹시 그러한 경험이 종말의 경고에 대한 감각을 무디게만 하는 것은 아닐까?

환경위기의 극복은 새 천년 인류 공동의 과제이다. 환경위기는 기상이변, 생물의 멸종, 생활공간의 감소 등 지구 생태계의 균형이 파괴됨으로써 야기되는 각종 현상들로 구체화된다. 환경위기의 심각성은 그 파급효과가 광범위하고 총체적일 뿐 아니라 사후 수습에 엄청난 노력이 필요하다는데 있다. 인류가 현재와 같은 추세로 자연의 균형을 파괴해 간다면, 다음 천년에 인류의 존재를 낙관하기가 쉽지 않을 것이다.

---

* 공군사관학교 국어과 조교수. 주요논문으로 「한국 현대 생태시 연구」, 「인문학과 생태주의」 등이 있음.

생태학자들은 지난 20세기를 주도한 서구적 근대 패러다임이 오늘과 같은 환경 위기를 가져왔다는 사실에 대체로 동의한다. 서구적 근대 패러다임이란, 과학의 발달에 고무된 '기술지향주의', 기독교적 세계관에 기초한 '인간중심주의', 성장 위주의 '산업주의' 세 가지를 들 수 있으며 이 세 가지 모두 인류의 번영과 행복을 지향하였지만 결과적으로는 인간 능력에 대한 지나친 신뢰와 자만을 낳았다는 책임을 면할 수 없다. 중요한 사실은 생태계의 균형을 파괴하는 주요 인자가 바로 인간의 행위에 있다는 점이다. 인간의 통제권으로부터 해방된 기술 논리는 효율성과 생산성이라는 이름 아래 인간의 권력을 정당화함으로써 자연에 대한 도덕적 무관심을 조장하였는데 그 결과가 바로 오늘의 환경위기인 것이다.[1]

최근 다양한 분야에서 환경위기의 실상과 이 위기를 낳은 원인에 대하여 깊이 있는 탐색이 시도되고 바람직한 대안을 모색하고 있음은 그나마 다행이라 하지 않을 수 없다. 특히 생태학은 생물학의 한 분야였으나 1960년대 이후 환경문제의 해결을 모색하면서 논의의 폭과 깊이를 더하게 되었고 최근에는 자연과학의 수준을 넘어 사회과학 및 인문과학의 성격까지 포괄하는 종합학문으로 발전하였다. 생태학은 환경위기의 극복을 추구하고 인류와 지구가 미래에도 건강하게 존속하는 방안을 모색한다는 점에서 일종의 미래학적 성격도 지니고 있다.[2] 충분히 예상되는 종말의 길을 경고하고 그에 대한 근본적인 치유책을 모색하는 것이 바로 생태학적 자각이다. 이러한 자각은 인간 개인의 실천으로 이어져야 한다. 환경위기의 주체인 인간 행동의 변화가 없는 자각은 무의미하기 때문이다.

생태학적 자각을 통한 가치관의 변화가 생태 중심적 실천으로 이어져야 한다는 측면에서 문학 특유의 역할을 기대할 수 있다. 바람직한 문학 즉 생태문학은 개인에게 생태학적 자각의 계기가 되는 간접경험으로 기여할 수

---

1) 이진우, 『녹색 사유와 에코토피아』(문예출판사, 1998) pp.213~214 참조
2) 생태학의 발전과정과 종합학문적 성격에 대해서는 졸고, 「한국 현대 생태시 연구」 (1998. 12. 고려대학교 박사논문) pp.4~26 참조.

◀ 최승호 편, 『21세기
문학의 유기론적 대안』

있으며 은유적 진술을 통해 대안사회의 모습을 직관적으로 제시할 수 있을
것으로 기대된다.3)

2. 자연의 법칙과 유기론적 세계인식

생태학적 자각의 중요성과 그 실천을 위한 문학의 역할을 강조하는 입장
에서 볼 때, 도서출판 새미에서 기획한 '21세기 문학의 방법적 모색'은 소중
하고 반가운 시도라 하겠다. 최승호 편, 『21세기 문학의 유기론적 대안』(새
미, 2000)은 이 의미 있는 기획의 첫 성과물로서, 서정시를 통하여 유기적 세
계인식의 회복을 추구하는 귀한 노력들로 구성되어 있다. 편자는 서정시가
사물들 사이의 긴밀한 내적 연관성을 읽어 내거나 잃어버린 것의 회복을 추
구하는 본성을 지니고 있으므로 '생명의 근원을 탐색하는 서정성'에 입각하
여 '유기적 세계인식의 회복'을 추구한다고 밝힌다. 이러한 편집 의도는 필
자가 앞서 강조한 바 있는 '생태학적 자각'과 그 실천에 '문학 특유의 역할'

---

3) 필자는 서정시의 존재 의의가 위협받고, 환경위기의 심각성이 더해질수록 문학의
역할 특히 시의 역할이 더욱 부각될 것이라고 주장한 바 있다[졸고, 「환경위기와
문학의 길」, 『고대문화』(1998. 여름), p.58. 참조].

을 기대하는 입장과 일맥상통하는 것으로 보인다.

유기론적 세계인식이란 자연의 법칙을 따르고자 노력하는 자세에서 비롯된 것이다. 자연의 법칙은 인간이 만든 법칙과 아주 다르다. 그것은 발견되는 것이지 발명되는 게 아니다. 인간은 자연의 법칙 중에서 발견한 것만을 인식할 뿐이다. 이러한 측면에서 "아는 만큼 보이는 것이 아니라 깨달은 만큼 보이게 된다"는 말을 이해할 필요가 있다. 이 책을 구성하는 11편의 논문 각각이 개별적인 독자성을 지니고 있는 것은, 세계를 유기적으로 인식하는 시학 내부의 여러 갈래들을 제시하고자 노력한 편자의 의도가 엿보이는 부분이다.

각각의 논문에는 '생태시'와 '생명시', '생태시학'과 '생명시학', '생태학'과 '유기체론' 등의 용어가 논자에 따라 중요한 개념어로서 제각기 선택되어 있으므로 독자에게 다소의 혼란을 줄 우려가 있다. 그러나, 각 용어가 지닌 미세한 차이를 주목하면서 유기론적 모색의 여러 입장들을 세밀히 이해한다면, 이러한 혼란은 오히려 한층 깊이 있는 유기론적 탐색으로 유도하는 안내도가 될 수 있을 것이다. 필자의 경우, '생태', '녹색', '생명', '환경' 등의 접두어가 지닌 성격을 비교하면서 종합학문적 성격을 띤 '생태학'의 의의에 주목하여 '생태시'란 용어가 적절함을 주장한 바 있으나4) 지금까지 언급한 문제인식과 같은 맥락으로 이해하며 논의를 전개하고자 한다.

최동호의 「에코토피아의 시학과 신인간의 역사철학적 방향」은 이 책의 총론에 해당되는 글로서 생태문학의 현황을 점검한 후 생태시학의 문학사적 위치와 위기극복을 위한 바람직한 인간형을 제시한다. 먼저 시인들이 생태 환경 위기에 대한 깊은 인식을 갖고 지속적으로 작품을 쓰는 경우가 드물며 작품들도 현장 중심적이며 소재주의적이고 산발적인 성향을 띠고 있다는 점과 현대의 생태문학론이 전통사상과 긴밀하게 접맥되지 않았음을 아쉬운 점으로 지적한다. 위기의 시대가 요구하는 새로운 감성과 통찰력으

---

4) 자세한 내용은 졸고, 「한국 현대 생태시 연구」(1998. 12. 고려대 박사논문) , pp.44~
57. 참조.

로 자신의 예지를 표현할 수 있으려면 시적 사고의 패러다임이 전환되어야 하지만 그것이 20세기 한국시를 갈래 지우던 큰 줄기와 단절된 논의는 바람직한 태도가 아니라고 하면서 생태 문학을 문학사적 의미망 속에 포괄하는 입장을 다시 한 번 강조한다.5)

"탐욕적 인간이 아니라 자연과 의지하는 인간, 어리석고 오만한 인간이 아니라 천지 만물의 생성에 동참하는 인간이 동양적 인간의 이상형이다. 그러한 인간이 테크노피아 세계의 기술적 인간형이 아니라 에코토피아의 창조적 인간형이 될 수 있지 않을까"6)라고 예상하면서 동양적 인간, 자연을 존중하는 인간을 지향하고 있음을 밝힌다. 그러나 "자연과 일체감을 갖고 생활하고 사고해 왔다는 동양적 사유나 철학이 오히려 무차별적으로 자연을 파괴하거나 초월적 신비주의로 도약해 버리는 맹점을 어떻게 합리적 논리로 극복할 것인가 문제"7)임을 지적하면서 동양적 인간형의 추구가 어디까지나 오늘날 현대인의 입장에서 생태학적 자각을 실천에 옮길 수 있는 현실적 인간형의 확립이어야 함을 강조한다.

이은봉의 「시와 생태적 상상력」은, 모든 서정시가 본질적으로 내포하고 있는 생태지향성을 최근 문학사에 등장한 생태시 작품 분석을 통해 확인하는 글이다. 저자 역시 편자와 마찬가지로 서정시의 본질적인 생태성을 다음과 같이 주장한다. "특히 자연을 노래하고 있는 서정시의 세계의 경우 그것에 참여하는 모든 존재들이 인간과 동등한 인격을 갖거나, 그 이상의 영적 능력을 갖는다는 것은 이미 앞에서도 말한 바 있다. [……] 서정시의 세계는 언제나 인간적이거나 영적인 것들로 가득 차 있고, 그러니 만큼 본질적으로

---

5) 저자는 이미 생태시를 기존의 현대시사 분류 방식에 따라 '민중적 생태지향시', '전통적 생태지향시', '모더니즘적 생태지향시'로 분류하면서 문학사 속에 수용하여 논의하는 길을 개척한 바 있다.
   최동호, 「문학과 환경」,『현대 한국사회와 문학』(1996년 문학의 해 기념 세미나 발표문, 1996. 6.).
6) 최승호편,『21세기 문학의 유기론적 대안』, 새미, 2000, p.19.
7) 위의 책, p.21.

생태적이지 않을 수 없다."[8]

저자는, 근대적 생산양식이 생태환경의 파괴를 낳았고 그로 인한 인간과 자연 사이의 새로운 적대적 모순관계가 우리 문학사에서 리얼리즘시의 중요한 문제인식으로 부각되지 않을 수 없었다고 하면서 7,80년대 리얼리즘 시에서 오늘에 이르기까지의 생태시 창작의 당위성을 설명한다. 그러나 오늘의 생태시는 당장의 공해나 오염문제를 주목하고 그것의 폐해를 고발하고 질타하는 차원을 넘어 인간과 자연의 바람직한 관계에 대한 깊이 있는 탐구의 장으로서 공헌할 것을 요구한다.

자연과 인간의 바람직한 관계를 회복하기 위한 요인으로 저자가 강조하는 것은, 필요 이상의 축적을 만들고 쾌락적으로 소모하는 인간의 욕망을 다스리는 길이다. 그것은 인간이 자연에 대하여 사랑과 자비와 인의 정신을 회복하여 가능한 것인데 이 지점에서 문학은 인간이 이러한 정신을 회복하기 위한 신독의 계기로서 기여할 것이다.

유기론적 세계인식의 기본 입장은 자연과의 교통이다. 구모룡은, 「포위된 혁명 : 시적 근대성 비판」에서 유기론적 입장을 의미하는 '제유의 시학'이라는 테제를 제안한다. 저자는 '자아중심주의', '동일성', '은유' 세 가지를 근대 시학의 핵심원리로 지적한 후 은유가 서로 다른 대상을 강제적으로 동일화시키는 억압적 논리라는 점에서 근대적임을 주장한다. 탈근대의 시학은 자아가 자연과의 교섭을 통해 우주적 마음을 표현할 수 있는 것이어야 한다는 점에서 부분과 전체의 교섭관계에 의존하는 제유야말로 유기론적 인식을 상징할 수 있다.[9] 물론 여기서 '제유의 시학'이라 함은, 자아가 자연과 하나가 되는 측면을 강조하기 위한 비유로서 일종의 태도를 의미하는 것이지 시론상의 수사법으로서 제유만을 고집하는 것은 아니다.

이성희는, 「노장시학을 위한 시론」에서 대상과 이미지 사이의 틈을 메우

---

8) 위의 책, p.38(중간생략, 인용자).
9) 앞의 책, pp.73~75 참조.

는 것이 미학이라고 한다면, 동아시아 사상체계 중 윤리적 측면이 강한 유가보다는 노장사상에서 미학적 원리를 찾는 것이 더 합당할 것이라는 문제의식에서 논의를 전개한다. 대상과 이미지의 완전한 일치가 불가능하다면 여백 즉 의도적인 비움을 통해 그 차이를 개별 자아에게 체험토록 하는 노장적 태도야말로 불일치를 초월하는 방식이 될 수 있는 것이다. 저자는 이 생략의 원리를 "과도한 이미지 중독증의 환유를 벗어나 이미지가 가진 틈, 지속, 생생불식 기화하는 유기체의 참모습, 즉 '이면의 무한 광대성'을 드러내는 관상, 취상의 기법"10)으로 설명한다. 다소 초월주의적으로 읽히긴 하지만 이 내용을 이해할 수 있다면 여백의 미학이야말로 인간과 세계, 생명과 생명 사이의 공감과 공명을 회복하는 길임을 인정할 수 있을 것이다.

정효구는 「문학의 본질성과 여성성」에서 바람직한 인간사와 우주사 그리고 여성성과 남성성의 본질에 대한 고찰을 통하여 21세기를 여성성의 회복이 절실한 시대로 규정한다. 자신의 논리가 주역, 중용, 도덕경의 노자사상, 용수의 중관론, 신과학, 전자기장 이론, 양자역학, 유기체 사상 등에 의존하고 있음을 밝히는 저자는, 우주를 하나의 커다란 유기체로 보면서 그 유기체의 구성원인 인간에게, 우주와의 조화와 균형, 화합의 경지를 지향할 것을 책임이자 의무로 요구하고11) 인간의 이러한 책임과 의무를 수행하는 지점에서 문학의 역할을 강조한다. 문학은 본질적으로 유토피아를 지향하고, 도구적 기능이 약하며, 간접적이며 정서적 언어를 사용하므로 여성성의 측면이 강하다고 볼 수 있고, 이러한 성격이 인간과 자연의 내적 조화와 균형을 이루는 데 기여할 것이라는 논리이다.

필자는 저자의 논리가 기대고 있는 여러 사상들을 충분히 이해할 능력은 없으나, 인간과 자연의 조화와 균형에 문학이 본질적으로 기여할 것이라는 부분은 편자가 편집의도에서 밝힌 '서정성을 통한 유기적 세계인식'과 같은

10) 앞의 책, p.98.
11) 앞의 책, p.106 참조.

맥락으로 이해하고자 한다.

최승호는, 「『청록집』에 나타난 생명시학과 근대성 비판」에서, 문학의 유기론적 모색의 정당함을 주장하는데 그치지 않고 근대를 초극하는 측면에서 문학의 생명성과 자연지향성이 차지하는 위상을 구체적인 작품론을 통해 점검한다.

박목월의 목가적 생명시학은, 동시대 파시즘적인 삶의 공간에 대한 대척 지점으로서 자아의 생명력을 북돋아주는 자연을 제공할 수 있었고 박두진의 묵시론적 생명시학은 외부의 억압으로부터 건강한 미학적 태도를 유지할 수 있는 활기넘치는 자연을 구축할 수 있었다. 조지훈의 동양적 생명시학은 유유자적함으로 현실의 초극하는 운동력을 확보하여 주었다. 이와 같은 청록파의 생명시학은 당대 파시즘의 억압을 극복하는 미학적 태도였으며 그 뿌리가 1930년대 모더니즘에 대한 대안적 자연관에서 출발하였다는 점에서 근대의 초극적 의의를 부여할 수 있다는 것이 저자의 논지이다.

아나키즘은 근본적으로 생태지향성을 지니고 있다. 아나키즘이 추구하는 것은 바로 자연적인 질서가 제공하는 평등과 자유이다. 김경복의 「생태 아나키즘 문학」은 한국 문학사 속에 나타난 아나키즘 시에 담긴 생태지향적 측면을 고찰한다. 저자가 아나키즘에 주목하는 것은 생태계의 파괴로 인간과 자연의 교섭 및 자연의 법칙에 따라 사는 삶이 요구되는 현실에서 동양사상으로의 초월주의적 지향은 구체적 행동을 유도하기에 한계가 있다는 문제의식에 기반하고 있기 때문이다. 저자에 따르면, 아나키즘 시는 일정한 역사 사회 현실에 대응하는 시적 인식을 표출해 왔기에[12] 사회적 비판과 사회적 변혁으로 이어지는 실천성을 지니고 있는 것으로 기대된다는 것이다.

최근 김지하는 과거 폭력적 현실에 저항하던 태도에서 벗어나 생명의 소중함과 순환성 그리고 모두가 평등한 세계로 나아가는 내적 성찰의 자취를 노래하고 있으며 자신의 깨달음을 전파하는데 주력하고 있다. 신덕룡의 「눈

---

12) 앞의 책, p.198 참조.

부신, 새살처럼 돌아오는 아픔』은 실존적 위기를 극복하고 정신의 높이를 추구한 시인 김지하의 고통스런 내면을 밝히는데 성공한 고찰이다.

저자는 일부 평자들이 김지하의 작품을 그의 사상에 근거하여 이해하는 태도를 보이는 성향이 있음을 비판한 다음, 『애린』 이후의 작품을 대상으로 하여 시인 김지하의 내적인 깨달음의 과정을 밝히고 시인으로서의 위상을 점검한다. 여기서 시인이 깨달음에 이르는 과정이 생명사상의 맹아와 발현을 시적으로 드러내는 부분이라고 평가하면서도 시인의 작품이 깨달음의 감격과 감흥을 노래하는 종교적인 오도송에 머물러서는 구체적인 실천의 성과를 기대할 수 없음을 지적한 부분13)은 앞서 최동호의 김지하 비판과 맥이 통한다. 저자가 우려하는 "허망한 초월주의자의 노래"는 바로 21세기 문학이 생태학적 전환을 모색하는 단계에서 극복해야 할 실천성의 결여를 의미하기 때문이다.

김주현의 「리듬의 형이상학－김동리와 유기(체)론」은, 성리학의 유기체적 자연관이 김동리의 문학에 어떻게 발현되고 있는지를 탐색하는 글이다. 김동리의 문학은 파시즘과 막시즘이라는 근대에 대항하면서 자신의 고유한 작품세계를 구축하였는데 저자는 김동리 문학의 주요 배경이 된 자연이, 원시적인 이야기와 현실적 사건의 매개항으로 기능하는 사실에 주목한다. 이 경우 자연은 오묘하고 신비한 질서와 리듬이 숨쉬는 본원적 세계이다. 이러한 자연은 자연과 인간의 조화, 자연과 인간의 상생의 공간으로서 생태학적 자연관과 본질적인 측면에서 일치하는 것이다.14)

생명의 근원을 향한 서정시의 탐색이, 생명을 부여한 창조적 힘과 그 힘을 부여한 초월적 주체에까지 이르게 되고 그 자리에 하나님의 존재를 의식하는 것이 기독교 생명시학이다. 금동철의 「근원를 향한 갈망－기독교 생명시학」은 현대문명의 폐해를 극복하기 위한 기독교 시학의 근원 탐구 양상을

---

13) 앞의 책, pp.218～219 참조.
14) 앞의 책, pp 239～240 참조.

고찰한 글이다. 금동철에 의하면 박두진의 작품이 건강성과 부활의 의지를 지닐 수 있었던 것은, 시인이 유기체적으로 이해하는 자연 이상의 초월적 대상을 선험적으로 전제하였기 때문이다.[15] 아울러 현실적인 삶의 가난함 속에서도 위안을 얻을 수 있었던 박목월의 자연, 생명의 미세한 움직임에 주목한 조창환의 시, 현대성의 파괴적 힘을 견뎌내는 생명의 숭고함을 그린 서림의 작품들을 분석하면서 기독교 생명시학이야말로 인간과 자연의 교감을 넘어 정신의 영역, 영혼의 영역까지 담아낼 수 있음을 주장한다.

손진은의 「김현승 시의 생명시학적 연구」는 대표적인 기독교 시인인 김현승 시인의 작품론을 생명시학적 차원에서 심화시킴으로써 논의의 폭을 넓혔다. 저자는, 김현승의 작품에서 생명시학적 요소가 가장 중요한 특징이지만 기존의 논의가 '고독'과 '사물화' 부분에 치중되었음에 착안하여 김현승 시의 본질을 새롭게 부각시키고자 노력한 끝에 김현승 시에 나타나는 '모순과 대립'의 구도는 '생과 창조'로 승화되어 다시 태어나는 생명성을 강조하기 위한 장치로 이해할 수 있으며, 시인의 견고한 고독의 태도는 신앙에 대한 회의가 아니라 무한의 확대과정의 전단계로서 내밀한 생명의 핵을 향한 깊은 응집의 과정으로 이해할 수 있다고 주장한다.

3. 현실과 실천의 길

"자연의 법칙은 발견되는 것이지 발명되는 것이 아니다"라는 말과 같이 유기론적 세계인식은 특정한 도그마적 금언에 의해 정의되지 않을 것이다. "자연의 원리에 따라 사는 삶"을 축자적으로 해석하면 도저히 이행이 불가능한 표현임을 알 수 있다. 인간이 그 많고 심오한 '자연의 원리'를 어떻게 이해하고 준행할 수 있을 것인가? 한 생명을 유지하기 위해서 다른 생명의

---

15) 앞의 책, p.249 참조.

희생을 필요로 하는 '섭식의 원리'로부터 자유로운 인간이 존재할 수 없다는 점을 고려할 때 모든 생명을 존중하여 보존하는 삶을 살아야 한다고 주장하는 것보다는 전체적인 생태계 균형이 유지되는 한도 내에서 욕심을 자제하고 자연이 허용하는 만큼의 희생을 요구할 수밖에 없음을 겸허하게 인정하는 것이 현실적이며 자연의 이치에도 맞는 것이다.

이 책에 수록된 11편의 논문들이 제각기 독특한 접근방법을 보이는 것도 자연의 법칙을 존중하는 태도에서 비롯된 것이다. 독자는 각론의 공통점과 차이점을 비판적으로 수용하면서 12번째 접근방법을 취할 수 있을 것이다. 문제는 자연 또는 초월적 존재에 대한 인간의 헛된 우월감을 버리고, 깨우쳐지는 이치에 따라 살고자 노력해야 한다는 사실이다. 유기론적 인식이든 생태학적 자각이든 그것이 개인의 실천으로 이어질 때 유의미한 것이므로 문학은 정서적 감응력을 최대한 발휘하여 에코토피아의 길을 선도해야 한다. 🐟

[새미 번역시선]

1. 비 이야기

국 변형 반양장, 150쪽, 가격 5,000원

러시아 여류 시인 아흐마둘리나는 시 창작의 어려움을 누구보다도 잘 이해하고 있는 사람이다. 그녀는 "비밀의 언어"를 숨기고 있는 주변의 대상을 찾아 시를 쓴다. 그녀의 시속에서 창작의 문제는 시인의 육체적, 정신적 고통으로 묘사된다. 「비 이야기」 「침묵」 「오한」 「몽유병자들」 등 많은 시들이 육체적 고통과 질병의 차원으로 전이된 창작의 어려움을 그리고 있다.

2. 나의 사랑 나의 인생

국 변형 반양장, 140쪽, 가격 5,000원

불라뜨 아꾸자바는 누구인가? 그는 기타를 연주하면서 자작시를 낭송하는 현대 러시아 최대의 시인이다. 그의 기타 연주와 노래는 직업적인 가수의 노래나 악기 연주와는 달리 새로운 맛과 멋을 자아낸다. 경이로운 음조와 풍부한 감정이 담긴 그의 노래시는 새로운 예술 장르의 창조라 할 수 있다.

3. 말로 표현한 사상은 거짓말이다

국 변형 반양장, 140쪽, 가격 5,000원

낭만주의 시인 츄체프는 오늘날 가장 위대한 세 명의 러시아 시인들 가운데 하나로 인정되고 있다. 그의 시에는 늘 카오스(혼돈의 세계)와 코스모스(질서의 세계)라는 두 세계가 공존한다. 단조로운 우주인 코스모스는 비록 카오스의 내부에 있는 불안한 실재를 다스리지만, 작고 연약한 개인 의식과 대립된다. 그의 유명한 시 「침묵」에서 나온 "표현된 사상은 거짓말이다"라는 시행은 말(言)의 허위성과 진실성을 잘 대변해준다.

역자 조주관 미국 오하이오 주립대학 슬라브어문학과 대학원에서 박사학위 취득. 한국러시아문학회 회장과 러시아 과학 아카데미 세계문학 연구소 학술위원 역임, 2000년 2월 러시아 정부로부터 뿌쉬낀 메달 수여. 현재 연세대학교 노어노문학과 교수로 재직중. 저서 및 역서로 『러시아 시 강의』 『만젤쉬땀 시선집』 등이 있음.

전화: (02)442-4626 팩스: (02)442-4625   새미

이성준 창작집
신국 반양장 / 280p / 8,500원

1. 이상한 행진

1993년 문학사상으로 등단 한 작가의 첫 창작집.
저자는 이 시대를 사는 사람들의 불운은 그들이
스스로를 현대인이라는 가장 우월한 성격 속으로
내몰리고 있는 강박에서 비롯된다고 보고 있다.
등단작인 「공범」과 「생고무 사나이」 「체리」 「뿔」
「환상실」 등과 같은 작품을 통해 저자는 현대인
에게 '강박' 이 어떻게 작용하는지를 예리하게 드
러내고 있다. 작가는 환상과 현실이 구분되지 않
는 분위기로 독자를 시종 긴장하게 만들고 있다.
가볍고 사소한 것에 짓눌려 있는 우리 소설사에
새로운 실험 방식으로 물음을 제기하고 담론을
형성 해 가는 화제의 소설집.

[새미 소설선]

2. 남아 있는 사람들

소설 『동강』으로 우리에게 널리 알려진 작가의
창작집. 서민들의 삶을 풍자한 「몫의 밥」과 「도
여사의 돼지꿈」 인간 실존의 끝머리를 찾아가는
역작 『남아있는 사람들』과 「그 계곡의 소리」 같
은 작품들은 읽는 재미와 함께 아련한 감동으로
독자의 가슴에 와닿는다.

박충훈 창작집
신국 반양장 / 322p / 8,500원

전화: (02)442-4626 팩스: (02)442-4625　　새미

부 록

청록파 연구 목록

청록파 시인 자서 및 대표시

- 나의 歷程 ┃ 조지훈
- 나의 시적 자서전 ┃ 박두진
- 文學的 自敍傳 ┃ 박목월

『작가연구』 총목차

청록파 연구 목록

· 조지훈

조석구, 조지훈 문학 연구, 세종대 대학원 박사학위논문, 1995.

최승호, 1930년대 후반기 시의 전통지향적 미의식 연구 : 문장파 자연시를 중심으로, 서울대 대학원 박사학위논문, 1994.

최태호, 만해·지훈의 한시 연구, 한국외대 대학원 박사학위논문, 1994.

김지연, 조지훈 시 연구, 숙명여대 대학원 박사학위논문, 1994.

최병준, 조지훈 시 연구, 국민대 대학원 박사학위논문, 1993.

구모룡, 韓國 近代 文學有機論의 談論分析的 硏究 : 趙芝薰·金東里·趙潤濟를 중심으로, 부산대 대학원 박사학위논문, 1992.

박경혜, 조지훈 문학 연구—시의 변모과정을 중심으로, 연세대 대학원 박사학위논문, 1992.

김기중, 청록파 시의 대비 연구, 고려대 대학원 박사학위논문, 1990.

서익환, 조지훈 시 연구, 한양대 대학원 박사학위논문, 1989.

박호영, 조지훈 문학 연구, 서울대 대학원 박사학위논문, 1988.

이건청, 韓國田園詩硏究, 단국대 대학원 박사학위논문, 1986.

이숭원, 韓國近代詩의 自然表象 硏究, 서울대 대학원 박사학위논문, 1986.

김종균, 한국근대시인의식연구, 고려대 대학원 박사학위논문, 1980.

이유환, 조지훈 시에 나타난 현실의식 연구, 영남대 교육대학원 석사학위논문, 1997.

성윤석, 해방기 조지훈의 민족시론 연구, 수원대 대학원 석사학위논문, 1996.

송영미, 조지훈시 연구, 전남대 교육대학원 석사학위논문, 1996.

김정언, 조지훈 시 연구, 창원대 교육대학원 석사학위논문, 1996.

신동인, 조지훈의 시 연구, 한국교원대 교육대학원 석사학위논문, 1995.

한정희, 조지훈의 시 연구, 충남대 교육대학원 석사학위논문, 1995.

정근옥, 지훈시에 나타난 민족정신고, 중앙대 교육대학원 석사학위논문, 1995.

은정호, 조지훈 시의 불교적 성격 연구, 계명대 교육대학원 석사학위논문, 1994.

서지영, 한국 현대시의 문체연구 : 『청록집』을 대상으로, 서강대 대학원 석사학위논문, 1993.

신소영, 해방기 전통서정시 연구 – 김영랑·김달진·조지훈을 중심으로, 수원대 대학원 석사학위논문, 1993.

권두용, 조지훈의 시세계 연구, 전주우석대 교육대학원 석사학위논문, 1993.

송용석, 조지훈 연구 : 禪觀과 주체적 미학을 중심으로, 중앙대 교육대학원 석사학위논문, 1991.

한명숙, 趙芝薰 詩의 物質的 想像力 연구 : 물의 이미지를 중심으로, 고려대 교육대학원 석사학위논문, 1991.

심상휴, 지훈시의 특성과 교육방법, 고려대 교육대학원 석사학위논문, 1990.

양재형, 조지훈 시 연구, 국민대 교육대학원 석사학위논문, 1990.

안칠선, 趙芝薰 詩의 思想的 特性 연구 : 東洋思想을 중심으로, 경북대 교육대학원 석사학위논문, 1990.

김정연, Metaphor의 공간연구 : 조지훈을 중심으로, 이화여대 대학원 석사학위논문, 1988.

배영애, 趙芝薰 詩意識 硏究, 숙명여대 교육대학원 석사학위논문, 1988.

정경아, 趙芝薰 詩 硏究 – 시어를 중심으로, 성신여대 대학원 석사학위논문, 1987.

양승강, 趙芝薰 詩 硏究, 효성여대 대학원 석사학위논문, 1987.

권택우, 동양화법으로 본 지훈 시 연구, 부산대 대학원 석사학위논문, 1987.

박정남, 조지훈 시의 전통성 연구, 대구대 대학원 석사학위논문, 1987.

김혜경, 조지훈 시에 나타난 꽃과 촛불의 심상, 고려대 대학원 석사학위논문, 1986.

조상덕, 趙芝薰의 詩語硏究, 경남대 교육대학원 석사학위논문, 1985.

이기봉, 趙芝薰의 詩世界 考察, 조선대 교육대학원 석사학위논문, 1985.

김용언, 趙芝薰詩意識 硏究, 국민대 대학원 석사학위논문, 1985.

김지현, 조지훈 詩 硏究, 영남대 대학원 석사학위논문, 1985.

이광수, 지훈과 미당의 시론 비교, 고려대 대학원 석사학위논문, 1985.

윤동재, 청록집에 나타난 전통적 율격의 수용양상, 고려대 교육대학원 석사학위논문, 1984.

이창호, 趙芝薰의 詩世界 考察, 조선대 교육대학원 석사학위논문, 1984.

김영익, 조지훈 시의 구조적 특성 연구, 충남대 대학원 석사학위논문, 1984.

전홍섭, 趙芝薰의 詩的 變貌를 通한 詩人意識 硏究, 중앙대 대학원 석사학위논문,

1984.

구모룡, 芝薰 趙東卓의 詩有機體論 硏究, 부산대 대학원 석사학위논문, 1983.

함홍근, 청록파 작품의 비교 분석적 연구, 중앙대 대학원 석사학위논문, 1982.

이원우, 조지훈 시 연구, 성균관대 대학원 석사학위논문, 1982.

박옥란, 한국현대시에 나타난 꽃의 의미 연구, 숭전대 대학원 석사학위논문, 1982.

김영극, 지훈의 민족의식에 대한 고찰, 충남대 교육대학원 석사학위논문, 1981.

윤석성, 趙芝薰論, 동국대 대학원 석사학위논문, 1980.

서익환, 조지훈론, 한양대 대학원 석사학위논문, 1980.

이용숙, 趙芝薰 詩論, 전북대 교육대학원 석사학위논문, 1978.

홍관표, 趙芝薰詩硏究, 고려대 교육대학원 석사학위논문, 1977.

조상기, 趙芝薰의 詩文學 硏究, 동국대 대학원 석사학위논문, 1975.

한승옥, 芝薰詩硏究, 고려대 대학원 석사학위논문, 1975.

유병학, 조지훈 연구, 충남대 대학원 석사학위논문, 1973.

양왕용, 靑鹿集을 通한 三家詩人의 作品 硏究, 경북대 대학원 석사학위논문, 1969.

- **박두진**

한영일, 한국현대기독교 시 연구 : 윤동주, 김현승, 박두진 시의 상징성을 중심으로, 성
   균관대 대학원 박사학위논문, 2000.
고인균, 박두진 시의 색채어 연구, 관동대 교육대학원 석사학위논문, 1999.
정경은, 한국 기독교시 연구 : 박두진, 박목월, 김현승 시를 중심으로, 서울여대 대학원
   박사학위논문, 1999.
양정관, 박두진 시 연구 : 자연의 의미 해석을 중심으로, 서강대 대학원 석사학위논문,
   1999.
한성수, 박두진 시 연구, 우석대 대학원 석사학위논문, 1999.
임영주, 박두진 시 연구, 경원대 대학원 박사학위논문, 1998.
고영재, 朴斗鎭의 基督敎詩 硏究, 경남대 교육대학원 석사학위논문, 1998.
정흥순, 박두진 시의 기독교적 영성에 관한 한 연구, 호남신학대 목회대학원 석사학위
   논문, 1998.
김응교, 빛의 힘, 돌의 꿈 : 박두진의 상상력 연구, 연세대 대학원 박사학위논문, 1998.
나완식, 兮山 朴斗鎭 詩 硏究, 경원대 대학원 석사학위논문, 1996.
김성주, 朴斗鎭의 초기시 연구, 경원대 교육대학원 석사학위논문, 1995.
박종희, 한국현대기독교시 연구 : 金顯承과 朴斗鎭을 중심으로, 충북대 교육대학원 석
   사학위논문, 1994.
서지영, 한국 현대시의 문체연구 : 『청록집』을 대상으로, 서강대 대학원 석사학위논문,
   1993.
김홍기, 朴斗鎭 詩에 나타난 基督敎 思想 考察, 호남대 대학원 석사학위논문, 1993.
박춘덕, 한국 기독교시에 있어서 삶과 신앙의 상관성 연구 : 윤동주 · 김현승 · 박두진
   을 대상으로, 부산대 대학원 박사학위논문, 1993.
윤명란, 박두진의 <使徒行傳>에 관한 연구, 연세대 교육대학원 석사학위논문, 1991.
이운용, 韓國 基督敎詩 연구 : 金顯承·朴斗鎭·具常을 중심으로, 조선대 대학원 박사학
   위논문, 1989.
김용주, 박두진 연구－水石連作詩를 中心으로, 국민대 대학원 석사학위논문, 1987.
윤여성, 한국 기독교시에 나타난 신앙적 갈등, 연세대 교육대학원 석사학위논문, 1987.
이건청, 韓國田園詩硏究, 단국대 대학원 박사학위논문, 1986.
박성길, 朴斗鎭의 初期詩에 나타난 꽃의 이미지, 경남대 교육대학원 석사학위논문,
   1985.
안석근, 朴斗鎭 詩에 나타난 基督敎的 所望, 경희대 교육대학원 석사학위논문, 1985.

박리도, 韓國 現代詩에 나타난 기독교意識-尹東柱·金顯承·朴斗鎭의 詩, 경희대 대학원 박사학위논문, 1984.

우미자, 朴斗鎭 硏究, 원광대 대학원 석사학위논문, 1983.

박태욱, 韓國 現代詩의 基督敎思想-朴斗鎭 詩를 中心으로, 고려대 교육대학원 석사학위논문, 1983.

함홍근, 靑鹿派 作品의 比較分析的 硏究, 중앙대 대학원 석사학위논문, 1982.

김정복, 朴斗鎭의 初期詩 硏究, 연세대 교육대학원 석사학위논문, 1981.

김병문, 『靑山』心象의 詩的 展開-靑山別曲, 尹善道 時調, 朴斗鎭 詩를 中心으로, 고려대 교육대학원 석사학위논문, 1981.

신용협, 朴斗鎭의 詩 연구, 고려대 교육대학원 석사학위논문, 1978.

박일범, 現代詩의 文體論的 연구 : 朴木月, 朴斗鎭의 靑鹿集所載詩를 中心으로, 고려대 교육대학원 석사학위논문, 1977.

양왕용, 靑鹿集을 通한 三家詩人의 作品 硏究, 경북대 대학원 석사학위논문, 1969.

▪ 박목월

김기정, 박목월 시연구 : 박목월시의 시대적 흐름을 중심으로, 원광대 교육대학원 석사학위논문, 2001.

한영일, 한국현대기독교 시 연구 : 윤동주, 김현승, 박두진 시의 상징성을 중심으로, 성균관대 대학원 박사학위논문, 2000.

박영숙, 박목월 시의 심상 연구, 안양대 교육대학원 석사학위논문, 1999.

홍지수, 박목월 시 연구 : 시의 변모과정을 중심으로, 명지대 교육대학원 석사학위논문, 1999.

김용범, 박목월 시와 자전적 체험과의 관계 연구, 인하대 교육대학원 석사학위논문, 1999.

박희덕, 박목월 초기시 연구 : 『청록집』 시편들을 대상으로, 서남대 교육대학원 석사학위논문, 1999.

오주영, 박목월 동시연구 : 시어의 분석을 통한 동시세계 고찰, 목포대 교육대학원 석사학위논문, 1999.

김진광, 박목월 동시의 형태적 특성에 관한 연구, 강릉대 교육대학원 석사학위논문, 1999.

정경은, 한국 기독교시 연구 : 박두진, 박목월, 김현승 시를 중심으로, 서울여대 대학원 박사학위논문, 1999.

김상식, 박목월 시 연구, 경산대 대학원 석사학위논문, 1999.

박상숙, 박목월 시에 나타난 기독교적 세계관, 숙명여대 교육대학원 석사학위논문, 1999.

윤삼현, 박목월의 童詩 世界 연구, 전남대 교육대학원 석사학위논문, 1998.

최정석, 朴木月 詩 硏究 : 시적 변모양상을 중심으로, 원광대 교육대학원 석사학위논문, 1998.윤은주, 박목월 시의 공간과 자아, 경상대 대학원 석사학위논문, 1998.

김상희, 박목월 시의 이미지 연구, 서울여대 대학원 석사학위논문, 1998.

김성연, 朴木月 詩 硏究 : 시의 변용과정을 중심으로, 명지대 사회교육대학원 석사학위논문, 1998.

김용옥, 朴木月 詩 硏究 : 후기시의 변이과정을 중심으로, 서강대 교육대학원 석사학위논문, 1998.

권 향, 한국 현대시에 나타난 기독교 사상 연구 : 윤동주,김현승,박목월을 중심으로, 명지대 교육대학원 석사학위논문, 1998.

권정남, 木月詩에 表出된 달의 이미지 考察, 관동대 대학원 석사학위논문, 1997.

유 희, 朴木月 詩 연구 : 음악성을 중심으로, 한국교원대 대학원 석사학위논문, 1997.
박준열, 박목월 시에 나타난 기독교의식 연구, 한남대 대학원 석사학위논문, 1996.
문은주, 朴木月 童詩 分析, 호남대 대학원 석사학위논문, 1996.
전경우, 朴木月 시 연구 : 기독교시의 형성과정을 중심으로, 상지대 교육대학원 석사
    학위논문, 1995.
김충웅, 朴木月 시 연구 : 중후기 생활·신앙시를 중심으로, 인하대 교육대학원 석사학
    위논문, 1995.
홍의표, 박목월 시 연구, 동아대 대학원 박사학위논문, 1995.
이경희, 木月 詩에 관한 변증법적 일고찰 : 자연과 인생을 중심으로, 중앙대 교육대학
    원 석사학위논문, 1995.
조영일, 박목월 시의 연구, 조선대 대학원 석사학위논문, 1995.
신윤기, 朴木月 시 연구 : 초기시의 전통요소를 중심으로, 한국교원대 대학원 석사학
    위논문, 1995.
박수진, 朴木月의 童詩 연구, 건국대 대학원 석사학위논문, 1994.
안효일, 기독교적 관점에서 본 박목월 시 연구, 영남대 교육대학원 석사학위논문,
    1994.
홍광옥, 박목월 동시의 기호학적 연구 : 공간기호의 의미와 화합을 중심으로, 명지대
    대학원 석사학위논문, 1994.
배용숙, 박목월 시의 전개과정 연구 : 초기시의 특징을 중심으로, 경기대 교육대학원
    석사학위논문, 1994.
금동철, 朴木月 시의 텍스트 생산 연구 : 木月시의 기호학적 母型 분석, 서울대 대학원
    석사학위논문, 1994.
조충신, 金素月과 朴木月 시의 대비 연구 : 주로 시간의식을 중심으로, 중앙대 교육대
    학원 석사학위논문, 1994.
이은송, 박목월의 초기 시 연구 : 전통적 서정을 중심으로, 경원대 교육대학원 석사학
    위논문, 1993.
서지영, 한국 현대시의 문체연구 : 『청록집』을 대상으로, 서강대 대학원 석사학위논문,
    1993.
이준복, 朴木月 詩 연구, 한국교원대 대학원 석사학위논문, 1993.
송철수, 朴木月 詩 연구 : 「경상도의 가랑잎」을 중심으로, 동국대 교육대학원 석사학
    위논문, 1992.
유해숙, 박목월 동시 연구, 한국교원대 대학원 석사학위논문, 1992.
홍희표, 朴木月 詩의 연구, 인하대 대학원 박사학위논문, 1991.

송영호, 朴木月 詩 연구 : 그의 시에 나타난 기독교 정신을 중심으로, 명지대 대학원 석사학위논문, 1991.

한광구, 朴木月의 詩에 나타난 時間과 空間 연구, 한양대 대학원 박사학위논문, 1991.

권명옥, 朴木月 詩 硏究 : 心象과 形態를 중심으로, 한양대 대학원 박사학위논문, 1990.

김혜니, 朴木月 詩 空間의 記號論的 연구, 이화여대 대학원 박사학위논문, 1990..

공성학, 朴木月의 童詩 硏究, 인천대 교육대학원 석사학위논문, 1990.

이재분, 朴木月의 詩에 나타난 길의 이미지 연구, 숙명여대 대학원 석사학위논문, 1990.

한혜영, 朴木月 童詩 연구, 성신여대 대학원 석사학위논문, 1990.

최광림, 朴木月의 初期詩 硏究, 군산대 대학원 석사학위논문, 1990.

엄경희, 朴木月詩의 空間意識 硏究 : '길' 이미지를 중심으로, 이화여대 대학원 석사학위논문, 1990.

박승준, 朴木月 詩 연구 : 공간적 시의식의 변이양상을 중심으로, 명지대 대학원 박사학위논문, 1990.

김성영, 다형시와 목월시의 비교 연구, 단국대 대학원 석사학위논문, 1989.

이성선, 朴木月 詩의 空間意識과 心象體系, 고려대 교육대학원 석사학위논문, 1989.

이정자, 朴木月 詩 硏究 : 기독교적 관점에서, 한양대 대학원 석사학위논문, 1988.

홍근표, 朴木月의 詩 硏究, 경남대 교육대학원 석사학위논문, 1988.

김희무, 朴木月 詩 硏究 : 詩의 變貌樣相을 中心으로, 전남대 교육대학원 석사학위논문, 1988.

조광현, 朴木月 詩 硏究, 충남대 교육대학원 석사학위논문, 1988.

서경온, 朴木月 詩 硏究, 성신여대 대학원 석사학위논문, 1988.

김용희, 朴木月 詩의 美的距離 硏究, 이화여대 대학원 석사학위논문, 1988.

박희연, 박목월 시의 변용과정, 건국대 교육대학원 석사학위논문, 1987.

최현숙, 朴木月 詩의 主題硏究, 경기대 대학원 석사학위논문, 1987.

구용수, 朴木月의 詩世界 考察, 조선대 교육대학원 석사학위논문, 1987.

정효숙, 木月詩의 傳統變奏樣相의 硏究, 계명대 교육대학원 석사학위논문, 1987.

조의홍, 朴木月 詩 硏究, 동아대 대학원 석사학위논문, 1986.

왕수완, 朴木月의 詩 硏究, 경남대 대학원 석사학위논문, 1986.

임이순, 木月詩 硏究, 충남대 대학원 석사학위논문, 1986.

이희중, 朴木月 詩 硏究, 고려대 대학원 석사학위논문, 1986.

김용희, 박목월 시 연구, 경희대 대학원 석사학위논문, 1986.

이건청, 韓國田園詩硏究, 단국대 대학원 박사학위논문, 1986.

홍의표, 木月詩와 自然-自然에 대한 態度의 변화를 중심으로, 부산대 교육대학원 석
　　사학위논문, 1985.
김형필, 朴木月 詩 研究, 한양대 대학원 박사학위논문, 1985.
조두섭, 朴木月 律格意識 變貌研究, 대구대 대학원 석사학위논문, 1985.
이금덕, 朴木月 詩 研究, 인하대 교육대학원 석사학위논문, 1985.
이강일, 박목월 詩 研究, 충남대 교육대학원 석사학위논문, 1985.
권달웅, 素月 과 木月의 比較 研究-두 시인의 傳統意識을 中心으로, 한양대 대학원
　　석사학위논문, 1984.
김학섭, 목월시 작품에 나타난 심미의식에 관한 연구, 영남대 교육대학원 석사학위논
　　문, 1984.
유좌선, 박목월 시 연구, 단국대 교육대학원 석사학위논문, 1984.
박운용, 朴木月 詩의 自然空間研究, 공주사대 교육대학원 석사학위논문, 1984.
이형기, 박목월 연구-"초기시"를 중심으로, 건국대 대학원 석사학위논문, 1983.
권명옥, 木月 詩 研究-初期詩의 리듬意識을 中心으로, 한양대 대학원 석사학위논문,
　　1983.
이구철, 朴木月 연구, 강원대 교육대학원 석사학위논문, 1983.
함홍근, 靑鹿派 作品의 比較分析的 研究, 중앙대 대학원 석사학위논문, 1982.
감태준, 未堂과 木月의 初期詩 對比 研究, 한양대 대학원 석사학위논문, 1982.
이원락, 朴木月 詩의 心象研究, 명지대 대학원 석사학위논문, 1979.
김성배, 朴木月 詩 研究, 고려대 교육대학원 석사학위논문, 1979.
박일범, 現代詩의 文體論的 연구 : 朴木月, 朴斗鎭의 靑鹿集所載詩를 中心으로, 고려
　　대 교육대학원 석사학위논문, 1977.
양왕용, 靑鹿集을 通한 三家詩人의 作品 研究, 경북대 대학원 석사학위논문, 1969.

(정리 : 안남일)

나의 歷程

- 詩酒 半生 自敍

조지훈

「나의 文學歷程」이란 題目을 받았으나 도무지 탐탁하지 않은 題目이다. 나는 옛날에 이러했노라는 套의 애기란 擧皆가 어른이 아이들에게 대수롭지 않은 자기 과거를 誇示하기 위한 頹勢이기가 일쑤인데 나는 아직 이런 애기를 해야 할 程度로까지 늙지는 않았기 때문이다.

그보다도 時空의 距離感이란 美感을 한결 돋구기로 마련이어서 過去의 초라한 자취를 무슨 恍惚한 꿈처럼 反芻한다는 것은 現在의 내 精神의 停滯된 모습을 露出하는 것 같아서 까닭 모를 嫌惡까지 느끼게 한다.

나의 文學歷程은 그대로 나의 人生歷程일 따름이다. 한때 「生活이 없는 詩」라는 貶을 받은 나의 詩가 나 自身에 있어서는 둘도 없는 生活의 記錄임을 어찌하는가. 半生歷程이 흐르는 물 차운 山에 있었기 때문에 읊은 노래가 한결같이 서러운 가락이었다는 한마디로 나의 文學歷程은 要略되는 것이 사실이다. 民族受難의 絶頂 — 또는 그 激流 속에서 부딪쳐 부서진 泡沫, 아니면 싹트다가 그대로 서리 맞은 풀잎 — 이것이 詩를 찾아 20年을 彷徨해 온 한 사나이가 문득 스스로를 돌아보고 느끼는 초라한 제 모습이기에 말이다.

내가 新聞雜誌를 처음 읽을 줄 알던 시절은 이른바 傾向文學이 擡頭하기 시작할 무렵이었다. 글이랍시고 쓰기 시작한 것은 아홉 살 때 童謠를 지어 본 것이 처음인데, 이 童謠란 것이 그 무렵에 盛하던 프로 문학의 影響을 받은 것이었음을 記憶한다. 그때 風俗대로 어린 피오닐이 되어 덩달아 지어 보던 프로 童謠는 까닭없이 殺伐하던 그 精神에 懷疑를 느껴 짓기는 지으면서도 투고 한번 해보지 않고 찢어버리곤 하였다. 열 세 살 무렵에 처음으로 메테를 링크의 「파랑새」, 배리의 「피터팬」, 와일드의 「幸福한 王子」 같은 童話를 읽고 가슴이 흐뭇해져서 문학이란 이런 것이다,라고 속짐작을 시작한 것이 그 무렵의 나의 生理였다. 문학적으로는 이와 같이 프로 文學에 對한 嫌惡와 懷疑를 진작부터 깨달았으면서도 어쩐 일인지 나는 그 무렵의 少年會 活動에는 相當한 熱誠으로 參加하고 있었고 어려운 社會科學 書籍을 주워 읽기에 게으르지 않았다. 最後의 「어린이날」을 山中에서 秘密히 擧行한 것이 發覺되어 少年會가 搜索과 拘留 끝에 解散을 당하던 날 어린 少年들이 한자리에 모여 몹시 울었던 일은 아직도 그 날의 記憶으로 歷歷히 남아 있다. 當時의 少年會를 領導하였고 우리의 文學의 싹을 길러 준 사람은 나보다 세 살 위의 早熟한 少年 — 뒤에 스물 한 살을 一期로 夭折한 亡兄 世林이었다. 열여섯 살 짜리와 열 세 살 짜리 어린 兄弟가 外家를 다니러 가도 警察의 來訪을 받던 웃지 못할 監視의 세월은 그 때부터 나의 가슴에 一抹의 어두운 그림자를 던지고 있었다. 그 때의 우리 집 뒷방에는 無期懲役囚 朴烈氏가 獄中鬪爭 때 입었다는 紗帽冠帶 한 벌이 있었다. — 아버지가 東京留學生 學友會長時節에 獄中에 差入하였던 것이라고 했다. 어두운 방 시렁 위에서 좀먹어 가고 있던 그 紗帽冠帶를 몰래 열어 보고 異常한 感激에 잠기곤 하였다. 生來의 虛弱한 몸으로는 주체할 수 없던 精神의 激情은 三十을 넘은 오늘까지도 나를 흔들고 있거니와 이러한 어린 날의 感激이 절로 자라나고 있던 民族意識의 모습인 줄은 훨씬 뒷날 철이 들고 나서였다. 哀憐의 生理와 激烈의 感情이 矛盾된 性格 그대로의 表現은 「恨」이란 것이었다. 어딘가 슬픔이 깃들어 있어야 좋은 詩인 줄 아는 나의 버릇은 이런 生理에서 緣由하는 것임에 틀림없다.

내가 詩를 처음 習作한 것은 열 여섯 살 때의 일이다. 나의 슬픔은 思春期의 生理로 하여 더욱 짙어졌을 것은 勿論이었다. 亂讀과 濫作의 彷徨도 이 때부터 시작되었다. 覆字 투성이의 팜플렛을 耽讀한 것은 그 興奮과 抗爭의 夢想이 좋아서였지만 그러한 意識을 노래한 「카프」 或은 「나프」의 詩는 차라리 팜플렛의 感激만도 못하였다. 바이런도 휘트맨도 하이네의 革命詩도 어쩐지 詩로서는 마음에 차지 않았다.

열일곱 살 때 처음 上京하여 나는 同鄕의 先輩 詩人 吳一島詞伯의 「詩苑社」에 머무르고 있었다. 이 때는 「詩苑」과 「詩人部落」, 「三四文學」이 發刊된 直後이었는데 擧皆가 休刊으로서 自然 廢刊이 될 때였다. 그 전해 봄에 上京했다가 失意의 靑年이 되어 歸鄕한 世林이 지니고 온 一變한 詞篇이 센티멘털한 詩였듯이 上京한 후의 나의 習作詩도 그러한 方向으로 흐르고 있었다. 우리 詩史의 中興時代인 「詩文學」派의 影響을 이 무렵에 받은 것도 自然한 趨勢였을 것이다. 尹崑崗은 그 첫 시집 「大地」의 校正을 볼 때였고, 吳章煥의 「城壁」은 아직 원고 뭉치로 있을 때였다. 이 무렵의 나는 한 편의 投稿도 試驗하지 않았다. 「조선어학회」에 드나들기 시작한 것도 이 때였고, 社會科學書 대신에 民族文化에 대한 學術書를 읽는 데 熱中하기 시작한 것도 이 무렵의 일이었다.

上京後 내가 처음 耽讀한 詩人은 보들레르와 와일드였다. 寫實主義 以後 主潮 잃은 文藝思潮를 알아본다고 보들레르와 도스토에프스키, 플로베르를 읽고 나서 보들레르의 象徵主義가 正統이라고 믿은 것도, 와일드의 耽美主義에 惑하여 「살로메」를 飜譯하여 본 것도 이 무렵의 일이었다. 나는 이내 그 當時의 모든 文學靑年이 그랬던 것과 마찬가지로 一次大戰 前後의 所謂 아방가르드 文學에 熱中하기도 하였다. 쉬르니 다다니 포오멀이니 하던 그날의 나의 習作은 보잘 것 없는 것이었으나 이 한때의 涉獵은 나의 詩 공부에 결코 無益한 것은 아니었다. 이 때에 抄錄해 두었던 그러한 詩論은 動亂直前까지도 나의 서랍 속에 고운 색실로 꿰매어 있었다. 그러나, 어쩐 일인지 이러

한 尖端文學은 나의 口味에 잘 당겨지지를 않았다.

「文章」誌 推薦詩 募集에 應募하여 그 第一回로 「古風衣裳」이 當選된 것은 1939년 봄 열 아홉 살 때 일이다. 「古風衣裳」은 西歐詩를 模倣하던 그 때까지의 나의 習作을 脫却하고 自身의 詩를 定立하려고 한 첫 作品이었으나 실상은 講義時間에 落書 삼아 쓴 것을 그대로 우체통에 넣은 것이 뽑힌 것이었다. 그러나, 이는 民族文化에 대한 나의 愛著, 그중에도 民俗學 공부에 대한 나의 關心이 感性 안에서 절로 돌아나온 作品이었음을 알 수 있다. 이 系列의 作品은 그 때까지 이 「古風衣裳」 한 편밖에 없었기 때문에 三回 推薦을 필요로 하는 나의 推薦通過는 自然히 遲延되지 않을 수 없었다. 그 해 11月에 「僧舞」, 그 이듬해 2月에 「鳳凰愁」가 推薦되기까지에는 열 한 달이나 經過되었다. 그 때의 詩選을 맡아보던 芝溶詞伯이 推薦辭에서 過讚해 주어서 무척 즐거운 한편 두려운 마음이 뒤를 따르고 있었다. 나와 함께 第一回 推薦에 뽑혔던 金鍾漢과 第二回부터 登場한 李漢稷이 먼저 推薦을 마쳤고, 그 뒤로 朴斗鎭과 朴南秀가 通過한 뒤를 이어 세 번째로 내가 나온 뒤에 朴木月이 나왔으니 「文章」誌 推薦 詩人은 이 여섯 사람으로 幕을 닫았다. 이들 詩友中 金鍾漢만이 解放前에 夭折했을 뿐, 朴南秀도 動亂後에 越南하게 되어 한자리에 앉아 그 때의 感懷를 얘기하며 웃을 수 있는 것은 亂世의 적지 않은 福이라고 하겠다.

「文章」誌 推薦을 쉬고 있던 期間에 나는 「白紙」라는 同人誌를 發刊하였다. 이 同人誌에 실린 나의 作品들은 上京以後 「古風衣裳」 直前까지의 習作들이었는데, 그 一輯에 실린 「計算表」와 「鬼哭誌」를 俞鎭午先生이 慧敏한 知性을 산다고 評을 써 줘서 은근히 기뻐하던 記憶이 있다. 「白紙」는 서울에 있는 文學 공부하는 학생 14名과 日本 藝術科學生 4名에 其他 2名으로 構成되었는데 詩, 小說, 戲曲을 다 실린 創作誌였으나 三輯으로 끝나고 말았다. 그 동안 故人이 된 사람이 金鍾漢을 비롯해서 세 사람, 解放 前後에 뿔뿔이 흩어지고 지금 소식을 아는 사람은 셋밖에 없는데다가 擧皆가 文學을 떠난 듯 間或이라도 作品을 發表하고 있는 사람은 나 하나뿐이어서 寂寞하기 짝이 없다. 城

北洞 尋牛莊으로 韓龍雲 先生을 찾아뵈온 것과 紫霞門 밖 셋방으로 洪露雀先生을 찾아뵈온 것도 이 무렵이었으니 두 분 다 잊히지 않는 분으로 몇 가지 追憶을 남겨주셨다. 나는 이 時期에 니이체와 쇠스토프와 메레주코푸스키를 읽고 좋아하기도 하였다. 平元線鐵路가 놓이기 전에 元山서 平壤까지를 걸어서 旅行한 것도 이 時期의 일이었다. 또 「劇藝術研究會」와 「中央舞臺」와 「浪漫座」를 드나든 것도 이 1939年 前後의 일이었으며 徐廷柱, 金達鎭 두 先輩를 만난 것도 이때의 일이었다.

스물두 살 되던 해 봄에 나는 學校를 마치자 곧 五臺山 月精寺로 가게 되었다. 京城帝大 宗敎社會學研究室의 赤松・秋葉 兩敎授의 好意로 「滿蒙民俗品參考館」에 일자리가 났으나, 나의 어지러운 머리를 가누기 위해서는 이 深山의 古刹이 더 必要하였던 것이다. 佛敎講院의 外典講師란 이름으로 스물두 살 짜리의 白面의 書生은 住持와 祖室의 다음 자리에 앉아 假僧 노릇으로 一年을 보냈다. 自己沈潛의 공부에 들었던 그 一年은 나의 詩에 한 時期를 그은 것이 事實이요 그만큼 나의 生涯에 重要한 道程이기도 하였다. 나의 詩가 지닌 바 技巧主義는 禪으로부터 오는 無技巧主義로써 止揚되었고 主知의 美學은 自然과의 交感으로 바뀌어지기 시작하였다. 「金剛經五家解」와 「華嚴經」에 傾倒하고 「傳燈錄」과 「拈頌」을 耽讀하고 절의 書庫에 있는 老莊과 스피노자와 헤겔, 베르그송을 조금 읽은 것도 이 무렵의 일이다. 「마을」, 「달밤」, 「古寺」, 「山房」系列이 절에서 지은 作品들이니, 主로 敍景의 自然詩─슬프지 않은 詩 몇 편은 이때에 이루어진 것들이다. 발레리・릴케・헤세를 집어치우고 다시 唐詩를 읽고 寒山詩를 비롯한 禪家語錄과 倡頌을 좋아한 것이 그 때의 나의 生活이었다.

그러나, 가을이 접어들면서 나의 悠悠自適은 破綻에 直面하게 되었다. 「文章」誌 廢刊號를 받고 神仙골 老婆집에서 술이 취하여 放聲痛哭을 하는가 하면, 眞珠灣爆擊이 있고 나서는 내 書室의 搜索이 있었고, 싱가포르 陷落의 報가 傳해지던 날은 駐在所 首席이 와서 祝賀行列을 命令하고 갔다는 것이다. 住持에게서 白紙 몇 권을 받아 學人들에게 아무거나 만들라고 시켜 놓고 나서 나는 아랫골 주막에 누워 종일을 혼자서 痛飮하였던 것이다. 黃昏에 올라와서 學人들이 만들어 놓은 것을 이것저것 쳐다보다가 나는 그대로 卒倒하고 말았던 것이다. 며칠 뒤 나는 電報를 받고 내려오신 아버지를 따라 서울로 돌아오고 말았다. 「岩穴의 노래」, 「鼻血記」 같은 것이 이 무렵의 作品이었다.

이듬해 봄부터 조선어학회 「큰 사전」 編纂을 돕자 그 해 가을에 조선어학회 全員이 檢擧되었고 시골로 달아났다가 다시 上京하였을 때는 徵用바람에 서울 거리에는 젊은 文友들이 드물었다. 누구는 무슨 町會書記로, 누구는 鑛山에 現員徵用으로 가고, 모두 그런 슬픈 消息이었다. 내가 조선어학회에 있을 무렵부터 「國民文學」이라는 雜誌가 나왔다. 所謂 皇道文學이 文壇을 專擅하고 있었으니 文壇의 遺腹子格인 우리는 절로 붓을 꺾을 수밖에 없었다. 그 때의 「朝鮮文人報國會」는 入會를 强要하기도 하였으나 大部分의 文人은 제 바람에 놀아나고 있는 形便이었다. 나는 推薦詩 몇 편 發表한 것이 무슨 詩人이겠느냐는 말을 방패삼아 文人報國會 入會를 避할 수 있을 程度로 文壇의 애숭이었던 것이 다행한 일이었지만, 그 當時 文人報國會를 움직이던 사람들에 대한 나의 憎惡는 좀처럼 사라지는 것이 아니었다. 이럴 때에 나는 聖地巡禮와도 같은 心境으로 慶州를 다녀왔다. 「芭雨」, 「玩花衫」 系列의 放浪的 情緒를 노래한 詩篇이 이 무렵의 所産이었다. 朴木月을 처음 만난 것도 이때의 일이었다.

1943年 스물 네 살 되던 해 가을에 나는 아주 落鄕하고 말았다. 그 이듬해 여름에 上京하여 비어홀 앞에 늘어선 行列 속에서 옛 친구들을 만나 懷抱를 풀고 나서 大學病院에 來往하며 「肺浸潤」에 「神經性胃아토니」란 야릇한 病名의 診斷書를 받아가지고 故鄕으로 돌아와 누워있었던 것이다. 徵用番號가 나오고 鑛山에 就職을 부탁하는 사이에 徵用에 걸려 身體檢査를 치르고 長髮을 깎고 勞務堪耐不能이란 딱지가 붙어 放免된 것은 1945年 3月 解放되기 5個月 前의 일이었다. 「落花」, 「落葉」, 「枯木」, 「바램의 노래」 等이 이 무렵의 作品이다.

解放되던 해 9月 初에 내가 上京하여 일을 도운 것은 「조선어학회」의 「중등국어교본」, 「진단학회」의 「國史敎本」編纂이었고 「學術院」과 「文化建設中央協議會」와 「中央文化協會」 일도 돕고 있었으니 所謂 左右中間의 文化團體를 다 도운 셈이다. 이듬해 2月에 京畿高女의 敎壇으로 물러나고 말았다가 다시 나와서 創立同志로 參加한 것이 「靑年文學家協會」요 「全國文化團體總聯合會」요 「韓國文學家協會」였다. 이 때부터 純粹文學 對 傾向文學, 民族文學 對 階級文學의 論爭에 參加하고, 講演을 하고, 詩朗讀을 하고, 테러를 맞고, 辱을 먹고, 洪水처럼 밀려오는 時流 속에서 갑자기 當한 俗世의 累는 지금 생각하면 우습기도 하나 그 때는 아주 眞摯하고 嚴肅하고 또 熱中하였던 것이 事實이다. 오래 눌리어 있던 感情의 暴發은 누구나가 體驗한 것과 마찬가지로 痛快하기도 하였다. 柳致環, 金東里, 李漢稷, 朴斗鎭, 崔泰應, 郭鍾元 諸氏는 이때 만난 同志들이다. 孤軍奮鬪의 멋이라 할까 98 퍼센트를 共産主義에게 占領當한 文化面에서 小數의 同志와 함께 버티고 지키는 意志에 대한 魅力이 相當히 컸던 것도 事實이지만 民族의 向方에 대한 나의 작은 信念의 所産에 틀림이 없었다. 그러나, 10年前 그때의 나의 나이는 스물 여섯 살이었다는 事實을 念頭에 두지 않고서는 이 稚氣는 理解되지 않을 것이다. 이 무렵의 作品으로 「山上의 노래」란 解放紀念詩를 爲始해서 「十字架의 노래」「불타는 밤거리에」 等 數篇이 있으나 역시 詩로서는 나의 마음에 대수롭지 않은 것이 사실이다. 나의 이러한 興奮은 政府가 서면서부터 가라앉기 시작하였다. 그리하여, 나는 1948年 가을 다시 모든 일에서 손을 떼고 高麗大學校의 講壇으로 옮겨왔던 것이다.

1950年 六・二五 動亂이 터지자 27日 아침 家族을 訣別하고 뛰어나와서 거리에 밤늦도록 있다가 徐廷柱, 李漢稷, 朴木月과 함께 元曉路 아는 집에서 자는 동안에 人道橋가 끊어졌고 赤軍 탱크가 漢江沿岸에 이른 뒤에 헤엄도 못 치면서 絶壁에서 投身하여 뱃전에 매어달려 渡江했으며, 大田에서 「文總救國隊」를 만들고 全州, 裡里, 光州, 木浦로 다시 大邱에서 釜山으로 다시 大邱로 ― 奔走하는 동안에 仁川上陸이 決行되자 中西部 戰線에 從軍하여 10月

3日에 入京하였던 것이다. 10月末에 平壤이 占領되자 海州를 거쳐 平壤으로, 그리하여 50日만에 中共軍이 平壤을 다시 占領하기 3日前에 서울에 돌아왔던 것이다. 이 무렵에 쓴 작품도 「多富院에서」, 「桃李院에서」, 「너는 三八線을 넘고 있다」 等 數十篇이 있으나 發表한 것은 4·5篇에 不過하다.

나는 이번 亂離통에 어머니를 여의고, 아버지의 소식을 모르게 되었다. 祖父가 自決하시고, 아우가 죽고, 하나뿐인 妹夫마저 잃어서 天涯의 孤兒가 되었다. 내가 이 衝激에서 깨어나기까지에는 詩가 쉽사리 歸家하지 않을 것을 내 스스로가 잘 알고 있다.

「文章千古事 得失寸心知」는 老杜의 名句이지만, 하잔한 두어 줄 글에 靑春을 송두리째 바친 것은 果然 나의 「失」이 아닐 수 없다. 그러나, 없으면 못 견딜 知己로서 詩를 지니고 있다는 것만은 내가 길이 뉘우치지 않을 「得」인 것도 나는 잘 알고 있다. 詩를 쓴답시고 붓을 든 지가 벌써 20年 — 그동안 쓴 詩가 百二十篇쯤 된다. 百二十篇이라면 적지않은 量이지만 20年에 百二十篇이면 두 달에 한편 꼴밖에 안 된다. 그동안 내가 마신 술은 몇 섬이나 될는지? 술은 이미 사라지고 詩만 남아 있다. 그 詩마저 언제 사라질지 모르니 사나이 半生經濟가 무엇이 남을 것인가. 다만 詩酒에서 얻은 그 德으로 남은 半生을 慍하지 않고 살아갈 따름이다.

— 1955. 12. 5 「高大文化」 第一輯

古寺 1

木魚를 두드리다
졸음에 겨워

고오운 상좌아이도
잠이 들었다.

부처님은 말이 없이
웃으시는데

西域 萬里길

눈부신 노을 아래
모란이 진다.

山 房

닫힌 사립에
꽃잎이 떨리노니

구름에 싸인 집이
물소리도 스미노라.

단비 맞고 난초잎은
새삼 치운데

볕바른 미닫이를
꿀벌이 스쳐간다.

바위는 제자리에
옴찍 않노니

푸른 이끼 입음이
자랑스러라.

아스럼 흔들리는
소소리바람

고사리 새순이
도르르 말린다.

아 침

실눈을 뜨고 벽에 기대인다. 아무것도 생각할 수가 없다.

짧은 여름밤은 촛불 한 자루도 못다 녹인 채 사라지기 때문에 섬돌 우에 문득 柘榴꽃이 터진다.

꽃망울 속에 새로운 宇宙가 열리는 波動! 아 여기 太古적 바다의 소리 없는 물보래가 꽃잎을 적신다.

방안 하나 가득 柘榴꽃이 물들어 온다. 내가 柘榴꽃 속으로 들어가 앉는다. 아무것도 생각할 수가 없다.

나의 시적 자서전

박두진

50년 가까이 시를 써 왔다. 『문장』을 통해서 처음 발표한 것이 1939년, 정확한 햇수로 48년이 된다. 시를 쓴다고 자처했던 습작기까지 합치면 50년보다도 더 넘는다.

이처럼 길고 긴 시와의 숙명적 인연과 끝없고 지칠 줄 모르던 시와의 실랑이를 돌이켜 생각할 때, 그것을 어떻게 무슨 말로 풀이할 수 있을지, 그동안의 외곬수와 집념이 스스로 어이없고 의아스럽기까지 하다.

지금까지 이미 출간된 단독 시집이 모두 16권, 이것을 포함한 10권의 전집에 수록된 시의 총수가 장시 1편을 합해서 총 8백 41편이다. 그 이후에는 발표한 최근작까지를 합하면 거의 1천 편에 가깝다.

그러나 이러한 숫자는 시의 업적의 본질적 가치와는 아무런 관계가 없다.

비록 오래 써 왔고, 그 분량이 아무리 많다 하더라도, 시의 진정한 업적은 언제나 그 작품 자체가 지니는 포괄적 창조 가치에 의해서 평가되고 그 연조나 분량에 의해서 평가되지 않기 때문이다.

이러한 사실은 그 시인의 자각 여부나 자신의 시에 대한 자부나 애착과도 관계가 없다. 그 작품의 평가는 그 작품 자체가 지니는 작품적 가치에 대한 역사와 운명의 필연적 귀결이며, 그 시인에게 적용되는 엄정하고 무자비한 심판의 법칙인 것이다.

작품의 평가와 시인의 평가에 대한 일체의 논의는 궁극적으로 그 작품에서 출발해서 작품으로 되돌아가기 때문이다.

필자의 경우, 50년 동안 1천 편의 작품을 썼다고 말했을 때, 위에 말한 원칙은 바로 필자 자신에게 적용되는 것임은 물론이다. 그만큼 그 세월과 그 분량만큼, 필자의 지금까지의 시 생활에 대한 부끄러움과 뉘우침을 더하는 자취의 확증이 될 뿐인 것이다. 쓸쓸하고 허전한 심정을 거둘 수 없음이 지금의 나의 솔직한 고백이다. 좀더 잘 썼어야 했고, 좀더 잘 쓸 수 있어야 했던 것이 아닌가.

그러나 과거의 작품에 대해서는 이미 어쩔 수 없는 일이 되었다. 좀더 좋은 작품을 쓰고 싶었더라도, 그때 그 조건, 그 능력으로는 그렇게밖에 더 도리가 없었던 것이고 그러한 결과가 바로 그 전부였기 때문이다.

어떻게 불만스럽고, 어떻게 후회스럽다 하더라도 이미 한번 공개된 작품은 다시 더 보탤 수도 없고 깎을 수도 없는 채, 망망한 시간의 흐름 속에 던져진 것이다. 오직 그 작품 자체에 담겨진 시적 형질로서, 거칠고 냉혹한 역사의 격랑 속에, 혹은 그러한 운명의 영원한 침묵 속에, 전혀 고립된 시인의 분신으로서 표류하거나 가라앉게 되는 것이다.

시의 사상, 시의 윤리, 시의 심미적 창조 가치는 언제나 그 창조의 주체인 시인에 의해서만 시적 진실을 획득한다.

시인이 처해 있는 그 시대와 사회, 역사와 문화적인 대응 태도로서의 이상 가치의 추구와 현실적 비판과 저항을 통해, 그 고유한 시적 기능과 상대적인 시적 효능을 발휘한다.

인간과 세계, 민족과 역사의 궁극적 이상의 실현을 위한, 자유와 사랑, 평화와 평등의 현실적 갈등과 비극을 극복하는 인류의 비원 역시, 시와 시인이 추구하는 당연한 주제이며 그 소명임은 말할 것도 없다.

시를 처음 쓰기 시작했을 때 필자는 장차 써 나갈 시 세계의 단계적 윤곽을 자연, 인간, 신의 세 단계로 설정한 일이 있었다.

자연은 말 그대로 자연이었고, 인간은 인간을 중심으로 하는 사회와 민족, 인류와 세계, 시대와 역사적 현실을 포괄하는 카테고리로서였다. 신의 세계는 기독교 사상과 그 신앙, 신학을 바탕으로 한 지성·지고·지애의 세계, 창조주 하느님과 인류의 구세주로서의 그리스도와 그 말씀을 뜻하는 것이었다.

그러나 반드시 그러한 순서로 단계화해서 시를 쓰고 또 써진 것은 아니었다.

자연이라는 제1단계의 개념도 소박한 자연만이 아닌, 우주 전체 영원과 그 실재의 형이상학적 궁극의 의미를 시적 주제 형상과 그 의미의 실체로 다루게 되었다.

인간과 사회와 신의 세계를 주제화하는 데 있어서도 이러한 자연은 그 시적 표상의 체질화된 후천적 경험 체계로서 또는 순수 초자연적인 자연으로서 나의 모든 시의 복합된 형상으로 구체화되어 있다.

시적 노력과 그 체험이 더해감에 따라 이 3단계의 주제 개념은 더 포괄적이고 더 복합적이게 되었다.

시간과 공간 관계, 사상의 시적 승화, 인간 가치로서의 윤리와 특히 자유, 그리고 사랑의 절대 가치와 그 구현을 시의 세계를 통해 절대화하는 일에 몰두하게 되었다. 아무리 쓰고 또 써도 부족했고 나의 가진 바 시적 능력을 기울이고 또 기울여도 만족할 수가 없었다.

결국 초기의 3단계 설계는 지금에 와서는 분화되고 확대됐으며 갈수록 더 포괄적이고 심층화된 셈이 되었다. 더 형이상화하는 반면에, 더 형이하적인 시적 체질을 이루면서 시가 곧 실재이며 동시에 현상이고, 시가 곧 인간이 도달할 수 있는 최고 궁극 지상의 정신적 차원이 아니면 안 된다고 생각하게 되었다. 이 땅 위에 떨어진 인간이 표현 향유할 수 있는, 추방된 낙원을 회복시켜주는 하늘의 혜택이며, 그렇게 될 수 있는 인간의 가능성, 그 인간적 자질의 보장 혹은 실제가 아니면 안 된다고 생각하게 됐다.

누구에게나 진정한 인간성 속에는 시가 있고, 시를 상실한 사람은 인간의 순수성을 상실한 사람이며, 시는 본질적으로 진실이며, 선이며, 아름다움이며, 신의 말씀일 수 있는 것이었다.

시가 진실인 점에서 인식의 참을, 시가 선인 점에서 악에의 도전과 그 타도를, 시가 사랑이며 지고의 말씀일 수 있는 점에서 하느님과 그리스도를 향한 찬양과 기도가 될 수 있는 것이었다. 기도의 시가 아니라 시의 기도여야 하며, 찬양의 시가 아니라 시로서의 찬양이라야 한다. 가장 처음 드리는 제단의 희생으로서의 시의 제물, 가장 처음 당기는 불꽃과 같은 시의 기도, 이 세상 모든 눈물도 피도 꿈도 절규도 분노도 절망도 고독도 다 하나로 불붙어, 거대한 불꽃으로 타오르는 시의 불, 불멸의 불, 영원한 생명의 불인, 불의 시여야 하는 것이었다.

시란 참말로 무엇일까. 무엇으로 알고 나는 시를 써 왔나.

시란 어떻게 쓰는 것인가. 어떻게 써야 하는 것이라고 알고 나는 시를 써 왔나.

시와 인간, 시와 사랑, 시와 시대, 시와 민족, 시와 정치, 시와 자유, 시와 정의, 시와 폭력, 시와 독재, 시와 전쟁, 시와 인류의 종말, 혹은 그 미래, 시와 죽음, 시와 부활, 시와 천국과 시의 영원을 어떻게 나는 생각하고 어떻게 시로써 표현했나. 얼마나 그것이 가능했고 얼마나 아직도 실패하고 있나.

이런 것들의 모두가 시로 세우는 사상, 시로 세우는 철학, 시로 세우는 절대 세계, 시로 세우는 절대 가치가 아닌가. 우주적이며 인간적인 세계, 상대의 저편의 절대 세계, 볼 수 있고 만질 수 있고, 들을 수 있고, 맡을 수 있는, 시로서라야 도달할 수 있는 그 절대의 세계를 오직 시, 그것만으로서만 획득할 수 있는 것이어야 한다.

인간, 자연, 우주, 실재를 그 원자핵의 억, 조, 억억만의 억조, 억억만 분의 일까지로 미시화하되, 그것을 오직 시적 감각과 그 상상 직관의 지각으로써 해야 하고, 우주 천체의 무한의 무한, 억억, 조조의 또 억억 조조의 제곱만큼의 무한제곱의 그 무한대로 거시화하는 것이다. 오직 시적 상상 직관, 시적 상상 지각으로만 할 수 있는 형이상·형이하의 궁극 절대적인 식의 시적 성취인 것이다. 시적 감각, 시적 감성, 시적 상상, 시적 직관, 시적 영성의 절대성적 획득인 것이다.

그러나 여기서 부딪치는 인간의 한계는 어떻게 되는 것인가. 시 자체의 한계는 어떻게 되는 것인가. 인간이 사용하는 언어적 표현일 수밖에 없는 그 시적 기능의 한계는 어떻게 뛰어넘을 수 있는 것인가.

시의 전통이란 무엇이며 시의 혁명은 어떻게 가능한가.

시에 있어서의 완벽한 전통의 확립과 혁명적 혁명을 실현하는 길, 혹은 그 전통과 혁명의 완벽한 합일의 길은 어떠한 것인가.

시적 전통에서 벗어나되 완전히 벗어날 수 있을 것인가. 새로운 시의 혁명이 가능하다면, 시 자체의 그러한 궁극적 존재 이유와 가치는 무엇일 것인가.

시가 만능이고 시가 절대라는 인식과 그 신념은, 물론 시의 본질적 가치와 그 궁극적 가치에 대한 전통적 이해를 뛰어넘는 것을 전제로 한다.

시가 바로 인간 개개인의 것인 만민의 것이 되어야 하고, 그러한 시야말로 참의 참, 참의 선, 참의 미, 참의 의로움, 참의 거룩함이어야 한다.

자연 만물, 우주 천체, 존재 일체와 그 존재의 생존 양식이 바로 시가 아닌가.

천상에서 이 지상으로, 빛의 세계에서 어둠의 세계로, 생명의 천상에서 죽음의 골짝으로 추방돼 내려온 인간의 그 비극성 자체가 시가 아닌가. 그 죽음을 그 영원한 비극의 영원한 종말을 고하기 위해 있었던 저 갈보리의 비극이 바로 시가 아닌가. 좀더 아프게, 좀더 뜨겁게, 좀더 욕되게, 좀더 처절하게 땀과 피로 잦아든 청년 예수 그리스도, 그 십자가의 비극은 얼마나 장엄한 시 중의 시인가.

일어나라 그 부활, 죽음 그 영원한 죽음에서의 부활은 얼마나 놀라운 영원한 시인가.

이 글의 주제를 더 구체적으로 이해하기 위해서는, 그 동안 필자가 시험해 온 시 작품들을 피력할 필요가 있다. 시를 통해서 시를 위해서 전개해 온 사상과 이념, 세계관과 인간과 자연과 신관은 물론 시의 체질적 특징과 그 감성의 경향 등이 전혀 가감도 할 수 없고 수식도 할 수 없는 원형 그대로의 자료로 드러날 수 있을 것이기 때문이다.

물론 지금까지의 시, 1천 편 전부를 일일이 검토하는 것이 더 실증적일 것이다. 그러나 그것은 실제로 불가능할 뿐 아니라 여기서는 오히려 불필요한 일이다.

초기에 세웠던 시의 3단계적인 전개 목표가 소박하고 단순했으면서도 오히려 포괄적이고 논리적이었기 때문에 그것을 작품으로 실현하는 데는 훨씬 자유롭고 타당한 기초를 마련해 주는 것으로 여겨졌다.

그것을 초·중·후기로 구분한 일 역시 시의 실제와는 부합되지 않는다. 시의 질·양 자체가 그 밀도와 성격을 달리하고 그 시기의 구분을 시간의 경과인 역년으로 할 수도 있고 또는 시의 내용과 경향에 따라서도 구분할 수 있기 때문이다.

그러나 어쩔 수 없이 이 2가지 기준대로 자연·인간·신의 3구분과 초·중·후의 3구분이 복합 포괄된다고 생각하는 작품을 몇 편 인용하겠다.

해

해야 솟아라 해야 솟아라 말갛게 씻은 얼굴 고운 해야 솟아라. 산 넘어 산 넘어서 어둠을 살라먹고, 산 넘어서 밤새도록 어둠을 살라먹고, 이글이글 앳된 얼굴 고운 해야 솟아라.

달밤이 싫여, 달밤이 싫여, 눈물 같은 골짜기에 달밤이 싫여, 아무도 없는 뜰에 달밤이 나는 싫여……

해야, 고운 해야, 늬가 오면 늬가사 오면, 나는 나는 청산이 좋아라. 훨 훨 훨 깃을 치는 청산이 좋아라. 청산이 있으면 홀로래도 좋아라.

사슴을 따라, 사슴을 따라, 양지로 양지로 사슴을 따라, 사슴을 만나면 사슴과 놀고, 칡범을 따라 칡범을 따라, 칡범을 만나면 칡범과 놀고……

해야, 고운 해야, 해야 솟아라. 꿈이 아니래도 너를 만나면, 꽃도 새도 짐승도 한자리 앉아, 워어이 워어이 모두 불러 한자리 앉아, 앳되고 고운 날을 누려 보리라.

필자의 초기시를 말하자면 당연히 문단에 처음 추천, 소개된 「향현」과 「묘지송」을 들어야 할 것이다. 일본에 의한 강제 점령 시대라는 민족적 수난기를 배경으로 했을 뿐 아니라 그러한 암흑과 폐쇄성에 대응하는 나 자신의 정신적 자세와 시적 특징을 드러냈다고 생각되기 때문이다.

　그러나 필자의 초기시라는 조건에서 볼 때는 이 작품 「해」가 민족해방이라는 세기적 격동기를 배경으로 자연을 소재 동기로 한 점에 있어서나 그 소재를 이념화한 인류 세계적인 시적 공간을 열려 한 데 있어 보다 더 포괄적으로 이 시기를 대표하는 것으로 생각되었다.

어둠 속에서

아우성도 못 지르며 흐르는 강이어
흐느끼도 못 하며 흐르는 강이어
흥건하게 떠내려가는
하얀 깃, 하얀 깃, 쭉지, 쭉지, 쭉지, 떼들,
비둘기 떼들의 죽임이어,
나비 떼들의 죽음이어,
꽃이 필 들의 죽임이어,

밤으로 흐르는 강이어,
강으로 흐르는 밤이어,
어디쯤 흘러가면 찬란한 날은 비치는가,
깃발 떼며, 깃발 떼며, 깃발 떼며, 깃발 떼들,
어느 굽이를 돌아갈 때면
깃발 떼들은 휘날리는가
어느 깃발이 휘날리면
쇠북 소리는 울리는가
달 하나 떠 있더니
그 놈마저 빠지고,
별빛 몇 개 빛나더니

그 놈마저 숨어 버리고,
등불도 없이 가는
외마디 부르는 소리 하나,
대답하는 소리 하나 없이 가는 강이어, 어두운 강이어,

산골짝 어디메쯤 처음 흐르는 윗물부터
즐편하게 흘러가는 아래아래 아랫물까지
바람만 불면 바람만 크게 불면 한 번은 노도처럼 일어나야 할 강
이어
한 번은 아우성처럼 일어나야 할 강이어
깃발 떼들이 휘날리면
쇠북 소리가 울려나면
다시 살아나야 할 비둘기들이어
다시 피어나야 할 꽃무데기들이어

시집 『해』이후에 『오도』와 『인간밀림』을 냈고, 그 이후에 낸 『거미와 성
좌』에 수록된 시이다.

그 동안 저 민족 상잔의 대비극을 겪었고, 4·19를 겪었고, 5·16을 당했
다. 역시 이 시기에 시적 배경과 나 자신의 정신적 상처로 이어지는 민족적
사회적 변혁의 가열한 격동과 그 상흔이 심각한 고뇌와 임리한 유혈의 자취
로 우리의 시련을 가중시켰다. 그러한 모든 것을 민족적 수난의 불행과 그
것을 초극하려는 시의 정신 자세로 얼룩지운 것이다.

성(聖) 고독

쫓겨서 벼랑에 홀로일 때
뿌리던 눈물의 푸르름
떨리던 풀잎의 치위를 누가 알까

땅바닥 맨발로 넌즛 돌아
수줍게 불러보는 만남의 가슴떨림
해갈의 물동이
눈길의 그 출렁임을 누가 알까

천 명 삼천 명의 모여드는 시장기
영혼의 그 기갈 소리 전신에 와 흐르는
어떡헐까, 어떡헐까
빈 하늘 우러르는
홀로 그때 쓸쓸함을 누가 알까

하고 싶은 말
너무 높은 하늘의 말 땅에서는
모르고
너무 낮춘 땅의 말도

땅의 사람 모르고
이만치에 홀로 앉아 땅에 쓰는 글씨
그 땅의 글씨 하늘의 말을 누가 알까.

못으로 고정시켜
몸 하나 매달기에는 너무 튼튼하지만
비틀거리며
어깨에 메고 가기엔 너무 무거운

몸은 형틀에 끌려가고
형틀은 몸에 끌려가고
땅 모두 하늘 모두 친친 매달린

죄악 모두 죽음 모두
거기 매달린
나무 형틀 그 무게를 누가 알까
모두는 끝나고
패배의 마지막

태양 깨지고 산 웅웅 무너지고
강물들 역류하고
낮볕에 우박 오고
뒤뚱대는 지축
피 흐르는 암반

마리아
그리고 막달레나 울음

모두는 돌아가고
적막
그때
당신의 그 울음소리를 누가 알까.

연작시 「포옹무한」에 수록된 자전적인 신앙고백시 중의 한 편으로 정신적 내면의 편력과 그 방황을 기독교적 입지에서 주체화한 것이었다.

그리스도가 십자가에 달리시는 비극을 중심으로 그 생애의 하늘 사업의 고독을 인간적인 공감과 감동으로 표현해 본 것이다. 기독교 시 신앙시가 시의 표상으로서 포괄적인 기능을 지닐 수 있는가에 대한 우리의 기독교시의 과제에 관심해 본 것이다. 그러나 이 시는 시를 위한 시로서보다는 시를 통한, 시로서의 신앙 고백, 그리고 그 시와 신앙 고백의 내면적이며 형체적인 일체성을 얻도록 마음 쓴 것이다.

천체도 부분

저것은 꿈이다
당신의 하늘에만 쏟아지는 억만 억천 별이다
당신의 가슴에만 펄펄 지는
억만 억천 꽃사태다

당신의 어깨
당신의 전신에만 흩쌓이는 붉디붉은 낙엽이다.

저것은 불이다.
당신의 가슴에 활활 타는 당신 속의 꿈의 불
활활 타는 넋이다.
활활 타는 분노다.

저것은 눈물이다.
우주 천지 쓸고 가는 당신의 그 눈물
언덕의 그 피
영원으로 콸콸 솟는 당신의 사랑이다.

피에 젖은 참

피에 젖은 말씀
피로 세운 뜻
승리
영원 영영 살아 타는 당신 속의 빛이다.

40여 년 시작 생활을 해 오는 근년 들어 가장 필자의 정력과 심혈을 기울여 온 것이 수석을 중심으로 한 연작시였다.

시집으로 3권, 총 편수가 3백 편이므로, 전체시의 3분의 1의 양에 해당한다.

물론 수석 한 점 한 점이 그 소재이며 주제 대상이다. 이 시는 「빛에게 바람에게」라는 큰 제목 아래 연재 형식으로 발표했고 시 전집에 넣은 『수석연가』 55번에 해당한다.

수석시 3부작 세 번째 모음인 것이다.

이미 이 글의 앞부분에서 언급한 바와 같이 자연과 사회역사, 그리고 신의 세계인 기독교 종교의 시 세계가, 후기시의 중추를 이루는 이 수석시에 와서는, 지금까지 겪어온 시 세계, 시 정신, 시 기법이 포괄 종합적이고 일원화하게 되었다.

여기서 파악되는 자연은 단순하고 소박한 자연이 아니며, 시적 실재와 우주 존재론적 실재가 합일되거나 통일된 근원을 갖는다. 뿐만 아니라 사회·민족·역사·인간·세계·인류적인 궁극적 운명과 그 위기·갈등·수난·전란의 숙명적인 것 같은 비극이 인간적이며 인류적인 양심과 지성을 압박하고 상처를 입히는 일에 조우한다. 이러한 현실과 미래에 무관심할 수 없는 시적 고뇌와 그 대응의 의지적이며 기능적인 표현 작업, 그 시적 성과를 거두는 일에 전념하게 했다.

50년의 시법, 1천 편의 작품량이 많은 것인지 적은 것인지 분간할 수 없으나 그 시적 성과가 겨우 이것뿐이며 이 정도일 수밖에 없다는 데에 필자의 부끄러움과 후회는 남는다.

시란 무엇인가, 어떻게 써야 하나의 몇 십 년을 되풀이해 본 소박한 일차적인 물음을 스스로에게 던지며 앞으로 좀더 좋은 시, 스스로 만족할 수 있는 시를 쓸 수 있기를 기약하며 붓을 놓는다.

향 현

아랫도리 다박솔 깔린 산 너머 큰 산 너멋산 안 보이어, 내 마음 둥둥 구름을 타다.

우뚝 솟은 산, 묵중히 엎드린 산, 골골이 장송 들어섰고, 머루다 래넝쿨 바위 엉서리에 얽혔고, 샅샅이 떡갈나무 억새풀 우거진 데, 너구리, 여우, 사슴, 산토끼, 오소리, 도마뱀, 능구리 등 실로 무수한 짐승을 지니인,

산, 산, 산들! 누거 만년 너희들 침묵이 흠뻑 지리함즉 하매,

산이여! 장차 너희 솟아난 봉우리에, 엎드린 마루에, 확확 치밀어 오를 화염을 내 기다려도 좋으랴?

핏내를 잊은 여우 이리 등속이, 사슴 토끼와 더불어 싸릿순 칡순을 찾아 함께 즐거이 뛰는 날을, 믿고 길이 기다려도 좋으랴?

도 봉

산새도 날아와
우짖지 않고,

구름도 떠가곤
오지 않는다.

인적 끊인 곳
홀로 앉은
가을 산의 어스름

호오이 호오이 소리 높여
나는 누구도 없이 불러 보나,

울림은 헛되이
빈 골 골을 되돌아올 뿐.

산그늘 길게 늘이며
붉게 해는 넘어가고,

황혼과 함께

이어 별과 밤은 오리니.

삶은 오직 갈수록 쓸쓸하고,
사랑은 한갓 괴로울 뿐.

그대 위하여 나는, 이제도 이,
긴 밤과 슬픔을 갖거니와,

이 밤을 그대는, 나도 모르는
어느 마을에서 쉬느뇨.

청 산 도

산아, 우뚝 솟은 푸른 산아, 철철철 흐르듯, 짙푸른 산아. 숱한 나무들 무성히 무성히 우거진 산마루에, 금빛 기름진 햇살은 내려오고, 둥둥 산을 넘어, 흰구름 건넌 자리 씻기는 하늘. 사슴도 안 오고, 바람도 안 불고, 넘엇골 골짜기서 울어오는 뻐꾸기….

산아, 푸른 산아, 네 가슴 향기로운 풀밭에 엎드리면, 나는 가슴이 울어라. 흐르는 골짜기 스며드는 물소리에, 내사 줄줄줄 가슴이 울어라. 아득히 가 버린 것 잊어버린 하늘과 아른아른 오지 않는 보고 싶은 하늘에, 어쩌면 만나도질 볼이 고운 사람이, 난 혼자 그리워라. 가슴으로 그리워라.

티끌 부는 세상에도 벌레 같은 세상에도, 눈 맑은 가슴 맑은 보고지운 나의 사람. 달밤이나 새벽녘, 홀로 서서 눈물 어릴, 볼이 고운 나의 사람, 달 가고, 밤 가고, 눈물도 가고, 트여올 밝은 하늘 빛난 아침 이르면, 향기로운 이슬밭 푸른 언덕을, 총총총 달려도 와 줄 볼이 고운 나의 사람.

푸른 산 한나절 구름은 가고, 골 넘어 골 넘어 뻐꾸기는 우는데, 눈에 어려 흘러가는 물결 같은 사람 속, 아우성쳐 흘러가는 물결

같은 사람 속에, 난 그리노라 너만 그리노라. 혼자서 철도 없이 난 너만 그리노라.

文學的 自敍傳

박목월

1.

내가 태어난 곳은, 경남 고성(慶南 固城). 제 일차 세계 대전이 끝날 무렵이다. 아버님이 그 곳 '고을'을 사시게 되었다. 그리고, '三·一운동'이 일어날 무렵은 이미 경주(慶州)로 이사온 후다. 三·一운동의 기억은 전혀 없다. 아버님이 숨을 헐떡거리며 골방에 숨고, 뒤미쳐 순경이 몰려오던 희미한 기억이 남았기는 하나, 그것이 젊은 아버님이 만세를 부른 탓이라는 사실을 후에 안 일. 그것 뿐이다.

그리고, 해방을 마지하는 동안까지 나는 정치적인 문제에 관련한 일이 없었다. 서라벌의 옛 도읍인 경주에서 네 살부터 열 두 살까지, 그리고 스물에서 스물 둘까지, 또한 스물 여섯에서 여덟까지 살았다. 스물 여덟에 해방을 마지한 것이다.

나는 이 나의 생장의 시기와 곳에 대하여 두 가지 사실을 말하고 싶다. 첫째는, 직접적이든 간접적이든 정치에 관련하지 못한 — 다만 조국을 잃어버린 땅에서 '고스란히 부모나, 여인이나, 형제나, 가까운 이웃 안에 자라났다'는 사실과, 또 하나 경주와 같이 유서가 깊은 지방에서 생장한 사실이다. 내 작품이 누구가 지적한 대로 '정통적인 서정시'라면, 그 바탕을 나는 내가 생

장한 그 시기와 환경에서 이미 숙명적인 필연으로 내 안에 깃든 것이리라
생각한다.

2.

　중학을 대구 계성학교에서 마쳤다. '미숀' 계통의 이 중학교야말로 나를
시인으로 이끌게 한 가장 직접적인 동기가 될 것이다. 일제 치하에서 민족
적인 호흡이 가냘프게나마 우리 가슴에 이어가게 한 사실. '김영재'라는 체
조 선생이 계셨다. 체조 시간에 오륙십 명의 학생을 화장터 옆에 있는 숲으
로 데리고 가서, 엉뚱하게 '조선역사'를 강의하고, 어린 우리들의 가슴에 이
상한 불을 지르곤 했다.
　그러나, 내가 뜻한 직접적인 동기라는 것은 그것이 아니다. 그 학교가 위
치한 자연과, 자유주의적인 분위기와, 그 학교의 소위 전통이라는 예술에 대
한 열성이다. 계성학교가 지금은 모습이 많이 달라졌으나, 내가 다닐 무렵에
는 자욱한 숲 속에 초라한 교사가 우뚝이 섰을 뿐이다. 우리는 교실에서 영
어 몇 마디를 배우는 것보다, 그 무성한 숲 속에서 옮아가는 계절과 자연이
이룩한 신비 속에 유감(有感)한 시절을 보냈던 것이다. 그야말로 선생의 목
소리가 감히 미치지 못하는 곳에 우리는 또 하나의 교실을 가졌고, 또 한 분
의 스승을 모셨던 것이다. 지금 생각하면 얼마나 다행하랴. 또한 이 초라한
사립학교는 관립과 달라, 거의 학생을 방임하다시피 했다. 우리는 교실에 싫
증이 나면 얼마든지 또 하나의 교실 속에서 더 큰 스승을 맞이할 수 있었다.
내가 자연의 생태와 그 오묘한 섭리를 학리를 따지지 않고, 느껴 배운 것은
오로지 이 자연 교실 속에서다.
　그 학교의 선배로서, 동요 시인인 Y와, 가까이 사귈 수 있는 분으로 김성
도(金聖道) 같은 분. 그리고 음악을 가르치던 박태준(朴泰俊) 선생님이 계셨

다. 이것은 그 분들의 위대한 작품의 영향이 내게 왔기보다는 '한글로 자기의 감정을 표현'하는 길을 보여주었고 그것이 얼마나 놀라운 사실인가 함을 알려 준 것이다.

3.

처음으로 시라고 써 본 것이 중학교 일학년 때부터다. 그 무렵에 나는 깊은 '홈·식크'에 걸려 있었다. 우리 집은 대구에서 一二〇리 떨어진 깊은 산골이었다. 경주서 그 곳으로 이사온 것이 국민학교 사학년 말. 그리고 우리 마을에서 학교까지 십여 리나 되는 곳을 아침 저녁으로 걸어 다녔다. 우리 마을은 '낮에도 부엉이가 우는' 산골이다. 나는 국민학교를 졸업하는 동안, 이 세상에서 교과서 이외에 다른 소설 같은 책이 있으리라고는 상상도 못했다. 다만 여름과 겨울 방학에 두 번씩 받게되는 '과제장'에서 동화 같은 것을 읽고 희한한 (생각)이 들었을 뿐이다. 그처럼 그야말로 순수하게 일종의 자연아(自然兒)로서, 인간의 지나친 문명과 기교에 조숙하지 않고, 한 포기 풀과 같이 자라난 것이다. 그러다가, 처음으로 부모의 슬하를 떠나온 내게 인간이 인간을 그리워하는, 또한 인간이 어느 자연에 대한 애절한 사모가 피어 올리는, 이 회향심(懷鄕心)이야말로 내가 인간의 감정에 비로소 눈이 뜨는 사실인 동시에, 그것은 너무나 뼈가 저리도록 강렬한 것이었다. 만일 도회에 자라났더라면 이런 감정에 눈을 뜨는 계기가 그처럼 선명하지 못했으리라.

그리고, 중학교에 입학하자, 나는 비로소 감정을 기록한 글 — 시와 소설 같은 책을 읽었다. 얼마나 놀랍고 황홀한 세계랴. 유고오의 「아아 무정」, 로디의 「늙은 죄수」, 그리고 숄밧겐의 「싱네뷔」. 혹은 사이죠·야소의 시. 좀 시일이 지난 후에 로시아 작가들의 그 심각한 모랄과 너른 자연. 그 중에서도 뜨르게네프의 「산문시」, 「그 전날 밤」……. 나는 신조사판(新潮社版) 세계 문학전집 서른 여섯 권을, 수학책 밑에 몰래 깔아놓고 교실 안에서 혹은 하숙방에서 다 읽었다.

그 중학교 일학년 이학기에 나는 강렬한 홈·식크를 '시'로서 표현하려는 의욕을 느꼈다. 학교의 부속 기숙사의 쓸쓸한 불빛 아래서, 연필에 침칠을 하며, 내 감정 한 오리를 노오트 구석에 적어 보았다.

'시인이 되리라'는 꿈이 자라났던 것이다. 이 문자에 감정을 실어, 몇 세대를 두고, 억만인의 가슴에 나의 눈물과 꿈과 황홀한 자연의 아름다움 ― 그것도 우리 고장의 철철이 변하는 그 모습을 전할 수 있는 너무나 엄청나게 아름다운 꿈에 나는 가슴이 벌름거리는 것을 느꼈던 것이다. 중학교 때 별명이 '시인'. 그것이 평생 내 이름 위에 붙는 '숙명의 관사(冠詞)'가 되어버린 것이다.

4.

중학을 졸업한 것이 열 아홉. 집안이 가난한 탓으로 이내 금융기관에 취직을 했다. '월봉 三〇원'의 서기 노릇을 나는 경주에서 이 년 가까이 겪었다. 그 무렵에도 시인이 되리라는 꿈을 하루도 놓친 일이 없었다. 전표 뒷장에 무수한 감정의 부스러기를 끈기있게 기록하는 생활이었다.

그 시절에 '김동리'라는 나보다 나이가 위인 청년을 사귀었다. 「화랑의 후예」라는 단편소설이 중외일보(中外日報) 신춘문예에 당선된 직후. 키가 나지막하고, 앞 잇발 사이에 또 하나 조그만 덧이가 붙은 이 청년은, 얼마 있지 않으면 우리의 세대가 오리라는 자신을 너무나 굳게 믿고 있었다. 그는 중앙 문단의 누구누구하며 대가들의 이름을 경칭을 뽑고 마구 부르는 데 나는 질려버리고 말았던 것이다.

동리는 경주의 서쪽 변두리에 집이 있었다. 우물가에 살구나무가 한 그루 우뚝이 선 평범한 초가집. 그 아랫방이 그의 서재다. 말이 서재일 뿐, 그는 벼 가마니를 들여놓은 방에서 시험지로 노트를 손수 묶어서, 연필로 깨끗이 소설을 썼다. 그것이 「무녀도(巫女圖)」라는 작품이다.

동리는 자기 중형이 가게를 보는 '남문 밖'에서 컵에 소주를 따루어 홀짝 홀짝 마시며, 끝없이 문학론을 얘기하던 것이다. 나는 동리와 사귄 후로 그와 침식을 같이 하다시피 했다. 근무처에 나가는 일 외에는 거의 동리와 어울려 장발(長髮)을 바람에 휘날리며 경주의 선술집을, 요리집을 목노집을, 나대로의 설음에 취하여 돌아다녔다. "또스뜨에프스키처럼 장발을 휘날리며 우리는 '소오니야'의 꿈 속에 살았다"고 어느 잡지에 쓴 일이 있을 만큼.

동리도, 얼마 있지 않아서 바람처럼 사라졌다. 다솔사에 한 보름 다녀오마고 가버린 후로 영영 소식이 없었다. 그랬다가 해방 직전에 만났을 적에는 이미 둘은 다 결혼 후였다. 그 동안 나는 동경을 다녀와서 다시 경주에 머무르며 그 어둡고 불안하고 설레던 일제 말기를, 또한 그처럼 아름답던 청춘을 고스란히 '혼자' 외롭게 묻은 것이다.

동리가 떠난 후 이듬해 가을에 『문장』에 「길처럼」, 「그것은 연륜(年輪)이다」라는 작품이 추천되었다. 나는, 그 무렵에 '생각'이라는 한 개의 어휘를 몹시 좋아했다. '생각'이라는 어휘 하나 속에 내가 숨쉴 모든 천지가 이룩되어 있는 것 같았다. "당신을 사랑합니다." 하고, 누구에게 고백할 심정을 "당신을 생각합니다."라고 표현하게 될 경우에, 그 '생각'이라는 말이 지닌 오히려 여성적(女性的)이고, 또한 '내성적(內省的)인 사모감(思慕感)'. 그것은 내 성격에서 빚어지는 것이기는 하나, 그만한 범위에서 내 청춘을 고독 안에서 가슴속에 싸안아 길렀던 것이다.

그 오월에 나는 이상한 것을 체험했다. 달이 환한 밤이 이슥한 무렵에 하숙집 뜰에 나섰던 것이다. 달을 쳐다보는 동안에 나는 너무나 고적한 뜰의 그 은은한 면적 위에 그림자와 더불어 섰는 나 자신을 새삼스러이 깊이 느꼈다. 그것은 너무나 쓸쓸한 심정이었다. 그 때 그 쓸쓸한 심정 위에 시적 표현(詩的 表現)을 빌린다며는 "가슴이 가득한 목소리를 달빛 속에서" 들었던 것이다. 지금 그 목소리라는 것을 새겨 본다면, "쓸쓸한 것의 충만감이 이루어 준 내 영혼의 음성"이라고나 할지? 나는 쓸쓸한 대로 충만하며, 늘 내 머리를 떠나지 않던, 과연 앞날에 시인이 될 수 있을가 하는 불안감이 자취를 감추고, 형언할 수 없는 황홀하고 넉넉한 것을 느꼈던 것이다.

"억만인에게 내 꿈을 전달할 수 있는 시"가 태초 때부터 가슴에 싹터 있는 것 같은 느낌이었다. 그 후로 나는 시를 쓸 수 있을가, 시인이 될 수 있는가 하는 불안을 품어 본 일이 없다. 지금 생각하니 실로 측은하기 그지없는 젊은 날이 너무나 아름답고 너무나 허무한 꿈 같은 환상이기는 하지만, 그 일은 내 생애의 가장 큰 체험이요, 또한 운명의 눈짓을 느낀 순간이라고 믿어보고 싶은 것이다.

5.

그 후 이십 년의 세월. 나는 '스스로 맺는 풀열매'처럼 가난하기 그지없는 작품 속에 살아왔다.

"시로 말미암아 청춘이 병들었더니, 시로서 다시 뜻이 서게 되었구나."

이것은 지훈(芝薰)의 말이다. 실로 내게 감개 무량한 말이다.

—『新文藝』에서.

家 庭

地上에는
아홉 켤레의 신발.
아니 玄關에는 아니 들깐에는
아니 어느 詩人의 家庭에는
알 電燈이 켜질 무렵을
文數가 다른 아홉 켤레의 신발을.

내 신발은
十九文半.
눈과 얼음의 길을 걸어,
그들 옆에 벗으면
六文三의 코가 납짝한
귀염둥아 귀염둥아
우리 막내둥아

微笑하는
내 얼굴을 보아라
얼음과 눈으로 壁을 짜올린
여기는

地上.
憐憫한 삶의 길이여.
내 신발은 十九文半.

아랫목에 모인
아홉 마리의 강아지야
강아지 같은 것들아.
屈辱과 굶주림과 추운 길을 걸어
내가 왔다.
아버지가 왔다.
아니 十九文半의 신발이 왔다.
아니 地上에는
아버지라는 어설픈 것이
存在한다.
미소하는
내 얼굴을 보아라.

나 무

　儒城에서 鳥致院으로 가는 어느 들판에 우두커니 서 있는 한 그루 늙은 나무를 만났다. 修道僧일까. 默重하게 서 있었다.

　다음 날은 鳥致院에서 公州로 가는 어느 가난한 마을 어귀에 그들은 떼를 져 몰려 있었다. 멍청하게 몰려 있는 그들은 어설픈 過客일까. 몹시 추워 보였다.

　公州에서 溫陽으로 迂廻하는 뒷길 어느 산마루에 그들은 멀리 서 있었다. 하늘門을 지키는 把守兵일까, 외로워 보였다.

　溫陽에서 서울로 돌아오자, 놀랍게도 그들은 이미 내 안에 뿌리를 펴고 있었다. 默重한 그들의. 沈鬱한 그들의. 아아 고독한 모습. 그 후로 나는 뽑아낼 수 없는 몇 그루의 나무를 기르게 되었다.

바다로 기울어진

바다로 기울어진 사래 긴 밭이랑
아들은
골을 타고
어머니는 씨앗을 넣는다.

어느 시대이기로니
근심없는
太平盛代만이 있으리요마는
밭머리에
환한 無名 꽃나무.

진실로
어느 시대이기로니
젖과 꿀이 흐르는 고을이 있으리요마는
밭머리에 나란히 벗어 둔
두 켤레 신발에
나비 한 마리.

해는 한낮으로 달아 오르고

음력 삼월 초순의
눈부신 眺望을
사래 긴 밭이랑 끝에 남빛 바다의 잔잔한 고임.

어머니는 머리를 빗는다

어머니는
머리를 빗는다.
이처럼 암담한 時代,
거울 앞에서
白髮을 다스리는
어머니의 손길.
밤물결처럼 설레이는
어지러운 時代,
우리들 頭上에 소용돌이 치는
돌개바람.
어머니는
미소조차 머금고
머리를 빗는다.
질서 있게 빗어 내리는
風化된 잿빛 白髮.
우리는
걷잡을 수 없는 혼란 속에
長髮을
바람에 흩날리며

전혀 길이라곤 보이지 않는
혼란 덩어리의 迷路에
설레이는 黑髮 — 밤물결.
어머니는
心身을 가다듬어
머리를 빗는다.
內面을 照明하는 빛.
쌀쌀 빗어 내리는
어머니의 白髮,
그 아름다운
漂白과 乾燥,
미소조차 머금은 淸算과 解答,
어머니는
머리를 빗는다.

『작가연구』 총목차

역사와 현실의 이중주―『문학과 현실의 변증법』(한수영 지음) / 박헌호

제4호(1997년 하반기)

책을 내면서 ; 진보적인 문학연구의 새로운 모색을 꿈꾸며

- **특집 : 김정한**
  90년대에 다시 읽는 요산(樂山) / 최원식
  현실을 보는 눈과 역사를 보는 눈―김정한의 초기 소설 연구 / 조정래
  리얼리즘 문학의 공간성과 역사성―김정한의 1960년대 소설을 중심으로 / 김
  　경원
  김정한 소설의 심미성과 작가의식 / 이기인
  시대의 질곡과 한 인간의 명징함―인간 김정한 / 조갑상
  서지(생애, 작품, 연구사 목록)

- **이 작가 이 작품**
  『만세전』(염상섭)의 새로움 / 하정일

- **오늘의 문화 이론**
  '삶으로서의 사유'―다시, 루카치를 읽기 위하여(1) / 김경식

- **기획대담**
  1950년대와 전후문학 / 이어령 · 이상갑

- **일반논문**
  이상과 정인택 1―「업고(業苦)와 「우울증(憂鬱症)에 대해 / 이경훈
  극예술연구회와 연출가 홍해성 / 이상우
  1930년대 후반 지성론(知性論)에 대한 고찰―근대성(近代性)과의 관련을 중심
  　으로 / 김동식

- **문화 시론(時論)**
  외설(猥藝)의 공포―『선택』과 『인간의 길』을 읽고 / 김　철

- **서평**
  양식사적 고찰이 갖는 의미와 문제―『한국근대소설사』(김영민 지음) / 양문규

제5호(1998년 상반기)

책을 내면서 ; 온고지신의 자세로 새로운 시대를 준비하자

『작가연구』는 한국의 현대 문학에 대한 개방적이고 진취적인 문학 연구를 지향하는 국문학 전문학술지입니다.

『작가연구』는 이론적 깊이와 비평적 통찰을 겸비한 문학 연구를 통해 우리 시대의 문학과 주요 작가들을 새롭게 조명함으로써 엄정하면서도 개방적인 문학사를 지향합니다.

『작가연구』는 인간 정신의 참 의미를 구현해 나갈 인문학이 전반적으로 침체된 시대 상황의 제한 속에서도 한국 문학의 정수를 끈질기고 깊이 있게 성찰함으로써, 인문학의 진정한 위엄을 되찾고 한국 문학이 새롭게 도약할 수 있도록 노력하고 있습니다.

『작가연구』는 참신하고 진지한 문제 의식이 담긴 연구자 및 독자 여러분의 글을 기다리고 있습니다. 이러한 편집취지와 뜻을 같이 하는 분의 글이라면 어떤 것이나 환영합니다.

다음은『작가연구』에서 정한 투고원칙 및 심사규정입니다.

1. 모집분야 : 현대시, 소설, 희곡 등 현대 문학 관련 논문, 서평 및 자료.
2. 원고분량 : 학술 논문의 경우 200자 원고지 100장 내외로 디스켓과 같이 제출, 관련 자료는 제한하지 않는다.
3. 논문심사는 아래의 기준에 따른다.

   (1) 심사기준

   ① 기고 논문의 심사는『작가연구』편집위원회(이하 편집위원회)에서 주관한다.

   ②『작가연구』에 게재될 수 있는 논문은 연구자가 이미 지면에 발표하지 않은 새로운 논문이어야 한다.

   ③ 논문 심사는 독창성, 분량과 체재, 논리적 타당성, 학문적 기여도 등을 고려하여 '게재 가', '수정 후 게재', '게재 불가'로 등급을 매긴다.

   (2) 심사절차

   ① 편집위원회에서는 매호 논문 마감 후 편집회의를 개최하여 기고 논문을 심사하며, 이때 반드시 편집회의록을 작성한다.

   ② 편집위원회는 등급 판정의 이유를 해당 연구자에게 편집위원회 소정 양식의 공문으로 알려야 한다. 편집위원회로부터 '수정 후 게재' 판정을 받은 연구자는 통보를 받은 날로부터 14일 이내에 수정하여 편집위원회의 확인을 받는다.

   ③ 편집위원회는 논문 1편 당 3명의 심사위원을 선정하고 과반수 이상의 의

견으로 판정 등급을 결정한다.

④ 편집위원회는 필요에 따라 기고논문에 대한 외부심사(전임교수 이상)를 의뢰할 수 있고, 심사 기준은 편집위원회의 심사 기준에 준한다.

4. 논문의 기고 자격은 제한을 두지 않는다.

5. 논문기고 절차와 요령

(1) 기고자는 논문을 수록한 컴퓨터 디스켓(글)과 출력된 논문 4부를 편집위원회에 매년 2월과 8월 말일까지 제출하여야 한다.

(2) 기고한 모든 논문은 돌려 받을 수 없다.

(3) 논문 양식은 다음에 따른다.

① 논문은 한국어로 작성함을 원칙으로 하고 영문 제목을 첨부하여야 한다. 또한 한자와 영문은 괄호( ) 안에 병기하며, 외국인명일 경우에도 한글로 원음을 표기하고 괄호( ) 안에 원래의 문자를 병기한다.

② 논문의 체제는 반드시 제목－성명－본문－참고문헌의 순서를 따른다.

③ 논문의 분량은 200자 원고지 100매 내외를 원칙으로 한다.

④ 논문에서 사용되는 주(註)는 각주(脚註) 형식을 원칙으로 한다. 문헌일 경우는 저자명－서명－출판사－발행년도－면수 등의 순서로, 잡지 또는 정기간행물을 경우는 필자명－논문제목－잡지명－발행년도－면수 등으로 기재한다. 단, 영문으로 각주를 작성할 때에는 기호를 생략하며 논문은 명조체로, 저서는 이텔릭체로 표기한다.

⑤ 인용문은 가능한 한 현대 철자법으로 표기한다. 인용문이 외국어일 경우 번역하여 인용하고, 인용한 부분의 원문을 밝힐 필요가 있을 경우에는 각주에 병기한다.

⑥ 참고문헌은 기본자료, 단행본, 논문의 순서로 작성하며 저자의 가나다(또는 ABC)순에 의거한다. 또한 참고문헌이 외국 자료일 경우 원어 그대로를 표기하는 것을 원칙으로 한다.

6. 모집기간 : 매년 2월과 8월말 마감

서울시 강동구 암사4동 452-20 럭키빌딩 3층 301호(134-054) 도서출판 새미
우리어문학회 내 『작가연구』 편집위원회

전화 : (02)442-4624~6, 팩스 : (02)442-4625

e-mail : kookhak@orgio.net, kookhak@kornet.net

※ 접수된 원고의 게재 여부는 본지 편집위원회에서 결정하며, 채택된 원고에 대해서는 소정의 고료를 지급합니다. 접수된 원고의 반환에 대해서는 책임지지 않습니다. 원고는 디스켓과 함께 보내시거나 통신을 이용해 주시기 바랍니다.

2001년(상반기)
작가연구
제11호

발 행 인   김성달
편 집 인   강진호
편집주간   서종택
편집위원   이상갑, 채호석, 하정일, 안남일
발 행 처   **새미**
         서울 강동구 암사 4동 452-20 럭키빌딩 3층(134-054)
         Tel : 442-4623~6, Fax : 442-4625
         www.kookhak.co.kr.
         kookhak@kornet.net, kookhak@orgio.net

등록번호   공보사 1883
등 록 일   1997년 2월 17일
인 쇄 인   박유복
발 행 일   2001년 4월 30일

· 본지는 한국간행물윤리위원회의 도서잡지 윤리강령 및 잡지윤리
   실천요강을 준수합니다.

· 본지는 한국문화예술진흥원의 문예진흥기금의 후원을 받습니다.

값 12,000원

▶ 도서출판 새미는 국학자료원의 자매회사입니다.

2001년(하반기)

작가연구

제12호

새미

2001년(하반기)

작가연구

제12호

특집　남정현

편집주간　　서종택
편 집 인　　강진호
편집위원　　유성호 이상갑 채호석 하정일 안남일

신국 양장, 364쪽, 가격 18,000원

탈분단 시대의 문학논리
(강진호 평론집)

'탈분단 시대의 문학논리' 라는 제목은 책의 내용을 모두 포괄하는 말이라기보다는 시대와 문학적 가치를 함축하는 말이다. 분단 이후 우리 문학의 전개과정이란 분단이라는 상황적 변수 속에서 그것을 제거하기 위한 처절한 몸부림이 아니었던가. 냉전 이데올로기에 맞서온 참혹한 운명의 궤적이 바로 현대문학의 표정이고, 그 운명의 굴레는 아직도 벗겨지지 않은 채 엄존하고 있다. 그리하여 '탈분단' 이란 분단으로 초래된 삶을 저해하는 온갖 요인들을 제거하고 평등하고 자유로운 삶을 일구기 위한 도정이다.

신국 양장, 360쪽, 가격 18,000원

한국문학을 보는 새로운 시각
(이동하 평론집)

저자의 사유를 지배해 온 "역사의식에 입각하여 우리 문학을 보아야 한다"는 명제. 이 명제는, 첫째는 아득한 태곳적부터 오늘에 이르기까지의 문학의 과정을 역사적으로 올바르고 깊이 있게 파악해야 한다는 것과, 이 땅에서 전개되고 있는 문학이 후일 어떤 존재로 기록될 것인가를 진지하게 질문하는 가운데서 문학활동을 수행해 가야 한다는 의미가 담겨 있다.
이러한 명제를 구현하고자 한 저자의 노력이 엿보이는 평론집.

전화: (02)442-4626 팩스: (02)442-4625 새미

낡은 것과 새로운 것, 그리고 그 사이

1

새로운 세기가 시작된다고 한 것이 엊그제 같은데, 벌써 2001년이 저물고 있다. 한 해가 저문다는 것, 혹은 새로운 세기의 첫해가 저문다는 것, 사실 따지고 보면 그리 대단한 일은 아니다. 세기의 구획이란 사실 별 의미가 없기 때문이다. 어차피 인위적인 구분이지 않겠는가. 더욱이 세기의 기원이라는 것이 특정한 종교에 기반하고 있는 데서야 말이다. 강제로 통합되는 것은 문명의 힘, 혹은 그 문명의 힘 아래 감추어져 있는 문명을 가장한 야만의 힘에 의한 것이 아니었겠는가 말이다. 그렇다고 해서 여기서 특정한 종교를 비방하고자 하는 것은 아니다. 다만 '세기'가 인위적인 구분이라는 점을 말하고 싶었을 뿐이다. 그러나 그렇다고 해도 의미가 전혀 없지는 않을 것이다. 무엇인가 매듭을 짓고, 새로 시작하지 않으면 안 되는 것이 사람 사는 일이고, 그렇다면 세기의 끝도, 세기의 시작도 그런 매듭의 하나일 것이기 때문이다.

그런 매듭의 첫 시기에 '새로운 전쟁'이 시작되었다. 시작은 명쾌하나 끝이 불명확한 전쟁? 종족간의 전쟁도 아니고, 그렇다고 종교 전쟁도 아닌, 그러한 새로운 전쟁의 시작? 소위 '테러리즘과의 전쟁'. 세계 무역 센터 빌딩 테러로 시작되어 현재 아프가니스탄에 대한 말 그대로 '융단폭격'으로 지속되고 있는 '전쟁'. 그러나 이 전쟁—이것을 전쟁이라고 말할 수 있다면— 은 과연 새로운 전쟁일까? 아무리 보아도 그렇게는 보이지 않는다. 다만 새로운 전쟁이라는 말만 새로울 뿐이다. 말이 새로워짐으로써 전쟁이 새로워지는 것은 아닐까 하는 생각이 든다. 왜냐하면 이미 오래전부터 세계 곳곳에서 이러한 '전쟁'은 지속되고 있었기 때문이다. 다만 그것이 특정한 나라에 의해 주도되지 않았을 뿐. 그렇기 때문에 우리는 그 새로운 전쟁이라는 이름 뒤에 감추어진 '낡은' 모습을 보지 않으면 안 되는 것이다.

2

그리고 또 하나, 이미지와 현실. 혹은 허구보다 더 허구 같은 현실, 그리고 현실보다 더 현실 같은 허구. 이미 걸프전 때도 확인된 바 있지만, 더 이상 전쟁은 전쟁의 당사자들이 아닌 자들에게는 하나의 이미지에 불과하다. 소문이 아닌 이미지, 그것도 생생하게 실시간으로 다가오는 이미지 말이다. 하루에도 수십 번씩 반복되는 그 장면은 이제 하나의 이미지로만 소비된다. 생명의 고통도 사라지고, 원인도 사라지고, 이제 남아 있는 것은 하나의 이미지일 뿐이다. 물론 그렇게 이미지화된 사건의 보도에 반드시 덧붙여지는 테러의 공포. 그렇게 이미지로 소비되면서 동시에 선악은 분명해진다. 선악은 행위에 의해서 결정되지 않고, 그것이 소비될 수 있는가, 그리고 어떤 맥락에서 소비되는가에 따라 결정된다. 그리고 그렇게 해서, 허구와 현실의 경계는 무시되어버리고 만다. 전쟁의 미학화! 너무 거창한가? 그러나 이 말 또한 현실에 비한다면 너무나도 단순하여 도저히 현실에 미치지 못한다. 현실이 너무나 허구 같기에 그리고 이미지는 현실로 화하여 '현실적인 힘'을 갖고 있기에, 허구의 역할은, 문학의 역할은 이제는 달라져야 할지도 모른다. 아니 굳이 달라질 것이라고 말하기보다는 조금은 다른 방식으로 작용하지 않으면 안 될지 모른다고 말해야 할 것이다. 현실이 허구를 뛰어넘고 있을 때, 허구가 현실 속에서 그 '미래'를 잡아내지 못하고 있을 때, 그럴 때 문학이 할 수 있는 일은 무엇일까? 최소한 두 가지 방향성은 갖고 있지 않을까? 새로운 것 뒤에 존재하는 낡은 것들을 보여주는 것, 새로운 것처럼 보이는 것이 실제로는 하나도 새로운 것이 아님을 보여주는 것이 그 하나라면, 다른 하나는 다시금 허구 같은 현실을 뛰어넘는 길을 모색하는 것이리라. 적어도 이런 의미에서라면, 기존의 모더니즘과 리얼리즘의 대립이란 더 이상 무의미하다고 해야 할 것이다. 모더니즘도 아니고 그렇다고 이제까지의 리얼리즘도 아닌 그 어떤 지점에 문학이 와 있어야 하는 것은 아닐까?

3

그러나 어쩌면 이 새로운 자리 또한 이미 이전에 도달해 있었던 자리인지도 모른다. 그리고 그 자리에 남정현 소설이 있는지도 모르겠다. 한국 문학사에서 앞도 없고, 뒤도 없는 자리가 바로 남정현 소설의 자리가 아닐까. 이제 남정현 소설에 대한 연구도 어느 정도는 축적되었지만(물론 충분하지는 않다) 그럼에도 불구하고 남정현의 '소설사적 위치'는 아직 잡히지 않고 있는 이유도 이 때문일지 모른다. 아니 남정현 소설의 자리는 어쩌면 잡힐 수 없는지도 모르겠다. 「분지」는 틀림없는 문학사적 사건이지만, 그러나 그 사건은 아직 자기 맥락을 갖고 있지 못하다. 그 소설 앞뒤에 어떤 것도 없기 때문이다. 남정현 소설은 반제 소설일 수도 있고, 풍자 소설일 수도 있지만, 그러나 그 어디에도 속하지 않은 존재처럼 보인다. 우리 문학사에서 가장 비문학사적인 존재 가운데 하나. 우리가 도달해야 할 자리에 남정현 소설이 이미 와 있다고 한 것도 그 때문이다. 이번 특집에서 남정현을 다룬 이유 가운데 하나도 바로 이 '특이성'이었다. 이를 포함해 남정현 문학에 대해 다양한 방식으로 접근해보려는 것이 이번 기획의 목적이었다. 그리고 어느 정도는 기획의 의도에 부합하는 책이 되었다고 생각된다.

남정현 특집으로 임헌영, 김양선, 황도경, 이상갑, 이호철, 한승원 여섯 분의 글을 실었다. 임헌영의 「반외세의식과 민족의식」, 김양선의 「허허한 세상을 향한 날 선 풍자」는 작가론으로 기획된 글이다. 두 글의 주제는 제목만 보아서도 익히 짐작할 수 있을 것이다. 임헌영의 글이 남정현 소설의 반외세 의식을 추적하면서, 남정현 문학의 현재성을 도드라지게 내세우고 있는 글이라고 한다면, 김양선의 글은 남정현 문학의 방법으로서의 풍자에 주목하고 있다. 일견 식상하게 느껴질지도 모르지만 예상과는 다른 글이다. 황도경의 「역설의 미학, 풍자의 언어」와 이상갑의 「비인간의 형상, 그 역설의 의미」는 각각 「분지」와 「허허 선생」 연작을 대상으로 한 작품론이다. 두 논문 모두 남정현 소설에서 '역설'을 읽어내고 있지만, 그 자리는 매우 다르며, 그 평가 또한 상당한 차이를 보이고 있다. 여기에는 대상의 차이가 작용하기도 하였을 것이다. 그러나 이 차이에는 그보다는 근본적으로 남정현 문학을 보는 시각의 차이, 나아가 우리 문학의 방향에 대한 생각의 차이가 개재하고 있다고 보아야 할 것이다. 남정현 문학에 대한 다른 시각을 볼 수 있는 대조적인 글이어서 읽는 재미가 남다르다. 작가 이호철의 「남정현론」과 한승헌 변호사의 「남정현 선생과 나」는 남정현을 오랫동안 옆에서 보아온 두 분의 회고담이다. 이호철의 글에서는 남정현의 사적인 성벽을, 그리고 한승헌의 글에서는 「분지」 사건 당시의 정황을 확인할 수 있다.

이제까지 작가연구의 대담은 특집과는 관계가 없었다. 주로 비평가들을 중심으로 진행되었기 때문이다. 이번 호에서는 특별히 남정현과의 대담을 준비하였다. 작가가 이제까지 자신에 대한 이야기를 별로 하지 않았기 때문이다. 다행히 이번 대담을 통해서 많은 이야기를 들을 수 있었다. 특히 이번 대담은 행간을 세심하게 읽어주었으면 한다.

그리고 작가 자선작으로 「허허선생3-귀향길」을 재수록하고, 강진구의 해설 논문을 실었다. 「허허선생3」은 그리 구하기 어려운 작품은 아니지만, 작가 자신이 「분지」 이외의 대표작으로 자선한 만큼, 작가의 현재 생각을 가장 잘 드러내는 작품이라고 하겠다.

4

일반 논문으로는 송은영, 이봉범, 김한식, 엄경희 네 분의 논문을 실었다. 송은영의 「한국 근대 소설의 서사구성과 <만세전>의 '시간'」은 「만세전」의 서사를 현실을 부정하려는 내면 과 선험적 이상으로서의 미래 의식의 불일치가 낳은 아이러니의 형식으로 규정하고, 이를 통해 한국 근대 소설사를 재구성하고자 하는 야심 찬 논문이다. 시간과 그에 따른 서사구성을 통해 한국 근대 소설사를 재구성하고자 하는 기획은 이 논문에서는 아직 가설에 그치기는 하지만 대단히 의미 있는 기획이라고 생각된다. 이후의 연구가 주목된다. 이봉범의 「방영웅 소설 연구」는 주로 『분례기』에 한정되어 있는 방영웅론을 작가론의 차원으로까지 끌어올린 논문이다. 특히 방영웅에 대한 긍정적인 평가 일변도인 현재까지의 논의를 넘어서서 그 역사적 한계를 밝히고 있다는 점에서 중요한 성과라고 하겠다. 김한식의 「개발 논리의 실상과 사변의 문체」는 이청준의 장편 『당신들의 천국』에 관한 작품론이다. 이 글에서 필자는 『당신들의 천국』이 당대의 개발 논리를 파헤침으로써 당대성을 확보하고 있는 반면, 사변적 문체로 인해 현실성이 떨어지고 있다고 평가하고 있다. 엄경희의 「박용래 시에 나타난 자연 인식의 태도」는 박용래 시에 나타난 자연 의식, 그리고 애상성의 근원을 탐구함으로써 모더니티와 자연 사이의 관계를 규명하고자 하는 하나의 시도이다.

이번 호의 서평은 정홍섭, 황정산, 이호규 세 분이 각각 김홍기의 『채만식 연구』와 방민호의 『채만식과 조선적 근대 문학의 구상』, 김윤태의 『한국 현대시의 리얼리티』, 그리고 『이호철 문학 선집』을 평해 주셨다. 우리는 서평이 글쓰기의 독자적인 영역을 확보해야 한다고 생각한다. 그러기 위해서는 서평은 저자와의 대화이며, 또한 싸움이기도 해야 한다. 그렇게 함으로써 서평이 의존적인 글이거나 아니면 구색을 맞추는 글에서 벗어나 자신의 자리를 찾을 수 있다고 생각하기 때문이다. 그렇기 때문에 필자들에게도 비판적 입장을 취해주기를 기대한다. 이번 서평도 이런 기대에 어긋나지 않았다고 생각한다. 모쪼록 품을 많이 들이고 공들여 쓴 서평이 우리 문학 연구가 한 걸음 나아가는 데 도움이 되었으면 한다.

『작가연구』 초기부터 기획하였던 <이 작가, 이 작품>란을 이번 호부터 재개되었다. 우리 문학사에서 잘 알려지지 않은, 그러나 주목해야만 할 작품을 새롭게 조망하는 이 난이 우리의 문학사 인식의 폭을 넓혀 줄 수 있을 것으로 기대한다. 이번 호에는 황석영의 단편 「돛」을 새롭게 주목한 안남일의 「인간과 권력의 문제」를 실었다.

돈도 되지 않고, 그렇다고 점수도 받지 못하는 『작가연구』에 좋은 글을 보내주신 모든 필자에게 이 자리를 빌어 감사 드린다. 『작가연구』가 지금의 자리를 얻고 유지하고 있는 것은 모두 이러한 분들의 힘이라고 생각한다. 또 기꺼이 책의 발간을 맡아 주신 새미의 정찬용 사장님에게도 이 자리를 빌어 감사를 표한다.

5

새로운 문학적 환경은 새로운 시도와 기획과 모험을 요구한다. 스스로 변하지 않고서 어떻게 세상을 변화시킬 수 있겠는가. 지난 호에서도 말한 바 있지만, 『작가연구』는 새로운 소통의 장으로서 기능하고자 한다. 그러기 위해서는 다각적인 변화의 노력이 필요하며, 지금 우리는 그 길을 모색하고 있는 중이다. 그 첫 시도로 편집위원이 보강되었다. 『작가연구』 편집진의 취약점이었던 시 분야에 교원대에 재직중인 유성호 선생을 모셨다. 새 편집위원의 활동에 기대를 해 보아도 좋을 듯하다. 독자 여러분들의 많은 성원과 비판을 바란다.

(편집인 채호석) 새미

특 집

험로를 가로지른 문학의 도정

대담 : 남정현(소설가) · 강진호(문학평론가)

장소 : 새미출판사 편집실

시기 : 2001년 8월 6일

남정현
1933년 12월 13일, 충남 서산 출생. 서산농림고등학교, 대전사범대학(중퇴). 1958년
「경고구역」으로 등단.『분지』외 작품집 다수

강진호
문학평론가, 성신여대 교수. 저서로『탈분단시대의 문학논리』외 다수

강진호 : 이렇게 만나 뵙게 되어 영광입니다. 오늘 이 자리는 저희『작가연구』편집진들이 선생님의 삶과 문학에 대한 여러 이야기들을 듣고자 마련하였습니다. 자리를 허락해 주신 선생님께 우선 감사드립니다. 선생님께서는 현대문학의 산 증인이시고, 특히 1960년대 민족문학의 큰 줄기를 일구어 놓으셨습니다. 「분지」로 표출된 분단과 민족사에 대한 인식은 아직도 유효할 뿐만 아니라 쉽게 넘어서기 힘든 경지를 일구었다고 생각합니다.

먼저 선생님이 문단에 등단하시게 된 배경부터 듣고 싶습니다. 제가 알기로는 1958년도에 「경고구역」으로 초회 추천되셨고, 그 다음 해에 「굴뚝 밑의 유산」으로 두 번째 추천되어 문단에 나오셨지요. 이렇게 문학과 연을 맺게 된 배경부터 말씀해 주시지요.

독서 체험

남정현 : 지금 생각하면 무슨 뚜렷한 계기가 있었던 것 같지는 않습니다. 문학에 대해서 내가 관심을 갖기 시작한 것은 내가 아마 고등학교에 입학할 무렵 같아요. 어려서부터 나는 잔병치레가 많았는데 그 때 결핵에 걸렸었어요. 처음엔 임파선 결핵이었는데 그것이 차츰 발전하여 폐결핵 장결핵으로 번지더군요. 학교고 뭐고 경황이 없었지요. 10년 이상을 결핵과 싸웠으니까요. 사실은 아직도 어느 쪽이 이겼는지 결말이 안 난 것 같습니다. (웃음) 그런데 지금 와서 생각하면 결국은 그것(결핵)이 나를 문학의 길로 몰아넣은 것 같습니다. 가장 감수성이 예민하던 시절에 병상에서 무엇으로 시간을 보냈겠습니까? 독서하고 약 먹고 그저 혼자서 멍하니 뭔가를 생각하고…, 그런 생활이었지요.

강진호 : 병상에서…. 그게 책을 가까이 하게 된 동기였군요. 그럼 무슨 책들을 주로 읽으셨어요?

남정현 : 당시 우리 집엔 책이 별로 없었어요. 내 친구 중에 찬모라는

남정현

친구가 있었는데 하루는 그 친구를 따라 그의 집에 갔더니 방마다 책이 가득하더군요. 놀랍고 황홀했습니다. 그게 다 자기 삼촌의 책이라고 하더군요. 찬모의 삼촌은 일제시 일본의 와세다 대학 철학과를 나와 당시 중학교 교사로 있었는데, 그 분이 저 많은 책을 다 읽었는가 생각하니 덮어놓고 존경해야 할 분처럼 느껴지더군요. 역사, 철학, 종교, 문학 등 정말 다방면에 걸친 책들이었습니다. 물론 다 일어로 된 것들이었죠. 나는 뭐가 뭔지도 잘 모르면서 손에 잡히는 대로 한 권 한 권 빼다 읽기 시작했습니다. 가당치 않게도 나도 저걸 다 읽어야지 하는 일종의 의무감 같은 것이 작용했기 때문인지도 모르죠. 내 딴엔 누워서 열심히 읽었습니다. 처음에는 소위 그 '사상서'류에 속하는 책들을 많이 봤던가 봐요. 주제넘게 말입니다. (웃음)

강진호 : 그런 독서 경험이 문학에 발을 들여놓게 된 배경이었군요. 구체적으로 어떤 사상서들을 보셨는지요?

남정현 : 잡탕식이었죠 뭐. 체계적으로 제가 뭘 알아서 선택적으로 본 것이 아니니까 정말 이것저것이었습니다. 물론 그 중에는 마르크스의 『자본론』도 있었고, 헤겔의 최초의 중요한 저서로 알려진 『정신 현상학』이란 것도 있었습니다. 하여튼 사상전집 속에 들어 있는 여러 저서들에 재미를 붙이면서 오랫동안 읽어나가니까 이상하게도 뭔가가 좀 보이는 것 같더군요. 멀리 소크라테스서부터 칸트, 헤겔, 마르크스, 사르트르에 이르는 인간 정신

의 그 뿌리와 줄기와 흐름 같은 것이
막연하게나마 어느 정도 그 윤곽이
보이는…. 여간한 기쁨이 아니었죠.
몸이 아픈 것은 둘째였습니다.

강진호 : 그게 몇 살 때였어요?

남정현 : 결핵을 앓고 있을 때니까
아마 스무 살 미만이었을 것입니다.
내가 소설을 처음 읽은 것도 그 무렵
이었지요. 일본의 신조사(新潮社)란
출판사에서 출판한 『세계문학전집』
이란 것이 수십 권 있었는데 그 중에
서 하나 빼 본 것이 『몬테크리스토 백
작』이었습니다. 아, 어찌나 재미가 나

강진호

던지 나는 내 인생에서 신천지를 하나 발견한 느낌이었지요. 그 후 국내외
소설을 막론하고 손에 들어오는 대로 마구 읽었습니다. 그렇게 소설에 빠지
다 보니까 소설가라는 것이 꼭 무슨 신처럼 생각되더군요. 소설 속에 등장하
는 모든 인물, 사건, 배경 그 관계 등을 그들 뜻대로 움직인다고 생각하니
이 세상에선 소설가가 제일이란 생각이 들었어요. 하여튼 작가란 신이 창조
해 놓은, 이 세상보다 더 좋은 세상을 창조하기 위해서 노력하는 그런 사람
들이라고 여겨지더라고요. 그래서 나도 한번 소설가가 돼 봤으면 하는 소망
을 갖게 되었는데, 그 즈음 임파선 결핵이 장결핵으로 번져서 건강이 말이
아니었지요. 그저 뭐든 먹기만 하면 설사였으니까요. 그래서 나는 유명하다
는 의사를 찾아 서울로 갔습니다. 친구들은 대학에 진학하기 위해 서울에
갔는데, 나는 병 때문에 서울에 갔으니 참 처량했지요. 당시 서울엔 남정린
(南廷麟)씨라고 6촌 형이 계셨어요. 그 분은 8.15 이후 일본에서 돌아와 당시
우리의 유일한 통신사였던 '합동통신사'를 탄생시키는데 거의 주도적인 역

할을 한 분이지요. 그런데 그 분의 부친이 남주원 씨인데, 그러니까 제게는 당숙 되는 분으로서, 저의 고향에서는 일제의 고문으로 희생된 애국지사로서 추앙 받는 분입니다. 김좌진 장군이며 한용운 선생과도 정분을 나누며 지냈고 탑골공원의 독립운동에도 직접 참가했다가 큰 임무를 띄고 고향에 내려와서는 '4.4 대호지 만세사건'의 주모자가 된 분이지요. 충청도에서는 아주 유명한 항일사건입니다. 남정린 씨가 일본에 가서 살게 된 것도 너무 감시가 심하여 일종의 피신이었다고 하더군요. 내 가까운 친척 중에 그런 분이 있었다는 건 내가 세상을 보는 안목을 기르는 데 있어서 긍정적인 형태로 작용을 했다고 봅니다. 그러니까 나는 한 동안 그분의 집에 기거하면서 병원에 다니며 치료도 받고 책도 읽고 또 그런 생활을 계속했지요.

강진호 : 그분 집에서 여러 책들을 접하신 거군요.

플레하노프와의 만남

남정현 : 그렇습니다. 형님의 서재에서 나는 그때 전혀 생면부지의 플레하노프와 만났다는 것이 특기할 사항입니다. 나는 그 때까지 그런 사람의 이름을 한번도 들은 적도 본적도 없었습니다. 『예술과 사회생활』이라는 책과 『계급사회의 예술』 두 권이 있었는데, 두 권 다 문고판 이었죠. 하여튼 읽고 놀랐습니다. 그의 학문의 깊이와 광범위한 지식에 입이 딱 벌어지더군요. 역사, 철학, 예술은 물론 고금의 문명사에 통달한 자라는 느낌이 들더라구요. 그리고 '문학과 사회'라는 것이 서로 간에 그렇게 큰 영향력을 가지고 상호 보완작용을 하며 발전하여 간다는 사실도 내겐 여간 흥미로운 것이 아니었습니다. 그 후에도 플레하노프에 흥미를 가지고 여러 고서점을 뒤지면서 그의 저서를 찾아 다녔지요. 그 덕택에 그의 대표적인 저서인 『사적 일원론』 『헤겔론』 그 이외에 두서너 권을 더 읽은 것 같습니다. 그러는 과정에서 그의 행적에 대하여 약간 좀 알게 되더군요. 말하자면 그는 헤겔과 마르크스

에 반했던 자라는 것, 삼십 수년간 프랑스며 영국 등에서 망명생활을 했다는 것, 그의 저서는 러시아의 혁명 일 세대들을 의식화시키는데 적잖게 공헌을 했다는 것, 러시아의 소위 '2월 혁명' 후 귀국했지만 그는 러시아의 현실은 지금 사회주의 혁명을 수행할만한 역사적인 조건이 성숙되지 않았다는 이유로 프롤레타리아 사회주의 혁명을 부정하고 레닌 일파와 결별했다는 것, 그 후 혁명세력으로부터 혁명의 배신자, 표리가 부동한 자로 공격과 지탄의 대상이 되었다는 것…. 하지만 저는 그런 저런 그의 행적에도 불구하고 문학에 관한 그의 이론은, 어떠한 형태로든 세상에 계급이 존재하는 한, 꽤 생명력을 유지하리라 봅니다.

강진호 : 플레하노프가 스승이었던 셈이군요. (웃음)

남정현 : 그렇게까지 생각하지는 않습니다만 그의 저서가 예민하던 시절에 사회와 인생에 대해서 많은 것을 생각하게 만든 것은 사실이겠죠. 예컨대 헤겔이 『정신 현상학』을 쓴 것이 1806년, 그 헤겔에 심취했던 마르크스가 『자본론』을 출판한 것이 1867년, 또 그 헤겔과 마르크스에 완전히 반했던 플레하노프가, 드디어 1910년대에 예술에 관한 얘기를 써 가지고 그것이 바람을 타고 여기까지 날아와 한 문학 지망생의 힘없는 가슴을 퍽도 산란하게 하는구나 생각하니 왠지 신기한 느낌이 들더라구요. (웃음)

강진호 : 그런 흐름에 대해서 이후에도 계속 접하셨나요?

남정현 : 당시는 참 답답한 시대였습니다. 문이 다 닫힌 시대였다고나 할까요. 반공 일변도였으니까요. 뜻있는 자들은 바깥세상을 좀 알기 위해서 애들을 많이 썼지요. 특히 사회주의권 동태를 좀 알기 위해서 목이 말라했지요. 그래서 틈만 나면 여러 고서점들, 그리고 거리의 노점상들을 뒤져보는 것이 일이었지요. 그런데 서점에선 구할 수 없는 책들이 제법 있었거든요. 예를 들면 『러시아 혁명사』라든가 『모택동 어록』 그리고 『레닌 연설집』 등 말입니다. 특히 루카치의 여러 저서 중에서도 그의 『미학』과 『리얼리즘론』 등이 많이 돌아 다녔어요. 당시 나에게 고리끼의 『문학론』이 손에 들어

와서 그걸 읽느라 열중해 있었지요. '서문'에 1933년에 출판되었다는 말이 쓰어 있었는데, 1933년이면 내가 태어난 해라, 내가 태어나던 해에 고리끼는 이러한 문학론을 썼구나 생각하니 묘한 느낌이 들더군요.

강진호 : 혹 그때 누구와 같이 그런 책들을 학습하시지는 않았나요? 요즘식으로 말하자면 스터디 그룹이랄까, 그런 거요? (웃음)

남정현 : 그런 일은 없었습니다. 그런 친구도 내겐 없었구요. 더군다나 누구와 그룹을 형성하여 세상일을 학습하거나 한 일은 전혀 없었어요.

「분지」를 쓰게 된 배경

강진호 : 그럼 얘기를 돌려서요, 60년대 문학사를 훑어보면 「분지」는 제국주의나 국내 정치 현실에 대한 인식의 예리함이나, 작가의 문제의식이 거의 평지돌출의 수준이거든요. 그래서 저 같은 후학들은 그 배경에 많은 궁금증을 갖고 있습니다. 작품을 쓰신 배경은 무엇인지 말씀해 주십시오.

남정현 : 「분지」를 쓰게 된 배경을 한마디로 말하면 민족적인 우리의 현실이 그 배경이랄 수 있습니다. 오 천년 우리 민족사에 늘 씌워진 멍에, 외세가 씌워준 그 멍에가 말입니다.

강진호 : 좀 구체적으로 말씀해 주시지요. 우리 민족사에 대한 구체적인 생각도….

남정현 : 우리 역사에 대한 내 기본적인 시각은 늘 외세 문제였습니다. 그러니까 각 시대마다 우릴 불행하게 한 가장 기본적인 모순을 외세에 의한 자주권의 상실, 그런 걸로 봤다는 얘기죠. 멀리 당나라, 명나라, 청나라와의 치욕적인 관계는 접어두고라도 일제에 의한 국권의 상실, 그리고 열강들에 의한 남북 분단, 그 후 계속 미국의 예속권에 놓이면서 사회는 창조적인 기운을 잃고 극도의 혼란 속에 빠진 것처럼 보였다는 거죠.

구체적으로 한번은 이런 얘길 들었습니다. 아까 얘기한 것처럼 내가 결핵 치료를 위해 형님(남정린)댁에 있을 땐데, 그때 형님과 가까이 지내던 분 중에 우승규 라는 분이 있었지요. 그 분은 그 후 '나절로'라는 필명으로 <동아일보>의 '횡설수설'난에 글을 써서 정말 낙양의 지가를 올린 분입니다. 그분이 하루는 이런 얘길 들려 주시더라구요. 8.15 이후 어느 핸가 그날이 3.1절이었다는 거예요. 우 선생은 우연히 시청 앞을 지나다가 3.1절 행사를 참관하게 되었는데 마침 단상에서 누가 '독립선언서'를 낭독하더라나요. 누군가 해서 눈 여겨 자세히 봤더니 아 글쎄 독립선언서를 낭독하는 그자가 바로 일제시대 우 선생 고향에서 무슨 군순가 경찰서장인가를 하던 자더라는 거예요. 원 저럴 수가, 세상이 정말 뒤죽박죽이구나 장탄식을 한 우 선생께서는 그 후 세상과는 등을 돌렸다고 그러시더군요. 나는 요즘도 그분의 말씀이 생각나거든요. 우리 앞에 군림한 정권이 다 그런 류의 정권이었으니까요.

우선 4.19 혁명이 일어나던 그 직전의 이승만 정권이란 것이 어떠한 정권이었는가를 한번 생각해 봐요. 그 실상을 보면 참 기가 막히거든요. 언젠가 내가 좀 알아본 바에 의하면 당시 각료가 열둘인가 열셋인가 있었는데 그 중에서 어떠한 형태로든 독립운동에 다소라도 기여했던 자는 단 한사람도 없었고 도리어 여섯 명이나 되는 장관이 일제치하에서 군수, 검사, 군 장교 등의 요직에 있었다더군요. 그리고 또 들어보세요. 그때까지 여덟 명이나 되는 역대의 육군 참모총장 중에서 우리 독립군 출신은 단 한 사람도 없었고요. 그 전원이 다 일군과 만군의 장교 출신이더라고요. 게다가 치안을 책임진 경위급 이상 경찰간부의 70 프로 이상이 모두 일경에 종사한 경험이 있는 자들이더라구요. 말하자면 독립군을 소탕하던 자들이지요. 그러니 이걸 어떻게 일제로부터 독립된 나라나 정부라고 할 수 있겠어요. 아마 조금이라도 민족적인 양심이 있는 사람들이라면 이런 정부를 선택할 자가 없었을 겁니다. 그러니까 이건 우리 민족의 의사와는 상관없이 외세가 강압적으로 강요한 가짜 세상이다, 가짜다, 그래서 내 의식 속에는 나도 모르게 뭔가 진짜에 대한, 진짜 세상에 대한 절절한 열망 같은 것이 늘 있었던 것 같거든요.

강진호 : 선생님께서 지금 말씀하시는 것은 마치 「분지」에서 홍만수가 산정에서 죽은 어머니에게 고백하는 장면을 떠올리게 하는군요. 「분지」는 이를테면 '이것은 가짜다' 그래서 '진짜를 만들어야 한다'는 의식이 제국주의에 대한 비판으로 심화된 거군요. 여기에는 물론 플레하노프의 영향도 있었겠지요?

남정현 : 글쎄요. 플레하노프의 영향이었다기보다는 너무나 상식에 어긋나게, 가치가 전도된 우리 현실이 내 사고의 틀을 그렇게 굳히게 한 것 같아요. 물론 그 동안 내가 읽은 여러 책들의 내용이 간접적으로나마 내 의식에 영향을 안 줬다고 말할 순 없겠죠. 사실은 나뿐이 아니겠지만 나는 언제나 책에서 얻은 남의 생각보다는 현실적인 체험을 통한 나 스스로의 생각을 더 소중하게 여기거든요. 그런 맥락에서 「분지」도 아마 이것은 분명히 '가짜 세상'이라고 확신한 우리의 현실을 극복하기 위한 일종의 몸부림이었는지도 모릅니다.

추천과 등단 과정

강진호 : 그럼 「분지」 얘기는 조금 있다가 또 하고요. 선생님께서 문단에 등단하신 과정을 좀 말씀해 주시지요. 자료를 보면 1958년 작품 「경고구역」으로 『자유문학』지를 통해 등단하신 걸로 되어 있더군요.

남정현 : 맞습니다. 당시 나는 광화문에 있던 어느 잡지사에 잠시 근무한 적이 있었지요. '교육연합회'의 지원 하에 교육문제를 다루던 잡지사였지요. '여원'사 주간을 하시던 김영만 선생께서 책임자로 계셨었는데, 김영만 선생 하면 당시 명 편집인으로서 잡지계에선 정말 유명했던 분입니다. 나는 지금까지도 그분처럼 그렇게 다방면에 걸쳐 재주가 반짝반짝 빛나 보이는 그런

분을 대한 적이 별로 없거든요. 그분의 영향 때문이었는지 그때 같이 근무하던 사원들은 그 후 각계에 진출하여 나름대로 일가를 이루어 제 몫을 다 했거든요. 그 중에는 지금까지 서로 소식을 나누며 지내는 친구도 있고요. 그런데 그때 김영만 선생과 한 때 '학원'사에서 같이 일했다는 시인 한무학 선생과 시인 이인석, 그리고 이화여고에서 영어교사를 하던 박승훈 씨 등이 거의 매일 회사에 놀러 오더군요. 그때 박승훈 씨는 『o.k 카렌다』라는 수필집을 내서 한참 날리던 시절이었습니다. 나도 자연스럽게 그분들과 어울려서 소설 얘기도 하고 시 얘기도 하는 사이가 되었죠. 박승훈 씨는 그때 이미 미국의 후레스노 대학에서 수년간 유학하고 온 사람이라 미국 사회의 명암 (明暗)에 밝았고, 한무학 시인은 일본의 와세다 대학에서 서양 철학을 전공한 분이었는데 일본 지식인 사회의 동태에 참 밝은 분이었지요. 고대 그리스 철학을 전공한 분이었는데도 마르크스의 유물 철학에 대해서도 일가견이 있었습니다. 그런데 그들이 나보고 『자유문학』에 소설을 투고해 보라는 거예요. 자유문학사가 바로 길 건너에 있었거든요. 그때 『자유문학』을 이끌어 가던 주 멤버는 평론에 이헌구, 백철 선생, 시에 모윤숙, 김광섭, 김용호 선생, 그리고 소설에 안수길, 주요섭, 이무영 선생이었거든요. 그래서 나자신 시험 삼아 소설도 한편 써보고 싶고 또 그렇게 주변의 권고도 있고 해서 「경고구역」이란 제목으로 단편 하나 써서 투고를 했더니, 그것이 안수길 선생님의 초회 추천작으로 발표가 되더라구요.

강진호 : 아, 그러셨군요. 첫 작품은 작가에게 여러 의미를 갖는데, 선생님의 경우는 어떠셨어요. 「경고구역」을 쓰신 동기랄까 의도는요?

남정현 : 당시 우리 사회 전체가 왠지 모두 '경고구역'으로 보였거든요. 답답했어요. 어디든 가볼 수 있는 자유가 너무나 한정되어 있는 것 같았어요. 웬만한 곳엔 다 말뚝을 박아놓고 철조망을 쳐놓고 출입금지다, 위험지역이다 하는 경고문 투성이었지요. 우리 땅이지만 꼭 남의 땅 같았어요. 하지만 땅 뿐이 아니었지요. 사상도 독서도 학문도 다 경고구역 투성이 같았어요.

뭐든 된다 하는 것보다 뭐든 안 된다 안 된다 하는 극도의 제한 상황 속에서 인간의 창조적인 기능이 완전히 위축되는 것 같은 느낌이 들더군요. 그런 저런 억압된 현실이 소설 「경고구역」과 같이 그런 비정상적인 남녀관계로 표출되지 않았나 생각됩니다.

강진호 : 작품을 쓰시면서 문학적으로 영향을 받은 분은 없었나요?

남정현 : 글쎄요. 어떤 특정한 한 개인한테 영향을 받은 일은 없는 것 같습니다. 하지만 그때까지 내가 읽은 국내외의 여러 문학 작품들 그리고 사회과학에 관한 몇몇 저서들 그런 것들의 어떤 통합적인 영향이 없었다고는 말할 수 없겠지요. 아까도 말했지만 그 무렵 나는 고리끼의『문학론』을 읽고 문학에 대한 내 생각도 틀린 것이 아니구나 하고 내 생각에 대한 어떤 정당성을 마음속으로 다져나가곤 했었지요. 그리고 20세기 전반에 프랑스에서 가장 뛰어난 비평가로 알려진 디보떼의『소설과 미학』을 읽은 것도 그 무렵입니다. 나는 그 책에서 그 분의 이론도 이론이지만 당대 작가들의 수많은 작품을 한 줄도 빼지 않고 정성스럽게 읽은 것 같은 흔적을 발견하고 그분의 문학에 대한 깊은 사랑에 감동했습니다. 그리고 또 당시 내가 소설에 대한 이해를 넓히는데 있어서 도움이 되었다고 생각되는 책은 일본의 '다비드'라고 하는 출판사에서 출간한『현대소설작법』이란 책입니다. 아마 한 열 권 정도는 되었죠. 그것은 소설작법이라기보다는 하나같이 뛰어난 소설론이랄까 하여튼 소설을 이해하는 데 꼭 필요한 이론서였습니다. 지금 기억나는 책제목만을 들어봐도 '소설의 구조' '소설의 기술' '소설가와 작중인물' '소설의 전통' '소설의 문체' '소설의 독자' 등등 문학 청년시절에 구미가 당길만한 책들이었지요. 특히 저자들은 아까 말한 디보떼, 모리야크, 헨리, 마사소 등 다 유럽의 쟁쟁한 작가와 비평가들로 구성되어 있었죠.

그리고 어느 정도 영향을 받았는지는 모릅니다만 우리나라의 작품도 당시 이광수에서 김동리까지 이것저것 재미나게 읽었지요. 서양소설이나 우리소설이나 다 인간사에 관한 얘기라는 건 같았지만 그래도 아, 이것이 내

애기구나 하고 밀접하게 가슴에 와 닿는 것은 역시 우리 소설이더군요. 이기영의 「왜가리촌」, 이태준의 「밤길」, 김동리의 「찔레꽃」, 그리고 이건 소설은 아니지만 이상의 「권태」 같은 것은 지금까지도 가끔 생각이 나요. 하지만 작품을 쓰는데 있어서 내 의식에 결정적으로 영향을 준 것은 뭐니뭐니 해도 외세의 놀음판이 되어버린 것 같은, 그리고 사필귀정의 궤에서 완전히 벗어난 것 같은 부조리한 우리 현실이었습니다.

4.19와 5.16

강진호 : 이제 화제를 바꾸어서요. 선생님께서 4.19와 5.16이라는 큰 사건을 겪으셨는데 당시 젊은 작가로서 4.19 의거에 대한 생각은 어떠셨어요? 그런 생각이 어떤 식으로든 작품에 반영되었을 것으로 보이는데….

남정현 : 물론입니다. 나는 한 작가로서 4.19 혁명의 그 실체를 내 두 눈으로 똑똑히 볼 수 있었다는 것이 가장 큰 자랑입니다. 사실 세계사 적으로도 4.19 혁명처럼 그렇게 맨손으로 온 백성들의 분노와 열망을 그렇게 집중적으로 반영시켜준 혁명이 어디 그리 흔하겠습니까? 4.19 혁명은 역사의 방향을, 그 패러다임을 완전히 바꿔 놓았으니까요. 즉, 예속에서 자주로, 독재에서 민주로, 억압에서 자유로, 매국에서 애국으로, 민중의 뜻에 맞게, 역사의 그 흐름을 돌려놓았다 이 말이죠. 정말 현란했습니다. 온갖 악의 화신 같았던 이승만 정권이 꽝하고 허물어지던 순간의 그 아름다운 불꽃, 나는 그때 한 작가로서 앞으로 내가 추구해야 할 아름다움(美)의 실상이 바로 저런 것이구나 하는 생각에 정말 가슴이 두근거리더군요. 그 후 내가 쓴 것이 「너는 뭐냐」죠. 그때까지 외세의 편에 서서, 독재자의 편에 서서, 그들의 각본에 놀아나던 자들을 향해, 뭔가 강력하게 '너는 뭐냐?'라고 묻고 싶은 심정 때문이었죠. (웃음)

강진호 : 5.16이 일어나자 매우 참담하셨을 텐데요.

남정현 : 그렇습니다. 참담했었다는 표현이 참 적절합니다. 역사의 방향을 완전히 또 한번 거꾸로 돌려놓은 꼴이었으니까요. 우리 역사의 중심축에서 작용하고 있는 외세의 힘이 그 얼마나 강력한가 하는 것을 확실히 증명한 사건이었다고나 할까요. 5.16 후에 쓴 것이 「부주전상서」와 「분지」였죠. 「부주전상서」는 파쇼 체제에 대한 항변이고, 「분지」는 그 파쇼 체제를 지원하는 외세에 대한 저항이며, 그것을 극복하기 위한 일종의 몸부림 같은 것이라고 생각합니다.

강진호 : 그 때가 선생님께서 잡지사에 근무하실 때였지요?

남정현 : 그렇습니다.

신동엽과의 만남

강진호 : 그 당시 선생님이 교류하셨던 문인들은 어떤 분들이셨어요?

남정현 : 당시 광화문 네거리에 '월계'라고 하는 다방이 있었는데 그곳에 많은 문인들이 다녔어요. 나도 물론 단골이었고요. 위치도 좋았지만 문인을 이해하는 '월계' 주인 내외의 마음씨가 좋아서 더 끌린 것 같아요. 그때는 워낙 궁핍하던 때라 차(茶)도 외상으로 많이 마셨거든요. 열흘에 한번, 혹은 한 달에 한번 갚는 사람도 있었고, 외상값이 정 밀리면 감히 차달라는 소린 못하고 계속 엽차만 마시면서 죽치고 앉아 있는 사람도 많았지요. 그래도 주인은 그렇게 모진 소리로 큰 소리 한번 안쳤거든요. 지금 생각하면 그러고도 무슨 장사가 됐는지 수수께낍니다. (웃음) 하여튼 나는 그때 그곳에 출입하던 문인들과 많이 어울렸어요. 한무학, 박승훈, 그리고 『자유문학』에서 함께 나온 박용숙, 최인훈, 그리고 그때 <서울신문>의 기자로 있으면서 평론 추천을 받은 신동한, 그런데 이 신동한의 부친 되는 신영철 선생께선 개벽사에서 방정환 선생이 창간하신 바로 그 『어린이』 잡지의 주간이셨기 때문에 신동한을 통해서 당시 개벽사를 중심으로 활동하던 여러 문인들의

에피소드를 듣는 것이 퍽 흥미로웠지요. 그리고 자주 드나들던 친구가 하근 찬, 신동엽, 오상원 등 그 외에 또 많았습니다. 김수영 씨도 자주 나왔고 '고바우 영감'을 그리던 김성환 화백도 단골이었지요. 술만 취하면 김관식, 천상병, 이현우 시인도 자주 들이닥쳐 일장 연설을 하곤 했지요. 다들 그리운 사람들입니다. 서로 아무 스스럼없이 인간사에 관한 예길 나누면서 그 험한 세월을 같이 보냈는데 말입니다.

강진호 : 여러 문인들과 사귀셨는데…, 당시 신동엽 시인과도 친분이 있 으셨던 거군요. 선생님이나 신동엽 시인 모두 외세에 대한 인식이 남다르셨 는데, 두 분이 잘 알고 계셨다니 꽤 가까우셨겠어요?

남정현 : 그렇습니다. 서로 작품을 발표하기 시작하면서 알게 되었어요. 하근찬 씨가 아마 '월계'에서 처음 내게 소개 한 것 같아요. 신동엽을 말입니 다. <조선일보>에 「이야기 하는 쟁기꾼의 대지」라든가 뭘로 당선된 시인 이라구 소개하더군요. 사람이 어찌나 조용하고 선량해 보이던지, 공연히 화 가 날 정도였습니다. 하여튼 그 후 몇 번 만나는 사이에 서로 의기가 상통해 서 거의 매일 만나는 사이가 되었었지요.

강진호 : 신동엽 선생에 대해서 기억나는 건 없으세요?

남정현 : 왜 없겠어요. 많지요. 둘 사이의 자자분한 예기는 다 그만두고요. 두어 가지만 말씀드리죠. 하나는 그가 이 세상을 떠나던 모습이 잊혀지지 않아요. 그렇게도 의연할 수가 없었기 때문이죠. 신동엽은 정말 죽음 앞에서 조금도 비겁한 언동이나 표정 같은 것을 보여 주지 않았습니다. 끝까지 그는 한 인간으로서 그리고 한 시인으로서의 높은 품위를 흐트러뜨리지 않았거든 요. 저 친구가 정말 사바세계의 인간인가? 하고 의심할 정도였지요. 예를 들면, 그는 좀더 살 수 있는 길이 없을까 해서 조바심을 친다든가, 혹은 삶에 대한 미련이나 애착 같은 것을 주변에 강하게 표시하여 누구한테 애걸 한다든가 하는 일이 전혀 없었어요. 그는 사회와 인생을 꿰뚫어 보듯 자신의 병을 그 결말까지 다 꿰뚫어 보고 태연했던 것 같았어요. 도리어 주변 사람을

위로해 줬지요. 너무 걱정들 말라고 말입니다. 그가 죽기 이틀 전이든가요, 나는 하도 답답해서 여기저기 수소문하여 뜸 한방이면 죽을 사람도 살린다는 어느 한의사 한 분을 데리고 그한테 갔었지요. 내 성의를 봐서 그랬는지 그는 거부하지 않고 그 뜨거운 뜸을 여러 곳에 뜨면서 곁눈질로 나를 보며 슬며시 웃더군요. '너도 꽤 어리석은 놈이구나' 하고 나를 딱하게 여기는 웃음 같았어요. 그 다음 다음날, 그는 이제 할 일을 다 했다는 듯이 아주 담담한 표정으로 조용히 눈을 감더군요. 한 인간이 젊은 나이에 유명을 달리하면서 어쩌면 그렇게도 담담할 수가 있었을까 하고, 요즘도 이따금 생각해 봅니다만 아직 결말을 못 얻었습니다.

그리고, 또 한 가지는 시집 얘긴데요. 재일교포인 허남기라는 시인이 쓴 『화승총(火繩銃)의 노래』란 시집을 내가 어느 고서점에서 사 읽은 적이 있었어요. 물론 일어로 쓴 시집이었지요. 오래된 일이라 내용은 거의 다 잊었지만 어쨌든 순이(順伊)라는 주인공을 내세워 동학혁명에서 3.1 운동까지 대를 이어 외세와 싸우는 이야기를 시화(詩化)한 것이었거든요. 당시로는 드문 시라 신동엽한테 빌려 줬더니, 얼마 후 읽어봤다면서 그러더군요. 시는 좋은데 무거운 내용을 너무 단순하게 썼다고 말입니다. 그래서 내가 그때 농담조로 말했었지요. 그럼 신동엽 자넨 단순하지 않게 복잡하고 거창하게 써서 민족의 가슴을 탕탕 울리는 시를 한번 써 보라고 말입니다. 그 후 그는 정말 『화승총의 노래』와는 비교할 수도 없는 대작을 써 가지고 지금까지도 민족의 가슴을 탕탕 울리고 있거든요. 『금강』 말입니다. 참 감회가 새롭습니다.

강진호 : 외세문제에 대한 시각이나 입장이 선생님하고 두 분이 제일 급진적이었고 또 상통하는 부분이 많았잖아요.

남정현 : 보기에 따라선 그렇게 볼 수도 있겠지요. 하지만 외세문제에 있어선 나보다 신동엽 쪽이 훨씬 더 철저했습니다. 언행(言行)이 일치한 친구였다고나 할까요. 나는 50년대 미국 영화를 참 많이 봤습니다. 지금도 그렇지만 당시엔 더욱 미국 영화가 주류였으니깐요. 미국 영화 중에서도

나는 서부영화 팬이었지요. 1880년대까지 조직적으로 백인에 끝까지 맞서던 인디언 최후의 저항선이랄지, 그 아파치족마저 아리조나에서 허물어지는 모습까지 영화로 다 봤으니까요. 백인들이 인디언 땅을 마구 싸돌아다니며 자기들이 일방적으로 정한 법과 질서와 규범을 그들이 지키지 않는다는 이유로 그들의 땅을 야금야금 다 차지해 가던 수법이 참 절묘하더군요. 그것이 지금 세계에 대한 미국의 패권 전략과 얼마나 많이 다른 것인지 참 착잡하거든요. 그런데 당시 신동엽은 미국 것이라면 다 싫어했습니다. 영화도 미국 영화는 안 봤어요. 그것 다 돈지랄인데 그것도 영화라고 보느냐구요. 그래서 나는 영화를 보되 내게 필요한 신만 보고 필요하지 않은 신썬은 안 본다고 그랬었지요. (웃음) 그는 양담배도 절대 안 피웠습니다. 나는 카멜, 모리스, 럭키스트라이크 등 양담배만 피웠었지요. 남정현과 양담배는 어울리지 않는다고 그는 내게 종종 핀잔을 줬지만, 그때마다 나는 웃으면서 내가 미워하는 것은 미국의 제국주의 정책이지 양담배가 아니라며 웃었지요. 그러면 그는 소설가는 평계가 많아서 시인 보단 그 격이 밑으로 훨씬 처질 수밖에 없다고 그랬거든요. (웃음)

「분지」 필화사건

강진호 : 선생님이 처음으로 고초를 당하신 게 「분지」(65) 발표 직후였죠. 발표직후 북한의 잡지에 전재되고, 그것이 빌미가 되어 빨갱이로 몰려 고초를 겪으셨던 걸로 아는데, 그 상황을 좀 말씀해 주시지요?

남정현 : 내가 조사 받을 때 가장 고통스럽던 것은 수사관들이 나 보고 「분지」를 쓴 자를 대라고 호통 칠 때였습니다. 너는 「분지」를 쓸 자격이 없는 자라 틀림없이 북에서 누가 써 가지고 너를 통해 발표했다는 첩보가 들어 왔으니, 공연히 고통당하지 말고 그 놈의 이름을 대라는 것이었지요. 그러면 살아서 이곳을 나갈 수 있다고 말입니다. 처음부터 그렇듯 황당하게

접근하니까, 도리어 마음은 편해지더군요. 될 대로 되라는 심정이었지요. 몇날 며칠을 혹독하게 대해도 성과가 없자 그들은 내가 썼다는 걸 인정하게 되었는지 실망하는 눈치였어요. 그런데 중요한 것은 그들이 「분지」를 심문하는 그 언동과 태도였어요. 정말 문제더군요. 실망했습니다. 그들은 도무지 티끌만한 민족적인 양심도 자존심도 없어 보이더군요. 말끝마다 미국이 없으면 나라도 없고 자기도 없다는 식이었거든요. 그 어떤 명분을 내 걸어도 미국에 대한 비판적인 말은 조금도 허용되지 않았습니다. 나는 사실 그때까지만 해도 정부를 지칭하여 무슨 식민지니 허수아비니 하고 떠돌던 말들을 액면 그래도 믿진 않았거든요. 그것은 아무래도 좀 과장된 정치성 짙은 공격용 용어라고 간주했기 때문입니다. 그런데 정부의 의식을 대변한다는 수사관들의 언동을 보고 그때 나는 깜짝 놀랐습니다. 생각지도 않은 자리에서 이 나라의 실체를 확인한 것 같아서 말입니다. 불가에서 말하는 소위 그 돈오돈수(頓悟頓修) 한 느낌이었달까요. 아 사실이었구나. 그것은 풍문도 과장도 아닌 사실이구나, 그렇게 생각하니 정말 답답하고 허탈한 심정이었지요.

강진호 : 「분지」에서 선생님이 말씀하신 것은, 현실의 문제가 단순히 정치의 문제가 아니라 세계적인 정치 세력의 문제라는 것이었지요.

남정현 : 그렇습니다. 그래서 「분지」에 펜타곤을 등장시킨 거지요. 국내 정치, 경제, 문화, 각 부분에 깊이 뿌리내리고 있는 외세라고 하는 그 거대한 힘의 상징적인 장소로서 말입니다. 그러니까 거기서부터 일이 잘 풀리지 않으면 우리 현실 문제가 잘 풀릴 리가 없죠. 구조상 말입니다.

강진호 : 그건 결국 제국주의에 대한 인식을 전제한 것으로 보이는데…, 아까 플레하노프에 영향을 받았다는 거 말고 따로 학습하신 것은 없었습니까?

남정현 : 나는 예나 이제나 늘 혼잡니다. 물론 정신적으론 남과 늘 함께 있지만 현실을 보고 생각하는 것은 늘 혼잡니다. 물론 내가 플레하노프의

몇몇 저서를 보고 문학에 대한 인식을 넓히는데 좀 도움을 받은 것은 사실입니다만, 그러나 내게 「분지」를 쓰게 한 그 배후세력은 어디까지나 우리 '현실'입니다. 외세의 예속권에 놓여 있는 우리 현실, 민족적인 입장에서 숨 한번 제대로 못 쉬게 하는 것 같은, 뭔가 이 강요된 것 같은 이 부당한 현실이 나로 하여금 글을 쓰게 한 동력이 되어준 셈이죠. 내 자신의 문학관과 현실관이 집약된 게 이 「분지」인 것이죠. 나는 한 작가로서, 내가 살고 있는 이 현실을 늘 가짜라고 인식하며 살았으니까…. 그러니까 진짜 세상에 대한 뭔가 그 간절한 희원(希願), 그것이 제 문학의 발원지라고 할 수 있습니다. 그런데 8.15 이후 외세와 야합하여 이 가짜 세상을 진짜 세상으로 착각하게끔 현실을 조작한 범인들의 그 흉악한 흉계를 밝히는 것도 우리 시대 문학의 중요한 한 기능이라고 생각합니다.

강진호 : 방금 외세 이야기를 하셨는데…. 선생님 작품에는 희화화된 인물들이 많거든요. 그런 인물들은 이 압도적인 외세의 힘에 의해서 제대로 자신의 능력을 발휘하지 못하는 일반 민중들이라고 할 때, 그런 민중들의 역량의 부족이 선생님으로 하여금 희화화된 방식을 택하게 한 건 아닌가 하는 생각도 드는데요.

남정현 : 잘 보셨습니다. 나는 못했습니다만 앞으로 많은 작가들이 진짜 세상에서 한번 살아보고 싶은 아름다운 꿈을 안고, 이 추악한 가짜 세상을 청산하기 위해 여러 각도에서 헌신적으로 싸우는, 우리 시대 민중들에게 힘이 되고 격려가 되고 위로가 될 수 있는 그런 빛나는 작품을 많이 써야 되리라고 봅니다.

강진호 : 그렇지요. 그런데, 4.19를 전후해서 뭔가 그 외세라든가 국내의 여러 내부 모순이라든가, 그런 현실을 타개할 수 있는 대안 세력들, 그 세력들과의 교감이나 관계, 뭐 그런 건 없었습니까?

남정현 : 생각하면 시대를 꿰뚫어 보는 그런 조직화된 튼튼한 대안세력이 없었기 때문에 어이없게도 4.19 혁명의 전취물을 처참하게 빼앗긴 것이 아

니겠어요. 5.16의 무리들에게 말입니다. 참 통탄스런 일이었지요. 하지만 그때나 이때나 우리에겐 나라를 품위 있게 다시 일으켜 세울 그런 대안 세력이 없었던 것은 아닙니다. 있었죠. 생각하면 수많은 세월 민족의 존엄과 그 자주권을 위해 면면히 싸워온 선열들, 그 선열들의 정신을 이어받은 그 후예들, 그들이 다 대안 세력이 아니겠어요. 좀 멀리는 동학혁명과 항일투사의 정신을 이어받은 그 후예들, 그리고 8.15 이후 단독정부를 반대하고 통일을 위해 헌신한 용사들, 그리고 4.19와 5.18의 전사들, 동시에 독재체제와 맞서 싸워온 모든 투사들, 그리고 그 정신을 이어받은 모든 사람들이 다 우리 민족의 얼이며, 자존심이며, 나라를 바로잡을 대안세력입니다. 그런데 지금까지 독재 권력은 외세와 야합하여 이들을 다 불온분자로, 용공세력으로 매도하면서 이들을 타도하느라 여념이 없었지요. 천인공노할 일입니다. 그러나 온갖 탄압에도 굴하지 않고 세력을 더욱 넓힌 이 대안세력들은 지금 전방위적으로 사회 각 분야에서 제 몫을 다하고 있다고 봅니다. 민족의 편에 꿋꿋하게 서서 말입니다. 4.19 당시와는 사정이 다릅니다. 이들은 언젠가는 역사의 흐름을 바로잡기 위해서 힘차게 부상하리라 봅니다. 우리 민족의 앞날은 밝습니다. 많은 작가들이 이들의 편에 서서 이들에게 힘이 되고 기쁨이 될 수 있는 좋은 작품을 쓰게 되겠지요. 그렇게 되길 기대한다는 거죠.

강진호 : 1963년에 『한양』지에 「혁명 이후」를 발표하셨잖아요. 그런데 『한양』지는 일본에서 발간되었거든요. 혹시 당시 일본 지식인들, 일본 사상가들과 어떤 교류는 없었나요? 가령, 뭐 조총련이나….

남정현 : 그런 일은 별로 없었지요. 이곳에서도 알 것은 대강 알 만한 상황이었으니까요. 그리고 그 『한양』지 말씀인데, 서울에서 『한양』지의 대리인 역할을 하시던 분이 정종 선생이셨거든요. 당시 정종 선생은 동국대학에서 철학을 강의하고 계셨었죠. 그 분이 어떤 경로로 『한양』지와 인연을 갖게 되었는지는 모릅니다만 하여튼 원고청탁서도 원고료도 다 그 분한테서 받았거든요. 고료가 다 변변찮던 시절에 『한양』지에선 고료를 꽤 많이 주더

군요. 그래서 우선『한양』지에 호감이 갔었지요. 정종 선생은 사실 정신적으로 유물사관과는 별로 인연이 없으신 분이었거든요. 워낙 인품이 훌륭하셔서 학생들이 많이 따랐었지요. 이젠 연세가 많으셔서 교단에선 은퇴하셨지만 지금도 시골에서 많은 후학들한테 존경을 받고 계시다고 하더군요.

민청학련 사건

강진호 : 이제 70년대 이후의 이야기를 했으면 합니다. 1974년도에 선생님께서 대통령 긴급조치 1호 위반으로 구속이 되셨거든요. 그게 소위 말하는 '민청학련 사건'인데, 그 당시 선생님께서는 어떠셨는지, 어떤 상황에서 사건에 연루되어 고초를 겪으셨는지 말씀해주시지요.

남정현 : 세상에 다 알려진 바와 같이, '민청학련 사건'은 평생을 민족 앞에 씻을 수 없는 죄를 진 그 박정희란 자의 마지막 발악 같은 성격을 띠고 있습니다. 총칼만을 앞세운 소위 그 유신체제로도 정권을 유지할 수 없게 되자 박정희는 악에 받쳐 가지고 긴급조치를 1호, 2호, 3호, 4호 하고 남발하면서 끝내는 민청학련 사건을 조작한 거거든요. 그것이 아마 1974년 초지요. 아무리 탄압해도 유신에 대한 학생들의 저항이 점점 더 거세지자 박정희는 학생들을 북과 연계시켜 가지고 일거에 타도해 버리겠다는 속셈이었지요. 그때 학생들과 사상적으로 연계시키기 위해 등장시킨 것이 소위 '인혁당 사건'입니다.

'인혁당 사건'은 사실 60년대 정치적으로 써먹을 대로 써먹어서 이미 빛바랜 사건이었죠. 그런데도 유신정권은 너무나 급했던지 또 다시 '인혁당 사건'을 끄집어내 가지고, 북과 연계되어 있는 인혁당의 사주를 받아 학생들이 폭력으로 국가를 전복시키려 했다는 식으로 사건을 그렇게 끌고 간 거거든요. 그래서 하루아침에 인혁당 관련 인사들을 일곱 명이나 죽이지 않았습니까? 참 엄혹한 시절이었죠. 그 와중에 나도 체포되어 안기부의 지하실로 끌려갔었지요.

당시 나는 한국문화인쇄주식회사의 편집주간으로 있었거든요. 50년대부터 가까이 지내던 김성환 화백의 소개로 얻은 직장이었는데 사원이 한 백 이삼십 명쯤 되었었지요. 당시로는 색판 인쇄계에서 꽤 알아주는 인쇄소였어요. 그런데 집에도 직장에도 알릴 새가 없이 퇴근길에 그냥 잡혀들어 갔으니 참 어이가 없더군요. 워낙 살벌하던 때라 미운 털이 박혀 있으니 예비 단속으로 보안상 아마 며칠 격리시킬 모양이구나 그렇게만 생각했었지요. '미운 털'이란 내가 65년에 소설 「분지」를 발표하여 옥살이를 했다는 것과 71년에 '민주수호국민협의회'를 결성하는데 관련했었다는 것, 그 정도였습니다. '민주수호국민협의회'란 박정희가 삼선개헌을 하고 장기 집권에 들어서는 것을 막기 위해 민간 차원에서 처음으로 박정희 체제에 조직적으로 반기를 든 단체였지요. 변호사 이병린 선생, 언론인 천관우 선생, 기독교계에서 가장 선망이 높던 김재준 선생, 이 세 분을 공동대표로 모시고 뜻있는 종교인, 언론인, 법조인, 문인들이 모여서 그해 4.19 혁명 기념일을 택하여 강력한 반독재 성명을 발표하고, 반박정희 투쟁에 나선 사건이었죠. 당시 국내외적으로 정말 큰 파문을 일으킨 사건이었습니다. 그때 그 단체의 창립을 위해 주도적으로 활동하던 분이 내게 부탁하여 결국 우리 문인들도 거의 20여명이나 그 단체에 참여할 수 있게 되었지요. 당시엔 큰 결단이 필요했던 행동이었어요. 그런데, 내가 그때 긴급조치로 구속된 건 그런 저런 미운 털이 직접적인 원인이 아니더군요. 어마어마하게 '민청학련 사건'의 그 배후 세력의 한 축으로 몰고 가려 하는 거예요. 난감했습니다. 이제 날 죽이는구나 그런 생각도 들더군요. 내가 누구누구와 공모하여 그해 3.1절을 기해 정일형 선생과 장준하 선생을 내세워 가지고 그 분들로 하여금 유신체제에 대한 강력한 반대 성명을 발표케 하여 학생들을 고무시킴으로써 그들을 국가 전복의 길로 유도하려 했다는 거였거든요. 기가 막히더군요. 물론 그 즈음에는 내가 「분지」를 쓴 작가라고 하여 이따금 나를 찾아오는 학생들과 만난 것은 사실입니다. 만나서는 주로 문학 얘기를 했지만 소위 그 유신체제의 부당성에 대해서 나대로의 견해를 얘기한 것도 사실이었지요. 그러나 누구를 내세워 무슨 행사를 모의하고 무슨 세력을 형성하여 국가 전복을 기도했다는 등의 그런 얘기는 다 헛소리였지요.

그때 나와 관련을 지으려는 몇 사람은 긴급조치 내내 피신하여 잡히질 않았고, 유일하게 이현배 씨만이 잡혀 가지고 엄청난 고통을 겪었지요. 이씨는 당시 서울대 사학과를 졸업하고 대학원에서 석사과정에 있었는데 참 훌륭한 청년이었어요. 머리도 명석하고 정말 사학도답게 국내외 정세를 분석하고 판단하는 그 시각이 퍽 정확해 보이더군요. 이씨와 같이 그런 유능한 인재들이 앞으로 사회에 진출하면 나라를 바로 잡는데 크게 기여하겠구나 그런 생각이 들었거든요. 그때 그는 학생들 중에서 가장 선배였다는 이유에서인지 군법재판에서 사형선고를 받고 오래 옥살이를 하다가 결국엔 사형을 면하고 풀려났었지요. 나는 무슨 이유에선지 긴급조치 내내 기소도 되지 않고 옥살이를 하다가 예기치 않게도 육영수 씨가 저격을 당한 이후 긴급조치가 해제되는 바람에 석방되었지요. 정말 무서운 세월이었습니다. 그 바람에 직장에서도 쫓겨나고 내 작품도 쫓겨났습니다. 그게 무슨 소린가 하면요, 당시 내가 구속되기 전 '어문각'에서『한국문학전집』을 낸다고 내게 청탁이 왔었어요. 나는 청탁대로 10여 편의 단편을 넘겨주고, 그리고 OK 교정지까지 나와서 교정까지 봤는데, 갑자기 구속되었거든요. 그런데 내가 석방되어 나와 보니까『전집』은 이미 나왔는데 내 작품만 쏙 빠진 거예요. 사정을 알아봤더니 내가 긴급조치로 구속되는 것을 보고 비평가 중에 누가 편집실을 찾아 와서『문학전집』에 빨갱이의 작품은 실어서 안 된다고 강하게 항의하는 바람에 할 수없이 그렇게 되었다는 거예요. 글쎄 그것도 다 이 땅에서나 볼 수 있는 기현상이겠죠.

강진호 : 지금이야 회고니까 그렇지만, 당시에는 그 고통이 이루 말할 수 없을 정도였겠습니다.

남정현 : 그렇습니다. 그때 '남산'의 지하실에 갇혀 있을 땐 이런 일도 있었거든요. 그러니까 내가 잡혀 와서 한 일주일쯤 됐을 때였죠. 그런데 그 지하실은 벽면만을 바라보고 여러 사람들이 옆으로 쭉 앉아 있을 수 있는 일종의 대기실이었거든요. 누구든 일단은 그 대기실에 앉아 있다가 차례가 오면 수사관 실로 불려가곤 했지요. 그런데 나는 이미 일주일 전부터 와서 한번 누워보질 못하고 밤낮없이 계속 의자에 앉아 있느라고 심신이 피곤할 대로 피곤한 상태였는데 누가 옆에 와서 털썩 앉는 거예요. 순간 서로가 잠깐 쳐다보고 깜짝 놀랐지요. 그리고 우리 둘은 약속이나 한 듯 아무 말 없이 입을 꽉 다물고 말았거든요. 너무나 친한 친구였으니까요. 그때는 아무 것도 아닌 일을 가지고도 무슨 꼬투리만 있으면 사람을 순 생으로 두들겨 패서 사건을 조작하던 시기라, 무슨 일이 생길지 누가 알아야 죠. 그래서 서로가 생면부지의 사람을 대하듯 그렇게 며칠을 지냈거든요. 비극이었죠. 그 친구는 서울대 철학과를 나와서 그때 고등학교 교사로 있었 는데요, 황현승이라고요, 학식도 학식이지만 그 친구는 누구한테도 군자소 릴 들을 정도로 인품이 아주 훌륭한 친구였죠. 그런데 하루는 이 친구가 불려나가더니 다시는 들어오지 않더군요. 그 후 그 친구는 9년 동안이나 옥살이를 했어요. 긴급조치 때문에요. 나는 그때 그 친구가 나간 이후 곧 졸도를 했거든요. 2주일이나 잠을 못 자고 의자에 앉아 있기만 하니까 나 같은 체격에 견딜 수 있었겠어요. 그들은 나를 병원으로 옮겨서 회복시켜 놓고 곧장 형무소로 보내더군요. 참으로 험한 나날이었습니다.

강진호 : 1974년도에 그 일이 있었고, 75년도에 「허허선생 2」를 발표하시 고, 그 다음 80년 즉, 5년이 지나고 나서 「허허선생 3」을 발표하시고, 그리고 는 작품 발표가 거의 없었는데, 그게 다 그 사건의 후유증과 무관한 게 아니 었군요.

남정현 : 무관할 수가 없었겠죠. 우선 건강이 완전히 허물어졌으니까요. 늘 소화가 안 되고, 어지럽고, 체중이 40킬로로 떨어지는 거예요. 의사 말이

불안신경증이라더군요. 그때부터 오늘날까지 '바리움'이란 신경안정제를 계속 먹고 지내요. 뭘 한 줄이라도 쓰자면 한 두 시간이라도 정신을 집중해야 하는데 멀쩡하다가도 책상에 앉아서 뭘 좀 골똘히 생각하면 머리가 핑 돌거든요. 그럼 공포증이 생기고 불안하고 하루 종일 꼼짝 못해요. 뭘 좀 쓰고 싶긴 한데 영 엄두가 안 나거든요. 「허허선생 1」도 사실은 '분지 사건'이후 처음 쓴 작품이었어요. 그게 아마 73년도였지요. 당시 비평가 이어령 씨가 자기가 『문학사상』이라는 잡지를 맡았는데 오래간만에 소설 한편 써보라고 권하기에 겨우겨우 썼지요. 박정희 같은 자를 염두에 두고 일제 식민지체제 같은 것이 아직도 그대로 유지되고 있는 것 같은 현실을 풍자해 보고 싶어서였지요. 그리고 지금 말씀하신 「허허선생 2」는 75년도 작이니깐 '민청학련 사건'을 겪고 그 다음에 쓴 거거든요. 이상하게도 작품을 하나 쓰면 사건을 겪게 되더군요. (웃음)

풍자의 전통과 남정현

강진호 : 선생님의 말씀을 듣고 보니, 선생님 소설이 주제가 강하고 또 너무 한 가지만을 말하고 있는 게 아닌가 하는 평소의 의문이 좀 풀리는 거 같군요. 계속 선생님의 상처를 건드린 듯해서 죄송스럽습니다. 이제 다른 얘기를 했으면 하는데, 선생님 작품을 문학사적 시각에서 보자면 채만식에서 김유정으로 이어지는 풍자의 전통 속에 놓여 있는 게 아닌가 합니다. 혹 습작과정에서 이 분들의 작품을 읽진 않으셨나요?

남정현 : 우리 문학사에서 빛을 내고 있는 분들과 제 작품을 관련시켜서 말씀해주시니 제겐 너무 분에 넘친다는 느낌입니다. 그런데 저는 죄송스럽게도 그런 분의 작품을 얼마 못 봤거든요. 젊었을 때 김유정 선생의 작품은 몇 편 보았는데 제 기억 속에 아직도 그리움으로 남아 있습니다. 그런데 제 생각엔 풍자정신이라고 하는 것은 어떤 한정된 사람에게서만 나타나는

것이 아니라 어떻게 보면 우리 민족에게 있어선 체질화된 민족성의 한 부분이 아닌가 그렇게 여겨지거든요. 수많은 세월 외세의 간섭과 그 지배 속에서 살아오는 동안 그에 대한 분노와 저항의 불씨가 풍자와 같은 그런 간접적인 형태로 나타난 것이 아니겠느냐 그 말입니다. 그런데 그 풍자라는 것이 울분을 삭이는 일종의 생존양식이기도 했겠지만, 우리 민족에게 있어선 결국은 그 풍자란 형식의 저항정신이 외세를 물리칠 수 있는 그런 어떤 힘의 근간이 된 것이 아닌가 그런 생각도 들 때가 있거든요. 사실 우리나라 사람들처럼 그렇게 풍자적인 어법에 능한 사람들도 별로 없을 겁니다.

강진호 : 그러면 선생님께서 풍자 기법을 자주 애용하신 건 지금말씀하신 대로 상황이 워낙 억압적이니까, 그래서 미처 말할 수 없는 상황에서 그것을 뛰어넘기 위해서 사용한 거군요.

남정현 : 그런 셈이죠. 한 시대의 진실을 가리고 있는 장막, 그러니까 그 장막 뒤에 숨어 있는 진실에 접근하기 위한 수단으로서 가장 효과적인 방법이 문학에 있어서는 풍자적인 수법이 아닌가 그런 생각이 든다는 거죠. 그런 의미에서 나는 문학에 있어서 그 '외설'이란 문제도 그런 식으로 이해하거든요. 외설이란 것이 단지 그저 독자들의 호기심이나 성선(性線)을 자극하기 위한 수단으로서가 아니라 뭔가 탄압을 뚫고 시대의 진실을 밝히기 위한 그런 일종의 무기로서 작용할 때 작품상에서 그 효용성을 인정받을 수 있다 그런 말이죠.

최인훈과 김승옥

강진호 : 이제 또 말씀을 좀 돌려서요, 아무래도 선생님께서 문학사적으로 의미를 갖는 것은 「분지」를 전후한 60년대라고 생각하는데, 당시 선생님께서 보시기에 60년대 문단 내지는 60년대 소설사는 어떠셨어요. 이호철 선생이나 하근찬 선생 같은 분들이 왕성하게 활동하셨잖아요?

남정현 : 당시의 남의 작품을 많이 읽지 않은 사람으로서 감히 소설사를 운운하기보다는 당시의 문단 분위기에 대해서 한 마디 하죠. 물론 지금 말씀하신 이호철 씨나 하근찬 씨 하고도 꽤 가까이 지냈습니다. 당시엔 사상 의식이나 작품 경향이 서로 다르다고 하더라도 서로가 글을 쓰는 문인이라는 그 동류의식 하나만으로도 그렇게도 서로 간에 정다울 수 가 없었거든요. 그저 언제 어디서든 만나기만 하면 반가웠지요. 며칠만 안 보여도 안부가 궁금해서 걱정이었으니까요. 몇몇 빼고는 모두들 전화도 없이 지내는 형편이었으니 그럴 수밖에요. 그런데 요즘 문단은 이런 분위기랄까 이런 정겨운 인간관계가 많이 퇴색해진 것 같아서 섭섭하더군요.

강진호 : 당시 많이 외로우셨을 거 같은데….

남정현 : 겉으로는 허허하고 늘 웃고 지냈지만 속으로는 답답할 때가 많았죠. 그래서 정신적으로는 늘 그저 나 혼자의 세계에 숨어 지낸 형편이었다고나 할까요, 그저 그렇습니다.

강진호 : 선생님이 등단하신 그 즈음에 김승옥 선생이 「무진기행」을 발표해서 굉장히 각광을 받았고, 또 최인훈 선생도 『광장』을 통해서 문단의 총아로 떠올랐지요. 그 분들이랑 같이 활동을 하셨는데, 그 분들과는 어떠셨어요?

남정현 : 최인훈 씨나 김승옥 씨나 인간적으로는 다 가까이 지낸 사이입니다. 두 사람 다 내가 범할 수 없는 좋은 작가죠. 특히 50년대 최인훈 씨하고는 흉허물 없이 매일 만나는 사이였지요. 최인훈은 자기 말대로, 늘 에고의 세계에서 번데기처럼 견고하고 화려한 집을 짓고 그 속에 꼭 들어앉아 희희낙락하고 있었으니까요. 그런데 세월과 함께 그는 글쓰기에 바쁘고 나는 세상에 쫓기느라 바쁘다보니 본의 아니게 그와 만난지도 꽤 오래 됐거든요. 나이를 먹으면 그리움만 남는가 봐요. 다른 장면은 다 지워지고 말입니다. (웃음)

결혼과 가족

강진호 : 선생님께서는 가톨릭을 믿으시는 걸로 아는데, 언제부터 믿으셨어요?

남정현 : 우리 집안이 다 가톨릭 집안이에요. 아버님 어머님도 다 독실한 가톨릭 신자였고요. 나 혼자만 좀 이단자거든요. 그렇다고 영세를 안 받은 것은 아닙니다. 영세인으로서 충실하지 못하다 이 말이죠. 그렇다고 전혀 성당에 안 나가는 것은 아닙니다. 주로 성당이 텅 비었을 때, 아무도 없을 때 어쩌다 성당에 나갑니다. 텅 빈 성당에 혼자서 앉아 있는 것이 참 좋거든요. 그냥 멍하니 앉아서 저 앞에 십자가에 못 박히신 예수님을 바라보노라면 문득 그 주변에 우리 시대 예수들이 모여들거든요. 감동적이죠. 전태일, 박종철, 조성만, 이한열, 김세진 등등 그 이외 수많은 예수들이 말입니다. 나는 틀림없이 그들도 그리스도처럼 부활하리라 믿거든요. 부활할 사람들을 부활시키는 것이 하나님의 가장 큰 사랑이니까요.

강진호 : 얼마 전에 『서울을 사는 고독과 희열』이라는 산문집을 읽었는데 머리말에 보니까, 예수님 하고 바리새인들 둘을 비교하면서, 선과 악을 딱 나누어서 파악을 하고 계시더라고요. 그런 기독교적인 윤리관이 어쩌면 선생님 작품 세계의 한 축이 아닌가 하는 생각도 들더군요.

남정현 : 그건 본격적인 산문집이라기보다는 그때 내가 잘 아는 사람이 대중 잡지를 한다면서 고료를 많이 줄 테니 뭐 재미나는 신변잡기라도 하나 써 달라고 하도 조르는 바람에 그냥 우스개 소릴 넣으며 편하게 쓴 잡문이거든요. 어떻게 그런 것까지 보아 주셨나요. 죄송합니다. 그런데 내가 '서문'에서 선과 악을 분명히 한 것은 무슨 기독교적인 윤리관에서가 아니라 시대의 요구를 반영한 것이었지요. 사실 우리 시대처럼 이렇게 옳고 그른 것을 확실히 구분 할 수 있는 시대가 어디 그리 흔했나요? 그런 면으로 보면 우린

어쩌면 지금 행복한 시대를 살고 있는지도 모를 일입니다. 한 인간이 어떻게 사는 것이 옳고 그른가를 가리기 위해서 방황할 필요가 없으니까요. 안 그런 가요? 민주와 독재, 통일과 반통일, 민족자주세력과 외세의존세력, 이런 세력들이 각각 첨예하게 대치되어 있는 사회에선 사실 선과 악은 이미 결정 되어 있는 것일 테니까요. 이러한 상황에서 우리가 가장 경계해야 할 대상은 그저 무슨 일이 있을 때마다 중용이니 공정성이니 하는 애매한 척도를 휘두 르는 자들입니다. 이를테면, 과격하게 데모를 하는 자들도 나쁘지만 그걸 또 과격하게 막은 경찰도 나쁘다, 이런 식으로 역사를 우롱하는 자들 말입니 다. 그럼 도대체 어쩌라는 건가요? 그런 자들은 대부분 독재의 편에 서서, 외세의 편에 서서 나라야 어찌되든 계속 자신들의 기득권을 유지하려는 자 들입니다. 이럴 때일수록 참다운 지식인은 목숨을 걸고라도 옳은 것은 끝까 지 옳다고 해야 합니다. 그래야 역사가 전진합니다. 그렇지 않으면 언제까지 나 역사는 정체의 늪 속에 빠질 수밖에 없지요. 말이 좀 거칠어져서 죄송합니 다. (웃음)

강진호 : 그간 살아오시면서 많은 고초를 겪으셨는데…, 집안은 다 사모 님이 돌보셨겠어요? (웃음)

남정현 : 그렇다고 봐 야죠. 집사람 덕을 참 많이 봤지요. 이런 얘긴 좀 우스운 얘기지만 남들이 한번 본받을 만한 여인이었거든요. 그런데 그렇게 열심히 일만 하다가 어느 날 한 마디 말도 없이 훌쩍 떠나더군요. 참 허망하 데요.

강진호 : 결혼은 몇 년도에 하셨어요?

남정현 : 57년도던가요. 아무 것도 없던 시절에 뭐 결혼이랄 것까지도 없지요. 그냥 소꿉장난처럼 인연을 맺었습니다. 둘이서 그냥 하늘을 향해 큰절을 한번하고 말입니다.

외세와 80년대 문학, 그리고 북한

강진호 : 또 선생님의 상처를 건드린 격이 됐군요. 다른 질문하나 드리면요, 선생님께서 쭉 말씀하신 게 외세와 제국주의 문젠데, 우리 문학사에서 그 문제가 본격적으로 등장 한 것이 80년대 중반 이후잖아요? 그런 작가들에 대해서는 어떻게 생각하세요?

남정현 : 참 대단한 변화였지요. 5.18이라고 하는 그 전대미문의 대참사랄까 그 충격에 의해서 그때까지 눈앞을 가리고 있던 장막이 단숨에 벗겨진 것이지요. 시대의 진실을 가리고 있던 그 장막이 말입니다. 참 감동적인 현상이었죠. 그리하여 우리 민중들은 자기 두 눈으로 똑똑히 외세의 실체를 보게 된 것이죠. 가면이 벗겨진 외세는 구세주가 아니라 이상한 괴물이란 사실도 알게 되었고요. 동시에 지금까지 살아온 현실이 실은 그것도 가짜였다는 사실도 알게 되었구요. 또 뭡니까? 그렇지요. 지금까지 지배계층이 국가 권력을 가지고 우리에게 강요한 가치체계도, 그게 다 조작된 허구였다는 사실이 폭로되어 버린 것이지요. 그러한 상황에서 작품의 형식과 내용에 소용돌이치듯 뭔가 큰 변화가 일어났다는 것은 자연스런 현상이었다고 보거든요. 그런데 근년에 와서 그것이 문학의 주된 자리를 차지하지 못하고 왠지 많이 흔들리고 있다는 느낌을 받는 것은 아무래도 안타까운 일이 아닐 수 없습니다.

강진호 : 사회주의권이 붕괴되면서 많은 작가들이 혼란을 겪었는데, 선생님의 생각은 어떠세요?

남정현 : 물론 난공불락이라고 생각되었던 소련 체제가 무너지는 것을 보고 우리 지식인들 사이에 혼란이 있었던 것도 사실이겠지요. 그러나 나는 역사를 긴 안목으로 보면 동구권의 사회주의 정당이 몇 개 무너졌다고 해서 그렇게 좋아할 것도, 또 그렇게 섭섭해 할 것도, 또 그렇게 의아해 할 것도

없다고 봅니다. 자연과학과 마찬가지로 사회과학도 과학입니다. 과학은 부단한 실험을 통해서만 소기의 목적에 도달할 수 있습니다. 실험이란 그 방법에 따라서 일시적으로 성공할 수도, 실패할 수도 있습니다. 물론 역사에선 실험이 있을 수 없다고 합니다만 그러나 그 역사를 움직이는 한 축인 정치적인 이념이나 체제는 실험을 통해서 사회에 공헌한다고 생각합니다. 나는 자본주의체제도 아직까지 실험중이라 생각하거든요. 보완하고 수정하고 하는 것도 다 실험 과정입니다. 그런데 이 세상에 한번도 있어 본 적이 없던 사회주의 체제가 실험 과정에서 한번 실패했다고 해서 그렇게 소란을 떨 필요는 없습니다. 사회주의는 그 실험 과정에서 어딘가가 잘못되어 한번 무너졌지만 그렇다고 사회주의가 지향하던 그 꿈이 무너진 건 아닙니다. 역시 또 자본주의에 실망한 일군의 세력들이 지구의 곳곳에서 지금보다 좀더 자유스럽고, 좀더 평등하고, 좀더 평화롭고, 좀더 풍요로운 사회를 꿈꾸며 새로운 이념과 새로운 체제를 부단히 실험에 보리라고 봅니다. 문제는 우리 현실입니다. 동구권의 사회주의 정권이 몇 개 무너졌다고 해서 우리 현실이 달라진 것은 없습니다. 외세 문제도 그렇고, 국내의 정치 문제도 그렇고, 사정이 더 복잡해져갈 뿐입니다. 우리 지식인들은 좀더 줏대를 가지고 좀더 창조적인 안목으로 현실에 발을 굳게 딛고 서서 우리 사회를 구제할 수 있는 경륜을 만들어가야 하겠죠.

강진호 : 선생님의 입장에서 보면, 북한식 사회주의, 소위 주체철학이 지배하는 체제가 뭔가 다른 의미로 보일 듯 한데요?

남정현 : 글쎄요, 나는 사실 북한식 사회주의나 그 사회주의를 관장하고 있는 주체철학에 대해 잘은 모릅니다. 좀 아는 것이 있다면 무슨 뜬소문처럼 간접적인 형태로 들은 얘기뿐이죠. 솔직하게 말해서 나는 아직 <노동신문> 한 장을 본적이 없거든요. 그러니까 나는 그 뜬소문 같은 것에 의지하여 내 작가적인 상상력으로 소위 그 북한식 사회주의를 유추해 볼 수밖에 없습니다. 그런 형편에 있는 나라, 주체철학의 그 내용에 대해선 왈가왈부 하고

싶진 않습니다. 다만 나는 북한의 입장에서 보면 주체철학이란 것은 자기들이 처한 그 엄혹한 역사적인 상황에서 필연적으로 출현할 수밖에 없는 것이었다고 생각하거든요. 도대체 지금 북한이 어떤 형편입니까? 반세기 이상이나 자기들의 존재를 없애려 하는 세계 최강의 미국과 맞서 있는 상태가 아닙니까? 북한은 그러한 조건에서 자기식대로의 사회주의 체제를 유지하고 또 자기식대로의 최소한의 민족적인 자존심을 지키기 위해서 주체철학에 의한 생활방식을 최선의 것으로 선택했다고 본다는 얘기죠. 그러니까 주체철학을 잉태하고 출산한 것은 북한이겠습니다만, 그러나 그 주체철학을 출산하게 한 그 배후 세력이랄까, 그 원인 제공자는 나는 미국이라고 생각합니다. 그래서 나는 조금도 긴장을 늦추지 않고 미국과 북한간의 그 밀고 당기는 드라마틱한 협상 과정을 주시하고 있습니다. 그것은 주체철학과 그 주체철학의 원인 제공자와의 힘의 대결이라고 보기 때문이죠. 이른바 그 주체철학이라고 하는 것이 사회와 인생을 해석하는데 있어서 어느 정도의 타당성이 있는지 없는지 하는 그 여부는 앞으로 미국과 북한간의 회담결과가 말해주리라 봅니다. 한번 지켜보십시다.

문학적 한계와 여생의 꿈

강진호 : 아까도 말씀하셨는데, 선생님의 작품을 쭉 읽으면, 외람되지만, 너무 시야가 좁은 게 아닌가, 그래서 현실감이 좀 떨어지는 건 아닌가 하는 생각도 들거든요. 선생님 작품에 대해서는 스스로 어떻게 생각하세요?

남정현 : 좋으신 말씀입니다. 그렇게 생각할 수도 있지요. 나 자신도 그런 생각이 들 때가 있으니까요. 하지만 내가 한 작가로서 깊은 관심을 기울이고 있는 것은 늘 우리 시대의 핵심 문제에 관한 것이거든요. 여기서 말하는 '핵심'이란 우리 시대를 불행하게 하는 뭔가 그런 핵심적인 모순을 말하는 것입니다. 이 핵심적인 모순을 단일 테마로 여러 각도에서 표현하다 보면

자연히 작가의 시각이 좁아 보일 수밖에 없겠죠. 하지만 한 사회의 핵심적인 모순을 정확하게 볼 수 있게 되자면 가능한 한 한 시대를 전방위적으로 넓게 이해할 수 있는 능력이 있어야만 가능하다 이 말이거든요. 그러한 뜻에서 '핵심'이란 그 특성상, 좁은 것 같으면서도 한없이 넓고 넓은 것 같은데도 좁을 수밖에 없는 그런 이중성을 내재하고 있는 것이 아닐까요. 이건 변명이 아닙니다. 핵심적인 모순이 백성들의 요구에 맞게 해결되면 정치, 경제, 사회, 문화 등 모든 부분에 얽혀 있는 문제도 그 해결의 실마리를 찾을 수 있다는 걸 생각할 때 그 '핵심'이 얼마나 넓은 영역을 통괄하고 있는지 알 수 있게 되거든요. 그래서 나는 작품에 있어서 시야가 넓으냐 좁으냐 하는 것보다는 늘 우리 사회의, 핵심에 무슨 변화가 있느냐 없느냐 하는 데에 더 관심이 있거든요. 그런데 아직까지는 별로예요. 외세문제도 그렇고 통일문제도 그렇고 그 외의 문제도 다 별로거든요. 제 능력부족을 호도하기 위한 변명으로 알아주십시오. (웃음)

강진호 : 선생님께서 가장 중요하게 생각하셨던 민족문제라든가 분단문제에 대해서 요즘 젊은 작가들은 대체로 무관심하지요. 젊은 작가들에게 하고 싶은 말씀이 있으세요?

남정현 : 글쎄요. 작가마다 특색이 있으니까 모두들 자기 취향에 따라 뭐든 좋은 작품을 쓰시겠죠. 하지만 단 한 가지 그 어떤 경우에도 작가는 인간에 대한 사랑을 저버려서는 안 된다는 거죠. 생각하면, 글을 쓴다는 그 자체가 인간에 대한 사랑의 선언이 아닌가요. 실은 작가도 하나님만큼이나 인간을 진심으로 사랑하기 때문에 그저 뻔한 틈만 있으면 인간을 위로하고 격려하고 그리고 그들에게 기쁨을 주고, 용기를 주고 아름다운 꿈을 주기 위해 피를 말리며 글을 쓰는 것이거든요. 그런데 그렇게 피를 말리며 좋은 글을 써서 인간을 기쁘게 하자면 우선 그 인간이 처해 있는 현실을, 그 구조를 알아야 되지 않겠습니까? 그런데 그게 진정 인간을 열정적으로 사랑하는 작가라면 그는 금방 우리 현실에서 인간이 행복을 추구하는데 장애가 되는

가장 큰 걸림돌을 발견하게 될 거거든요. 그런데 그 걸림돌이 뭔가요? 그게 바로 강 교수께서 아까 말씀하신 분단문제고 외세문제가 아니겠어요? 우리 시대 민족 전체의 행·불행에 관계되는 이 엄청난 문제를 우리가 보고도 어떻게 못 본 체 고개를 돌릴 수 있겠어요.

강진호 : 선생님께서 지난 문학 활동을 돌이켜 보면 많은 아쉬움이 남을 듯 한데요, 앞으로 꼭 이루고 싶은 꿈이나 계획이 있으시다면 말씀해 주시지요.

남정현 : 글쎄요. 우리 창작인들에게 무엇보다 중요한 것은 표현의 자유라고 생각하거든요. 자유롭게 상상하고 표현할 수 있는 자유가 있어야 좋은 작품도 나오고 좋은 작가도 나오는 것이니까요. 그런데 국가보안법은 그러한 자유를 제한하는 측면이 있어요. 미국을 비롯한 세계 어느 나라에서도 작가의 자유를 제한하는 경우는 없지요. 국가보안법이 완전히 철폐되어 예술인들이 자유롭게 창작할 수 있는 여건이 마련되는 것이 남은 바람이라면 바람이지요. 또 건강을 좀 회복해서, 생각하고 있는 작품을 마무리하고 싶어요. 젊은이들과 한 대열에서 작품을 발표해보고 싶은 게 남은 소망이지요.

강진호 : 장시간 말씀하셔서 매우 피곤하시지요. 항상 건강하셔서 계획하신 일을 모두 성취하시기를 빌겠습니다. 감사합니다. **새미**

반외세 의식과 민족의식

-남정현의 소설세계

임헌영*

1. 그날 이후

2001년 9월 11일 화요일. 아직도 더위가 채 가시지 않는, 그러나 이미 태양의 맹위는 이빨 빠진 호랑이처럼 긴 꼬리만 남겨놓은 가을의 초입이다. 야간 강의가 있는 날이라 집에 들어서기가 바쁘게 지친 몸을 쉬려는데 아내가 자못 요란스럽게 텔리비전 앞으로 잡아끌었다. 뉴욕 세계무역센터 건물이 마치 세팅이라도 한 듯한 날렵한 여객기에 의하여 일본 군도가 허리를 찌르듯이 푹 헤집어 파고들었다. 언제나 여유작작하여 충분히 예비하는 미국 언론들도 이 날만은 미처 다른 화면을 준비할 여유가 없었던지라 자꾸만 같은 화면을 반복했지만 조금도 지루하지 않는 긴장감의 연속이었다. 어느새 식구들은 모두 텔리비전 앞으로 총집합, 이 역사적인 장면을 보고 또 보고 또또 보고 또또또 보고…… 밤을 샜다. 이렇게 열심히 텔리비전을 본 적이 언제였더라? 총선과 대통령선거, 그리고는? 스포츠 중계를 사양하는 나로서는 무척 드문 이 희귀 기괴 엽기 포스트모던한 사건이 무한한 상상력을 자극해 주었다.

---

* 중앙대 교수, 문학평론가.

뇌리를 스친 첫 상념은 우습게도 '제발 북한이 관련되지 않았으면' 하는 간절한 염원이었다. 왜 하필 북한 관련 운운이냐고 통일론자나 반통일론자들 모두가 펄쩍 뛸 테지만 우리 세대는 이런 엄청난 사건 뒤 미국이 국제무대에서 어떤 역할을 할 것이며 그 여파가 어느 쪽으로 파급되리라는 등등의 상상력을 키우면서 성장하지 않았던가. 꼭 국립문서보관소나 수사당국이 발표를 하지 않아도 알 것은 알고, 설사 아무리 명백한 증거를 들이대며 진상을 공개한대도 안 믿을 건 안 믿도록 길들여져 버리지 않았는가. 이 민족적 이기주의의 한계를 벗어나지 못하는 나의 지성적 편협이여! 아, 드디어 동양계가 관련되진 않았다는 쾌보.

그러자 이번에는 엉뚱하게도 '좌경 용공분자'가 관련되지 않기를, 하고 바라게 되었다. 이 소망도 곧 상쾌한 해답을 얻었다. 이슬람 근본주의자, 극우파래도 그리 틀리진 않겠지. 자, 이제 나는 격동의 세계사를 관람석에 편안히 앉아 피해망상증 없이 바라볼 수 있구나.

시간이 흘러도 똑 같은 화면이지만 여전히 지루하지가 않다. 극과 극은 통한다더니 저 끔찍한 반인륜적인 살육과 파괴 행위가 하필이면 한 폭의 아름다운 예술적 형상화처럼 보일 수도 있다니. 하기야 히로시마 원폭 투하 장면에서도 비슷한 미학적 감동을 느낀 바 있음을 이 기회에 고백해 버리자. 미학이 인도주의와 조화를 이루지 못할 수도 있다는 이 비극. 모든 인간은 야수일 수도 있거늘.

그렇다. 미 대통령의 표정은 이미 이성을 잃었다. 그 격노를 억누르는 표정이 '보복'운운할 때 홀연히 떠오른 한편의 소설(역시 직업은 못 속여!).

남정현의 「분지」였다.

한 사나이를 체포하기 위하여 이 소설에 등장하는 미국 펜타곤은 어떻게 했던가.

⋯⋯저의 이 주먹만한 심장 하나를 꿰뚫기 위하여 정성껏 마련해 놓은 저들

의 저 엄청난 군비의 숫자를 말입니다. 지금 제가 숨어있는 이 향미산(向美山)의
둘레에는 무려 일만여를 헤아리는 각종 포문과 미사일, 그리고 전미군 중에서
도 가장 민첩하고 정확한 기동력을 자랑하는 미 제 엑스 사단의 그 늠름한
장병들이 신이라도 나포할 기세로 저를 향하여 영롱하게 눈동자를 빛내고 있는
것입니다.

－「분지」

바로 이 장면이다. 아프가니스탄이 곧 이 소설의 향미산 꼴이 된 것이다.
어디 그 뿐이랴. 온 세계 어디서나 혹시 불똥이 자기 쪽으로 튀려나 조마조마
하게 가슴 콩닥거리게 만드는 각종 보도들. "아링톤 발 0.038메가 사이클에
맞추시고 조용히 귀를 기울"이노라면 펜타곤 당국의 방송이 들린다. 지루하
겠지만 워낙 중요한지라 그대로 인용해 보자.

어디까지나 성조기의 편에 서서 미국의 번영과 그리고 인류의 자유를 확장
시키는 작업에 뜻을 같이 한 자유세계의 시민 여러분, 안녕하십니까. 이미 누차
반복하여 말씀드린 바와 같이 여러분들의 귀중한 생명과 재산과 그리고 자유와
안전에 관한 사항을 담당하고 있는 본 '펜타곤' 당국은, 최근에 극동의 일각인
코리아의 한 조그마한 산등성이 밑에서 벌어진 그 우려할만한 사태에 접하고
놀라움과 동시에 격한 분노의 감정을 금할 수가 없었던 것입니다. 하지만 전세
계의 자유민 여러분! 이제 안심하십시오. 여러분을 대신하여 본 당국은 바야흐
로 역사적인 사명감에 불타고 있습니다. 도대체 그 이름부터가 사람같지 않은
홍만수란 자가 저지른 그 치욕적인 사건은 분명히 미국을 위시한 자유민 전체
의 평화와 안전에 대한 범죄적인 중대한 도전행위로 보고 본 당국은 즉각 사태
수습에 발 벗고 나선 것입니다. 축복하여 주십시오. 이제 머지 않아 홍만수란
인간은 아니 인간이 다 무엇입니까. 그는 분명히 오물입니다. 신이 잘못 점지하
여 이 세상에 흘린 오물. 그가 만약에 악마가 토해낸 오물이 아닌 담에야 감히
어떻게 성조기의 산하에서 자유를 수호하는 미국의 병사를, 그의 아내의 순결
을 짓밟을 수가 있었겠습니까. 전세계의 자유민은 지금 분노의 불길을 감추지
못하고 있는 것입니다. 미 병사의 한 가정을 파괴하려는 그따위 작업에 종사하
는 인종은 전인류의 생존을 위태롭게 하는 악의 씨라는 사실에 의견이 일치했

기 때문입니다. 여러분! 이제 마음의 안정을 얻으시고 박수를 보내주십시오. 자유세계의 열렬한 성원을 토대로 하여 일억 칠천여만 미국인의 납세로써 운영되는 본 '펜타곤' 당국은 이제 머지않아 홍만수란 이름의 그 징그러운 오물을 이 지구상에서 완전히 쓸어버릴 것입니다. 자유민의 안전과 번영을 옹호하는 이 역사적인 과업을 성취하기 위하여 본 당국은 수억 불이라는 어마어마한 지출을 무릅쓰고, 일벌백계주의에 입각하여 홍만수는 물론, 그의 목숨을 며칠이나마 돌보아준 이 향미산 전체의 부피를 완전히 폭발시킬 계획인 것입니다. 자, 여러분. 앞으로 남은 시간 이십 분. 향미산 기슭의 주민들은 더욱 땅 속 깊이 몸을 묻으십시오. 그리고 고개를 숙이십시오. 명령입니다.

─「분지」

9.11사건 이후 미 대통령이 강조 반복하는 보복성 발언과 찬찬히 대조해 보면 너무 닮았다. 홍만수의 체포나 사살만이 아니라 그를 숨겨준 향미산을 아예 없애겠다는 대목이 무척 가슴에 와 닿는다. 행위는 미국이 나서면서 세계 자유인의 지지와 성원을 유도해 내는 수사법도 우리 귀에는 무척 익은 어투다. 언제나 인류의 평화와 자유를 위해서 존재하는 고마운 지구의 수호신으로서의 미국의 모습도 어쩌면 시엔엔 방송과 그리도 똑같이 묘사하고 있는가. 홍만수란 존재에 대한 평가 역시 라덴에 대한 비판과 너무나 유사하다.

바로 작품 「분지」의 예술적 형상성이 시사 담론의 차원이 아니라 가치이월 될 수 있는 증좌이자 단순한 반미의 차원이 아니라 진정한 세계의 자유와 평화를 위하여 이바지하는 문학적 성취욕을 충족시켜 주는 대목이다.

여담이지만 아마 세계사는 이제 9.11 이전과 이후로 시대구분이 가능할 만큼 이 사건의 파장은 심각할 것이다. 이 말은 곧 분단시대 우리 문학사가 「분지」 이전과 이후로 나눠질 정도로 한 분수령을 이룰 수도 있다는 뜻을 내포한다. 미국을 비난할 수 없었던 시대에서 공공연히 비난할 수 있는 시대로의 전환이 무엇을 의미하는지 구태여 말하지 않아도 알렷다.

2. 1960년대의 우울과 희망

소설 「분지」로 작가 남정현이 연행 조사(1965.5) 뒤 구속 기소(7.9), 구속 적부심에서 석방(7.24), 선고 유예(1967. 6.28)판결을 받는 기간에 나는 대학원생으로 갓 등단한 애숭이 평론가였다. 대학 선배 작가 박용숙의 소개로 첫 대면을 한 게 이 무렵이었는데, 그의 주변에는 거의 언제라도, 라고 할만큼 최인훈. 박용숙이 3인조래도 좋을 정도로 한 자리에 어울렸고 가끔은 이호철도 끼었다. 선배 작가들 틈새에서 귀동냥하기 바빴던 시절이라 아지트였던 광화문 월계다방은 차라리 나에게는 강의실이나 마찬가지였다.

이 3인조는 기묘하게 죽이 잘 맞았다. 최인훈이 느릿느릿 화두를 떼면 남정현은 재기 넘치게 그 주제를 현실적인 문제로 접근시키고 이어 박용숙은 둘 사이의 이견을 거중 조정하면서 화기애애하게 만들었다. 최인훈과 박용숙은 북쪽이 고향이고 남정현은 남쪽이나 셋 다 『자유문학』 출신으로 남, 박, 최의 순서로 연배가 엇비슷하다. 대체 이들을 그토록 가깝게 묶어둔 우정의 끈이 무엇이었을까 생각해 보곤 했는데, 그때 총각이었던 내 시선에 비친 세 작가는 당시 문단의 어느 작가에게서도 찾아볼 수 없는 진지함이 있었다고 느꼈다.

분단, 외세, 독재, 군부, 역사와 진실, 문학이라는 행위, 이런 문제를 그토록 진지하고 혼신의 힘으로 정면 대결하는 작가를 다른 곳에서는 찾을 수 없었다. 나는 서서히 남정현 쪽으로 경사하여 틈만 나면 만나는 정도를 넘어 집으로까지 찾아갔는데, 그 책꽂이를 보고 홀딱 반해버렸다. 그토록 읽고자 해도 구할 수 없었던 책들(주로 일서)이 어쩌면 뽑아놓은 듯이 잘 정리되어 있었다. 빌리기에 미안할 정도로 단아하게 정돈된 그 책장을 지금도 잊을 수 없다.

그는 자진하여 임대를 허락했고 나는 염치도 없이 덜렁덜렁 잘도 빌려 영혼의 허기를 채워 나갔다. 아마, 지금도 소중한 몇 가지, 루카치의『역사와 계급의식』, 이토츠토무(伊東勉)의『리얼리즘론 입문』등은 온갖 독촉과 회유에도 굴하지 않은 채 반환하지 않고 내 서고를 장식하고 있다. 책장 속표지에는 한자로 왼쪽으로 비스듬히 넘어가는 그 특유의 글씨체의 '南廷賢'이란 사인이 추억을 상기시키고 있다.

내 생애에서 가장 열심히 독서를 할 수 있었던 때는 고교 시절과 대학원. 등단 직후인 바로 남정현과 그 3인조를 만나던 시기, 그리고 나중 투옥 당했을 때였는데, 특히 두 번째 시기는 지성적인 황홀기였다.

개인적인 고백이지만 그때 내 심경은 마치 6.25 때 행불된 형님을 만나는 기분이었다. 지적인 경향과 세계관에서 너무나 닮은지라 흠뻑 취할 수 있었다. 그렇게 세월이 흘러 대학원을 졸업하고, 장가를 들고서도 더 자주 만났는데, 이번에는 박용숙의 서재까지 이용할 기회가 주어져 무척신세를 졌다. 1970년대 초반이었다.『문학과 지성』이 창간되면서 최인훈은 차츰 뜸해져 남, 박, 나 셋이 3인조가 될 정도로 밀착했던 시절이었다. 이렇게 60년대를 넘어 70년대로 접어들면서 남정현은 긴급조치, 1980년에는 제목도 없는 구금 등등을 치르면서도 여전히 내가 처음 만났을 때의 기백과 민족주체성에 대한 반외세 의식을 그대로 견지하고 있다. 1990년대 동유럽 사회주의권의 붕괴로 세계의 지식인뿐만 아니라 요란 잘 떠는 한국의 진보적인 지식인들 가운데 고무신 거꾸로 신은 사람이 대량 쏟아지는 판세에도 그의 세계관이나 인생관에는 별 충격을 주지 않은 듯하다. 대체 그의 민족주체의식은 어디서 비롯하는 것일까.

3. 「분지(糞地)」가 의미하는 것

작가 남정현은 등단 3년만인 1961년 중편 「너는 뭐냐」로 제6회 동인문학상을 수상할 정도로 그 풍자적 기법이 뛰어났다. 5.16 쿠데타 이후 한국사회가 당면했던 갈등과 모순을 전통적인 골계적 수법으로 날카롭게 비판하던 이 인기작가에게 잡지들은 앞다투어 원고를 청탁했다. 1964년 11월 경 그는 『사상계』와 『현대문학』 두 잡지로부터 소설을 청탁 받고 우선 한 편의 작품을 쓰기로 결심했다.

그는 "소설이란 우리 인간사에 관한 이야기"란 생각을 가진 작가로서 현실을 관찰하면서 "어찌된 판인지 우리 사회의 요소요소에는 인간의 꿈과 염원을 시중들기 위한 법이며 제도며 그 장치보다는, 도리어 인간의 염원을 가로막고 행복을 훼손하려는 장애물이 더 많은 것 같았다"고 느끼게 되었다. 문학적 상상력은 여기서 더 나아가 "국가권력은 이미 나라와 민족을 진심으로 사랑하는 자들의 손에서 아주 멀리멀리 떠나버린 상태"로 보여 "세세연년 민족자주를 열망하는 전민중적인 희원을 한번 소설화해보고 싶었을 뿐"이어서 쓰게 된 것이 「분지」였다고 밝혔다. 더 구체적으로 말하자면 4.19같은 민족적 희망이 왜 5.16같은 폭압으로 압살 당해 버렸느냐를 추구하다가 "그 배후에는 아무래도 미국이라는 거대한 외세가 크게 작용하고 있음을 직관적으로 감지하고 그 답답함과 울분을 기초로 「분지」를 구상했던 것이다."(한승헌변호사 변론사건 실록 『분단시대의 피고들』 참고).

그의 장기인 풍자적 기법으로 그리 오랜 시간을 끌지 않고도 탈고하게 된 이 작품을 작가는 이미 여러 번 발표한 적이 있는 『사상계』를 제키고 아직 한 번도 발표 지면을 못 가졌던 순문학지 『현대문학』으로 넘겼다. 1964년 12월 어느 날이었다.

소설은 홍길동의 10대손인 홍만수가 펜타곤의 압살을 목전에 두고 어머니 영전에 하소연하는 형식을 취한 일인칭 독백체로 이뤄져 있다. 만수의 아버지는 일제 때 독립운동을 위해 나갔으나 해방이 되어도 돌아오지 않았다. 여기서 독립투사가 8.15후에도 돌아오지 않은 것으로 처리한 작가의 치밀한 의도를 간과해선 안된다. 돌아오지 않은 '아버지'는 분단시대의 민족적 구원자를 상징하는 것이자 친일파 지배의 현실을 비판하려는 의도를 담아낸다. 그의 어머니는 환영대회에 나갔다가 미군으로부터 성폭행 당한 채 돌아와 정신이상으로 죽는다. 고아 남매는 외가에서 자라던 중 6.25로 헤어져 만수는 입대했다가 제대했으나 살 길이 없는 절망 속에서 스피드 상사의 현지처가 된 누이동생 분이를 만나 미 군수물자 장사를 하면서 지낸다.

이런 딱한 처지의 만수에게 친구들은 도리어 매부인 스피드상사에게 미국과 통할 수 있는 길을 열어달라고 빽을 써대는 현실을 저주하며 그는 썩어빠진 정치를 규탄하나 그보다 더 견디기 어려운 것은 누이 분이의 고통이었다. 밤마다 스피드 상사는 본국의 본처와 비교하면서 분이의 육체적인 결함을 들어 온갖 욕설을 퍼부어 대며 학대해댔기 때문이다. 대체 미국 여인들의 육체는 얼마나 황홀하기에 저런가고 고심하던 중 스피드의 본처 비취가 한국으로 오자 만수는 그걸 확인하고 싶어졌다.

만수는 한국을 안내해주겠다는 구실로 비취를 향미산으로 데려가 정중하게 분이의 처지를 설명하면서 육체를 보여줄 것을 요청하자, 그녀는 다짜고짜 만수의 뺨을 후려갈겼다. 절호의 기회를 놓치지 않으려고 만수는 그녀의 배 위를 덮치고 앉아 속옷을 찢어 황홀한 육체를 확인할 수 있었다. 그러나 만수의 손에서 헤어난 비취는 돌연 "헬프 미!"를 외치며 산 아래로 내려가 도움을 청했는데 그 결과는 "향미산의 둘레에는 무려 일만 여를 헤아리는 각종 포문과 미사일, 그리고 전미군 중에서도 가장 민첩하고 정확한 기동력을 자랑하는 미 제 엑스 사단의 그 늠름한 장병들이 신이라도 나포할 기세로 저(만수)를 향하여 영롱한 눈동자를 빛내고" 있는 처지였다.

"이 땅 위에서 만수란 이름의 육체와 그의 혼백까지를 완전히 소탕하기 위해서 뿌려진 금액이 물경 이삼억 불에 달"하는 위기의 상황에서 만수가 어머니의 영전에 하소연하는 형식의 이 소설은 채만식의 풍자를 능가하는 완벽한 알레고리로 김지하 풍자문학에 한 발 앞선 성과였다. "앞으로 단 십 초, 그렇군요. 이제 곧 저는 태극의 무늬로 아롱진 이 런닝셔츠를 찢어 한 폭의 찬란한 깃발을 만들"어 타고 태평양을 건너 미 대륙에 닿아 "우유빛 피부의 그 윤이 자르르 흐르는 여인들의 배꼽 위에 제가 만든 이 한 폭의 황홀한 깃발을 성심껏 꽂아놓을 결심"을 다지는 것으로 이 소설은 끝난다.

이후 남정현 문학은 「분지」의 해설판이래도 지나치지 않을 것이다. 이 작품을 둘러싼 1960년대적인 지성적 한계 상황에서의 법정 공방을 여기서는 되풀이할 필요가 없을 것 같다. 국민들이 미국을 이해하는 자세도 엄청나게 달라졌는데 문학사적으로 말한다면 그 첫 공적은 필연코 「분지」로 돌려야 할 것이다.

전후문학에서 양공주를 등장시킨 소설은 그리 낯설지 않다. 송병수의 「쇼리 킴」은 양공주와 미군의 관계를 한미 관계로 상징화한 문제작으로 이후 '양공주 반미문학'의 틀이 되었다. 그러나 이 계열의 소설들은 한국 여인의 작은 육체와 그에 비례하는 생식기가 거구의 미군(특히 흑인 등장)에게 학대받는 장면을 절정으로 삼아 제국주의와 식민지의 갈등을 부각시켰다는 점에서 다분히 인류학적인 신체 구조론적 숙명론으로 귀착하고 있기에 거부반응을 일으키기도 했다. 양공주들은 정서적 혹은 민족 감정이나 윤리의식 등으로 미군과 갈등을 겪는 게 아니라 단순한 육체적인 외형상의 형태 때문인 것으로만 묘사되어 있다. 자칫하면 육체적인 열등감으로 비화될 수도 있는 이 계열의 양공주 소설은 1950년대적 상황이 낳은 결실이자 한계로 인식하는 게 좋을 듯하다. 여인과 개를 교미시켜 미군들이 둘러싸고 관람하는 장면이 등장하는 이문구의 「해벽」같은 작품은 이런 차원을 벗어나 새로운 소설적 기교를 보여준 것으로 평가받을 만하다.

「분지」는 어떤가. 성의 강약이나 육체의 크고 작음으로 말미암은 갈등이 아니라 "스피드 상사는 밤마다 분이의 그 풍만한 하반신을 이러니 저러니 탓잡아 가지고는, 본국에 있는 제 마누라 것은 그렇지 않다면서, 차마 입에 담지도 못할 욕설과 폭언으로써 분일 못 견디게 학대하는 것"이다. 물론 그 트집 속에는 "국부의 면적이 좁으니 넓으니 하며 가증스럽게도 분일 마구 구타하는 일조차 있다는 사실"도 포함되지만 근본적인 갈등구조로 작가가 제기한 것은 민족적인 이질성이며, 학대 방법도 국부가 작아서 그냥 당하는 게 아니라 엄연히 구타를 당하도록 장치하고 있다.

생식기가 작아서 성행위 그 자체만으로도 고통스럽게 만든 작품과, 학대와 구타를 '부당하게' 당하도록 설정한 소설구조는 엄청난 차이가 있다. 이런 갈등구조를 해결하는 방법에서도 대부분의 양공주 문학은 그 설움을 품고 그대로 견디는데, 「분지」는 홍만수로 하여금 근본적인 대책 마련으로 대응하는 데서 차이가 난다.

4. 반외세의 주체로서의 바보적 인간상

홍만수는 스피드 상사의 아내 비취 여사에게 "제 조국의 산하를 설명하기 전에, 먼저 반만 년 의 역사에 빛나는 대한민국의 이름으로 여사에게 한 가지 청이 있다고 정중하게 말"한다. 풍유적인 기법이긴 하지만(어찌 이런 이야기를 1960년대적인 냉전 체제 아래서 사실적으로 쓸 수 있겠는가) 홍만수는 누이 분이의 처지를 말하며 "옷을 좀 잠깐 벗어주셔야 하겠습니다"고 했지만 비취 여사의 반응은 "갓뎀!"이었다. 이 대목은 매우 중요하기에 찬찬히 읽을 필요가 있다.

비명 비슷한 소리와 함께 번개같이 저의 한쪽 뺨을 후려치는 것이 아니겠습니까. 아찔하더군요. 일껏 신이 저를 생각하여 점지하여 주신 행운의 찬스를 바야흐로 놓치는 것만 같은 두려움이 엄습한 탓이었습니다. 순간 저는 고만 엉겁결에 왈칵 달려들어 여사의 목을 누르면서 성큼 배 위로 덮쳤거든요. 그리고 민첩하게 옷을 찢고 손을 쑥 디밀었지 뭡니까. 아 미끄러운, 그리고 너무나 흰 살결이여. 저는 감격했습니다. 순간 하늘과 땅도 영롱한 빛깔에 취하여 조금씩 흔들리는 것 같더군요. 여사는 연신 악을 쓰며 몸을 비틀다가 활활 타는 저의 동자를 대하곤 뜻한 바가 있던지 제발 죽이지만은 말아달라고 애원하듯 하고는 이내 순종하는 자세를 취해주더군요. 고마웠습니다. 내가 왜 백정이간. 저는 점잖게 부드러운 미소로써 대답을 대신해 주었습니다. 그리고 버터와

잼과 초코렛 등이 풍기는 그 갖가지 방향이 몽실몽실 피어오르는 여사의 유방에 얼굴을 묻고 한참이나 의식이 흐려지도록 취해 있었거든요.

"원더풀!"

얼마만에야 무슨 위대한 결론이라도 내리듯 이마의 땀을 씻으며 겨우 한마디 하고 여사의 몸에서 내려온 저는 세상이 온통 제것 같아서 견딜 수가 없더군요. 치부의 면적이 좁았는지 넓었는지에 관해서는 별반 기억에 없었지만 좌우간 이제 분이를 향하여 자신하고 한마디 어드바이스를 해줄 수 있을 것 같은 감격으로 사뭇 들뜬 기분이었습니다. 바로 그때였지요. 비취 여사는 갑자기 몸을 벌떡 일으키더니,

"헬프 미! 헬프 미!"

위태로운 비명과 함께 정신없이 산을 뛰어 내려가더군요. 왜 저럴까. 헝클어진 머리며 찢어진 옷.

―「분지」

이 대목에서는 누구나 E. M. 포스터의 『인도로 가는 길』(1924)을 연상할 것이다. 인도인 의사 아지즈는 식민 종주국인 영국인과 우정이 가능할까란 문제에 대하여 영국에서라면 가능하지만 인도에서는 불가능할 것이라고 생각하는 보통 시민이지만 은근히 영국인과의 교유를 바라는 편이었다. 식민 통치국으로서의 우월감을 지닌 보통 영국인과는 달리 나름대로 인간 평등사상과 피식민 인도인에게 호의를 가진 필딩 학장의 소개로 알게된 아데라 퀘스테드 양과 그녀의 시어머니가 될 무어 부인을 알게된다. 고대 유적지를 찾아 나선 이들 넷은 필딩이 기차 시간을 놓치게 되므로써 부득이 아지즈가 혼자 안내를 맡게된다. 무어 부인조차 막상 현장에 도착하자 허무감에 빠져 휴식을 취한다기에 아데라만 데리고 이상한 분위기가 감도는 동굴로 들어간 아지즈는 낭패를 당한다. 아데라가 아지즈로부터 능욕을 당한다는 피해망상에 사로잡혀 갑자기 동굴을 뛰쳐나가 도주, 하산하여 구원을 요청해 버려 도리 없이 아지즈는 추행범으로 기소 당한 것이다.

필딩 학장과 무어 부인이 아지즈의 무고함을 역설하는 이성적인 판단과

설득에도 불구하고 이사건은 영국인과 인도인의 한 판 승부 겨루기로 갈라져 법정은 날카롭게 대립하는데, 막상 피해 당사자인 아데라는 환각에서 깨어나 고소를 취하해버려 싱겁게 아지즈는 석방된다. 풀려난 아지즈는 자신을 신뢰하고 옹호해준 영국인과 친구가 될 수 있을까? 그에게 유리한 증인이 되어줄 수있었던 무어 부인은 전형적인 영국 공립학교 출신자가 지닌 표준 규격의 식민통치 관리인 아들의 강요로 귀국선에 올랐으나 선상에서 죽어버렸고, 사건을 일으키긴 했으나 이내 자신의 잘못을 깨닫고 약혼자 로니의 강경한 인도인 응징 강요를 거절하고 고소를 취하해버린 아데라는 파혼 당하고 만다.

아지즈에게는 은인격인 필딩 학장은 거듭 우정을 다짐하지만 이 가련한 인도인 의사는 이렇게 대꾸한다. "설사 5천5백 년이 걸리더라도, 우리들은 당신네를 쫓아낼 것입니다. 그래요. 저주스러운 영국인들을 하나도 남김없이 바다에 쳐밀어 넣어 버리렵니다. 그렇게만 된다면, 그때서야, 당신과 나는 친구가 될 수 있겠지요."

이 사건은 전적으로 무고한 한 남성 곧 피식민지 열등인 원주민과 식민통치인 곧 우월한 인종의 갈등에 다름 아니란 점에서 「분지」의 원형이기도 하다. 아지즈가 반영적인 인도인과는 달리 그래도 친영적인 개화된 인물이라는 점과 홍만수가 반미적이기 보다는 누이 분이의 양공주 생활에 기생하는 친미적일 수밖에 없는 처지는 소설적 구도에서는 비슷한 발상에 있다. 식민 통치국 주민에게 반감이 없는데도 결국은 학대당하다가 반감을 가질 수밖에 없다는 결론을 도출하기 위한 장치인 셈이다. 그러나 포스터는 식민 종주국의 관점에 서있고 남정현은 피식민자의 처지라는 차이는 매꿔지지 않는다.

그 차이는 『인도에의 길』이 필딩과 아데라가 은신하고 있는 아지즈를 찾아가 우정을 호소하는 것과는 대조적으로 「분지」는 홍만수에 대하여 재판은 커녕 취조나 심문도 없이 압살시키려는 데서 분명히 드러난다. 보기에 따라서는 아지즈는 무고하나 홍만수는 추행 혐의를 벗어나기 어렵다고도 할 수 있다. 그러나 이 대목은 그간 많은 독자와 평론가들이 「분지」를 오독한 중요한 단초가 된다.

홍만수는 결코 비취 여사를 범하지 않았다는 것이 작가의 확고한 의도이다. 그는 누이의 고통을 해결해 주고자 단지 비취 여사의 생식구조를 관찰하고자 했을 뿐이지 성욕을 분출할 의사도, 실제로 자행하지도 않았다는 게 「분지」의 명백한 구도이다. 작가 남정현은 이 사건 전개의 오묘한 구도에 대하여 필자에게 거듭 강조해 준 적이 있다. 만약 홍만수가 강간을 시도했다면 한국인이 미국인과 다를 게 뭐란 말인가. 침략에는 침략으로, 강간에는 강간으로, 테러에는 테러로 대응하는 반평화주의를 이 작가는 지양하고 있다. 페미니스트들은 「분지」에 나타난 묘사만으로도 충분히 식민지 대 피식민지적 남녀가 당하는 비극적인 상징성 보다는 한 남자가 여성에게 가하는 성폭력이라고 우길 수도 있으나, 이것은 성폭력을 남녀의 성구분으로만 접근하려는 논리적인 여성해방론에 불과하다. 분이와 스피드 상사의 관계를 사상해 버린 채 홍만수와 비취 여사의 사건만을 문제 삼을 수는 없기 때문이다.

전혀 죄없는 무고한 한 남성이 팬터곤의 공격으로 무참하게 죽을 수밖에 없다는 의기의식을 형상화하고자 한 것이 「분지」이고 보면 홍만수에게 어떤 범죄행위나 사악한 사고를 입력시켜서는 안 될 것이며, 작가는 이래서 그를 이상의 「날개」의 주인공과 맞먹는 천치형 남성상을 부각시켰다.

천치란 무엇인가. 큰 앎과 무지가 통하듯이 천재와 바보도 통한다. 홍만수는 바보형 인간상으로 온달을 닮았다. 그의 천치성은 세상을 약아빠지게 살아가는 데서는 크게 발휘되지만 사람된 기본 도리를 지키는 데서는 누구도 못 따를 만큼 투철한 사명감에 불탄다. 작가는 홍만수를 통하여 외세 의존적인 분단 시대에 부정과 부패로 잘 살고 있는 계층의 삶을 상징적으로 비판하고 있다. 세속적으로 잘 사는 일은 곧 나라의 사람됨의 근본을 잊고 외세와 결탁하여 부정과 부패로 얼룩져간다는 것임을 「분지」는 홍만수의 지역구 출신 민의원 공 모(空某) 의원을 통해 보여준다. 궁지에 몰린 홍만수가 지역구 출신 의원에게 구명을 호소하려 하지만 그의 모습은 이렇게 부각된다.

> 그러나 들리는 바에 의하면 공 모 의원은 벌써 스피드 상사의 상관을 찾아가 열 몇 번이나 절을 하고 내 출신구의 유권자 중에 그렇듯이 해괴한 악의 종자가 인간의 탈을 쓰고 존재했었다는 사실은 본인의 치욕인 동시에 미국의 명예에 대한 중대한 위협임을 누누이 강조하고 나서, 내 의정 단상에 나가는 대로 자유민의 체통을 더럽힌 그따위 오물을 사전에 적발하여 처단하지 못한 사직당국의 무능과 그 책임을 신랄하게 추궁할 것임을 거듭 약속하고 나오시더라니, 어머니 저는 정말 누구의 품에 안겨야만 인간이란 소리를 한번 들어보고 죽을지 캄캄하기만 합니다.
>
> ─「분지」

권력층이 지닌 이 외세 의존형 자세는 남정현이 등단 이후 지금까지 한번도 고삐를 늦추지 않은 반제 민족 주체성의 주제로 자리매김 하고 있다. 이런 외세 복종형 권력 구조 아래서 당하는 민중의 고통은 바로 분이의 아픔으로 상징된다. "누이동생인 분이가 아, 어이없게도 당신(어머니)을 겁탈한 바로 그 장본인일지도 모르는 어느 미 병사의 첩 노릇을 하게 되었다는 이야기"는 한국을 식민지로 파악하는 작가의 일관된 역사의식의 일단이다. 분이 뿐이 아니라 "생전에 당신이 그렇게도 부잣집 맏며느리 감이라고, 그 품행이며 미모를 입이 닳도록 칭찬하여 주시던 옥이도 숙이도 그들은 지금 이방인들의 호적에 파고들어 갈 기회를 찾지 못하여 거의 병객처럼 얼굴에 화색을 잃어가고 있다는 사실"까지 상기하노라면 작가의 민족적 현실인식의 정황을 짐작할 수 있을 것이다.

이런 꽃다운 여인(곧 민족)이 몸바쳐서 얻는 것이라고는 "밤마다 그렇게도 잔인한 곤욕의 장을 겪어야만 하는" 일이나, 권력층은 이를 외면하기에 역사를 바꿀 수 있는 원동력은 민중 속에서밖에 찾을 수 없다는 결론에 이른다.

민중, 이 추상적이면서도 가장 신뢰할만한 계층이야말로 바보로 처우 받는 홍만수 같은 무리에 다름 아니다. 작가는 반외세 투쟁에서 명망가적 운동보다는 '우매한' 민중을 선택했고, 여기서 홍만수란 인간상이 부각된다.

그는 작심하고 반미운동에 투신한 것이 아니라 삶 속에서 어쩔 수 없이 필연적으로 쫓겨 자신의 죽음으로서 새로운 민족적 활로를 찾는 방식을 취한다. "이제 곧 팬타곤 당국은 만천하에 천명한 대로 기계의 점검이 끝나는, 앞으로 일 분 후면 위대한 폭음과 함께 이 향미산은 온통 불덩어리가 되어 꽃잎처럼 흩어질 테지요"란 대목은 홍만수의 살신성인(殺身成仁)을 뜻한다.

향미산이 사라진 터전에다 "흩어진 자리엔 이방인들의 성욕과 식욕을 시중들기 위하여 또 하나의 고층빌딩이 아담하게 세워질지 모른다"는 말은 무척 함축적이다. 향미산을 없애고 거기에다 건물을 세우기로 한 계획이 이미 있었는데, 마침 홍만수 사건으로 이중의 효과를 거둔 것으로도 보인다.

이런 탄탄한 제국주의의 발호 속에서 그의 소망인 외세로부터 민족 주체성은 어떻게 찾아지는가? 바로 이 소설의 대미를 살필 차례다.

> 이제 저의 실력을 보여줘야지요. 예수의 기적만 귀에 익힌 저들에게 제 선조인 홍길동이 베푼 그 엄청난 기적을 통쾌하게 재연함으로써 저들의 심령을 한번 뿌리째 흔들어 놓을 생각이니깐요. 물론 저들은 당황할 것입니다. 어머니 그때 열렬한 박수를 보내 주십시오.
> 앞으로 단 십 초. 그렇군요. 이제 곧 저는 태극의 무늬로 아롱진 이 런닝셔츠를 찢어 한 폭의 찬란한 깃발을 만들 것입니다. 그리고 구름을 잡아타고 바다를 건너야지요. 그리하여 제가 맛본 그 위대한 대륙에 누워있는 우유빛 피부의 그 윤이 자르르 흐르는 여인들의 배꼽 위에 제가 만든 이 한폭의 황홀한 깃발을 성심껏 꽂아놓을 결심인 것입니다. 믿어주십시오. 어머니, 거짓말이 아닙니다. 아 그래도 당신은 저를 못 믿으시고 몸을 떠시는군요. 참 딱도 하십니다. 자 보십시오. 저의 이 툭 솟아나온 눈깔을 말입니다. 글쎄 이 자식이 그렇게 용이하게 죽을 것 같습니까. 하하하.
> 　　　　　　　　　　　　　　　　　　　　　　　　　　　—「분지」

이 대목에는 작가의 고심한 흔적이 스며 있다. 가장 눈에 띄는 구절은 "태극의 무늬"이다. 이 술어를 쓸 경우 민족 주체성의 정통은 당연히 '대한민국'이 되며, 그렇다면 권력층을 '공의원'으로 상징한 대목과 헷갈린다. 물론 권력층과 민중을 구분할 수도 있으나 「분지」는 오히려 한민족 전체의 민중을 지향한다는 점에서 특정 깃발(그것도 분단 시기의 상징)을 내세울 것 같지 않다는 유추가 가능해진다. 정말 그렇다. 남정현은 원래 집필 때 이 술어를 안 썼다가 추고 과정에서 삽입시켰다고 필자에게 밝힌 적이 있다.

홍길동의 육갑술에 의한 재생, 미 대륙으로의 비상, 그곳 여인들의 배꼽 운운은 상징이다. 홍만수는 결코 미국 여인들을 겁탈할 의도가 없으며 단지 이런 구절은 향미산이 폭발로 사라져버린 비극을 고스란히 미 대륙에다 그 앙갚음을 할 것이라는 민중적 결의에 다름 아니다. 그 응징은 미국에 대한 저주와 정복과 멸망을 겨냥한 것이 아니라 20세기까지 자행했던 죄과에 대한 반성 위에서 새로운 인도주의적 민주주의의 대륙 미국의 재생을 염원하는 것이다.

뉴욕의 무역센터 테러 장면에서 왜 「분지」가 떠올랐는가란 화두로 다시 돌아가 보자. 테러범들은 어느 나라 어느 민족인지는 모르나 해당 지역의 홍만수는 아닐까? 어째서 그들은 자신의 생명을 버릴 수 있었을까? 바보여서일까? 역사의 저편 멀리 인디안을 추방 학살한 대목 따위는 빼고, 또 아프리카 대륙으로부터 흑인 수입과 학대 장면도 유보하고, 가까운 20세기만 챙겨보더라도 미국이 지구인에게 자행한 행위는 구태여 이 자리에서 열거할 필요조차 없을 것이다. 인류는 이제 새로운 미국의 탄생을 희원할 때가 되었다. 그것은 결코 엄청난 액수를 투자하여 만들어낼 가공할만한 무기를 통해서가 아니고 사해동포주의라는 기독교 본래의 정신으로 회귀해야만 도달할 수 있는 평화의 길이다.

히로시마의 원폭이 일본 군국주의의 종말을 가져오긴 했으나 피폭자들에 의한 원한을 씻어내진 못했듯이 테러에 대한 반테러도 테러 그 자체를 근절

할 수는 없을 것이다. 바로 「분지」가 의미하는 인도주의와 평화의 철학이다.

5. 지배계층의 변모와 역사의식

남정현 문학은 「분지」의 해설판이라고 했는데, 특히 이 작가는 8.15 이후 한국 분단사의 비극을 풍자적 기법으로 형상화시키는 데서 탁월한 솜씨를 나타낸다. 분단시대 한국 정치 현실을 작가는 홍만수의 입을 빌려 이렇게 타매한다.

> 이 견딜 수없이 썩어빠진 국회여 정부여, 나 같은 것을 다 뺵으로 알고 붙잡고 늘어지려는 주변의 이 허기진 눈깔들을 보아라. 호소와 원망과 저주의 불길로 활활 타는 저 환장한 눈깔들을 보아라. 너희들은 도대체 뭣을 믿고 밤낮없이 주지육림 속에서 헤게모니 쟁탈전에만 부심하고 있는가. 나오라, 요정에서 호텔에서 관사에서. 그리고 민중들의 선두에 서서 몸소 아스팔트에 배때기를 깔고 전세계를 향하여 일대 찬란한 데몬스트레이션을 전개할 용의는 없는가. 진정으로 한민족을 살리기 위해서 원조를 해줄 놈들은 끽소리 없이 원조를 해주고 그렇지 않은 놈들은 당장 지옥에다 대가리를 처박으라고 전세계를 향하여 피를 토하며 고꾸라질 용의는 없는가. 말하라. 말하라.
>
> —「분지」

바로 한국 정치 지도자들에게 던진 포효였는데, 이 대목은 남정현 문학의 후반기 주제가 된다. 초기의 남정현은 제국주의적인 식민통치에 대한 항거로 반외세에 초점을 맞췄다면 후기에는 신식민 통치 수법인 현지인으로 하여금 현지 다스리기를 겨냥하고 있다. 「분지」가 1965년도 작품인데, 이때만 해도 남정현은 한국을 영락없는 식민지로 파악했는데 그것도 일제의 지배보다 더 악화된 상태로 보았던 것 같다. 사실 학대와 가난 속에서도 나라는 하나였던 시대와 자유와 풍요의 신화 속에서 두 조각 난 민족을 비견할 때 이 작가의 진단이 그리 틀린 것도 아니다.

▲ 『너는 뭐냐』 (문학출판사, 1965)

남정현은 1961년 제6회 동인문학상 수상 작품인 「너는 뭐냐」에서 미국의 3S 문화정책을 강력하게 비판하면서 마지막 장면에서는 사월혁명을 상징하는 민중항쟁을 제시하여 민족 주체성의 회복 가능성을 예견한다. 그러나 사월혁명이 단기적인 안목으로는 결국 식민통치의 한 방편으로 악용당했다는 측면을 깨닫고는 강력한 반외세 주제로 선회하여 「분지」를 낳게 되었다. 이렇게 말하면 혹 사월혁명이 뭔가 잘못된 것으로 오해할 소지가 있을까 싶어 약간의 해명이 따라야 할 것 같다.

사월혁명의 발발 -성공- 5.16에 이르는 과정 중에서 한국 민중의 주체적 역량과 미국의 대한 정책의 경중을 둘러싸고 적잖은 논란을 빚고 있다. 이 쟁점을 전반적으로 다룰 자리는 아니기에 할애하고 다만 남정현 소설세계의 이해에 필요한 부분만 요약하면 1950년대 후반기부터 미국의 위상이 세계 무대에서 휘청거리기 시작했다는 점만 지적해 보기로 한다.

제2차대전의 필연적인 귀결인 자본주의와 사회주의의 대결적인 냉전체제에서 미국 우위 현상이 1957년을 고비로 위기를 맞는데, 그것은 소련이 대륙간탄도유도탄(ICBM) 실험 성공과 인공위성 스푸트니크의 발사로 현실화되었다. 바로 미국도 지하핵실험과 대륙간탄도유도탄을 개발함으로써 무력 균형이 취해지자 두 강대국은 '공존'을 모색하게 되었다. 여기에다 1958년부터는 미국이 국제수지에서 적자를 기록, 세계 경제의 주도권이 유럽이나 일본으로 분산될 조짐을 나타냈다.

미국은 대소·중 봉쇄와 대량 보복 전략을 위한 의기의식의 조장, 동맹 강화를 위한 무상 원조 제공 정책을 수정하여 핵무장에 의한 미군 재조정,

동맹국의 민주화 가치 증대와 경제 발전으로 소비 시장의 확대, 지역 안보 분담을 위한 일본의 역할 증대, 등등으로 방향을 선회하지 않을 수 없었고 이런 연장선상에서 이승만 정권은 종말을 고했다. 광주항쟁 때의 경우를 생각하면 사월혁명 때 군부가 발포를 자제한 것은 미국이나 이승만의 인도주의나 혹은 군부의 민주의식이 유난히 강했던 탓으로는 볼 수 없다. 오히려 일제와 광복의 혼란, 한국전쟁을 직접 체험한 세대의 지휘관이기 때문에 광주항쟁에 못지않는 비극을 연출할 수도 있었을 것인데 왜 발포를 억제했던가는 역사의 수수께끼로 남지만 분명한 것은 한국민의 요구 사항과 미국의 국가 이익이 조화를 이뤘던 과도기로 볼 수 있다는 점이다. 실지로 1960년은 한국만이 아니라 미국도 아이젠하워에서 케네디로, 일본은 미일 안보조약 개정(대중국 군사활동을 원활히 추진하려던 전략에서 동아시아 지역에서 일본 주도 전략으로 수정)으로 격렬한 반 안보투쟁을 야기했던 기시(岸信介)로부터 이케다(池田勇人)로 정권교체가 이뤄진 해였다.

5.16쿠데타가 왜 발생했는가를 여기서 따질 필요는 없을 것 같으나 분명한 것은 사월혁명과 같은 맥락에서 파악해야 된다는 사실이다.

남정현의 소설은 「너는 뭐냐」에서 사월혁명의 흥분을 감추지 못했지만 이내 일본의 미일 안보조약 개정이 한반도의 운명에 중대한 영향을 미친다는 것을 꿰뚫어보고 외세에다 일본을 크게 부각시켜 비판하기 시작한다. 「사회봉」(1964)의 성자라는 처녀는 미국인과 가까이 지냈는데 어느새 일본어 회화에 혈안이 되어 "아리카도 고사이마스와 이랏샤이 마세에 시력을 집중" 시키게 변해버렸다.

그리고는 「분지」사건을 겪었고, 군부독재가 굳어지면서 남정현은 외세에 못지 않게 민족 내부의 친외세주의, 곧 식민의식의 심각성을 주시하면서 그 풍자를 위하여 「허허(許虛) 선생」 연작에 몰두한다. 바로 신식민주의의 통치방식인 현지인에 의한 통제와 수탈정책인데 그 근거를 남정현은 박정권부터 찾고 있다. 남정현이 「허허 선생」을 처음 발표한 것은 바로 "유신체제란 이름 하에 군부독재가 이를 악물고 기승을 부리던 1973년"(작품집『허허 선생 옷 벗을라』의 「책 머리에」)이었다. 같은 민족이면서도 미국을 비롯한 외세보다 더 민족 분열과 국민 탄압을 강화할 수도 있다는 실례를 보여준 군부독재는 이 작가로 하여금 정치권력이란 무엇인가를 탐구토록 만들었고 그 결과 "장장 20여 년이란 세월"에 걸쳐 이 연작을 완성시켰는데, 작가는 "나에게 있어서 이 20여 년이란 세월은 한마디로 말해서 허허 선생과의 피나는 대결시대였다"고 고백토록 만들었다. 왜 허허 선생이 그토록 중요했을까.

「분지」의 홍만수가 구름을 타고 태평양을 건너가 미국에다 대한반도 정책의 일대 수정을 요하는 운동이 주효했던 탓인지는 모르나 유신독재와 1980년의 신군부체제와의 대결을 통해서 한국 민중은 민족의식을 놀라울 정도로 고양시켜 도리어 집권층이 항상 위기의식을 느끼지 않을 수 없도록 역사가 변해버렸음을 이 연작은 보여주고 있다. 물론 초기에는 (「허허 선생」 1.2.3까지) 외세를 등에 업은 기괴한 정치인의 전형으로 '허허'를 등장시켜 그 해괴한 삶과 통치철학을 풍자했지만 1980년대 중반을 넘어서면서는 뚜렷하게 허허 선생의 행동양식이 바뀌게 된다.

6. 「허허 선생」 연작의 의미

「허허 선생 6」의 부제는 「핵반응」(1987)이다. 만사 탄탄의 정치인이자 경제인인 허허 선생이 어느날 갑자기 너무 기분이 붕 떴기에 그 아들 허만(꼭 홍만수를 닮았다)이 그 사연을 물은 즉 "이 땅에 말이다, 핵이 상륙했어. 핵무기가 말이다. 그만하면 알겠느냐?"는 의기양양한 대꾸였다. 이 허허 선생의 말을 좀 더 경청해 보자.

"아, 빨갱이놈들 말이다. 빨갱이가 미친놈이고 미친놈이 빨갱이지 세상에 미친놈 따로 빨갱이 따론 줄 아느냐? 내 말은 말이다, 쥐뿔도 모르는 것들이

이제 겨우 목구멍에 밥술이나 들어가게 되니까 주변 사정도 아랑 곳 없이 자유
가 어떠니, 민주주의가 어떠니, 또 통일이, 부정이, 근로조건이, 임금이, 인권이
어쩌니 저쩌니 해싸며 입에 거품을 물고 떠들고 다니는 소위 그 서민대중이라
나, 민중이라나 하는 것들 말이다. 그것들이 다 미친 놈들이지, 그럼 성한 놈들
인 줄 아느냐? 어쨌든 그것들은 이제 끝난 놈들이다. 이 땅에 핵무기가 턱 버티
고 섰는 줄 알면 그것들은 앞길이 막막해질 테니까 말이다. 미친놈 세상이
되긴 이제 다 글렀다고 생각될테니 그럴 수밖에 더 있겠니. 기가 꽉 죽어버리겠
지. 놈들이 버릇없이 너무 큰소릴 치면 핵이 꽝 하고 터질텐데, 놈들이 아무리
미련하기로서니 핵이 꽝 하고 터지면 만사휴의라는 사실쯤 알 게 아니겠니?
하하하."
　　"핵이 꽝 하고 터지면 우리 집은 괜찮을까요? 아버님."
　　"괜찮겠다, 빌어먹을 자식. 아, 핵이 꽝 하고 터진다는데 이 애비가 무슨
꼴을 보자고 이곳에 그냥 남아 있겠니. 벌써 날랐지. 태평양 저쪽으로 벌써
훨훨 날랐단 말이다. 빌어먹을 자식. 용용 죽겠지다."
　　　　　　　　　　　　　　　　　　　　　　　　－「허허 선생 6 － 핵반응」

　여전히 빨갱이 타령으로 권력을 움켜 잡고있는 허허 선생으로서는 자신
의 이익이 곧 미국과 일본의 이익이며 이를 지키기 위해서는 향미산을 폭격
하듯이 한반도 어디든 부숴버릴 채비가 완료되었음을 이 구절은 드러낸다.
이렇게 핵반응으로 기분이 붕 떴던 허허 선생이 갑자기 병명도 모르는 아픔
으로 비실거리는데, 이유인즉 "백주에 미군 철수와 반공법 철폐를 외쳐"대
는 것 때문이었다. 어디 그 뿐인가. "수 천 수 만의 미친놈들이 길을 메우고"
"핵무기를 철수하라고" 큰소리로 외치고 있다고 아들 허만이 알려주자 허허
선생은 "너 이놈, 나보고 아주 죽으라고 해라"며 악을 쓰는 것으로 이 소설은
끝난다.
　남정현은 「핵반응」에서 바로 1980년대의 민족 민중운동의 핵심을 반영하
고 있다. 그러니까 허허 선생은 시대의 변모에 따라 '미친놈들'을 소탕하기
위하여 온갖 전략을 다 짜내는데, 이에 뒤질새라 홍만수와 허만은 어리숙하

게 허허 선생을 슬슬 말려서 비틀어지게 만들고 있다.

「허허 선생 7」은 「신사고(新思考)」이다. 그렇게 '민주'와 '통일'을 기피하던 허허가 갑자기 "요즘 갑자기 자기가 솔선하여 그 누구보다 앞장서서 통일, 통일 하고, 통일을 외쳐대며 돌아다닌다니, 이건 정말 예사로운 변고가 아니었다." 나아가 그는 기자회견에서 "미군 철수까지 주장"하는가 하면, "남의 나라 군대가 와서 우리 나랄 가로타고 앉았으니 통일이 될게 뭐냐구"라며, "북쪽의 빨갱이들도 이제 타도의 대상이 아니라 동반자 관계"라고 떠들어 아예 회견 제목을 '신사고'로 부쳤다는 게 이 작품의 요지다.

여기까지 읽노라면 자칫 독자들은 이제 남정현은 한국 정치를 해빙기에다 정치인들의 가치관도 바뀐 것으로 보는구나고 의아해 할 테지만 이 소설은 여기서 막을 내리지 않는다. 허허는 하두나 '미친놈'들이 설치니까 견디다 못해 두려운 나머지 천연 암벽 깊숙이 지하 대피 궁전 속에 칩거하면서 자신도 변한 것 처럼 위장해서 그물을 쳐두곤 누가 걸려드나 보는 것으로 풀이한다.

> "그렇다, 이놈아. 반공법 철폐도 던지고, 미군 철수도 던지고, 통일도 던지고, 민주도 던지고, 하여튼 던질 건 다 던졌다, 이놈아. 어떤 놈들이 고 따위 생각을 하고 있나 세세히 한번 알아 보려구 말이다. 약오르지? 요놈아, 히히히."
>
> —「신사고」

이 대목은 남정현이 지닌 분단 한국에 대한 고정관념 내지 제국주의의 본질 인식의 철저성을 엿볼 수 있다. 민주화가 진척되었으니 어쩌니 해도 여전히 한국은 냉전체제의 가치관이 그대로 지배하는 20세기 정치사상사의 가장 낙후한 지역임을 이 작가는 강조하고 싶었던 것이다. 자칫 이 작품이 민중적인 낙천성이 아닌 비관적 전망을 드러낸 것이 아닐까 볼 여지도 없지 않으나 허허 선생 자신이 민중 역량의 증대로 지상에서는 발 붙일 곳이 없어져 지하 궁전에서 피신하고 있다는 점에서 역사의 진보를 담보해내고 있다 하겠다.

여기서 역사는 어떻게 변했는가. 연작의 마지막은 「허허 선생 옷 벗을라 - 허허 선생 8」이다. 이 점잖은 양반이 옷을 벗는 경우는 위기일 때다. 예컨대 정전 회담 때 "빨갱이들이 가장 무서워하는 건 오로지 핵무기 뿐인데…… 한 번 사용하질 않고 휴전 운운하는 것은 언어도단"이라며 나체 시위를 하겠다고 미군들 앞에서 위협했으며, 동구권이 붕괴하자 요새화된 지하궁전에서 광란의 축제 밤을 보내며 허허 선생은 진짜로 옷을 벗었다. 제목은 미국이 개입해서 중요한 결단을 내릴 때마다 '허허 선생 또 옷 벗을라'라는 말에서 유래한 것인데 이 희극적인 장면은 민족주체성의 승리를 낙천적으로 전망하는 통쾌함이 스며있다.

철저한 지하 요새에서도 불안해진 허허는 유사시엔 언제든 비행기로 탈출 가능한 시설까지 갖추고 지내지만 불안감은 가시지 않아 새로운 장치를 했다. "영롱한 보석들이 흡사 거대한 분수처럼 빛을 뿜어대는" "장엄한 청룡 시계"인데, 그 "신묘한 종소릴 계속 울리다 보면 아무도 모르는 사이, 그만 그 도깨비들(빨갱이)이 슬며시 물러나고 만다"는 이 상징물은 바로 종교로 해석해도 좋다. 허허 선생은 핵무기를 갖춰도, 지하 안전 시설에 대피해도 도깨비들의 등살에 불안감을 떨쳐버릴 수 없게 되자 마지막으로 신앙에 귀의한 것이다. 그렇다고 도깨비들이 사라졌을까.

동구권 붕괴로 "북쪽의 도깨비들도 남쪽의 도깨비들도 단 한 놈도 없이 다 고꾸라진"줄 알았더니만 "북쪽의 도깨비도 남쪽의 도깨비도 전혀 고꾸라질 기미가 없어서 걱정"이란 말을 듣는 순간, "뭐라구?" 한 마디를 내뱉던 허허 선생은 그 뒤 언어를 잃어버리게 된다. 그는 전혀 말을 않고 "인류가 앓아본 경험이 없는 병"을 앓으며 고열로 신음할 뿐이다.

아들 허만은 이제 도리 없이 아버지 허허가 "저 멀리 하늘로 비상해 줬으면 하는 바람"을 가지는 게 이 소설의 결말인데, 이건 냉전체제의 종말을 희원하는 시대의 상징에 다름 아니다.

남정현은 긴 작가생활을 통하여 시종 외세와 민족 주체성을 주제로 삼아 일관되게 주장해 왔는데, 위에서 본 것 처럼 그는 「분지」 이전의 구식민지적 강압 체제에 대한 비판 단계를 거쳐 그 후에는 신식민지의 경제와 문화통치에 대한 비판으로 일관하면서 반 침략 민족 주체성의 회복은 냉전의식의 불식으로만 가능하다는 인식을 거듭 확인해 준다.

　세계화의 시대, 민족문학이란 구호가 낡은 것처럼 보이고, 이를 주장하면 구시대의 비평가로 착시되는 시대에 남정현을 읽는 기쁨은 배가한다. 여전히 21세기도 제국주의와 민족 주체성의 대립은 유효할 정도가 아니라 더 중요해지고 있음을 「분지」와 「허허 선생」 연작은 일깨워 준다. 그리고 이 말이 믿어지지 않는 지식인들에게는 다시 시선을 돌려 뉴욕의 무역센터 현장과 아프가니스탄을 중심한 아랍을 응시해 볼 것을 권한다. 그걸 보면서 우리의 진로란 친미, 미국의 일개 주로 편입되는 길밖에 없다고 판단되면(「허허 선생 8」이 바로 이런 주장을 했다) 그는 허허 선생의 후계자로 유력할 것이다. 새미

허허(虛虛)한 세상을 향한 날 선 풍자

김양선*

1

남정현의 작품에는 '풍자적'이라는 수식어가 항상 따라붙는다. 김병걸은 "그릇된 현실의 중핵을 허구화하여 비판하며 매질하고 풍자하는"[1] 작가의 저항정신을 높이 평가했고, 임헌영 역시 현실의 모순 중 가장 첨예한 부분만을 "전자현미경으로 확대하여 이를 풍유화하는 기법을 주로 사용"[2]한 점에 주목하였다.

반면 그의 작품이 지나치게 사변적이고 요설로 일관한 탓에 비판적 리얼리즘이 궁극적으로 성취해야 할 현실 극복의 가능성을 제시하는 데에는 역부족이라는 지적도 있다. 그렇지만 가령 1930년대 풍자소설의 경지를 한단계 끌어올렸다는 평가를 받는 채만식의 경우만 하더라도 현실에 대한 통렬한 비판은 있되, 대안이나 방향성을 제시하는 데에는 미흡하다는 식의 회의론이 제기된 바 있다. 한편에서는 '풍자'가 현실을 우의적이고 간접적인 방

---

* 한림대 교수
1) 김병걸, 「상황악에 대한 끈질긴 도전」, 위의 책, 356쪽.
2) 임헌영, 「승리자의 울음과 패배자의 웃음」, 위의 책, 371쪽.

▲ 「분지」를 쓸 무렵의 남정현

식으로 고발하기 때문에 기법적인 한계를 안고 갈 수밖에 없다는 주장도 있다. 요컨대 남정현의 작품이라고 해서 풍자 기법이 지닌 일종의 태생적 한계에서 자유로울 수는 없다는 것이다.

냉전과 반공 이데올로기가 압도하는 엄혹한 현실, '언로(言路)'가 막힌 현실 속에서 작가는 현실을 비판하는 강력하고 효과적인 무기로 풍자를 사용한다. 게다가 남정현 소설에는 특유의 강기(剛氣) 내지 결기(決氣)가 엿보인다. 한편으로는 대상을 조롱하고 비꼬고 비틀고 격하시키면서 웃음을 자아내지만, 또 한편으로는 현실을 직설적으로 드러내고 폭로하는 목소리를 작품 곳곳에 산포하기 때문이다. 형상화의 과정을 거치지 않은, 선동에 가까워 보이는 이러한 진술들은 우화의 세계, 비현실적인 환상의 세계 속에서도 끊임없이 우리가 선 자리를 환기하는 역할을 한다. 남정현의 소설은 "분단시대의 냉전 이념이 낳은 아름다운 위대한 이야기"[3]라는 평가는 이와 같이 분단이나 계급, 국가권력의 문제와 같은 거대 담론을 포효하는 듯한 목소리로 풀어내면서도 그것을 늘 새로운 풍자의 틀로 제시하였기에 가능하다.

2

풍자는 인간이나 개인, 계급이나 조직체, 사회나 문명 등의 악덕이나 죄

---

3) 임헌영, 앞의 글, 371쪽.

악, 부조리성을 야유하거나 끈질기게 경멸한다. 공격은 풍자의 필수불가결한 요건이다.[4] 풍자의 목적은 그 공격의 대상을 격하시키고 비판하는 데 있다. 풍자는 웃음을 자아내지만 희극처럼 웃음 그 자체가 목적은 아니다. 냉소나 조롱이 주된 무기로 사용되긴 하지만 현실을 시정하고 개선하려는 의도를 지니고 있다는 점에서 단순한 냉소와는 차이가 있다.

풍자(Satire)의 어원인 'satura'는 혼합을 의미한다. 그런 만큼 풍자는 목적을 달성하기 위해 독백, 대화, 서간, 연설, 서술, 풍속 묘사, 성격 묘사, 환상 등의 수법을 단독으로 또는 혼합해서 사용한다. 어조로는 기지(wit), 반어(irony), 비꼼(sarcasm), 조롱(ridicule), 냉소 등을 다양하게 활용해서 이면적 진실에 덧칠을 한다.[5] 남정현의 작품에서도 현실을 풍자하기 위해 여러 기법이나 어조들이 사용된다.

가장 빈번하게 사용되는 방식으로 알레고리(Allegory, 寓話)를 들 수 있다. 알레고리는 이중적 의미를 가진 이야기 유형을 지칭한다. 인간 세상을 빗댄 동물 우화에서 흔히 볼 수 있는 것처럼 알레고리는 정작 말하려는 것과는 다른 어떤 것을 말함으로써 현상 이면에 감춰진 본질에 낯설게 접근한다. 「방기(放氣)소리」(1970)와 「코리어 기행」(1971)이 이 계열에 해당하는 작품들이다.

「방기소리」는 '옛날 이야기'의 형식을 적극적으로 차용한다. 입에서 입으로 전해져 내려오는 옛날 이야기야말로 가장 민중적인 형식임은 두말할 필요도 없다. 화자와 청자 사이의 대화적 관계가 가능하고, 화자의 의지에 따라서는 수정과 첨삭이 가능하며 검열을 의식할 필요도 없다. 그런데 허구적으로 설정된 '옛날 이야기회' 회원들은 "정작 할 얘기들은 슬슬 뒤로 다 빼돌리는" 상황, 이야기를 하다말고 사라져버리는 상황에 처해 있다. 이는

---

4) 그레고리 피츠제럴드, 「풍자적 단편소설」, 『단편소설의 이론』, 찰스 E. 메이, 최상규 옮김, 예림기획, 1997, 274~5쪽.
5) Arthur Pollar, 『풍자』, 송낙헌 역, 서울대학교 출판부, 1979, 9~10쪽.

물론 '할 말을 하지 못하는' 당시 현실을 빗대어 표현한 것이다. 5.16군사쿠데타나 통금시간과 같은 억압적인 제도를 빗댄 이야기가 펼쳐지는가 하면, 도둑질을 하지 않겠다는 도둑들을 직무유기로 잡아가는 이야기를 통해 공공의 선을 위해 나서야 할 국가권력이 오히려 악덕을 조장하는 전도된 상황을 빗대기도 한다.

그 중 압권은 '양근이 없어진 이야기'이다. 인간의 신체 일부가 사라진다는 설정 자체가 그로테스크할 뿐만 아니라 없어진 줄 알았던 "어느 양반의 양근이 왕 노릇"을 하고 있더라는 이야기는 황당하기 그지 없다. 인간의 몸을 기괴하고 환상적인 측면에서 묘사하거나 인체 구조 자체가 소설의 등장인물이 된다는 설정은 비공식적인 민중 문화에서 빈번히 발견된다.6) 이 이야기에서도 양근이 왕으로 변신하는 기이한 상황은 권위를 격하시키는 민중적 발상의 일환이라 할 수 있다. 그렇지만 이처럼 말로 흐드러지게 펼쳐지는 난장(亂場)은 결국 성사되지 못한다. 난장은 밑으로부터의 민주화가 이루어지는 민중적 카니발의 장이라 할 수 있다. 그런데 정작 화자는 이야기의 매듭을 지어야 하는 상황에 이르러서 잠이 들어버리거나, 간질병 발작을 일으킴으로써 청자의 기대지평을 배반해 버린다.

이는 서술자인 '나'의 경우에도 마찬가지이다. 자기의 말을 자기 검열하는 상황은 자못 심각하다. 나는 여자나 돈 이야기와 같은 지극히 일상적인 이야기마저 이적 행위로 오인받을까 두려워서 하지 못한다. '빌어먹을 꿈' 이야기마저도 "휴전선을 무시하고 넘나드는" 얘기인 까닭에 주저하는 것은 당연지사다. '통일'이나 '이적 행위'와 같은 말들이 코에 걸면 코걸이, 귀에 걸면 귀걸이 식으로 민중을 통제하기 위한 수단으로 쓰이는 상황을 빗댄 것이다. 결국 하고 싶은 말 대신 방귀를 뀐다는 설정은 상식은 물론이거니와 무의식의 영역인 꿈마저도 통제하는 당대 현실을 비판한 것이라 할 수 있다.

---

6) 미하일 바흐찐, 『장편소설과 민중언어』, 전승희·서경희·박유미 역, 창작과비평사, 1988, 365~374쪽.

입과 항문, 말과 방기소리의 전도는 위와 아래를 뒤바꾸고, 가장 비속한 영역을 동원하여 대상을 격하하고 조롱하는 방식인 것이다.

「코리어 기행」은 지금/이곳의 현실과는 정반대되는 유토피아적 현실을 외국기자의 눈을 통해 기술하는 방식을 취한다. 서술자의 언술을 그대로 빌어 말하자면 '지구의 벽지'이자 '세계의 치부'와 같은 존재, 사대주의와 민족 허무주의, 배금사상에 물들어 있던 과거 우리 나라는 실은 있는 그대로의 작품 밖 현실이다. 그런데 작품 속의 현실에서는 뜻밖의 유전 발견으로 순식간에 벼락부자가 된 나라, "질병이 없고, 간섭하는 권력이 없으며, 어디까지나 자유의지의 연합체로서, 사랑과 믿음만을 재료로 하여 너와 나 사이를 정정히 그리고 아름답게 수놓은 나라"가 등장한다. 그렇지만 이는 지금 도래한 현실이 아니라 모두가 열망하지만 실현 불가능한 환상이자 허구이다. 지상낙원을 전경화하기 위한 서술자의 능청떨기와 과장은 '외인 멸시 사상'이라든가 '환자를 수입하는 나라'와 같은 데서 극적으로 드러난다. 이상적인 사항을 나열하면 나열할수록 허구 속 현실이 추문에 불과하다는 사실이 명백해지고, 실제 현실과의 괴리감이 커짐은 물론이다. 따라서 「코리어 기행」은 작품 전체가 '반어'의 집성체라고 보아도 무방하다.

부분적으로 알레고리적 상황을 차용한 경우도 있다. 「부주전상서(父主前上書)」(1964)는 창경원의 동물원에서 다른 동물들과 같이 진열된 채 구경거리로 전락한 아들의 이야기를 한다. 이런 우화적인 상황 설정은 물론 상식에서 벗어난 것이다. 하지만 부정부패, 지식인과 권력층의 야합 등이 아무렇지 않게 자행되는 현실은 더 비인간적이고 상식 이하이다.

> 현실에 참패한 픽션
> 픽션을 제압한 현실.
> 이것이 곧 카오스의 세계요, 또한 이 땅의 생생한 리얼리즘이 아니겠습니까.
> 그렇습니다. 아버지. 소설에서나 있을 수 있는 이야기는 이젠 분명히 현실에서
> 나 있을 수 있는 이야기로 대치되어버린 그러한 토지 위에서 우리들은 생활하

고 있는 겁니다.

이렇게 현실을 대하는 편이 훨씬 더 눈이 부시고 아기자기할 때 누가 구태여 소설을 읽으려 하겠습니까. 허구가 현실이 되고 현실이 허구가 되어버린, 아기이한 전환이여. 아버지 믿어 주십시오. 아무리 소설같이 믿기지 않는 이야기라 하더라도 내 조국 대한민국에서만은 믿어주셔야 합니다.[7]

아들의 진술은 작가 남정현의 작의(作意) 및 세계관을 단적으로 보여준다. 이 세계는 선과 악, 정의와 불의가 뒤바뀌어 있고, 때문에 정공법으로는 허구마저 제압해버리는 비루한 현실을 도저히 포착할 수 없다는 것이다. 풍자와 알레고리, 반어 등의 소설 기법을 즐겨 사용하는 까닭을 서술자의 입을 통해 우회적으로 제시하는 셈이다.

두 번째로 작가는 그로테스크한 상황을 전경화하고, 인물의 특성을 과장되게 부각시킨다. 여러 평자들이 지적한 바와 같이 「허허 선생」 연작에는 그 이름부터가 중의적인 인물이 등장한다. '허허 선생'은 자기를 실제 이상의 존재인 양 가장하는 기만적이고 허위의식에 가득찬 인물이다. 이 '알라존' 형[8] 인물은 행동 하나 하나가 돌출적이고 논리적인 궤도를 벗어나 있기에 '허허' 웃을 수밖에 없는 조롱의 대상이자, 도무지 그 실체를 종잡을 수 없는 헛것의 괴물로 여겨질 수밖에 없는 존재이다. 문제는 헛것의 존재가 지배계층으로 군림하는 가공할 현실에 있다. 인물에 대한 풍자가 상황에 대한 풍자로 이어지는 셈이다.

허허 선생류의 인물이 지배하는 현실의 불구성을 강조하기 위한 전략으로 작가는 '피호성(避護性)'과 거주처로서의 본래적 기능이 거세된 집의 형상을 강조한다. 「허허선생(Ⅰ)」에서 "기왕의 집을 혁명화하여 좀더 살기 좋은 인간의 집으로 승격한 것이 아니라 인간을 생식하는 그런 어떤 이름모를

7) 『남정현 대표작품선 : 분지』, 한겨레, 1987, 276쪽. 앞으로 작품의 인용은 위 책의 쪽수를 따르기로 한다.
8) N. 프라이, 『비평의 해부』, 임철규 역, 한길사, 1982, 59쪽.

괴물의 사령실과 같은 기이한 형자"를 이루고 있는 집은 "코리어의 보물을 강탈하기 위해 눈을 부릅뜨고 부단히 이착륙을 하는 대기권 밖의 어느 괴물체"를 연상시킨다. 집에 대한 비유어로 거듭 사용되는 '괴물체'는 곧바로 이 집의 가장인 허허 선생의 부정적 속성을 연상시킨다.

지층에 뿌리박지 않은 집은 움직이거나 수시로 모양을 바꾸고, 심지어는 아들 '허만'을 위협하고 조롱하기까지 한다. 의인화된 집이 인간을 지배한다는 비현실적인 설정은 인간으로서의 존엄이 지켜지지 않는 현실 상황을 빗댄 것이다. 뿐만 아니라 집의 내부는 "소위 국산이란 물품이 하나도 참여하지 않"은 외제 일색이며, '허허 박물관'에는 친일의 명백한 징표인 일황에게서 직접 받은 회중용 금시계가 진열되어 있다. 허허 선생의 외세 의존성은 그의 직접적인 언술을 통해서도 드러나지만 이와 같은 물질적 징표들을 통해서 더욱 뚜렷해진다. 자주적이지 못한 상황을 자못 과시하듯 드러내는 이러한 행태는 적나라한 나머지 오히려 기이한 느낌을 자아낸다.

「허허 선생」 연작은 1970년대에 3편까지 발표되었고, 한참이 지난 1988년과 1990년에 각각 4편과 5편이 발표되었다.[9] 그 동안 민주화 운동의 진전과 사회주의권의 몰락 등 국내외 정세에는 많은 변화가 있었다. 그런데 허허 선생은 여전히 일본도를 휘두르고, 신체 각 부위마다 주치의를 둘 정도로 그 기세가 수그러들지 않았다. 허허 선생의 집 역시 오히려 더 그로테스크한 형상을 띤다. 공상과학 영화에나 나올 법한 지하궁전의 밀실이라든가, 허허 선생의 말 한마디에만 열리는 암벽으로 된 문은 변화된 사회지형도와는 별개로 여전히 폐쇄적이고 독단적인 삶을 영위하는 지배층을 상징하는 구조물이라 할 수 있다.

흔들리는 집, 무너지는 집과 같은 기형적인 집의 형상은 「현장」과 「천지현황(天地玄黃)」에서도 반복해서 나타난다. 사랑타령이나 재즈, 정치 등에

---

9) 「핵반응—허허 선생4」는 『창작과비평』 1988년 가을호에, 「신사고—허허 선생5」는 『실천문학』 1990년 여름호에 각각 발표되었다.

편집증적으로 몰입하는 구성원들 탓에 황폐해진 「천지현황」의 집, 가족간의 분란으로 인해 부서지고 기울어진 「현장」의 집은 불구적인 가족관계를 상징할뿐만 아니라, 나아가서는 의식이 마비된 우중(愚衆)의 상태를 지칭한다.

과장과 그로테스크한 상황 설정은 그의 대표작인 「분지(糞地)」(1965)의 경우에도 해당된다. 홍길동의 10대손이며 동시에 단군의 후손인 만수의 가족사는 그야말로 외세 − 미국에 의해 찢겨진 가족사이다. 미군에게 겁탈당한 어머니, 양공주가 된 누이 분이로 이어지는 여성 수난사에 대응하는 방식은 가해자인 스피드 상사의 부인을 강간하는 것으로 나타난다. 눈에는 눈, 이에는 이 식이다. 미국측의 대응방식 역시 극단적으로 과장되어 있다. 미 병사의 아내의 순결을 짓밟은 것은 전 인류의 생존을 위태롭게 하는 악이라는 식의 논리적 비약이 횡행하고, 만수는 지구상에서 쓸어버려야 할 '오물'로 전락한다. 펜타곤의 등장이나 '향미산'을 통째로 날려버릴 만한 가공할 군사력은 미국의 오만과 막강한 군사력을 극대화하기 위한 설정이다. 하지만 "이방인들이 흘린 오줌과 똥물만을 주식으로 하여 어떻게 우화처럼 우습게만 살아온 것 같"은 인생은 비단 홍만수에게만 해당되는 우화같은 현실이 아니다. '분지'는 식민화된 이 땅의 엄연한 현실인 것이다.

독백이나 서간체도 풍자의 일환으로 사용된다. 이 일인칭 서사양식들은 주인공의 허위의식이나 우매함을 효과적으로 폭로한다. 그런데 「부주전상서」나 「분지」는 일탈적인 인물의 입을 통해 현실에 대한 분노를 가감없이 표출하는데 초점이 주어진다. 광기어린 현실에 광기로 대응하는 인물들을 극화하는 것이다. 작품의 서술자 겸 주 인물은 존속살인(「부주전상서」), 강간(「분지」) 등 인륜적 질서를 위협하는 범죄를 저지른 자이다. 더군다나 살인과 강간의 동기 자체가 터무니없다. 여성의 생리 현상에 무지하거나, 고통받는 누이를 위해 생식기 크기를 비교해야 한다는 식의 상식에 미달하는 이유들을 제시하고 있기 때문이다. 겉으로 드러난 언술이나 행동만 놓고 따지자면 영락없는 바보형 인물들이다. 그렇지만 살인자라고 해서 그를 동물원에 가두거나, 제국의 권위에 도전했다 해서 그를 응징하기 위해 산 전체를 날려버릴 정도로 엄청난 군사력을 동원하는 지배세력은 이 인물들보다 훨씬 더 뒤틀리고 상식에서 벗어나 있다. 따라서 풍자의 대상은 바로 이들 지배세력이며, 독백이나 연설같은 일방통행적인 언술들은 그들의 야만성을 우회적으로 비판하기 위한 전략이라 할 수 있다.

<h1 style="text-align:center">3</h1>

임헌영이 적절히 지적했듯이 남정현은 역전된 부부관계를 현실을 우화적으로 표현하기 위한 수단으로 즐겨 사용한다.[10] 「너는 뭐냐」(1961)의 관수와 신옥, 「부주전상서」의 용달과 청자는 가장의 권위를 상실한 남편, 남편을 오쟁이 지우는 아내 사이에 빚어지는 이야기라는 점에서 1930년대 이상의 「날개」에 나오는 나와 아내의 관계와 흡사하다.

「너는 뭐냐」의 신옥은 소위 '현대'라는 말을 신앙처럼 여기는 인물이다. 그녀는 주부는 무릇 위생적이어야 한다면서 방안에서의 배설 행위를 정당화하고, 그 근거를 대기 위해 두꺼운 의학책을 들이밀고, 남편과는 별개로 다른 남성과 자유 연애를 즐기는 것을 '현대적' 지식이자 생활이라고 여긴다. 반면에 남편은 돈도 안 되는 번역을 하면서 아내의 연애담을 들어주고 조언까지 할 뿐만 아니라, 식모 인숙이의 '예술'을 이해 못하고, 주인집 아이들처럼 라디오 드라마에 대한 해박한 지식도 없다. 그는 아내는 물론 식모나 아이들과 같은 부류에게서조차 "저 분이 정말 사람의 종류로 이 세상에 출생"했을까라는 수모적인 평을 받을 정도로 무능하다. 「부주전상서」의 용달은 대학까지 나왔지만 생리대와 기저귀를 구분하지 못할만큼 무지하다. 그는 여성을 '기저귀처럼 추하고 유치한 것'으로 여기며 이와 같은 오해에

---

10) 임헌영, 앞의 글, 366쪽.

기초해 아내를 폄하하지만 그 대가는 제 '계집 하나 통솔하지 못하는' 오쟁이진 남편이라는 주위의 비난이다. 반면에 아내는 남녀평등을 명분으로 내세워 여자들에게도 외박할 권리가 있다면서 자신의 바람기를 정당화할만큼 영악하다.

이처럼 부부관계에서 우위에 있는 인물은 아내이다. 그녀는 성적, 경제적으로 주도권을 행사할 뿐만 아니라 '현대적' 지식으로 자신을 그럴 듯하게 포장할 줄도 안다. 하지만 이들이 추종하는 현대는 미국식 생활방식이거나 기껏해야 연애를 정당화해주는 도구로나 쓰이는 왜곡된 여성해방론이다. 주목할만한 점은 현대를 실용성, 효용성에 근거해 판단하는 그녀들의 '현대관'이 맹목적으로 개진될수록 역설적으로 무지가 여지없이 폭로된다는 점이다. 가령 "현대란 네가 살자면 내가 죽고, 내가 살자면 네가 죽어야 하는 그렇게 엄격한 룰 속에서 아주 조직적으로 빈틈없이 움직이는 그런 일종의 잔인하고 거대한 무슨 기계와 같은 것"이라는 신옥의 편협한 현대관은 미국을 그 '견본'으로 여기고, 생활방식을 추종하는 데로 비약한다.

부부관계의 역전이 온갖 가치가 전도된 채 표류하는 현실의 축도라는 점은 작품의 결말에서 밝혀진다. '너는 뭐냐'라는 남편의 질문에 아내는 대답을 못한다. "아내의 손을 비비게 할만큼 효과적인" 이 질문은 실상 일그러진 현대의 실체, 우리의 정체성을 묻는 것이다. 따라서 아내의 '시시한' 전략은 부부관계의 거듭된 역전을 지칭하는 것임을 물론이거니와 "국민을 학대하던 일체의 건물과 일체의 제복이 무너져 버리는" 권력을 상징한다.

부부관계에서 한걸음 더 나아가 가족/가정은 그의 소설에서 사회의 축도이자 비유로 자주 쓰인다. 중심을 잃고 표류하는 '난가(亂家)'의 형상은 가부장적 권위의 희화화와 맥락을 같이 한다. 「현장」(1963)과 「사회봉(司會棒)」(1964)에는 반공 이데올로기의 피해자인 가장이 등장한다. 「현장」의 아버지 이춘궁은 전직고관 출신이지만 "자유와 민주와 통일을 가져오기 위해 노력했다는 단 한가지 이유"로 집안에 감금당한 채 의치나 닦는 무력한 노인네로 전락해있다. 이런 딱한 사정에도 불구하고 독자는 우리나라는 민주주의 나라이고, 그 민주주의가 도래했다는 소식만을 기다리는 아버지의 모습에 쓴웃음을 지을 수밖에 없다. 첫 번째 이유는 누구나 다 아는 자명한 명제를 신념으로 고수할 뿐 가장으로서의 책임감이나 현실적응력을 상실했기 때문이고, 두 번째로는 그런 자명한 명제마저 실현되지 않은 실제 상황 때문이다. 그 와중에 형과 형수는 지리한 사랑 타령으로 상황을 더욱 악화시키는가 하면, 누이 경아는 무분별한 미국문화의 대명사라 할 재즈 리듬 속에 '침몰' 해서 재즈 가수의 이름과 노래를 아는지 여부만 따지려 든다. 일차적인 생존 조건인 쌀마저 떨어진 상황에서 여전히 민주주의를 '앉아서' 기다리고, 이혼을 결정하고, 재즈를 노래하는 이들의 막힌 행동과 대화는 부조리극의 한 장면을 연상시킨다. 소통은 불가능하고, 딱한 현실을 타개할 출구는 어디에도 없다.

> 우선 배반을 하면 나는 여지없이 이 나라의 반역자가 될 것이 아닌가. 반역자가 되기만 하면 내가 이 땅에서 가야 할 자리는 거의 결정적인 것이었다.
> '형무소' (중략)
> 그렇게 되어서는 못쓴다.
> 뭐보다도 나는 지금 오래 살아야만 될 형편에 놓여 있으니까 말이다. 통속적인 형태로도 우선 나는 오래 살고 봐야만 암초에 걸린 형과 형수 사이의 그 미묘한 사랑의 선박도 구제해줄 수가 있으며 비바푸(모던 재즈)의 리듬 속에 침몰한 나의 귀여운 누이동생 경아의 안부도 타진할 수가 있고, 겸하여 실의에 잠긴 아버님을 부축하여 어머님의 말씀대로 우리 집안을 한번 새로 일으켜 세울 수가 있을 것이 아닌가. (193~4쪽)

형이 던진 '배반'이라는 말은 지극히 개인적인 차원의 것이다. 그런데 나는 그 말을 국가적인 차원으로 확대 해석해서 '반역자'와 '형무소'를 잇따라 떠올리며, 나아가 형무소에서의 건강상태까지 염려한다. 그런가 하면 자신이 오래 살아야 할 정당성을 '가족의 안녕'에서 찾는 의식의 착종상태를 보인다. 이와 같은 언어의 교착상태는 말 한 마디만 잘못해도 잡혀가는 당시의 억압적 상황을 조롱하는 동시에 판단정지 상태에 빠진 가족-사회를 빗댄 것이다.

「사회봉」에서도 집안의 연장자인 동문 선생이나 경제력이 있다는 이유로 사회봉을 쥐게 된 원규나 가장으로서의 실질적 권위를 행사하기에는 허약하다. '난가'의 진원지는 "통일이라는 어휘로 말미암아" 해방 이후 20여년을 갇혀지낸 동문 선생이다. 그는 조국 통일을 부르짖던 기백은 간데없고, "우리말을 하며 밥을 먹고 똥을 싸는" 단순한 생리 현상조차 "공산주의자들을 닮은 불온"한 짓거리는 아닌지 근심할만큼 과대망상의 분열증적인 상황에 처해있다. 그렇지만 그의 과대망상이 전혀 근거없는 발상은 아니다. 외세, 민중, 자주, 통일과 같이 '우리말 사전'에 나오는 말은 단지 '김일성이 애용하는 말'이라는 이유 때문에 현실 속에서 왜곡되고, 한 개인의 삶뿐만 아니라 가족적 삶까지 파괴한다. '당신이 쓰는 말은 김일성이 쓰는 말과 같으므로 당신은 김일성과 같은 인간이다.'라는 식의 논리적 비약이 횡행하는 농담 같은 현실에서라면 개인 혹은 가족이 분열증을 앓는 거야 별로 이상할 것이 없기 때문이다.

가장의 권위 부재는 결국 인륜적 질서를 거스르는 극단적 결과를 가져온다. 질서나 권위의 상징물인 사회봉은 누이를 아내로 착각하여 안고 마는 원규의 패륜을 응징하는 도구로 화한다. 붕괴되고 뒤틀린 가족의 형상, 그것은 상식이 통하지 않는 당대 현실의 우화이다.

「천지현황」에서도 문길 씨 가족은 "누가 부모며 자식이고 누가 형이고 아우인지"를 분별하지 못한 채, "싸움의 주제와 소재와, 그리고 그 상대가 누군인지"도 모른 채 분란을 거듭한다. 비민주적인 아버지는 '간첩'에 다름 아니므로 마땅히 응징해야 한다는 아들의 논리는 위의 작품들과 마찬가지로 지배권력이 내포한 이데올로기에 침윤당한 대중들의 가치관 마비 현상을 반영하는 것이다. 그런가하면 「허허 선생」의 허허 선생은 가족관계마저 '몇

장'짜리 돈으로 환산한다. 이와 같이 파탄난 가족, 무능하고 웃음거리로 전락한 가부장의 이야기에는 어떤 방식으로든지 – 때로는 인물의 목소리를 통해, 때로는 상황과는 전혀 관련이 없는 시사적인 언어의 개입을 통해 – 현실의 강고함을 드러내고, 그것을 비판하는 발언들이 개입한다. 이와 같은 방식이 기법적인 세공을 가하지 않은 것으로 비춰질 우려도 있다. 하지만 가족 갈등과는 일견 무관한 듯한 이런 돌출적인 발언들은 억압적 현실의 강고함을 끊임없이 환기하는 효과를 냄과 동시에 그 현실의 논리가 얼마나 허약하고 우스꽝스러운지를 일깨워주는 역할을 한다.

4

풍자의 원칙은 대상을 깎아내리는 것이다. 풍자 대상이 지닌 부정적 속성은 소위 '바보형 인물'들에 의해 해부되고 폭로되는 경우가 많다. 「허허 선생」의 허허나 「너는 뭐냐」의 신옥같이 자기과시적인 '알라존'형 인물의 반대편에는 아들 허만이나 관수같이 자기를 비하하거나 무지를 가장하는 '에이론'형[11] 인물이 등장한다. 이들은 겉보기에는 무지하고 시속(時俗)을 따라잡지 못하는 굼뜬 인물로 타인의 조롱거리가 된다. 하지만 이들의 순진한 눈은 기존의 가치 척도가 지닌 문제점을 극대화하면서 역전시킨다. 때문에 표면적 사실과 이면적 진실 사이의 간극에서 아이러니가 발생한다.

「너는 뭐냐」의 관수는 '현대인'의 권리를 내세우면서도 그것을 자신의 불합리한 행동이나 무분별한 연애를 정당화하기 위한 방어기제로 사용하는 아내의 눈에 무능력한 존재로 비춰진다. 뿐만 아니라 그는 '도라지'나 '양산도'류의 잡지를 탐독하며 연예계 동정같은 싸구려 정보를 예술로 알고 지내는 식모 인숙에게는 "저 사람이 정말 사람인가를 의심할 만큼 예술에 대한 소양이 백지에 가까운" 인물로, 라디오 드라마에 빠져 배우 이름을 줄줄

---

11) N 프라이, 앞의 책, 61쪽.

외는 주인집 어린 남매의 눈에도 '색다른 동물'로 인지된다. 하지만 이들이 관수를 폄하하는 근거가 되는 지식이란 게 기껏해야 선정적인 연예계 소식이거나 결말이 뻔한 통속적인 드라마이기에 오히려 실소를 자아낸다.

(가) 그렇게도 인숙이가 꿈에도 놓지 못하는 무슨 '야화'니 '도라지'니 '양산도'니 하는 유의 잡지가 관수가 보기에는 정말 미국이 지시하는 '현대'의 생리를 표현하느라 그런지 참으로 타기할 만큼 우리의 미풍양속을 해치는 천한 오락물에 지나지 않았지만 인숙이는 그런 책 이외에 또 예술을 담은 책이 이 세상에 존재한다는 사실을 도무지 신임하려 하지 않았다. (23쪽)

(나) 그런 소리만 들으면 괜히 혓바닥까지 간지러워지는 관수였다. 네 뒤에 누가 있으니 걱정말라는 투의 사대적인 사상으로 말미암아 스스로 생각하고 스스로 설 수 있는 그런 주체적인 힘이 여지없이 허물어져 내리는 물결 속으로 지금 조국의, 아니 민족의 얼이 점점 파묻혀 들어가는 것 같은 참상이 눈앞에서 아물거리는 탓이랄까, 실은 그보다도 라디오를 뺑 둘러싸고 앉아서 주고 받는 애들끼리의 대화가 참으로 꼴같잖아서였는지도 모른다. (30쪽)

위 예문 (가),(나)에서 볼 수 있는 바와 같이 다른 사람들의 눈에 비춰진 무지함과 달리 그는 허울뿐인 현대나 매스미디어의 문제점을 비판적으로 포착할 만큼 분별력이 있다. 작가는 지식의 유무가 전도되는 반어적 상황을 통해 오히려 상대편의 무지를 폭로한다.

이런 바보형 인물이 무지를 가장하는 방식은 과장된 어투나 전후 맥락과 상관없는 지식인의 담론을 사용하는 것이다. "한창 성장하는 애들의 몸이 수시로 저렇게 라디오한테 수분을 빼앗기고 나면 도대체 무슨 힘으로 건강을 유지할까 하는 의문"이나, "예술이라는 낱말에 아직 뼈도 영글지 않은 저것(인숙)이 밤낮없이 저렇게 시달리다가는 정말 '그날 밤에 생긴 일'도 한번 생겨 보지 못하고 일찍 돌아가시면 어쩌나 하는 그런 사위스런 생각"은 풍자대상이 관수에게 취하는 태도와 비교해보자면 지나친 근심이 아닐 수 없다. 게다가 '민족의 얼'과 같은 거창한 말이 상황에 걸맞지 않게 쓰이면서 관수 자신까지 풍자의 대상이 되기도 한다.

「허허선생」의 허만 또한 허허 선생뿐만 아니라 집안에서 일하는 사람들에게까지 경원시당할 정도로 현실 감각이 없는 무능한 인물이다. 그는 "시대의 구령에 발 한번 안 틀리고" 걷는 아버지와는 달리 세속적 명예나 돈에는 관심이 없는 주변인이다. 아버지를 '연구'하는 것만이 그의 유일한 일과이다.

> 아빠의 눈과 입을, 아니 아빠의 어제와 오늘을, 아니 아빠가 왜 어제처럼 오늘도 잘 살아야 하는가를, 아니 아빠가 왜 죽지 않고 아직 살아 있는가를 곰곰이 생각하고 있었다. 하지만 아무리 생각해도 아빠의 넋은, 피는, 알맹이는 불행하게도 우리네, 즉 한국사람이 아닌 것 같았다. 일본 사람이었다. 서양 사람이었다. 아니 일본 사람과 서양사람을 요리조리 뜯어 맞춘 그리하여 전혀 소속 불명의 허허(虛虛)한 인종 같았다. (120~121쪽)

'아빠'라는 친근감있는 어휘와는 달리 '아니'라는 부정을 거듭하면서 진술되는 내용은 아버지의 부정적 속성을 여지없이 폭로한다.

그는 아버지에게 맞거나(「허허 선생1」), 발길질을 당하거나(「허허 선생2」), 분노한 군중들로부터 몽둥이 세례를 맞는 환상에 사로잡혀 정신없이 도망치는(「허허 선생3」) 등 아버지와의 대결에서 매번 패배한다. 하지만 이런 상황이야말로 이면적 진실을 드러내기에 적절하다. 가령 아버지의 발길질에 통증을 느끼면서도 '앞으로 부친을 정복하기 위해서 뭣보다도 이 발길질의 비법부터 풀어야겠다'고 생각하는 대목은 그 자체로 웃음을 자아내면서 표면적으로는 나의 바보스러움을 드러내지만, 이면적으로는 허허 선생의 폭력성을 효과적으로 폭로하기 때문이다. "만인의 가슴 속에 자리잡고 있는 시대의 양심, 민족의 양심, 인간의 양심"에 귀기울이다 보면 아버지를 죽일 수밖에 없다는 나의 고지식한 언술은 바보스러움의 징표가 아니라 아버지와 그를 비호하는 '허깨비 같고 악령 같은 현실'과의 대면에서 나온 직설적인 비판이라 할 수 있다.

5

위에서 살펴본 바와 같이 작가는 우화, 환상, 과장법뿐만 아니라 독백이나 서간과 같은 여러 기법들을 사용한다. 풍자의 대상도 인물에 대한 풍자에서 시작되지만 대부분 현실에 대한 날카로운 풍자를 겸한다. 허위의식과 배금 주의, 지배계층의 비리, 분단문제 등 비판의 목록도 다양하지만, 궁극적으로 는 외세와 통일을 저해하는 세력에 초점이 맞춰져 있다.

남정현의 풍자는 매개항 없이 "잡담 제하고 무조건 공격하는 식"[12]의 직설적 풍자가 많다. 지극히 사적인 부부관계를 이야기할 때조차도 유신 독재나 미국의 개입같은 시국 관련 발언이 형상화의 과정을 거치지 않은 채 날 것으로 제시되는 경우가 허다하다. 그것은 '픽션'으로는 도저히 제압 할 수 없는 현실의 무게 때문일 것이다.

작가가 6,70년대를 통과하면서 벼려놓은 풍자의 칼날은 아직까지도 날이 선 모습 그대로 현실을 향해 있다. 현실의 속도를 허구가 간신히 따라잡는 형국이고 보면, '픽션을 제압하는 현실, 현실에 패배한 허구'라는 남정현의 진술은 아직도 유효하다. 세계화의 덫에 치인 민족의 운명도 일찍이 작품을 통해 예견했던 것이다. 그럼에도 불구하고 우리 문학사에서 남정현의 이야 기꾼으로서의 자질, 비판적 리얼리스트로서의 공적은 온당하게 평가받지 못했다.

그는 농담과 독설, 냉소와 분노를 하나의 이야기 속에 녹여냈던 작가이다. '쓴 웃음'이라는 모순어법의 경지를 작품으로 보여준 작가이다. 아직도 진행 형인 분단 상황의 근본적인 책임소재지가 어디인지를 집요하게 파고들었던

---

12) 류양선, 「남정현론 - 풍자소설의 민족문학적 성과」, 『한국현대작가연구』, 민음 사, 1989, 155쪽.

작가이다. 그는 때로는 위악적으로 여겨질만큼 거듭해서 뒤틀린 현실을 조롱하고 개선을 요구했다. 글쓰기를 유희가 아닌 현실과의 치열한 싸움으로 여겼던 그의 작가정신은 채 성숙하기도 전에 조로한 요즘 작가들의 글쓰기와 크게 대비된다. 따라서 현실을 거침없이 난타하는 그의 글쓰기는 우리 문학사에서 '젊은' 글쓰기의 소중한 자산으로 기록되어야 할 것이다. 새미

역설의 미학, 풍자의 언어

「분지(糞地)」론

황도경＊

1. 남정현 문학과 '분지' 사건

1965년 『현대문학』에 발표된 「분지」는 해방과 분단 이후에도 여전히 벗어나지 못하고 있던 우리의 식민지적 상황, 가속화된 근대화의 흐름이 몰고 온 반인간적 징후들에 대한 풍자적 목소리를 담고 있는 작품이다. 그러나 저자 자신도 모르는 사이에 그 전문이 북한 노동기관지인 『조국통일』에 게재됨으로써 작가가 구속되는 사태가 발생하기에 이르렀고, 이어서 이 작품을 둘러싸고 반공법 저촉 논란이 빚어졌다. 한 편에서는 이 작품이 '북괴를 찬양하고 북괴 선전에 동조 영합하는' 반미, 용공 작품이라며 그 사상을 문제 삼았고, 다른 한 편에서는 민족의 주체성을 우화적 아이러니와 풍자적 기법으로 형상화한 작품이라며 맞섰다. 이른바 '분지 필화 사건'으로 불리는 이 사건은[1] 결국 작가가 유죄판결을 받고 수감되는 것으로 마무리되었지만, 작가와 작품이 법 앞에서 재판을 받은 최초의 사례였다는 점, 그 작품이

＊ 문학평론가
1) 이 사건의 구체적인 내용에 대해서는 한승헌, 「남정현의 필화, '분지' 사건」, 『분지』, 흔겨레, 1987을 참고할 것.

당시로서는 감히 엄두를 내기 어려운
반미사상, 현실비판을 노골적으로 드
러내었다는 점 등으로 해서 큰 파장을
남겼다. 특히 이 사건에는 문학을 둘러
싼 여러 중요한 문제들이 내재되어 있
어 더욱 주목을 필요로 하는데, 예컨대
문학과 정치 혹은 문학과 법의 경계,
창작의 자유, 문학의 자율성과 고유성,
문학의 대사회적 기능 등 지금까지도
끊임없이 제기되는 문제들이 그 안에
담겨 있는 것이다.

▲ 『분지』(한겨레, 1987)

　그러나 작품을 둘러싸고 일어난 이
같은 소란스런 논란에도 불구하고 정
작 이 작품에 대한 본격적인 논의는 그
리 활발하지 않은데, 그것은 다음과 같은 몇 가지 이유 때문인 것으로 보인
다. 우선 이 작품이 반공법이라고 하는 족쇄에 묶임으로써 오랫동안 이 작품
에 대한 논의는 물론 작품에 접하는 것 자체가 어려웠다는 점이다. 이 작품은
필화 사건 이후 20여년간 어둠 속에 묻혀 있다가 민주화와 함께 비로소
빛을 보게 되었으니, 그 기간 동안 작가와 작품은 이른바 '승복 아닌 체념'으
로 왜곡과 소외를 견뎌야만 했다. 두 번 째는 이 작품이 주로 '현실비판을
주조로 한 저항문학과 체제안보를 내세운 정권과의 정면충돌'이라는[2] 정치
적 관점에서 주목의 대상이 되어 왔다는 점이다. 실상 이 작품은 작가가
자신의 작품 때문에 법정에 서고 유죄판결을 받았다는 것 그리고 이에 대해
문인들과 언론이 반박, 항의를 했다는 것 등 하나의 '사건'으로서 주목받아
온 경향이 다분하며, 이 과정에서 정작 문학 작품으로서의 「분지」는 주된

---

2) 나명순, 「권력을 딛고 선 민족문학의 알레고리」, 『동서문학』, 1988. 1, 320쪽.

논의의 대상이 되지 못한 감이 있다. 작품 「분지」를 둘러싼 일련의 '사건'이 부각될수록 그 사건 속에서 정작 「분지」는 잊혀지는 역설적 상황이 이루어진 셈인 것이다.

끝으로 이 작품에 대한 논의가 이루어지더라도 그것이 대부분 내용 중심의 그것이었다는 점을 들 수 있다. 이는 앞선 문제들과 긴밀하게 연관되어 있는 것이기도 한데, 남정현 문학에 대한 논의들 대부분이 저항정신이나 비판정신, 민족의식 등에 초점을 두고 이루어져 왔고[3], 「분지」 역시 그러한 관점에서 주목되어 왔다고 할 수 있다. 이들 논의들은 어둠 속에 묻혀 있던 남정현 문학을 발굴하고 그 가치를 재조명하는 작업을 본격화하였다는 점에서 주목되는데, 그럼에도 불구하고 민족문학으로서의 성과를 검토하는 그러한 논의들은 때로 문학적이라기보다 정치적, 이념적 차원에서 이루어지고 있다는 인상을 주고 있다. 이는 필화 사건에서 제기된 문학과 현실의 관계, 현실을 반영하는 가상의 세계로서의 문학의 독자성 여부 등의 문제를 다시금 검토하게 만드는 것이기도 한데, 그의 문학이 갖는 정치적, 민족적 의의에 대한 논의에 비해 그 문학적 성과에 대한 검토는 상대적으로 미흡하다고 볼 수 있다. 이런 점에서 "작가는 현실 그 자체를 그리는 것이 아니라 현실일 수 있는 가능성의 세계를 가상적으로 그릴 수도 있는 것이며, 상징적 또는 우화적 수법으로 가상의 세계를 묘사할 수도 있는 것이다."라는[4] 작가 자신의 항변은 여전히 주목해야 할 필요가 있을 것 같다.

---

3) 이와 같은 시각에서 쓰여진 논문으로는 다음과 같은 것들이 있다.
　김병걸, 「상황악에 대한 끈질긴 도전」, 『한국문학전집19』, 삼성출판사, 1985
　김병걸, 「남정현 문학의 저항성」, 『문학예술운동』 2, 풀빛, 1989
　김병익, 「사회과학과 문학」, 『현대한국문학의 이론』, 민음사, 1972
　나명순, 「권력을 딛고 선 민족문학의 알레고리」, 『동서문학』, 1988. 1
　류양선, 「풍자소설의 민족문학적 성과」, 『한국현대작가연구』, 민음사, 1989
　이철범, 「외세에 대한 민족 양심의 항변」, 『분단, 문학, 통일』, 종로서적, 1988
　임중빈, 「상황악과의 대결」, 『동서한국문학전집』, 동서문화사, 1987
　임헌영, 「변혁으로서의 문학과 역사」, 『대한매일』, 1999. 5. 19 - 6. 22
4) 한승헌(1987), 380쪽 참조.

'「분지」 사건'은 문학을 대함에 있어서 "달을 가리키는데 보라는 달은 보지 않고 손가락만 보는"[5] 어리석음을, 문학과 현실의 복합적으로 얽힌 관계를, 문학의 본질과 기능을 다시금 생각해보게 만든다. 그러나 그 사건이 남정현 문학을 '사건화'하는 데 일조하는 데 그치고 만다면 그것은 더더욱 작가에게 불행한 일이 될 것이다. 작가는 작품으로서 말하고 이해되고 평가되어야 하는 존재다. 남정현 문학이 주목되는 것은 그가 옥고를 치룬 투사여서도 아니고, 그의 작품이 단순히 정치적, 민족적 비판의식을 담보하고 있기 때문도 아니다. 이와 마찬가지로 「분지」는 단순히 반미문학 혹은 민족문학이라는 점에서가 아니라 그러한 내용을 효과적으로 문학적으로 형상화하고 있다는 점에서 주목되는 작품이다. 그의 문학에서 우화적 알레고리와 풍자의 기법이 주목되는 것도 이 때문이다.

2. 우화적 세계의 현실성과 풍자의 언어

그렇다면 풍자 작가로서 남정현에게 있어 문학은 무엇일까? 이를 이해하기 위해 우선 다음 대목을 읽어보자.

아버지, 도대체 소설이란 무엇입니까. 한 인간의 상상력의 소산물이 아니겠습니까. 픽션. 그리하여 재미가 난다는 거겠지요. 그런데 한 인간의 상상력을 가지고는 도저히 추정할 수 없는, 그렇게 기이하고도 엉뚱한 일들이 출몰하는 이 땅의 현실과 충돌했을 때 저는 당황했습니다. (중략)
현실에 참패한 픽션.
픽션을 제압한 현실.
이것이 곧 카오스의 세계요, 또한 이 땅의 생생한 리얼리즘이 아니겠습니까.
　　　　　　　　　　　　　　　　　　　　　　　　　－ 「부주전상서(父主前上書)」

---

5) 이는 재판 당시 피고인측 증인으로 나온 이어령의 비유임. 한승헌(1987), 384쪽 참조.

1964년 발표된 이 작품은 「분지」와 마찬가지로 죽은 아버지를 상대로 한 주인공의 독백 형식으로 되어 있다. 아내의 계획적인 유산을 근대화가 몰고 온 비인간적 풍조와 혼란한 정치사회적 상황에 연결시켜 루프가 끼워진 자궁을 훼손된 조국 현실의 알레고리로 형상화한 이 작품은 그 과장된 상황 설정이나 현실인식의 극단성 등으로 인해 다소 설득력이 떨어지기는 하지만, 작가가 생각하는 소설관을 직접적으로 엿볼 수 있다는 점에서 주목된다. 어떤 상상력으로도 따라잡을 수 없는 기이한 세계 그래서 그 자체가 이미 하나의 허구가 되어버린 현실 앞에서 그 '생생한 리얼리즘'을 담아내는 소설은 황당하고 과장된 우화적 세계가 될 수밖에 없다는 것, 이것이 그가 파악한 현실인식이자 문학관이다.6) 논리적으로 이해될 수도, 합리적으로 설명될 수도 없는 상황 앞에서 작가는 논리와 상식의 잣대를 버린다. 미친 사람과 이야기하려면 함께 미치는 수밖에 없고, 거꾸로인 세상을 바로 보려면 물구나무를 서는 수밖에 없다. 그러니 죽은 사람과 이야기를 하고, 현대생활의 모토인 위생학에 충실하기 위해 방안에서 요강에 큰일을 보고, 의료행위를 한답시고 '가스분석'을 하고, 아랫도리의 크기를 재보려 한다며 여자에게 옷을 벗어보라고 요구하는 엉뚱하고 비상식적인 그의 이야기들은 오히려 전도되고 혼돈된 가치관 속에 있는 우리 현실의 우스꽝스러운 반영이 된다. 그는 직설적인 분노와 저항을 통해 모순적 현실을 극복하려 하기보다 우회적인 웃음으로 현실을 풍자하고 야유한다. 너무나 어처구니 없고 황당한 현실 앞에 서면 때로 분노보다 허탈한 웃음이 터져 나오고 말문이 막히는 법. 어떤 점에서 그의 소설은 이 막혀버린 말문을 뚫고 나오는 이야기들이라 할 수 있으니, 이 때 그 이야기들은 막혀버린 입 대신 다른 구멍을 찾게 된다.

---

6) 이 글을 쓰는 동안 세계무역센터와 펜타곤에 대한 테러 사건을 접했다. '픽션을 제압한 현실'을 너무나 생생하게 확인하게 하는 이 사건을 전해 들으면서 인간의 상상력으로는 도저히 추정할 수 없는 일들이 출몰하는 현실에서 비상식적이고 과장된 우화적 세계가 오히려 '생생한 리얼리즘'이 된다는 남정현의 진술이 더욱 실감나게 다가온다. 더군다나 사건 후 악을 응징하겠다며 미국이 보여주는 단호한 대응은 「분지」의 그것과 겹쳐지면서 묘한 쓸쓸함마저 불러온다.

그러구 저러구 이젠 정말 아랫배가 무거워져서 꼼짝을 못하겠네요. 뭐가
자꾸만 밑으로 새어나올 것 같아요.
뽕 뽕 뽕, 요란한 소리와 함께 방귀가 나오는군요. 아이 시원해라. 하지만
이 판에 방귀가 다 뭐람. 빵 빵 빵 빵, 어허 이거 한이 없는뎁쇼.
"아이 구려. 골아 이 자식아, 아가리로 말하랬지 언제 누가 너 보고 똥구멍으
로 말하랬냐. 어이 구려."

─「방기(放氣) 소리」

　입으로 이야기 해야 할 자리에서 '똥구멍으로 말'할 수밖에 없는 입장을
우화적으로 묘사하고 있는 이 같은 대목에서 확인할 수 있듯이 남정현 인물
들은 하고 싶은 말을 하지 못하는 상황에서 말 대신 방귀를 뀔 수밖에 없다.
여자 얘기도, 돈 얘기도, 휴전선 넘어 고향에 가보는 꿈 얘기도, '웬지 마음이
켕기어' 꺼내놓을 수 없게 되었을 때, 그 말들은 대신 뽕 뽕 뽕 요란한 소리와
함께 방귀가 되어 나온다. 작가에게 있어 말은 창세기에 기록되어 있듯 삼라
만상을 창조해 낸 원천과도 같다. "태초에 말씀이 있었고, 하나님은 오로지
이 말씀만을 재료로 하여 삼라만상을 창조하"셨으니, "그 말씀만으로 이루
어진 삼라만상의 역사란 즉 '말'의 역사일 것"이라는 것이 그의 믿음인 것인
데, 그럼에도 불구하고 그 말들은 직접 간접적인 억압에 의해 침묵이 강요된
다. 이 강요된 침묵을 뚫고 튀어나오는 말들, 그것이 남정현 문학이며, 그것
은 근본적으로 '아가리'를 통해서가 아니라 '똥구멍'을 통해 튀어나온다.
그러기에 그것은 때로 방귀가 되고 똥이 되어, 우아함으로 위장된 자리에
구린 냄새를 풍기고 우리의 하얀 얼굴을 화끈거리게 만든다. 남정현 문학에
흔히 등장하는 배설이나 성(性) 모티프들은 근대와 성장, 합리의 표면 아래
감추어진 이면의 진실을 드러내기 위한 한 장치이거니와, 「放氣 소리」의
마지막 장면도 방귀를 꾸던 주인공이 변소에 가는 것으로 처리된다. 이 때
변소는 적나라한 욕망의 자유로운 분출구로서의 의미를 가지니, 남정현 문

학의 풍자적 세계는 그 같이 억눌리고 뒤틀린 욕망의 배설을 통해 일그러진 현실의 단면을 생생하게 담아낸다.

3. 「분지」, 혹은 분지(憤志)의 우화적 세계

「분지」는 해방 이후 전개된 우리의 혼란스런 상황을 남정현 특유의 우화적 서술을 통해 풍자하고 있는 작품이다. 주인공인 홍만수의 독백으로 진행되는 이 작품은 해방을 맞게 된 이후 그 설레임과 기대가 어떻게 무너져 내리게 되었는지를 한 가족의 비극적 이야기를 통해 보여준다. 홍만수의 가족에게 있어 해방은 독립투사로 나가 있던 아버지가 돌아와 온 가족이 함께 행복한 삶을 누리게 될 것을 기대하게 했던 사건이었다. 그러나 그러한 기대와는 달리 아버지는 돌아오지 않았고 부푼 가슴으로 태극기와 성조기를 앞세우고 환영대회를 나갔던 어머니는 미군에게 강간을 당해 미쳐 돌아온 후 죽고 만다. 게다가 전쟁 중 군복무를 마치고 돌아와 보니 동생인 분이는 미군상사인 스피드의 첩 노릇을 하면서 밤마다 미국에 있는 그의 본처와 비교를 당하며 학대를 받고 있는 처지다. 그러던 중 스피드 상사의 본처가 한국에 오게 되자 홍만수는 그녀를 향미산에 유인하여 국부를 보여줄 것을 요구하게 되었고, 이로 인해 그는 펜타곤 당국이 배치한 미사일의 위협 아래 놓이게 된다. 그러나 이처럼 죽음이 임박해 오는 상황 속에서 주인공의 독백이 이어지고 있음에도 불구하고 정작 이야기 자체는 무겁거나 심각하지 않고 오히려 우스꽝스럽고 생동감이 넘친다. 아버지의 부재, 어머니의 광기와 죽음, 미군에게 학대받는 여동생의 불행한 삶, 죽음을 앞둔 주인공의 처지 등 일련의 비극적인 상황은 민족 주체성을 회복하지 못한 채 혼돈과 시련을 거듭했던 해방 이후의 상황을 효과적으로 알레고리화 하고 있고, 그것이 분노와 슬픔의 직설적인 토로를 통해서가 아니라 우화적인 상황과 풍자적 언어를 통해 이루어진다.

1) 향미산 혹은 훼손된 어머니

주인공인 홍만수가 죽음을 앞두고 독백을 하고 있는 공간인 향미산은 우리 선조들의 삶의 터전이자 생명의 근원지를 상징한다. 그런데 만수가 숨어 있는 이 향미산을 수많은 미군과 무기들이 둘러싸고 있으니, 이는 미국이라는 외세의 압력과 무력하게 마주하고 있는 당대의 한국적 상황을 우화적으로 묘사하고 있는 대목이라 할 수 있다. 향미산 기슭에 엎드려 있는 주민들을 향해 더 '고개를 숙이'라고 명령하는 미국과 그 말에 지층 깊은 곳에 몸을 처박고 부들부들 떨고 있는 주민들, 이것이 남정현이 파악한 거대한 세력으로서의 미국과 무력하고 굴종적인 한국의 당대의 관계다. 향미산은 미국을 향해(向 – 美) '백의민족 특유의' 인내력을 발휘하여 순종하고 있던 부끄러운 한국의 얼굴이었던 셈이다. 그러나 홍만수가 스피드 상사의 부인을 이 향미산으로 유인해 욕을 보임으로써 이 관계는 금이 가게 되고, 급기야 미국 펜타곤 당국은 홍만수는 물론 그의 목숨을 며칠이나마 돌보아준 향미산 전체까지 완전히 폭발할 것을 선언한다. 향미산이 폭발하면 그와 함께 조상의 해골과 문화재, 그리고 향미산을 발판으로 하여 목숨을 유지하던 일체의 생물들은 흔적도 없이 사라져갈 것이라는 대목에서 환기되듯, 향미산의 종말은 주체적 국가로서의 한국의 종말을 의미하는 것인 동시에 생명의 소멸을 의미하게 된다.

그러나 미국을 향해 납작 엎드리고 있는 향미산은 어떤 점에서 이미 그 생명력을 상실한 죽은 산이라고 할 수 있을지 모르고, 이런 점에서 향미산은 미쳐 죽은 어머니를 연상시키는 상징적 공간이기도 하다. 주인공이 고백하고 있듯이 홍만수에게 있어 지난 세월은 '어머니'를 잊기 위한 가열한 투쟁의 시기였다. 이십여 년 전 해방이 되자 아버지가 돌아온다는 기쁨으로 밖에 나갔다 돌아온 엄마, 그러나 그날 저녁 엄마는 미군에게 강간을 당해 '짐승처럼' 돌아오고, 자신의 '밑구멍'이 더렵혀진 데 대한 자책과 분노로 아들 앞에서 알몸을 드러내 보인 ·채 가랑이 사이에 아들의 얼굴을 갖다 댄다.

순간, 당신은 민첩하게 저의 머리를 나꿔채시더니 아 억지로 저의 얼굴을 당신의 가랑이 사이에 바싹 갖다대는 것이 아니겠습니까. 확 끼치는 악취, 그리고 두려움, 허나 당신은 잠시도 무슨 여유를 주지 않고,
"자, 보란 말이다, 이놈의 새끼야. 아 내 밑구멍을 좀 똑똑히 보란 말이엿. 아이고 분해, 이놈의 새끼야 좀 얼마나 더러워졌나를 눈을 비비고 좀 자세히 보란 말이엿."
그러면서 밑에 갖다댄 저의 골통을 사정없이 쥐어박으시더군요

일제 식민지 하에서 남편의 부재를 견뎌야 했고 이제는 미군에게 몸을 더럽힌 어머니, 그녀는 일제 식민지와 해방, 분단 등으로 이어지는 우리의 근대사 속에서 훼손된 조국을 상기시키는 상징적 존재다. 해방은 독립투사인 '아빠'의 힘으로 자주적으로 이루어진 것이 아니라 미국이 일본을 몰아냄으로써 얻어진 것임을, 다시 말해 '일본놈'의 자리에 대신 '미국'이 들어선 것을 의미했을 뿐이었다. 그러나 그것을 알지 못했던 어머니/조국은 새로운 주인에게 몸을 빼앗기고 만다. 어머니가 발가벗은 몸으로 아들에게 자신의 치부를 들이대고 그곳을 똑똑히 보라고 외치는 그로테스크한 상황은 다시금 고통과 치욕으로 맞게 된 조국 현실에 대한 알레고리인 셈이다. 이 때 어머니의 국부에서 나던 악취는 더럽혀지고 상처입은 조국의 현실을, 그리고 그것을 바라보며 느꼈던 두려움은 그 더럽혀진 산하와 훼손된 조국의 현실을 마주해야 하는 고통을 의미한다. 그런데 홍만수는 그렇게 어머니를 빼앗겼다는 억울함이나 분노보다 그로 인해 보아버린 어머니의 흉측한 음부에 대한 기억을 견디지 못해 그 후 어머니를 잊고 외면하는 길을 택했던 것이니, 작가는 이를 미국을 비롯한 강대국의 침략이나 억압보다 더 주목해야 하는 문제적 현실로 강조하고 있는 듯 하다. 두려움과 부끄러움으로 '당신을 꼭 잊어야만 한다는 것'을 인생의 신조로 살아왔다는 것, 그것은 결국 어머니를 다시 한 번 죽게 만든 것이나 마찬가지이기 때문이다.

결국 그는 어머니의 유택마저 찾지 않았고, 어머니는 그렇게 잊혀진다. 그리고 그렇게 어머니를 외면해 온 사이 어머니가 이십여 년이나 누워 있던 자리엔 "도시의 미관과 경제의 성장을 위해서" 요정, 은행, 호텔, 외인상사와 같은 빌딩이 들어서기 시작했다. 노상 집, 집, 하며 사셨지만 결국에는 집 한 채 장만하지 못한 채 돌아가신 어머니는 이제 자신의 유택마저 상실하게 된 것인데, 이는 살아서 훼손된 어머니의 몸이 죽어서조차 훼손되고 있음을 보여주는 대목이다. 숱한 빌딩이 들어섰지만 그 속에는 정작 비천한 백성들 이 출입할 수 있는 한 짝의 문, 휴식할 수 있는 한 평의 면적도 없고, 근대화, 산업화가 이루어 낸 세계는 정작 백성들에게는 열리지 않는 유택이자 높은 신전일 뿐이다. 결국 작가가 주인공인 홍만수를 통해 비판하고자 하는 것은 단순히 미국의 제국주의가 아니라 그와 함께 들어온 서구의 물질문명, 근대 화의 폐해인 셈이며, 비주체적으로 이를 추종해 간 우리 자신의 어리석음이 다. 미국이란 구체적인 국가의 이름이라기보다 "수목과 바위와 야수와 그리 고 인디안만의 복지였던 구백여만 평방킬로미터의 그 광막한 토지를 개간하 여 인간의 천국을 이룬" 초인적인 투지와 열의와 지모의 힘이자, 자연을 정복한 근대 기계문명의 대명사와도 같다. 은행, 빌딩, 요정, 펜타곤 당국, 프론티어 텔레비전, 코스모스 위성 등은 '스피디하게' 진행되는 그런 근대와 개발의 목록들이며, 미군에 의해 강간당하고 학대받는 어머니와 누이의 몸 은 이 같은 폭력과 정복의 역사에서 훼손된 우리 조국의 은유이다.[7] 이 훼손 된 어머니, 누이의 몸에 대한 분노는 결국 미세스 스피드의 몸에 대한 호기심 으로 옮겨가는데, 그녀의 배꼽 위에 태극 무늬가 그려진 런닝 셔츠로 깃발을 만들어 꽂겠다는 홍만수의 선언은 '스피디하게' 진행되는 서구 물질문명에 대항하는 민족의 자주 선언이라 할 수 있다.

---

7) 이 점에서 분이를 학대하던 미군 병사가 '스피드 상사'라는 점 또한 상징적이다. 밤마다 분이가 '스피드 상사'의 '스피디한 발길질'을 견디며 비명을 지르는 상황 은 미국으로 대변되는 근대 서구 문명 아래에서 위협받고 있던 우리의 현실을 알레고리화 하고 있기 때문이다.

2) 인간 선언, 부활의 역설

앞서 지적한 바와 같이 죽음을 앞둔 절박한 상황 속에서 이야기가 전개되고 있음에도 불구하고, 이 작품의 분위기는 전혀 무겁거나 심각하지 않으며, 오히려 생동감이 넘친다. 서두에서부터 강조되는 것은 주인공이 홍길동의 10대손이고 단군의 후손이라는 점인데, 이는 주인공의 존재가 우리 민족의 유구한 역사 속에서 이어져온 것이라는 것, 그래서 그가 쉽게 사라지거나 무너지는 존재가 아님을 강조하기 위한 장치다. 특히 홍길동이 전제 군주 하에서 부정부패에 맞서 싸웠던 인물임을 상기할 때, 홍만수는 바로 그러한 저항정신과 자주의식을 잇고 있는 인물로 설정되어 있는 셈이며, '만수(萬壽)'라는 그의 이름은 그 자체가 영원히 이어질 그의 존재를 상징하고 있다. 이는 결국 미사일의 폭격으로도 사라지지 않을 우리 민족의 정기를 보여주기 위한 장치인 셈이니, 죽음을 앞에 둔 그에게서 우리는 오히려 비로소 살아 있는 생명력을, 되살아나는 민족의 웅혼을 느끼게 되는 것이다.

기다리던 아버지는 돌아오지 않고 어머니는 미군에게 강간당해 미쳐 죽었으며 주인공은 누이와 함께 유배 가듯 가난한 외가로 가서 살아야 했던 상황은 해방 이후 막상 염원했던 독립은 이루어지지 않고 여전히 식민지적 상황에 놓여 있었던 당시 현실에 대한 알레고리이다. 해방을 했지만 현실을 당당하게 이끌어갈 주체로서의 힘센(수염이 많고 눈이 부리부리하던 것으로 미루어 짐작해보던) 아버지/남자들은 여전히 없다. 여동생 분이는 미 병사의 첩 노릇을 하고 있고, 홍만수 자신도 우선 뭔가를 먹고 잠이나 자고 싶다는 본능적인 욕망에 휘둘리고 있을 뿐이다. 그리하여 홍만수는 동생이 준 우유와 버터와 초코렛의 향기 속에서 '목석처럼 순종'하고, 결국 미 상사에 빌붙어 양키물건 장사를 하며, 옥이도 숙이도 이방인의 호적에 들어갈 방도만 찾고, 다른 남자들도 양키를 매부로 삼기를 원한다. 그런가 하면 홍만수가 자기구 출신의원에게 도움을 청하려고 했을 때, 오히려 그는 스피드 상사의 상관에게 잘못을 빌고 홍만수를 단죄하고자 한다. 결국 이와 같은 상황을 통해 작가는 한국 내부의 모순적 상황에 대한 비판적 반성을 유도하고 있는 셈이니, 미국이라는 거대한 외세의 힘뿐만 아니라 그에 무력하게 추종해 가는 국내의 현실이 함께 비판되고 있는 것이다.

향미산은 홍만수에게 있어 이러한 반성과 인식의 전환을 가져오는 공간이 된다. 생존에 급급해 땅바닥을 기며 엎드려 있던 그는 향미산에 갇혀서 오히려 기지개를 펴고 살아나는 듯한 모습을 보인다. 그는 그곳에서 자신이 그동안 하늘을 바라볼 여유도, 뒤를 돌아다 볼 여유도 없이 살아오며 저 자신도 모르게 기억 상실증 환자가 되어버렸음을 깨닫는다. 그리고는 비로소 어머니를 미쳐 죽게 한 사악한 힘의 정체와 어머니의 상처를 대면하게 되고, 신식민주의 주체로서의 미국에 대항하게 된다. 홍만수 자신이 미국을 향해 대적하고 서 있는 하나의 산과도 같은 의미를 지니게 되는 것인데, 이 때 미국을 향해 엎드려 있던 굴종적 땅이었던 향미산은 미국에 대항하는 주체적 실체로 그 의미가 변모하게 된다.

홍만수의 존재론적 변모는 그동안의 자신의 삶이 참다운 의미에서의 인간의 그것이 아니었다는 인식에서 비롯된다. "이름부터가 사람같지 않은" 존재이며 "신이 잘못 점지하여 이 세상에 흘린 오물"임이 분명하다는 펜타곤 당국의 말이나 "해괴한 악의 종자가 인간의 탈을 쓰고 존재"한 것이라는 의원의 말처럼 홍만수는 인간이 아니라 악마가 토해 낸 오물이거나 짐승과도 같은 존재로 취급될 뿐 이다. 뿐만 아니라 스스로도 자신이 "정말 오물처럼 한 번도 제것을 가지고 세계를 향하여 서 본 적이 없이 이방인들이 흘린 오줌과 똥물만을 주식으로 하여" 우화처럼 우습게 살아온 존재임을 인식하게 된다. 여기에는 인간답게 살 수 없게 만든 상황에 대한 분노와 비판 그리고 그 속에서 무력하게 순종해온 자신의 태도에 대한 반성이 함께 있다. 남정현 문학에서는 전도된 현실 속에 처한 인간의 실존이 이처럼 종종 짐승의 이미지로 그려진다. 예컨대 홍만수의 어머니는 미군에게 강간 당한 후

이지러진 표정으로 '짐승처럼' 해괴한 소리를 치며 돌아왔고, 「부주전상서」에서도 주인공인 용달은 한 마리의 짐승이 되어 창경원의 동물원에 갇혀 있는 신세이며, 「허허 선생(虛虛 先生) 2」에서 '나'는 아버지인 허허 선생에게서 부자지간이란 인연은 고사하고 "같은 인간이란 그 최소한의 동류의식마저" 느끼지 못한 채 그 앞에서 항시 "사냥꾼에 쫓기는 무슨 짐승의 처지"가 된다. 어떤 점에서 그의 문학은 이처럼 짐승이 되어버린 존재의 참담한 고백이자 그 원인에 대한 비판적 성찰이라 할 수 있으며, 이런 점에서 "누구의 품에 안겨야만 인간이란 소리를 한 번 들어보고 죽을지 캄캄하기만 합니다" 라는 홍만수의 고백은 창조하는 역사, 인간의 역사에서 완전히 철거당한 자, 그래서 '짐승처럼' 외로워진 존재의 인간 선언이라 할 수 있다.

자신이 짐승으로 전락해 있음을 깨닫는 순간 그리고 그것에 저항하는 순간 그는 스스로 인간적 존엄성을 얻는다. 죽음을 앞둔 채 이루어지는 홍만수의 독백은 바로 그러한 역설을 보여준다. 잠시 후면 발사될 미사일로 인해 향미산과 함께 폭발되어 사라질 존재임에도 불구하고 그래서 몇 초 후면 육체는 먼지가 되어 바람 속에 흩날릴 것임에도 불구하고, 그는 자신이 그렇게 쉽게 죽어 없어지지 않을 것임을 반복해서 천명한다. 죽은 어머니를 대상으로 마치 살아있는 듯 대화하는 것으로 진행되는 서술 형식에서도 드러나듯 삶과 죽음은 육체의 소멸에 의해 그 경계가 구분지어지지 않는다. 궁극에 작가가 문제 삼는 것은 시들고 소멸하는 육체가 아니라 정신, 영혼이다. 그러기에 홍만수는 마치 살아있는 대상인 듯 죽은 어머니와 이야기를 나누고, 어머니에게 썩어 없어지는 육체의 눈이 아니라 영원히 남아서 초롱초롱 빛나는 영혼의 눈동자로 현실을 보라고, 펜타곤 당국의 어처구니 없는 방송을 귀 기울여 들으라고 얘기하는 것이다.

"그렇다고 내가 죽나요". 홍만수의 입을 통해 반복되어 나타나는 이 대사는 이 점에서 주목할 필요가 있다. 그는 자신이 미군에 의해 죽는 것이 아니라고, "누가 죽인다고 해서 죽는 것이 아니"라고, "그저 죽고 싶을 때 죽는 거"라고 강조하고 있거니와, 이 대사는 더 나아가 비록 육체가 사라지더라도 자신은 영원히 살아 남을 것임을 환기시키는 주제적 전언이라고 할 수 있기 때문이다. 그는 오히려 "이제야 겨우 제 세상을 만난 기분'이라며 향미산의 정상에 올라와 '오래간만에 허리며 다리를 쭉 펴고" "청신한 자연의 정기에 잔잔히 취"해 있다. 그 때 바라본 향미산은 흔들리며 미소하는 풀들과 가랑 잎을 만날 수 있고, 암놈을 찾아 이끼 낀 바위와 돌 사이를 누비며 회전하는 다람쥐, 인력의 법칙에 순종하여 굴러 떨어지는 상수리, 도토리 등을 볼 수 있는 곳이다. 다시 말해 침략과 파괴와 계략이 난무하는 인간의 세계와는 다른, 자연의 공간, 세계인 셈인데, 그곳에서 홍만수는 처음으로 청신한 조국 의 하늘을 바라보게 된다. 뿐만 아니라 그는 그 하늘을 통해 처음으로 어머니 의 음부가 아닌 어머니의 자애로운 모습을 떠올리게 되니, 그것은 그가 처음 으로 확인한 우리 민족의 끈질긴 생명력, 미래의 가능성이다. 빼앗기고 훼손 된 조국/어머니, 그 자신조차 부끄러움과 두려움으로 외면했던 그 어머니가 그를 통해 부활하고 있는 셈이니, 홍만수의 웃음소리로 끝난 마지막 장면에 서 우리는 훼손된 조국의 알레고리로서 등장했던 어머니와 향미산의 부활을 역설적으로 확인하게 된다.

3) 독백체의 의미와 풍자의 언어

「분지」는 그 내용에서뿐 아니라 형식에 있어서도 우리의 주목을 끈다.[8]

---

8) 「분지」는 그 형식에 있어서 「부주전상서」와 유사한 면모를 보여준다. 짐승이 되 어 입에 자갈이 물린 상태로 자신이 어떻게 해서 짐승이 되었는가를 죽은 아버 지를 대상으로 고백하고 있는 이 작품에서 주인공은 기저귀를 차는 존재로 남녀 평등을 외치고 가족계획이란 이름 아래 아이를 지워온 아내를 통해 비인간적 물 질만능의 가치관과 근대화를 비판한다. 그러나 아내의 자궁 속에 끼워진 루프를 빼내려다 질내의 근육을 빼내어 아내를 죽이게 된 주인공이 아내의 피에서 고름 을 연상하고 거기에서 다시 정부와 조국의 곪은 부종을 연상하며 통쾌해 하는 대목에서 드러나는 과격하고 도식적인 현실인식은 그 안에 담긴 현실비판적 주 제 자체를 긍정적으로 바라보지 못하게 만드는 점이 있다. 이에 반해 「분지」의 경우 모순적 현실에 대한 분노가 간접화되어 있을 뿐 아니라, 그것이 민족 정기

죽은 어머니를 대상으로 한 독백 형식으로 진행되는 이 작품은 주인공이 어머니에게 몸을 떨지 말라고 얘기하기도 하고 어머니의 반응이나 대답 등을 주인공의 말 안에 수용하기도 하는 등 단절된 독백이 아니라 어머니와의 대화 속에서 서술이 이루어지고 있다는 인상을 만들어 낸다. 그러나 실상 어머니는 이미 죽은 상태이니, 이처럼 죽은 어머니를 상대로 한 독백으로 이야기를 진행시키는 이유는 무엇이며, 죽었다는 어머니를 마치 살아 있는 사람인 듯 묘사하고 있는 이유는 또 무엇일까. 결론부터 말하자면 죽은 어머니와의 대화라는 아이러니한 상황은 그 설정 자체가 삶과 죽음, 육체와 영혼의 경계를 허물고 진정한 생명의 힘을 확인하고자 하는 의도를 담고 있는 것으로 보여진다. 이 작품에서 어머니는 단순히 고백의 대상으로 설정된 추상체로서가 아니라 몸을 떨고, 말을 하고, 눈과 귀를 사용하고, 호통을 치는 구체적이고 실제적인 존재로 등장한다. 앞서 논의한 바 있듯이 어머니는 주인공이 스스로 외면했던, 그래서 부끄러움과 죄의식으로 떠올릴 수밖에 없는 조국의 다른 이름이다. 어머니는 미군에 의해 죽임을 당했고, '나'의 외면으로 다시 한 번 잊혀진다. 그런데 굶어 죽지 않고, 맞아 죽지 않고, 목숨을 이어가기 위해서라고 스스로 변명하면서 외면했던 그 어머니를 상대로 이야기를 하고 있는 것이니, 이 이야기를 통해 어머니는 되살아나고 있는 것이라 할 수 있다.

이렇게 볼 때 이 작품에서 말은 그 자체가 살아있음을 확인시키는 생명의 기운이 된다. "아무런 말이 없이 눈을 감는다"면 인간이 그렇게 시시하게 죽는 법은 없다고 하나님이 격노할 것이며 자신의 위대한 선조인 홍길동도 뵐 수 없을 것이라는 말처럼, 그리고 "인간으로서의 자격을 인정받으며 떳떳하게 한 번 살아 보지 않고는 도저히 죽을 수가 없"다는 말처럼 홍만수에게

의 회복의 차원으로 승화되어 있다. 「부주전상서」가 자기반성이 수반되지 않은 분노의 표출에 그치고 있다고 한다면, 이 작품은 보다 객관적인 시각과 언어로 현실을 효과적으로 풍자하고 있는 것이다. 그러나 두 작품이 각각 죽은 아버지와 어머니를 상대로 한 독백 형식으로 되어 있다는 점에서 유사성을 보이고 있으니, 남정현 문학에서 아버지와 어머니가 갖는 의미가 무엇인지 주목하게 만든다.

있어 말/이야기는 인간으로서의 자기 확인 수단이 된다. 남정현의 인물들은 짐승이 되면 우선 입에 자갈이 물려진다(「부주전상서」). 하지만 자갈이 물리더라도 남정현의 인물들은 웃음소리로라도, 혹은 방귀소리로라도 이야기를 한다. 그 분출의 힘으로 그들은 살아남는다. 「분지」는 이 말의 힘을 효과적으로 보여주고 있는 작품인데, 죽음을 앞둔 주인공의 급박하고 비극적인 상황에서 이야기가 전개되고 있음에도 불구하고 오히려 낙관적 분위기와 웃음을 만들어내는 것은 특유의 언술 전략 때문이다. 예컨대 다음과 같은 문장을 보자.

i) 어머니.
제발 몸을 그렇게 떨지 마십시오. 미관상 과히 좋아 보이질 않습니다. 뭐 제가 지금 죽을 것 같아서 그러신다구요. 참 걱정도 팔자시군요. 적어도 홍길동의 제 10대손이며 동시에 단군의 후손인 나 만수란 녀석이 아무렴 요만한 정도의 일을 가지고 그렇게 쉽사리 숨을 못 쉬게 될 것 같습니까. 염려하지 마십시오. 누가 보면 웃습니다.

ii) 그렇다고 저는 물론, 제 목숨이 처한 지금의 이 절망스러운 판국을 조금이라도 부인하거나 변호하는 것이 아닙니다. 좀 속되게 말하자면 풍전등화격이라고나 할까요. 저를 포위하고 있는 객관적인 정세로 미루어 보아서 말입니다. 제 아무리 미련한 놈의 소견으로 보아도 제 목숨이 지금 이 마당에선 신의 부축이 없이 인간만의 힘으로 어떻게 살아나리라고는 감히 생각할 수가 없겠지요.

이 같은 서두의 대목에서 우리는 두 가지 상이한 서술 방식을 만나게 된다. i)이 일상적이고 평이한 단어, 술어 중심의 문장으로 전개되고 있는 데 반해, ii)는 판국, 부인, 변호, 풍전등화, 포위, 객관적인 정세, 소견, 부축 등과 같은 논리적이고 전문적인 단어를 사용한 명사 중심의 문장으로 전개된다. i)이 다소 가볍고 감정적이며 익살스럽기까지한 얼굴의 화자를 연상시킨다면, ii)는 논리적이고 진지한 얼굴의 화자를 연상시키는데, 이처럼 서로 다른 두 얼굴을 가진 화자가 때로는 농담조의 우스꽝스러운 말로 때로는 상황에 어울리지 않는 진지하고 학술적인 말로 이야기를 전개시킴으로써 웃음을 야기시킨다. 전자의 경우 문제의 심각성이나 상황의 긴박성과는 달리 여전히 생동감 넘치는 말을 구사함으로써 전혀 그것에 휘둘리거나 기죽지 않는 면모를 보이는가 하면, 후자의 경우에는 객관적이고 논리적으로 상황을 파악하는 지적인 면모를 보여줌으로써 가볍고 익살스러운 화자의 말에 신뢰성을 부여한다. 가볍고 익살스러운 웃음, 진지하고 논리적인 시각이 공존하고 있는 셈인데, 심각한 상황을 가볍게 이야기하는 것이나 우스꽝스러운 상황을 진지하게 이야기하는 두 태도 모두가 상황과 언술 사이의 어긋남으로 인해 웃음을 유발시킨다.

iii) 그래도 용케 아무런 항변이 없이 스피드 상사의 그 스피디한 발길질을 견디며 간간 '아야, 아야'하고 울기만 하는 분이의 그 가느다란 울음소리가 들려올 때마다 저는 무엇인가 무너져 내리는 아픔과 압박감을 느끼며 저도 분이 따라 병신처럼 울어야만 했던 것입니다. 그리고 하나의 큰 의문에 싸이여 안절부절을 못했었지요. 그것은 스피드 상사가 항시 본국에 있다고 자랑하는 미세스 스피드의 하반신에 관한 의문이었습니다. 도대체 그 여인의 육체는, 아니 밑구멍의 구조며 형태는 어떨까. 좁을까 넓을까. 그리고 그 빛깔이며 위치는.

iv) 하지만 저는 시종 침착한 어조로, 여사의 하반신 때문에 밤마다 곤욕을 당하는 분이의 딱한 형편을 밝히고, 탓으로 단 하나인 누이동생의 건강을 보살피자면 부득불 나는 여사가 지닌 국부의 그 비밀스러운 구조를 확인함으로써 그 됨됨을 분이에게 알려주어, 분이가 자신의 육체적인 결함이 어디에 있는지를 자각케 하여 그 시정을 촉구하는 방향으로 나가야 하지 않겠느냐는 오빠로서의 입장을 확실히 하자, 순간 여사는 표정을 이상하게 구기면서 몸을 부르르 떨더니,

"갓뎀!"

비명 비슷한 소리와 함께 번개같이 저의 한쪽 뺨을 후려치는 것이 아니겠습니까.

위 예문들은 이 작품의 풍자적 특성을 단적으로 보여주는 대목들로, 분노나 비판을 직설적으로 드러내는 것이 아니라 상황과 어긋나는 언술을 통해 풍자적 웃음을 만들어내고 있다. iii)에서 분이의 국부가 작다고 밤마다 발길질을 해대는 스피드 상사의 행태는 홍만수에게 분노의 감정을 야기시키는 것이 아니라 의문과 궁금증을 일으키고, 이에 따라 그의 언어는 마치 사건을 탐색해가는 탐정의 그것처럼 혹은 객관적 사실을 검증해가는 과학자의 그것처럼 논리적이고 분석적인 면모를 보인다. 동생과 자신이 처한 상황에 대한 분노의 감정이나 무기력함은 '아픔', '압박감'과 같은 명사화된 어휘 속에 추상화되어 있고, 그의 분노는 미국 여자에 대한 호기심으로 대체되어 있다. 바보스러움을 가장한 채 화자는 능청스럽고 과장된 언술로 자신의 행동의 정당성을 객관적으로 설명하고 있고, 이로 인해 그가 처한 불행한 상황에도 불구하고 그의 언어는 오히려 생동감이 넘친다.

밤마다 동생을 학대하던 스피드 상사의 행태를 보며 미국에 있다는 부인의 국부 크기와 구조를 궁금해했던 그가 드디어 그 궁금증을 풀기 위해 그녀에게 옷을 벗을 것을 요구하는 상황을 서술하고 있는 iv)에서도, '나'의 문장은 그 행동의 엉뚱함과는 달리 진지하고 침착하기 그지없다. 하반신, 국부, 구조, 확인, 결함, 자각, 시정, 촉구와 같이 상황에 어울리지 않게 전문적이고 지적인 느낌을 주는 어휘들은 그의 행위가 밤마다 동생을 짓밟는 미군병사에 대한 분노나 보복의 그것이 아님을 힘주어 강조한다. 문장 어디에도 주인공의 분노의 감정은 드러나지 않는다. 감정어들이 철저하게 배제되어 있고 주로 논리적인 명사어 중심의 단어들이 사용되고 있다. 홍만수의 감정은 객관적 논리와 진지함으로 포장된 언어 뒷 편에 숨어 있을 뿐이다. 그러나 이처럼 무심무감한 듯 이어지는 그의 말은 국부의 크기를 확인하기 위해 여자의 알몸을 보려고 하는 황당하고 우스꽝스러운 상황과 그 묘사에 사용되고 있는 단어들의 진지함과 전문성 사이의 괴리로 인해 웃음을 야기시킨다. 주제나 내용의 심각성에도 불구하고 이 작품이 무겁고 어둡게만 다가오지 않는 것은 이러한 문체적 특성 때문이다. 분노와 비판을 웃음 속에 감춤으로써 모순적 현실을 더욱 과장해서 드러내는 것, 남정현 문학의 풍자성은 이런 전략을 통해 드러나고 있는 것이니, 이는 다른 작품을 통해서도 쉽게 확인된다.

> 관수 제깐엔 아마 무슨 실험을 해보고 싶다는, 말하자면 열렬한 학구심의 발로에서였는지 모른다. 그동안 꾸중도 들을만큼 들으며 노력도 무던히 해보았으니, 이제는 자기 오줌에서라도 독자적인 냄새를 풍길 시기가 됐거니만 여진 것이 화근이었다. 제장 안 되면 말더라도 한번 실험을 해 본대서 밑질 것은 없지 않은가 하는 생각에 그만 요강을 당겨 뚜껑을 열어 봤을 때의 그 무어랄까 관수의 표정은 그대로가 딱한 사정의 표본이었다.
> (아! 저이가 그럼 여적 똥을 싸고 계셨단 말인가?)
> 그것은 근본적으로 관수의 사상을 뒤혼들어 놓는 새로운 학설이어야 했던 것이다. 관수는 하도 믿어지지가 않아서 요강을 문 가까이 밝은 데로 가지고 가서 충분히 살펴봤지만 그것은 의심할 여지 없이 항문을 통과한 오물이었다. 현대를 노상 입에 물고 생활하는 아내가 이루어 놓은 업적이라기에는 도무지 사실 같지 않은 사실이었다.
>
> — 「너는 뭐냐」

이와 같은 대목에서도 두드러지는 것은 아내가 요강에다 똥을 누고 있었음을 확인하는 우스꽝스러운 상황과 이를 묘사하는 진지하고 학술적인 태도의 대조적 결합이다. 똥, 오줌, 요강, 냄새와 같은 비속한 단어들이 실험, 학구심, 발로, 독자적인, 표본, 사상, 학설, 항문, 업적 등과 같은 전문적이고 학술적인 단어들과 연결되어 있는 것이나, 요강에 똥을 싸는 아내의 행동이 극존칭으로 서술되는 것("여적 똥을 싸고 계셨단 말인가?" 등), 혹은 아내의 행동에 대한 주인공의 호기심이 마치 과학적, 학술적 차원의 실험정신으로 묘사되는 것 등 이질적인 상황과 단어의 결합이 아내와 주인공을 한층 우스꽝스러운 존재로 만들며 웃음을 자아내고 있다. 이처럼 남정현 문학은 비속적 일상어와 전문적이고 과학적인 언어, 상황의 우스꽝스러움과 언어의 과장된 진지함, 주제의 심각성과 언어의 가벼움 등 이질적이고 모순적인 것을 결합하여 특유의 우화적 세계를 만들어낸다.9) '강력한 웃음의 칼날'이라는10) 남정현 문학의 풍자적 면모는 바로 이러한 문체적 전략을 통해 드러나는 것이라 할 수 있는 것이다.

어떤 점에서 「분지」의 문학적 성과는 해방과 미군정 등으로 이어지는 우리 근대사의 어둠을 비판적으로 담아내고 있다는 사실 자체에서가 아니라 이를 담담하고 때론 익살스럽기까지 한 태도로 풀어가는 서술방식에서 드러나는 것이라 할 수 있다. 작가는 어두운 근대사 속에서 홍만수 일가로 대변되는 우리 민족이 감당해야 했던 비극적 상황과 모순적 현실들을 직접적이고 단선적인 목소리로 서술하고 비판하는 것이 아니라 우스꽝스럽고 황당한 우화적 세계와 풍자적 언어를 통해 우회적으로 그려낸다. 그러나 비극적 상황과 희극적 언술의 결합, 객관적이고 학술적인 태도를 가장한 능청스러움, 그리고 그렇게 해서 만들어지는 웃음 속에서 우리는 무엇보다도 강력한

---

9) 이와 같은 문체적 특성을 다음과 같은 대목과 대비해서 보면 그 풍자적 효과는 더 분명하게 드러난다.
　　"이 견딜 수 없이 썩어빠진 국회여 정부여, 나같은 것을 다 뼉으로 알고 붙잡고 늘어지려는 주변의 이 허기진 눈깔들을 보아라. 호소와 원망과 저주의 불길로 활활 타는 저 환장한 눈깔들을 보아라. 너희들은 도대체 뭿을 믿고 밤낮없이 주지육림 속에서 헤게모니 쟁탈전에만 부심하고 있는가. 나오라, 요정에서 호텔에서 관사에서. 그리고 민중들의 선두에 서서 몸소 아스팔트에 배때기를 깔고 전세계를 향하여 일대 찬란한 데몬스트레이션을 전개할 용의가 없는가."
　　직설적인 선언적 문장으로 분노를 직접적으로 토로하고 있는 이 대목에서는 표면적인 문장과 이면의 뜻 사이에 여백이 없으며, 분노를 다스리고 승화시키는 웃음의 미학도 제거되어 있다. 마치 홍만수를 제거하겠다는 펜타곤 당국의 말처럼 감정적으로 흥분된 단어들과 딱딱하고 선언적인 어조의 문장이 오히려 청자의 공감을 약화시키는 것이다. 「분지」가 이런 식의 문장으로만 이루어졌더라면 아마도 그 풍자적 효과나 감동은 훨씬 약해졌을 것이다.
10) 임진영, 「가장 강력한 웃음의 칼날」,『한국소설문학대계』, 동아출판사, 1995.

분노와 저항의 힘을 느낄 수 있게 되며, 홍만수의 비극적 종말로 처리된 이야기 끝에서 오히려 웃음으로 부활하는 홍만수를 만나게 된다. 억압과 죽음을 뚫고 일어서는 생명의 힘, 「분지」의 풍자적 세계가 보여주는 것은 바로 그러한 역설의 미학인 것이다. 새미

비인간의 형상, 그 역설의 의미

−「허허선생(虛虛先生)」론

이상갑*

1. 도덕적 우월감과 문학의 희화화

한국문학사에서 남정현만큼 문제적인 작가도 드물다. 그렇게 많지 않은 작품을 창작한 작가이면서도 그는 두고두고 기억될 만한 작품을 남기고 있기 때문이다. 「분지」로 대표되는 그의 작품은 해방 이후 억눌려 왔던, 그 억압의 정체를 알면서도 말할 수 없었던, 그것을 말해야 한다는 의식조차 점점 희미하게 만드는 외부 현실에 과감히 맞서 시종일관 통렬한 비판을 감행하고 있다. '저항문학의 기수'[1]라는 평가도 여기에서 말미암는다. 물론 저항의 강도(强度)가 작품의 성공을 보장하는 것은 아니다. 그러나 창작행위의 근간에 자리잡고 있는 인간에 대한 애정 없이 진정한 문학은 생산되기 어려울 것이다. 해결의 기미조차 보이지 않는 시대의 중압이 늘 그를 사로잡고 있었다는 점에서 볼 때 그의 일관된 저항의 몸짓은 필연적인 것이었다. 그리고 우리 모두는 아직도 그 중압감에 시달리고 있다.

8·15해방이 되자 남정현은 "선열(先烈)들의 고귀한 피를 회생시킬 요량

---

* 한림대 교수
1) 백철의 '서문', 『너는 뭐냐』(남정현 제1창작집), 문학춘추사, 1965.

으로 '민족대부활전문학교(民族大復活專門學校)'를 설립할 구상에 들떴었다."고 한다.[2] 그만큼 현실에 대한 그의 인식은 남달랐다고 하겠는데, 그러나 이런 그의 다소 과장된 듯한 구상이 처음부터 벽에 부딪힌 것은 우리 현대사의 가장 예리한 치부이자 그의 소설 경향을 결정짓는 한 계기로 작용한다. '망했구나' 하는 의식이 그것이다.

남정현의 소설은 거의 모두가 그 무엇에의 엄청난 부정에서 출발한다. 그것은 현실 자체를 투시하는 데에서 오는 작가 의식의 자연적인 발로인 것처럼 보인다. 확실히 그는 부정의 작가며 도전의 작가다. 어느 작품에나 한결같이 점철된 어휘는 '망했구나' 이 한 마디로 집약된다 하여 과언이 아니다. '망했구나' 이 말은 현실의 모순을 직시할 때 나오는 당연한 탄성이다. 작품마다 몰락해 가는 세태의 반영이 가득히 담겨져 있으며 신랄한 정치 어록이 삽입된다.[3]

즉, 남정현 작품은 자기 자신을, 그리고 시대를 망하게 한 원인을 탐색하는 데 모든 노력이 바쳐진다. 「부주전상서」에 언급된 바처럼, 그의 소설은 "현실에 참패(慘敗)한 픽션"이다. 그러므로 그의 소설은 "픽션을 제압(制壓)한 현실", 허구보다 더 허구에 차 있는 현실을 가차없이 고발하고 풍자한다. 「부주전상서」의 주인공은 소설을 불사르기도 하는데, 한 인간의 상상력을 가지고는 도저히 추정할 수 없는, 기이하고도 엉뚱한 일들이 벌어지는 것이 이 땅의 현실이기 때문이다. 그러므로 그의 작품세계는 이같은 카오스의 세계에서 질서를 찾고자 하는 열망의 산물이다. 그러한 뜻에서 그는 작가란 "최일선의 초소에서 조국의 산하와 민족의 이익을 지키는 초병과 같은 역할"을 해야 한다고 생각하고, 자신이 담당한 정신의 영토를 지키기 위해 그 정신을 어지럽히는 일체의 비인간적인, 비민주적인, 비민족적인 발상과 그 행위를 상대로 맞서왔다고 하겠다.[4]

2) 김병걸, 「상황악에 대한 끈질긴 도전」, 『분지』, 흔겨레, 1987, 352쪽.
3) 임중빈, 「상황악과의 대결—남정현론」, 『현대한국문학전집 15』, 신구문화사, 1981, 510~512쪽.

우리는 여기에서 그의 작가적 사
명과 기질까지를 확인할 수 있는데,
그러나 그의 이러한 작가적 태도는
일면 그의 작품세계를 위축시키기
도 한다는 사실 또한 지적되어야 한
다. 그의 작품을 두고 비문학이니
도식주의문학5)이니 하는 비판이
제기된 것도 이와 무관하지 않다.
임중빈은 「부주전상서」를 평하면
서 남정현 소설의 한계를 다음과 같
이 지적한 바 있다.

남정현 연작소설

그리하여 아슬아슬한 정부 비판
이 쉬지 않고 계속되는 작품 「부주
전상서」에서 욕구 불만에 빠진 지식
인의 날카로운 식견에 주목하면서,

▲ 『허허선생 옷 벗을라』(동광출판사, 1993)

작자가 정치를 악마들의 장난으로 타락시킨 위정자들의 표면적인 실정만 늘어
놓기보다도 분석을 통하여 비판하는 자세로서 어색하지 않은가 생각해 보기도
한다. 너무 직선적이어서 곤란하다는 얘기가 아니다. 너무 직선적이기만 하기
때문에 중후한 작품을 형성하기 어려운 난관이 있다. 격렬한 논조가 모두 의미
심장한 논조이기는 어렵다. 자칫하면 미성년의 정치소설에 머물게 될 우려가
없지 않다. 안가한 도덕적 독소는 위험하다.6)

'아슬아슬한 정부 비판', '미성년의 정치소설', '안가한 도덕적 독소' 등의

4) 남정현, 『준이와의 삼개월』(소설집), 한진출판사, 1977, '책머리에'.
5) 김병걸, 「풍자소설과 역사소설─남정현 작품론」, 『한국문학전집 28』, 삼성당,
   1988, 487~488쪽. 사실, 남정현 소설에는 인간과 짐승(괴물, 유령), 진실과 거짓
   등의 선명한 선악이분법이 존재한다.
6) 임중빈, 「상황악과의 대결─남정현론」, 신구문화사, 1981, 510쪽.

지적은 결국 그의 소설이 시대 모순의 표면적인 지적에 그칠 뿐 깊이 있는 분석이 부족하다는 것이다. 작가로서의 그의 지나친 사명감은 부분부분 작중 화자 또는 주인공 '나'가 다른 사람보다 훨씬 우월적인 위치에 서 있는 듯한 오해를 불러일으키기도 한다. 그 하나의 예로, 「자수민」의 주인공은 민족의 준엄한 심판을 받기 전에 하루빨리 한 마리 곤충이 되기를 바라는 간절한 염원 때문에 자신이 직면한 현실을 "삽시에 어떤 위대한 이가 가는 장지(葬地)처럼" 느끼기도 한다. 물론 이런 우월적인 위치설정은 대상을 장악해야 하는 풍자의 고유한 속성에서 볼 때 어쩌면 당연한 것이긴 하나 그것이 이처럼 영웅적 형상으로까지 확대되는 듯한 느낌을 주어서는 안 된다. 이것은 그의 대표작 「분지」에서도 그 편린을 확인할 수 있다. 「분지」는 홍만수라는 평범하면서도 자신의 행동에 정당한 이유를 가진 한 인물에 대해 강대국의 횡포가 어느 정도 왜곡되어있는가를 적실하게 고발하면서도 다른 한편 그런 횡포에 맞서는 한 인물의 형상화가 거의 설화적 차원에까지 육박해 들어간다. 홍만수와 홍길동의 대비는 이런 점에서 단순한 차용은 아니다. 더욱이 「누락인종」에서처럼 현실의 모순에 대한 극복의지가 권총, 불, 네로 황제와 같은 주로 폭력적인 것으로 나타나는데, 이것이 현실을 깊이 있게 분석하는 데 장애로 작용하기도 한다.

한편, 작중 화자나 주인공이 떠맡고 있는 이런 영웅적 형상으로 말미암아 지나칠 정도의 희화화가 일어나게 된다. 다시 말해 「경고구역」[7]의 주인공 종수처럼, 작중 화자나 주인공이 우월적인 위치에 서 있다고 해서 그야말로 초월적인 지위를 가지고 있다기보다 스스로의 한계를 자각하고 있는데, 그럼에도 불구하고 자기 외에는 모든 것이 정상으로 돌아간다는 생각, 그리고 자신은 우둔하게 그런 대열에 합류하지 못했지만 거기에 합류한 자들은 일고의 가치도 없다고 생각하는 도덕적 우월감이 남정현 소설의 희화화를 가

7) 「경고구역」은 남정현의 첫 작품이라는 점에서 그의 작품에서 희화화가 차지하는 비중이 어느 정도인지 충분히 짐작할 수 있다.

능하게 하는 것이다. 남정현 소설의 풍자가 직접적인 공격성[8]을 동반하는 이유도 여기에 있다.

이런 지적은 이 글이 살펴볼 '허허 선생' 연작과 관련하여서도 시사하는 바가 많다. '허허 선생' 연작은 그의 대표작 「분지」와 함께 사실 그의 작품세계를 정리, 압축하여 보여준다. 따라서 이 글에서는 '허허 선생' 연작 이전 작품에서부터 줄기차게 문제시되고 있는 비인간의 형상과 여성에 대한 태도가 어떻게 '허허 선생' 연작의 문제의식과 연결되는지를 먼저 검토함으로써 이 글의 주된 분석대상인 '허허 선생' 연작의 의미를 보다 치밀하게 분석하고자 한다.

2. 비인간의 형상과 희화화된 여성의 의미

흔히 지적되듯, 남정현 소설에는 병신스러운 인물이 많이 등장한다. 인물의 희화화가 너무 지나쳐 현실감이 부족하다는 느낌을 줄 때도 있지만, 그러나 인물의 희화화는 적극적인 풍자를 위해 의도적으로 선택되고 있다. 그래서 희화화된 인물 곁에는 항상 그보다 더 그로테스크한 시대의 악한이 존재하거나 그것을 가능케 한 원인으로서의 시대의 악이 존재한다. 남정현 소설의 희화화의 원천은 다음 인용에서 잘 드러난다.

누구의 입에서건 소위 그 「진실」이라는 낱말이 튀어나오기만 하는 날이면 나는 왜 그런지 더욱 진실감이 없어지면서 세상이 온통 난장판으로 보여 오는 것이었다. 그리고 세상사가 한꺼번에 기이한 일막의 코메디로 변질(變質)되어 가지고는 나를 바보처럼 웃기는 것이었다.
그래 그런지 그저 건듯만 하면 조국과 민중을 팔아 사리사욕을 옹호하는 이 땅의 정부도, 국회도, 혁명도 그들이 하는 짓이란 모두가 한 권의 자랑스러운

---

8) 유양선, 「남정현론 – 풍자소설의 민족문학적 성과」, 『한국현대작가연구』, 민음사, 1989, 156쪽.

소화집(笑話集)을 편집하여 남의 배꼽을 수탈하려는 그런 일종의 가증스러운 악희(惡戲)에 지나지 않는다는 것이 그즈음 나의 견해였던 것이다.[9]

진실을 말한다는 것이 오히려 코메디로 전락하는 현실이 희화화를 가능케 하는 것이다. 위의 인용문에서처럼 남정현 소설은 일종의 소화집이라고 할 수 있는데 그만큼 인물의 그로테스크함은 그의 소설 곳곳에서 발견된다. 이런 희화화의 측면에서 「자수민」은 비인간의 형상의 극한을 보여준다. "짐 승만도 못한 폐물을 보관하기 위하여 미군(美軍)이 사용하던 한 개의 허술한 창고," 달리 말해 반공주택영단(反共住宅營團)에 갇혀 있는 인물들은 짐승만도 못한 폐물이 되어 자신의 고유한 이름까지 상실하고 '我無皆'로 나온다. 그래서 '아무개'는 감옥에서 아예 한 마리 벌레가 되기를 바란다. 허구한 날 아내를 때리는 것으로 소일하는 「광태」의 주인공 또한 "이제 나는 거지반 짐승이 다 되어 버렸는지도 모르겠다"고 중얼거리기도 한다. 「굴뚝 밑의 유산」의 주인공 석주도 의미 없는 웃음을 흘리고 다니지만 그러나 그것은 "전연 웃는 표정이 아니고, 자꾸만 솟구치는 아픔을 참기 위하여 온 몸을 비비꼬는 형국"이다. 시대의 횡포에 저항하기 위한 몸부림인 것이다. 즉 오빠 앞에서 서슴없이 옷을 벗는 「경고구역」의 순이의 버릇은 지금은 도망가고 없는 미 육군대위 제임스가 요구한 여러 자세 때문에 생긴 것이며, 아내를 구타하는 것을 자신의 유일한 생존근거로 삼고 있는 「광태」의 주인공 <나> 또한 실은 현실과 씨름하고 있는 것이다. 그가 아내와 씨름할 동안에도 바깥 세상에서는 "쿵작작 쿵작" 하는 노랫소리가 한창이다.[10] "내 조국 코리아는 천하가 다 아는 자유의 소굴(巢窟)"이며, "헌법은 우리 아기 잡기장(雜記帳), 생각날 때마다 지우고 또 쓰고 하면 되는 것"이다. 비인간의 형상이 자아내는 그로테스크함의 배후에는 이처럼 시대의 모순이 도사리고 있었던 것이다. 홍길동의 제10대 손이자 단군의 후손인 「분지」의 만수(萬壽)가 인간으로

---

9) 남정현, 「천지현황」, 『사상계』, 1965. 6.
10) 「광태」를 개작한 「혁명후기」에서는 노랫소리가 군가소리로 바뀐다.

서의 자격을 인정받으며 떳떳하게 한 번 살아보지 않고는 도저히 죽을 수가 없는 현실인 것이다.

그런데 이런 희화화는 특히 여성에게서 두드러지게 나타난다. 남정현 소설에서 시대의 부정상은 대부분 여성이 도맡고 있다. 미국지향적인 인물인 갑자(「굴뚝 밑의 유산」), 미국풍의 유행풍조에 휩쓸려 「플라자」라는 바에 드나드는 植, 鮮, 蘭 등의 인물(「기상도」), 재즈광 여동생(「현장」), 오직 미국에 가기만을 바라는 에이, 비이, 씨이, 리리(「탈의기」), 오직 미군과 결혼하여 미국으로 가기만을 바라며 한국인은 사람으로도 취급하지 않는 성자(「사회봉」), 모두 돈이나 권력을 쫓는 여성들(「모의시체」)이 바로 그런 인물들이다. 이들은 대부분 아무런 자각 없이 외국풍조에 휩쓸리는 부정적인 인물들이다. 「기상도」, 「사회봉」, 「너는 뭐냐」, 「현장」 등 '여성＝외세'라는 시각에서 다룬 작품도 많이 있다.[11] 그리고 그 여성 또는 외세의 횡포를 강조하기 위해 이들 작품의 남성은 모두 여성에게 굴복하는 모습을 보인다. 「광태」의 주인공이 유일하게 아내를 구타하기는 하나 결국은 아내에게 굴복하고 만다. 여성을 비하하는 표현은 여러 곳에서 발견할 수 있다.

　　여인들의 신변은 그저 어린애를 대하듯 무조건 너그러이 돌보아 주어야 하는 것입니다. 그리하여 「육법전서(六法全書)」의 서두엔 반드시, 미안하지만 이 법률은 여인들에겐 적용하지 않는다는 단서(但書)를 붙여야 한다는 것이 저의 주장인 것입니다.

　　소위 대장부라는 것들이 모여 앉아 가지고는 시시하게 계집의 신상 문제를 가지고 열변을 토하는 꼴을 가만히 관망하노라면 저는 도무지 비위가 상해서 견디질 못하는 것입니다.[12]

이처럼 여성비하적인 인식과 더불어 여성의 몸이 시대의 금기를 상징하

---

11) 임헌영, 「승리자의 울음과 패배자의 웃음」, 『분지』, 한겨레, 1987.
12) 남정현, 「부주전상서」, 『사상계』, 1964. 6.

는 것으로 해석하는 것은 초회 추천작인 「경고구역」에서부터 보이지만, 「누락인종」과 4 · 19 직후의 산물인 「너는 뭐냐」에서 집중적으로 다루어진다.

「누락인종」의 명희라는 여성은 그 외모부터가 자못 괴기하다. "그 무조건 넓기만 한 이마에 눈곱인지 눈인지 모르게 그저 시늉만 낸 눈하며, 콧날이 없는 것은 그래도 세수하긴 참으로 편리하시겠다고 변호(辯護)해 준다 치더라도 뭣을 믿고 콧구멍만은 항시 하품하는 아가리처럼 의기양양하게 떡 벌리고 있는지를 전연 알 수가 없는 것이다." 이러한 명희의 육체는 시대의 모순을 상징하는 일종의 기호인 셈이다. "명희의 그 추악한 면상은 그 반공이라는 어휘만큼이나 그들의 의사를 가혹하게 통제하는 모양이었다."라는 말이 그것을 잘 증명해 준다.

「너는 뭐냐」는 제6회 동인문학상을 수상한 중편소설이다. 남정현 소설은 한 가정의 비정상성을 통해 우리 사회의 뒤틀린 모습을 풍자하고 희화화하는 경우가 많은데, 이런 점에서 「너는 뭐냐」는 가장 날카로운 문제의식을 가지고 있다. 여기에 등장하는 아내 신옥은 남정현 소설에 수없이 등장하는 왜곡된 여성상을 대표하는 인물이다.[13] 신옥은 '용상의 군주'로 군림하는 반면 남편 관수는 가정에서나 사회에서나 거세된 지식인이다. '예술'과 '성교육'이라는 단어가 희화화되기도 하지만 정작 신옥이 자주 사용하는 '현대'라는 말은 관수에게 큰 압력으로 작용한다. 신옥은 '현대'라는 한자 두 자에 전 생애를 걸 정도로 그 두 자를 생활신조로 삼고 있다. 그러나 그 '현대'라는 말은 "자기 이익을 위해선 무엇을 해도 좋다는 그런 비정한" 기계와 같은 괴물에 비유된다. 신옥은 아침에 일어나면 악취를 풍기며 관수 앞에서 오물을 배설하고, 외도를 하면서도 자신을 도와주지 않았다고 관수를 나무라기도 한다. '데모크라시정신과 협동정신'이 부족하다는 것이다. 심지어 남편 앞에서 자신이 사귀는 남자 친구를 아무런 죄책감 없이 칭찬하기도 하며, 남편인 관수에게도 차용증서를 쓴 후 돈을 빌려준다. 이런 아내에게 가정부

---

13) 장영우, 「통곡의 현실, 고소의 미학」, 『작가연구』 제2호, 1996. 10, 383쪽.

인숙까지 동조한다. 인숙이 신옥을 좋아하는 이유는 단 한 가지밖에 없다. 자신이 좋아하는 영화배우 복거래와 신옥이 외형상 닮았기 때문이다. 인숙은 "예술에 살고 예술에 죽자"는 신조를 가지고 있는데, 그러나 그가 말하는 '예술'이란 배우의 이름과 이력을 알거나 인기연예인이 사용하는 화장실 이름을 아는 정도다. 인숙은 자신이 모 배우를 닮았다는 이유 하나만을 믿고 자신이 말하는 예술계로 진출하려고 하는데, 그러나 그가 참고하는 유일한 서적은 천박한 3류 대중잡지류에 불과하다. 관수가 세 들어 살고 있는 주인집 아이들도 드라마에 빠져 있을 따름이다. 그런데도 인숙과 아이들은 자신을 몰라주는 관수를 인간 이하로 취급한다. 어른, 아이 할 것 없이 그들 모두는 생활곳곳에 침투해 있는 대중문화의 경박성을 노골적으로 드러내고 있는 것이다.

그러면 이처럼 시대 악을 담보하고 있는 부정적인 여성상을 넘어설 수 있는 길은 어떠해야 할까. 우리는 이 점과 관련하여 남정현 소설에서 긍정적인 인물을 찾아보기는 어렵다. 「너는 뭐냐」의 관수와 함께, 주위로부터 어려움을 겪고 있는 「현장」의 주인공 <나>나 「사회봉」의 원규도 부정적이기는 마찬가지다. 「현장」의 <나>는, 서로 사랑하느냐 아니냐 하는 문제를 두고 싸우며 뜬눈으로 밤을 세우는 형수와 형, 모던 재즈에 빠져 있는 여동생, 전직고관 출신이지만 군사혁명 때 낙인이 찍혀 가택연금상태인 아버지 사이에서 다시 한번 집안을 일으켜 세워야 한다고 생각하면서도 정작 하는 일이 없다. 이런 점에서 '자유'와 '민주주의'의 정확한 시대적 의미도 파악하지 않은 채 옛날의 향수에 젖어 그저 새 세상이 오기만을 막연하게 기다리는 아버지와 그는 별반 다를 것이 없다. 「사회봉」의 원규 또한 아버지 동문선생을 비롯한 여러 가족들의 생계를 책임지고 있으면서도 술에 취한 채 누이동생과 성행위에 빠져들 따름이다.

「너는 뭐냐」의 경우도 마찬가지다. 아내가 가하는 횡포로부터 벗어나기 위해서 관수는 "집을 나가자"라고 하지만 정작 그가 갈 만한 자리는 한 군데도 없다. 그만큼 바깥세상은 혼탁한 것이다. 그러나 그 혼탁한 세상에서 생활하고 있는 인숙, 신옥이 작품 결말 부분에서는 난처한 입장에 처하게 된다. 인숙은 자신을 배우로 키워주겠다는 신문기자의 꾀임에 빠져 정조를 잃게 되고, 신옥은 다른 남자와 외도를 즐기다가 4·19의 인파 속에서 가야 할 방향을 잃게 되는 것이다. 따라서 인숙을 보고 "너는 뭐냐!"라고 외치는 관수의 모습에서 희망이 보이지 않는 것은 아니다. 오히려 작품 마지막 부분에 등장하는 '민중'("작업복을 입은 사람")의 돌출적인 모습에서 그 희망을 확인할 수 있기는 하다. 더욱이 아내의 멱살을 쥔 관수의 눈에는 활활 타오르는 불꽃이, 국민을 학대하던 일체의 건물과 일체의 제복(制服)이 무너져 내리기도 한다. 그러나 이 소설에서 여성이 시대 악을 상징하고 있지만 소설 속의 갈등이 부부간이나 가족간의 문제로 지나치게 축소되어 그 비판의 강도가 약화되거나 무엇보다 현실인식의 깊이가 떨어질 수밖에 없다. 특히 우리는 「너는 뭐냐」의 결말 부분에서 민중의 돌발적인 출현을 목격할 뿐 거기에 이르는 과정은 전혀 확인할 수 없다. 이처럼 과정이 결여된 돌출적인 사태해결 방식은 남정현 소설에 자주 보이는, 너무 직설적이며 시사적인 정치성 발언들과도 무관하지 않을 것이다.[14] 또 그러한 돌출적인 사태해결 방식은 천지를 개벽시킬 만한 '벼락'(「부주전상서」)이나 '불'(「너는 뭐냐」)과 같은 격렬함을 수반하기도 한다.

이 점은 부자간의 갈등을 다루고 있는 '허허 선생' 연작의 한계와도 무관하지 않다. 다만, 섣부른 대안보다 구체적인 형상화를 통한 정서적 환기력이 중요하다고 볼 때 허허 선생(이하 '허허'로 칭함)은 훨씬 구체성을 띠고 있다. 그가 떠맡고 있는 시대 악은 「너는 뭐냐」의 인숙의 그것과는 비교가 되지 않을 정도로 구체적이다. 그리고 '허허 선생' 연작은 남정현 소설에서 줄곧 제기되는 시대 악의 상징으로서의 여성상이 허허에게 고스란히 전이된다는 점에서도 주목된다.

---

14) 남정현 소설의 시사적인 성격에 대해서는 이 글 마지막 장에서 언급할 것이다.

3. 시대 악의 상징적 기호, '허허'(虛虛)

'허허 선생' 연작은 「분지」와 함께 사실상 남정현의 대표작이라 할 수 있다. 이 연작은 「분지」의 문제의식[15]을 포함하여 작가의 창작행위를 사실상 마무리짓고 있기 때문이다. 이 연작에 나오는 '허허(虛虛)'는 우리가 어이 없어 웃을 때 나오는 소리이기도 하고 실체가 없는 허상이라는 의미이기도 하다.

남정현 소설에서 왜곡된 아버지상은 자주 나타난다. 전직고관으로 나오는 「현장」의 동문선생과 "관직은 치부의 바탕이며 치부는 곧 출세"라는 인생관을 가지고 있는 「부주전상서」의 아버지 등이 그러하다. '허허 선생' 연작은 이러한 왜곡된 아버지상의 극한을 보여준다. 우선 작가의 창작의 변을 들어보자.

그러니까 소위 그 유신체제란 이름 하에 군부독재가 이를 악물고 기승을 부리던 1973년에 <허허 선생·1>을 쓰고 나서 이제 1992년에 <허허 선생 옷 벗을라>로, 일단 이 허허 선생 시리즈를 마감하기까지 장장 20여 년이란 세월이 흐른 셈이다. 생각하면 나에게 있어서 이 20여 년이란 세월은 한 마디로 말해서 허허 선생과의 피나는 대결시대였다고 볼 수 있다. 나는 정말 그 동안 허허 선생을 상대로 내 딴엔 어쩌면 그와 늘 생사를 걸고 흡사 무슨 격투라도 하는 심정으로, 한 편 한 편을 아주 힘겹게 이 소설을 썼다. 허허 선생이란 인물은 우리 시대 민중들에게 온갖 불행과 고통을 가하는 바로 그 원흉의 추악한 모습이라고 생각되었기 때문이다. 아니 그는 비단 우리 시대뿐만이 아니라, 역사적으로 누대에 걸친 수수백년 동안 오로지 일신의 영화만을 탐한 나머지 언제나 침략세력이었던 외세와 늘 한통속이 되어 나라와 민중의 이익을 열심히 짓밟은 지배계층 공통의 그 반인간적이며 반민족적인 그 못돼먹은 의식의 특징을 잘 반영하고 있는 그런 타기할 인물이란 점에서, 나는 그런 부류의 추잡한

---

15) 강진호, 「외세와 금기에 대한 도전-남정현의 <분지>론」, 『현대문학』, 1998. 10.

인간들이 한시 바삐 우리의 이 소중한 역사무대에서 아주 멀리멀리 영영 사라져 줬으면 하는 간절한 소망을 안고 이 소설을 썼다.[16]

작가의 말대로, '허허 선생' 연작은 1973년 「허허선생 1 - 괴물체」(『문학사상』, 2월호)가 발표된 뒤 1993년 「허허선생 8 - 허허선생 옷 벗을라」에 이르기까지 무려 20여 년간 지속된 작업이다.[17] 연작 중에서 「옛날 이야기」는 「허허 선생 4」로 개제되지만 발표순서로 보면 제일 앞에 놓인다. 특히 「옛날 이야기」는 『분지』 필화사건 이후 3년만에 발표되는 첫 작품이라는 점에서 심화되고 정제된 작가의 문제의식을 확인하는 중요한 자료가 된다.

'허허 선생' 연작은 허허의 성장배경에서부터 몰락에 이르기까지의 전 과정을 다루고 있는데, 「허허선생 4」를 제외하고는 부자간의 대립이 주된 갈등을 이루고 있다. 허허가 살고 있는 집은 흡사 무슨 옛날 얘기 속에 나오는 요술단지처럼 사뭇 환상적이며 그로테스크한 형태를 취하고 있다. 인간의 집 같지 않은 이런 집의 형태를 통해 이미 허허의 인물됨이 드러난다. 허허는 인간 이하의 괴물일 수 있는 것이다. 그의 기괴한 행동은 사실 인간으로서는 도저히 상상할 수 없는 것이기도 하다. 우주공항에 떠 있는 우주선을 연상케 하는 허허의 집은 "뭔가 지구의, 아니 이 코리어의 보물을 강탈하기 위해 눈을 부릅뜨고 부단히 이착륙(離着陸)하는 대기권 밖의 어느 괴물체"(「허허선생 1」)로 보인다. 집은 각종 계기와 컴퓨터로 조종되는 조종실까지 갖춘 거대한 기계와 같은데 그래서인지 각종 버튼에 따라 변화무쌍하게 움직인다.

16) 작가의 '머리말', 『허허 선생 옷 벗을라』, 동광출판사, 1993.
17) 지금까지 여러 연구에서 '허허 선생' 연작에 대한 서지사항이 다소 혼란스럽다. 그 구체적인 내역은 다음과 같다. 「허허선생 1 - 괴물체」(『문학사상』, 1973. 2), 「허허선생 2 - 발길질」(『문학사상』, 1975. 5), 「허허선생 3 - 귀향길」(『문예중앙』, 1980. 3), 「허허선생 4」(1968년 『월간문학』 3월호에 발표한 「옛날 이야기」를 개제한 것), 「허허선생 5」(1973년 4월에 『독서신문』에 발표한 「준이와의 삼개월」을 개제한 것), 「허허선생 6 - 핵반응」(『창작과비평』, 1988. 9), 「허허선생 7 - 신사고」(『실천문학』, 1990), 「허허선생 8 - 허허선생 옷 벗을라」(같은 제목으로 1993년 동광출판사에서 간행된 단행본 『허허선생 옷 벗을라』에 수록)

이 집은 대지만 국산일 뿐 설계는 미국인이 그리고 내부 시설은 일본인이 하였으며, 각종의 기계류를 포함한 일체의 건축 자재는 세계도처에서 가장 좋은 것만을 골라 지은 것이다. 집안에는 자칭 '허허박물관'이라는 것이 있는데 이곳에 보관된 물건 중에서 허허가 가장 아끼는 것이 회중용금시계이다. 이 시계는 그가 일제 식민지 시기 군수로 재직할 때 일황으로부터 직접 받은 것이다. 그리고 수렵용, 완상용, 투견용, 호신용 등 각종 개가 그를 호위한다. 수의사, 조련사, 영양사, 정원사, 수석 및 차석 비서 등 여러 비서와 운전수, 가정부, 청소부, 경호원들, 요리사, 주치의, 경비원, 통신요원 등 수많은 사람들이 또한 그를 시중들고 있다. 허허는 그야말로 '용상의 군주'처럼 군림하고 있다.

그런데 아들 <나>(허만)는 아버지 허허가 항상 시대에 발맞추어 살아온 것을 연구하기 위해 여념이 없다. 아버지와 아들은 서로 상대를 오물로 취급하면서 팽팽한 긴장감이 시종 지속된다. 집에 있는 모든 사람들도 <나>를 비방하거나 <나>의 비행을 고자질하는 것으로 허허에 대한 충성심을 발휘하고자 한다. 갓 대학에 진학한 여동생 숙이에게 자기 전용차가 생긴 것이나, 미스터 곽이 잔심부름꾼에서 일약 차석비서로 승진한 것이나, 가정부의 봉급이 올라간 것도 모두 그 배후에 그들의 아부근성과 허허의 간교가 있었던 것이다. 허허는 모든 일을 아주 간편하게 돈으로 환산해버리는 습관에 젖어 있다. 허허의 그 복잡하게 얽히고 설킨 여자관계가 탄로나서 집안에 큰 풍파가 일었을 때 아내의 입을 틀어막아 그녀를 아주 미국으로 쫓아버리거나, 아들 실(實)을 모 대학에 뒷문으로 입학시키거나, 아들 용(龍)이 운전 부주의로 사람을 치어 죽였을 때 그 유가족을 무마시켰을 때도, 그 일을 해결하는 데 든 비용만큼 아내와 자식들의 가치가 '얼마짜리'로 환산되는 것이다. 30이 넘은 <나>에게 이런 허허는 "도무지 풀리지 않는 매듭"(「허허선생 1」)과 같다. 아버지가 왜 어제처럼 오늘도 잘 살아야 하는지, 왜 죽지 않고 아직도 살아있는지 곰곰이 생각해 보지만 아무리 생각해도 허허는 불행하게도 한국 사람이 아닌 일본 사람 같기도 하고 서양 사람 같기도 하다. 그리하여 전혀 소속 불명의 허허(虛虛)한 인종 같았다. 그저 말끝마다 '한국놈'을 연발하며 그 '한국놈'은 별수없다고 연일 '한국놈'을 깎아내리기에 여념이 없는 허허는 그러나 일제 때는 그 별수없다는 '한국놈'을 팔아 일제에 충성한 대가로 일황(日皇)으로부터 두 개의 특수 공로 훈장을 받았으며, 지금도 그 훈장을 일생 일대의 명예로 생각하고 있다. <나>에게 이런 허허는 사람이 아닌 허깨비나 유령과 같은데, 그러나 정작 이보다 더 허깨비 같은 것은 다름아닌 그러한 부친과 단짝이 되어 그에게 온갖 세상의 부귀와 영화를 제공하며 그를 감싸고 돌아가는 기이한 현실이다. 그래서 <나>는 늘 한가하게 놀고 있는 것 같으면서도 이런 부친과 현실을 상대로 흡사 사생결단이라도 하듯 팽팽히 맞서 있는 것이다. 허허는 정계로 데뷔하는 기자회견에서 한국인이란 그 천성이 게으른 족속들이며, 또 한국이라는 나라는 언제까지든 외국의 도움이 없이는 혼자선 도저히 생존할 수 없을 것이라고 단정한다. 이는 그가 아직도 식민사회가 강요한 의식구조로부터 벗어나지 못했음을 말하는데, 허허의 말이 끝난 후 마이크를 받아든 <나>는 맏아들로서 긍정적인 말을 기대하던 좌중에 허허의 발길질이 신기(神技)에 가깝다는 말을 터트림으로써 허허의 실상을 여지없이 폭로한다. 이 발길질은 허허가 일제 때 시골 어느 경찰서의 간부서원으로 근무하면서 익힌 솜씨였다. 그러나 결과적으로 <나>는 이 일 때문에 정신병자로 내몰릴 뿐 아니라 바깥출입이 금지된다.

허허의 파렴치함은 곳곳에서 확인할 수 있다. 자신의 건강을 컴퓨터로 자동 체크하기 위해 자신과 똑같은 모의육체를 만드는 데 수백 억 원을 투자했으며, 게딱지같은 움막집을 화려한 휴게실에서 관망하며 아낙네들이 물동이나 연탄을 나르기 위해 가파른 비탈길을 오르다 넘어지는 장면을 무슨 요지경처럼 희희낙락 즐기기도 한다. 기자회견 사건 이후, 허허는 예전 자신의 직속상관이었으며 이제 일본에서 대재벌로 성공한 마쓰바라가 찾아오자 그의 후원을 받아 새 사업을 시작하려는 욕심으로 아들 <나>를 마쓰바라의 향수를 자아내는 도구로 제공하기를 서슴지 않는다. 이런 아버지의 청에 대해 <나>는 그 전제조건으로 일 억 원을 요구하고 그 돈으로 내외석 학들을 데려와 아버지를 연구하는 연구소를 짓겠다는 것인데 그만큼 허허는 요령부득의 인물이다. 해방 직후 숱한 '몽둥이떼'에 의해 고향을 도망쳐 나온 허허는 일본인 대신 이제 어느 미국인과 사귀면서 서장, 총장, 사장, 국회의원, 장관 등 갖은 벼슬을 차지하더니 재계와 모 당의 중진으로 오를 정도로 정계의 실력자가 되었다. 그런데도 그가 항상 그리워하는 것은 옛날이다.

「옛날엔 참 좋았지.」
일제히 합창하듯 말하고 숨을 헐떡거리면서 깊숙이 역류(逆流)하는 정신(精神)이, 아니 시간(時間)의 강하(江河) 속에 침몰하는 것입니다. 높아지는 맥박. 점차로 흐려지는 동공의 색도. 순간 나의 의식도 점점 몽롱하게 흐려지는 것입니다. 「오늘」을 집권(執權)하는 「옛날」의 세력에 흡수되어 나의 의식도 완전히 그 방향 감각을 잃는 것입니다. 도대체가 어디가 어디고 무어가 무언지 대중할 수가 없는 것입니다. 불행하게도 검은 놈과 흰 놈을, 흰 놈과 노란 놈을 구별할 수가 없어지는 것입니다. 아무리 보아도 이놈이 저놈 같고, 저놈이 이놈 같아서 눈알이 빙빙 돌아가는 것입니다. 정말 우리는 「우리」를 사는 걸까, 「그들」을 살아주는 걸까. 아니, 정말 우리는 「오늘」을 사는 걸까, 「옛날」을 살아주는 걸까. 그들과 우리가, 옛날과 오늘이 동일한 점(點) 상태에서 무작정 번거롭게 흔들리다가는 어쩌다 「우리」와 「오늘」이 서서히 지워지면서 「그들」과 「옛날」만이 남아 민첩하게 돌아가는 모습이 선명하게 공간을 점령할 즈음, 나는 당황하여 나 자신도 모르는 사이에 벌떡 일어나는 것입니다.[18]

옛날을 그리워하는 이러한 행위는 소수의 권력자에 국한된 것은 아니다. 그것은 바로 우리들의 모습이었고 오늘 우리들의 모습일 수 있는 것이다. 옛날 그대로 있는 주재소를 보며 좋아하는 허허와 마쓰바라를 보고 <나>는

---

18) 「옛날 이야기」, 『준이와의 삼개월』(제3 창작집), 한진출판사, 1977, 98~99쪽.

자신의 가족을 쫓아내던 이전의 '몽둥이떼'가 몰려오는 환상에 빠지지만 그러나 그것은 오히려 허허를 환영하는 피켓들이었다. <나>는 이를 보고 "아닙니다. 아버님. 몽둥이입니다요, 몽둥이!"(「허허선생 2」)라고 거의 절규에 가깝게 항변해보지만 현실은 그렇지 않다. 이런 민중들의 허위의식에 대한 비판은 「허허선생 4」에서 가장 잘 드러나 있다. 구두 수리를 하는 공영감, 시계수리공 각서방, 국 서기, 박 주사, 창녀 <진> 등이 그러한 인물들이다. 이들은 모두 "뜨겁고 가파른 「현실」의 층계(層階)를 뛰어내리면서 투명한 「옛날」의 창문을 서슴없이 노크하는" 사람들이다. 옛날에 반하여 현실을 등진 자들인 것이다. 그리고 그들이 바라는 것은 모두 돈이다. 옛날에는 오늘날보다 돈이 잘 벌렸다는 것이다. 그리고 그들이 항상 하는 말이 "옛날엔 참 좋았지."라는 말이다. 이 사람들의 최상위에 허허가 있음은 물론이다. 허허는 일제시절 고시에 합격하여 군수를 지낸 것을 가장 영광으로 생각하고 있으며, 아들을 앞에 세워놓고 일본도를 하사받던 시절을 회상하기 위해 연습을 하기도 한다. 그에게 오늘의 현실이란 "순사가 도둑놈이 되고 도둑놈이 순사 노릇을 하는"(「허허선생 4」) 시절이다. '중앙청＝술집', '국회 의사당＝갈보집'에서 암시되듯 허허는 옛날과 마찬가지로 오늘 또한 만끽하고 있다. 독립유공자를 표창하는 허허의 모습, "쫓던 자와 쫓기던 자"의 아이러니가 바로 그것이다. 그러나 <나>가 이런 모순된 현실을 환상의 공간에서만 비판할 수밖에 없는 것이 또한 우리의 현실이다. 태극기가 허허의 표창식 때 네 활개를 펄럭이며 웃음보를 터뜨리고, 책상도 웃고 걸상도 웃고, 땅하늘 아니 삼라만상 모두가 웃는다는 상황설정이 그것을 잘 말해준다. 그러나 <나>는 허허가 죽었다는 환상에 사로잡혀 허허의 생사를 확인하기 위해 안절부절 못하다가 그가 살아 있음을 확인하고 안도의 한숨을 내쉬는 등 주제의식이 허트러지기도 하는데, 이는 부자간의 인물 설정에서는 부득이한 측면도 있다. 이 점은 우리가 '허허 선생' 연작을 계기적으로 살펴보아야할 이유를 말해주고 있는데, 「허허선생 8」에서 나타나는 허허의 죽음 설정이 그것을 잘 말해준다. 말하자면 '허허 선생' 연작은 각 작품이 동일한 문제의식 하에 서로 중첩되면서도 허허의 종말을 향해 일관되게 진행되고 있다.

'허허 선생' 연작은 남정현이 초기작에서부터 가지고 있는 문제의식, 예컨대 반공, 미군문제, 통일 등의 문제를 집약하여 마무리짓고 있다. 연작 중 미군과 반공 문제를 다루고 있는 「허허선생 6 - 핵반응」, 그리고 광주사건과 통일문제를 다루고 있는 「허허선생 7 - 신사고」와 「허허선생 8 - 허허 선생 옷 벗을라」 등은 지금까지의 문제의식을 한층 심화하여 허허의 허상을 예리하게 고발한다.

허허가 자신의 집에 만들어 놓은 지하궁전의 대연회장, 그곳에는 이제 성조기 형태의 건들거리는 상들리에가 밝은 빛을 발하고 있다. 그는 핵무기가 남한에 들어오게 된 것을 계기로 자신을 위협하는 소위 빨갱이(그가 싫어하는 민중 또는 서민대중)들의 위협으로부터 이제는 안심이라고 생각한다. 허허는 제주지구 미군정관 산하의 치안담당 참모였던 리버티 소장에게 발탁돼 구사일생한 이후 그를 거의 자신의 목숨처럼 존중한다. 당시 리버티는 일제시대의 그 눈부신 허허의 활약상에 혹한 나머지 허허를 즉시 자신의 직속 요직에 임명한 것이다. 그후 제주 4·3사건 때 토벌대를 타도하는 데 혁혁한(?) 공을 세운 허허에겐 '반공'은 신비스런 요술방망이였다. 그의 침실로 향하는 입구 벽면엔 '반공'이라는 한자 두 자를 정중히 모셔놓은 순황금의 액자가 걸려 있다. 일제 시절에는 일황이 준 각종 기념물 앞에서 목례를 했듯이 이제 허허는 그 반공이라는 액자 앞에서 목례를 하는 것이다. 그런 허허가 원인을 알 수 없는 병으로 아파 눕게 되는데 사실인즉 그것은 미군철수와 반공법 철폐를 외치는 수천수만의 군중들의 행동 때문이다.

반공문제는 남정현이 지속적으로 문제삼아 온 주제였다. "대한민국의 간판인 이 「반공」이라는 낱말"(「누락인종」)은 통일되면 고향으로 돌아간다는 사람을 간첩으로 몰며(「기상도」), 비민주적이라는 이유 하나로 아들이 아버지를 간첩이라고 고발하게 하기도 하고(「천지현황」), 통일이라는 어휘를 사용한 것 때문에 해방 이후 이십여 년간 줄곧 경찰서와 검찰청 그리고 공판정과 형무소 사이를 전전하면서 살아가게도 한다(「사회봉」). 「사회봉」의 동문 선생은 일 년 간의 감옥 생활 끝에 정부에서 '통일'이라는 말을 싫어하는 이유가 북한의 공산주의자들도 빨갱이가 아닌 인간이라는 점에 있다는 사실을 깨닫고, 요강에 오줌을 누면서도 이게 혹시 공산주의자들을 닮은 불온한 생리현상이 아닌가 겁을 먹기도 한다. 이는 '반(反)-'이라는 접두어가 지닌 폭력성이 우리 사회를 사로잡고 있었던 데서 말미암은 것이다.

그래 그런지 최근 비유리 女史의 시야에는 반대 반(反)자를 수반(首班)으로 한 反民族·反民主·反革命·反國家·反共·反動 등등 반(反)자의 행렬이 사뭇 반만 년 역사의 길이만치나 기다랗게 늘어지다가는 느닷없이 인간이란 자식들이 모다가 반대 반(反)자로 뭉쳐놓은 허수아비로 보여지는 통에 비유리 女史는 깜짝 놀라 공연히 아무데나 대고 버럭 화를 내곤 하는 것이었다.

그럴 때마다 비유리 女史는 이 세상에 만약 반대 반(反)자가 존재하지 않았더라면 도대체 「정부」라는 데서는 무슨 일을 할까 하는 그런 엉뚱한 쾟숀에 취해버리는 것이었다. 그랬다면 문제없이 전연 할 일이 없어서 자기처럼 방구석에서 파리나 날리며 시간을 충당하고 있을 「政府」의 가긍한 주제꼴이 떠올라서 비유리 女史는 고만 실소를 금치 못하는 것이다. 「政府」란 단지 반대 반(反)자를 수확(收穫)하고 그것을 처분(處分)하는 권력기관에 불과하다는 것이 또한 삼십평생의 생애에서 얻는 女史 특유의 정부에 관한 정의론(定義論)이기 때문인 것이다.[19]

허허에게 반공은 자신의 정치활동과 생계를 위한 가장 강력한 도구이다. 그리고 자신을 지탱해주는 것은 오직 외세밖에 없다. 이런 허허가 자신이 그렇게 싫어하던 '통일'이라는 말을 입에 담는데, 이같은 허허의 소위 '신사고'는 통일을 외치는 자들을 알아내기 위한 일종의 위장술이다. 민중들이 통일을 입에 담기 시작할 때부터 그는 지상의 집이 더 이상 안전하지 않다고

---

19) 남정현, 「기상도」, 『사상계』, 1961. 8.

생각하고 지하궁전을 짓기 시작했다. 허허는 광주사건을 주도한 도깨비들을 물리치기 위해 벽 한 면을 가득 채우는 큰 시계에 세계 각종 유명한 종소리를 채음하여 입음해 놓고 그 소리가 도깨비들을 물리칠 수 있다고 믿고 그 종을 의지하는데, 그러나 실은 그 자신이 도깨비인 것이다. 연작의 마지막 작품인 「허허선생 8」은 '허허 선생' 연작뿐 아니라 그의 작품세계 전체를 요약하는 성격까지 지니는데 그 문제의식은 허허의 심복 비이부장과 허허의 아들 <나>가 주고받는 다음과 같은 말에서 압축적으로 드러난다.

"왜 그 동안은 정치 잘못했다, 이 말씀인가요?"
"이 사람아. 잘못하긴, 이만하면 우리야 정치 참 잘했지. 우리가 정치 잘못했으면 이 나라가 남아났겠나. 벌써 무슨 일이 생겼지. 도깨비들 등쌀에 말야."
"그까짓 도깨비들 등쌀에 말입니까?"
"허 이 사람, 도대체 자넨 허허 선생한테 그 동안 뭘 들었나. 그까짓 도깨비들이라니. 자네 공부 다시 해야겠어. 자, 보게나. 팔일호 이후, 방방곡곡에서 단독 정부 싫다고 지랄 치던 놈들, 친일파 죽이라고 지랄 치던 놈들, 미군 나가라고 지랄 치던 놈들, 공산당 하겠다고 지랄 치던 놈들, 부정선거 한다고 지랄 치던 놈들, 부정부패한다고 지랄 치던 놈들, 군부통치 싫다고 지랄 치던 놈들, 민주주의 하자고 지랄 치던 놈들, 아 이놈들이 글쎄 도깨비면 어디 보통 도깨비들인가. 사실 우리가 그 동안 이놈들의 숨통을 그때마다 민첩하게 총으로, 칼로, 불로, 물로, 전기로, 몽둥이로 꽉꽉 틀어막아 놓았으니 망정이지, 아 이놈들의 숨통을 그냥 방치해 놓았다고 생각해 보게나, 응? 그랬다면 벌써 이 나라가 도깨비들 세상이 되어 버렸지, 우리들의 세상이 되었겠나. 생각하면 참 아찔아찔한 순간들이었네."[20]

허허의 심복 비이부장은 정치는 사람 죽이는 것과 깊은 관계가 있으며 사람을 잘 죽여야 정치를 잘 할 수 있다고 생각한다. '허허 선생 옷 벗을라'라는 말은 6.25 때 휴전을 결정하려는 미군사령부로 허허가 일행을 거느리고

---

20) 남정현, 「허허선생 옷 벗을라」, 『허허 선생 옷 벗을라』, 동광출판사, 1993, 230~231쪽.

찾아가 옷을 훌렁 벗고 휴전하면 안되며 핵무기로 북한 지방을 몽땅 폭파시켜달라고 한 데서 생겨난 이름이다. 이후에도 허허가 옷을 벗는 일은 여러 번 있었다. 허허는 소련이 망했다는 소식을 전해들은 날부터 수개월을 지하 궁전에서 옷을 벗고 갖은 추태를 부리며 시간을 허비하다 기력이 쇠한 데다가 그렇게 믿었던 도깨비들이 소련이 망한 후에도 여전히 망할 기미가 없다는 말에 큰 충격을 받고 쓰러진다. 결국 허허는 인간의 탈을 쓴 동물로 밝혀지고 이제 새로운 생명체로 변하기 위한 진통을 겪고 있다는 주치의들의 판명이 나자 모여 있던 심복들은 모두 두려워하며 빠져나간다. 그러나 바깥에서는 "저벅저벅 하고 전진하는 어느 노동자의 발자국 소리같이 뭔가 힘찬 맥박을 감지케 하는"(「허허선생 8」) 소리가 "허허 선생의 그 현란한 업적을 조목조목 상징했다는 그 육십 개의 눈부신 보석을 하나하나씩 짓밟으면서 보무도 당당하게 앞으로 계속 나아가고"(「허허선생 8」) 있다.

그런데 우리는 여기에서 이런 결말처리 방식과 허허의 아들 <나>의 행동에 유념할 필요가 있다. '허허 선생' 연작은 부자간의 갈등이라는 근본적인 한계 때문에 시대 악을 상징하는 아버지와의 대결과 공생이라는 이중성을 가지고 있고, 이것이 가열찬 풍자정신에도 불구하고 그 의미가 반감된다는 사실은 앞서 지적한 바 있다. 그러나 이보다 더 큰 문제는 허허의 인물 형상화가 너무 도식적이고 고정되어 있다는 사실이다. 그리고 이러한 한계는 작품 속에 언급되고 있는 바 제반 역사적 모순들이 너무 표피적으로만 반복 취급되고 있는 것과 관련이 깊다. 그 결과 그러한 역사적 모순들은 허허의 특징을 드러내기보다 너무 일반적인 역사적 사실에 묻혀 공식적인 느낌마저 주게 된다. 아니, 지나치게 시사적인 발언에 그치고 있다고 말하는 것이 더 정확할지 모른다. 허허가 전략적으로 내뱉는 말, 즉 빨갱이들과 어울려 통일을 하기 위해선 반공법을 없애야 한다는 것, 통일을 방해하는 미군이 철수해야 한다는 것(「허허선생 7」), "저 멀리 태평양 건너 백악관에서 팬타곤에서 들려오는 소리"(「허허선생 8」) 등의 표현이 그것이다. 「허허 선생 1」에서부터 시도된 허허의 정체에 대한 <나>의 탐구 작업은 그 탐구 과정에서 '허허=괴물=도깨비'라는 공식이 자주 반복 강조됨으로써 작품의 흥미를 반감시키는 요인으로 작용하기도 한다. 이처럼 인물에 역사적인 공식을 부여하는 이러한 인물 형상화는 그만큼 그러한 공식을 넘어서기 위해서라도 지나친 희화화의 방식을 요구할 수밖에 없어 보인다. 특히 이런 고정된 시각은 여성에 대한 편협하고 고정된 시각21)과 정확히 일치한다는 점에서 남정현 소설의 어떤 한계를 암시하는 것 같다. 그러므로 이 자리에서 우리는 지나친 사대와 마찬가지로 지나친 국수(민족) 또한 그 한계가 명백하다는 점을 되새길 필요가 있다.

4. 신문과 소설 창작의 습합(拾合) 과정, 그 의의와 한계

우리는 남정현 소설을 읽으면서 반공(법), 통일, 민주, 미군철수 등등 추상적이며 시사적이기도 한 어휘들이 흔한 공식처럼 자주 반복되는 것을 확인하면서 식상할 때도 있다. 이런 어휘들은 남정현 소설을 형성하는 중요한 인자이기는 하지만 그것이 생경하게 너무 자주 반복될 때 문학의 감응력을 떨어뜨리는 것이다. 따라서 여기서 조심스럽게 확인하고 싶은 것은 신문과 소설의 습합 관계라 할 수 있다. 사실 남정현 소설에는 신문기사거리의 내용이 자주 이용되고 있다. 그러한 내용들은 대화나 화자의 서술에서 간단히 언급되는 경우도 있지만 작품 구성의 주된 계기로 작용하기도 한다. 앞의 경우 「부주전상서」에 나오는 것처럼 조폐공사에서 위조지폐를 만들었다거나, 부정부패를 일소하겠다고 떠들던 사람들이 오히려 부정을 저지른다거나, 권력을 향한 학자들의 해바라기성과 부정부패를 고발하거나, 여성들의 성 문란 풍조를 비판하거나, 가족계획을 살인계획이라고 비판하는 등의 내

---

21) 다만 예외적이라고 한다면 「분지」의 '분이'와 어머니가 그러한데 그러나 이것조차 희생자로서의 여성이다. 그러나 역설적으로 이러한 처절할 정도의 희생적인 여성상은 「분지」가 성과를 거두는 한 요인으로 작용하고 있다.

용이 그것이다. 신문과 소설의 이러한 습합 관계는 그의 초회 추천작인 「경고구역」에서부터 보이지만 「허허선생 7」의 주인공의 의식에서도 그 편린을 확인할 수 있다.

 아내보다도 아내의 핸드백 속에 얌전히 들어 있을 신문이 더 보고 싶어서였는지도 모른다. 신문에는 늘 「자유」와 「민주」를 좀먹으며 살찌는 자의 모습이, 아니, 돈이 없고 백이 없어 억울한 자의 모습이, 아니 부정 부패에 시달리는 자의 모습이, 제각기 다양한 형태로 담겨 있으니까 말이다. 그리하여 종수는 그 신문을 펴 들 때마다 온갖 억울한 자를 대신해서 힘껏 주먹을 휘두르며 사자후를 토하는 자신의 장한 모습을 공상해 보는 것이다. 그러한 공상을 향락하는 시간만은 도무지 그 시간이란 것이 지루하질 않아서 좋았다.[22]

 그때 찌르릉 하고 전화벨이 울렸다. 상대는 뻔했다. 모 신문사에 근무하는 수(秀)라는 친구 말고 누가 내게 전화를 걸겠는가. 세상사에 대한 허허 선생과의 견해 차이로 말미암아 내 비록 세상과의 인연을 끊고 우리 집의 외따른 한구석에서 이렇게 거의 유폐되다시피 한 상태로 쓸쓸히 세월을 보내고 있지만 그래도 나는 다행한 일이랄까. 유일하게 수란 친구가 나의 입장을 이해해 줌으로써 이따금 내게 전화를 걸어 와, 나는 실낱같이 가느다란 형태로나마 가까스로 세상과의 인연을 이어 가고 있는 것이다. 고마웠다. 생각하면 허허 선생에 대한 그 우려할 만한 소식도 사실은 다 수란 친구가 물어다 준 것이었다.[23]

우리는 이 두 인용문에서 남정현 소설이 형성되는 하나의 계기를 확인할 수 있다. 첫 번째 인용문의 경우 신문에 언급된 사실 그 자체보다 그것의 의미를 끌어내고 형상화하는 방식이 더 중요하다고 볼 때 그 한계는 분명하다. 두 번째 인용문의 경우에도 허허의 아들 <나>는 유일하게 기자인 친구 수에게서 정보를 얻을 뿐 바깥세상과의 교섭은 없다. 이런 상황에서 현실에 대한 깊은 분석을 기대하는 것은 무리이다. <나>는 허허의 신사고가 반공

22) 남정현, 「경고구역」, 『자유문학』, 1958. 9.
23) 남정현, 「허허선생 7 — 신사고」, 동아출판사, 1995, 288쪽.

법 철폐와 미군철수를 외치고 통일과 민주를 주장하는 사람들을 확인하기 위한 미끼에 불과하다는 사실을 정확히 인식하지 못하는데, 그만큼 <나>의 사태분석은 치밀하지 못한 것이다. 다시 말해 이런 깊이의 부족 또는 편협한 사고가 인물의 고정화를 낳은 원인인 것이다. 그러나 그와 같은 인물의 유형화·공식화를 극복하기 위해 남정현 소설은 지나친 희화화의 방법을 구사하기도 하는데, 그것이 지나치지 않을 경우 희화화는 남정현 소설에서 훌륭한 역할을 한다. 「방기소리」의 경우가 그러한데, 모든 등장인물들이 왕의 자리에 그 왕의 성기가 앉아 있다는 옛이야기를 통해 권력층을 희화화하려고 하지만 정작 그 대목에 와서 그들은 모두 말을 잇지 못하고 오줌을 싸거나 곪아떨어지거나 지랄병이 발작하는 것이다. 그러나 희화화가 지나칠 경우 「코리어기행」24)에서처럼 사람들간에 오직 사랑과 믿음이 있고 간섭하는 권력이 없는 절대 자유를 누리는 세상, 대통령에서부터 말단사무직에 이르기까지 모든 공직이 지원제로 된 세상, 장관직 공채에 봉사정신이 투철한 사람이 아니면 지원자가 없는 세상을 형상화하는 데까지 극단화되기도 한다.

그럼에도 불구하고 남정현 소설의 주인공들 그 중에서도 '허허 선생' 연작의 <나>가 사회의 주변인으로 남을 수밖에 없는 현실에서 느끼는 처절한 소외감은 그의 소설의 중핵을 이룬다.25) 「탈의기」의 주인공 천하가 느끼고 있는 바와 같이, 모든 사람들이 떠나야 한다고 서두를 때 자기도 그런 분위기에 안절부절 못하면서도 그러나 그럴 수는 없다는 처절한 의식이 작품을

---

24) 작가의 말에 의하면, 이 작품은 우리 나라에서도 석유가 나온다는 가상 하에 짤막한 소설을 하나 빨리 써달라는 급한 청탁을 받고 단 몇 시간 안에 썼다고 한다.

25) 남정현은 이런 소외감을 극복하는 대안으로서 4·19의 역사적 경험에 크게 의존하고 있다. 4·19에 대한 작가의 의식은 초기작인 「인간 플래카드」에서부터 「너는 뭐냐」, '허허 선생' 연작에 이르기까지 작품형성의 주된 계기로 작용하는데, 그러나 4·19의 성과로 확인한 민중(서민 대중)에 대한 그의 지나친 신뢰가 그의 작품에서 다소·과격한 상황처리 방식으로 제기되는 바 권총, 불, 네로황제, 벼락 등의 요소와 관련되어 있다는 점에서 일정한 한계가 있다고 하겠다. 특히 그 '민중'이 작품 결말에서 급격한 상황처리를 위해 자주 등장하는 것이 그 단적인 예이다.

탄탄하게 하고 있다. 천하는 떠나는 그들 모두가 결국 주변인으로 서성거릴 수밖에 없을 것임을 내다보고 있으며, 그래서 그는 집을 떠나지 않기 위한 단 하나의 비방(秘方)으로 옷을 벗어 자신의 성기와 몸 곳곳을 관찰하며 시간을 보내는 것이다. 이런 그의 행동은 그의 알몸을 보기 위해 벽에 구멍을 뚫고 처다보는 에이, 비이, 씨이 등을 잠시나마 미국행 열풍으로부터 물러나 있게 하는 데 성공하지만, 정작 그들이 모두 떠난 뒤 천하 자신은 어디로 가야 할지 방향을 잃어버리는 것이다.

이런 점에서 남정현 소설의 강렬한 희화화는 이런 처절한 위기감 내지 소외의식을 극복하기 위한 한 가지 방식인 셈이다. 그리고 그 과정에서 날카로운 풍자정신이 유감없이 발휘되기도 한다. 특히 '허허 선생' 연작은 숨막히는 억압의 시대에 줄기차게 문제를 제기했다는 점에서 그의 작가적 특질을 가장 두드러지게 보여주고 있다. 더욱이 「탈의기」의 주인공 천하나 '허허 선생' 연작의 <나>가 도달한 지점에 여전히 우리가 서 있다는 점에서 남정현 소설의 현실성은 그 부분적인 한계를 상쇄하고도 남는다. 그러므로 우리는 이 글을 마무리하는 여기에서 「분지」의 성과까지 굳이 언급하는 번거로움을 피할 수 있다. **새미**

남정현론

이호철*

    미리 밝히거니와 이 글은 본격적인 「남정현론」이라기보다는 50년대 중엽 어슷 비슷한 시기에 우리 작단에 발을 들여놓은 뒤, 지난 40년간 서로 가까이 어울리며 옆에서 지켜 본 남정현이라는 사람의 몇 가지 삽화성(揷畵性) '인간상' 정도가 될 것이다. 본격적인 작가론이라거나 작품론은 응당 그런 쪽을 전문으로 하는 비평가들 몫일 것이어서, 여기서 경험적으로 밝힌 이야기들이, 뒤에 그런 작업을 하는 분들에게 자료로서 활용되거나 참고라도 되었으면 하는 것이 솔직한 나의 바램이다.

    다 아시다시피 나는 1955년에『문학예술』을 통해 단편소설 「탈향」을 발표 하면서 작단에 첫 발을 들여놓았고. 남정현은 1958년엔가,『자유문학』을 통해 안수길 추천으로 작단에 데뷔하였다. 시로 언제 처음 만났는지는 지금 정확치 않지만, 명동의 문예살롱, 대성, 갈채 다방에 주로 드나들던 내가 남정현, 최인훈, 박용숙 등『자유문화』쪽 멤버들이 주로 드나들던 세종로의

* 소설가

월계다방에 내 쪽에서 찾아가서 첫 인사를 텄었다. 그 월계다방이라는 곳은 2층이었는데 좁은 층층다리가 엄청 가팔라서 조금 짜증이 났었고, 2층 다방 안도 천장이 아주 아주 낮아 뭔지 꽤나 부박(浮薄)해 보이고 꾀죄죄해 보였었다. 내가 노상 드나들던 명동 쪽의 문예살롱이나 동방살롱 돌체 등에 비하면 볼 품 없이 궁상맞아서 나는 자주 드나들지는 않았었다.

남정현의 첫 인상은 작은 체구에 해해거리며 자발자발 잘 지껄여서 대뜸 친숙감으로 다가 왔고, 담배가 아주아주 골초라는 것 빼 놓고는, 첫 대면에서 이렇다 할 특별한 것은 없었다. 1964년 『사상계』 1월호에 내 작품 「부시장 부임지로 안 가다」와 그의 작품 「부주전상서」가 나란히 실리기도 하였었다는 것이 기억될 정도이다.

한데 바로 그 이듬해인 65년, 『현대문학』 3월호에 실렸던 그의 소설 「분지」가 7월에 검찰에 의해 반체제 작품으로 해당법에 저촉된다며 전격적으로 인신 구속을 하게 되어 남정현은 일약 온 사회의 이목을 끈다.

이 필화사건은 비단 문단뿐 아니라 언론계, 범 문화계에까지 큰 충격을 미치며, 특별 변호인으로 안수길 선생이 몸소 나서고, 이어령이 변호인 측이 내세운 증인으로 등장하는가 하면, 이항녕, 한승헌, 김두현 등이 변호인으로 나선다. 이 때의 재판에는 나도 별 일이 없는 한 꼭꼭 방청을 했었는데, 푸른 색 포승에 수정을 차고 법정 안으로 들어서곤 하던 체구 작은 남정현이 그렇게도 안쓰러워 보일 수가 없었다. 피고석에 혼자 앉아 있는 모습도 아주 아주 가련해 보였다. 그렇게 남정현은 3개월 동안 서울 구치소에 구속되고 이 사건의 파장은 여러 사람에게까지 '필화'로 미친다.

그 무렵 미국에서 갓 돌아왔던 백낙청이 이 사건에 대한 소견을 조선일보 지상에 발표했다가 남산 중앙정보부에 불려가 조사라는 명목으로 시달리기도 하고, 창간 직후의 중앙일보 문화부 기자로 고정 컬럼을 쓰고 있던 김상기도 그 사건을 다루었다가 남산 쪽의 압력으로 그 컬럼 필진에서 물러나 끝내는 모교인 서울 대학교 철학과 조교로 되돌아가게 된다. 그뿐이 아니었다. 그 당시 조선일보의 문화부장은 남재희였는데, 백낙청의 그 글을 실어 주었다고 하여 한동안 남산 쪽의 시달림을 받았다던가.

결국 이 사건은 3개월만에 남정현은 구치소에서 풀려 나오게 되지만, 재판은 2심까지 이르며 질질 끌어 가다가 67년에 가서야 '선고 유예'로 마무리가 지어진다.

그렇게 풀려 나오고 나서 뒤늦게 그에게서 직접 들은 이야기로 재미 나는 것은, 어느 날은 검찰 조사를 받으러 담당 검사실에 들어 섰더니, 어? 시인 박재삼이 그 검사실에 와 있더라는 것이었다. 그 때 박재삼은 대한일보 문화부 기자로 있었는데, 마침 남정현의 담당 검사가 박재삼이 삼천포에서 고등학교 다닐 적의 은사였다던 것이었다. 그리하여 박재삼도 박재삼대로 그 왕년의 은사였던 검사에게 남정현 문제로 은밀히 부탁을 하러 들렀더라던 것이었다. 그리곤 비단 자기뿐 아니라, 여러 경로로 여러 사람이 밖에서들 당신을 위해 이렇게들 애를 쓰고 있으니 너무 걱정일랑 하지 말라고 남정현 본인에게 일러주기 위해 그렇게 검사실까지 왔더라는 것이었다. 물론 그 담당 검사의 묵시적인 양해 하에...

지금 이 글을 끄적거리고 있는 나도 꼭 그 9년 뒤인 74년에 65년의 남정현과 똑같이 서울 구치소에 갇혀 보았기 때문에 익히 알거니와, 관복에 포승에 수정을 찬 피의자 처지로 떨어진 사람으로서, 이 때의 이 박재삼 정도의 "마음 씀"이 얼마나 얼마나 마음 든든하게 위안이 되는지, 이런 일을 안 겪어본 사람은 도저히 알지 못 할 것이다.

그런데 이건 또 웬 일인가. 74년 1월에 그렇게 나도 처음으로 서울 구치소 3사에 구속되어 두 번째 재판을 받을 때까지는 방청석에 분명히 남정현의 모습이 보였었는데, 세 번째 재판 때는 보이지가 않아 조금 의아하게 여겼었는데, 어렵쇼, 그 날 느즈막히 구치소로 돌아와 출정 나갔던 죄수들 일행이 사동 복도에서 웅성거리고 있는 중에, 2사 쪽 사동에서 아주아주 가까이 남정현의 목소리로 이호철, 이호철 하고 내 이름을 부르는 소리가 들리지 않는가. 이러니 나로서야 어찌 기절 초풍하게 놀라지 않을 것인가. 남정현은 그렇게 그 날 2사 상 1방에 독거수로 또 들어와 있었다. 나는 3사 상 2방. 그리하여 내가 변소 쪽으로 나가서 안 마당 너머로 소리를 지르면, 모습은 보이지 않지만 남정현과 어렵지 않게 '통방'은 할 수는 있었다. 그러나 이러도록 담당 교도관들이 내버려 둘 리가 없었다.

그러나 그 몇 달 뒤, 남정현은 육영수가 문세광에게 피살 당한 며칠 뒤, 바로 8월 20일이던가, 한 밤중에 풀려 나가던 것이었다. 그 때도 그는 조금만 보퉁이 하나만 달랑 들고 2사 상 복도를 나가면서 커다란 목소리로 내 이름을 불렀다. 나도 자다가 말고 깜짝 일어나 변소 쪽으로 나가 건너다 보았다. 그 때 나는 아직 2심 계류 중이어서 저렇게 나가는 남정현이 그렇게도 부러울 수가 없었다.

아무튼 그 때 그렇게 대한일보 문화부에 몸 담고 있으면서 남정현에게 조금이라도 도움을 주려고 왕년 고등학교 적의 은사였던 이 사건의 담당 검사를 찾아가는 등 나름대로 노심 초사했던 박재삼이, 첫 중풍 발작이 일어났던 것은, 바로 그 때 이 재판을 방청하고 마악 밖으로 나서면서였다니 참으로 해괴한 일이었다.

남정현과는 대강 이런 인연으로, 이를테면 피차에 비슷한 우리 민주화 과정의 전과자인 셈 치면서, 지난 30여 년간을 남 달리 가깝게 지내오고 있다. 가령 예를 들면 1979년 10월의 저 충격적인 '10. 26 시해 사건' 때도 그날 새벽 첫 레디오 뉴스로 '대통령 유고(有故)' 소식을 듣고 즉각 맨 처음으로 전화를 걸어 알려준 것도 바로 남정현이었다. 그렇게 나도 곧장 고천관우와 그 밖에 몇몇에게 그 충격적인 소식을 알렸던 것이었다.

그렇게 남정현과는 그 어느 누구보다도 일관하게 자별하게 지내오고 있지만, 솔직하게 이 자리서 밝히거니와, 기질이나 문학적 성향, 발상법 등은 피차에 전혀 다르다. 그뿐만 아니라 살아가는 태도도 서로 현격한 차이가 있다. 한 예를 든다면, 이 날 이때까지 그와 나는 이렇다 하게 화끈한 『문학론』 같은 것을 한 일이라곤 거의 한번도 없고, 그 밖에도 단 둘이 마주 앉아 어떤 문제로건 진지한 토론 같은 것을 해 본 일이 없다. 더러 그런 비슷한 경우에도 나는 주로 건성건성 듣는 쪽이고, 남정현 쪽에서 열을 올려 몇 마디 하다가는 내 쪽 반응이 원체 시원치 않아서였을 터이지만 제 김에 슬그머니 그만두고 만다.

이 세상을 살아 나가는, 혹은, 이 사회 속에서 문학을 해 나가는 방식에 있어서, 그와 나 사이에는 도저히 말 몇 마디 같은 것으로는 메울 수 없는 근원적인 거리가 있음을 나는 일찌감치 간파, 괜스리 그런 일로(그런 저런 시시비비를 가리는 토론 같은 것으로) 서로 불편해질 까닭은 없겠다고, 아예 내 쪽에서 그런 쪽은 처음부터 차단을 하려고 들었던 것이다.

사람은 어느 경우든 간에 제각기 저 생긴 만큼으로 대처하기 마련이며, 문학도 결코 예외일 수가 없다는 것이 내 원칙이었다. 옳은 것과 그른 것도 끝내는 말 몇 마디로 금방 판가름이 나는 것은 아니라는 생각이었고, 당대 (當代) 나름대로의 유구한 시간의 경과 속에서, 다시 말해 시간이라는 자연 이 엮어내는 역사(役事) 안에서 제각기 제 할 몫이 있고 제 감각만큼 깜냥만 큼 대처할 일이라는 것이 내 원칙이었다. 그 점으로 말한다면 나는 처음부터 그 어떤 이념이라든지 이데올로기라든지 하는 어느 한 기준으로만 몰입하는 것은 완강하게 피해 왔으며, 어느 한 교조(敎條)에 매이는 것을 가장 경계해 왔다. 그야, 썩은 한 세상을 뒤집어 엎는 혁명에 필수적으로 따르는 것이 바로 교조(敎條)이긴 할 것이다. 혁명을 꿈 꾸는 데 있어서 교조란, 아직 실현되지 않은 미래 사회의 모습에 실체(實體)를 부여하기 위해서일 것이 고, 또한 그 미래에로 닿는 길이 현실로 직결되면서 가능함을 내보일 수 있는 것일 것이다. 한데 묘하게도 혁명은 미래를 목표로 하면서도 그것을 뒷받침 해낼 교조(敎條)는 예외 없이 과거에서 빌어 온다. 왜냐 하면 교조가 제대로 교조로서의 효력을 발휘하기 위해서는, 그것은 필수적으로 그만한 권위가 따라야 하며, 애당초부터 권위가 없거나 기왕에 있던 권위가 실추되었거나 했을 때는, 어거지로라도 그것을 회복시키지 않으면 안 될 것이다.

바로 이런 일부터가 나로서는 매우 매우 구차스럽게 보였다. 이렇게 나는 애당초부터 소위 근대사회라는 것이 지니고 있는 속물화(俗物化), 원천적인 '문화의 상실'과 소위 '진보 개념'의 착종(錯綜) 된 관계에 일찌감치 눈길이 가 있었던 것이었다.

따라서 내 문학도 '그때 그때 당대 당대의 내가 감당해낼 몫만큼으로'라는 것을 원칙으로 삼고 있었다. 이 점은 사실은 스스로도 조금 애매하기도 한데, 그렇다면 '감당해낼 몫만큼'이라는 그 구체적인 한정은 과연 어느 수준이냐 하는 점이 그것이다. 보기에 따라서는 아주 아주 자기 변명에 치중한 치사하고 천박한 생각일 수도 있을 것이기 때문이다. 그러나 그 점은 70년대와 80년대에 걸친 내 행적이 웅변으로 보여주고 있다. 내가 70년대와 80년대에 두 번에 걸쳐 감옥에 드나들었던 행적이 바로 그것이다. 그 때의 내 행태는, 감옥에 가든, 안 가든, (불문하고), 바로 그 당대에 내가 문학인으로서 '감당해낼 몫만큼'의 수준이었던 것이다. 그리하여 나의 이런 성향들을 더 천착해 들어간다면, 나는, (애당초부터 내 문학 취향은), '아폴로'적이기보다는 '디오니소스'적이었다고 해야 할 것이다. 실제로 나는 문학 예술의 본령은 '아폴로' 쪽보다는, 저 메소포타미아에서 소아시아에 걸쳐 있던 신(神)이요, 농경사회의 년중 행사와 연결되어 있던 그 '디오니소스'쪽이라고 믿어오고 있다. 이 점만은 그 어느 누구에게도 양보할 수 없는 내 문학의 끝머리 보루(堡壘)라 해도 무방할 것이다. 본원적으로 문학, 예술은 '놀이'쪽으로 가깝지, '윤리'쪽으로 가까운 것이 아니라는 것이 내 생각이다.

나 자신의 이야기가 쓸데 없이 너무 길어지지 않았는가 모르겠는데, 바로 이런 내 입장에서 보자면, 남정현은 너무너무 한 원칙에만 골똘하고 철(徹)해 있었다. 바로 '반(反) 미국'이 그것이었다. '반제, 반미'. 하기야 그 점은 나로서도 십분 이해는 된다. 이 땅에 미국군이 주둔해 있는 사실이야말로 이 땅의 원천적인 비리(非理)로 인식, 남정현은 지난 30여 년간을 애오라지

일관하게 자신의 삶도 문학도 송두리째 그에 저항하는 데만 쏟아 부어오고 있는 것이다.

따라서 나는 나대로 남정현의 그 점을 십분 이해하고 존중은 하면서도 늘 안쓰럽게 여긴다. 백 년 뒤나 2백 년 뒤에, 오늘을 감당해낸 이 땅의 문학의 자취로서 저런 사람 한 사람 정도는 있어 마땅하지 않을까 하는 생각도 안 드는 것은 아니다.

그러나 나 자신은 저렇게 살기는 싫다. 저런 삶은 내 기질이나 내 성향, 내 분수에는 애당초에 맞지가 않는다. 앞에서도 잠깐 비쳤듯이 내 문학적 성향이나 내 기질은 저런 쪽은 아니고, 나대로 생각하는 내 삶이나 내 문학의 원칙도 저런 쪽 하고는 거리가 있다는 것이 지난 40년 간 남정현을 가까이 사귀어 오면서도 줄곧 일관하게 견지해온 바로 내 생각이었다.

내 연보를 뒤져보니, "1989년 9월 25일부터 10월 14일까지 캐나다 토론토에서 개최된 세계 펜 대회 참석 차, 남정현과 함께 캐나다 비자만 받고 미국 비자는 못 받은 채 출국하다. 호놀루루 거쳐 샌프란시스코에서부터는 불법 입국자로 중죄인 다루어지듯 시카고까지 가서 비행기로 캐나다 토론토에 닿아 현지 우리 대사관의 천 호선공보관의 기발하고도 순발력 있는 아이디어로, 나는 미국으로 친다면 헤밍웨이가 되고, 남정현은 존 스타인백이 되어 현지 미국 대사관에서 어렵게 비자를 받아내, 펜 대회가 끝난 뒤에는 미국에 체류 중인 여류작가 신 예선 씨의 아이디어와 안내로 캐나다 몬트리올에서 기차로 출발, 뉴욕에서는 미국 여류작가 Joan Banther 여사의 호의로 그 댁에 이틀을 묵고 다시 기차로 그 넓은 미 대륙을 횡단, 시카고 역에서는 현지에 체류하던 김유미씨가 기다렸다가 우리 진로소주에 오징어에 김밥 뭉텅이를 건네주어, 명실 공히 그로테스크한 콜로라도의 달밤을 운치 있게 지나가다. 덴버와 닌호에서 각각 1박씩 하고 쌘 호세에 도착, 이틀을 묵은 뒤, 서울로 귀환하다"라고 적혀 있다. 내 이 연보를 자세히 들여다 보면서 나 스스로 묘한 감회를 새삼 씹게 된다. 그렇지, 남정현과는 이런 일도 있었지, 하고.

그때 샌프란시스코에서부터 시카고까지 그러니까 미국 본토 땅으로 들어왔다가 그 땅을 떠나기까지 그야말로 중죄인 다루어지듯 할 때는, 아풀사, 우리 나라에서 두 사람 꼽으라면 힘이 들 그야말로 대표적인 반미주의자와 일행이 되었으니, 어찌 이렇지 않을 수가 있었으랴, 미국도 과연 큰 나라는 큰 나라인가보구나, 어떻게 이렇게 귀신 같이 미리 알아냈을까 싶어지기도 하던 것이었다. 하지만 사실은 그 때 공교롭게도 미국 부통령이 내한, 미 대사관에서의 비자 발급 업무가 일체 중단된 상태에 누군가의 귀띔으로 캐나다에 가서 받을 수 있을 것이라는 말만 믿고 덮어 놓고 둘이 같이 떠났다가 그런 낭패를 보았던 것이었다.

끝으로 재미있는 삽화 한 토막을 소개하면서 이 글을 마무리하겠다.

1997년인가, 어느 날 나는 미국에서 온 기이한 편지 한 통을 받았다. 겉봉을 뜯어본 나는 깜짝 놀랐다. 자기는 미국 서부의 UCLA대학에서 한국 문학을 공부하고 있는 Theodore Huges라는 학생인데 금년에 「60년대 한국 소설 연구」라는 제목으로 석사학위를 받고, 계속해서 박사 학위까지 받으려고 준비 중이노라. 한데 선생님의 단편 소설 「탈향」을 번역하고 싶은데 허락해 줄 수 있겠느냐면서, 본인이 그 소설을 번역하고 싶은 이유인즉, 현금 일반 미국인들의 한반도에 대한 관심은 주로 '지역 안보'나 '국제 정치적 안목' 위주로 보이는데, 그 소설은 비록 짧은 단편소설이지만 분단과 이산의 아픔이 절절하게 녹아 있어, 이 소설을 번역, 미국 국민들에게 그 아픔을 아픔만큼 보여주고 싶다고 적혀 있었다. 우리 문장도 맞춤법 하나 틀린 데 없이 얌전하였다. 나도 즉각 기꺼이 응낙한다는 답장을 보냈다. 그 뒤, 번역된 「탈향」을 보내왔는데, 그 방면의 교수들 말이 아주 아주 명 번역이라는 것이어서, 지난 98년에 스웨덴에서 있었던 국제 도서전시회에 초청되어 현지로 갈 때는 그 영어 번역 초고까지 갖고 가서 양껏 활용을 했던 것이었다. 그러저러한 인연으로 그이는 지금 내 단편소설 「집」까지 번역 중이다. 몇 달 전부터는 1년 계약으로 대전의 모 대학에 영어 교수로 부부동반으로 와 있어 (부인은 우리 한국 여자다) 그 간 두어 번 만났는데, 지금 박사 논문도 거의 거의 마무리 단계에 있다고 한다. 그 박사 논문인즉, 석사논문 제목과 마찬가지로 「60년대 한국소설 연구」로, 손창섭, 이호철, 최인훈, 그리고 또 한 사람은 남정현, 넷이라고 하던 것이었다.

남정현이 가장 대표적인 반미주의자라는 것을 떠올리면 어쩐지 매우 매우 어색해 보이기도 하지만, 한편으로 생각하면 바로 그러니까 응당한 대접일 수도 있겠다는 생각이었다. 나는 곧장 남정현에게 전화를 걸어 이 사실을 알려 주었다. 남정현도 썩 기분나빠 하지는 않았다. 나쁘기는 커녕 내심으론 좋아하는 기색이 전화 받는 목소리로도 환히 알 수 있었다.

그나저나 미국이라는 나라의 민주주의는 이런 식으로 폼이 크기도 하다는 말인가, 싶어지기도 한다. 새미

남정현 선생과 나

- 「분지」 사건 회고

한승헌＊

1965년 가을, 검사직을 그만두고 변호사로 전신, 법률사무소를 열었을 때. 나는 자유롭고 홀가분한 마음으로 세상을 살게 되리라는 기대를 했다. 그러나 시대상황은 그런 내 희망과 욕심을 용납하지 않았다. 박정희 정권의 독재는 한일굴욕외교 반대투쟁을 억누르기 위해 더욱 거세어져갔고, 탄압의 마수는 마침내 문화계에까지 미쳤다.

그런 과정에서 작가 남정현(南廷賢) 선생의 소설 「분지(糞地)」가 용공작품이라고 하여 반공법 위반으로 수사 대상에 올랐다.

나는 그 무렵, 30대 초입의 나이치고는 문단 내지 문화계에 제법 지면이 넓은 편이었는데, 그중 소설가 안동림(安東林) 형의 의뢰를 받고 「분지」사건의 변호에 나서게 되었다. 당시 안 형은 노오먼 메일러의 「나자와 사자」등 외국 작품을 번역 출간하는 한편, 창작에도 열정을 쏟고 있는 맹렬형 작가로 알려져 있었다.

그의 말인즉, 남선생이 1975년 3월 『현대문학』에 발표한 「분지」라는 소설이 반미 용공으로 몰려서 오래 전부터 수사를 받고 있다는 것이었다. 남선생은 1950년대 말, 「굴뚝 밑의 유산」「경고구역」등 작품으로 안수길(安

＊ 변호사

壽吉) 선생의 추천으로 『문학예술』지를 통하여 문단에 나온 후, 중편 「너는 뭐냐」로 1961년에 제6회 동인문학상을 받기도 하였다. 그리하여 문단 안팎에서 저항문학의 기수라는 평가와 아울러 주목을 받는 작가가 되었다.

나는 문제의 소설 「분지」를 읽어본 후, 그것은 결코 용공도 아니고 달리 무슨 범죄가 될만한 작품이 아니라는 확신을 갖게 되었다. 이렇게 해서 변론에 나서게 된 세칭 「분지」사건은 나의 변호사 생활 초기의 시국사건 변호 제일호가 되었다.

이 사건의 변호를 계기로 나는 자신도 예상치 못했던 정치적 압제사건 변호의 험난한 길을 걷게 되었다. 독재정권에 의해서 탄압받거나 그에 저항하다가 박해를 당하는 분들의 변호에 작은 힘이나마 일조를 하기로 한 것이다.

남선생은 1965년 7월 7일, 을지로에 있는 '충일기업사'란 위장 간판이 붙어있는 중앙정보부 조사실에 끌려가 모진 고문을 당하며 조사를 받고 반공법 위반으로 구속되었다. 그러나 그 달 14일 서울지검에 송치된 후 23일에 구속적부심사를 거쳐 석방되었다. 그리고 근 1년 동안 오라가라 하는 괴롭힘을 당면서 해를 넘긴 후 1966년 7월 23일에야 불구속 기소가 되었다. 그만큼 검찰이 미루고 미룬 것을 보면 아무래도 자신이 없었던 모양이다.

소설 「분지」는 호풍환우(呼風喚雨)하는 홍길동의 10대 손 홍만수가 주인공이다. 독립투사이던 그의 아버지는 8.15 해방이 되었는데도 돌아오지 않았는가 하면, 그의 어머니는 미군에게 강간을 당하고, 그 충격으로 세상을 뜬다. 6.25 후 만수는 군에 입대하고, 누이동생 분이는 미군 상사 스미스와 동거생활을 한다. 만수는 군에서 제대한 후 분이에게 얹혀 살면서 양키물건 장사를 하는데, 분이가 밤마다 그 미군 병사에게 성적 학대를 당하는데 분노를 참지 못한다. 그러다가 마침 한국을 찾아 온 스미스 상사의 아내를 겁탈하고, 향미산으로 들어가 숨는다. 이에 펜타곤 당국은 핵미사일까지 동원해 향미산을 포위해 들어가지만, 만수는 홍길동의 후예답게 구름을 타고 바다를 건너간다.

말하자면, 미군 병사의 만행을 소재로 삼은 단편소설이었다.

이 한편의 소설이 어찌하여 반공법에 위반된다는 것인가. 공소장(판결문도 같음)에 의하면 이러하다.

소설 「분지」는 "대한민국이 마치 미국의 식민지 통치에 예속되어 주둔 미군들은 갖은 야만적인 학살과 난행 등을 자행하고 우리 국민의 생명 재산을 무한히 위협하여 몇몇 고관, 예속 자본가 등과 결탁하여 국민 대중을 착취하여 비천한 피해 대중들은 참담한 기아선상에서 연명만을 하고 있으면서도 이런 극심한 것을 말할 자유도 없는 이 나라에서는 이런 민중을 버리고 오로지 자본가, 정치자금 제공자들의 이익을 위하여 입법, 행정을 하고 있으며 국민 대중들은 물론 국회의원마저 미국에 아부 예속되고 약탈의 수단인 원조로서 경제의 명맥은 틀어쥐고 이국의 예속 식민지, 군사기지로서 약탈과 착취, 부정과 불의에 항거하는 자들은 미국의 강압과 보복을 받으면서도 굴복과 사멸함이 없이 최후의 승리를 쟁취한다는 양 남한의 현실을 왜곡 허위 선전하여 빈민대중에게 계급 및 반정부의식을 부식 조장하고 반미감정을 조성 격화시켜 반미사상을 고취할 요소 있는…작품"이며, 이를 문학지에 게재함으로써 "북괴의 대남 적화전략의 상투적 활동에 동조했다"는 것이다.

요컨대, 계급의식, 반정부의식, 반미감정, 반미사상을 고취할 요소가 있는 소설을 발표하면 용공범죄가 된다는 것이니, 공소장 자체에 이미 억지가 드러나 있다.

이 작품이 당초 『현대문학』지에 실려 나갔을 때에는 아무 말이 없다가 나중에 북한의 「통일전선」이란 신문에 이 소설이 전재되어 나오자 당국에서 문제를 삼았다는 점도 유의할 만하다.

내가 남정현 선생을 처음 만났을 때의 인상은 번득이는 안경 너머의 눈매가 날카로우면서도 아주 소박한 인품이었다. 처음 우리 사이의 대면을 주선했던 안동림 씨의 성품이 남성적인 데 비하면, 남선생은 차라리 '여성적'에 가까웠다. 그 후 그후 우리는 「분지」 사건 이야기 말고도 문학과 문단 그리고 세상사라든가 인간에 대한 이야기를 많이 나누는 가운데 친숙한 사이가 되었다.

내가 남선생과 절친하게 지내면서 그 무렵에 알게 된 문인들로는 최인훈, 박용숙, 김국태, 표문태, 김종삼, 신동엽, 이호철 씨 등이 생각난다. 문단의 원로급으로 앞서의 안수길 선생 외에 시인 김광섭, 평론가 이헌구 선생 등을 뵙게 된 것도 같은 시기였다.

남선생에 대한 사건은 1956년 9월 6일에 첫 공판이 열렸다. 서울형사지방법원 박두환(朴斗煥) 판사의 주심으로, 검찰에서는 김태현(金兌鉉) 검사─후에 박종연(朴宗演) 검사로 바뀜─가 나와서 공소유지를 맡았다. 변호인석에는 법철학자인 이항녕(李恒寧) 변호사, 남선생과 동향인 김두현(金斗鉉) 변호사, 그리고 필자가 버티고 있었다. 또한 소설가 안수길 선생이 변호사는 아니지만 법원의 허가를 얻어 특별변호인으로 변호인석에 나와 시선을 모았다.

공판은 초반부터 만만치 않은 공방으로 열기를 더해갔다.

검찰은 「분지」 말고도 다른 작품까지 들고 나와, 남선생의 사상적 색깔을 문제삼고 나섰다. 인간이 잘 살기 위해서는 산아제한보다 사회제도의 개선이 더 필요하다고 한 「부주전상서」, 작업복 입은 노동자의 계급의식이 너무 과격하게 드러나 있다며 「너는 뭐냐」를 내리 트집잡았다.

남선생은 물론 검찰 측의 '덮어씌우기'에 강하게 맞섰다. 그는 판사에게 문학의 본질, 기법, 사명 등을 제대로 이해시켜보려고 애썼다. 소설은 현실 그 자체가 아니라 있을 수 있는 가능성의 세계를 가상적으로 그릴 수도 있으며, 상징적·우화적 수법으로 묘사할 수도 있는 것이라고 역설했다.

검찰측이 내세운 증인은 아주 특수한 신분을 가진 사람들이었다. 월남 후 '반공 제일선'에서 이름을 날린 공산권문제연구소장 한재덕, 함흥공산대학 출신이자 현직 군속인 이영명, 대남 간첩으로 구속 중인 최남섭과 오경무 등이 검찰측 증인으로 법정에 나와 검찰 측 주장에 맞장구를 치거나 한술 더 뜨는 말을 했다. 심지어는, 아무리 철저한 공산주의자라 하더라도 「분지」

▲ 법정에서의 남정현

같은 용공작품을 쓸 수는 없을 것이라는 말까지 했다. 그네들의 특수한 신분에 비추어 애당초부터 자유롭고 공정한 진술을 할 수가 없는 사람들이었다.

검찰 측 증인 중 조선중앙통신사장을 하다가 월남한 한재덕 씨의 말을 옮겨보자. 그는 검사의 질문에 대하여 "이 소설의 제목 '분지'는 똥의 땅이란 뜻이니, 한국을 부정하는 인간이 가질 수 있는 발상에서 나온 제목이라고 본다. 이 소설은 누가 읽어봐도 반미적이며 계급의식을 고취하고 북괴와 똑같은 주장을 하고 있는데 놀랐다."

이번에는 내가 물었다.

변호인 : 「분지」의 주인공인 홍만수의 선조 홍길동은 북한 집단의 사상에 부합되는 인물이라고 했는데?
증인 (한재덕) : 북괴가 대남 방송에 홍길동을 내세우고 있는데, 이 작품이 그것과 우연의 일치인지, 아닌지는 모르겠다. 그러나 이 작품은 북괴의 홍길동에 동조하는 내용이다.
변호사 : 지금 남한에서 홍길동이라는 영화를 상영중인 사실을 아는가?
증인 : 알고 있다.

재판장도 몇 마디 물었다.

재판장 : 증인의 감정서에 「분지」는 북괴의 주장에 동조하는 내용이라고
하였는데, 여기서 '동조'란 말의 뜻은 무엇인가?
증인 : 북괴가 대남 전략에 쓰는 주장과 같은 것을 의미한다.
재판장 : 지난번 한일회담에 대해서는 북괴도 반대하고 한국 내에서도 반대
운동이 있었는데, 그것은 '동조'인가, 아닌가?
증인 : 아니다. "공산주의적 의사로 북괴와 동일한 주장을 할 때"로 수정
한다.

변호인 측 증인으로 출정한 이어령 교수의 증언은 그야말로 압권이었다.
그는 누구나 꺼려하는 반공법사건의 피고인측 증인으로 나오기를 쾌히 승낙
함으로써 아무나 할 수 없는 결단을 보였다. 증언대에 오른 이 교수는 변호
인의 질문에 간결하고도 명쾌한 답변을 했다.

문 (변호인) : 「분지」는 반미적인 소설인가?
답 (증인) : 이 소설은 우화적 수법으로 쓴 것이므로 친미도 반미도 아니다.
문 : 현실 그 자체를 그린 것이 아니란 말인가?
답 : 그렇다. 이 작품에서 한국 여성과 미군과의 관계는 미국문화가 한국문
화에 접촉하는 과정을 비유한 것이다. 약자에 대한 동정은 계급의식의 고취라
고 볼 수 없다.
문 : 저항문학이란 무엇인가?
답 : 문학에는 본질적으로 저항의 일면이 있다. 문학의 창조성과 저항성은
동전의 안팎과 같은 관계를 이루고 있다.
문 : 이 작품에서 작가는 어떤 저항성을 보이고 있는가?
답 : 남씨는 흔들리는 민족문화의 주체성을 지키겠다는 생각인 것 같다.
작품 곳곳에서 비서구적인 한국문화에 대한 향수가 나타나 있다.
문 : 이 작품이 북한공산집단의 주장에 동조했다고 공격을 받고 있는데?
답 : 달을 가리키는데, 보라는 달은 보지 않고 손가락만 보는 격이다. 남씨가

가리키는 달은 주체적인 한국의 문화이며, '어머니'로 상징되는 조국이다. 장미의 뿌리는 장미꽃을 피우기 위해서 있는 것이므로, 설령 어느 신사가 애용하는 파이프를 만드는 데 그것이 쓰여졌다고 해서 장미 뿌리는 파이프를 위해서 자란다고 말할 수는 없지 않은가.

법정 안의 많은 사람들은 이어령 증인의 이 통쾌한 비유에 쾌재를 불렀다. 오직 한 사람, 못마땅한 표정을 짓고 있는 이는 검사뿐이었다. 다음으로는 검사의 반격 차례였다.

　문 (검사) : 작가의 내심까지 알 수는 없지 않은가?
　답 (증인) : 작품은 일반에게 발표가 된 뒤에는 작가만의 것이 아니며, 그렇다고 독자가 멋대로 해석해서도 안 된다. 작품 속의 상징성은 그대로 존중되어야 한다.
　문 : 나는 이 소설을 읽고 놀랐는데, 증인은 용공적이라고 보지 않았는가?
　답 : 나는 놀라지 않았다. 병풍 속의 호랑이를 진짜 호랑이로 아는 사람은 놀라겠지만, 그것을 그림으로 아는 사람은 놀라지 않는다. 「분지」는 신문기사가 아니다.
　문 : 증인은 반공의식이 약해서 이처럼 증언하는 것이 아닌가?
　답 : 나의 저술과 나를 비평하는 글들이 그 점에 대한 증거가 되리라고 믿는다.

이쯤 되면 판정은 이미 난 것이나 다름이 없었다. 아주 시원한 대답이었다. 2월 8일에 열린 제4회 공판이 하나의 클라이맥스였다면, 5월 24일에 있었던 변론 공판은 그 대단원이었다.

박종연 검사는 논고를 통해서, 「분지」는 대남 적화를 노리는 북의 주장에 동조하는 용공성과 이적성을 내포한 소설임을 재강조한 후 피고인에게 반공법 제4조의 법정 최고형인 징역 7년, 자격정지 7년을 구형하였다.

이어서 변호인단의 변론이 시작되었다.

나는 먼저 남한의 반공정책이 매사를 용공으로 몰려고 하는 위험을 안고 있음을 지적하였다. 그리고 반공의 이름 아래 국민 기본권이 유린된다면 그야말로 본말전도이며, 이 사건에서 문학의 본질과 기법에 대한 이해 없이 간첩 등 특수 신분에 묶여 있는 사람들의 몇 마디 말에 따라 유죄로 인정하는 것은 위험천만이라고 강조했다.

그리고 이 소설에 한국 사회의 어두운 면이 묘사되어 있다고 해서 반국가 단체의 주장에 동조하였다고 보아서는 안되며, 특히 반공법 제4조의 모호한 규정을 확대 적용한다면 국민의 기본권을 본질적으로 침해할 염려가 있기 때문에, 결국 한 작가의 분지(憤志)를 곡해한 분지(焚紙)의 위험이 있다고 매듭을 지었다.

특별변호인 안수길 선생의 변론은 반공 매카시즘으로부터 문학을 지키고 문학인을 지키려는 열정과 사랑에 넘쳐 있었다. 그는 이렇게 변호했다.

"이 작품에 미군의 비행을 쓴 대목은 민족의 주체성을 강조하기 위한 구성상
의 대조법으로 쓴 것이다. 이 작품이 북괴의 잡지에 전재되었다고 해서 문제삼
는 것도 부당하다. 미국의 존 스타인백은 「분노의 포도」를 써서 나치 독일의
반미 선전에 크게 이용당했지만, 이 작가는 법정에 선 일이 없었다. 당국은
문학의 저항성을 오해하고 있는 것 같다. 작품 때문에 작가가 형을 받은 일은
일제시대에도 없었는데, 해방 20년이 지난 오늘에 그런 일이 있다면, 이는 역사
의 수레바퀴를 뒤로 돌리는 일이 아닐 수 없다."

6월 28일 오전 10시에 판결이 선고되었다. 주문은 '형의 선고유예'였다. 반공법에 위반은 되지만 정상을 참작했다는 것이었다. 이 판결을 두고, 반공법 사건에서 선고유예는 '무죄'나 마찬가지라고 평한 사람도 있었다.

그런데 묘한 것은 판시 이유 가운데 다음과 같은 구절이었다.

"… 이 작품은 우리 민족주체성의 확립이라는 피고인의 염원을 소설로써

표현한 것이라고 인정할 수 있으므로 피고인이 위 작품을 집필함에 있어서 반국가단체의 활동에 호응 가세할 적극적인 의사 또는 목적이 있었다고 볼 수 없다 할 것이니…"

그렇다면 왜 유죄인가? 판결은 이렇게 말한다.

"그러나 그러한 의욕 내지 목적이 없다고 할지라도 범의를 인정할 수는 있다."

논리적으로는 수긍하기 어렵지만, 재판장이 얼마나 고민을 했는지를 짐작케 하는 흔적이기도 하다.

1심 판결이 나오자 도하 신문과 문학인단체에서는 비판의 목소리가 쏟아져 나왔다.

"형벌의 경중문제를 떠나서 유죄 판결 자체가 잘못이다." "아무런 정치적 의도나 불온한 동기가 없이 오직 작가적인 감동과 감각에 의하여 쓰여진 작품도 경우에 따라서는 반공법에 저촉된다고 하여 처벌대상이 된다는 판결인즉, 이거 걸리지 않을까 하고 쓰는 글이라면 좋은 작품은 기대할 수는 없다."

1심 판결에 대해서 피고인은 물론 항소하였다. 그런데 검사 역시 항소를 하였으니, 이유인즉 형이 너무 가볍다는 것이었다.

나는 항소이유서에 "이 작품 내용에 반미, 반정부적 요소가 있다 할지라도 그것이 어찌하여 반국가적 행위로 비약하여 범죄를 구성하는 것인지 묻고 싶다."고 문제를 제기하였다. 그러나 항소심에서는 간단히 항소기각 판결이 났다.

나는 남선생과 상의한 끝에 상고를 하지 않기로 하였다. 1. 2심의 유죄야 도저히 승복할 수 없지만, 그렇다고 대법원이 원판결을 뒤집고 공정한 재판을 해주리라는 보장도 없었다. 승복할 수 없는 판결에 상고를 하지 아니하고

▲ 법정을 나오면서

확정시켜 버린다는 것은 논리상으로는 모순이지만, 그만큼 당시 대법원에
대한 불신도 컸던 것이다.

지금 나에게는 「분지」사건 때의 사진 두 장이 소중하게 보관되어 있다.
그 중 한 장은 1심 재판 때 법정을 나오면서 담소하는 장면인데, 남선생과
나 외에 안수길 선생과 김종삼 시인의 밝은 표정이 눈에 들어온다. 또 한
장은 구형 및 변론공판이 끝난 뒤, 법원 구내의 변호사회관으로 자리를 옮겨
서 찍은 사진으로, 안수길, 이항녕, 박용숙, 표문태, 최인훈 제씨가 남선생과
나를 둘러싸고 좌우에 앉아 있는 장면이다.

그런데, 법정 출입문 앞에서 찍은 첫 번째 사진을 놓고 훗날 어이없는
일이 생겼다. 중앙일보가 발행하는 월간지 「윈(WIN)」 1996년 11월호에
「한국문학 속의 섹스-고전에서 현대까지-원색·음습·해학 거쳐 외설

노골화」라는 제목의 문학평론가 J씨의 글이 실려 있었는데, 그 속에 앞서의 사진이 박혀있고, 그 밑에 엉뚱하게도 "「굴뚝 밑의 유산」으로 음란성 시비를 불러일으켰던 남정현이 법원에서 선고유예를 받은 뒤 법정을 나오는 모습"이라는 캡션이 붙어 있었다. 어이없는 '오발'이었다. 남선생은 「굴뚝 밑의 유산」뿐만 아니라 그 밖의 어떤 작품으로도 음란성 시비를 일으킨 사실이 없으며, 거기에 실린 사진은 앞서 말한 대로 「분지」 사건 때의 사진이었다.

평소 웬만한 일에는 화를 내지 않는 남선생이 이 '오발'에는 노기를 감추지 못하였다. 그도 그럴 것이, 그 글 속에는 조선조시대의 노골적인 춘화가 함께 실려있는데다가, 남선생이 마치 음란소설을 썼다가 재판까지 받은 사실이 있는 것처럼 기재되어 있어서, 작가로서의 명예를 훼손당한 것이 분명했기 때문이었다. 그리하여 나는 남선생의 요청대로 신문사를 상대로 한 정정보도청구서를 작성해주었다. 그후 그 잡지 쪽에서 잘못된 사진설명을 바로잡고 사과하여 오보사건은 일단락된 것으로 안다. 이것은 비록 어려운 역경 속에 살아갈망정 작가로서의 명예를 소중히 여기는 남선생의 선비다운 풍모를 엿볼 수 있는 삽화의 하나라 할 것이다.

35년 전에 피고인과 변호인 사이로 맺어진 남선생과 나와의 관계는 그후 친구이자 동지로서 얽혀 살아오면서 세월이 흘렀다. 자유실천문인협의회 같은 널리 알려진 문인단체에도 함께 참여했는가 하면, 그밖에도 '라운드 클럽'이라는 문인들의 친목 모임에도 함께 나갔다. 라운드 클럽은 문단의 노소가 함께 어울려 문학과 인생에 관한 담론을 나누는 모임으로서, 멤버는 한 20명 쯤 되었다. 그런데 박정권 유신 치하의 시국관의 차이가 생기면서 이 모임은 흐지부지되었다.

남선생은 더러 신동엽 시인과 함께 내 사무실에 놀러 오기도 하였다. 그때 신동엽 시인은 야간인 명성 여고에서 교편을 잡고 있을 때여서, 낮에는 시간 여유가 있는 듯, 내가 없는 시간에도 사무실에 와서 책을 읽거나 휴식을 취하기도 하였다. 우리는 문인 시찰단에 같이 끼어서 전방에도 가보고 하면서 어울렸다. 그 무렵 신 시인은 연작시 「금강」이 수록된 「신한국문학전집」을 나에게 갖다주기도 하였다. 그러던 그가 젊은 나이에 홀연히 세상을 뜨자 얼마나 애석하고 슬펐는지 모른다. 그의 1주기가 되던 때. 부여에 그의 시비가 세워졌고, 남선생과 나는 여러 문인들과 함께 비를 맞으며 시비 앞에서 추모의 묵념을 올렸다.

우리는 때로는 군사독재의 철권에 피차 상처를 입기도 하였고, 앞서거니 뒤서거니 감옥에도 드나들었다. 시국성명에 함께 서명도 하고, 이런저런 집회 등 행사장에서도 자주 만났다.

1975년 봄에는 내가 반공법 위반으로 구속되는 사태가 벌어졌다. 그때 남선생은 공판 때마다 거의 개근을 하다시피 법정에 방청을 와 주었다. 실인즉, 그 전해인 1974년, 세칭 '민청학련 사건'으로 많은 청년 학생과 민주화세력들이 검거되었을 때, 남선생 자신도 붙들려 가서 한참 동안 고생을 하고 나온 바도 있었다.

그는 정말로 충청도의 '양반' 기질을 증명이라도 하듯이 예의 염치가 아주 분명하고 다정다감한 인품을 지녔다. 글줄이나 쓰는 사람들에게서 더러 볼 수 있는 돌출행동, 탈선, 괴벽, 몰염치, 주벽 따위를 그에게서 한번도 본 적이 없다. 그가 작품으로서뿐 아니라 현실 생활에서도 저항의 몸짓을 거두지 않고 살아온 점 역시 선비답다. 경제적으로 어려운데다가 가뜩이나 몸이 쇠약하시어 병원과 약국에의 발걸음이 잦고 수술과 투약이 되풀이되다시피 하여 와병과 요양에 시달리면서도 부도옹(不倒翁)처럼 다시 일어나 홀연히 여러 사람 앞에 나타나곤 하셨다. 그런 몸으로 불의한 독재와 싸우는 대열에 끝까지 참여하였다.

「분지」사건에서 받은 충격인지는 몰라도, 그 필화를 겪은 뒤로는 그의 창작활동이 예전 같지가 못해서 문단이나 주위 사람들을 아쉽고 안타깝게 만들었다. 물론 「허허 선생」 등 몇 편의 소설이 발표되기는 하였으나, 만일 그런 불행이 없었더라면, 한 시대의 촉망을 받던 '남정현 문학'의 완성에 이를만한 값진 후속 작품이 나오지 않았을까 하는 아쉬움이 남는다.

선생에게서 아직 고희의 노티는 거의 찾아볼 수 없다. 부디 청솔 같이 사철 푸른 기상으로 건강하신 가운데 다시 좋은 글 많이 쓰시며 문학인의 깨끗한 본으로서 살아가 주시기를 간절히 기원한다. 새미

허허 선생 3

남정현

　생각하면 근 30여 년 만에 이루어지는 귀향(歸鄕)길이라 나라고 해서 뭐 마음이 잔잔할 리가 없는 것이다. 졸지에 무슨 경사(慶事)를 만난 느낌이랄까 도무지 두서를 차리지 못할 정도로 마음이 흔들리는 것이 나도 실은 감개무량하기 짝이 없었다. 늘 호도불알을 달랑거리며 그 좁은 논두렁길을 같이 달리던 용이와 달이는 어찌되었나. 그리고 산과 들. 아, 그렇다. 나의 어린 시절을 장식해 준 그 산과 들에 피어난 갖가지 꽃과 풀과 나무 열매들. 그 모든 것들을 단박에 그저 한 아름 꽉 안아 보고 싶은 그 다함 없는 충동이 그만 나를 얼른 나의 어린 시절 속으로 몰아넣는 느낌이었다. 짙은 그리움을 누비며 신나게 과거를 답사(踏査)하는 추억이란 이름의 그 호화로운 황금마차, 그 황금마차가 발산하는 헤드라이트의 강한 불빛에 자극되어 하나씩 몸을 움직이며 반짝반짝 그 모습을 드러내기 시작하는 내 어린 시절의 감미로운 기억들. 그 동안에 내 의식(意識)의 깊은 바닥, 그 으슥한 오지(奧地)에서 뿌연 먼지에 묻힌 채 거의 다 사장(死藏)되다시피한 상태로 쓸쓸히 방치되어 있던 나의 그 귀여운 기억의 편편들이 오랜 잠에서 깨어나듯 모두들 홀홀 먼지를 털어버리고 하나씩 그 됨됨을 유리알처럼 또렷이 나타내 줄 때마다 나의 가슴은 감격에 겨워 조용히 흐느끼듯 다만 그저 잔잔히 흔들릴 뿐이었다.

아, 저 금방 손에 잡힐 듯이 눈앞에서 감질나게 출렁이며 내 곁을 스쳐가는 내 어린 시절의 저 아름다운 정경이여. 저것 좀 봐. 나와 꼭 키가 같은 녀석. 아, 달이구나. 노상 걸레와 같이 다 떨어진 옷을 걸치고도 빙글빙글 늘 웃기만 하던 달이, 그 달이도 보이고, 또 온몸 곳곳이 부스럼투성이라 용천백이(문둥이)란 별명이 붙었던 용이도 보였다. 그리고 깜부길 뽑아 빨아 먹느라 얼굴이 온통 까맣게 되는 줄도 모르고 온종일 그저 보리밭 골을 누비며 땀을 빨빨 흘리던 덕이. 다람쥐보다 더 잽싸게 이 뽕나무 저 뽕나무 신나게 오르내리며 하루종일 먹어도 전혀 물리지 않던 오디, 그 오디로 물든 빨간 입언저리, 얼룩진 앞자락, 또 깜깜한 밤, 수없이 개똥벌레를 잡아 그 퍼런 불빛을 이마에 붙이고 앙앙 소리내며 술래잡길 하던 삽이네 집 앞마당, 그 앞 마당가의 커다란 은행나무. 하지만 그뿐이 아니었다. 늘 돌과 사금파리, 그리고 희고 붉은 갖가지 헝겊들이 주렁주렁 매달려 있던 옥돌고개 성황당의 가시나무도 보이고 개울가 버드나무 그 꼭대기의 까만 까치집도 그대로 보이는 것 같았다.

반가웠다.

그만 뜻하지 않은 자리에서 오래 전에 잃었던 무슨 귀중품을 다시 찾아낸 것 같은 기쁨, 그러한 기쁨이 어디에선가 돌연 와 와 하는 함성을 줄줄이 몰고 오는 느낌이었다.

두근거리는 가슴.

그러나 순간, 나의 시야엔 나의 부친인 허 허(許虛) 선생이, 즉 나까무라 순사(巡査)가, 그렇다, 아침마다 벽에 걸린 일장기(日章旗)를 향하여 한번 힘차게 덴노헤이까 반자이(天皇陛下萬歲)를 부르고 그의 직장인 주재소를 향하여 뚜벅뚜벅 걸어가던 부친의 그 도도한 모습이, 그리고 무엇 때문인지 거의 날마다 주재소 안에서 사뭇 악을 쓰며 사람을 두들겨 패느라고 노상 온몸이 축축히 땀에 젖어 있던 부친의 그 숨찬 모습이 아주 선명하게 보여오는 것이 아닌가.

안타까운 광경이었다.

나는 무의식중에 얼른 외면하는 동작으로 고개를 돌렸다. 순간 와그르르 땅땅 하고 뭔가가 처절하게 부서지는 소리. 그것은 바퀴가, 즉 추억이란 이름의 그 호화로운 황금마차의 아름다운 바퀴가 산산이 부서져서 빠져 달아나는 소리였다. 섭섭하게도 나를 싣고 신나게 과거를 질주하던 예의 그 황금마차는 덴노헤이까 반자이를 부르며 왕년의 곧잘 사람을 때려잡던 부친의 그 숨찬 모습과 충돌하곤 그만 기겁을 하여 전복하고 만 것이었다.

불상사였다.

아야아얏.

뼛속까지 스며드는 아픔.

모처럼 고향을 향하여 사뭇 풍선처럼 팽팽히 부풀어오르던 나의 마음은 그만 예기치 않은 장애물에 부딪치어 찰과상(擦過傷)을 입은 것이다. 맥이 풀렸다. 갑자기 몸의 중심이 좀 흔들리는 것 같은 잔잔한 현기와 함께 웬지 좀 무서운 생각이 들었다. 무서운 생각이, 나에게 있어서 고향을 찾는다는 그것은 일종의 범행과 같이 아무래도 좀 무서운 일에 속하는 일인지도 모른다. 순간, 나는 혹시 누가 알면 지금껏 큰일날 생각을 하고 있었기라도 한 것처럼 가슴이 두근거리면서 얼굴이 확 달아오르던 것이다. 나는 얼른 두 손으로 얼굴을 싹싹 부볐다. 돌연 현관 가득히 팽창하는 것 같은 뭔가 이 두렵기도 하고 부끄럽기도 한 그런 착잡한 느낌을 몸에서 아주 싹 지워버리고 싶어서였다.

하지만 허 허 선생은 감정상에 아무런 구김살이 없이 그저 즐겁기만 한 모양이었다.

거의 30여 년 만에 고향을 찾는다는 그 벅찬 감격에만, 치우치어 그의 의식(意識)은 갑자기 질서를 잃고 불행하게도 혼란상태에 빠진 느낌이었다. 평시의 그의 그 근엄한 몸짓과 침착한 어조는 다 어디로 갔는가. 정말 그는 누가 보아도 재계와 정계의 거물인즉, 허 허 선생답잖게 아침부터 그 언행(言行)이 자못 경망스러워지고 있었다. 취한(醉漢)이 방향을 잃고 천방지축 비틀걸음을 치는 형국이랄까. 그는 도무지 어떻게 처신을 해야 이 크나큰 기쁨을 다소나마 덜어낼 수 있을지 모르겠다는 동작으로 그만 단 일분을 제자리에서 좌정하질 못하고 우왕좌왕하는 것이었다. 아무리 중하고 급한 일이라도 평시엔 결코 자신이 직접 일어서는 법이 없이 언제나 그 호화로운 호피(虎皮)가 깔린 응접실의 안락의자에 상반신을 비스듬히 눕힌 채, 집안 곳곳에 연결되어 있는 인터폰과 또한 늘 옆에서 대기하고 있는 비서들을 통해서만 간접적으로 일을 처리해 오던 그가 갑자기 그 격식을 무시하고 그가 직접 일의 전면에 나서서 서둘러대니, 그의 예하(隷下) 사람들이 어리둥절하지 않을 수가 없을 것이었다. 공연히 그는 2층, 3층을 오르내리며 체신 없이 이방 저방을 기웃거리는가 하면 전화벨이 울릴 때마다 쪼르르 달려가서 그가 손수 수화기를 들고,

"여보세요, 허허허."

무조건 호탕하게 웃고 나서

"누구시죠? 나, 허 허요, 허허허"

하고, 소리치는 바람에 상대방이 당황하여 얼른 수화기를 내려놓게도 하는 것이었다.

그뿐이 아니었다.

그는 난데없이 주방에까지 기어 들어가 이제 곧 당도할 귀빈과 자신의 장도(壯途)를 위해 진수성찬을 마련하느라 경황없이 손을 움직이고 있는 요리사와 영양사, 그리고 가정부의 엉덩짝을 공연히 툭툭 치면서,

"허허허. 맛있게, 아주 맛있게 잘들 만들어야 해. 오늘이 무슨 날인지들 알겠지? 왕년의 내 상사, 마쓰바라 순사부장께서, 아니 이제 순사부장이 아니시지. 일본의 히노마루 재벌, 그렇지, 히노마루 재벌의 마쓰바라 회장님께서, 특별히 나 허 허 선생을 보러 우리집에 오시는 날이야. 알아듣겠나? 허허

허. 맛있게, 아주 맛있게 만들어야 해. 허허허."

그리고는 지금 한참 불 위에서 바글바글 열심히 끓고 있는 남비 뚜껑들을 이것저것 열심히 열어보다 그만 손에 열(熱)이 닿았는가, 그는 느닷없이

"아이 뜨거, 아이 뜨거."

하고, 상을 찌푸리며 방정맞게 손을 휘휘 내젓는가 하면 그는 또 어느새 쏜살같이 정원으로 달려가 그 늘씬한 승용차의 반들거리는 잔등을 뭔가 반한 듯이 한참 어루만지다간 돌연

"헤이, 미스터 곽, 미스터 곽."

하고 턱없이 큰소리로 옆에 서 있는 운전사를 다급하게 부르기도 하는 것이었다.

날벼락?

순간 이게 무슨 일인가 해서 제대로 대답할 새도 없이 차렷 자세를 취하고는 몸을 부들부들 떨기만 하는 미스터 곽을 향하여 그러나 허 허 선생은 의외로 부드러운 말씨였다.

"이봐, 미스터 곽. 오늘이 무슨 날인지 알겠나? 내가 삼십여 년 만에 환국하는, 환향하는 날일세. 금의환향(錦衣還鄕). 알아듣겠나? 마쓰바라 회장님을 모시고 말이지. 허허허. 아마 고향의 산천 초목들이 모다 춤을 출거라, 반가워서 말이지. 덩실덩실 춤을 출거라. 허허허. 정말 오늘은 각별히 정신을 차려서 아주 안전하게 그리고 안락하게 정성껏 모셔야 하네. 우리 마쓰바라 회장님을 말이지."

그리고 또 허 허 선생은 갑자기 무슨 묘안이 떠오르기라도 한 것처럼 느닷없이 미스터 곽의 잔등을 탁 치면서,

"이봐, 미스터 곽. 혹시 무슨 약(藥)이 없을까, 약이?"

하고 사뭇 허둥대는 어조로 요령부득의 말을 하기도 하는 것이었다.

"예?"

순간 미스터 곽의 목소리는 떨리고 있었다. 도무지 허 허 선생의 심중을 헤아릴 수가 없어서 죽을 죄를 졌다는 표정 같았다.

"이 사람아, 혹시 무슨 약이 없겠느냐고 ? 자네 정신을 바싹 차리게 할 만한 그런 약이 말일세. 오늘은 그 누구보다도 운전대를 잡을 자네가 특히 정신을 바싹 차려야 하니까 말일세. 알아듣겠나?"

"황송하옵니다, 회장님."

"이 사람아, 황송하긴. 아, 그런 약이 있단 말인가, 없단 말인가?"

"글쎄 말입니다, 회장님."

"글쎄고 지지고 아, 그럼 그런 것도 아직 안 알아보고 뭘 했단 말인가? 응!"

"용서해 주십쇼, 회장님."

"아, 이 사람아, 이 판에 용서는 무슨 우라질 용선가. 어서 알아보게나. 시간 없어. 어서 알아봐. 내 주치의(主治醫)한테 가서 말이지. 알아듣겠나?"

순간 허 허 선생의 지엄한 명을 받들고 정신이 바싹 나는 약을 알아보기 위해 어디론가 황급히 사라지는 미스터 곽의 뒷모습을 바라보던 허 허 선생의 존안(尊顔)엔 갑자기 환한 웃음이 송이송이 현란하게 매달리는 느낌이었다.

눈이 부셨다.

어느새 허 허 선생의 입에서는 홍홍 홍겨운 콧노래가 부드럽게 흘러나오고 있었다. 치부(致富)와 출세와 영달과 좌우간 그런 무슨 인생의 정상(頂上)에서 쏟아지는 것 같은 팽팽한 기쁨이 그의 몸 전체를 잔잔히 흔들고 있는 느낌이었다고나 할까. 어쨌든 그가 30 여 년 전 고향을 떠나 올 때의, 아니 고향을 탈출할 때의 그 절망적이던 표정과는 너무나 대조적이란 사실에 나는 당황하지 않을 수 없었다.

그러니깐 조국이 일제의 질곡에서 벗어나 삼천리 방방곡곡이 온통 해방된 환희 속에서 들끓고 있을 때였다. 환호와 만세와 감격이 한데 어울려서 한민족의 심금을 울리며 연일 뭔가 황홀한 축제를 올리고 있던 것만 같던 시절, 그런데 왜 그런지 그때 우리 집만은 섭섭하게도 그렇지 않았다. 영 그 궤(軌)를 달리하고 있는 것 같았다. 즉, 우리집안 사정과 바깥세상 사정과는 영 그 내용이 판이한 것 같더란 이야기인 것이다. 아빠는 거의 사색이 되어 무슨 흡사 신음소리처럼 우린 이제 망했다는 소리만 연발하고 있었고 엄마는 아주 침통한 표정으로 하루종일 한숨만 내쉬고 있었다.

초상집 같았다.

도무지 신명이 나질 않았다.

당시 여섯 살이던가 몇 살이던 나의 지혜로는 도저히 헤아릴 수 없는 난감한 사태였다. 나는 달이나 용이처럼 밖에 나가 신나게 뛰어 놀 수도 없었고 그렇다고 엄마나 아빠처럼 노상 울상이 되어 집안에만 처박혀 있을 수도 없을 것 같았다.

어쩌면 좋을 것인가.

고민이었다.

하지만 나는 아니 다행히도 우리 집안은 그때부터 운이 트이기 시작해선가, 나는 갑자기 그런 문제에 관해서는 고민할 필요가 없어진 것이었다.

몽둥이 때문이었다.

아, 몽둥이.

느닷없이 아빠의, 엄마의 그리고 나의 골통을 향하여 숲처럼 일어서서 분별없이 달려오던 아, 그 살벌한 몽둥이들의 아우성.

하지만 허 허 선생은 그때나 이때나 위기에서 몸을 피하여 자기 일신의 영화와 안전을 도모하는 데는 거의 귀기(鬼氣)가 흐를 만큼 천재적인 소질이 있었던 모양이다.

항상 재난을 감지하는 뭔가 고성능 안테나라도 몸에 지니고 다닌단 말인가. 하여튼 그때 아빠는 집 앞에 펼쳐진 논두렁 저 멀리서 기세 좋게 달려오

는 일단의 몽둥이 떼를 발견하자, 그것이 어찌하여 우리 집을 겨냥한 몽둥이들인 줄을 알았던지,

"야, 몽둥이닷!"

흡사 무슨 경보기(警報機)에서 울려 퍼지는 것 같은 다급한 소리와 함께, 엄마와 나를 일단 안전한 곳으로 피신시키는 데 성공했던 것이다.

유비무환이랄까.

아빠는 정말 그런 경우에 대비하여 용의주도하게 그동안 만반의 준비를 다 해놓았던 사람처럼 별로 당황하지 않고 뭔가가 가득 담긴 배낭 하나만을 챙겨 가지고 바로 방공호(防空壕)로 이어진 지하실의 통로를 이용하여 집을 빠져나가 그냥 그 길로 곧장 숲이 우거진 뒷동산에 몸을 숨겼던 것이다. 드디어 우리 집 뒷동산의 꼭대기를 장식한 그 커다란 쌍바위 틈에 몸을 숨긴 우리 세 식구의 모습은 그때 온통 땀으로 뒤범벅이 되어 있었다고 나는 기억한다.

아빠의 눈은 충혈되어 있었고, 엄마는 숨이 가빠 몸을 제대로 가누지 못하는 형편이었다.

나는 덩달아 가슴이 뛰었다.

그런데 저게 어찌된 판인가.

그때 문득 바위 틈 사이로 저 멀리 까마득하게 내려다보이는 우리 집 전경은 그대로가 환한 불꽃이었으니 말이다. 말하자면 불이 붙고 있었던 것이다.

불, 불, 불, 몽둥이가 불이 되고 불이 몽둥이가 되어 우리 집은 온통 빨간 불꽃 속으로 활활 휘말려들고 있었던 것이다. 안타까운 순간이었다.

"허, 저놈들이!"

무슨 야수의 혓바닥과 같은 무서운 불기둥이 하늘에 치솟을 때마다 아빠는 창백한 표정이 되어 몸을 부르르 떨었고, 엄마는 차라리 눈을 가린 채,

흑흑 느껴 울던 것이다.

암담한 모습들이었다.

이윽고 날이 어두워지자, 야음을 타서 천신만고 죽을 힘을 다하여 몇 번이나 산을 넘고 강을 건너 고향을 탈출할 때의 아빠의 모습은 그야말로 절망적이었던 것이다.

하지만 지금은 어떤가.

딴판이었다.

당시 용케 고향을 빠져나가 허 허란 이름으로 둔갑한 왕년의 나까무라 순사인, 즉 우리 아빠는 갑자기 무슨 생각이 나서 그랬는지, 왜놈 대신에 아니 양놈과 어울려서 부산 사이를 전전하며 분주하게 움직이더니 느닷없이 그의 머리 위엔 눈부신 감투꽃이 만발하기 시작하던 것이다.

무슨 장(長), 무슨 장하고 그의 이름 밑엔 하루가 멀다하고 '장'자(字)의 행렬이 줄을 잇는 것이었다.

무슨 서장(署長)이 되고 총장이 되고 사장이 되고 국회의원이 되고 또 장관이 되고 하더니, 어느새 재계와 정계의 만만치 않은 실력자가 되어버린 허 허 선생, 바야흐로 30여 년 만에 고향을 찾으려는 그 허 허 선생의 기세는 사뭇 개선 장군이나 된 듯 싶은 모양이었다. 활활 우리 집을 덮치던 그때의 무서운 불꽃도 몽둥이도 전혀 떠오르지 않는단 말인가.

일종의 기억 상실증 환자?

아마 그럴는지도 모른다.

하여튼 부친은 그 정신구조가 우리와는 많이 다른 것 같았다. 그러니깐 만판 그저 좋기만 하단 말인가. 때때옷을 입은 어린아이처럼 말이다. 그래 그런지 허 허 선생은 왕년의 직속 상관인 마쓰비라 회장께서 도착할 시간이 점점 가까워지자, 그만 안절부절못하는 것이었다. 사뭇 마음만 부풀 뿐, 도대체 무엇부터 손을 써야 예절에 어긋나지 않을지, 영 두서가 잡히지 않는 모양이었다. 허 허 선생의 지엄한 명을 받들고 정신이 반짝 나는 약을 알아보기 위해 어디론가 황급히 달려간 미스터 곽의 존재는 이미 다 잊었는가. 부친은 이제 그런 데까지 신경을 쓸 새가 없다는 듯이 아주 바쁜 걸음으로 우리 집 경비원과 이곳저곳을 공연히 왔다갔다 하다간, 야 이건 어쩌자고 생각지도 않게 내 곁으로 다가와선,

"예, 만(滿)아."

하고 나의 어깨를 탁 치는 것이 아닌가. 이건 도무지 예정에도 없는 돌연한 행동 같았다. 이층 응접실의 창가에 멍청하게 기대서서 오래간만에 고향산천을 그리며 착잡한 심경에 잠겨있던 나는 순간 당황하지 않을 수 없었다. 나는 흠칫 놀라는 동작으로 부친을 바라보았다. 부친의 눈빛은 유난히 빛나 보였다. 온몸의 기쁨이 일시에 눈으로 다 집합(集合)하기라도 한 것처럼 부친의 눈동자는 반들반들 윤이 흐르고 있었다.

"허, 이놈이 쳐다보긴."

부친은 목소리도 떨려 나오는 것 같았다. 아마 잔잔한 흥분과 기쁨의 여울이 부풀어올라 성대까지 자극하는 탓일 것이다. 하지만 나는 대답 대신에 웬지 몸이 좀 움츠러드는 것 같았다. 전에 없이 나의 몸 전체를 감싸는 부친의 그 뜨거운 시선이 너무나 부담스럽기 때문인지도 모른다. 정말 부친은 뭔가 국보급에 해당하는 그런 무슨 굉장한 예술품의 그 진부(眞否)를 감정하기라도 하는 것 같은 시선으로 나의 몸 곳곳을 주의 깊게 답사했던 것이다.

나는 좀 가슴이 두근거렸다.

부친은 혹시 그의 습관대로 '요놈은 얼마짜리다' 하고 나에게도 처음으로 가격표(價格表)를 붙여놓으려는 그런 어떤 사전 심사가 아닌가 해서였다.

그렇다.

부친은 놀랍게도 언제부터인가 매사를 아주 간편하게 돈으로 환산(煥算)해 버리는 습관에 젖어 있는 것이다. 자기 주변의 인물들에게는 물론, 심지어

허 허 선생은 자기 주변에서 일어나는 갖가지 크고 작은 일(事件)들에게까지 신속하게 그것을 다 돈으로 따져서 일일이 가격표를 달아놓는 것이다. 지금 미국에서 거주하고 있는 나의 모친과 두 동생들의 경우만 놓고 보아도 그렇다. 그들에게는 다 그에 적절한 거액의 가격표가 붙어있는 것이다. 이를테면 나의 모친은 자그만치 '백 장' 짜리고 두 동생은 각각 '열 장'과 '다섯 장' 짜리로 되어 있는 것이다. 그런데 내가 지금 이곳에서 열 장이니 다섯 장이니 하는 것은 말할 것도 없이 우리 허 허 선생 특유의 화폐단위를 이르는 말인데, 대개의 경우 그가 말하는 '한 장'의 액면가란 1천만 원을 뜻하는 것이었다.

그러니깐 나의 모친이 백장 짜리란 뜻은, 언젠가 허 허 선생의 그 복잡하게 얽히고 설킨 여자관계가 탄로나서 집안의 큰 풍파가 일었을 때, 용케도 모친의 입을 틀어막아 그녀를 아주 미국으로 쫓아버리는 데 10억이 들었다는 얘기요, 동생 실(實)이가 열 장 짜리란 뜻은, 그를 모(某) 대학에 뒷문으로 입학시키는 데 1억이 들었다는 얘기며, 또한 용(龍)이가 다섯 장 짜리란 뜻은 그가 고국에 있을 때, 자기 차를 몰다가 운전 부주의로 사람을 치어 죽이고는 5천만 원을 들여 그의 유가족을 무마시켰다는 이야기인 것이다.

이와 같이 허 허 선생 측근에서 일어나는 모든 문제는 늘 별다른 말썽이 없이 돈으로 다 간단히 해결되게 마련이었다. 그리하여 허 허 선생은 그 무슨 복잡한 고민에 시달리는 법이 없이 늘 만만한 여유 속에서 허 허 하고 웃으며 인생을 즐기곤 하던 것이다.

집안에서 누가 유부녀를 겁탈하거나 처녀를 망쳐놓아도 그렇고 누가 또 사람을 때려눕히거나 부정한 일로 재판을 받게 되어도 그렇다. 그런 경우에도 허 허 선생의 소감이란 단지 그저,

"허, 이거 또 몇 장 달아났군."
하는 한마디로써 아주 간단히 끝나는 것이다.

말하자면 그는 결코 번민이나 동정, 죄책, 개탄, 분노, 참회 등을 수반하는 그런 어떤 인간적인 감정의 자극을 받아 마음이 동요되는 법 없이 그는

늘 만만한 여유 속에서 달러와 원화(圓貨)와의 환율을 계산하듯, 그저 그때의 시세에 맞추어 사건의 비중을 돈으로 잘 환산만 하면 되는 모양이었다.

그러니까 무슨 일을 당했을 때, 허 허 선생의 고민이란 단지 그저 그가 애용하는 수표장의 액면에다 1, 2, 3, 4중 어느 수자(數字)를 써넣으면 좋을까 하고 잠시 망설여보는 정도일 것이다.

이와 같이 매사를 다 돈으로 환산하여 간편하게 한 장, 두 장 하고 명명(命名)하기 좋아하는 허 허 선생이 어찌하여 장남인 나에게만은 아직까지 이렇다 할 가격표를 달아놓지 않았는지, 그건 참 알고도 모를 일이었다.

나에게 무관심한 탓일까?

아마 그럴지도 모른다.

부친의 일에 대해 번번이 비판적인 나에 대한 징벌(懲罰)의 표시로서, 부친은 아마 나에게는 아무런 관심도 없다는 양, 고의적으로 가격표를 달아놓지 않았는지도 모른다.

그런데 오늘만은 달랐다.

나를 바라보는 부친의 시선이 전에 없이 너무나도 찬찬하고 온화한 것이 아무래도 심상치가 않다는 느낌이었다.

나라에서 실시하는 일종의 사면령(赦免令)처럼, 마쓰바라 회장님의 내방을 경축하는 의미에서 부친은 아마 나에게도 뭔가 선심을 쓰는 것이 가장으로서의 예절이라고 생각한 모양이다.

아니나 다를까.

한껏 마음이 부푼 사태에서 한참 동안이나 나를 유심히 바라보던 부친의 입에서는 드디어 나에 대한 천금같은 소리가, 즉 나에 대한 판정이 떨어진 것이었다.

"허, 이놈 너야말로 참 수만 장 짜리다."

부친은 전혀 허 허 답지 않게 약간 떨리는 음성으로 사뭇 나에게 아부하는 어조였다.

"네? 수 만 장짜리라구요?"

순간 나는 눈이 휘둥그래질 수밖에 없었다. 갑자기 집안에 있어서의 나의 직위가 턱없이 격상되는 느낌이었으니 말이다.

"왜 섭섭하단 말이냐?"

"아닙니다. 너무나 과분해서요."

"원 자식두, 과분하긴, 천만에다."

"천만에라구요?"

"암, 천만에지. 오늘이야말로 너의 가치를 제 아무리 강조해도 지나치지 않는다, 이 말이다. 알아듣겠느냐?"

"글쎄, 알아들을 것도 같고, 못 알아들을 것도 같고, 그저 그렇습니다, 아버님."

"아직도 그저 그렇단 말이지. 그렇다면 허, 이거 큰일이구나. 애 만아, 제발 부탁이다. 오늘만이라도 이 애비의 말을 좀 알아들어 다오. 오늘만이라도 이 애비 편이 좀 되어달란 말이다. 알아듣겠느냐?"

뭔가 전에 없이 간절한 호소가 담긴 듯한 목소리였다.

"딱 오늘 하루만 말입니까?"

나는 약간 장난기가 섞인 말씨였다. 하지만 부친은 끝까지 진지한 태도였다.

"글세, 딱 오늘 하루만이라도 좋고 딱이 아니라도 좋다. 하여튼 너를 향한 애비의 이 다함없는 사랑을 생각해서라도 그까짓 청 하나 들어주지 못하겠느냐? 제발 부탁이다."

"저도 부탁입니다, 아버지. 유념해 주십쇼."

"뭘 말이냐!"

"더욱 더 사랑해 주십사 이 말씀입니다."

"그야 뭐 이를 말이냐, 기특한 자식, 아, 이 애비가 아직 널 죽이지 않았다는 그 한 가지 사실만 놓고 보더라도 너에 대한 애비의 이 다함없는 사랑을 짐작할 수 있지 않겠느냐?"

"황송하옵니다, 아버님."

"그렇다고 황송해 할 것까지는 없다. 왜 부자유친(父子有親)이란 말이 있질 않느냐. 전생에 내가 무슨 죄로 너 같은 자와 부자지간이 되었는지는 모르겠지만 하여튼 앞으로도 내 너의 목숨 하나만은 고이 보존토록 노력하겠으니 그 점만은 꼭 믿어도 좋을 것이다. 알아듣겠느냐?"

"유구무언입니다, 아버님."

"암, 그럴 테지. 너도 사람이라면 무슨 할 말이 있겠느냐. 너도 알다시피 그 동안 뭣하나 이 애비의 말에 순종한 일이, 아니 이 애비가 하는 일에 다소나마 협조적인 일이 있었느냐 이 말이다. 솔직하게 말해서 내 자식 아닌 남이 그렇게 내가 하는 일에 사사건건 비판적이고 또 일일이 트집을 잡았다면, 아, 내가 그놈을 그냥 놔뒀겠느냐. 진작에 없애버렸지. 너 요즘 사람 하나 없애는 데 그까짓 것 몇 장이 든다고 내가 그걸 마다 하겠느냐, 이 말이다."

이건 확실히 협박적인 언질 같았다. 하지만 나는 이럴 때일수록 마음을 단단히 다짐으로써, 부친한테 무슨 허점(虛點)을 보여서는 안 된다는 생각이었다. 다시 말하면 그 동안 수십 년이나 뭔가 온갖 비리(非理)의 결정체 같은 우리 현실의, 아니 허 허 선생의 그 어지러운 생애와 팽팽히 맞서고 있는 내가 그까짓 요만한 정도의 협박에 못이겨 마음이 누그러져서는 안 된다는 생각이었다.

그리하여 나는 순간 아랫배에다 힘을 주면서 아주 다부진 어조로

"그렇다면 아버님, 저도 마찬가지입니다."

하고 부친의 반응을 주시하였다. 그러나 부친은 태연했다. 역시 산전수전을 다 겪은 인생의 투사답게, 실은 너 같은 것의 맘속은 속속들이 다 꿰뚫고

있다는 양,

"뭐, 너도 마찬가지라구? 그럼 피장파장이라는 말이구나. 암, 그럴테지. 나도 다 안다. 이놈아, 나도 다 알아."

그리고 부친은 입가에 야릇한 미소마저 지어 보이던 것이다. 나는 좀 맥이 풀렸다.

"다 아신다구요, 아버님?"

"암 다 알구말구. 실은 너도 인간이라, 육친이 정에 연연하여 나를 차마 죽일 수가 없어서 고민하고 있다, 이 말 아니겠니?"

"죄송합니다, 아버님."

"뭐 죄송할 것 없다. 아, 그래서 피장파장이라는 것 아니냐. 언제든지 네가 반성하면 내가 반성할 거고, 또 내가 반성하면 네가 반성하는 것이니, 우리 그 문제는 피차간 시간을 좀 기다려 보자꾸나. 다만 문제는."

"문제는 뭡니까?"

"문제는 지금 사정이 퍽 급하게 되었다는 얘기다. 그런즉 일언이폐지하고, 내 직권으로 뭣이든 너의 요구는 다 들어줄테니까 아까도 말했지만 제발 어떻게 좀 오늘 하루만이라도 눈 딱 감고 내 편이 되어줄 수 없겠느냐, 이 말이다. 딱 오늘 하루만이라도 말이다."

"원, 오늘 하루가 그렇게도 중요한 날인가요, 아버님?"

"허, 녀석두. 아, 그걸 다 말이라고 하느냐. 이제 곧 마쓰바라 회장님께서 당도할 시간이란 것은 너도 모르지 않으렷다."

"잘 알고 있습니다, 아버님. 아, 그래서 제가 큰맘을 먹고 그분과 함께 아버님을 모시고 고향에 다녀오기로 승낙하지 않았습니까."

"물론 승낙했지. 그런데 가만히 생각해보니 그냥 다녀오는 것이 문제가 아니라, 그분을 기쁘게 해 드려야 하는 것이 문제라 이 말이구나. 그분에게 있어서 오늘의 주빈은 다름 아닌 너라는 사실을 기억해 다오. 그 분은 네가 즉 허 만이란 자가 보고 싶은 거야. 옛날에 어린 너를 데리고 놀던 시절이 새삼스럽게 그립다 이거거든. 그러니까 그분은 너를 데리고 거닐던 옛날의 그 언덕, 그 골목, 그 들판을 다시 한번 걸어보고 싶다는 거야. 너 혹시 그런 말 못 들어봤니?"

"무슨 말, 말씀인가요?"

"늙은이란 회상(回想)을 먹고 사는 벌레들이란 말 말이다."

"글쎄 말입니다, 아버님."

"글쎄가 아니라 늙으면 아마 누구나가 다 그런 모양이더라. 그 분도 되게 지난날을 좋아하시더군. 빨리 가보고 싶어서 못 견디겠다는 거야. 그러니까 넌 어린 시절 그분과 관계된 기억을 더듬어서 가능한 그것을 미화시켜야 한다. 그분이 간직하고 있는 그때의 그 분위기, 그때의 그 정감이 환히 되살아 나도록 말이다. 이 애비가 하는 사업으로 봐서 그분이 한번 웃고 즐거워하는데 수천 장이 왔다갔다 한다는 사실을 꼭 기억해다오. 알겠느냐?"

"수천 장이라구요?"

"암, 수천 장이지. 그래서 오늘따라 네가 수만 장짜리라는 게 아니냐. 만아, 정말 부탁이다. 잘 좀 처신해 다오, 응."

그리고 부친은 두 손으로 나의 손을 꼭 잡고는 나를 홀린 듯이 바라보던 것이다. 아, 저 나를 바라보는 부친의 눈빛. 뭔가 애처로울 정도로 애절한 호소가 담긴 듯한 부친의 그 절박한 눈빛에 자극되어, 나는 그만 엉겁결에 다 알았다는 태도로 부친의 손을 잡고 힘차게 흔들고야 말았던 것이다. 그러자 부친은 거의 미칠 지경인 모양이었다. 생각하면 오늘 하루 유효 적절하게 나를 사용하기 위해 그 동안 나를 죽이지 않으려고 괴로워한 그 수많은 인고(忍苦)의 세월이, 전혀 무위한 일은 아니었다는 사실이, 부친을 아마 극도로 감격하게 하는 모양이었다. 도대체 이런 경우 나를 위해 뭣을 해줘야만 좋을지 모르겠다는 양, 부친은 나를 축(軸)으로 하여 공연히 그 주변을 빙빙 돌면서, 도무지 제정신이 아닌 것 같았다.

"아버님, 좀 진정하셔야 하겠습니다."

"허, 이놈아. 어디 네가 날 진정하게 했느냐. 하여튼 고맙다 고마와. 하지만 만아, 조심해다오. 예부터 그 분께선 사람을 보는 눈이 참으로 범상치가 않다는 사실을 기억하란 말이다. 만아, 그분께서 왕년에 나보고 뭐랬는지 아느냐?"

"글쎄 말입니다, 아버님."

"글쎄가 아니라 이런 것은 참고로 알아둘 필요가 있어. 고고학자(考古學者)라고 그랬다. 허허허, 나보고 말야. 그분께서 고고학자라고 칭찬해 주셨어."

"고고학자요? 순사보고 고고학자라구요?"

"아, 그러니깐 사람을 보는 눈이 범상치가 않다는 얘기가 아니냐. 그분은 늘 나의 수사방법 (搜査方法)과 그 능력을 높게 평가하여, 뭐라더라, 아, 그렇지, 나보고 늘 언어(言語)의 고고학자라고 칭찬해 주더군. 허허허. 언어의 고고학자라고 말이다. 너 도대체 언어 고고학이라는 것이 뭣인질 알겠느냐?"

순간 나는 어리둥절하지 않을 수 없었다. 선사 고고학이니, 원시 고고학이니, 혹은 역사 고고학이니 하는 말은 들었어도 언어고고학이란 말은 금시 초문이었으니 말이다. 하지만 부친의 말씀인즉, 분명히 일리가 있는 말이었다.

즉, 부친은 일제시(日帝時) 피의자들을 심문하는 데 있어서 항시 그들이 내뱉는 말(言語)에다 중점을 두었다는 것이다. 부친의 오랜 수사경험으로 보아 한 인간이 내뱉는 말이란 그것이 결코 인간의 전체적인 사상, 의식체계와 하나도 무관한 것이 없더라는 사실에 근거를 두고 하는 얘기란 것이다. 그리하여 부친은 한 고고학자가 선인들의 유물인 하찮은 토기(土器)나 부서진 기와 한 조각을 미끼로 해서라도 그 가치를 요모조모로 해석하고 판단하여 결국엔 어느 특정한 한 시대의 문화 정도를 복원(復元)시킬 수 있듯이 부친도 피의자의 진술 중에서 가장 유력해 보이는 단어 하나를 골라잡아 그것을 붙잡고 계속 집요하게 추궁해 들어가면 결국엔 그의 범죄사실과 별 차질없이 만나게 되더라는 것이다. 그러니 그분께서 이 애비보고 언어고고학자라 칭한 것도 전혀 무근한 얘기가 아니잖겠냐는 것이었다.

"참 굉장하셨군요? 아버님."

무심코 타기(唾棄)하듯 한 나의 이 말에, 그러나 부친은 겁 없이 취하여 금시로 옛날로 돌아가버리는 느낌이었다.

"아, 굉장했었구말구. 아, 그래서 이놈아, 당시 그 누구도 해내지 못한 후떼이센징(不逞鮮人)들의 비밀결사를 나 혼자서 열 건이나 적발해 낸 공로로 현해탄을 몇 번이나 건너다닌 것이 아니겠니. 상(賞) 받으러 다니느라고 말이다. 허허허."

"뭐라구요?"

그러나 나는 다행하게도 부친과는 이 이상 더 대화를 계속할 수가 없었다. 왜냐하면 고대하던 마쓰바라 회장께서 우리 집에 당도한 탓이었다. 마쓰바라 회장이 우리 집안에 들어서자, 우리 집은 온통 흥겨운 축제분위기로 어지럽게 출렁거리는 느낌이었다. 어디선가 부친의 명을 받고 대령한 세 미녀가 마쓰바라 회장님을 둘러싸는 가운데 부친은 그 거구에 어울리지도 않게 연방 하이, 하이(예, 예) 하며 허리를 굽히느라고 전혀 무슨 딴생각이 전혀 없는 사람 같았다. 하지만 정작 주빈인 마쓰바라 회장의 마음은 웬지 지금 우리 집에 머물러 있는 것 같지 않았다. 그의 마음은 이미 서울을 떠나 그가 젊은 시절을 보낸 그리운 우리들의 고향산천을 향해 바쁘게 달려가고 있는 모양이었다. 그리하여 그는 미녀들의 아양에도, 부친의 무슨 숨가쁜 설명에도 별 관심이 없는지, 다만 나보고,

"만아, 네가 정말 허 만이란 말이지? 허만이란 말야. 하하하, 참 많이도 컸구나 컸어. 반갑네 반가와."

하고 어이없게도 사뭇 40이 다 된 나를 어린애 취급하면서 몇 번이나 나를 얼싸안듯 하던 것이다.

그저 그뿐—

그는 부친과 미녀들이 번갈아 권하는 진수성찬에도 별로 마음이 안 가는지 그저 건성건성 형식적으로 입맛만 다시듯 하고는 결국엔 차 한 잔을 마실 새도 없이 부친의 어깨를 툭툭 치면서,

"사, 하이꾸 이꼬요, 이꼬(자, 빨리가세, 가)."

하고, 숨차게 서두르는 것이 아닌가. 기가 찰 노릇이었다. 허 허 선생이 그처럼 고대하던 수만 장짜리 손님의 언동치고는 너무나 자기 위주요, 무례하다는 생각에 나는 속이 퍽 언짢았지만, 그러나 허 허 선생은 오로지 그 분의 뜻에 따르는 것만이 자기가 살 길인 양 '하이, 하이' 하면서 도리어 자기 쪽에서 더욱 서둘러 앞장을 서는 판이었다.

모두들 신발은 제대로 신었는가. 나는 사실 옷매무새조차도 제대로 챙길 새가 없었다.

하여튼 마쓰바라 회장과 부친, 그리고 나, 이렇게 세 사람은 뭔가 거대한 세력에 맥없이 떠다밀리기라도 하는 것처럼 경황없이 부친의 승용차에 몸을 싣고, 일로 귀향길에 접어든 것이다.

때는 바야흐로 봄. 차는 어느새 도심을 벗어나 고속도로를 달리고 있었다. 삼라만상의 혼백(魂魄)을 다 앗아갈 듯이 금수강산을 현란하게 수(繡) 놓은 갖가지 아름다운 꽃들과 함께 봄은 정말 바로 눈앞에서 한참 무르익고 있었다.

차창을 스치는 산야의 풍경은 흡사 아름다운 여인의 부드러운 치맛자락처럼 저만치서 하늘하늘 감질나게 흔들리는 느낌이었다.

정말 미스터 곽은 부친의 분부대로 어디 가서 정신이 반짝 나는 약을 구해 먹었는지, 핸들을 잡은 그의 모습은 그 어느 때보다도 믿음직해 보였다.

나는 몇 번이나 자세를 고쳐 앉으며 사방을 두리번거렸다. 시선이 가 닿는

자리마다 오래 그리던 옛친구를 다시 만나는 듯한 정다움이 깃들어 있는 것 같았다.

하지만 나는 마쓰바라 회장과 허 허 선생이 예상외로 너무나 과묵한 데 놀라지 않을 수 없었다. 그들은 하나같이 다 넋나간 사람처럼 말을 잊은 자세였다. 30여 년 만에 금의환향하는 감회가 너무나 벅차서 말문을 막은 탓일까? 아니면 이제 곧 그립던 고향 산천과 접촉하게 되겠는데 그러면 그때 혹시 충격이 너무나 클 것에 대비하여 마음을 가다듬느라 둘 다 신경을 곤두세우고 있는 탓일까, 하여튼 그들은 제각기 자기 생각에만 침몰하여 섭섭하게도 남을 의식하지 못하는 형편 같았다. 보기에 딱할 정도였다. 그러나 차가 고속도로를 벗어나 고향으로 향하는 그 비좁은 비포장도로로 접어들자 마쓰바라 회장의 시선은 점점 뭔가 감동적인 대상과 부딪치는 것 같았다. 부친도 마쓰바라 회장의 그러한 태도를 눈치챘는지, 갑자기 긴장하는 모습이었다. 급기야 마쓰바라 회장은 간간이 간헐적으로 하는 감탄사를 대동하고 약간 상기된 표정을 지어 보이더니 드디어는,

"허허 상, 저것 좀 봐요. 저것 좀 봐. 하, 그대로군요. 정말 옛날 그대론데요."

하고, 고개를 아주 차창 밖으로 쑥 내밀 기세가 아닌가.

"뭣 말씀입니까, 회장님."

부친은 다급한 어조로 말했나.

"아, 저것 말입니다. 저것. 하하하. 아, 허 허 상은 저걸 보고도 뭐 느끼는 것이 없소? 하하하"

"아, 저거 상여집 말씀입니까, 상여집."

"그렇소, 상여집. 하하하. 저 삐뚜러진 문짝, 구멍 뚫린 흙벽, 그리고 낡고 기울어진 저 지붕하며, 그 을씨년스럽던 모습이 아주 옛날 그대로군요. 하하하."

"정말 그런데요, 회장님. 저 상여집 뒤쪽의 그 잡초가 무성하던 두 개의 무덤도 아주 옛날 그대로군요. 허허허."

둘 다 퍽 감격적인 어조였다.

나의 기억에도 옛날 그대로의 모습 같았다. 그때 귀신집이란 별명이 붙었던 상여집. 그리하여 어린 시절 그 귀신집을 정면으로 대하기가 무서워서 늘 멀리 억새풀이 무성하던 들길을 돌아, 몇 번이나 엎으러지면서 달이네집에 놀러가던 기억이 바로 엊그제의 일처럼 눈앞에서 맴돌았다. 그런데 실은 상여집뿐이 아니었다. 30여 년이란 긴 세월이 흘렀는데도 눈에 보이는 모든 정경이 그 동안 조금도 손상됨이 없이 옛날 그대로의 모습을 정정히 유지하고 있는 것 같았다. 옛날에 그려놓은 한폭의 풍경화를 다시 찾아낸 것 같은 느낌이랄까. 저 가느다란 들길이며 가파른 산길, 그리고 저 꼬불꼬불한 논두렁이며 밭두렁, 아니 장마철이면 늘 산사태로 앞마을을 덮치던 저 황토산도 그렇고, 웬지 영양실조로 눈이 휑하게 꺼진 것 같이 피폐(疲弊)해 보이는 저 오막살이 농가들의 모습도 그렇다. 그것들은 다 한결같이 뭔가 영구보존하려는 일종의 위대한 고적(古蹟)처럼 옛날 그대로의 모습을 유감없이 잘 간직하고 있는 듯이 보였다.

세상에 원 이럴 수가 있을까? 10년이면 강산도 변한다는데, 그 동안 흐른 30여 년이란 세월은 하나같이 우리의 이 고향산천을 피하여 다른 곳에서 활개를 친 것 같았다. 순간 나는 어린 시절 덕이와 함께 이장(里長)집 그 반월형의 기다란 담 밑에서 소꿉장난을 하다가 수없이 잃어버린 상수리와 사금파리, 그리고 사무라이가 그려진 그 노란 딱지도 지금쯤 잘 찾아보면 풀밭 그 어디에선가 그대로 고이 찾아낼 것 같은 심정이었다.

기가 찼다.

흡사 옛날로 유인하는 그런 무슨 도깨비에라도 홀린 느낌이었다.

"아버님."

나이답잖게 나는 왠지 무서운 생각이 들어서 나도 모르는 사이에 부친을 불렀다.

"허, 자식두, 너도 꽤 감개무량한 모양이구나, 허허허."

부친은 희색이 만연한 감동스런 말씨였다.

"그렇겠죠. 하, 그 애라구 왜 느낌이 없겠소, 하하하."

마쓰바라 회장도 흡족한 어조로 한마디 거들었다.

"그런데 허 허 상, 그 때 저 상여집을 유치장으로 사용하면 어떻겠냐고 제안한 것이 바로 허 허 상이 아니었소. 역시 허 허 상은 그때나 이때나 머리가 잘 돌아가는 천재요, 천재. 하하하."

"천재라니요, 원, 과찬의 말씀을 다 하십니다. 허허허."

"아닙니다. 천재요, 천재. 사실 저 상여집이 아니었다면 우린 아마 그때 혼께나 났을 거요. 생각하면 우린 참 저 상여집 덕을 톡톡히 본 셈이죠, 하하하."

"그랬었나요, 허허허. 아닌게아니라 징용 기피자도 그렇고, 공출 기피자도 그렇구, 하여튼 그때 그것들을 저 상여집에다 며칠 저녁 처박아두면 그만 혼비백산하여 싹싹 빌었으니깐요. 허허허.

실은 그 덕분에 우리 관내에선 관에 반대하는 자들이 별로 없었지요, 허허허."

"아, 여부가 있습니까, 하하하. 실은 그게 다 허 허 상 덕이었죠. 그리고 또 계집애들은 어땠습니까. 정신대를 기피하면 저 상여집에 들어가 쥐도 새도 모르게 귀신밥이 된다는 소문이 쫙 퍼져 가지고선 그저 영장만 떨어지면 꼼짝도 못하는 형편이었죠. 하하하. 그런데 저 상여집이 그대로 남아있다니, 역시 이 고장은 예나 이제이나 사랑과 인정이 흘러 넘치는 모양입니다요. 허 허 상, 안 그렇소? 하하하."

"아, 그래서 예부터 그 고장을 추로지향(鄒魯之鄕)이라고 칭송하는 것이 아니겠습니까? 사실 역대 재상 중엔 이 고장 출신이 꽤 많거든요. 허허허."

"하지만 이 고장 출신의 인재를 꼽는다면야 누가 허 허 상을 당할 자가 있겠습니까, 하 하 하."

"나보다야 마쓰바라 회장님을 먼저 꼽아야지요. 따지고보면 회장님도 이 고장이 고향이나 다름없으니깐요. 허허허, 안 그렇습니까?"

"글쎄요. 하하하."

글쎄고 지지고 순간 나는 큰일이었다. 상반신이 기우뚱 흔들리는 강한 현기증의 습격을 받아서였다. 도대체 세월을 잊은 듯한 그들의 그 어이없는 말씨가 독한 독(毒)이 되어 나의 뇌수를 침범한 탓인지도 모른다. 나는 얼른 차안에 달린 손잡이를 잡았다. 어지러워서였다. 눈에 들어오는 사물의 윤곽이 하나같이 다 흐트러지는 느낌이었다. 비위가 좀 메스꺼워지는 것 같았다. 나는 몇 번이나 눈을 비비며 마쓰바라 회장과 부친을 번갈아 바라보았다. 마음을 가다듬기 위해서였다. 도대체 저들은 '오늘'을 사는 걸까, 아니 이승을 사는 걸까, 저승을 사는 걸까, 어쩌면 저들은 옛날과 오늘이, 이승과 저승이 한데 어울려서 날조해 놓은 그런 무슨 기이한 형태의 허깨비일지도 모른다는 생각에, 나는 문득 아연해지지 않을 수가 없었다. 무서운 생각이 들었다. 순간 나의 입에서는 부지중 아흐흐흥하고 신음소리가 흘러 나왔다.

"왜, 너 어디 불편하냐?"

먼먼 '옛날' 속에서, 아니 먼먼 '저승' 속에서 아련히 들려오는 듯한 뭔가 그로테스크한 목소리 같았다.

"아닙니다, 아버님."

나는 가까스로 대답했다.

"아니라구? 허, 이놈, 차멀미를 하는 것 같구나. 시골길이라서 좌우간 좀 참아라. 이제 다 왔다. 저것 봐라. 저기 주재소가 보이잖니. 옛날에 아빠가 다니던 저 주재소 말이다. 허허허. 회장님, 저기 주재소가 보이는데요."

"아, 그렇군요. 주재소. 옛날 그 자리에 그대로군요. 참 반갑습네다, 하하하."

그들은 덩실 춤이라도 출 듯싶게 신나는 말씨였다. 그런데 나는 웬지 시야가 점점 더 몽롱해지고 있었다. 그러나 나는 주재소라는 말에 깜짝 놀라서 차가 나가는 전면을 주시하였다. 그런데 저게 뭔가? 주재소 앞에서 흡사 무슨 아우성처럼 난립(亂立)하여 달려오는 저게 뭔가? 아, 몽둥이였다. 몽둥이. 옛날에 우리 집을 향하여 숲처럼 일어나서 바람처럼 달려오던 그때의 그 무서운 몽둥이가 어쩌자고 지금 우리 차를 향하여 기세좋게 달려오는 것이 아닌가.

"야, 몽둥이다! 차를 세워라, 세워!"

거의 비명에 가까운 나의 다급한 목소리에 차가 기겁을 하며 급정차를 했다.

"아버님, 몽둥이가요."

나는 숨이 가빴다.

"뭐, 몽둥이가? 어디 말이냐? 어디?."

"저기 말입니다, 저기."

"아니 저게 어디 몽둥이냐. 피켓이지. 내 얼굴을 그려붙인 피켓. 허 허 선생을 환영한다는 피켓이란 말이다. 어느새 허 허 선생의 행차 소식을 듣고 모두들 환영 무드에 들떠 있는 거야. 너 이놈, 정신 좀 차려야겠다. 응."

하지만 나는 왜 그것이 자꾸 몽둥이로 보이는지 알 수가 없었다.

"아닙니다, 아버님. 몽둥이입니다요, 몽둥이!"

차 곁으로 육박하는 일단의 몽둥이 떼를 피하여 순간 나는 문을 박차듯하고 차 밖으로 나왔다.

다리가 휘청거렸다.

"애, 만아, 만아!"

그러나 나는 불행하게도 뒤를 돌아볼 수가 없었다. 몽둥이가 골통을 내려치는 것 같은 두려움 때문이었다. 순간 나는 비틀걸음을 치며 나도 모르는 사이에 앞으로 내달리고 있었다.

"얘, 만아, 만아!"

고함치듯 부르는 부친의 소리.

"하, 허 만 상! 허 만 상."

마쓰바라 회장님도 목청껏 소리치고 있었다.

하지만 나는 뒤를 돌아보아선 안 된다는 판단이었다.

공연히 서러워지는 느낌이었다.

나는 나이 40이 다 된 어른이란 사실마저 까맣게 잊어버리고 웬지 허허 선생과는 전혀 인연이 없는 고아가 되고 싶은 심정으로, 아니 미아(迷兒)가 되고 싶은 심정으로 옛날에 내가 달리던 그 좁은 논두렁길을 쏜살같이 달리고 있었다. 새미

왜곡된 식민의 경험, 그 기억과 망각의 사이

- 「허허 선생 3(귀향길)」론

강진구*

1

일본의 이른바 '역사 교과서 왜곡'과 관련해 한국 사회가 보인 일련의 행위들은 새삼 식민지 경험이란 무엇인가 하는 문제를 떠올리게 한다. 시골 벽촌의 초등학교에서부터 국민의 대표기관이라는 국회에 이르기까지 대부분의 국민들은 일제에 의해 자행된 식민 지배만행과 반성할 줄 모르는 그들의 역사 인식에 분노했다. 한민족의 자긍심에 치명적인 손상을 가져다 준 것으로 인식한 국민들은 각종 규탄 대회와 일본제품 불매운동, 국토대장정 등 '민족 정서에 호소'하는 방식으로 분노를 조직화했고, 심지어 정부에 자존심을 지킬 것을 요구하여 마침내 주일대사를 소환하기에 이른다.

그런데 문제는 일본의 계속되는 망언과 왜곡에 맞서 한국 사회가 그때마다 대응해왔지만 결과는 언제나 악순환의 반복이었다는 점이다. 이 점과 관련해 그 동안 일본 식민지 청산 작업이 '이성적이기보다는 감성'에

---

* 중앙대 강사.

의지해 이루어짐으로써 다소간의 정서적인 안정을 가져다주었을 망정 진정한 식민극복과는 거리가 멀다[1]는 견해가 제출되어 주목을 끌기도 했다. 어쨌든 최근 벌어진 한・일간의 갈등은 해방이 된 지 반세기가 지났지만 여전히 일제 식민지 경험으로부터 양국이 자유롭지 못하다는 사실을 명시적으로 확인시켜 주고 있다. 이쯤해서 필자는 다시 한번 되묻지 않을 수 없다. 도대체 식민지 경험의 실체란 무엇이며 그것의 극복은 어떻게 이룰 수 있는가?

남정현의 「허허 선생 3」(이하 귀향길)은 딱히 정답을 제시한 것이라고 할 수는 없지만 최소한 적절한 답은 어떠해야 하는가를 보여주는 작품이다. 1980년 『문예중앙』에 발표된 「귀향길」은 기 발표된 「허허 선생 1・2」의 연작이다. 친일 경력자로 해방 후, 정・재계의 실력자로 부상한 부친과 이에 대항하는 아들을 기본 축으로 하여 한국 사회가 직면한 모순의 근원을 탐색하고 있는 이 작품은 최근 일본에서 일고 있는 역사왜곡 현상의 이면까지를 살필 수 있다는 점에서 주목을 요한다.

어찌 보면 남정현은 고난에 찬 삶만큼이나 문학 역시 정당한 평가를 받지 못한 감이 있다. 국가권력으로부터 '시대를 거역하는 이단자'로 내몰린 지난 시절은 말할 것도 없거니와 개인적 체험을 사회・역사적 현실로 재현하려는 서사문법을 문학에 대한 억압기제로 인식하고 있는 현재의 문학지형은 아무래도 남정현 문학을 포용하기에는 너무나도 협소해 보인다. 이러한 상황에서 『작가연구』특집으로 남정현 문학이 선정된 것은 탈사회적 문학이 유행한 오늘날 진정한 문학(소설)의 길은 무엇이 되어야 하는가를 묻는 유의미한 일이 아닐 수 없다.

---

1) 식민지 시대에 대한 이분법적 가치 판단은 피해의식을 조장하여 열등의식에 사로잡히게 하거나 역으로 과도한 우월감을 갖게 한다(박유하, 『누가 일본을 왜곡하는가』, 사회평론, 2000. 참조.).

2

남정현에게 있어 작가는 초병과도 같다. 초병이 조국(국토) 방위의 첨병이듯 작가는 정신의 영토를 지키는 첨병이다. 그러나 그가 지키고자 했던 정신의 영토는 어느덧 온갖 비인간적, 비민주적인 발상과 행위들로 유린당하고 만다. 게다가 "한 인간의 상상력을 가지고는 도저히 추정할 수 없는, 그렇게 기이하고도 엉뚱한 일들이 출몰(出沒)"[2]하는 현상을 목도하면서 남정현은 "현실에 참패한 픽션"[3]이란 작가로서는 차마 인정하기 힘든 결론에까지 도달한다. 이런 상황에서 그는 소설(소설가)의 역할에 대해 고민한다.[4] 초병들이 자신의 역할을 망각하면 국토 방위가 위태로워지듯이 작가가 자신의 사명을 다하지 못했을 때 인간 정신은 썩고 병든다는 결론에 도달한다.

> 작가란 결국 최일선의 초소에서 조국의 산화와 민족의 이익을 지키는 哨兵과 같은 역할을 해야 한다고 나는 생각하는 것이다. 항시 時代의, 아니, 意識의 맨앞자리에 서서 정신의 영토를 지키는 힘겨운 초병. 탓으로 이들 작가에겐 잠시도 한가한 시간이 없는 것이다.
> (중략)
> 작가도 그가 담당할 정신의 영토를 지키기 위해선 그 정신을 어지럽히는 일체의 비인간적, 비민주적, 비민족적인, 비애국적인 發想과 그 行爲를 상대로 그와 맞서서 의식이 늘 팽팽히 긴장되어 있기 때문이다.[5]

글쓰기를 '인간에 대한 사랑'으로 규정한 남정현은 부조리한 국가권력에 대항한다. 그는 민중들의 민주화 열망을 압살한 군사쿠데타 세력과 조국

---

2) 남정현, 「부주전상서」, 『사상계』, 135호, 1964.6, 362쪽.
3) 같은 쪽.
4) 남정현은 「부주전상서」에서 당대 현실을 '현실에 참패한 픽션/ 픽션을 제압한 현실'이라고 규정한 후, 화자를 통해 소설이 무엇을 할 수 있는가란 물음을 던진다.
5) 남정현, 「책머리에」, 『준이와의 삼개월』, 한진출판사, 1977, 2~3쪽.

근대화란 명분아래 진행된 경제개발 정책, 반공, 외세문제 등 한국 사회가 직면한 제반 모순들과 끊임없이 투쟁한다. 그러다 국가권력으로부터 반공법 위반이라는 철퇴를 맞기까지 한다. 남정현은 결코 좌절하지 않는다. 오히려 그는 시위라도 하듯 현실에 대한 풍자와 알레고리를 통해 자신에게 가해진 고난과 비난들을 넘어선다. 이 시점에 「허허 선생」 연작이 놓여 있다.

「허허 선생」 연작은 기본적으로 그로테스크한 집을 배경으로 '초시대적 출세주의자'인 아버지와 이를 반대하는 아들간의 갈등구조가 중심축을 이룬다. 작품에 따라 정도의 차이는 있지만 공통적으로 일제하 친일 경력을 자랑으로 삼는 재계와 정계의 실력자인 부친(허허)과 대학을 졸업한 인텔리임에도 실업자인 아들(석/만)의 모습이 그것이다.

「허허 선생」 연작을 이해하기 위해서는 작품의 배경인 그로테스크한 집에 대한 이해가 선행되어야 한다. 공간적 배경이 되는 집은 스스로의 힘으로 자전과 공전을 하는, 일반인의 상상을 초월하는 모습을 지니고 있다. 그 집은 땅만 국산일 뿐 자재는 모두 외국산이며 설계와 실내 장식은 각각 미국인과 일본인 손에 의해 만들어진다. 집주인 허허 선생 또한 한국 사람의 특징이라고는 하나도 갖지 않는 마치 일본인과 서양인을 적당히 혼합해 놓은 그런 인물이다. 그러나 비정상적인 형태의 이 둘은 한국이란 땅에서 행복하게 결합한다. 집은 허허 선생을 만남으로써 자유자재로 살아 움직이는 유기체가 되며 허허 선생은 집을 통해 비로소 생명의 안전을 보장받는다. 그런데 아들은 정반대의 입장을 취한다. 그는 집을 "코리어의 보물을 강탈하기 위해 눈을 부릅뜨고 부단히 이착륙(離着陸)하는 대기권 밖의 어느 괴물체"[6]로 인식하고는 자신도 모르게 집에 들어가면 중심을 잡지 못하고 당황하곤 한다. 미국인의 설계를 바탕으로 각종 외국산 자재를 사용하여 일본인의 손으로 만들어 졌다는 설정을 통해 작가가 제시하고 싶었던 것은 무엇이었을까? 이 물음에 대한 답을 우리는 작가가 「귀향길」을 발표하면서 간략하

---

6) 남정현, 「허허 선생 1」, 『분지』, 흔겨레, 1987, 98쪽.

게 언급한 「작가노트」에서 찾을 수 있다. 이 글에서 남정현은 한국 사회가 직면한 모든 비극의 원천을 국토 분단과 일제 잔재의 미청산이라고 주장한다. 친일 분자들의 득세와 이들에 의해 민족 주체성이 유린되는 현실을 작가는 그로테스크한 집의 형성과정을 통해 설명하고자 한다. 민족의 주체적인 힘으로 건설되어야 할 터전이 미국의 세계전략에 근거한 친일분자의 재등용과 외세 의존적인 구조로 이루어짐으로써 골격부터 잘못 짜여졌음을 작가는 그로테스크한 집을 통해서 제시했던 것이다.

전형적인 '초시대적 출세주의자'자 허허 선생. 그는 일제식민지 시대 일본인 순사로 재직하면서 일본인보다 더 일본인다운 조선인으로 살기 위해 수단과 방법을 가리지 않는다. 아침마다 벽에 걸린 일장기를 향해 '덴노헤이까 반자이'를 외치며 황국신민으로서의 충성을 다짐한 그는 징용과 징병 등 일제 식민지 정책에 반대하는 조선인들을 향해 무자비한 폭력을 행사한다. 이 일을 계기로 허허 선생은 일본 천황으로부터 특수 공로 훈장까지 받는다. 해방이 되자, 미국에 빌붙어 출세의 가도를 달린 허허 선생은 걸핏하면 일제시대 자신의 공적을 자랑하면서 재계와 정계의 실력자로 행세한다.

아들 만은 허허 선생의 삶이 순전히 허구와 모순으로 점철된 것이라 생각한다. 그는 언젠가는 부친을 둘러싸고 있는 비밀들을 밝히라는 일념으로 허허 선생의 온갖 회유와 압력에도 굴하지 않고 부친과 팽팽히 맞선다. 이런 아들에 대해 허허 선생은 세상 물정을 모르는 병신 자식이라고 취급하며 아예 인간취급조차 하지 않으려 든다. 그러나 이들의 긴장 관계는 허허 선생이 새로운 삶의 모습을 구축하려는 순간, 결정적인 대결로 치닫게 된다. 대결을 통해 아들은 자신의 뜻대로 허허 선생이 구축한 삶이 허구와 모순으로 이루어졌음을 밝히지만 부친으로부터 더 큰 모욕과 냉대를 받게 됨으로써 둘의 긴장관계는 더욱 증폭된다.

3

「귀향길」은 30년만에 고향을 찾게 된 세 사람 – 허허 선생, 허만, 마쓰바라 회장 – 의 고향에 대한 기억과 망각을 풍자적으로 다룬 작품이다. 이들 세 사람에게 있어 고향은 보편성을 띤 존재가 아니다. 고향은 오직 이들 인물들의 위치와 처지에 따라 기억되거나 망각되면서 인식될 뿐이다. 그들에게 있어 고향에 대한 공통적인 인식이라고는 오직 그들이 한 때 그곳에서 살았다는 점뿐이다.

아들 허만에게 고향은 죄의식을 기억하게 만드는 공간이다. 다시 말해 고향은 유년의 추억이 서린 곳이자 죄의식을 일깨우는 곳이다. 그는 30년만에 고향을 방문한다는 사실에 처음에는 정신을 차릴 수 없을 정도로 기뻐하지만 곧이어 죄의식을 기억해 내고 그만 절망하고 만다. 그가 죄의식을 갖게 된 것은 다름 아닌 부친 허허 선생 때문이다. 고향은 허만으로 하여금 친구들과 추억이 서린 장소들을 떠올리게 하지만 동시에 아침마다 벽에 걸린 일장기를 향해 '덴노헤이까 반자이'를 외치던 나까무라 순사의 악을 쓰며 주민들을 두들겨 패던 모습을 기억하게 만들기도 한다. 이로 인해 허만은 자신이 아무렇지 않게 고향을 방문한다는 것을 일종의 범죄행위로 인식하고 잠시나마 고향을 찾는 즐거움에 빠진 자신을 심히 부끄럽게 생각한다.

허허 선생에게 고향은 망각의 장소다. 따라서 그는 고향을 통해 과거가 아닌 현재의 성공만을 본다. 고향시절(일제 식민지 시대) 허허 선생은 언어의 고고학자라는 별명이 말해주듯 무자비한 폭력과 집요함으로 '후데이센징(不逞鮮人)' 조직들을 적발하고 그 공로로 일본 천황의 훈장까지 받는다. 이 당시까지만 해도 고향은 허허 선생에게 조선인으로서는 감히 상상할 수 없었던 일을 가능하게 만들어 준 기회와 영광의 땅일 뿐이다. 해방과 동시에 이 모든 것들은 한순간에 무너지고 만다. 해방은 당당하던 허허 선생의 얼굴

빛을 순식간에 사색으로 물들이고 급기야는 신음소리처럼 '망했다'는 말을 연발하게 만든다. 마침내 그의 우려는 몽둥이 떼가 집으로 들이닥침으로써 현실화된다. 그렇지만 자기 일신의 영화와 안전을 도모하는데는 천부적으로 타고난 허허 선생은 마치 재난을 감시하는 고성능 안테나를 달고 있기라도 하듯 일단의 몽둥이 떼를 발견하고 방공호를 통해 마을 뒷산으로 피신한다. 몽둥이 떼들에 의해 집이 불타는 것을 목격한 허허 선생은 분노로 몸을 떨며, 절망에 사로잡힌 채 고향 땅을 떠난다. 이쯤 되면 보통 사람이라면 자신의 잘잘못은 고하간에 고향에 대해 양가적인 감정을 갖게 마련이다. 허허 선생은 다르다. 그는 고향과 관련된 어두운 과거사를 망각 속에 묻어둔다. 고향에 대한 망각으로 인해 그는 개선장군처럼 귀향할 수 있게 된다.

당시 용케 고향을 빠져나가 허 허란 이름으로 둔갑한 왕년의 나까무라 순사인, 즉 우리 아빠는 갑자기 무슨 생각이 나서 그랬는지, 왜놈 대신에 어느 양놈과 어울려서 부산 사이를 전전하며 분주하게 움직이더니 느닷없이 그의 머리 위엔 눈부신 감투 꽃이 만발하기 시작하던 것이다. 무슨 장(長), 무슨 장하고 그의 이름 밑엔 하루가 멀다하고 '장'자(字)의 행렬이 줄을 잇는 것이었다. 무슨 서장(署長)이 되고 총장이 되고 사장이 되고 국회의원이 되고 또 장관이 되고 하더니, 어느새 재계와 정계의 만만치 않은 실력자가 되어버린 허 허 선생, 바야흐로 30여 년만에 고향을 찾으려는 그 허 허 선생의 기세는 사뭇 개선장군이나 된 듯 싶은 모양이었다.

허허 선생의 성공은 미국으로부터 비롯된다. 제 2차 세계 대전 후 미국은 사회주의 권에 대한 방어와 이윤추구의 안정화란 관점으로 과거 식민지 문제를 바라본다. 미국의 이 계획은 소련군의 진주로 인한 사회주의 세력의 급속한 성장과 민족주의 진영의 세력확산으로 인해 점차 방해를 받게 된다. 이에 미국은 강력한 반공정책을 기본 축으로 하는 군정을 실시하는 한편 친일분자들을 대거 등용함으로써 사회주의와 민족주의에 대응하는 정책을 수립한다. 미국의 이러한 정책은 허허 선생과 같은 인물들이 사회의 요직을 독차지하고 득세함으로써 일정 정도 성공을 거둔다. 미국을 구원자로 선택한 허허 선생은 예의 천부적인 재질을 다시 한번 발휘하여 미국의 지배 전략에 재빨리 자신을 적응시키는 것은 물론, 그들에게 협력하는 대가로 일제에 부역했다는 죄를 면죄 받는다. 더구나 친미의 대가로 얻게된 경찰 서장과 국회의원, 장관이란 직책은 그를 자본의 노예로 만들기까지 한다. 허허 선생은 자신의 주변에서 일어나는 일체의 사건들을 마치 달러와 원화(圓貨)와의 환율을 계산하듯 돈으로 환산한다. 따라서 허허 선생에게 마쓰바라의 출현은 일확천금의 기회로 다가온다. 이 기회를 잡기 위해 허허 선생은 사회 저명인사로의 체면도 벗어 던진 채, 마쓰바라 회장을 향해 아부를 일삼고 그것도 모자라 아들 허만에게까지 부탁을 한다. 그에게 있어 마쓰바라 회장과의 귀향은 더 많은 부를 축적하게 하는 가장 확실한 방법이다. 그러므로 허허 선생에게 귀향은 현재의 성공을 확인하는 자리인 동시에 더 많은 부를 의미한다.

이들 둘과는 달리 마쓰바라 회장에게 고향은 식민지 지배로 상징화되는 영광을 기억하게 만드는 매개물이다. 해방 후, 간신히 목숨을 건진 그는 일본으로 돌아가 대재벌의 회장이 되어 과거 자신이 지배자로 근무했던 고향에 오고 싶어한다. 그가 이처럼 고향을 그리워하는 것은 자신의 젊은 시절을 되돌아보려는 노인네들의 일상적인 감정과 함께 과거 식민지 재배의 영광을 재현하고자 하는 욕망의 발현이다. 이러한 그의 바램은 그를 통해 더 많은 부를 축적하고자 하는 허허 선생의 이해와 맞아떨어진다. 마쓰바라 회장은 허허 선생의 안내로 들뜬 기분으로 고향을 방문한다. 그런데 맛있는 산해진미와 미녀들의 시중도 마다할 만큼 들떠 있던 마쓰바라 회장은 정작 차가 고향에 가까워지자, 그만 입을 다물어 버린다. 그의 침묵은 고향에서 과거의 영광을 찾지 못하면 어떡하나 하는 기우에서 비롯된다. 이 걱정은 옛 모습 그대로 존재하는 주재소를 통해 해소된다. 주재소를 발견한 그는 덩실 춤이라도 출 듯 신나는 목소리로 "아, 그렇군요. 주재소. 옛날 그 자리에 그대로군요. 참 반갑습네다, 하하하."라고 소리친다. 마쓰바라는 주재소를 통해 과거 조선을 지배했던 자신의 모습과 조우한다. 예전 모습 그대로 존재하는 주재소를 통해 마쓰바라는 과거 영광의 역사를 기억의 이편으로 끌어내는 것은 물론이요, 일본으로부터 해방 된 후에도 한국 사회에 여전히 존재하고 있는 식민성을 확인하는 행운까지 얻는다.

여기서 문제는 이러한 마쓰바라 회장의 행위가 식민지 지배자로 근무했던 한 사람의 개인적인 심경이나 취향이 아니라는 데 있다. 식민지 시대 지배 상징물을 통해 과거의 영광을 기억의 이편으로 끌어내려는 경향은 전형적인 일본 군국주의자들의 논리다. 군국주의자들은 패전 후의 일본사회를 한마디로 무엇이든 잘못되었다는 이른바 '자학사관'이 온 사회를 지배한 시기로 파악한다. 그들은 자학사관의 영향으로 인해 일본인들은 국체는 물론이고 국가에 대한 자랑과 긍지마저 잃게 되었다고 생각한다. 그들은 일본의 발전과 안전을 위해서라도 일본국민들은 자학사관에서 벗어나야 함을 역설한다. 일본인들은 그 동안 자학사관이 가한 심리적인 상처인 오욕의 역사를 망각하고 대신 영광의 역사만을 기억해야 한다는 주장에서 우리는 마쓰바라의 심리 상태를 읽을 수 있다. 결국 주재소와 같은 과거 식민지 지배 유물은 그들 군국주의자들에게는 더할 나위 없는 소중한 자산이다. 왜냐하면 그것은 과거 영광에 대한 의심할 수 없는 징표이기 때문이다.

고향에 대한 서로 다른 의미부여는 세 사람으로 하여금 귀향 중에 맞이하게 되는 동일한 풍경에 대해 각기 다른 의미를 도출해 내도록 만든다.

　　"……정신대를 기피하면 저 상엿집에 들어가 쥐도 새도 모르게 귀신밥이 된다는 소문이 쫙 퍼져 가진곤 그저 영장만 떨어지면 꼼짝을 못하는 형편이었죠. 하하하. 그런데 저 상여집이 그대로 남아 있다니, 역시 이 고장은 예나 이제나 사랑과 인정이 흘러 넘치는 모양입니다요 허허 상, 안 그렇소? 하하하."
　　"아, 그래서 예부터 이 고장을 추로지향(鄒魯之響)이라고 칭송하는 것이 아니겠습니까. 사실 역대 재상 중엔 이 고장 출신이 꽤 많거든요, 허허허."

아들 허만에게 있어 상엿집은 귀신집일 뿐이다. 그는 상엿집을 통해 어린 시절의 아련한 추억을 회고해 낸다. 이에 반해 허허 선생과 마쓰바라는 자신들의 과거 활약상을 기억해 낸다. 여기서 특히 우리의 관심을 끄는 것은 마쓰바라가 상엿집을 통해 '사랑과 인정'을 이끌어 내고 허허 선생이 추로지향―예절을 알고 학문이 왕성한 곳―으로 답하는 부분이다. 마쓰바라는 상엿집을 통해 과거 식민지 지배의 잘못을 반성하기는커녕 자신의 고향 방문을 위한 인정쯤으로 생각한다. 여기에는 한국 사람들이 식민 지배의 도구였던 상엿집을 철폐하지 않는 것을 식민지 본국에 대한 예의로 바라보고자 하는 자기 중심적 사고가 깔려 있다. 그런데 그의 이런 생각은 '예절을 아는 고장'이라는 허허 선생의 화답으로 인해 식민지 '지배/피지배' 문제가 유교적인 주종관계 문제로 대치되기까지 한다. 허만은 이들의 이런 행위에서 "옛날과 오늘이, 이승과 저승이 한데 어울려" 역사적 사실이 한순간에 날조되는 현상을 목격하고 아연 실색한다. 마침내 그는 허허 선생 일행을 환영하러 나온 사람들이 손에 들고 있는 피켓을 몽둥이로 오인하고 그들로부터 탈출을 감행한다. 그 동안 허허 선생에 의해 구축된 모든 세계를 해체하는 이 탈출은 고아가 되고 싶다는 허만의 심경 표출과 결합하여 더욱 극적인 형태로 제시된다.

4

「귀향길」에서 우리는 남정현 문학의 특징인 풍자의 진수를 맛볼 수 있다. 남정현 문학을 이해하는 데 있어 풍자는 중요한 코드임에 틀림없다. '필화사건'을 겪기 전까지 남정현은 직접적인 풍자에 주력한다. 국가권력과 사회의 부조리에 대해 직접적인 공격을 시도한 이런 풍자는 필연적으로 일정한 한계를 지닌다.

"이 견딜 수 없이 썩어빠진 국회여 정부여, 나같은 것을 다 빽으로 알고 붙잡고 늘어지려는 주변의 이 허기진 눈깔들을 보아라. (중략) 너희들은 도대체 뭘을 믿고 밤낮없이 주지육림(酒池肉林) 속에서 헤게모니 쟁탈전에만 부심하고 있는가. 나오라, 요정에서 호텔에서 관사에서. 그리고 민중들의 선두에 서서 몸소 아스팔트에 배때기를 깔고 전세계를 향하여 일대 찬란한 데몬스트레이션을 전개할 용의는 없는가. 진정으로 한민족(韓民族)을 살리기 위해서 원조를 해줄 놈들은 끽소리없이 원조를 해주고 그렇지 않은 놈들은 당장 지옥에다 대가리를 처박으라고 전세계를 향하여 피를 토하여 고꾸라질 용의는 없는가. 말하라 말하라."7)

작품의 화자는 정부 고관들이 민중을 위한 정치나 민족 주체성을 찾으려는 노력보다는 외세를 배경으로 권력 투쟁에만 매달려 있다고 비판한다. 화자는 '썩어빠진', '빽', '도대체 뭘을 믿고', '배때기', '대가리' 등의 어휘를 사용하는 통매 형식을 통해 공격 대상에 대한 직접적인 공격을 시도한다. 그런데 간단하고 소박하면서도 극단적인 것을 사용하여 상대방을 정면으로 비판하는 통매 방식의 공격은 가장 직설적이고 저항적인 풍자 효과를 가져오지만 아이러니가 발생하지 않는 한계점을 갖는다. 따라서 현실에 대한 직접적인 공격은 현실의 부조리를 드러내는 데는 접합하지만, 지배체제의 이데올로기 구성방식과 동일하게 진행됨으로써 그 이데올로기의 해체로까지 나아가지는 못한다. 이것은 부르주아적 체제들을 대체하려 했던 많은 시도들이 지배체제 이데올로기와 근본적으로 유사한 이데올로기를 구성함으로써 종국에는 혁명적 이론으로서의 기능을 상실8)한 것과 흡사하다.

「귀향길」은 앞에서 지적했던 이러한 문제점들을 대상에 대한 직접적 공격 대신에 우스꽝스럽고 우회적인 상황 설정을 통해 제시함으로써 극복한다. 화자이자 허허 선생의 아들인 만은 허허 선생이 구축한 세계에 대해

---

7) 남정현, 「분지」, 앞의 책, 332쪽.
8) 김성기, 『포스트모더니즘과 비판사회과학』, 문학과지성사, 1994. 239쪽.

자신의 모든 힘을 다해 팽팽히 맞선다. 그 맞섬은 이전과는 판이하다. 아들 허만은 부친이 구축한 세계를 마치 장난처럼 인식함으로써 그것을 전복시킨다. 부친의 장점을 말해 달라는 기자의 요청에 '발길질'이라고 답한다거나 부친을 주인공으로 한 소설을 써 그 주인공을 죽이겠다는 엉뚱한 행위들은 마침내 환영 피켓을 몽둥이로 착각하는 상황으로까지 발전한다. 이러한 허만의 행위는 그 어떠한 공격보다도 더 큰 힘을 발휘한다. 고향을 통해 과거의 영광을 기억의 이편으로 끌어들이려던 마쓰바라 회장과 그를 통해 사업 번창을 꾀했던 허허 선생은 한순간 낭패에 빠져들고 만다. 몽둥이에 대한 두려움에서 시작해 고아가 되고 싶다는 심경으로까지 발전한 허만의 엉뚱한 행위에 자신들의 뜻을 이루지 못하고 속수무책 당하는 허허 선생과 마쓰바라의 모습. 독자들은 이 속에서 견고한 권위적 체제의 해체를 경험하게 된다.

> "아닙니다, 아버님. 몽둥입니다요, 몽둥이!"
> 차 곁으로 육박하는 일단의 몽둥이 떼를 피하여 순간 나는 문을 박차듯 하고 차 밖으로 나왔다.
> "애, 만아, 만아!"
> 그러나 나는 불행하게도 뒤를 돌아다볼 수가 없었다. 몽둥이가 골통을 내려치는 것 같은 두려움 때문이었다. 순간 나는 비틀걸음을 치며 나도 모르는 사이에 앞으로 내달리고 있었다.
> "애, 만아, 만아."
> 고함치듯 부르는 부친의 소리.

허만이 '도망'을 통해 부친과 마쓰바라가 구축하고자 했던 세계를 해체하는 것은 식민지 경험 극복은 어떻게 이루어져야 하는가를 상징적으로 보여주고 있다. 일반적으로 제국주의로부터 독립한 민족은 제국주의의 "식민적 인종주의가 가한 심리적 피해의식을 극복하는 방법으로 식민담론을 전도"[9]

---

9) Leela Gandhi, *Postcolonial Theory; a critical introduction*, Allen & Unwin, 1998, 이영옥 옮김, 『포스트식민주의란 무엇인가』, 현실문화연구, 2000. 140쪽.

시키는 방식을 통해 식민주의 담론으로부터 벗어나려 한다. 그런데 이러한 방식은 과거 제국주의가 식민지 민중을 내부적으로 통합하기 위해 사용한 정치적·문화적 통합 방식을 그대로 차용함으로써 표면적으로는 제국주의 식민론에 대립하고 있지만 인식론적 인식에 있어서는 오히려 제국주의에 길들여지기 십상이다. 이런 현상을 식민극복과정에서 발생하는 "제국주의와의 공모관계"[10]라고 부른다. 허만은 부친과 마쓰바라가 구축한 세계에 대항하는 자신만의 대항 담론을 구축함으로써 자칫 자신도 모르는 사이에 빠져들게 마련인 공모관계를 '도망'이라는 엉뚱한 행위를 통해 피해 나간다. 뿐만 아니라, 부친의 세계가 형성되는 과정을 근본에서부터 제시함으로써 독자들로 하여금 그 세계가 허구라는 사실을 여실히 보여준다. 일본의 급속한 우경화와 이에 대항하는 한국 국민들의 목소리가 가뜩이나 높은 이때, 「귀향길」이 들려주는 해법은 절묘한 묘수처럼 보인다.

5

이 글을 쓰면서 필자의 머리 속은 몇 년 전에 뵈었던 선생의 건강하지 못한 모습으로 자꾸만 혼란스러웠다. 그 때문이었을까. 문득 미시마 유키오 (三島由紀夫)의 모습이 선생의 모습과 겹쳐지기 시작했다. 왜 그랬을까. 열정 때문이었을까.

일본의 대표적 극우파 작가인 미시마 유키오는 그의 나이 45세이던 1970년 11월 25일 4명의 '다테노카이'추종자들과 함께 육상 자위대 본부 건물에

---

10) 식민지배의 극복 과정에서 나타나는 지배 세력과의 공모관계에 대해서는 다음을 참고할 수 있다.
정백수,『한국 근대의 식민지 경험과 이중언어 문학』, 아세아문화사, 2000.
아쉬스 난디, 이옥순 옮김,『친밀한 적-식민주의 시대의 자아의 상실과 재발견』, 신구문화사, 1993.
김택현,「식민지 근대사의 새로운 인식-서발턴 연구의 시각」,『당대비평』, 2000. 겨울호.

난입한다. 그는 전쟁과 일본의 재무장을 금지하는 '평화헌법'을 해체할 것과 일본 우익의 각성을 외치면서 할복자살한다. 그의 이러한 뜻이 국민들을 움직였던 것일까. 그가 죽은지 30년이 지난 오늘날의 일본의 모습은…. 일본의 국회에서는 찬성 403, 반대 86이라는 압도적인 표결로 일본의 '국기·국가법안'이 통과시켰다. 게다가 '침략'을 '진출'로, 태평양전쟁을 아시아민족 해방전쟁으로 명명한 교과서가 만들어지는 한편에서는 자위대의 해외파병마저 허용하는 등 과거 군국주의를 연상시키는 새로운 내셔널리즘이 발흥·성행하고 있다. 그런 면에서 미시마 유키오는 행복한 작가였을지도 모른다.

남정현 선생도 미시마 유키오의 나이쯤 돼서 작품을 썼다. 미시마 유키오의 건강한 모습과는 너무나도 대조적인 극심한 정신적, 육체적 고통 속에서 「귀향길」을 썼다. 선생은 근본부터 잘못된 왜곡된 역사를 온 몸으로 보여주었다. 그러나 현재의 한국의 초상은…. 김활란상 제정에서 이승만 흉상 건립, 그리고 마침내는 박정희 기념관 건립이 추진되고 있다. 그것도 정부의 적극적인 지원 하에서. 기념관은 말 그대로 무언가를 기념하는 곳이다. 청산의 대상인 친일파들을 기념하라니. 총체적인 과거사에 대한 망각. 우리가 정말 경계해야 되는 것은 이것이 아닐까? 선생이 「귀향길」을 통해 진정으로 하고 싶었던 말이 바로, 이 점이 아니었을까?

선생의 건강을 기원할 뿐이다. 새미

생애 및 작품 연보

1933년 충남 당진군 매방리 288에서 남세원과 이낙연 사이에서 2남 3
녀 중 장남으로 출생

1945년 8.15 해방, 초등학교 5학년(도고 온천국민학교 입학 후 아버지
의 잦은 전근으로 7개의 초등학교를 전전), 몸이 약했던 관계
로 끊임없는 병치레

1950년 6.25 전쟁, 당진 중학교 4학년 재학

1954년 대전사범학교 졸업

1958년 단편「경고구역」으로『자유문학』(18호, 1958. 9) 초회 추천

1958년 단편「굴뚝밑의 유산」으로『자유문학』(23호, 1959. 2) 추천 완
료

1959년 단편「모의시체(模擬屍體)」발표(『자유문학』 28호, 1959. 7)

단편「인간 플래카드」발표(『자유문학』 31호, 1959. 10)

1960년 단편「누락인종(漏落人種)」발표(『자유문학』 36호, 1960. 3)

1961년 중편「너는 뭐냐」발표(『자유문학』 48호, 1961. 3)

단편「기상도」발표(『사상계』 97호, 1961. 8)

제6회 동인문학상(「너는 뭐냐」) 수상(『사상계』 99호, 1961. 10)

1962년	단편 「자수민(自首民)」 발표(『사상계』 109호, 1962. 7)
1963년	단편 「광태(狂態)」 발표(『신세계』 12호, 1963. 4-5)
	단편 「혁명 이후」 발표(『한양』 20호, 1963. 10)
	단편 「현장」 발표(『사상계』 128호, 1963. 11)
1964년	단편 「사회봉(司會奉)」 발표(『문학춘추』 3호, 1964. 6)
	단편 「부주전상서」 발표(『사상계』 135호, 1964. 6)
	단편 「탈의기(脫衣記)」 발표(『한양』 32호, 1964. 10)
	단편 「혁명후기」 발표(『청맥』 4호, 1964. 12, 「혁명 이후」의 개작)
1965년	단편 「풍토병」 발표(『한양』 35호, 1965. 1)
	단편 「분지(糞地)」 발표(『현대문학』 123호, 1965. 3)
	6월, 「분지」로 반공법에 저촉되어 구속, 기소되어 징역 7년을 구형 받음.
	제1창작집 『너는 뭐냐』(문학출판사) 출간
	단편 「천지현황」 발표(『사상계』 147호, 1965. 6)
1967년	서울고등법원에서 '분지필화사건'의 선고유예 판결을 받음
	제2창작집 『굴뚝 밑의 유산』(문예출판사) 출간
1969년	단편 「옛날 이야기」 발표(『월간문학』 5호, 1969. 3)
1970년	단편 「방귀소리」 발표(『다리』, 1970. 2)
1971년	민주수호국민협의회(後에 자유실천문인협의회, 민족문학작가회의로 발전) 결성 참가
	단편 「코리아 기행」 발표(『주간 한국』, 1971. 1월)
	장편 『코리아 산책』 연재(『다리』, 1971. 10 ~ 12. 연재, 미완)
	단편 「허상기(虛想記)」 발표(『동서문학』 5호, 1971. 2)(「코리아

기행」의 개작)

1973년　단편「허허 선생」발표(『문학사상』 5호, 1973. 2)

　　　　단편「준이와 삼개월」발표(『독서신문』, 1973. 4. 22－29)

1974년　4월, 대통령긴급조치 1호 위반혐의로 구속(소위 '민청학련사
• 건'), 9월 긴급조치 해제로 석방됨

1975년　단편「허허선생 2」발표(『문학사상』 32호, 1975. 5)

1977년　제3창작집『준이와의 삼개월』(한진출판공사) 출간

1978년　제4창작집『허허선생』(범우사) 출간

　　　　장편소설『사랑하는 소리』(범우사) 출간

1980년　단편「허허선생 3」발표(『문예중앙』, 1980. 3)

1987년　남정현 대표소설선『분지』(흔겨레) 출간

1988년　단편「핵반응－허허선생 4」발표(『창작과 비평』 61호, 1988. 9)

1989년　단편「코리아 방문기」발표(<한겨레신문> 지령 200호 특집,
　　　　1989, 1. 1)

1989.9－1990.2　장편『성지(聖地)』연재(『다리』, 6회 연재, 미완)

1990년　단편「신사고(新思考)—허허선생 5」발표(『실천문학』, 1990.
　　　　여름호)

1993년　연작 소설집『허허 선생 옷 벗을라』(동광출판사) 출간

1994년　민족문학작가회의 부위원장(위원장 ; 신경림)

1995년　단편「세상의 그 끝에서」발표 (『창작과 비평』, 1995. 여름호)

2001년　현재 민족문학작가회의 자문위원, 펜클럽 이사

작품집

『너는 뭐냐』, 문학출판사, 1965(첫 창작집)

『굴뚝 밑의 유산』, 문예출판사, 1967(단편집)

『준이와의 삼개월』, 1977, 한진출판공사(단편집)

『허허선생』, 1978, 범우사(단편집)

『사랑하는 소리』, 1978, 범우사(장편소설)

『분지』, 1987, 흔겨레(대표 소설선)

『허허 선생 옷 벗을라』, 1993, 동광출판사(연작 소설집)

『아름다운 시간의 나무』, 2000, 한울출판사(4인 산문집)

연구 목록

백철, 「서문」, 『너는 뭐냐』, 문학춘추사, 1965

김상일, 「풍속과 알레고리」, 『한국문학대전집』, 태극출판사, 1976

윤병로, 「50년대 작가의 문학적 특징」, 『대동문화연구』 11호, 성균관대
　　학교, 1976. 12

임중빈, 「상황악과의 대결」, 『현대한국문학전집』 15호, 신구문화사,
　　1981. 12

김병걸, 「상황악에 대한 끈질긴 도전, 『분지』(1988, 흔겨레출판사간)
　　해설

김병욱, 「천부적 이야기꾼」, 『분지』 해설

이어령, 「현대인의 허울을 벗기는 신랄한 풍자성」, 『분지』 해설

임헌영, 「승리자의 울음과 패배자의 웃음」, 『분지』 해설

안수길·이항녕·한승헌 외 「분지사건 자료 모음」, 『분지』 해설의 부록

나명순, 「권력을 딛고선 민중문학의 알레고리」, 『동서문학』, 1988. 1

강태근, 「한국현대소설의 풍자성 연구」, 경희대 박사논문, 1988.

이철범, 「외세에 대한 민족 양심의 항변(남정현의 '분지')」, 『분단, 문
　　학, 통일』, 종로서적, 1988

김병걸, 「남정현 문학의 저항성」, 『문학예술운동』 2호, 녹두, 1989. 1

윤병로, 「새세대의 충격과 60년대 소설」, 『한국현대문학사』, 1989

류양선, 「남정현론」, 『한국현대작가연구』, 민음사, 1989

임헌영·김재용 편, 『한국문학명작사전』, 한길사, 1994

임진영, 「가장 강렬한 웃음의 칼날」, 『한국소설문학대계』, 동아출판사, 1995

장영우, 「통곡의 현실, 고소의 미학(남정현론)」, 『작가연구』 2호, 1996. 10

강진구, 「남정현 문학 연구」, 중앙대 석사논문, 1996. 12

이봉범, 「남정현 문학의 알레고리와 풍자」, 『반교어문연구』, 1997. 12

윤성식, 「남정현 필화소설 '분지'」, 『말』, 1998, 3

강진호, 「외세와 금기에 대한 도전('분지'론)」, 『현대문학』 526호, 1998. 10

임헌영, 「변혁으로서의 문학과 역사」, 『대한매일』, 1999. 5. 19-6. 22

최진섭, 「2000년 1월 1일의 신문과 반미소설 '분지'」, 『한국언론의 미국관』, 살림터, 2000. 3

장석주, 「반공법의 족쇄에 묶인 '분지'」, 『20세기 한국문학의 탐험』(3), 시공사, 2000. 10

김상주, 「남정현 소설의 기법고찰」, 『사람의 문학』, 2000, 겨울호

남정현·신학철, 「(대담)감격의 창출, 저항의 감동」, 『아, 감격시대』(노나메기 4호), 노나메기, 2001. 3

(정리 ; 강진호) 샘미

[이 호 철 문학선집]

▶ 이호철 문학 선집 전7권 양장본

한 사람의 자연인으로서 이호철 선생이 여러 가지 신산고초를 겪은 것에 비하면 소설가로서의 그는 비교적 순탄하게 출발하였다. 단편 「탈향」이 『문학예술』지에 추천된 것이 1955년이고 이듬해 「나상(裸像)」이 같은 잡지에 발표됨으로써 문단에 작가로 등장했으니, 그의 남한사회 진입은 아주 성공적이었다고 말할 수 있다. 뿐만 아니라 불과 대여섯 해 뒤인 1961년에는 「판문점」으로 현대문학상을, 이어서 62년에는 「닳아지는 살들」로 동인 문학상을 수상함으로써 주목받는 작가의 반열에 확고히 올라섰고 이후 40년 동안 그는 언제나 이 나라 문단을 대표하는 작가 중의 한 사람이었고 그의 창작활동 또한 변함없이 지속되어 왔다. 요절(夭折)이라든가 조로(早老) 따위의 상서롭지 못한 낱말들로 묘사되던 우리의 근대문학도 이제 1세기 가까운 축적위에 이호철 같은 70대의 현역작가를 보유하게 되었으니, 이는 좀 과장하면 민족의 경사(慶事)에 값할 만한 일이라 할 것이다.

염무웅(문학평론가. 영남대 교수)

• •

● 이호철 문학 선집 전 7권 양장본
　(정가 전 7권 250,000원)

국학자료원　전화: (02)442-4626 팩스: (02)442-4625

이 작가, 이 작품

인간과 권력의 문제 – 황석영의 「돛」 | 안남일

인간과 권력의 문제 — 황석영의 「돛」

안남일＊

1

　1943년 만주 신경(지금의 장춘)에서 태어난 황석영은 유년시절 해방과 함께 6·25를 겪었고 고등학생 때에는 4·19혁명과 5·16 군사쿠데타를, 대학생 때에는 6·3사태를 목격하는 등 한국현대사의 격변의 현장을 거쳐왔다. 이후 그는 1967년 베트남전쟁에 참전하였고 1980년 광주민주화운동을 거쳤으며 1989년 범민련. 대변인 자격으로 북한을 방문한 이래 귀국하지 못하고 중국, 베를린, 뉴욕 등지에서 5년여 동안 지냈는데 이 기간 중에 세계사에 남을 만한 사건들을 목도하게 된다. 그가 방북 직후 중국에 머물고 있을 때 일어난 1989년의 천안문 사태, 독일 체류 시기였던 1989년 냉전의 상징이던 베를린 장벽의 붕괴, 그리고 미국에 체류하던 1992년 로스앤젤레스 폭동이 그것이다. 그리고 그는 1993년 귀국하여 국가보안법 위반으로 7년형을 선고받고 복역 중 3·1절 특사로 석방되었고, 근래에 들어서『오래된 정원』(창작과비평사, 2000)과『손님』(창작과비평사, 2001)을 통해 다시 활발한 창작활동을 보여주고 있다.

＊ 고려대, 안양대 강사

이처럼 그의 삶의 궤적을 현재의 시점에서 살펴볼 때 소설에서 드러나는 호소력은 개인의 체험과 함께 강력한 정치·사회적 역정이 적극적인 방식으로 재구성되어 나타나고 있음을 알 수 있다. 경복 고등학교 재학시절에 사상계 신인문학상에 입선한 「입석부근」이나 조선일보 신춘문예 당선작인 「탑」이 그러하였고 문단의 주목을 받게 된 「객지」 역시 당시의 사회상을 반영한 소설로 '70년대 노동문학의 물꼬를 튼 작품'으로 평가받고 있다. 이후 「한씨연대기」(1972), 「삼포가는 길」(1973), 『장길산』(1974~1984)등과 같이 전쟁, 민중, 역사, 민족 등 여러 소재의 소설들을 통해서 그의 날카로운 현실인식을 확인시켜 주었다. 이는 동시대를 살아가는 우리 주변부의 삶에 대한 적확한 묘사와 그들에 대한 믿음이자 동시에 작가 자신이 가지고 있는 문학의 삶에 대한 믿음을 보여준 것이다.

윌리엄즈는 하나의 문학적 과정에서는 지배적인 것과 잔여적인 것 그리고 부상적인 것 사이의 흔들림과 경향들 사이의 복합적 상호 관계를 인식할 필요가 있다[1]고 하였는데 이는 한 시대의 산물인 작품은 그 시대에 공존하는 다양한 이념에 영향을 받을 수밖에 없음을 말한 것이다. 이렇게 본다면 황석영 문학의 특징과 형태에서 가장 주목되는 투철한 인간의지와 현실과 역사의식에 바탕을 둔 건강한 리얼리즘을 통한 새로운 차원의 휴머니즘 문학으로 확대시켜 나갔다[2]는 점에 동의할 수 있을 것이다.

작가는 그가 속한 시대를 떠날 수 없으며, 오히려 그 시대를 의미 있게 포용하고 있음은 주지의 사실이다. 다시 말해서 개인은 사회에 대하여 침범할 수 없는 독자적인 권리가 있으며 이러한 자각은 개인을 둘러싸고 있는 사회와의 관계 속에서만 가능하기 때문에 어떤 시대이건 개인은 그가 속해 있는 사회와의 관련을 떠나서는 이러한 독자성에 대한 논의도 공소한 것이 되고 말 것이다. 또한 개인과 사회의 관계에서 사회라는 것은 주어지는 것이

1) 레이몬드 윌리엄즈, 이일환 역, 『이념과 문학』, 문학과 지성사, 1982.
2) 이태동, 『부조리와 인간의지』, 문예출판사, 1981, 281쪽.

아니라 구성되는 것이다. 이 말은 사회라는 테두리 안에서 개인이 생성되기보다는 개인들간의 계약을 통해 사회가 형성됨을 의미한다. 따라서 개인과 사회가 하나의 범주 속에서 형성되고 확장되는 관계가 아니라 이 두 항은 대립의 위치에 존재하고 있기에 개인의 자유와 사회적 억압은 늘 긴장 관계를 형성하는 것이다.3) 이러한 측면에서 살펴보면 작가가 상상력을 통하여 표출해 낸 상황이나 경험을 이것들이 실제로 유래한 사회적 상태와 연결짓는 것은 자연스럽다. 하지만 그러한 태도에서 우리의 관심이 되는 것은 그가 어떠한 정치적·사회적 견해에 빠져 있는가 하는 것이 아니라 사물이나 사건, 제도나 가치에 대해 반응하는 인물에 있다. 즉 소설 속에 등장하는 인물이 사회와의 관계 속에서 구체적인 모습으로 형상화되는 것은 바로 동시대를 살아가는 작가가 보여주는 시대상과 적절하게 부합될 것이다. 이를 보다 확대된 개념으로 보면 개인과 사회의 관계는 곧 인간과 권력의 관계로 파악될 수 있다. 이는 모든 관계는 필연적으로 권력관계이며, 인간의 제 실천 역시 권력의 효과4)라는 푸꼬의 언술과도 그 맥을 같이하는 것이다. 황석영 역시 직접적으로 맞부딪치는 사회적 현실을 직접적인 시각으로 드러내면서 소설 속에서 인간과 권력에 대한 지속적인 물음과 그 해답을 제시하고 있다.

그렇다면 황석영의 소설에서 리얼리즘의 요소가 지향하고 있다고 판단되는 인간과 권력의 문제가 어떠한 형태로 조정되고 있는지를 살펴보는 작업은 확성영 소설을 보다 명확하게 이해할 수 있는 계기를 마련할 수 있을 것이다. 특히 황석영 소설이 격심한 사회변동기라는 틀에서 자유롭지 못하다는 지적과 관련해서 이를 단순히 사회현실의 반영이라는 측면만으로 해석하기보다는, 그러한 사회와 작가의 문학적 자아가 기본적으로 맺고 있는 상호 관계의 측면으로 확대 해석하는 작업은 황석영 소설을 보다 새롭게 해석하는 방법이 될 것으로 생각된다.

---

3) 이정우, 『인간의 얼굴』, 민음사, 1999, 312쪽.
4) 미셸 푸꼬, 김부용 옮김, 『광기의 역사』, 인간사랑, 1991.

황석영은『심판의 집』작가 서문에서, 월남에서의 체험이 '개인의 것에서 시대의 것으로 확대'되는 계기가 되었다고 하였다. 이것은 주관적이고 개인적 경험 속에서의 시각이 현재 발 디디고 있는 삶의 전체성 내지는 보편성 속에서의 시각으로 사고의 전이를 가져왔다는 말이다. 여기에서 '개인의 것에서 시대의 것으로 확대'되었다는 말의 의미가 중요한데, 개인의 것이 단순히 일개 개인의 체험이나 그로부터 야기되는 행동으로 본다면 시대의 것은 현실 사회에 대한 인식과 참여로 그 의미의 폭을 넓힐 수가 있을 것이다. 이것은 개인과 사회라는 측면에서 볼 때 인간과 권력의 문제에 다름 아니다. 바로 그의 소설에서 중점적으로 시도되고 있는 것이 인간과 권력의 문제라는 사실이다. 그렇다면 그것이 어떠한 모습으로 형성되고 진행되고 있는지를 확인해야 할 것인데, 그 단초가 되는 것이 바로「돛」이다.

　「돛」(1977)은 전쟁을 배경으로 한 소설로, 적에 대한 교란작전을 위해 일개 중대 병력을 포기하는 과정을 보여주고 있다. 전쟁의 궁극적 목적은 승리를 쟁취하는 것이다. 따라서 그 진행과정에서의 합리성이라든가 논리성보다는 오직 이기는 것만이 궁극적 목표가 되는 것은 당연하다. 또한 전쟁의 목적이 적을 죽이는 것이라는 카네티의 언급을 빌린다면 전쟁에 참여하는 병력들은 피아의 구분 없이 죽음이라는 측면에서 자유로울 수 없다. 이와 같은 전장에서의 논리를 오늘 우리의 현실로 가져온다 해도 크게 다를 바는 없을 것이다. 우리 주변의 국제질서의 변화라든가 정치적 논리나 경제적 이해관계 속에서 피아의 구분이 없어지고 있는 현실은 그것이 하나의 권력 속에 존재하는 폭력성의 표출로 읽을 수 있다. 그 시각을 굳이 외부로 돌리지 않더라도 우리 사회 역시도 정치·경제·사회적 측면을 막론하고 이미 약육강식의 논리에서 자유롭지 못하다. 이를 확대해서 생각하면 사회를 거대한 권력의 한 형태로 보고 그 속에 인간들의 다양한 측면들이 나타나고 있음은 주지의 사실이다.

　전쟁을 소재로 한 황석영의 소설들만을 살펴보더라도 이러한 인간과 권력에 대한 관심은 여실히 드러나고 있다. 「탑」(1970), 「낙타누깔」(1972), 「몰개월의 새」(1976), 「철길」(1976)에서는 전쟁과 관련해서 인간들의 여러 모습이 포착되고 있고 장편인 『무기의 그늘』(1985)에서는 조직화된 권력의 이면과 그것에 적응 혹은 대적하는 인간들의 모습을 사실적으로 묘사하고 있다. 그런데 여기에서 주목할 점은 「돛」 이전의 소설 속에서는 사회 현실에 놓인 인간들의 모습을 보다 중요하게 언급하고 있다면 「돛」 이후에는 그러한 인간들이 권력과 대립하는 여러 양상들을 보여주고 있다는 사실이다. 바로 인간과 권력의 상호관계에 대한 출발점을 「돛」에서 읽어낼 수 있는 것이다. 이 말은 「돛」이라는 소설이 황석영 소설의 맥락을 이해하는 데 비교적 중요한 소설임에도 불구하고 지금까지 소홀히 취급되었다는 것을 지적하는 것이기도 하다. 황석영 소설 중에서 「돛」을 주목하는 것은 이러한 연유에서이다.

2

「돛」[5]은 전쟁을 배경으로 한 소설로, 적에 대한 교란작전을 위해 일개 중대 병력을 포기하는 과정을 보여주고 있다. 그러면서 권력의 이면에 감추어진 거대한 음모와 그것을 바라보고 대처해나가는 인간의 모습들을 사단장의 당번병인 '나'와 군대권력의 수장인 사단장과 그를 모시고 있는 부관, 그리고 예하 부대 연대장인 중령 사이의 관계를 통해 보여주고 있다. 등장인물 중에서 사단장을 권력의 한 축으로 놓고 거기에 상응하는 중령이나 부관이 표출해 내고있는 다양한 모습을 확인시켜 준다. 또한 '나'는 이러한 권력과 인간에 대한 제 문제를 그 중심에서 바라보고 있다.

'중령'(말똥 두 개 짜리 연대장)은 자기가 지휘를 맡고 있는 예하 수색중대가 적 마을을 점령하였다가 다시 적 대대 병력에 의해 반격 당하고 있음에

---

5) 황석영, 「돛」, 『몰개월의 새』(황석영 중단편전집 3), 창작과비평사, 2000.
　이하 본문 인용시에는 괄호안에 해당 페이지 수만을 표시함.

노심초사하고 있다. 구체적인 작전진행계획을 알지 못하는 그는 사단장을 찾게 된다. 하지만 사단장은 '전선의 균형'만을 강조한 채 계속 기다려보라고만 한다. 그러나 일개 중대정도의 병력으로 적진에서 버티기란 불가능하다고 판단하고 자신의 연대를 선봉으로 진격하도록 허락 받고자 한다. 하지만 사단장은 오히려 전투에 관심을 두고 있는 것이 아니라 중령 개인에 대한 이야기를 소재거리로 삼는다.

> "연대장, 자네의 기록카드를 다시 봤네. 소대장 때부터 굵직한 포상을 여러 번 받았더군."
> "운이 좋았을 뿐입니다."
> 중령은 아까와는 달리 아주 진지하게 대답하고 있었다.
> "저는 언제나 임무와 그 수행에만 관심이 있었을 뿐입니다."
> (중략)
> "아이들이 몇이나 되는가?"
> 중령은 술잔을 씹어삼킬 듯이 입속에 털어 부었다.
> "셋입니다. 아내는 벌써 오래 전부터 제가 옷을 벗기만을 바라구 있습니다."
> "군은 자네 같은 지휘관을 계속 원하구 있지. 자넨 탄탄한 계단을 밟아온 모범장교의 한사람이야. 내 생각으론……자넨 참모총장감이지."(214~215쪽)

사단장은 중령의 인사기록카드를 확인하고 군대 내에서의 중령의 위치를 언급하고 있다. 따라서 중령은 개인의 문제에 대해서 신중해질 수밖에 없는 것이다. 진급이라는 문제가 달려 있기 때문이다. 그래서 "펜대만 잡고 늘어온 행정 장교들의 행사 때마다 차려입고 나서는 전투복이 안 어울리듯, 너의 훈장과 정복은 어울리지 않는다"고 생각하는 중령이지만 권력의 정점에 있는 사단장을 인정하지 않을 수 없는 것이다. 하지만 현실적 여건에서 본다면 중령은 '옷 벗기'만을 기다리는 실정이다. 자신의 의지와는 관계없이 군대조직의 권력선상에서 인사이동이 이루어지는 이상 아무리 임무와 그 수행에만 관심을 가지고 전력투구한다 해도 그것이 이루어지기 어렵다는 사실을 인식하고 있기 때문이다.

여기에서 사단장의 질문이 권력의 한 수단으로 사용되고 있다는 증거는 인용문 후반에서 여실히 드러나고 있다. 사단장의 입장에서 말하자면 질문이 갖는 효과는 그의 권력의식의 고양이다. 계속되는 질문을 통해서 중령이 순순히 질문에 응할수록 그는 더욱더 자신의 권력에 대한 즐거움을 느끼게 되는 것이다. '나'가 이야기하고 있는 '장군의 묘한 말솜씨'란 바로 권력의 정점에 사단장이 있음을 의미하는 것이다.

> "자네는 상부의 조처에 항의하는 편이었나?"
> 장군은 다시 중령에게 암시적으로 물었고, 중령은 제 말대로 고지식한 사람이었다. 나는 차츰 장군의 심중을 눈치채고 있었다. 나는 그래봬도 사선을 여러 번 넘은 고참병사였던 것이다. 연대장은 군인답게 대답했다.
> "아닙니다. 감수하는 편입니다. 그리고 그것은 언제나 옳았다고 생각합니다."
> "상부의 명령은 항상 옳았다는 말이겠지?"
> "제가 묵묵히 복종하는 것이 옳았다고 생각합니다. 이성적으로 판단해서 그른 명령도 때때로 있습니다만, 군대는 이성적인 일만을 골라서 취급하는 곳이 아니라는 걸 잘 알고 있기 때문입니다."(215~216쪽)

중령의 의도를 파악하고 있는 사단장이 계속해서 암시적 질문을 중령에게 던지는 것은 이미 사단장은 자신의 물음으로 무엇을 찾아낼 수 있는가를 이미 알고 있기 때문이다. 중령은 진급을 위해서 절치부심 노력하고 있고, 군대에서의 명령이란 특히 전장에서의 명령이란 자신의 목숨과 바꿀 만큼 중요한 것이라는 사실. 따라서 중령이 행하고 있는 작전수행은 그 결과 여하에 따라 자신의 인사기록카드에 기록될 것이며 인사권의 중심에 놓여 있는 사단장의 평가에 따라 자기 진로가 결정될 수도 있다는 사실에 중령은 이미 '묵묵히 복종하는 것이 옳았다'라는 판단이 내려진 상태인 것이다. 단지 그 것을 자연스럽게 수용하기가 어렵기 때문에 군대라는 특수한 상황 즉 '이성적인 일만을 골라서 취급하는 곳이 아니다'라는 자기 암시적 사고를 보이는 것이다.

그렇다면 '부관'(중위)의 경우는 어떠한가. 부관은 사관학교를 수석 졸업한 인재이다. 하지만 중령과는 달리 '명령이 옳지 않을 때에는 재량껏 시정해야 된다'는 사고를 가지고 있다. 사단장은 이러한 사고방식이 위관급일때 흔히 지니는 위험한 패기 정도로 보고 있다. 중령이 명령의 옳고 그름과관계없이 묵묵히 명령을 따른다는 점과 비교되는 부분이다. 사관후보생시절고문관이었던 중령과 우수한 인재였던 부관의 상반된 생각은 곧 권력을 중심에 두고 생각해보면 시사하는 바가 크다. 전투경험도 없이 이제 막 군대생활에 적응하고 있는 위관급 장교와 하나의 직업군인으로 진급을 염두에 두고 있는 영관급 장교의 차이는 곧 권력에 편승하느냐 마느냐 라는 중요한문제에서 두 갈래의 길로 나뉨을 알 수 있다. 그렇기에 부관은 구원대 투입과관련해서 사단장에게 자신의 의견을 제시할 수 있는 것이다. 곧 사단장이말한 '분별'이란 의미가 권력을 바라보는 개인에 따라 상충되고 있음을 드러내고 있다.

> "제가 잊고 하달치 못한 항목이 있습니다."
> "구원대를 출발시킨다는 명령 말인가?"
> "넷, 저의 불찰로 아직 전달하지 못했습니다."
> 장군은 정모를 얹으면서 부관을 쳐다보지도 않고 말했다.
> "나는 그런 명령을 내린 적이 없어, 부관."
> "연대장께는 분명히 명령하신 것처럼 말씀하셨습니다."
> "수색대는 적에게 주는 미끼다. 구원대를 보내선 안되게 되어 있어."
> "중대를 포기하시렵니까?"
> "포기가 아니라, 적과 교환하는 게야. 연대장을 속인 게 잘못이라구 생각하나?"
> "틀림없이 보낸다구 말씀하셨습니다."(219~220쪽)

위의 인용문은 합리적 원칙에 따른 교과서적 사고를 보이는 부관과는 달리 사단장은 전략에 대한 전술적 변화의 타당성을 보여주는 대목이다. 커다란 전략적 성과를 거두기 위해 백 오십 여명이나 되는 중대병력쯤은 소모품으로 포기해도 되는가라는 부관의 생각과 그것은 '포기가 아니라 적과 교환'하는 것이라는 사단장의 생각. 이 '포기'와 '교환'이라는 인식의 차이는 인간의 요구와 권력의 요구간의 부조화이다. 중대 전체를 포기한다는 실제가 전장이라는 구체적이고 객관적인 상황에 도달하면 매우 불평등한 방법으로 전락하여 그 의도의 정당성을 결정한다. 단순히 지각되는 형태로서의 '미끼'가 되어 보편적 방법에 머물게 되는 것이다. 다시 말해서 목적한 바를 쟁취하기 위해서는 어떠한 수단과 방법을 동원해서라도 결과적으로 획득하기만 하면 된다는 권력속성의 한 측면을 보여주는 것이다.

결국 부관은 사단장에 의해 수색중대장의 후임으로 인사 조치될 예정에 놓인다. 표면적으로는 총명한 장교로 인정받고 중대장으로 영전되는 것이지만, 그 자리는 또 다른 미끼에 지나지 않는 자리이다. 바로 권력은 지속적으로 힘의 지배권과 통제권을 갖고 있다는 사실과 폭력, 즉 강제하는 능력과 불가분의 관계에 있다는 사실을 여실히 보여주고 있다.

지금까지 중령과 부관을 통해 권력의 문제를 파악했다면 이제는 권력의 중심부에서 약간 비껴나 있는 '나'의 경우를 살펴보기로 하자.

'나'는 경기관총 부사수였다가 사단장의 당번병으로 차출되어 부관실에서 근무하고 있다. 당번병이라는 보직 자체는 전투병과는 정신적인 면에서나 육체적인 면에서 많은 차이를 가진다. 특히 전장에서의 위치는 엄청난 차이를 가지게 된다. 그것은 죽음의 공포를 어떻게 인식하느냐에 대한 차이이기도 하다. 불과 며칠 전만 해도 사선을 여러 번 넘은 고참병사이던 '나'는 지금 현재 단순히 "총채로 그의 책상의 먼지를 털거나 계급장이 번쩍이도록 닦고 계집애처럼 차를 나르고 식사를 시중드는 일"을 하는 "장군의 깃발을 지키는 당번병"일 뿐이다. 사선을 넘나들던 '나'에게 주어진 하나의 포상이었다. 하지만 '나'는 포상에 대한 고마움보다는 오히려 상급자를 폄하하거나 신뢰하지 않는 태도를 보여주고 있다.

　　나는 부동자세로 서서 보통때 장군 앞에서는 나보다도 더 땅바닥을 기는
　　그 말똥의 어처구니없는 헛깡을 비웃고 있었다.(208쪽)

　　장군의 개가 말똥에게 굽힐 수는 없는 노릇이 아닌가.(209쪽)

　　나는 속으로 이들이 메스껍게 여겨졌다. 절대로 죽지 않으리라, 절대로 속아
　　넘어가지 않을 테다.(213쪽)

인용문에서 보여주는 것처럼 이러한 폄하나 불신이 단지 군대조직에 대한 적응력이 떨어졌기 때문이라든가 군인정신이 투철하지 못해서 드러난 것이라고 보기에는 다소 무리가 있다. 오히려 군대조직 속에 내재되어 있는 권력에 대한 회의나 그 권력을 휘두르는 상급자에 대한 불신에서 비롯된 것으로 보는 것이 타당하다. 그 이유는 '나'의 인식이 상급자에 대한 비웃음과 개인의 자존심, 그리고 속아넘어가지 않겠다는 결심으로 점증적으로 드러나고 있기 때문이다. 직접적인 권력의 비호 속에 생활을 하는 것도 아니고 그렇다고 전적으로 권력의 밖에서 생활하는 것도 아닌 어중간한 위치의 '나'. 마치 마르쿠제가 말한 1차원적 인간6)처럼, 위에서 명령하는 대로만 따르면 아무런 부담감이 없이 생활할 수 있는 병사의 위치에 있지만 명령을 하고 있는 주체에 대한 신뢰성 상실은 이렇게 권력의 존재 여부에 따라 많은 차이를 보여준다. '나'는 계급을 따른다면 중령에게 절대복종을 해야할 처지이지만 장군의 당번병이라는 하나의 권력이 중령의 기를 죽여놓을 작정을 하기도 하고 비웃기도 하게 된다. 반대로 장군 앞에서는 자신의 당번병이라는 보직이 오직 장군으로부터 넘겨받은 권력이라는 점에서 권력의 중심축

---

6) 마르쿠제는 1차원적 인간이란 선택권이 없는 폐쇄된 인간이라고 하였다.
　헤르베르트 마르쿠제, 박병진 옮김, 『일차원적 인간』, 한마음사, 1986 참조.

이 장군에게로 옮겨가게 되기에 절대복종의 자세를 취하게 되는 것이다. 이러한 자세는 장군이 부관에게서 건네 받은 전문을 쓱 훑어보고는 휴지통에다 구겨서 내던지는 모습을 '나' 역시 장군이 하던 대로 휴지통에 꾸겨 처넣는 장면을 통해 명료하게 보여주고 있다.

그렇지만 '나'는 이러한 권력의 존재에 따른 변화 속에서도 인간 고유의 소중한 것을 놓지지 않는다.

> 나는 벙커 뒤쪽 장군의 침실 문턱에서 꼼짝 않고 목침대에 걸터앉아 있었다. 그때 익숙한 어떤 낱말 하나가 떠올랐다. 나는 하마터면 이 퇴색한 말을 입밖으로 내놓을 뻔했다. 희망……희망이지, 희망이야.(220쪽)

예전에는 익숙했던 낱말이었지만 지금은 퇴색되어버린 '희망'이란 말이다. '나'는 사선을 넘나들던 고참병사의 시절에 품었던 삶에 대한 강렬한 희망, 오직 살아남겠다는 희망이 지금 권력자의 속임수에 의해 허깨비 같은 희망으로 퇴색되어버리고 있는 현실에 직면해 있다. 장군의 당번병이라는 삶 속에서 한달간 유예된 소총수의 역할이란 아무 것도 없다라는 자괴감. 그것이 "수평선 너머로 사라지는 돛대의 끝이 드디어는 표류 자체보다 더 무섭게 변한 표적"이 되어버리는 것이다.

> 그들은 두 개의 적과 싸우게 될 것이다. 구체적인 적과 그리고 추상적인 기대 때문에 매순간 배신당하고 나서 알 것이리라. 그래서는 마지막 순간에 구원대가 도착한달지라도 그들은 오히려 그 새로운 적을 향해 사격을 할지도 몰랐다. 수평선 너머로 사라지는 돛대의 끝이 드디어는 표류 자체보다 더 무섭게 변한 표적이 아닌가. 나는 당번을 그만두기 위해 전속 신청을 할 작정이었다. 죽지 않을 테다, 그리고 속지는 더욱 않을 테다. 그들의 목소리!(220~221쪽)

결국 희망을 잃어버리지 않기 위해서 '나'는 전속 신청을 통해 다시금 소총수로 전장에 나서서 삶에 대한 희망을 간직할 것이며, 권력의 속임수로 인한 추상적인 기대 때문에 매순간 배신당하지도 속지도 않을 것이다. 언제 어느 때나 권력의 목소리를 기억할 것이다. 이는 자연적이고 보다 인간적인 것으로의 복귀를 의미하는 것이다.

다음으로 권력의 한 축을 보여주는 '사단장'(장군)의 경우를 살펴보자. 사단장은 작전수행에 있어서는 다섯 수쯤은 내다볼 줄 알아야 하며, 특히 현대전에서의 군대는 영웅의 지휘를 필요로 하는 것이 아니라 영웅들을 적절히 무기로 사용해야 한다는 사고의 소유자이다. 또한 묘한 말솜씨나 처세로서 아랫사람을 다루는 방법을 잘 알고 있는 인물이기도 하다. 그렇기에 사단이 얻게될 승리를 위해서 중대병력쯤은 소모시킬 수 있고, 때론 군의 사기를 위해 위험을 무릅쓰고 기동순찰을 감행하기도 하는 것이다.

> "글쎄, 괜찮다니까. 초급장교 시절부터 내 독전은 패주하는 부하들을 뒤에서 즉결처분할 정도로 엄하구 냉혹했어. 그러나 우리 아이들이 나를 원망하지 못한 것은 죽음이 나와 가장 가까이 있을 때에도 죽지 않았다는 점 때문이었지. 부관은 내 조처가 오히려 잔인한 짓이라구 비난하는 것 같군. 나는 부하들을 격려하기 위해서 배려를 한 것뿐야."(222쪽)

항상 죽음을 곁에 두고 있는 전쟁터에서 저격병은 자신을 쏘지 못할뿐더러 가령 사격을 가한다 해도 맞지 않을 것이라는 믿음의 소유자. 오직 병사들에게 사단장이 이렇게 위험한 상황에서도 순찰을 하고 있다는 그 형식을 갖추고자 하는 오기. 이 모두가 결국은 부하들을 격려하기 위한 배려의 형식을 갖추고 있다는 사실은 생생한 권력의 표현에 다름 아니다. 이러한 공개적 행위 하나하나를 관찰하면 권력의 본질이 분명히 드러난다.

소설 속에서 사단장은 부관에게 중령에게 지속적인 질문을 던진다. 사단장은 자신의 위치를 인식하면서 질문을 권력의 한 수단으로 사용하고 있다. 이미 질문을 할 때 무엇을 찾아낼 수 있는가를 알고 있지만 계속해서 질문을 던진다. 보다 자신의 의도에 합당한 대답이 나올 때까지 그 질문은 계속된다.

앞에서도 언급했듯이 질문이 갖는 효과가 바로 권력의식의 고양에 있기 때문이다.

또한 모든 권력의 핵심에는 비밀이란 것이 있다.[7] 특히 권력자의 경우에는 비밀은 적극적 성격을 띠고 있다. 비밀을 이용하는 권력자는 비밀을 정확하게 알고 이해하고 평가하는 뛰어난 능력을 가지고 있다. 무엇인가를 얻고자 할 때에는 그가 몰래 노리는 대상이 무엇인가를 잘 알고 있고, 또 이를 위해 자기의 부하들을 적재적소에 쓰는 법을 잘 알고 있다. 그는 많은 비밀을 가지고 있는데, 그것은 그가 그것을 원하기 때문이다. 그래서 그는 그 많은 비밀을 각각 떨어지게 보관해서는 하나의 체계를 만들어 낸다. 그렇기 때문에 중령이 작전계획의 전반을 알지 못한다는 사실을 알고 체계적인 작전수행계획과 지원군 투입을 건의했을 때 사단장은 단순히 '극비'사항임을 들어 이야기해 주지 않는다. 곧 권력의 핵심에 사단장이 놓여있음을 명백히 드러내어주는 부분이다.

그러나 문제는 사단장이 보여주는 행위는 결국 자기 자신을 위한다는 사실에 있다. 사단장의 정복 가슴언저리에 매달려있는 울긋불긋하고 찬란한 약장(略章)은 그의 군대경력을 보여주는 것이지만 그것은 수많은 병사들의 죽음과 맞바꾼 '상장(喪章)'일 뿐이다. 또한 방탄덮개도 없는 열병 지프를 타고 범퍼에 성판을 부착하고 최고의 속력으로 위험한 국도를 기동순찰 하려는 것도 병사들의 사기진작을 위한 것이라기보다는 스스로 가지는 '자존심과 명예욕'에서 비롯된 것이다. 부관은 사단장의 이러한 점을 알기에 "위험한 국도를 달리신다 해도 자신을 벗어날 수는 없다"고 말한 것이다. 사단장도 이점을 인식하고 있기에 자신이 지금까지 야전군 지휘자로서 인정받고 있는 것도 결국은 "내 명예욕의 적절한 표현 때문"임을 시인하게 되는 것이다.

그렇기 때문에 사단장은 부관을 수색중대장의 후임으로 인사조치 하게

---

7) 엘리아스 카네티, 심성완 역, 『군중과 권력』, 한길사, 1982 참조.

되는 것이고, 중령은 그의 전략적 이용가치를 유지하기 위해서 작전이 끝나는 대로 진급 심의위원회에 진급을 건의하겠다고 한 것이다. 바로 권력의 중심에서 보여지는 사항인 것이다.

결국 명령하는 사람과 명령을 받아야 하는 사람과의 사이의 인위적 차이는 서로가 공통의 언어를 갖지 않는다는 점을 확인할 수 있다. 중령이나 부관의 의사와는 관계없이 이미 모든 명령은 그 결정권자에 의해 다시 말해서 권력을 획득한 사람에 의해서 진행되어진다는 사실이다. 비록 그들이 서로에 대해 이야기를 하고 있지만 어떠한 이야기를 통해서도 그들은 마치 서로 말을 해도 이해를 할 수가 없는 양 서로 말을 해서는 안 되게 되어 있는 것이다. 오직 명령을 제외하고는 그들 사이에 아무런 이해도 있을 수 없다는 사실은 권력의 획득 유무에 따라 얼마만큼 다른 처세가 나타나는가를 확인시켜 준다.

3

이상에서 「돛」에 등장하는 '나', 중령, 부관, 사단장의 관계를 통해 권력과 인간의 관계에 대해 살펴보았다. 사단장의 권력 앞에서 중령과 부관은 각자의 처한 위치에서 소신을 가지고 행동했지만 이미 권력을 행사하는 명령하는 자와 명령을 받는 자 사이에는 공통의 언어가 없음을 확인할 수 있었다. 다만 권력의 획득 유무에 따른 인간의 다양한 행위만이 있을 뿐이다. 이처럼 권력이 가지고 있는 여러 효력들, 즉 말을 탄압하고, 지식을 규제하고, 죽음의 위협으로부터 자유롭게 하지 못하며 그 대상을 예속화시키는 것. 다시 말해서 말이 필요 없는 절대복종, 명령권자의 의사에 의해 자신의 의사가 규제 당하고 죽음이 곧 명령이 될 수 있다는 점, 그리고 인간 자체가 하나의 소모품이 된다라는 점은 아마도 군대에서 그 모든 것을 확인할 수 있을 것이다. 「돛」은 바로 군대를 통한 이러한 권력의 여러 효력들을 보여줌으로써 권력와 인간의 관계를 새롭게 조명해 볼 수 있으며, 이는 다시 황석영 소설을 이해하는 중요한 키워드로 작용할 것이다. 새미

일반 논문

한국 근대 소설의 서사구성과 「만세전」의 '시간'

송은영*

1. 한국 근대 소설의 형성과 '시간'

한국 근대 문학의 형성기는 다종다양한 힘들이 서로 교차하고 분열하면서 새로운 형식들을 만들어냈던 혼돈의 시공간이다. 생성의 활력과 착종된 역사적 상황이 뒤얽혀 생겨난 이 혼돈은 지금까지도 우리의 시야를 가로막고 있어서, 우리는 당시 갓 잉태되던 여러 서사 형식들이 우리 근대 문학을 성립시키고 풍성하게 만드는 과정에 만족스러울 만큼 접근하지 못하고 있다. 이 시기는 한국 근대 문학의 기원인 동시에 과정이라는 험난한 탐험로가 되어, 아직도 자신의 전모를 밝혀줄 이해와 분석의 작업을 기다리고 있는 것이다. 그러나 이 시공간은 한눈에 조감할 수 없을 만큼 시간의 부침을 겪으며 형성된 넓고 굴곡 많은 지대이기 때문에, 한국 근대 문학의 형성과정을 들여다볼 수 있는 창은 여럿 필요할 것이다.

이 글에서 한국 근대 문학을 들여다보려는 창은 바로 '시간'이라는 범주이다. '시간'이라는 말은 일상적으로 널리 쓰이는 만큼이나 역사적으로 광범

---

* 연세대 강사

위한 내포와 깊은 학문적 사색의 흔적들을 지니고 있다. 특히 근대에 이르러 '시간'은 서구 근대 문명 전체를 회의하는 반성적 지식인들의 발판이 되어, 각 학문 영역에서 무수한 지류적 논의를 파생시킨다. 그 논의는 주로 자본주의 사회의 물화 현상에 따라 사회 역사적 시간이 자연적, 객관적 시간처럼 동질적이고 물리적인 시간으로 환원되고 있다는 반성에서 출발하여, 인간이 주관, 심리 또는 경험에 따라 다르게 인식하는 시간에 대한 연구로 나아간다. 그러나 이러한 '시간' 논의를 문학의 영역으로 옮겨오는 일은 그다지 쉽지 않다. 문학 텍스트에서의 시간은 분명 인간의 주관적, 심리적 시간 체험과 관련되어 있지만, 동시에 그 시간 체험을 또 다시 어떤 필요에 의해 재구성한 것이기 때문이다. 다시 말해 인간의 주관적 시간과 관련되되 그것과 또 다른 범주의 '문학적 시공간' 개념이 필요한 것이다. 만약 이를 구분하지 않는다면, 우리는 바흐찐의 말대로 '텍스트를 창조하는 세계와 그것을 재현한 세계' 사이에 경계가 있다는 것을 잊고 순진하게 둘을 혼동하게 될 것이다.[2] 이 두 세계의 경계는 바로 문학 텍스트의 서사를 구성하는 '형식'의 측면에 있다. 산만하고 혼돈스런 현실을 하나의 일관된 '이야기'로 구성해내야 하는 서사 장르에서는, 서사 구성의 형식과 그것을 추동하는 힘이 현실과 거리를 두는 방법이자 형상화의 원리가 되기 때문이다.

이런 의미에서 이 글은 문학 텍스트의 '시간'의 의미를 서사구성의 원리의 측면에서 묻고자 한다. 여기에는 문학 작품 속의 크로노토프(시공간 연관)가 본질적으로 장르를 규정하는 의미를 지니며 그 중에서도 주된 범주는 시간이라고 보는 바흐찐의 견해[3]와, 단지 근대의 문학 장르인 소설만이 시간을 질적인 범주로 삼는 유일한 문학 장르라고 보는 루카치의 견해[4]가 전제되어 있다. 바흐찐은 칸트의 시간과 공간 이론을 받아들이되 이를 선험

---

2) M. 바흐찐, 「소설 속의 시간과 크로노토프의 형식」, 『장편소설과 민중언어』, 전승회 외 옮김, 창작과비평사, 1988, 460~63쪽 참조.
3) M. 바흐찐, 앞의 책, 260~61쪽.
4) G. 루카치, 『소설의 이론』, 반성완 옮김, 심설당, 1985, 160~62쪽.

적 형식이 아니라 역사적으로 변화하는 직접적 현실의 형식으로 재정의하고, 크로노토프가 이야기를 조직하고 인물을 형상화하는 방식에 따라 서사 장르의 역사적 유형론 및 근대 소설의 장르적 특성을 제시한다. 그리고 루카치는 소설은 선험적 고향과의 유대를 잃어버린 시대에 스스로 숨겨진 삶의 총체성을 찾아 구성해야만 하는 서사 장르이기 때문에, 소설에서만 시간이 구성적 요소가 되어 형식과 함께 주어진다고 말한다. 이 두 견해는 소설 장르의 본질을 역사철학적으로 밝혀내려는 시도로서, '시간'의 기능이 근대 서사 장르로서의 소설에 가장 중요한 요소임을 밝혔다는 점에서 공통된다. 이는 근대적 시간과 공간의 사회적, 역사적 변화 양상이 문학 작품의 내용에 어떻게 상동적으로 반영되었는가를 밝히는 내용 미학과 선명히 구분되는 것이다. 이 글은 이 두 견해를 받아들이고 있기 때문에, 구조주의와 기호학의 방법론을 받아들인 서사학적 규명 작업과도 거리를 두고 있다. 이 글에서 조명하려고 하는 서사구성의 원리는 구조주의와 기호학의 방법론을 받아들인 서사학(narratology)적 규명 작업과도 거리를 두고 있다. 이 글의 관심은, 이야기의 불변하는 구조가 아니라 한국 근대 소설 형식의 '역사적' 성립 과정이기 때문이다.

이 글이 다루고자 하는 텍스트는 염상섭의 『만세전』이다. 그 이유는 이 소설이 우리 근대 소설의 흐름 속에서 '시간'의 의미와 역할을 새롭게 결절 시키는 전환점이라고 보기 때문이다. 이 점은 이 글에서 차차 논의될 내용이 지만, 그 중요성은 이 소설의 성과와 의미를 둘러싼 그간의 해석과 평가에서 도 단적으로 나타난다. 이 작품의 내용을 일제 하 식민지 현실과 민족에 대한 의식의 형성 및 자아의 각성 과정으로 파악하건[5], 혹은 지식인적 내면 의 의식 과잉으로 인해 현실에 대한 삽화적 묘사에 그쳐버린 여로 서사로 파악하건[6] 간에, 그 판단을 성립시키는 기준은 바로 주인공 이인화가 현실

---

5) 대표적인 연구로, 김종균, 『염상섭 연구』, 고려대 출판부, 1974 및 이보영, 『난세의 문학 − 염상섭론』, 예지각, 1991 등 참조.
6) 대표적인 연구로, 김윤식, 『염상섭 연구』 I, II, 서울대 출판부, 1987과 최원식, 「식

과 대면하거나 또는 의식의 반응을 일으키게 되는 '시간'과 '공간'의 흐름이기 때문이다. 다시 말해『만세전』을 바라보는 시각은 공통적으로, 아니 필연적으로 이 '귀향길'의 시간과 공간을 부지불식간에 문제삼게 되는 것이다. 이 글도『만세전』의 여로 서사가 지니는 시간과 공간의 의미를 추적한다는 점에서 기존 연구의 문제의식을 이어받고 있다. 그러나 이 글은 염상섭의 소설에서 '시간'은 부차적인 것이 되며 공간이 주요 범주가 된다고 보는 몇몇 연구의 견해7)를 부분적으로 받아들이되, 그 평가를 문학사적 맥락에서 다시 반전시켜 생각해보려고 한다. 그리고 이를 위해『만세전』과 염상섭의 다른 초기 단편8)은 물론, 이와 유사한 형식을 지닌 이인직과 이광수의 텍스트들도 개략적으로 검토하게 될 것이다.

2. 시간의 정지 —『만세전』의 내면적 시간

(1) 망각 장치로서의 여성과 시선의 동일성

이인화의 여행은 지리적으로 변화하는 공간을 차례로 순회하는 과정을 따라 행해지며, 작품에서 진행되는 시간 역시 표면적으로는 그 공간 이동에 따라 흘러가는 연대기적 시간의 형식을 취하고 있다. 그러나 이는 이 작품의 외부적, 물리적 시간의 측면일 뿐, 실질적으로 이인화가 체험하는 시간은 아니다. 이미 수많은 논자들이 지적하고 있듯이,『만세전』에서 재현되는 외부의 현실은 철저하게 이인화의 의식에 매개되어 있다. 뿐만 아니라 그것

민지 지식인의 발견여행」,『만세전』, 창작과비평사, 1987 등 참조.
7) 대표적인 연구로, 김 현, 「현대 소설의 시간성 및 공간성 연구 — 김동인과 염상섭의 단편을 중심으로」, 서강대, 1987과, 박현수, 「염상섭의 초기 소설과 문화주의」,『근대 문학과 이태준』, 깊은샘, 2000, 317쪽 참조.
8) 이 글은『염상섭 전집』(민음사, 1987)에 실린 「표본실의 청개고리」, 「암야」, 「제야」,『만세전』(1924년, 고려공사본)을 텍스트로 삼되, 의미 전달을 쉽게 하기 위해 현대어로 바꾸어 인용한다.

을 체험하는 형식인 시간의 흐름 역시 이인화의 의식에 의해 걸러진 채 나타나게 된다. 따라서 주목해야 할 점은 실제의 물리적 시간이 아니라, 이인화가 주관적으로 체험한 시간이다. 그것은 곧 이인화라는 인물의 내면에서 시간의 흐름에 따라 생긴 변화, 즉 내면성의 시간적 차원과 그가 체험한 시간의 본질을 추적하는 일이다.

이 소설에서 우리는 이인화의 내면에 찍힌 시간성의 지표들을 여러 가지 찾을 수 있다. 그 중 가장 쉽게 발견되는 것은 그의 여자에 대한 태도와 반응이다. 이 소설을 처음 읽는 독자들에게 눈에 띄는 것은, 아내의 생명이 위태롭다는 전보를 받고도 쓸데없이 시간을 허비할 뿐만 아니라 다른 여자를 떠올리거나 찾아가기까지 하는 이인화의 비윤리적 행동이다. 그는 자신의 행동에 문제가 있다고 생각하면서도 매우 자의식적으로 그런 행동을 하고 있다. 그러나 이 행태는 단순한 애정행각이 아니라, '아내'의 이름으로 압박을 가해 오는 조선의 현실을 회피하려는 표현이다. 이인화에게, 애정없이 결혼했지만 봉건적 제도 때문에 함부로 버릴 수 없는 아내란 아무리 부정하고 싶어도 자꾸 의식의 표면으로 솟아오르는 조선 현실의 상징이며, 다른 여자들은 그런 아내가 떠오를 때마다 그 상을 지워버리기 위한 장치일 뿐이다. 이인화가 가장 호감을 표시하는 여자인 '정자' 역시 마찬가지다. 이인화는 아내가 위급하다는 전보를 받고도 무사태평인 자신의 의식을 점검하면서부터 정자를 떠올리고 오랜만에 찾아가게 된다. 서울 집에 머무를 때도 그는 아내가 죽어 "'어서 끝장이나 났으면!' 하는 생각이 불쑥 날 때에는 정자의 생각이 반드시 뒤미처 머리에 떠올라왔다"고 말하기까지 한다. 이는 그가 정자를 생각하는 이유가 애정이 아닌 다른 데에 있음을 보여주며, 이러한 장치는 다른 여성들에 대한 태도에서도 확인된다. 이인화가 서울에 막 도착하는 장면을 보자.

나는 1년 만에 보는 시가를 반가운 듯이 이리저리 돌려다보고 앉았다가, 어느덧 머리 속에 가죽만 남은 하얗게 세인 얼굴이 떠올랐다. '이래두 혹시

서방이라구 기다리구 있을테지?' 나는 이런 생각도 하여 보았다. 그러자, 별안
간 대구 기생의 얼굴이 떠올랐다. 갸름하고 감숭한 얼굴, 무슨 불안을 호소하려
는 듯한 눈, … '지금쯤 어디를 헤매이누? 말을 좀 붙여 보았으면 좋을 걸!'하며,
정차장 앞에서 짤짤거리며 아는 사람이나 나왔는가 하고 헤매이던 꼴을 그려보
면서, 이러한 후회도 하였다. (84~85쪽)

아내를 생각할 바엔 기차간에서 만난 대구 기생을 떠올리는 게 낫다는
태도인데, 여기서 말 한 번 건네 보지 않고 스쳐지나간 대구 기생과 정자는
이인화에게 의미 상 아무 차이가 없다. 이렇게 생각해보면 "실상 말하면
정자가 아니라는 것도 정자라고 대답하니만치 본심에서 나온 대답이었다"
는 이인화의 고백은 이해가 간다. 아내로 대표되는 답답한 현실의 굴레만
아니라면 어느 여자나 상관이 없는 것이다.

그가 아내를 생각해야 할 때면 곧장 다른 여자를 떠올려 아내를 머리
속에서 지워버리는 것은 작품 전체에서 반복되는 패턴이다. 이인화가 다시
서울을 떠나기로 결심하는 후반부의 장면에서도 그렇다. 그는 아내가 죽었
고 볼일이 다 끝났기에 떠나는 것이 아니다. 그는 장사를 지낸 날 이후에도
한참을 더 머무르다가 어느 날 무당이 와서 굿을 하고 하얀 소금을 뿌리는
미신적 행위가 자기 집 마당에서 행해지는 장면을 보자 마자, 격렬하게 반발
하면서 떠나기로 결심한다. 이 순간에는 또 다른 여자인 을라의 등장과 정자
의 편지가 이인화가 조선으로부터 시선을 돌리게 하는 장치가 된다.9) 요컨
대 아내 아닌 여자들에 대한 연상작용은, 조선의 현실에 대한 반발과 부정의
심리를 처리하기 위한 서사적 장치인 셈인데, 이인화의 '조선에 대한 판단과
감정'은 동경을 떠나오기 전부터 서울을 떠나는 시점까지 동일한 반응 양상

---

9) 이 부분은 1924년 고려공사본과 1948년 수선사본이 완전히 다르다. 수선사본에서
는 무당의 미신적 행위가 완전히 삭제되어 있고, 이인화가 죽은 아내에게 뒤늦게
죄책감까지 느끼는 것으로 서술되어 있다. 그리고 수선사본에서는 고려공사본에
없는 정자가 보낸 편지가 나오며, 이인화가 정자에게 보낸 편지의 내용도 상당히
수정되어 있다.

을 보이고 있는 것이다.

더 나아가 이는 일본과 조선에서의 이인화의 내면 풍경이 전혀 변화하지 않았다는 사실과 관련된다. 조선 현실을 묘지로 규정하는 그 유명한 장면에서 펼쳐지는 이인화의 내면을 들여다보자.

발자국 하나 말 한 마디 덱걱 소리도 없이 얼어붙은 듯이 앉았었는 승객들은, 옹숭그릿드리고 들어오는, 나의 얼굴을 치어다 보며, 여전히 오그라뜨리고 앉았다. … 나는 까닭없이 처량한 생각이 가슴에 복받쳐 오르면서 몸이 한층 더 부르르 떨리었다. 모든 기억이 꿈같고 눈에 띄이는 것마다 가엾어 보였다. … 이것이 생활이라는 것인가? 모두 다 뒈져버려라!(82~83쪽)

그런데 우리는 이와 유사한 내면을 동경에서도 본 적이 있다. 그것은 이인화가 M헌에서 나와 거리를 쏘다니다가 무작정 전차에 올라타서 사람들을 쳐다보는 장면이다.

그러나저러나, 노역과 기한에, 오그라진 피부가 뒤틀린 얼굴 밖에, 내 눈에는 비치지 않았다. 그들은 시든 얼굴을 서로 쳐들고 물그름 말그름 마주 건너다 보기도 하고, 곁의 사람을 기웃이 들여다 보기도 하고 앉았다. 나도 그들의 얼굴을 이 사람 저 사람 치어다 보다가, '여러분 장히 점잖고 무섭소이다그려!' 이렇게 한 마디 하고, 일부러 하하하 하며 웃어보면, 어떨까 하는 생각을 하고 나서, 나 혼자 제 풀에 빙긋하여 버렸다.(22쪽)

이 두 장면은 상당한 시차를 두고 공간적 배경을 달리 하여 등장하지만, 이인화가 보고 있는 외부세계의 모습은 동일한 것이다. 첫 번째 장면은 대전의 승차장이며 두 번째 장면은 동경의 전차 안인데, 시간이 흐르고 공간이 바뀌어도 이인화의 시선은 항상 같은 것만을 포착한다. 그가 두 장면 모두에서 일본인이 조선인을 무시하는 태도라는 동일한 생각에 골몰하고 있기 때문이다. 결국 그가 보고 있는 것은 객관적인 실제의 모습이 아니라, 자신의 내면에 투사된 현실의 상이다. 차이를 찾아본다면 그것은 이인화의 감정적 반응의 격렬한 정도이다. 그가 조선을 묘지라고 외치는 장면에서 "모든 광경이 어떠한 책에서 본 것을 실연(實演)하야 보여주는 것 같은 생각이 희미하게 별안간 머리에 떠올라왔다. 나는 지금 꿈을 보지 않았나 하는 의심까지 났다"고 말하는 것도 이 때문이다. 말하자면 조선의 현실이 묘지와 같이 참담하다는 인식은 이인화에게 있어서 전혀 새로운 깨달음이 아닌 것이다. 이인화의 여행은 자신이 이미 알고 있으면서도 애써 회피하고 있었던 것을 실제로 보고 확인한 것에 다름 아니다.

(2) 귀향길의 성과와 '정지한 시간'의 의미

이 문제는 바로 이인화가 스스로 이유를 분명하게 인식하지 못하면서도 조선으로 귀국하기 싫어하는 이유, 또 귀국 시간을 지체시키는 이유와 관련된다. 아주 단순한 질문을 던져보자. 이인화가 1918년 겨울에 조선에 돌아오게 된 것은 7년만이 아니라, 1년 반만의 일이다. 그렇다면 그가 그 전에 체험했을 1917년 여름의 조선과 1918년 겨울의 조선이 이제 와서 그렇게 새로운 각성을 던져줄 정도로 큰 차이가 있는 것일까? 그리고 그는 그전까지 조선으로 돌아가는 과정에서 아무 것도 보고 느끼지 못했던 것일까? 하지만 이인화는 하관에 도착하자마자, "그 머리살 아픈 의례히 하는 승강이를 받기가 싫기에, 배로 바로 들어갈까 하였"으며, 일본인 형사가 와서 자신의 신상을 묻자 미리 다 알고 있다는 듯이 대답도 하지 않고 명함까지 꺼내 민다. 그는 "1년에 한번씩 귀국하는 길에, 하관에서나 부산, 경서에서 조사를 당할 때에는 귀찮기도 하고 분하기도 하였지만, 그때 뿐이요, 그리 적개심이나 반항심을 일으킬 기회가 사실 적었었다"고 말한다.

결국 이인화가 이번 귀국길에 보여주는 적개심이나 반항심은 그때가 되면 언제나 일어나는 것이며, 일본으로 돌아가면 다시 의식하지 않아도 되는 것이다. 이번 여로에서 새로이 조선 소작인들의 참담한 현실에 대해서 듣게 되었다 해도, 그것은 자기가 알고 있던 조선의 현실에 대한 지식에 새로운 사항 하나를 더 추가하는 것에 지나지 않는다. 이 여로는 새로이 민족의식에 눈을 떠가는 과정이 아니라, 미리 알고 있었지만 지금까지 회피하고 있던 사실을 확인하는 여행에 지나지 않는 것이다. 그가 조선에 가기 싫었던 것은 이것을 재확인하기 싫어서였고, 이인화가 그럼에도 불구하고 조선에 갔던 것은 피할 수 없는 재확인의 과정을 거쳐 무엇인가를 얻어올 수 있다는 "기대"를 가지고 있었기 때문이다.

그렇다면 이인화가 기대했고 또 귀국으로 얻은 것은 무엇인가? 그 성과는 작품 말미의 정자에게 보내는 편지에 잘 드러나 있다. 그 편지에서 보이는 결의란 한 마디로 '스스로를 구하고 개척하자'는 말로 요약된다. 그것은 새로운 삶이 개인에게서 출발하고 개인에게서 종결한다는 논리와도 통한다. 더욱이 그 편지에는 자식을 부양하는 의무에 대한 자각까지 언급되어 있다. 그 말을 이인화가 식민지 지식인으로서의 자기를 새로이 발견하고 생활인으로서의 의무를 깨우친 것으로 해석할 수 있을까?

그러나 이것들은 결코 새로운 게 아니다. 동경에서의 이인화는 이미 "모든 기반, 모든 모순, 모든 계루에서 자기를 구원하여 내지 않으면 질식하겠다는 자각이 분명"하였지만, "다만 그것을 실행할 수 없는 자기의 약점에 대한 분만과 연민과 변명" 때문에 괴로워했을 뿐이다. '자기의 구원'이나 명료한 자기의식은 동경 출발 전부터 작품 내내 일관되게 이인화가 지향하고 있는 가치[10]로서, 그것은 이미 '각성한 자아'였던 이인화가 "자신의 약점"이었던

10) 인간을 바라보고 평가하는 이인화의 시각은 공간의 이동과 시간의 흐름에도 불구하고 인간과 세계에 대한 동일한 양상을 반복적으로 보여주고 있다. 그는 작품 내내 이 '인격적 자각'의 유무로 사람을 평가하는데, 그것은 다른 말로 하면 '부끄러움을 아는 자의식'과도 같은 것이다. 서둘러 몇 가지만 예를 들어보자. 조롱을 당하자 화를 내는 정자의 모습을 보고 이인화는 "羞色(부끄러워하는 기색)이 있어 하는 것이 도리어 기뻤"으며, 이것이 "인격적 자각의 반영이라고 생각"한다. 또한 하관의 목욕탕에서 자신을 파출서로 데려가려는 남자에게 처음엔 화를 내다가 그 사람에게 부끄러움을 자각하는 의식이 있음을 느끼자 태도가 누그러진다. 이에 반해 대전의 승차장에서 만나 조선 여인에게는 다음과 같이

아내를 신경쓰지 않고 살 조건과 용기를 얻었다는 의미밖에 되지 않는다. 따라서 아내가 죽은 대신에 이인화에게 준 교훈이란 이제 조선의 현실과 민족을 잊은 채 마음껏 자신의 구원을 향해 갈 길을 가도 좋다는 자유에 불과할지도 모른다. 그가 정자가 보낸 편지에 담긴 결합의 희망조차 무시하는 것도 그가 원하던 것이 또 다른 '생활'로의 구속이 아니라 해방이었기 때문이다. 자식을 길러야 한다는 의무를 느낀다는 그의 고백도 결코 새삼스러운 것이 아니다. 그는 서울에 도착하기 전에 김천에서 형님과 이야기할 때, "자식을 낳아서 교육을 시키든지, 우물에 빠지려는 아해를 붙들어내인다는 것은, 당연한 의무를 이행하는 것"이라고 이미 말하고 있었기 때문이다.

따라서 이인화의 여로는 자신이 알고 있던 사실을 다시 경험하고 확인해 가는 여로, 자신을 속박하는 굴레로부터의 벗어남이 기정사실화되어 있던 여로, 그리고 자신이 원래부터 가지고 있던 욕망과 의식과 현실인식을 그대로 가진 채 되돌아오는 여로이다. 서울을 떠나는 이인화의 내면은 동경을 떠나던 바로 그 때 그 시점에 여전히 머물러 있다. 결국 이 여로 형식이 보여주는 주체의 내면적 인식틀은 시간과 공간의 변화에도 불구하고 '시간의 정지' 상태에 머물러 있다. 이렇게 볼 때 이인화의 내면에 시간은 아무런 의미를 지니지 못한다. 그의 몸은 움직이지만 마음은 정지해 있다. 이인화는 '움직이지 않는 여행자'였던 것이다. 이인화의 여로는 조선 사회의 시공간적 본질을 포착하는 소설적 방식이었지만, 그 포착의 방식은 시공간의 흐름에 따라 일어나게 되는 인물의 행동과 의식의 변화와 발전을 형상화하는 것이 아니었다. 반대로 그것은 인물의 내면과 의식에서 시간을 정지시킴으로써 눈 앞에서 흘러가고 변화하는 현실을 일관된 시각과 구도에서 포착할 수 있는 통일적 구심점을 만드는 방식이었다. 이것이 이 작품을 의미있고 일관

노골적인 경멸과 혐오의 감정을 보인다. "그 중에는 머리를 파발을 하고 몟덩이가 된 치마저고리의 매무시까지 흘러나리운 젊은 여편네도 역시 결박을 하여 앉히었다. 부끄럽지도 않은지 나를 부러워하는 듯한 눈으로 물끄러미 치어다보다가 고개를 숙이었다." 이러한 구절들은 『만세전』에서 이인화가 계속적으로 추구하고 있는 것이 어느 지점에 있는지 명확하게 보여준다.

된 전체로 구성하는 기반이라고 평가되어 온 이인화의 내면적 의식이 지닌 소설 문법의 의미이다.

3. 선험적 미래 의식과 아이러니의 형식

(1) 관습과 무시간성의 세계로서의 '무덤'

그렇다면, 이인화의 일관된 시선에 포착된 조선 현실의 본질은 무엇일까? 그 현실의 구체적인 세목들을 여기서 다시 자세하게 나열할 필요는 없을 것이다. 왜냐하면 중요한 것은 이인화의 의식이 조명하는 한에서의 현실이고, 그 의식이 포착한 현실의 특성이기 때문이다. 두말할 것 없이, 이인화의 조선 현실에 대한 판단을 집약하는 것은 바로 유명한 "공동묘지"의 이미지이다. 사실 염상섭의 초기 소설에서 이 "공동묘지"라는 상징 혹은 '죽음'과 관련된 메타포는 그다지 새로운 것이 아니다. 「표본실의 청게고리」의 X는 자신을 스스로 "시체같은 몸"으로 표현하며, 「암야」의 '그'는 길을 걸으면서 "자기가 사람 사는 인간계에 있는 것 같은 생각은 조금도 없었다"고 말한다. 더욱이 '그'는 난데없이 광화문을 보고 "무덤이다"라고 부르짖기까지 한다. 염상섭의 초기 소설에서 조선의 현실에 대한 메타포로 여러 번 등장하는 "묘지"라는 독특한 공간 개념이나 그와 연관된 '죽음'의 이미지는, 루카치가 『소설의 이론』에서 톨스토이 소설의 지향점으로 간주하는 전근대적 '관습의 세계'의 특성을 상기시킨다.[11]

---

11) "관습의 세계는 그 본질상 무시간적이다. 영원히 거듭해서 되풀이되는 천편일률성은 아무런 의미도 없는 그 자체의 법칙성에 의해서 전개된다. 그것은 아무런 목적도, 성장도 죽음도 없는 영원한 움직임이다. 인물들은 끊임없이 바뀌면서 등장한다. 하지만 이들 인물들이 끊임없이 바뀐다고 해서 무슨 일이 생겨나는 것은 전혀 아니다. 왜냐하면 모든 인물들은 하나같이 아무런 본질을 갖고 있지 않으며 따라서 그들은 언제나 다른 인물들에 의해 대치될 수 있기 때문이다.… 이러한 변화 속에 연루되어 부침하는 개인적 운명은, 그 자체의 존재 속에 아무

이인화가 무덤 혹은 묘지로서의 공간에서 느끼고 있는 것은 바로 생성과 발전이 없는, 죽음과 반복으로서의 무시간성이다. 예컨대 "조선을 축사한 것, 조선을 상징한 것"인 부산에서 그의 눈에 들어오는 것은 일본의 힘에 의해 강제적으로라도 근대화되어가는 조선의 모습이 아니다. 그는 일본의 수탈에 대한 민족적 반발심을 느끼기보다는, 도리어 조선인의 무지몽매함과 자각없음만을 문제삼는다. 다시 말해 이인화의 의식에 중요한 것은 당시 조선 사회의 근대적 변화가 아니라, "전 세계에 신생(新生)의 서광이 가득하여졌"는데도, 그런 상황으로부터 완전히 고립되어 정체해 있는 조선인의 "몽유병"적 의식인 것이다. 그가 조선의 현실을 이렇게 인식한 것은 조선 사회의 특성들을 봉건적 "관습"과 관념의 소산으로 보았기 때문이다. "오랫동안 봉건적 성장과 관료전제 밑에서 더께가 앉고 굳어빠진 껍질이지마는, 그 껍질 속으로 점점 더 파고 들어가는 것이 지금 우리의 생활"이라는 것이 이인화의 판단이다. 이는 이인화가 보게 되는 인물들이 봉건적이고 전근대적인 사회 관습의 대변자로서의 기능밖에 하지 못하고 있다는 사실에서도 잘 드러난다. 그의 눈에 "그들은 사는 것이 아니라 목표도 없이 질질 끌려다니는 것"이며, 그 자체로서든 이인화에게든 어떤 고유한 의미를 지니고 있지 않다. 그들은 죽어버린 아내처럼 사회적 관습의 세계에서 파괴되는 운명을 지니고 있으며, 그러한 사회적 기능으로서 등장하는 한 얼마든지 다른 인물

런 의미를 소유하고 있지 않고 있으며 또 개인적 운명과 전체와의 관계는 그 개인의 인격을 포용하는 것이 아니라 파괴하고 있다. 따라서 개인적 운명은 전체를 두고 보면, 다시 말해 그 종류와 가치가 동일한 우수한 다른 요소들과 더불어 있는 전체적 리듬의 한 요소로서가 아니라 개인적 운명 그 자체로서 두고 보면, 아무런 의미도 갖지 못하는 것이다." G. 루카치, 앞의 책, 202~3쪽. 이 책에서 원래 '관습의 세계'는 근대 사회에서 '제 2의 자연'으로 고착되고 사물화된 외부 세계를 가리키는 의미로 사용되지만, 이 문맥에서는 톨스토이가 소설에서 추구하고 지향한 삶, 즉 자연적 리듬과 공동체에 적응하는 목가적이고 전근대적인 관습의 세계를 가리키는 의미로 변형되어 있다. 그러나 이 글은 『만세전』이 생산된 사회적 맥락이 그 두 경우 모두와 차이를 지니고 있다고 생각하기 때문에, 여기서는 그러한 문맥을 배제하고 관습의 세계가 지니는 시간성만을 인용한 것이다.

로 대치될 수 있는 것이다. 이인화가 보기에, 이 세계에 각인되어 있는 시간은 천편일률적으로 돌아가는 관습의 사회가 지니는 시간성이자 생성과 성장과 발전이 없는 묘지의 시간성, 다시 말해 반복되고 정체되고 썩어가거나 혹은 '죽음'과 다름 없는 상태로서의 시간성이다.

이는 염상섭 초기 소설의 인물들에 공통적으로 나타나는 권태와 무기력이 어디서 기인하는지 암시한다. 주인공들이 느끼는 권태와 무기력은 사실상 그들이 살고 있는 조선 사회, 즉 생의 활력이 완전히 제거된 무시간적인 묘지의 세계에 대한 생생한 절감과 분리될 수 없다.[12] 역설적이지만 염상섭의 인물들에게 나타나는 권태와 무기력과 피로는 근대 자본주의 사회의 기계화되고 무의미하며 공허한 시간의 체험에서 온 것이 아니라,[13] 그들이 그토록 부정하고 싶어했던 관습과 구습의 정체된 세계로부터 비롯된 것이다. 그들이 권태와 무기력과 정반대의 심리라 할 만한, 초조, 불안, 조바심에 사로잡혀 있는 것도 이 때문이다. 「표본실의 청개고리」의 X가 "단 일분의 정거도 아니하고 땀을 뻘뻘 흘리며 힘있는 굳센 숨을 헐떡헐떡 쉬는 풀스피드의 기차로 영원히 달리고 싶다. 이것이 나의 무엇보다도 욕구하는 바"라고 말하는 것도 바로 이 정체해 있는 세계를 배반하는 '속도'에 대한 열망이라고 할 수 있다. 조선이라는 시공간에 스며 있는 '무시간적 시간'에 대한 강박이 이 인물들의 불안과 초조함을 신경과민적 우울증의 상태로까지

---

12) 브로흐에 의하면 권태의 상태에서 인간은 "죽음을 향해 서둘러 가는, 죽은 시간을 인식할 수밖에 없다." 그러나 이 통찰은 반대로 죽은 시간에서 권태의 상태가 비롯된다고 뒤집어서 생각할 수 있을 것이다. 위르겐 슈람케, 『현대 소설의 이론』, 원당희 외 역, 문예출판사, 1995, 185쪽.

13) 인간에게 낯설고 적대적인 힘으로 화한 외부 세계 전체가 그렇듯이 현대 사회에서는 객관적 시간도 동질화되고 공간화되는데, 이 시간성이 서구 모더니즘 소설 속에서 기계화되고 정체된 시간으로 나타나게 된다. 루카치가 '환멸의 낭만주의' 소설 속의 시간에 대해 언급한 것도 이 맥락으로 볼 수 있다. 이에 대해서는 위르겐 슈람케, 앞의 책, 제 4장 참조. 이렇게 서구의 현대 소설에서도 외부적 시간은 죽음의 특성을 받아들이고 있지만, 그 본질과 원인은 이 글의 논지와 다르다. 이 글에서 언급된 관습의 세계의 '죽음의 시간'은, 타락과 파괴의 힘으로 작용하는 '환멸의 낭만주의' 소설의 시간과 다른 의미로 사용한 것이다.

몰고 가는 것이다.

역설적인 점은, 시간이 정지해 있는 이인화의 내면성이 그가 그토록 거부한 이 무덤의 세계의 무시간성과 닮은 모습으로 나타난다는 데 있다. 시간 그 자체가 인물의 성장과 변화, 발전에 아무런 의미를 지니지 못한다는 점에서 일치하는 데가 있기 때문이다. 이인화 자신은 스스로 조선 사회를 시간이 정체된 "구더기가 끓는 무덤"으로 보았지만, 그토록 혐오스럽게 조선 사회를 바라보는 자신의 내면 역시 마찬가지로 시간에 따른 발전을 알지 못한다. 그런 점에서 자신의 행태가 "자기 자신에 대한 반항인지, 자기 이외의 무엇에 대한 반항인지 그것조차 명료히 깨닫지 못하"고 있다는 이인화의 말은 사실이다. 만약 자신이 이 묘지같은 현실과 분리된 타자라고 생각한다면, 그 거리감은 경멸과 혐오 혹은 계몽적 시혜의식만으로 족하겠지만 이인화에게는 울분과 분노 또한 동시에 따라다닌다. 결국 그의 울분과 분노는 자신이 그 현실과 결코 분리할 수 없다는 인식에서 오는 것이다.

(2) 부정되는 과거, 절하되는 현재, 지연되는 미래

그러나 '정지한 시간'과 '무시간성'은 엄연히 다른 차원에 속하는 시간 개념이라는 것을 잊어서는 안된다. 그렇다면 이 두 가지 시간 개념, 즉 이인화의 내면과 그가 바라보는 현실에 내포된 두 시간성은 왜 다르면서도 유사하게 나타나는지, 그리고 유사한 듯 보이면서도 완전히 다른 차원의 시간성인지 물어야 할 것이다.

그 질문에 대답하려면, 우선 '일본'과 '조선'이라는 공간이 지닌 시간층의 대비에서 시작해야 한다. 이 소설의 표면에서 일본이 반드시 긍정적인 의미만을 부여받고 있는 것은 아니다. 그것은 두 시공간에 대한 관심이 균등하게 분배되어 있지 않다는 점에 기인하기도 하지만, 그보다는 외부세계를 포착하는 이인화의 의식이 일본에 있는 동안에도 자신을 호출하는 현실에 결박되어 조선의 시공간적 본질에만 시선을 보내고 있기 때문이다. 그러나 파편적이나마 일본에 대한 이인화의 진술을 찾아낼 수는 있다. 그는 소설의 앞부분에서 7년 동안 동경에 있으면서 민족적 관념을 의식해본 적도 없고, 정치 문제로 인해 머리가 아파본 적이 별로 없었다고 직접 말하고 있다. 실제로 그는 "동경서 하관까지 올 동안은 일부러 일본 사람 행세를 하려는 것은 아니라도 또 애를 써서 조선사람 행세를 할 필요도 없는 고로, 그럭저럭 마음을 놓고 지낼 수가 있"었던 것이다.

그렇다면 근대적 개인의 '자아의 각성'을 민족적 관념보다 중시하는 이인화에게 있어서, 동경은 공동체의 권위와 압력으로부터 벗어난 자아의 자유나 개인의 개성이 어느 정도 보장되는 공간이라고 할 수 있다. 그런데 흥미로운 것은 이 "자아의 각성"이나 개인의 "개성"이 "생명의 유로"와 연관된다는 점이다. 당시의 염상섭에게 있어서 "자아의 각성"은 근대 문명에서 가장 본질적이고 중대한 의의를 가진 것이며, "근대인의 특색과 가치와 문화적 성과"의 출발점이자 "지상선(至上善)"의 의미를 지니고 있었다. 염상섭은 이렇게 중대한 의미를 지닌 "자아의 각성"은 일반적 의미를 떠나 개인의 관점에서 보면 "개성의 자각, 개성의 존엄"이자 "개개인의 품부(稟賦)한 독이적 생명"이 된다고 파악한다.14) 지금의 시각으로 보면 이러한 논리적 추론에는 서로 다른 개념의 혼동과 비약이 있는 것이 사실이다. 자아, 개성, 인격, 인간성 등의 어휘들이 엄밀히 구분되지 않고 있고, "생명"이라는 어휘는 성격, 천성과 비교되면서 더더욱 모호하게 사용되고 있기 때문이다. 그러나 이 모호한 표현의 정확한 의미를 제쳐둔다 해도 염상섭에게 있어서 개체의 개성과 자유가 보장되는 공간은, 그의 말대로 "향상 발전(向上 發展)"과 "이상(理想)의 성취(成就)"와 "가치(價値)의 창조(創造)"가 가능한 공간이기도 하다는 점 정도는 확인할 수는 있다. "생명(生命)"이란 말이 "무한히 발전할 수 있는 정신생활"로 정의되고 있기 때문이다. 이러한 논리에 비추어 보면

---

14) 염상섭, 「개성과 예술」, 33~38쪽 및 「지상선을 위하야」, 『염상섭 전집』 12, 민음사, 1987 참조.

개인의 해방과 자유를 보장하는 일본은, 죽음과 정체의 시간에 지배되는 조선과 반대로, '생명'의 공간 다시 말해 '향상'하고 '발전'하는 시간이 경험되는 공간이 된다. 일본에서는 시간이 근대적 이상과 가치를 성취하고 창조할 수 있는 방향으로 흐르며, 그런 의미에서 일본은 "근대적" 시공간으로 간주될 수 있다. 결국 조선 사회가 무시간성의 공간이라는 자각과 그것으로부터의 탈출 충동은 일본과 조선이라는 두 공간이 지니고 있는 두 개의 시간층이 지닌 낙차에서 비롯된다고 볼 수 있다.[15] 그것은 곧 "공동 묘지"와 "개인의 생명" 사이의 낙차이다.

그러나 문제가 여기서 끝나지 않는 것은, 이인화가 일본에 대한 동경이나 선망의 감정을 품고 있지 않다는 데 있다. 그는 개체적 존중과 인격적 자각이라는 차원에서만 민족을 보고 있기 때문에, 일본인이 더 우월한 듯 거드름을 피우는 것에 대해서도 실질적으로 우월한 자의 표지로 보지 않는다. 이인화는 그것을 "일본사람이 조선 사람에게만 한한 무의식한 습관이 아니라, 사람의 공통한 성질인 동시에 사람이란 동물이 얼마나 약한가를 유감없이 말하는 것"으로 보고 있는 것이다. 즉 일본이라는 시공간이 지닌 의미는 어디까지나 이인화의 의식 속에서 조선과 비교할 때만 상대적으로 성립 가능한 것이다. 이인화가 보여주는 자기 동족에 대한 경멸과 혐오가 정반대의 감정, 즉 일본의 부당한 행태에 대한 울분이나 분노와 양립할 수 있는 것은 이 때문이다.

이 양가적 감정의 진동은 이인화가 지니고 있는 선험적인 미래 의식에서 나온다. 일본이 조선보다 상대적으로 시간적인 우위를 지니고 있다는 것은, 적어도 이인화에게 개인의 성장과 각성, 생명의 자유로운 발현을 향해 나아가야 할 과거, 현재, 미래라는 시간의 세 차원이 존재함을 암시한다. 그러나 이 근대적이고 직선적인 시간 의식 내에서 시간의 세 차원은 서로 다른

---

15) 이인화와 조선의 만남을 서로 다른 시간대의 만남으로 설명한 연구로는, 서영채, 「염상섭 초기 문학의 성격에 대한 한 고찰」, 『염상섭 문학의 재조명』, 새미, 1998, 48~49쪽 참조.

의미를 갖게 된다. 과거는 '무시간성'의 세계, 즉 아직 전근대적인 사회의 미분화된 시간의 차원을 의미하기 때문에 부정당한다. 동시에 '현재' 역시 미래에 도달하지 못한 것으로 가치가 절하된다. 현재의 시대적 요구를 실현하는 공간인 일본조차도 단지 상대적으로 우위에 있을 뿐 조선과 똑같이 억압적인 요소를 지니고 있다는 시각은, 그가 자신이 지향하고 있던 가치를 아직 실현되지 않은 '미래'에 두고 있음을 의미한다. 그러나 이인화에게 이 미래는 언젠가 도달할 가능성의 시간이 아니라, 언제나 지연되는 시간이며 현실에서 완벽히 실현될 수 없는 선험적 이상일 뿐이다. 자아의 개성과 생명의 자유로운 발현을 완전하게 보장하는 미래란 사실 상 실현불가능한 유토피아적 시간의 차원이기 때문이다. 따라서 이인화가 일본을 조선과 질적으로 다른 시간층으로 생각하면서도 동경이나 선망의 대상으로 삼지 않는 것, 동시에 일본과 조선 모두를 양가적 균형 감각 속에서 바라볼 수 있는 것은 바로 이러한 미래의 차원에서 조망하는 거리두기의 결과이다. 그리고 이렇게 볼 때, 이인화가 현실을 포착하는 구심점인 내면의 '정지한 시간'은, 과거의 미분화된 시간 개념인 '무시간성'과 완전히 다르며, 이인화가 길을 따라 움직이는 현재의 시간에 있는 것도 아니다. 차라리 그것은 현재를 부정하려는 내면과 선험적 미래 의식의 사이에 도사리고 있는 시간적 차원이며, 이러한 간극 사이에 놓여 있는 시간의식이『만세전』의 서사를 직조한다고 봐야 한다.

4. 한국 근대 소설의 '시간' -『혈의 누』에서『만세전』까지

지금까지 살펴본『만세전』에 나타난 서사구성원리로서의 '시간'의 의미는, 역사적인 맥락에서 개략적으로나마 우리 근대 문학의 전환점에 서 있는 다른 텍스트들의 크로노토프적 특성과 비교해볼 때 확연히 드러날 수 있다.16) 우선 신소설의 효시인「혈의 누」의 시공간이 지니는 주요한 의의는 바로 '공간'에 있다. 조선과 일본, 미국을 넘나드는 여러 인물들의 공간 이동에서 소설의 '공간'은 비로소 추상성을 극복하고 구체성을 획득하게 된다. 이 작품에서 평양은 청일전쟁이 일어난 역사적 공간이자 관리의 수탈이 횡행하는 현실의 공간이 된다. 또한 일본은 단순히 멀고 낯선 이국이 아니라, 이층집과 삼층집이 들어서고 기차가 풍우처럼 달아나며 신문이 배달되는, 근대적 문명의 장소로 등장한다. 미국 역시 서양 문명의 상징적 장소가 되어, 옥련의 신문명 섭취를 돕는 공간이 된다. 이제 소설에서의 '공간'은 신비한 천상계와 꿈과 환상이 펼쳐지는 공간이기를 그만 두고, 인물의 행로에 특수한 기능을 하는 '지금 여기'의 구체적인 장소가 된다. 신소설과 함께 근대 소설의 구체적 '공간'이 확보된 것이다.

하지만 이 때문에『혈의 누』의 시간은 중세적 시간과 근대적 시간 사이에 갇혀 있는 형국이 된다. 고전 소설에서 인물들의 일대기는 외면 상 연대기적 혹은 순차적 시간의 흐름을 따라 형상화되는 것처럼 보인다. 하지만 그 시간은 천상계와 지상계를 오가는 공간 구성과 분리할 수 없게 얽혀 있을 뿐만 아니라 그 다리가 되는 꿈과 환상 속에서 역전되고 뒤틀리기 때문에, 근대의 선조적 시간의식과 완전히 다른 차원의 시공간이다. 그러나『혈의 누』에서 확보된 공간의 현실성과 구체성은 우리 고전 이야기에서 지상계를 천상계와 이어주던 꿈과 환상의 통로를 틀어막음으로써, 순차적으로 진행되는 연대기적 시간만을 남긴다.[17] 이 소설의 서두를 장식하는 "일청전쟁의 총소리는

16) 비교의 대상이 되는 다른 텍스트들은,『만세전』의 여로 서사의 근간이 되는 시공간인 '길의 크로노토프'가 한국 근대 문학 초기의 서사에서 하나의 계보를 형성할 정도로 중요한 역할을 담당하고 있다는 판단에 따라 선택된 것이다.『혈의 누』(1906),『무정』(1918)부터 시작하여,『무정』과 비슷한 시기에 쐬어진 1910년대 단편 소설들인 현상윤의 「핍박」(1917), 양건식의 「슬픈 모순」(1918) 등은 모두 '길의 크로노토프'를 근간으로 삼고 있다. 본격적인 소설은 아니지만 1919년부터 등장하기 시작한『창조』,『폐허』,『백조』등의 동인지에 산재해 있는 기행 산문들 역시 간과할 수 없으며, 이 서사 형식은 1920년대 초반에 발표된 염상섭의 초기 단편 및『만세전』과 현진건의 「고향」(1922)까지 이어지며, 1930년대 문학에서도 산책자 모티프와 귀향 모티프 등을 통해 남아 있게 된다.

17) 이런 점에서 우리 고전 소설의 서사 형식을 '-전(傳)'류의 전통에 한정시키면서

평양 일경이 떠나가는 듯하더니 그 총소리가 그치매, 청인의 패한 군사는 추풍에 낙엽같이 흩어지고, 일본 군사는 서북으로 향하여 가니 그 뒤는 산과 들에, 사람 죽은 송장 뿐이라…"[18]와 같은 구절은 이 작품이 사건의 선후관계로 이어지는 직선적 시간에 의지하고 있다는 것을 단적으로 보여준다. 이 작품에서 사건의 진행과 인물들의 행로는 계속해서 물리적인 시간의 흐름 속에서 일어나는 연속성에 불과하다. 이는 우리의 고전적 서사 형식들이 지니고 있던 시공간의 차원들이 근대의 형성과 함께 낡은 것으로 부정되고 억압된 한 가지 결과이기도 하다.

『혈의 누』의 시간적 특성은 이 작품의 인물의 본질과 성격과 연관지어 생각해볼 때 더욱 명확해진다. 주인공 옥련은 출생 때부터 아름다움을 타고 났으며, 옥련의 총명한 재질과 위기를 헤쳐나가는 탁월한 능력은 어린 나이에서부터 나이가 찰 때까지 항상 변함이 없다. 서로 다른 시간적 층위를 지니고 있는 현실의 공간들인 조선, 일본, 미국이 질적, 시간적 차이로 체험될 수 있을 법도 하지만, 옥련은 아무리 공간을 이동해 다녀도 타고난 학업 능력의 뛰어남 덕분에 무난하게 적응하는 데 성공한다. 시간의 흐름과 상관이 없는 옥련의 이러한 성격과 본성은 시간과 함께 발전하고 성장하는 것이 아니라 언제나 변함없이 이미 '주어진' 것으로써, 이 인물의 항상성이 소설의 서사를 지탱하는 기본이 된다.[19] 이렇게 기계적 인과율에 의존할 뿐 성장

고전 소설의 시간 구성이 사건의 순차적 나열에 의존하고 있다고 보는 정선태의 시각은, 고전 소설의 풍부한 서사 전통과 시사성을 지나치게 근대적 시각으로 폄하한 것이다. 정선태,「신소설의 서사론적 연구 – 이인직의 소설을 중심으로」, 서울대 석사, 1994 참조. 그가「홍길동전」과 비교해 이인직 소설이 구체성을 확보하는 문법으로 제시하는 요약의 기법이라든가, 소급 제시의 기법으로 대표되는 시간의 역전적 구성, 인물 묘사의 풍부함 등은 이미 고전 소설에서 찾아볼 수 있는 것이다. 단적인 예를 들어보면, 다양한 판본이 존재하는「춘향전」에서는 사건의 진행을 지체시키면서 풍부한 구어체를 바탕으로 진행되는 인물 묘사와, 춘향의 입을 통해 과거의 사실이 요약되는 기법 등이 나타나 있을 뿐만 아니라, '가문 소설'의 전통에서도 스토리 시간과 텍스트 시간의 진행과정이 달라지면서 과거가 소급제시되는 기법 등을 찾아볼 수 있다.
18) 이인직,『혈의 누』, 권영민 교열 해제, 서울대학교 출판부, 2001, 171쪽.

과 발전을 배제하고 있는 이 소설의 시간은 전통적인 시간에서 벗어나 있다는 점에서 근대 소설의 잉태를 예고하지만, 아직 시간이 개인성의 내적 조직 형식으로 기능하지 못하고 있음을 보여준다.

『무정』은 서사 내에서 비로소 '시간'이 질적인 범주로 기능함을 보여주는 최초의 근대 소설이다. 이 소설의 여로에서 등장하는 여러 '공간'들이 신소설에서 확보된 '공간'의 구체성을 더욱 발전시키고 있음은 말할 필요가 없다. 하지만 이 소설의 세계관, 인물, 사건의 진행과 플롯 등은 이전과 다른 새로운 '시간' 개념에 의존하고 있다. 이 소설에서는 형식과 영채 뿐만 아니라 선형 및 노파, 형식의 제자들까지도 시간 속에서 과거와 다른 생각을 지니게 되는 과정이 등장하며, 인물들의 이러한 변화가 무엇보다도 이야기의 진행에 영향을 미친다. 이 인물들은 기성의 존재처럼 주어지기보다는, 한 인격 속에 과거의 시간적 지표들을 포함한 존재들이다. 즉 인물들의 성격과 본성은 과거의 사실과 사건들이 동기로 작용하는 변화의 과정 속에서 '형성된' 것으로 드러난다. 여기서 과거는 단지 시간적으로 선행하는 개념이 아니라, 현재에 영향을 미치거나 미래의 진행을 좌우할 요소들을 지니고 있다. 예컨대 이 작품에서 과거의 상징과도 같은 인물인 박영채가 이형식을 7년만에 만났을 때 기생이 되어 있는 것은, 출생 때부터 주어진 조건 때문도 아니고 그 인물의 성격에 가장 적합한 상태이기 때문도 아니다. 영채의 몰락과 변화는 신학문과 학교 교육에 열중한 아버지의 삶이 가족에 가져다 준 풍파 때문이며, 그렇기 때문에 이 몰락은 역사적 흐름의 결과로 형성된 것이다. 나아가 현재에 나타난 과거의 흔적인 영채의 기생 신분은 영채가 형식과의 결합을 성취하는 데 장벽이 된다. 현재를 결정하고 미래에 영향을 미치는 과거로서의 시간은 이 소설의 사건 진행에도 영향을 미친다. 모든 사건은 시간적 선후 관계에 따라 기계적으로 이어지는 것이 아니라, 앞의 사건이

---

19) 소설 속에서의 시간과 공간이 주인공의 본성 및 성격과 맺는 관계에 대해서는, M. Bakhtin의 앞의 글과 그의 "The bildungsroman and its Significance in the history of realism", *Speech Genres and Other Essays*, University of Texas Press, 1986 참조.

뒤의 사건에 영향을 미치기 때문에 일어난다. 이는 기계적 인과율을 따르던 『혈의 누』의 시간에서 벗어난 것이다.

그러나 『무정』에 나타난 '시간'의 참된 의미는 과거보다도 현재와 미래에 있다. 이 소설의 핵심처럼 종종 인식되어 온 '계몽'은 이 시간관과 떼어놓을 수가 없다. 형식이 평양으로 향하던 기차에서 깨달은 것, 즉 "어려서부터 같은 경우에 두어 같은 감화와 같은 행복을 누리게 하면, 혹 선천적 유전의 차이가 있다 할지라도 대개는 비슷비슷한 선량한 사람이 되리라"는 것은 현재의 환경을 변화시키면 누구나 미래에 선량한 사람이 될 수 있다는 깨달음이다. 따라서 현재를 암울하게 만든 원천인 과거는 부정의 대상이 된다 해도, 앞으로 다가올 미래의 과거로서 위치를 부여받은 현재는 무한한 가능성을 품은 시간이 된다. 삼랑진에서의 깨달음이 이를 더더욱 뒷받침한다. 그것은 '그대로 내버려두면 점점 더 가난한 종자가 될 뿐인 사람들에게 교육을 통해 과학과 지식이라는 이름의 힘을 주면 미래는 달라질 수가 있다'는 깨달음이다. 이를 통해 개인의 성장과 각성의 시간은 사회의 성장과 논리적 연결 고리를 찾을 수 있게 되고, 이 때 시간은 가능성의 씨앗을 발전시켜 나갈 보고가 된다. 『무정』의 인물들을 움직이는 시간은 바로 변화와 발전과 성장의 시간이며, 과거를 품고 있지만 그 과거를 부정하고 미래의 가능성을 믿으면서 진보를 향해 나아가는 시간이다. 이러한 진화, 발전, 성장으로서의 시간관이 없다면, 이 소설의 이야기 진행과 인물의 성격 부여 자체가 불가능하다. 서사 구성 원리로서의 새로운 '시간'이 『무정』의 근대성을 형성하는 중요한 범주가 되어 있는 것이다.

그러나 『만세전』의 서사 구성에서 시간은, 『무정』의 근대적 시간의식을 이어받으면서도 동시에 그 의미와 기능을 달리 하게 된다. 『만세전』의 서사는 '시간에 대한 강박'의 소산, 즉 '공동묘지'로서의 조선 사회의 '죽음의 시간'에 대한 생생한 실감과 그것을 거부하려는 강박적 의식의 산물이다. 바꿔 말하면 이 소설에서는 정체된 '시간'에 대한 팽팽한 부정적 의식이 소설의 서사를 추동하는 힘이 된다. 하지만『만세전』에서 현실이 포착되는 방식은 시공간의 흐름에 따라 인물의 행동과 의식의 변화와 발전을 형상화하는 것이 아니라, 인물의 내면과 의식에서 시간을 정지시킴으로써 눈 앞에서 흘러가는 현실을 일관된 시각과 구도에서 포착할 수 있는 통일적 구심점으로 삼는 방식이었다. 그러나 이인화의 내면이 보여주는 '시간의 정지'는 근대적 시간 의식 속에 자리잡은 과거, 현재, 미래라는 시간적 차원들의 의미를 다시 한 번 변화시킨다. 이인화의 비판 의식과 균형 감각을 가능하게 해주는 조선과 일본이라는 두 시간층의 낙차가 사실 상 상대적인 것에 불과한 이유를 추적해 보면, 이 소설에서 과거가 무시간성의 이름으로 철저하게 부정당할 뿐만 아니라 현재 역시 불완전한 시간으로 가치절하되는 대우를 받게 된다는 사실을 알 수 있다. 이는 이인화가 선험적인 이상으로 가지고 있던 미래 의식에서 기인하는 것으로, 그에게 미래는 성취될 수 없고 도달할 수 없는 지향점이며 또한 언제나 지연되고 유예되는 시간일 뿐이다. 이 소설에서 새로운 질을 얻게 된 '시간'은 우리 근대 소설 문법의 근대성이 한 걸음 더 진전한 결과이다.『만세전』이 서로 상반되기까지 한 해석과 평가의 스펙트럼을 만들어내면서도 아직까지 우리 근대 문학사의 중심부에 버티고 있는 이유는, 인물의 독특한 내면성과 그것을 통해 재현된 현실의 생생한 진실성, 그리고 그것들을 가능하게 한 형상화 방식의 문제성에 있다.『만세전』의 서사는 현실을 부정하려는 내면과 선험적 이상으로서의 미래 의식의 불일치가 낳은 아이러니의 형식이며, 이 형식 자체가 우리 근대 소설의 형성에서 하나의 발견이고 창조이다. 새미

방영웅 소설 연구

이봉범*

1. '분례기 논쟁'의 실체와 의미

1967년『창작과비평』지에『분례기』가 3회에 걸쳐 전재(全載)되면서 문단의 비상한 관심을 모았던 방영웅은 이후『달』,「사무장과 배달원」,「방구리댁」,「살아가는 이야기」등 이른바 '뿌리뽑힌 자들(the uprooted)의 생태학'이라고 명명할 수 있는 독특한 소설세계를 구축했던 작가다. 특히『분례기』는 1960년대 후반 문학의 향방과 관련되어 많은 논란을 불러일으켰던 문제작으로 신인 작가의 데뷔작이 문학적·문단적 이슈가 된 보기 드문 경우에 해당된다. 평범한 문학지망생의 데뷔작이 문단의 화려한 각광을 받게 되었다는 사실은 신예 작가로서는 더할 수 없는 행운일 것이다. 그것도 당대 문학이론을 선도하고 있던『창작과비평』(이하『창비』)과 백낙청의 지속적인 후원을 받았다는 점에서 더욱 그렇다.

그러나 작가의 입장에서 보면 꼭 행운이었다고 단정할 수는 없다. 작품 외적 상황이 강하게 개입된 논전(論戰)으로 말미암아 그에 대한 하나의 고정

---

* 성공회대 강사

관념이 광범하게 형성되었고, 또 그 여파로 인해『분례기』의 작품 세계가 그의 문학 전체로 과잉일반화되어 자신의 여타의 작품이 정당하게 조명받을 수 있는 기회를 잃었기 때문이다. 그 결과 방영웅 문학은 실체의 윤곽조차 명확하게 파악되지 못한 채 '분례기 논쟁'에 묻혀 문학사에서 잊혀진 존재가 되었다. 방영웅은 바로 이러한 점에서 재평가되어야만 한다. 즉, 긍정적이든 부정적이든 작품적 실체에 근거하여 그의 작품이 지닌 가능성과 한계를 문학사적 엄밀성에서 복원하고 평가하는 작업이 필요하다. 더욱이 그의 문학이 분단시대 문학사에서 일 전환기로 평가되는 1960년대 후반 문학의 새로운 흐름을 대표한다는 당대의 평가를 감안할 때 이러한 작업의 의미는 더욱 배가될 수밖에 없다. 이 글은 이와 같은 문제의식을 바탕으로 작성된다.

그러면『분례기』논쟁의 쟁점을 개관해 보면서 방영웅 문학에 대한 당대 평가의 특징과 문제점을 살펴보자.『분례기』를 둘러싸고 벌어진 논쟁의 핵심을 단도직입적으로 표현하면 이 작품이 과연 1960년대 후반 한국문학의 새로운 경향을 대표하는 작품인가에 있다. 즉 자의식의 과잉에 함몰됐던 1960년대 소시민문학의 한계를 넘어서서 문학의 새로운 지평을 개척했는가를 놓고 평자들이 첨예하게 대립하게 되는 것이다. 더욱이 이 작품을 하나의 문단적 이슈로 제기한 논자가 당대 문학의 한 축을 이끌었던 백낙청이었다는 점에서 논쟁의 파장이 클 수밖에 없었다. 그것은『분례기』가 신인작가의 데뷔작임에도 불구하고『창비』에 3회에 걸쳐 파격적으로 전재되었으며, 당시 백낙청이 모색하고 있던 새로운 문학(시민문학론)의 가능성을 방영웅의 작가정신과『분례기』의 작품세계를 통해 타진하고 있었다는 점에서 이 작품이『창비』의 문학이념과 지향을 대변하고 있다는 의혹을 야기했기 때문이다.[1]

---

1) 방영웅의『분례기』는 박태순의「戀愛」, 송영의「鬪鷄」에 이어『창비』가 야심차게 기획했던 새로운 작품 발굴 사업의 세 번째 성과작이다. 1,500매가 넘는 신인 작가의 데뷔작을 3회에 걸쳐 전재했다는 사실은,『창비』의 편집진이 솔직하게 표현하고 있듯이(제2권4호 '편집후기'), 당대 문단상황을 감안할 때 매우 파격적인 것이었다. 그러한 지면 할애와 더불어『분례기』의 작품세계와 방영웅의 작가 정신을 통해 문학의 새로운 방향성을 가늠하고 있다는 점에서 방영웅과『분례

백낙청이『분례기』의 성과로 강조했던 것은 뛰어난 형상성과 치열한 작가정신이다. 심지어 이 작품의 치명적인 약점으로 거론되는 역사적 시간의 배제라는 문제도『분례기』의 예술적 결함이 아니며 오히려 그것이 역사적 정직성과 그 세계가 지양되어야 할 필요성을 역설적으로 보여주는 장점이라고 평가한다.[2] 나아가 피상적인 역사의식이나 사회의식이 어설프게 개재된 작품보다도 훨씬 더 예리하게 우리 시대의 단면을 포착하는데 성공하고 있으며, 1960년대 문학의 주류였던 김승옥류의 '소시민적 자기중심주의'에서 놀랄 만큼 벗어나 있는 것이『분례기』의 미덕이라고 강조한다.[3] 이와 같은 평가를 통해 우리는 백낙청이『분례기』의 작품세계와 작가정신을 바탕으로 1960년대 문학의 중심 논제였던 순수―참여 논쟁의 공소함과 소시민적 문학의 한계를 극복할 수 있는 단초를 발견함과 동시에 새로운 문학의 가능성과 방향을 타진하고 있음을 유추할 수 있다. 그러한 시도는『분례기』에 시민문학적 의의를 부여하는 것으로 구체화된다.[4]

반면 선우휘는『분례기』가 소설 문장의 기본도 갖추지 못한 작품이며, 너절한 장면과 표현이 너무 많아 미의식조차 의심스럽고,「감자」나「白痴아다다」, 김유정의 단편과 같은 기존 작품과 별반 다르지 않다고 하면서 그런 작품을『창비』가 새로운 경향을 대표하는 작품으로 내세웠다는 것에 강한 의구심을 피력한다.[5] '문학의 현실참여' 문제에 대한 대담에서 행해진 평가

기』는『창비』의 문학적 이념과 지향의 성격을 파악할 수 있는 잣대로 이슈화되기에 이른다. 실상 여기에『창비』의 '전략(?)'이 개재되어 있다고 봐도 무리가 아니다. 서구 문예이론의 번역과 새로운 문학론을 모색하는 데 주력했던『창비』가 작품을 통해 그러한 이론적 지향을 본격적으로 구체화시킨 첫 대상이『분례기』이기 때문이다.『분례기』가 빛을 보게 되기까지의 우여곡절과『창비』의 신인 발굴 사업이 갖는 의미에 대해서는 정규웅,『글동네에서 생긴 일』, 문학세계사, 1999, 212~5쪽을 참조할 수 있다.

2) 백낙청,「창작과비평 2년반」,『창작과비평』, 1968. 여름호.
3) 백낙청,「시민문학론」,『민족문학과 세계문학』, 창작과비평사, 1978, 69쪽.
4) 백낙청, 위의 글, 70쪽.
5) 선우휘·백낙청 대담,「문학의 현실참여」,『사상계』, 1968. 2.

로 작품에 대한 심층적인 접근을 찾아볼 수 없으나『분례기』가 지닌 문제점을 정확하게 간파하고 있다. 나아가『분례기』와『창비』의 부적절한 관계를 강조하고 있다는 점에서『분례기』를 둘러싼 논쟁의 성격과 이 작품을 부정적으로 바라보았던 당대 논자들의 입장을 비교적 선명하게 드러내준다.

그런데 이와 같은 대척적인 평가는 농민소설의 범주에서 보다 첨예하게 나타난다. 백낙청은 「창작과 비평 2년 반」에서『분례기』는 "우리 문학에서 드물게 보는 훌륭한 농촌소설로 이광수의『흙』이나 이기영의『고향』에 비해 예술적으로 우월할 뿐 아니라 시대현실의 제반영 역시 제나름대로 손색이 없다"고 고평한다. 반면 홍기삼은『분례기』는 '야담성향이 짙은 작품에 불과하여 농민문학과 거리가 멀다'[6]고 혹평하면서『창비』논자들이 농민문학의 개념에 대해 극심한 혼란을 일으키고 있다고 강도높게 비판한다. 두 논자의 분극화된 평가 모두 작품적 실상과 비교적 거리가 있다는 점에서 쉽게 동의하기는 어렵다. 다만 한국농민소설사에서『분례기』가 갖는 위상을 가늠하는 데 적절한 시사점을 제공해주는 의의가 있다.

이상 두 차원으로 전개된 논전을 통해서 우리가 확인할 수 있는 사실은 『분례기』를 둘러싼 논쟁이 작품적 실체보다는『창비』가 지향했던 문학관에 대한 시시비비를 가리는 차원으로 전개되었다는 점이다. 논쟁의 구도와 내용 모두가 이러한 차원을 조금도 벗어나고 있지 않기 때문이다. 그런데 입각점의 차이를 감안하더라도 한 작품에 대한 극단적인 평가가 팽팽히 맞서고 있는 상황은 결국 작품적 실체에 대한 온당한 접근이 부족했음을 역설적으로 드러내주는 대목이다. 다만 이 논쟁이 몇 년에 걸쳐 지속되면서 당대 문단에 커다란 파장을 야기했고 그 과정에서 문학의 새로운 방향을 모색하고 있던 당대 논자들의 다양하고 이질적인 인식이 이 논쟁을 통해 분출되었다는 사실을 유추할 수 있다. 논자들의 이질적인 입장은 결국『분례기』의 다소 이율배반적인 미학적 특질, 즉 형상성의 우수함과 역사성의 배제라는

---

6) 홍기삼, 「농촌문학론」, 신경림 편, 『농민문학론』, 온누리, 1983, 78쪽.

간극에서 어느 쪽에 무게중심을 두느냐로 수렴되어 나타났던 것이며 그것이 논쟁의 치열함을 견인해낸 주된 원인이었다. 이런 맥락에서 방영웅 문학에 대한 재평가의 필요성이 제기된다. 앞서 언급했듯이 방영웅 소설은 그 실체조차 명확하게 파악되지 못한 실정이다. 따라서 본고는 『분례기』를 중심으로 방영웅 소설의 전개 양상과 특징을 구명하고자 한다. 그 과정에서 『분례기』에 대한 당대 논쟁의 성과와 한계가 자연스럽게 밝혀질 것이다.

방영웅의 소설은 크게 보아 두 가지 흐름을 보여 주고 있다. 하나는 전통적인 농촌사회의 토속성을 심미화한 유형이다. 『분례기』(1967)와 『달』(1969)이 대표적인 작품이다. 그의 고향인 충청도 예산 지방의 토속적 공간을 배경으로 무지렁이들의 애련한 삶과 원시적 순수성을 토착어와 구어의 능란한 구사를 바탕으로 탁월하게 재현하고 있다. 그는 가난과 무지가 만연된 전근대적 농촌의 근본적인 상황과 사건을 선택하여 이를 형상화하는 데 남다른 능력을 발휘한다. 그런데 방영웅의 작품은 전통적인 농촌공동체의 토속적인 삶과 정서를 생동감있게 표현하여 민중 특유의 낙천적 신념을 빼어나게 형상화하고 있으면서도 역사적 현실이 배제된 무시간성의 한계를 동시에 지니고 있다는 점에서 문제적이다.[7] 바로 이러한 특징, 즉 형상성의 우수함과 역사성의 배제라는 모순적인 측면이 『분례기』에 대한 대척적인 평가를 낳는 주된 요인이다. 따라서 이 문제는 방영웅의 작품을 해명하는 데 중요한 열쇠가 된다.

다른 하나는 자본주의적 근대화의 부산물인 변두리 인간(marginal man)들의 곤핍(困乏)한 생활상과 의식의 저변을 다룬 유형이다. 여기에는 그의 첫 창작집 『살아가는 이야기』(1974)에 수록된 15편 작품 전체와 그 외 대다수 단편이 포함된다. 방영웅은 고달픈 현재를 살아가는 도시빈민들의 초췌한 삶과 정서를 때로는 관찰자적 성실성을 바탕으로 담담하게 기록하는가 하

---

7) 구중서, 「방영웅론」, 『분단시대의 문학』, 전예원, 1981.
   임헌영, 「토착정서의 인간상」, 『우리시대의 소설읽기』, 글, 1992.

면, 다른 한편으로 그들의 희화화된 삶을 풍자하기도 한다.

그런데 이 두 유형은 소재면에서 확연히 구별되지만 방영웅 문학 전체로 보면 하나의 작품세계로 묶여질 만큼 내적으로 밀접한 연관성을 지니고 있다. 소외된 민중들의 원초적 삶이 전자에서 다루어졌다면 후자는 그들의 신산(辛酸)한 현재적 삶이 구체화되면서, 전체적으로 민중현실의 과거와 현재가 유기적으로 관련된 독특한 소설세계가 구축되고 있는 것이다. 따라서 이 두 유형은 그의 소설을 평가함에 있어 별개로 논해질 수 없다.

2. 전근대적 토속세계의 형상화와 그 의미 : 『분례기』・『달』

방영웅 소설의 주된 관심은 농촌공동체의 토속적인 삶과 정서에 있다. 주지하다시피 토속성의 심미화는 우리 농민소설 전반에서 흔히 찾아볼 수 있는 하나의 관습화된 주제다. 1930년대 농민소설은 물론이고 1950년대 오유권의 소설, 1970년대 천승세, 문순태, 한승원의 소설에 이르기까지 그 내용과 성격에 있어 정도의 차이는 있을지언정 시대를 초월하여 보편적으로 다루어진 주제다. 일견 특별하게 평가할 것 없는 평범하고 진부한 주제를 다룬 방영웅 소설이 주목되는 까닭은 구중서의 지적처럼, 그의 토속성은 '생명과 삶'에 대한 본능적 긍정이 야만스러울 만큼 징그럽게 그려져 있기 때문이다.[8] 그만큼 방영웅은 토속성을 극대치까지 밀고 나갔으며 또 그것이 그의 작품 전반에서 확대, 변형되어 나타나는 특징이 있다. 요컨대 우리 농민소설의 보편적 주제였던 토속성의 형상화가 방영웅 소설에 이르러 절정을 이루게 되었다고 평가할 수 있다. 그런데 방영웅이 근대화의 변혁에 의해 필연적으로 해체될 수밖에 없었던 전근대적인 세계를 집요하게 서사화한 이유는 무엇일까? 우선 작품 분석을 통해 그 실상을 구체적으로 파악해 보고 이를 바탕으로 이 문제를 규명해 보자.

---

8) 구중서, 앞의 책, 276쪽.

『분례기』는『세대』지의 '신인문학상'에 응모했다가 탈락했던 중편「비밀」을 확대시킨 장편소설로 방영웅의 데뷔작이자 대표작이다. 전체 3부 19장으로 구성되어 있는데, 1부는 호롱골과 읍내 노랑녀집을 중심으로 전근대적 농촌공동체의 목가적 정경과 무기력하고 허무적인 삶을 영위하는 무지렁이들의 생태를 묘사하고 있으며, 2부는 분례가 읍내의 노름꾼 영철의 재취로 들어가게 된 사연과 결혼을 앞둔 분례의 심리를 중점적으로 제시하고 있고, 3부는 영철의 주색잡기, 노름, 야만적 폭행으로 인해 고통당하는 분례의 외로운 결혼생활과 화냥년이라는 억울한 누명을 쓰고 시집에서 쫓겨나 결국 광인이 되어 마을에서 사라지는 분례의 비극이 각각 서술되어 있다. 전체적으로 『분례기』는 소설 제목에 함축되어 있는 것처럼, 가난과 무지가 만연되어 있는 전근대적인 농촌공동체에서 오로지 원시적인 삶의 충동과 본능에 따라 살아가는 '석분례'의 지난한 삶을 주축으로 그녀를 에워싼 사람들의 비천한 삶이 파노라마처럼 전개된 작품이다.

줄거리에서 암시받을 수 있는 것처럼 이 작품의 소중한 성과 가운데 하나는 '똥예'의 인물 형상이다. 이름에서부터 토속성을 짙게 발산하는 주인공 분례(똥예)는 우리의 전근대적 농촌사회에서 흔히 찾아볼 수 있는 전형적인 인물로 가난과 무지가 체질화되다시피한 가운데 특유의 낙관적인 삶의 태도와 원시적 순수성을 간직한 토속적 여성이다. 이러한 인물 형상은 특히 우리 농민소설에서 자주 등장하는 인물 유형이다. 그러나 대부분 주변적인 존재로 그려지거나 농촌문제의 일방적인 피해자로 다루어졌을 뿐 그들의 생태(生態)와 지향에 대해 본격적으로 탐구한 작품은 드물다.9) 이런 맥락에서

---

9) 전반적인 농촌 계급구조의 변화에 의해 농촌여성의 사회적 위치와 역할이 시대에 따라 변화하지만 그들이 농촌에서 차지하는 비중은 변함없이 매우 크다. 농업 생산활동과 가사의 이중적 역할을 떠안고 있는 농촌여성은 전근대사회에서뿐만 아니라 한국 자본주의 발전과정에서 가장 열악한 생산자이며 최하 계층이고, 지금까지 제기된 농민문제의 최악의 희생자다. 따라서 농촌여성의 삶은 농촌현실을 이해하는데 관건적 요소가 된다. 한국여성연구회,『한국 여성 현실의 이해』, 동녘, 1994, 265쪽 참조.

볼 때 분례의 곤핍한 삶과 강인한 생명력을 주밀(周密)하게 그리고 있는 『분례기』는 최일남의 「쑥 이야기」(『문예』, 1957. 12)와 더불어 농촌여성의 생태를 본격적으로 탐구한 대표적인 작품이며 그동안 문학사에서 소외되었던 농촌 빈농 여성의 문학적 복원이라는 가치를 지닌다.

농사지을 땅뙈기 하나 없는 가난한 집안의 맏이로 태어나 교육적 혜택이라고는 전혀 받지 못했으며, 게다가 아버지 석서방은 노름판을 얼쩡거리며 허송세월하는 사람이고 어머니 석서방댁 또한 볼썽사나운 게으름뱅이였기에 그녀는 어려서부터 집안일 도맡아 해나가야 하는 절박한 상황에 내몰린다. 하지만 분례는 그런 자신의 처지에 절망하지 않는다. 아니 절망조차 자각되지 않을 만큼 무지하고 둔감하다. 그런 분례가 소망하는 것은 지극히 단순소박한 삶이다. 친구 봉순이처럼 좋은 색실로 수를 놓아 보고 싶다거나, 과수원집으로 시집간 분실이처럼 좋은 신랑 만나 살아가게 되길 막연히 기대할 뿐이다. 오히려 그녀의 삶을 추동하는 주된 동력은 의식주 및 성과 같은 생득적(生得的)인 욕망이다. 그것은 위기에 처할 때마다 생명(삶)에 대한 강한 의지로 시현된다.

> 똥예는 작대기를 들고 숲속에서 어정어정 걸어나온다. 쓰러져 있는 지게에 작대기를 받쳐 주고 따가운 봄볕이 내려쏟고 있는 사방을 둘러본다. 똥예의 눈에 들어오는 나무며 풀들은 지난 겨울에도 살아 있었다. 그러나 모진 추위에 죽었다 새봄에 다시 살아난 것이다. 그런데 왜 나만 죽을까. ─왜 나만 죽는디야. 나두 악착같이 살아볼 것이여.[10]

이 장면은 분례가 영팔에게 정조를 빼앗기고 난 뒤 자살을 결심하지만 결국 실행에 옮기지 못하는 가운데 자기자신에 대해 항변하는 대목이다. 혹독한 시련을 견디고 새로운 생명을 잉태하는 자연의 섭리에 순응하는 분례의 모습에서 생명에 대한 본능적 긍정과 원시적 순수성을 발견할 수 있다.

---

10) 방영웅, 『분례기』, 흔겨레, 139쪽.(이하 작품 인용은 이 책의 쪽수만 표시함).

이렇듯 무지하지만 소박하며 억척스러우면서도 무구(無垢)한 분례가 광녀(狂女)로 내몰리게 되는 드라마틱한 역정을 통해 작가는 지난 시대 무지렁이들의 고달픈 인생을 강렬하게 환기시켜주고 있다.

그러면 작품 전체를 압도하고 있는 분례의 파란만장한 삶의 원인은 무엇일까? 작품에는 두 가지 사건이 계기로 설정되어 있다. 하나는 고자(鼓子)라고 알려졌던 아저씨뻘되는 용팔에게 겁탈을 당하는 사건이며, 다른 하나는 읍내의 노름꾼 영철의 후처로 들어가는 사건이다. 특히 후자는 분례의 삶을 파국으로 몰고 가는 직접적인 원인이 된다. 영철의 주색잡기와 폭력에 외로움을 느낀 분례가 쥐를 통해 자신의 불행한 삶을 발견하고 동병상련의 심정으로 그 쥐를 정성껏 돌보는데 그것이 간통하는 것으로 오인되어 남편에게 만신창이가 되도록 얻어맞고 결국 실성한 채 시댁에서 쫓겨나게 되는 것이다. 이렇게 볼 때 분례의 비극은 정조(貞操) 문제와 밀접하게 관련되어 있다고 할 수 있다.

흥미로운 것은 여성의 정조와 그것을 둘러싼 갈등이 방영웅 소설의 주된 제재라는 점이다. 그의 작품에 등장하는 여성들 대부분은 둘 이상의 남성 편력을 갖고 있으며 따라서 기존의 성도덕에 비교적 자유분방한 가운데 성적 욕망을 실현하기 위해 과감성을 발휘한다. 그들에게 있어 성 모랄은 더 이상 가치있는 규범이 못된다. 강렬한 성적 욕망을 충족시키기 위해 그들이 벌이는 갖가지 일탈적 행위는 기성의 윤리적 잣대로 보면 분명 타락의 모습이지만 그 이면에는 무소불위의 가부장적 권위 체계에 순종하기보다 그것에 저항하면서 자신의 욕망을 주체적으로 추구하는 적극적인 지향이 내포되어 있다고 봐야 한다. 바로 그 점이 생명과 삶에 대한 본능적 긍정이 생동하고 있는 전근대적 토속세계 특유의 발랄함과 건강함이다. 작품 도처에 묘사되어 있는 등장인물들의 성에 대한 파격적인 의식과 행위가 결코 저속하게 느껴지지 않는 것도 이 때문이다. 하지만 그러한 가치지향은 기성의 윤리와 필연적으로 갈등을 빚을 수밖에 없고(내적 갈등을 포함해서) 그래서 파국을 초래하기도 한다. 정조를 둘러싼 분례의 강렬한 욕망과 그것의 좌절로 인해 벌어지는 비극은 이것의 상징적인 모습이다.

그런데 정조를 중심으로 한 근대적 인습이 분례의 비극적 삶을 유발한 직접적인 원인이지만 보다 근원적인 것은 '가난'에 있다. 양식 걱정, 나무 걱정이 끊이지 않고 끼니를 해결하는 것 자체가 고역일 정도로 가난이 만성화된 석서방네 일가의 궁핍한 생활에서 이미 분례의 비극은 예고되어 있었다. 실상 분례가 겁탈을 당하게 된 것도 그날그날의 땔감을 해결하기 위해 매일 나무를 하러 갈 수밖에 없는 절박한 처지에서 비롯된 것이며, 또한 노름꾼 영철의 재취가 된 것도 호구를 위한 고육책인 동시에 석서방과 노랑녀 사이의 모종의 계약(빚 청산) 때문이었다. 따라서 분례의 비극의 근원은 절대적 궁핍에 있었다고 볼 수 있다.

그런데 가난으로 말미암아 박복하고 비극적인 삶을 살아가는 것은 비단 분례만이 아니다. 작품에 등장하는 대부분의 인물들 또한 가난으로 인해 최소한의 인간다운 삶조차 박탈당한 채 고통스런 삶을 살아가기는 마찬가지다. 나무꾼, 광인, 기생, 노름꾼, 백정, 극장 샌드위치맨 등 토속세계를 구성하는 기층 민중들의 보편적인 삶인 것이다. 그것은 다양한 삽화를 통해 제시되고 있다. 예를 들어 기생이었다가 남자에게 버림받고 미치광이가 되어 읍내를 배회하면서 남자들의 성적 노리개로 전락한 '옥화', 도수장(屠獸場)에서 백정들의 일을 도와주면서 읍내 극장의 샌드위치맨 노릇을 하는 간질병 환자 '콩조지', 고자(鼓子)라는 평판을 받으면서도 아랑곳하지 않고 잠자리에서 '물명주석자' 가락을 늘어놓으며 육정을 나누는 용팔이 부부, 인간사에서는 도저히 상상할 수 없는 일들이 매일 벌어져 동네사람들에게 짐승의 우리에서나 일어나는 것으로 치부되는 철봉네 일가의 처참한 상황 등의 에피소드는 모두 궁핍한 시대가 지니고 있는 불모성을 극대화시켜주는 기능을 한다. 요컨대 『분례기』는 분례의 박복하고 비극적인 삶이 중심 스토리를 형성하고 주변 인물들의 비천한 삶이 다양한 삽화 형태로 뒷받침되면서 전근대적 토속세계의 생활이 총체적으로 구현된 작품이다. 따라서 이 작품은 가난의 폭력성을 끔찍할이만큼 극대화시킨 작품으로 한국 농촌의 빈궁상을 근대문학 속에서 가장 잘 드러낸 작품의 하나로 꼽을 만하다.[11]

문제는 토속세계의 형상화가 앞서 언급했듯이 우리 농민소설의 진부하고 평범한 주제라는 점이다. 그리고 가난과 무지로 점철된 분례의 비극적인 삶 또한 당대 소설에서 어렵지 않게 발견할 수 있는 이야기다.[12] 그러므로 『분례기』의 가치를 토속성의 재발견이라는 측면에서 찾는다는 것은 무리다. 이 작품의 진가(眞價)는 대부분의 평자들이 지적한 것처럼 빼어난 형상성에 있다. 따라서 이 작품을 올바르게 이해하기 위해선 토속성이 어떻게 형상화되고 있는가에 주목해야 한다. 몇 가지 중요한 특징을 살펴보자.

첫째, 자연정경과 특정장면에 대한 묘사의 완벽성이다. 이 작품은 특이한 종류의 나무, 꽃, 풀, 새의 이름과 특성에 대해 상세하게 설명해 주고 있어 마치 '식(동)물도감'을 보는 듯한 착각을 불러일으킨다. 특히 분례가 나무하러 다니는 수철리 산의 풍경(대표적으로 48쪽, 53쪽, 136쪽), 사계절의 변화에 따른 자연정경(135쪽)에 대한 세부묘사는 가장 서정적이고 풍요로운 자연의 모습을 재현하는데 부족함이 없다.[13] 중요한 것은 이러한 자연에 대한 세심한 관찰과 묘사가 단순한 배경제시에 머무르지 않고 등장인물들의 생태와 밀접하게 연관되면서 그들의 삶을 정서적으로 부조시켜준다는 점이다.

---

11) 임헌영, 앞의 책, 348쪽.
12) 가령 천승세의「낙월도」(『월간문학』, 1972. 1)가 대표적인 경우다. 이 작품은 그동안 문학사에서 소외되었던 전근대적 어촌을 배경으로 어촌공동체의 황폐상과 농민보다도 더 혹심한 수난을 겪었던 어민들의 참상을 빼어나게 형상화한 작품인데,『분례기』와 마찬가지로 의식주의 충족과 성적 본능 등 생물학적 욕망으로 점철된 토속적인 삶과 어민들 특유의 건강성 및 낙천성을 그려내고 있다.
13) 이러한 관찰력과 묘사력은 이문구의 농민소설(「관촌수필」연작,「우리 동네」연작)에서도 발견할 수 있다. 우리 농민소설에서 세부묘사의 충실성을 가장 잘 구현한 작가로 방영웅과 이문구를 따를만한 작가가 없을텐데, 이러한 치밀한 묘사가 농촌사회의 풍속상을 탁월하게 재현하는 기능을 한다는 점에서 우리 소설사의 소중한 성취라고 평가할 수 있다.

즉 자연과 일체를 이루면서 원시적 순수성을 간직한 채 살아가는 토속적 인간들의 끈질긴 생명력을 강렬하게 환기시켜주는 기능을 한다. 특히 동짓날에 진달래가 만발한 기이한 풍경과 분례가 고자라고 알려져 있던 용팔에게 겁탈을 당하는 사건의 절묘한 대응관계나 분례가 자연과의 교감을 통해 자살을 포기하고 삶의 의욕을 회복하는 모습이 그려진 1부는 매우 인상적인 예다. 이 작품이 장편임에도 불구하고 정서적인 흡인력을 갖게 되는 것은 이 때문이다. 소설작품에서 자연과 인간의 삶이 맺는 관련성을 시적 경지로 승화시킨 작품으로『분례기』를 따를만한 작품이 없을 것이다.

이러한 특징은 특정장면이나 상황을 묘사한 부분에서도 나타난다. 새로운 상여를 공동으로 구입하고 벌이는 상여잔치의 풍성함을 묘사하는 장면(174~181쪽)은 지역공동체 단위로 전승된 민속문화의 한 전형을 보여주는 것으로 "마을공동체가 상부상조하는 전통적인 부조 원리와 축제 형식의 잔치를 통한 마을 사람들의 공동체의식"의 형성과정 및 "공동체 성원간의 일체감을 조성하는 이웃 관념과 협동 관념, 연대 관념"의 실상을 잘 보여주고 있다.14) 또한 풍년을 기원하는 마을 사람들의 보편적인 소망과 새 상여를 서로 먼저 타겠다고 아귀다툼을 벌이는 노인들의 모습을 통해 농경사회 토착민들의 죽음에 대한 인식 태도를 알려주기도 한다. 노름장면(296~302쪽)에서는 일확천금을 꿈꾸며 술과 노름에 광분하는 사람들의 피폐된 심성과 허무의식의 한 단면을 예리하게 부조시켜주고 있으며,15) 그리고 실성한 채 쫓겨온 분례를 위해 벌이는 병굿 장면(335~338쪽)은 재래적 농촌에서 큰 비중을 차지했던 샤머니즘적 전통과 그 속에 내재되어 있는 운명론적 세계

---

14) 임재해,『민속문화론』, 문학과지성사, 1986, 91~3쪽 참고.
15) 노름에 대한 묘사와 서술에서 주목할 것은 그것이 단순히 하나의 디테일에 그치지 않고 황폐화된 당대 농촌사회를 상징적으로 드러내주는 기능을 한다는 점이다. 영철이, 석서방, 조서방 등 많은 인물이 도박에 탐닉하는 것으로 그려져 있는데, 작가는 그들의 도박 을 심심풀이가 아닌 생존문제와 직결시켜 절박성을 부각시킨다. 특히 허무와 고독을 달래기 위해 도박에 점점 휩쓸려 들어가 결국 인간성의 파탄에 이르는 영철의 궤적을 통해 전근대사회에 만연된 허무의식의 심각성을 엿볼 수 있다.

관의 뿌리가 얼마나 깊은가를 여실히 드러내준다. 이와 같이 부분의 독자성을 지니면서 다양하게 제시된 기층문화의 각 장면들은 토속세계의 총체적인 생활양식이나 사상을 구체적으로 알려주는 독특한 기능을 수행한다.

둘째, 그 고장 특유의 생활상 및 풍속의 풍부한 제시와 그것을 생동감있는 문체로 재현한 점이다. 술이 담긴 주전자 꼭지를 신랑각시가 세 번씩 빨든지 한 그릇의 국수를 둘이 나눠먹는 음식으로 첫날밤을 치르는 풍습(200쪽), 밤똥 누는 버릇이 생기면 닭장에 세 번 절을 하는 것(310쪽), 그 외 다양하게 제시된 미신과 관습 등은 모두 토속적 삶의 현장감을 높여주는 효과를 지닌다. 더불어 토착민들의 삶과 정서가 유려하게 그려질 수 있었던 것은 방영웅의 소설언어와 밀접한 연관이 있다. 이 작품에는 우리 고유의 토착어(충청도 사투리), 속담, 격언이 넘칠 정도로 말의 성찬(盛饌)을 이루고 있다. 또 금기시되었던 성에 관련된 낱말이나 육담이 아무 여과없이 자유자재로 구사되고 있고, 일반적으로 저속하게 간주되는 '똥'에 관한 낱말과 사건이 엄청나게 표현되어 있다. 이러한 문체적 특징은 토착민들 특유의 삶과 정서를 절실하게 드러내주는 기능을 한다. 특히 충청도 방언의 현란한 구사는 이문구와 쌍벽을 이루고 있다고 해도 과언이 아니다.

셋째, 다양한 구전 민요와 무가, 그리고 민담을 통해 정서적 감동을 제고시키고 있다는 점이다. 아마 이 작품만큼 서정적 노래가 많이 삽입된 작품도 찾아보기 힘들 것이다. 신명이 넘치는 용팔이의 춤과 노래(41~2쪽), 똥예라는 이름 때문에 아이들이 분례를 놀리는 노래(49쪽), 시집살이노래(51쪽), 용팔이 부부가 관계할 때 방사(房事)하면서 부르는 소리(98쪽), 과부들의 애환을 담은 노래(177쪽), 상두가(180쪽), 방구타령(280쪽), 무가(338쪽) 등이 작품 요소요소에 적절히 배치되어 있다. 그밖에 조랭이장수 민담(44~5쪽)이 소개되어 있기도 하다. 특히 남녀간의 간절한 사랑을 염원하는 내용을 담고 있는 용팔이의 노래는 작품의 서두와 마지막에 수미상관식으로 배치되어 분례의 한많은 삶을 응축해 주는 효과가 있다. 이러한 삽입가요들은 작품 전체에 서정적 분위기를 조성할 뿐 아니라 이야기가 구수하고 무리없이 전개되도록 도와준다. 이같은 서정적 분위기는 문장 구사와도 밀접한 관련이 있다. 이 작품에 구사된 대부분의 문장은 호흡이 매우 짧은 단문이며 그것도 관념이 배제된 함축성이 뛰어난 단어나 구어가 중심을 이룬다. 이는 이 작품이 치열한 갈등관계를 바탕으로 하기보다는 상황묘사나 정경묘사에 의존하고 있다는 것과 무관하지 않다. 요컨대『분례기』는 장편소설로서는 보기 드물게 시적 서정성의 세계를 지니고 있는 독특한 작품이다.

이상의 분석을 통해 우리는『분례기』가 토속의 재발견, 가난과 무지로 점철된 무지렁이들에 대한 혈육같은 친근감, 궁핍한 시대가 지니고 있는 불모성의 극대화, 빼어난 형상성을 갖춘 한국소설사에서 토속세계를 형상화한 소설군의 최고 반열에 속하는 가편(佳篇)이며, 방영웅이 전근대적 토속세계의 근본적인 상황과 사건을 선택하여 형상화하는데 남다른 능력을 지녔다는 사실을 확인할 수 있다. 그러나『분례기』의 이러한 성과는 역사적 현실이 배제된 가운데 이루어졌다는 점에서 문제적이다. 이 작품에서 시대적 배경과 관련된 서술은 "남편들이 징용에 끌려갔다가 해방이 되고 이삼 년이 지났어도 돌아오지 않아 혼자 사는 과부들"(44쪽)의 모습을 제시한 부분이 유일하다. 그밖에 시대적 배경을 간접적으로라도 유추할 수 있는 구절은 전혀 없다. 여하튼 위 구절을 통해『분례기』가 우리 현대사의 가장 민감한 시기인 해방 직후를 시대적인 배경으로 삼고 있다는 것은 확실하다. 문제는 이 시대에 관련된 그 어떠한 언급도 작품에 존재하지 않는다는 사실이다.

이 시기 농촌을 소설적 상황으로 설정했다면 적어도 토지관계를 둘러싼 농민들의 처지나 관심, 친일잔재와 봉건잔재의 청산 문제 등 당대 농촌이 겪은 시대적 문제가 제시되는 것이 당연할 터인데 전혀 거론되지 않았다는 사실은 커다란 문제가 아닐 수 없다. 백낙청과 임헌영은 시대적 배경의 소홀이 오히려 토속성의 놀라운 성취를 보증하는 중요한 요건이라고 다소 관대한 평가를 내리고 있지만, 이는 신인의 데뷔작이라는 작품 외적 요인을 전제로 한 제한적 평가에 불과하다. 역사적 과거를 대상으로 삼은 작품은 적어도 현재적 필연성이 개재되어야 비로소 존재의의를 지닐 수 있음은 두말할 여지가 없다. 특히 토속성의 형상화에서 그 현재적 의미를 제거할 경우 토속성은 예외적인 특질만을 강조하는 신비주의로 빠져들거나, 아니면 그동안 알고 있지 못하던 사실을 알려주는 기록주의 문학에서 벗어나기 힘들다.

그런데 필자가 보기에 『분례기』의 보다 치명적인 약점은 농촌의 본질적 모습에 대한 서술이 전혀 없다는 점이다. 실제 등장인물 모두가 의식주 및 성과 같은 생득적 욕망만을 추구하거나 가난과 허무가 체질화되어 관행적인 삶을 영위할 뿐 창조적이거나 생산적인 노동에 종사하는 인물은 아무도 없다. 더욱이 전래적인 농촌공동체의 면모를 명백히 간직하고 있는 '호롱골'에서조차 농사짓는 광경이나 농경에 관계된 사건이 한 토막도 내비치지 않을 정도로 이 작품은 농촌의 본질에서 비켜나 있다. 생산활동이 배제된 풍속사의 기록이라고나 할까.

여기에는 두 가지 문제점이 내포되어 있다. 하나는 농촌에 대한 작가의 편협된 인식이다. 즉 그는 농촌공동체를 지탱하는 여러 요소 가운데 가난의 폭력성에 지나치게 무게중심을 둠으로써 경제적, 정치적 문제를 포함한 농촌의 제반 문제를 총체적으로 파악하는 데 실패하고 만 것이다. 다른 하나는 소설적 배경으로 설정된 호롱골은 농촌공동체의 전형적인 공간으로 미흡하다는 점이다. 마을사람들이 계층적 위계가 없이 대등한 관계를 지니고 있다거나 농사보다는 다른 방법으로 생계를 유지하는 호롱골의 상황은 그들의 인정스러움과 극빈한 생활을 강렬하게 부각시켜주는 효과를 지니지만 그것은 지극히 예외적인 특수성에 불과하다. 다시 말하면 이 작품은 예외적 상황의 설정으로 말미암아 농촌현실에 대한 총체적인 형상화로 나아갈 수 있는 가능성을 원천적으로 차단하고 있는 것이다. 따라서 "민중적 삶의 정확하고도 정밀한 묘사로서 인생의 한 본질적 국면에 육박한 뛰어난 작품"16)이라는

---

16) 염무웅, 『혼돈의 시대에 구상하는 문학의 논리』, 창작과비평사, 1995, 362쪽.

평가는 재고될 필요가 있다.

그런데 이러한 결함은 『달』(1969)에 와서 부분적으로 극복된다. 제2회 한국 문학창작상 수상작인 전작 장편 『달』은 기본적으로 『분례기』의 세계와 별반 다르지 않다. 소설적 배경이 조금 다를 뿐 주제, 등장인물, 서정적 분위기, 민요나 무가의 차용 등이 거의 일치할 정도로 유사하다. 남녀의 간통과 비참한 죽음을 담고 있는 '부부고개 전설'의 자장(磁場) 안에서 살아가는 '오얏리' 사람들의 토속적인 삶의 다양한 양상이 주선적으로 그려져 있는데, 오히려 미신과 샤머니즘에 침윤된 전근대적 삶이 『분례기』보다 농도짙게 나타나 있다. 특히 성에 대한 여성들의 자유분방함과 여전히 봉건적 순결의식을 불식하지 못한 전근대적 윤리관 사이의 대립이 주요 갈등을 이루는 특징이 있다.

이 작품이 『분례기』와 대조되는 것은 시대적 배경과 농촌의 경제적 관계가 상대적으로 상세하게 그려졌다는 점이다. 먼저 시대적 배경과 역사적 사건이 보다 분명하게 제시되어 있는데, 해방과 전쟁으로 이어지는 1940년대 후반이 소설적 상황으로 설정되어 있다. 특히 전쟁으로 인해 벌어지는 이념적 갈등이 후반부(13장 이후)의 중심 내용을 이룬다. 작가는 천대받던 일부의 사람들이 전쟁을 계기로 좌익에 가담하고 그들에 의해 자행되는 폭력과 살인을 통해 전쟁이 가져다 준 농촌의 변모를 조망하는 데 초점을 두고 있다. 따라서 이념적 갈등은 6 · 25 본래의 이데올로기적 대립이라는 전체적 지평에서가 아니라 오얏리가 안고 잇던 재래적 갈등관계가 변질, 해소되는 차원으로 축소된다. 작품에서 이념적 혼란과 갈등 양상이 애욕을 중심으로 전개되는 것과 좌익에 편승한 사람들의 행적을 과거의 원한을 복수하려고 광분하는 것으로만 그린 것은 이 때문이다.

여기서 우리는 방영웅이 6.25에 대해 이념적이고 역사적인 해석을 보류한 가운데 전쟁의 상흔을 현상적으로 접근하고 있다는 것을 확인할 수 있다. '안무당네 지붕에서 커다란 구렁이가 나타난' 사건과 결부시켜 전쟁의 발발을 하나의 변괴(變怪)로 처리한다든지,[17] 군에 간 오빠와 사랑하는 변재도가 피신한 굴속에서 어떻게 지내는지가 걱정되어 전쟁을 "무척 패씸하게"(351쪽) 여기는 '순이'의 감정적 판단도 이를 뒷받침해주고 있다. 요컨대 『달』은 이념적 갈등이라는 차원에서 6.25의 역사적 격변을 소설 전개의 중심축으로 설정하고 있지만, 그것을 역사적이고 이념적인 차원에서 조명하기보다는 토착세계의 재래적인 갈등이 악순환되는 일 계기로 파악하는 데 그친 작품이다.

또한 이 작품은 『분례기』에 비해 농촌 고유의 경제적 활동이 제시되는데, 토착 지주 변재도와 머슴 용삼이의 갈등, 땅 한뙈기 없는 과부들이 품을 팔면서 살아가는 애환, 모내기장면, 전쟁의 와중에서도 농사에 대해 강한 의욕을 보이는 마을사람들의 태도를 통해서 농촌공동체가 간직한 경제적 문제의 일단을 파악할 수 있다. 문제는 그러한 모습이 이야기 전개에 적극적으로 작용하기보다는 보조적인 장치에 불과하다는 점이다. 오히려 이 작품을 이끌어 가는 중심 계기는 '안무당네'의 가족 간의 갈등(전반부), '순이'를 둘러싸고 벌어지는 애정 갈등(후반부)과 같은 풍속에 관련된 것들이다. 따라서 『달』은 시대적 배경과 농촌고유의 본질적 모습이 구체화되었다는 점에서 『분례기』보다 진일보한 측면을 지니고 있지만 그것이 작품 속에서 애매하게 처리되는 또다른 문제를 안고 있다.

지금까지의 분석을 통해 방영웅의 기본적인 시각이 전근대적 토속세계의 원시성과 그 세계에서 살아가는 기층 민중들의 강인한 생명력을 긍정하는 것이었다는 사실을 확인할 수 있었다. 그렇다면 방영웅이 근대화의 변혁에 의해 필연적으로 몰락할 수밖에 없었던 전근대적인 세계를 집요하게 서사화했던 이유는 무엇일까? 우선 『분례기』의 후기에서 하나의 단서를 찾을 수 있다. '똥예란 똥처럼 천한 인간이고 운명적으로 그렇게 되어버린 인간인데 그런 인간들은 이 땅에 너무나 많기 때문'이라는 창작 동기를 미루어 볼 때, 방영웅은 똥례를 비롯한 무지렁이들의 비극적인 삶을 당대의 보편적인 현실로 인식하고 있는 듯하다. 기실 농촌 하층민의 척박한 삶은 단순히 농촌

---

17) 방영웅, 「달」, 『창작과비평』, 1969년 여름호, 325쪽.

에 국한된 지엽적인 문제가 아니라 당대 한국사회의 구조적 모순을 가장 첨예하게 반영하는 보편성을 지니고 있다. 문제는 그것이 개별성을 넘어 사회전체적인 보편성으로 승화되기 위해서는 농촌 및 농민현실에 대한 역사적·구조적 인식이 전제되어야 한다는 점이다. 그러나 방영웅은 당대 현실보다는 이미 소멸되었거나 소멸의 도정에 있는 과거의 농촌을 소설적 상황으로 설정하고 있으며, 그에 대한 형상화 또한 사회구조적인 차원에서보다는 풍속의 차원에 상당히 경사되어 있다. 심지어 사회구조적인 문제를 의도적으로 외면하고 있는 듯한 인상을 가져다줄 정도로 그의 작품들은 농촌의 역사적 현실과는 거리가 비교적 멀다. 따라서 여기에서 합리적인 근거를 추출하기 어렵다.

다른 하나는 그의 현실체험과의 연관성이다. 탈농→빈민촌에 정착→일가의 파산으로 연속되는 불행한 가족사 혹은 개인사와 이른바 '천한 인간'에 대한 본능적 애정은 따로 설명될 수 없는 것이다. 따라서 그의 밑바닥 인생에 대한 탁월한 안목은 그러한 경험적 구체성에서 얻어졌다고 볼 수 있다. 기실 방영웅 문학의 주류를 형성하는 토속세계의 형상화는 체험의 진실한 반영이라는 특징을 지닌다. 특히 그의 작품 도처에서 목격되는 토속성은 단순한 문학적 상상력에 의존하는 것이 아니라 작가의 현실체험을 바탕으로 한 재구(再構)라는 점에서 생생한 현장감과 민중적 리얼리티를 획득한다. 그의 소설에서 어떤 미학적 모험이나 뚜렷한 소설적 기교를 좀처럼 발견할 수 없는 것도 이러한 특징과 유관하다. 따라서 그의 토속세계에 대한 집착과 현실체험은 불가분의 관계를 이루고 있다.

그러나 방영웅의 현실체험과 민중에 대한 본능적 애정이 토속세계에 집착한 이유의 한 단서를 제공해 줄 수 있을지언정 충분한 근거가 되기에는 아무래도 부족하다. 『분례기』의 생동적인 욕망이나 생명력 등 전근대적인 세계에 맹목적이리만큼 너무나 강하게 긍정하고 있기 때문이다. 필자가 보기에 방영웅은 본능적 욕구와 원시적 욕망이 순연한 모습으로 간직되어 있는 전근대적 세계에 하나의 이상적인 가치를 부여하고 있다고 판단된다. 그렇다고 이러한 지향을 과거에 대한 막연한 향수 또는 동경으로 속단하기는 어렵다. 여기에는 당대 현실의 일반적 추세, 즉 자본주의적 근대화의 본격화에 따른 근대의 부정성에 대한 강한 부정이 내포되어 있다고 여겨진다. 다시 말하면 토속세계에 대한 집착에는 방영웅의 근대에 대한 인식이 깊숙이 개재되어 있으며, 과거 세계에 의탁해서 자신의 현실인식을 드러내고 있는 것이다. 따라서 그의 소설을 압도하고 있는 토속세계의 원시성은 당대의 속악한 근대적 현실과 뚜렷한 대비를 이루게 된다.

이와 같은 특징은 『분례기』가 전통적인 이야기체 소설 형식을 지향하고 있다는 사실과 밀접한 관련이 있다. 토속세계를 형상화한 그의 소설은 대부분 독자들에게 한 편의 옛날 이야기를 들려주는 것처럼 근대 이전의 전통사회에서 널리 존재했던 이야기의 잔재와 전통에 크게 의존하는 특징을 보여준다. 가령 예산 지방이면 누구나 알고 있는 실존인물들(옥화, 콩조지)의 이야기나[18] 공동체적 삶이 경험 양상이 고스란히 담겨져 있는 풍부한 이야기를 토대로 구성된 『분례기』도 그렇고, 오래 전부터 전래되고 있었던 '부부고개 전설'의 영향권에서 살아가는 '오얏리' 사람들의 한많은 삶을 형상화한 『달』 또한 마찬가지로 한 편의 옛날 이야기를 연상케 한다. 특히 후자는 장편임에도 불구하고 작품 전체가 전설의 자장(磁場)에서 한 치도 벗어나지 못하는 그야말로 전설이 형상화된 작품이라고 해도 과언이 아니다. 구성과 문체의 측면에서도 이야기체의 특징이 강하게 나타난다. 토착어와 속담, 구어의 능란한 구사를 바탕으로 전근대적인 세계의 실상을 객관적으로 전달하는데 주력하고 있으며, 또 부분의 독자성을 지닌 다양한 삽화가 개재되면서 다소 이완된 구성 형태를 띠고 있다.

그런데 이러한 이야기체는 주지하는 바와 같이 소설의 발흥과 함께 소멸되어진 과거의 형식이다. 그것은 경험과 의사소통의 직접성에 근거한 이야

---

18) 박래부, 「분례기 기행」, 방영웅, 『분례기』, 한겨레, 360쪽.

기가 근대적 세계의 전개와 함께 경험을 주고받을 수 있는 능력을 박탈당하면서 초래된 현상이다. 그 결과 공동체적 경험을 공유한 민중의 한 구성원이었던 이야기꾼은 고독한 개인의 작가로 대치되었던 것이다.[19] 탁월한 이야기꾼(storyteller)으로 정평이 나있던 방영웅이 이렇게 퇴색한 과거의 형식인 이야기체를 지향하거나 혹은 복원하려고 했던 것은 그의 개인적 체험에서 비롯된 하나의 작가적 개성[20]이 발현된 것일 뿐만 아니라 소멸된 과거의 형식을 통해서 근대화에 따른 당대 사회현실의 변화를 비판하려던 의도였다고 볼 수 있다.

이러한 특징은 동시대 이문구의 농민소설에서도 발견되는 현상이다. 이문구 소설의 이야기체와 토착언어에 대한 의식적 지향성은 근대화 과정 속에서 한국사회가 겪고 있던 사회적 변화에 대한 저항일 뿐 아니라 삶의 근대적 분화 자체에 대한 문제제기라는 하나의 전략적 의미를 띠고 있으며[21] 따라서 근대에 대한 강한 부정, 즉 반근대의 성격을 보여준다. 방영웅의 경우 또한 위에서 살펴본 것처럼 이야기체 형식과 토착언어에 대한 지향이 뚜렷하게 나타나며 그것이 작가적 개성으로 존재한다는 점에서 이문구와 유사하다. 다만 이문구의 경우처럼 그것이 하나의 전략적 수준으로 구사되었는지는 의문이다. 이문구의 반근대적인 지향이 소설의 내용적 측면보다는 형식적 측면에서 간취되며 그것이 작가의 목적의식적인 형식실험을 통해서 얻어진 반면 방영웅은 전통적인 소설방법을 추구하고 있기 때문이다.

---

19) 벤야민, 반성완 편역, 「얘기꾼과 소설가」, 『발터 벤야민의 문예이론』, 민음사, 1983, 166~170쪽 참조.
20) 방영웅의 소설이 이야기의 잔재를 담고 있는 것은 그의 현실체험 및 유년기 독서 경험과 밀접한 관련이 있을 것으로 추측된다. 즉, 그의 모친이 자식들의 배고픔과 쓸쓸함을 달래주기 위해 옛날 이야기책을 자주 읽어 주었다고 전해지는데(박래부, 앞의 글, 358쪽), 유년기에 옛날 이야기책을 통해 길러진 감수성과 그의 농촌공동체 체험이 상호 결합되면서 이와 같은 방영웅 특유의 개성적인 글쓰기가 가능했다고 볼 수 있다.
21) 진정석, 「이야기체 소설의 가능성-이문구론」, 문학사와비평연구회편, 『1970년대 문학연구』, 예하, 1994, 174쪽.

이상의 분석을 통해 방영웅의 기본적인 시각이 토속세계에 남아 있는 원시적 순수성을 강조하는데 있었으며 그것이 단순한 복고취향이 아니라 근대화에 대한 비판적 인식의 발현이었음을 확인할 수 있었다. 이 지점에서 오영수 소설과의 친화성이 발견된다. 주지하다시피 오영수 소설의 핵심은 인간과 자연이 조화롭게 어울리는 문명 이전의 원시적 순수성을 전면에 부각시키는데 있다.22) 가령 도시생활을 청산하고 자연에 은둔한 삶을 바탕으로 한 자전적 작품인「奧地에서 온 편지」(『현대문학』, 1972, 7〜10)에서 그는 자연에 은둔한 것은 도피가 아니라 반발이요, 저주요, 저항을 위한 탈출이었으며, 인간은 편리와 능률 위주만을 추구한 나머지 기계문명의 노예가 되었다는 점, 현대는 상실의 시대이며 그것은 한 세대만이 아니고 인류 전체가 상실의 시대를 살아가고 있다는 점, 자연과의 조화된 생활이 인간 본연의 생활이고 과학과 기계의 피해와 잃어버린 인간을 되찾을 수 있는 유일한 길이라고 강조하고 있다. 서간체 형식에 의해 위의 내용이 요약적 서술로 제기되고 있어 설득력이 약하지만 오영수 특유의 반근대적 상상력이 여실히 나타나 있다. 자연과의 조화를 통해 근대적 현실을 넘어서려고 했던 그의 소설은 그러나 문명(도시)와 자연(농촌) 이항대립적 구도를 전제로 하고 있다는 점에서 근대에 대한 구조적 인식과는 거리가 멀다. 따라서 그것은 근대적 현실에 대한 비판이라기보다는 오히려 현실도피의 성격이 강하다. 난마와 같이 뒤얽힌 근대의 문제가 극단적인 낭만적 상상력으로 해소될 수는 없는 것이다.23)

---

22) 오영수 소설에 대한 전반적인 평가는 조건상,「난계 오영수론 서설」(『한국현대골계소설연구』, 문학예술사, 1985), 이재인,『오영수 문학연구』(문예출판사, 2000)를 참고할 것.

23) 필자가 보기에 오영수의 시각은 분단시대 작가들, 특히 농민문학작가들에게 보편적으로 나타나는 도시(문명)와 농촌(자연)에 대한 이분법적 인식의 전형적인 예라고 판단된다. 즉 도시는 현대문명의 온갖 병폐와 생존의 갈등이 분출되는 비인간적 삶의 공간인 반면 농촌은 인간적이고 목가적인 공간이라는 것이 핵심 내용인데, 이러한 극단적 인식은 표면적으로 문명비판적인 모습을 보여주지만 실질적으로는 근대의 위력에 무력한 낭만적 상상력의 소산에 불과하다.

이러한 한계는 방영웅 소설에서도 마찬가지로 적용된다. 비록 그가 토속세계를 매개로 근대적 현실에 대해 비판적 접근을 시도하고 있으나 그것은 지극히 소극적이고 우회적인 비판에 불과하다. 이는 근대에 대한 본질적 인식의 결여, 즉 역동성과 다면성을 지닌 근대를 부정적인 측면으로만 접근한 결과이며 따라서 당대 자본주의적 근대화의 현실을 구조적으로 접근하지 못하는 가운데 현재와 뚜렷하게 대조되는 과거의 토속세계를 통해 자신의 현실인식을 드러내었던 것이다. 이 지점에서 분단시대 농민소설의 한 흐름을 형성했던 토속세계의 형상화가 사실은 근대에 대한 불구적인 인식의 산물이라는 점이 확인된다. 방영웅의 경우를 전체로 일반화시키는 것은 다소 무리가 따를 수 있으나, 그의 작품(『분례기』,『달』)이 이 소설유형을 대표한다는 점에서 적어도 토속성의 형상화가 근대에 대한 우리 작가들의 일면적 혹은 부분적 인식의 산물이었다고 해도 무리가 없을 듯하다.

3. 변두리현실에 대한 문학적 탐구 : 『살아가는 이야기』

방영웅의 소설세계는『달』을 전후하여 뚜렷한 변모를 보여준다. 즉, 과거의 토속세계에 집착했던 그가 관심의 초점을 당대 상황으로 옮긴 것이다. 그 변모의 핵심은 도시빈민층의 남루한 삶이다. 그런데 이러한 소설세계의 변모는 소재의 변화라는 차원을 넘어 1960년대 현실의 본질적 문제와 밀접하게 연관되어 있다는 점에서 중요한 의미를 지닌다. 잘 알다시피 1960년대부터 본격화된 자본주의적 근대화는 농업 발전을 기반으로 한 - 서구의 고전적 자본주의화 - 주체적인 역량에 의해 추진되었다기보다는 외래 독점자본의 축적을 위해 농촌의 자본주의화가 강제된 결과 농촌의 황폐와 농업경제의 파탄, 이촌향도(離村向都)에 의한 거대한 도시빈민층의 형성을 필연적으로 야기했다. 도시변두리와 도시빈민층의 광범한 존재는 바로 그러한 자본주의적 근대화의 초기적 모습을 압축하고 있는 역사적 실체다. 1970년 '광주

대단지 사건'을 통해서 알 수 있듯이 도시빈민의 현실은 당대 사회문제의 집약적 표현이라고 해도 과언이 아니다. 따라서 방영웅의 변두리현실에 대한 문학적 탐구는 시대적 적실성을 지니고 있다고 볼 수 있다.[24]

첫 창작집『살아가는 이야기』(1974)에 수록된 15편의 단편은 모두 도시변두리에서 낙후된 삶을 영위하는 도시빈민들의 생태를 형상화하고 있다. 어떻게 보면 한 작품이라고 간주될 만큼 인물과 배경, 그리고 분위기가 한결같다. 가령 등장인물의 면모를 살펴보면, 술집 작부, 리어커꾼, 식모, 배달원, 여공, 식당종업원, 다방 레지, 행상, 구두닦이, 껌팔이, 양아치 등 하나같이 고향을 등지고 고달픈 현재를 살아가는 가난한 사람들이다. 그의 작품엔 언제나 이와 같은 도시빈민들의 참담한 생활상과 그들 특유의 강인한 생명력이 놀라울 정도로 섬세하게 묘파되어 있다. 따라서 그의 작품에 형상화된 도시는 혁신과 사회적 진보, 그리고 근대의 상징으로 간주되는 도시와는 애초부터 거리가 멀다. 그가 파악한 도시는 굶주림을 면하기 위해 몸을 팔아야 하고, 도둑질을 해야 하며, 사기행각을 일삼을 수밖에 없는 비극적인 삶의 현장이다. 방영웅은 그런 도시변두리의 근본적인 상황과 사건을 선택하여 이를 형상화하는데 남다른 능력을 발휘한다. 아마 그것은 작가의 도시변두리 체험(당시 빈민촌이었던 금호동에서 10여 년 동안 생활함)에서 가능했을 것이다.

그런데 방영웅이 변두리현실에 접근하는 방법은 두 가지로 분류된다. 먼저 뿌리뽑힌 도시빈민들의 속물성과 희화화된 삶을 풍자하는 방법이다. 「사무장과 배달원」(1968)이 대표적인 작품이다. 서울변두리 양조장 술도매집을

---

24) 변두리현실에 대한 문학적 탐구, 이른바 '도시빈민문학'은 1970년대 초반 소설의 한 주류를 형성할 만큼 많은 작가들이 관심을 기울였던 분야다. 김정한, 박태순, 황석영, 조선작, 조정래, 방영웅, 백우암, 유승규 등이 대표적인 작가다. 농촌에서 유리된 농민의 도시 편입과 도시빈민들의 생태를 그린 소설이 양산되는 것은 1960년대 이후 급속하게 전개된 자본주의적 근대화의 부정성에 대한 작가들의 구조적 인식을 담고 있다는 점에서 소설 영역의 확대라는 의미 이상의 가치를 지니고 있다.

배경으로 과거 이승만 정권 때 권력가였다고 사칭하면서 안하무인으로 일관하는 사무장 '정달현'과 그에게 충성하면서 대리만족을 얻는 배달원 '지한수'의 미묘한 공생관계를 바탕으로 그들의 속물성을 적나라하게 파헤친 중편이다. 그들은 세무서원도 눈치채지 못할 정도로 완벽하게 전표를 조작하고 밀주업자를 고발하는 방법으로 주인 몰래 폭리를 취하는 가운데 불평등한 분배 계약을 통해 공생관계를 유지하는데, 그 관계가 갈등을 겪으면서 급기야 파탄에 이르는 과정이 소설의 줄거리를 이루고 있다. 작품의 초점은 그 과정에서 빚어지는 두 인물의 속물적인 모습이다. 한마디로 '약자에게는 강하고 강자에게는 약한' 정달현, 권력에 대한 집요한 욕망을 강자에 대한 맹목적 충성으로 대리만족하는 지한수의 일그러진 생활을 통해서 작가는 당대 도시에 만연된 왜곡된 욕망의 허망함을 통렬하게 풍자한다.

다른 하나는 도시빈민들의 생태(生態)를 관찰자적 성실성을 바탕으로 담담하게 조망하는 방법이다. 이 방법이 그의 도시빈민문학의 핵심적인 특징이다. 보고자적 자세가 돋보이는 이 부류의 작품은 따라서 도시빈민의 피폐한 삶이 허구의 과장이 아닌 우리 사회의 진실이라는 점을 독자에게 체감할 수 있도록 해주는 장점이 있다. 그의 작품에서 추상적인 진술, 극적인 사건 전개, 문제 해결의 의욕을 좀처럼 찾아볼 수 없는 것도 관찰과 묘사를 위주로 하고 있기 때문이다.

그러면 중편「살아가는 이야기」(1973)를 중심으로 이러한 특징을 점검해 보자. 이 작품은 서울의 변두리 인왕산 꼭대기의 무허가 판잣집에서 일어나는 도시빈민들의 일상사를 꼼꼼하게 그리고 있다. 전쟁 고아로 남대문 시장에서 싸구려 옷장사를 하고 누이 간난이의 기둥서방 노릇까지 하다가 연분이란 식모를 꾀어 혼례를 치른 꺽다리, 어린애를 못 낳는다고 시집에서 쫓겨나와 식모살이를 하다가 꺽다리와 살림을 차리고 부동산 소개업자이자 고리대금업자인 장영감과 부정한 관계를 맺고 있는 간난이, 시골에서 무작정 상경하여 식모살이를 하다가 주인집 패물을 훔쳐 달아나 꺽다리와 살림을 차리는 연분이, 고달픈 여공 생활에도 불구하고 생계가 막연한 가운데 빚을 갚기 위해서 몸을 파는 영이 엄마, 음식점 종업원, 다방 레지를 전전하다가 술집 작부로 나선 을순이 등이 엮어내는 그야말로 동물적인 생활상이 만화경처럼 펼쳐져 있다.

이들에겐 '내일'이란 있을 수 없다. 말 그대로 '살아있으니까 살아가는 것'[25]일 뿐이며 당장 호구지책을 위해 거리를 헤매야되는 것이다. 그런 절박한 현재를 버텨내기 위해 그들은 매음, 사기, 도둑질과 같은 파렴치한 행동을 서슴없이 자행한다. 누이의 매음을 이용해 실속을 챙기는 것도 모자라 생면부지의 사람을 누이 방에 밀어 넣는 꺽다리의 섬뜩한 모습(91쪽)은 빙산의 일각이다. 따라서 기성의 윤리는 그들의 삶에 있어서 별반 의미가 없다. 오히려 윤리적 삶을 강조하는 것은 그들에게 위선에 불과할 따름이다. 그들은 삶에 대한 뼈저린 한과 체념으로 점철된 허무주의의 편린(片鱗)들이다.[26]

이 집 웃방에서 간음을 해왔던 것은 옛날부터 내려온 일이니까 별로 이상할 것도 없지만 그래도 이 집에 들어온 지 얼마 안 되는 꺽다리 각시는 집안이 이상하게 보일게 아니냐 말이다. 그러나 연분이는 몸을 일세우면서 아주 천연덕스럽게 중얼거린다. "미안하긴 뭘 미안하대유." 정말 미안하긴 무얼 미안하다는 얘기일까? 그렇다. 우리들은 그렇게 살아가는 것이다. (110쪽)

영이 엄마가 만원의 빚을 갚기 위해 장영감에게 두 번째로 몸을 팔아야 하는 상황에서 동병상련을 느끼는 인물들의 애련함이 잘 표현되어 있다. 마지막 구절에 언급된 것처럼 그들은 '그렇게 살아가는 것'이 최선의 생존 방법인 것이다. 하지만 위선과 타락이 체질화되다시피한 그들의 삶에서 우리는 오히려 인생의 진한 페이소스와 더불어 진실을 발견할 수 있다. 왜냐하면 절박한 상황에 내몰린 그들이 하루하루를 지탱하기 위해 성격파산자나

25) 방영웅, 『살아가는 이야기』, 창작과비평사, 1974, 107쪽(이하 작품 인용은 이 책의 면 수만 표시함).
26) 이광훈, 「체념과 허무주의의 극복」, 『문학과지성』, 1974년 가을, 745쪽.

파렴치한이 될 수밖에 없었다는 결론에 도달하기 때문이다. 요컨대 그들의 도덕적 타락에는 그들만의 눈물겨운 삶의 고통과 피폐함이 반영되어 있는 것이다. 즉 위선과 타락이 오히려 정직한 삶이 되는 역설이 그들의 삶의 실체다. 이렇듯 작가는 변두리인간들의 훼손된 삶을 통해서 당대 현실의 진실된 일면을 통렬하게 지적하고 있다.

그러나 그들이 위선과 타락으로 일관하는 것은 아니다. 본래의 순수성과 삶에 대한 끈질긴 생명력 또한 간직하고 있다. 특히 허무와 절망의 늪으로부터 벗어나려는 여성들의 모습은 억척스럽다 못해 처절하다. 주인집 패물을 훔쳐 자신의 삶을 개척하겠다고 다짐하는 연분이, 술집 작부, 갈보라고 천대받지만 자신의 길을 묵묵히 가는 간난이와 을순이는 모두 뚜렷한 주관과 의지를 간직하고 있다. 따라서 이들의 행동을 윤리의식의 마비라고 속단할 수 없다. 그것은 처절한 삶의 긍정이며 의지다. 「바람」(1969)의 옥녀, 「첫눈」(1970)의 술집 작부들, 「갈퀴집 딸」(1970)의 혜옥, 「모녀」(1973)의 공숙이 엄마 또한 고달픈 생활 속에서도 건강한 삶의 의지를 간직한 여성들이다. 어떻게 보면 이들은 『분례기』의 주인공 '분례'의 후신(後身)이라 할 수 있다. 그들은 모두 생존을 위해 고향(농촌)을 버리고 도시로 흘러 들어온 농촌여성들이기 때문이다. 따라서 그들의 처절한 삶은 이미 예비되었던 것이나 다름없다. 그런데 작가는 이들의 삶을 단순한 감상(感傷)에 입각해서 보지 않고 연민과 긍정의 시선으로 바라본다. 실상 방영웅의 민중에 대한 이해와 사랑, 민중의 선의에 대한 신뢰는 거의 본능적으로 타고난 것으로,[27] 이러한 태도는 그의 모든 소설을 관통하는 하나의 기본적인 관점으로 되어 있다.

그런데 방영웅의 변두리현실에 대한 문학적 탐구는 대개 관찰자적 성실성으로 일관하는 문제가 있다. 그 결과 소외된 민중들의 삶의 실상을 가식없이 드러내주는 성과를 거두고 있지만, 전반적으로 세태소설의 범주를 넘어서지 못한다. 세태소설적 특징은 인물, 플롯에서도 확인된다. 즉 그의 소설

---

27) 한남철, 「이야기의 재미와 민중의 진실」, 『창작과비평』, 1974년 가을, 751쪽.

대부분은 특정한 주인공이 설정되지 않은 채 여러 인물들의 이야기가 평면적으로 나열되어 있고 그로 인해 뚜렷한 플롯을 형성하지 못한다. 그래서 그의 소설은 재미있지만 뭔가 허전하다는 느낌을 가져다 준다.

이러한 한계는 그의 현실인식과 밀접한 관련이 있다. 다시 말하면 그는 변두리현실의 문제를 당대 사회의 전체적인 구조에서 조망하지 못하고 미시적인 관찰로 접근한다. 도시빈민은 자본주의적 근대화에 의해 몰락한 농민이 도시로 이주해서 형성된 계층으로, 당대 사회모순의 희생자이다. 따라서 이러한 본질을 사상한 채 그들의 존재를 기정사실로 받아들이고 그들의 일상사를 단순하게 묘사하는 것은 현상 추수에 불과하다.

자신의 문학의 최대 과제로 '리얼리즘'을 설정한 바 있는(작품집 '후기') 방영웅이지만, 민중에 대한 단순한 애정이나 작품 속에 열거되어 있는 개별적인 사건들의 비극성이 리얼리즘을 담보해주는 것은 아니다. 그 과제는 관찰자적 열정 이상으로 자본주의적 근대화에 대한 구조적 인식에서 돌파구가 찾아질 수 있는 문제다. 방영웅의 소설은 적어도 이 단계까지는 리얼리즘과 거리가 멀다.[28] 그가 『살아가는 이야기』를 상재한 이후 창작활동이 지지부진했던 것도 결국 이 문제와 유관하다.

4. 맺음말

데뷔작 『분례기』로 문단의 화려한 각광을 받았던 방영웅은 이른바 '뿌리 뽑힌 자들의 생태학'이라고 이름붙일 수 있는 독특한 소설세계를 구축했던 작가다. 그것은 전통적인 농촌공동체의 토속세계를 형상화하는 것과 1960년대 자본주의적 근대화의 부산물인 변두리현실에 대한 문학적 탐구로 구체화된다. 비록 단조롭기는 했으나 어느 누구 못지 않게 뚜렷한 작가의식과 확고한 신념으로 민중지향적 소설영역을 개척한 것은 방영웅 소설이 달성한

---

28) 백낙청, 「방영웅의 단편들」, 앞의 책, 279~30쪽 참조.

소중한 성취이며 그것이 1970년대 민중문학의 본격적 개화를 알리는 신호탄이었다는 점에서 문학사적 가치를 지닌다.[29)]

전근대적 토속세계를 형상화한『분례기』와『달』은 토속적 공간을 배경으로 무지렁이들의 애련한 삶과 원시적 순수성을 토착어와 구어의 능란한 구사를 바탕으로 생동감있게 재현하여 민중 특유의 낙천적 신념을 형상화한 가편(佳篇)이다. 하지만 빼어난 형상성에도 불구하고 역사성이 배제된 무시간성과 농촌사회의 본질적 관계를 소홀하게 다루어진 한계를 지닌다. 특히 후자는 그의 작품이 농민현실에 대한 총체적 조망에 이르지 못하고 폐쇄적인 토속세계를 정태적으로 묘사하는 자연주의 소설 혹은 풍속소설로 그치게 하는 주된 원인이다. 물론 그의 소설이 1960년대 소설의 주류를 이루었던 도시적 감수성에 바탕을 둔 소시민문학과 달리 소외된 민중들의 생태를 집요하게 서사화시켰다는 점, 그것도 문학적 상상력에 의존하기보다 현실체험을 바탕으로 생생한 현장감과 리얼리티를 획득하고 있다는 미덕은 마땅히 인정되어야 하지만 그것이 토속세계의 근본적인 제관계를 사상한 채 얻어진 결과라는 점에서 재고될 필요가 있다. 따라서『분례기』를 비롯한 방영웅의 소설은 1960년대 후반이라는 문학사적 공간에서 하나의 가능성으로 존재했지만 그 가능성과 그 속에 내재되어 있던 긍정성이 지금까지 유효하다고 보기는 어렵다. 다시 말하면 소설이 한 시대에 대한 성실한 서사라고 할 때, "소설은 우리의 불가피한 역사적 사회적 조건의 의미와 가치를 다른 예술보다 더 직접적으로 밝혀주며 문제삼을 수밖에 없"[30)]는데 역사성, 사회성을 결락한『분례기』와『달』은 이와 같은 소설의 가장 본질적인 역할에 미흡했다고 볼 수 있다.

특히 그러한 한계가 당대 사회를 전일적으로 규정하고 있던 자본주의적 근대화에 대한 불구적 인식의 산물이라는 점에 유의할 필요가 있다. 즉 방영

---

29) 이봉범,「농민문제에 대한 문학적 주체성의 회복」, 민족문학사연구소 현대문학분과,『1970년대 문학연구』, 소명출판, 2000, 165~6쪽 참조.
30) 미셸 제라파,『소설과 사회』, 문학과지성사, 1977, 26쪽.

웅은 근대의 역동성을 일면적(부정적 관점)으로 접근하여 부정적인 현재와 뚜렷하게 대조되는 과거 토속세계를 통해 자신의 근대인식을 드러내고 있지만 그러한 태도가 현실 비판이라기보다는 오히려 현실도피의 성격에 가깝다.는 혐의에서 벗어나기 힘들다. 그가 현실세계로 소설적 무대를 옮기는 순간 『분례기』에서 달성한 문학적 성취가 더 이상 유지될 수 없었던 것도 이러한 근대인식의 불구성에서 기인한다. 변두리인간들의 생태와 정서를 형상화한 『살아가는 이야기』가 그들의 훼손된 삶을 통해서 당대 현실의 진실된 일면을 통렬하게 지적해 주는 특징을 지님에도 불구하고 그들의 일상사를 미시적으로 관찰하여 묘사하는 세태소설에 그치고 만 것도 그의 근대인식의 불구성의 필연적인 산물이다.

원래 이 글은 우리 소설사에서 확고한 하나의 흐름을 형성하고 있는 전근대적 토속세계의 형상화가 갖는 문학사적 의미, 특히 근대화가 사회전반에 걸쳐 전일적으로 진행되는 분단시대에 오히려 이 경향이 확대되었다는 사실—대표적으로 오유권(1950년대) → 방영웅(1960년대) → 천승세(1970년대) → 한승원(1980년대)—이 함축하고 있는 사적 의미를 탐구하려 했으나 이러한 흐름의 일부를 차지하는 방영웅 소설을 탐색하는데 그쳤음을 밝혀둔다. 《새미》

개발 논리의 실상과 사변의 문체

─ 이청준의 『당신들의 천국』론

김한식＊

1. 이청준 초기 소설이 경향

이청준은 1965년 『사상계』에 「퇴원」으로 등단한 이후 지금까지 40년 가까운 기간동안 꾸준히 창작활동을 하고 있는 작가이다. 그는 긴 창작활동 기간에도 불구하고 일관된 주제의식을 유지하고 있는 작가이기도 하다. 많은 이청준 소설은 구체적이고 특수한 개인의 경험에서 출발한다. 특히 인물들이 겪었던 어린 시절의 충격이라든지 과거의 상처는 그의 소설에 반복해서 등장하는 모티프이다. 이청준 소설의 주인공들이 가진 이런 '불행한 과거'는 '한때' 일어난 사건이 아니라 현재 인물들의 병리적 증상의 원인이 되기도 한다.[1] 그들은 타인과 경험을 공유하거나 개방적인 방식으로 문제를 해결하기보다는 외부와의 교류를 거부한 채 내면으로 문제를 끌고 들어가는 경향을 보인다.

이런 경향을 대표하는 소설로 초기작 「병신과 머저리」, 「소문의 벽」, 「별을 보여드립니다」, 「매잡이」 등을 꼽을 수 있다. 이 소설들에서 주요 인물들

＊ 고려대 강사
1) 김치수, 「언어와 현실의 갈등」, 『이청준론』, 삼인행, 1991, 115쪽.

은 외부 관찰만을 통해서는 알 수 없는 무언가를 기억 속에 품고 있다. 이청준의 단편은 그 기억의 내용을 추적하는 방식을 취하곤 한다. 흔히 지적되듯 액자소설[2] 형식은 이러한 내용을 표현하는 이청준 특유의 방법이다. 이청준의 액자소설에서는 사건과 연루된 화자가 사건과 거리를 두고 이야기를 전달하며 추리소설처럼 현재의 문제를 과거 속에서 캐내는 작업이 이루어지기도 한다.

이청준의 대표적인 장편소설『당신들의 천국』역시 단편소설의 이러한 특징을 고스란히 유지하고 있는 작품이다. 제재 자체가 사회적 무게를 가지고 있는 것이어서 다른 작품에 비해 현실 묘사가 많기는 하지만 기법 상이전 단편과의 뚜렷한 차이를 발견하기는 어렵다. 오히려 길이의 차이에도 불구하고 초기 이청준 문학의 제반 특성이 집약되어 있다고 말할 수 있는 소설이다.[3] 인물의 진술을 중심으로 사건의 내용이 전달된다든지 개인의 특수한 경험이 현재의 행위를 규정한다든지 하는 점은 다른 작품에서 익숙한 이청준식 소설 문법이다. 보편적 삶의 문제인 주체와 타자의 문제를 주제로 한 점 역시 이청준 단편의 고민을 이어받은 것이다.

이 글에서는『당신들의 천국』을 분석하여 작품이 갖는 시대적 의미를 짚어보려 한다. 이러한 목표에 접근하기 위해 소설 속 주요 인물들의 갈등관계를 살피고 그 갈등을 통해 전달하려는 '이념'의 실체를 해명하며, 주제

---

2) 이청준 단편소설의 형식은 격자소설, 중층구조, 중첩구조로 불리기도 한다. 이청준 소설의 경우 두 개의 이야기 층이 함께 존재하는 데 머물지 않고 하나의 이야기와 그 이야기에 대한 반성이라는 층이 함께 한다는 점에 착안한 용어들이다. 소설 구조만을 보면 중층구조나 중첩구조라는 말이 합당할 것이나 굳이 이청준 소설을 특화할 필요는 없다고 생각한다. 이 글에서는 일반적으로 많이 쓰이는 액자소설이란 용어를 사용한다.

3) 이런 점에서 "이청준의 인식은『당신들의 천국』에 이르러 지식인의 소외, 소설가의 외로운 투쟁과 절망으로부터 세상으로 열려진다"는 최근의 평가(이호규,「개인과 사회의 '관계'에 대한 소설가적 물음」,『1970년대 문학 연구』, 소명, 2000)는 재고될 필요가 있다. 같은 방식으로 이 소설에서 고통 당하는 대중과 그들이 자각을 보는 것은 무리한 논리인 것 같다.

를 전달하기 위해 작가가 이야기를 풀어 가는 방법에 대해 살펴보는 순서를 밟기로 한다.

2. 주체와 타자 또는 지배와 억압

『당신들의 천국』의 공간적 배경은 나병환자(癩病患者)들의 집단 수용소가 있는 소록도이다. 배경이 되는 시간은 군사 정권이 아직 맹위를 떨치던 60년대 초반부터 약 7년간이다. 현역 대령 조백헌이 소록도 국립 나병원에 원장으로 부임하면서 이야기는 시작된다. 조백헌 병원장이 수용된 환자들을 이해하며 섬에 적응해 가는 과정이 소설의 큰 이야기 흐름이다. 섬에서 벌어지는 여러 사건들과 그 사건들의 배후에 드리워진 '문둥이'들의 삶은 소설의 작은 이야기에 해당한다. 많은 소설이 그렇듯이 큰 이야기의 흐름보다는 작은 이야기들이 주제를 잘 표현하고 흥미를 끌 요소도 많이 포함하고 있다. 또, 『당신들의 천국』은 흔하지 않게 작가의 적극적인 취재로 이루어진 소설이라는 점 때문에 발표 당시부터 화제가 된 소설이기도 하다.[4]

이 소설은 길이로는 장편이지만 전체 구도는 인물의 대비를 통해 간단하게 정식화된다. 조 원장과 이상욱 보건 과장 그리고 조 원장과 나병 환자들─실제로는 황희백 노인으로 대표된다─의 대립이 그것이다. 세 사람은 매우 다른 이력을 가지고 있다. 조 원장은 섬과 인연이 없는, 그래서 나병에 대해서는 상식적인 이해만을 가지고 있는 의무장교이다. 이에 비해 이상욱은 섬에서 태어나 육지에서 성장하여 섬으로 다시 돌아온 정상인이다. 부모가 병력자이며 섬사람들의 비밀 속에서 자란 '전설적인' 아이이기 때문에 섬이

---

4) 『당신들의 천국』은 1974년 작가의 소록도 현장 취재를 통해 쓰여진 작품이다. 주인공 조백헌은 실제 인물 조창원 원장을 모델로 하고 있다(「당신들의 천국─살아 있는 주인공 조창원 원장님께」, 권오룡 편, 『이청준 깊이 읽기』, 문학과 지성사, 1999). 자서 연보에서 이청준은 모델 소설의 어려움에 대해 토로한 적도 있다. 소설 속에 등장하는 이정태는 작가가 소록도를 취재할 단서를 제공해준 당시 『조선일보』 이규태 기자로 짐작된다.

나 섬사람들의 역사에서 벗어날 수 없는 인물이다. 황희백은 환자들에게 원로대우를 받는 노인으로 정상인들을 매우 불신하는 인물이다. 그는 가난 때문에 부모를 처참히 잃고 문둥이 패에 끼어 다니면서 갖은 악행을 저질렀던 경험을 가지고 있다. 황장로의 비참했던 과거는 섬에 수용된 나병환자들 일반의 경험으로 확대 해석될 수 있다.[5]

이들 중 이야기의 중심에 서있는 인물은 조백헌 원장이다. 그의 부임에서 소설이 시작하고 섬에 대한 그의 헌신이 가장 중요한 사건이라는 점에서 그를 주인공이라 불러도 무리가 없을 것이다. 그런데 특이한 점은 소설 속의 이야기는 조백헌이라는 인물의 행위를 따라 전개되지만 작품을 이끌어 가는 화자는 장 별로 각기 다르게 설정되어 있다는 사실이다. 크게 세 부분으로 나뉘어진 작품에서 첫 번째 장은 이상욱 과장의 시선에 의지하여 서술된다. 이상욱이 새로 부임한 조 원장을 관찰하고 평가하는 형식이다. 비록 3인칭 관찰자 시점이지만 독자들은 이야기를 끌어가는 한 개인의 시선을 느낄 수 있다. 화자는 때로 이상욱의 판단을 화자의 판단인 것처럼 직접 내세우기도 한다. 그렇다고 이상욱이 관찰자에 머무는 것은 아니다. 이 소설(주로 1장)에서 이상욱의 과거는 매우 상세히 다루어진다. 그가 섬에서는 금지된 환자들의 결합으로 태어난 아이라는 점, 그가 어린 시절을 밀실에서 꼭꼭 숨겨져 보냈다는 점 등은 단편소설에 자주 등장하는 불빛체험(「소문의 벽」)이나 광 속의 체험(「퇴원」)류의 '불행한 과거'를 연상하게 한다.[6] 첫 장에서 이상

---

5) 이렇게 보면 이 소설은 이상욱과 환자들을 한편으로 하고 조백헌 대령을 한 편으로 하는 대립으로 보일 수 있다. 그러나 환자들과 이상욱 역시 다르다는 점에서 단순한 대립으로 보아선 안 된다고 생각한다. 이상욱이 이청준이 다른 소설에서 줄곧 추구하는 지식인 인물이라는 점에서 더욱 그렇다. 환자들과 묶기보다는 오히려 그의 지식인으로서의 역할이 강조되어야 할 것이다.

6) 두 소설 모두 어두운 곳에 있는 화자에게 외부에서 들어온 불빛이 주는 공포 체험을 중요하게 다루고 있다. 한밤중에 방을 열고 불빛 너머에서 좌냐 우냐를 묻는 상대방에게 대답해야 하는 공포스런 상황의 체험이 앞의 소설이고, 누나와 어머니의 속옷을 깔고 광에 누워있는 화자를 비추는 아버지의 전짓빛 체험이 두 번째 소설이다. 『당신들의 천국』에서 어린 상욱은 환자들이 도움으로 어둠 속에서 살아간다. 어두운 곳의 그를 보던 사람들의 눈빛은 전지의 불과 유사한 역할

욱의 위치는 단편 소설에서의 관찰자만큼 비중 있다고 할 것이다. 두 번째 장에서는 조백헌 대령의 행동이 객관적인 화자에 의해 비교적 사실적인 문체로 서술된다. 간척지 문제와 관련하여 사건이 비교적 속도감 있게 전개되는 장이다. 상욱의 역할은 적어지고 대신 간척 사업을 둘러 싼 조 원장과 나병 환자들 사이의 갈등이 부각된다. 이 장에서 특기할 점은 이청준 소설에 자주 등장하는 추리 소설적 장치가 황 장로의 이력과 관련하여 등장한다는 것이다. 조 원장은 이정태 기자에 의해 황 장로의 이력이 소개되면 자신이 위험하다는 이야기를 듣는다. 그리고 곧이어 궁금증이라도 풀 듯이 황 장로의 이력이 소개된다. 이야기의 내용은 나병 환자들이 어느 정도 공유하고 있을 '끔찍한 경험'이다. 화자는 이 경험을 통해 환자들의 과격한 행동, 타인을 믿지 못하는 심성 등을 설명하려 한다. 세 번째 장은 조백헌과 이정태 기자가 변화한 소록도의 현실에 대해 이야기하는 형식으로 전개된다. 지난 이야기를 화자(조백헌)가 청자(이정태 기자)에게 들려주는 구조여서 마치 회고담을 듣는 듯한 인상을 준다. 이 장의 화자(조백헌과 이정태를 보고 있는 화자)는 조백헌의 생각을 성실히 전달해주는 역할을 한다.

소설의 표면적인 갈등은 원장과 환자들 사이의 대립이다. 그 대립의 중심에는 환자들의 배타의식이 깔려 있다. 환자가 아닌 타자에 대한 불신이 소설에서 첫 번째 던져진 문제인 셈이다. 따라서 작품 초반의 주제는 "환자들은 왜 조 원장의 선의를 받아들이지 못하는가?"에 있다고 해도 과언은 아니다.

부임 직후 조백헌 원장은 진실한 마음에서 섬의 환경을 개선해 주려고 노력한다. 병들어 있는 듯한 섬에 활력을 불어넣고 섬사람들에게 미래에 대한 희망을 안겨주고자 한다. 그러나 섬사람들은 조백헌의 이러한 계획에 대해 아무런 반응을 보이지 않는다. 섬사람들이 자신들을 위해 정상인들이 만들어주겠다는 낙원을 신뢰하지 않기 때문이다. 그들은 설혹 낙원이 만들

을 한다. 전짓불 체험에 대한 분석은 김진석의 「짝패와 기생 : 권력과 광기를 가로지르는 소설은」(『작가세계』, 1992. 겨울)과 오생근의 「갇혀있는 자의 시선」(『이청준 깊이 읽기』, 1999)을 참조할 수 있다.

어지더라도 그렇게 만들어진 낙원이 환자들을 위한 것이 아니라 정상인들의 전시적인 낙원에 그친다는 것을 알고 있다.

불신의 원인은 더 근본적인 데에도 있다. 환자들은 유난을 떨며 섬의 환경을 개선하려는 사업이 자신들의 처지만을 아프게 확인시켜 줄 뿐이라고 생각한다. 그들이 바라는 것은 다른 사람들의 관심을 끌지 않는 소극적인 삶이다. 환자들은 섬에서나마 정상인과 같은 자연스러운 생활을 하고 싶은 것이지 환자이기 때문에 얻을 수 있는 다른 무엇을 구하지는 않는다. 환자들 마음속에 가지고 있는 상처를 덧나게 하는 소란스러운 '개선'은 그들의 처지를 자각하게 만든다는 점에서 그리 달가운 일이 아닌 것이다.

이런 섬사람들의 의지는 조원장 부임 직후 벌어지는 사건을 통해 구체적으로 드러난다. 원생의 탈출 사건과 한민의 죽음이 그것이다. 환자들이 섬을 탈출하는 이유는 질병과는 무관하다. 섬에서의 탈출을 시도하는 사람들이 대부분 병이 완치된 젊은이들이라는 점을 보아도 이를 알 수 있다. 병이 완치되면 합법적인 방법으로 섬을 빠져나갈 수 있는데도 불구하고 이들은 굳이 목숨을 걸고 위험한 탈출을 기도하는 것이다. 나병을 앓았더라도 완치된 병력자는 의학적으로 정상인과 전혀 다르지 않다. 이런 사실은 사회적으로도 잘 알려져 있다. 그러나 그것은 이론적인 부분일 뿐 실제로 완치된 나병 환자가 우리 사회에서 정상인으로 대우받으며 살기는 거의 불가능하다. 병이 다 나으면 섬을 자유롭게 나갈 수 있고, 음성 환자는 고향을 다녀올 수도 있지만 젊은이들은 그런 식의 '퇴원'을 거부하고 목숨을 건 탈출을 감행한다. 병이 완치되어 고향으로 돌아가는 것보다는 섬에서 탈출하여 아무런 구속도 없는, 병력에서 자유로운 인간이 되고 싶은 것이다.

조 원장 취임 후 두 번째로 발생한 사건인 한민의 자살 역시 병력에서 자유롭고 싶은 섬사람들의 욕망과 그에 따르는 좌절을 보여준다. 비록 섬 안에서의 자살이었지만 한민의 죽음은 바다를 통한 위험한 탈출의 시도와 질적으로 다르지 않다. 한민은 섬을 벗어나고자 노력했지만 그것을 이룰 수 없는 현실의 냉혹함을 깨닫고 좌절한 청년이기 때문이다. 이상욱의 말대로 한민은 '섬을 나가고 싶었지만' 그것은 환자로서가 아닌 정상인으로서였다. 그는 '세상 사람들 곁으로 가서 그들 속으로 아무 스스럼없이 함께 섞여들 수 있기'[7]를 강렬히 원했다. 그러한 시도가(글을 써서 문예지에 투고하는 노력) 결국 좌절되자 한민은 자살을 택할 수밖에 없었던 것이다. 그런 이유로 이상욱은 한민의 자살을 섬에의 귀의라고 규정한다. 자살을 통해 세상에 나가고자 하는 의지를 포기하고 섬에 자신을 묻어버렸다는 의미이다. 정상인이 될 수 없었던 한민에게는 "특별한 처지의 인간집단을 위해서 특별히 꾸며지고 있는 어떤 낙토"(65쪽)도 이미 낙토일 수 없었던 것이다.

언제나 시혜자의 입장에 서려는 원장들에 대한 환자들의 반감은 섬사람들이 섬을 살기 좋은 곳으로 만들겠다는 그들의 의지를 반겨하지 않는 또다른 이유이다. 그들은 외부인들이 섬에서 사업을 벌이는 이유가 섬사람들을 진정으로 위해서라기보다 마음속에 품고 있는 자신의 동상은 세우기 위해서라고 생각한다. 조백헌 원장 이전의 원장들이 실제로 그러했기에 섬사람들의 반감은 쉽게 사라지지 않는다.

이 소설에서 '동상' 혹은 '우상'의 문제는 쉽게 지배와 피지배의 문제로 환치된다. 물론 원장들이 처음부터 자신의 동상을 세우려 했던 것은 아니다. 그러나 일을 벌이다 보면 직책에 따라 일을 결정하는 사람과 일을 감당해야 하는 사람이 생기기 마련이고, 그 과정 속에서 양쪽의 관계는 새롭게 발전하기 쉽다. 이런 과정에서 눈에 보이는 사업을 벌이고 그것으로 자신의 업적을 세우려는 사람들은 환자들을 대상화하게 된다. 그런 대상화는 반대로 스스로를 '우상'으로 세우려는 의지를 낳게 된다. 이는 굳이 개인의 품성 등으로 환원될 문제는 아니다. 일을 하다보면 피해가기 어려운 과정인 것이다. 이상욱이 새 원장에게 호감을 가지면서 그가 새롭고 거창한 일을 벌일까 노심초

---

7) 이청준, 『당신들의 천국』(제3세대 한국문학 1권), 삼성출판사, 1985, 65쪽. 이후 인용은 작품명과 쪽수만 표기한다.

사하는 이유가 여기에 있다.[8]

> 그것은 바로 이 섬과 자신의 직책에 대한 원장의 투철한 사명감과 관계가
> 되는 일이었다. 하지만 상욱은 새 원장에게서 무엇보다 그 사명감이라는 것을
> 두려워하고 있었다. 원장이 이 섬을 그의 조경처럼 아름답게만 보지 않게 되었
> 다면 그 점은 우선 다행이라 할 수 있었으나, 그 때문에 그가 다시 거기서
> 어떤 새로운 투지와 의욕을 부채질 받고 있었다면 섬을 위해선 그보다 더 두려
> 울 일이 없었다.[9]

섬의 보건과장 이상욱은 섬에 대한 '원장의 투철한 사명감'을 경계한다.
지나친 의욕은 오히려 환자들의 생활을 억압하는 것이 될 수 있기 때문이다.
원장이 섬을 아름답게만 보지 않고 있는 그대로의 현실을 이해하려 하는
것은 좋지만, 섬의 환경만을 고치려고 투지를 불태우는 일은 그리 바람직하
지 않다는 것이 상욱의 생각이다. 이런 생각의 이면에 조 원장 역시 자신도
모르게 '동상'을 세우려 할 것이라는 우려가 자리하고 있음은 물론이다.

사실 조백헌 대령은 병원장으로서 특별히 문제가 있는 인물은 아니다.
이전 어느 원장보다 긍정적인 요소를 많이 가지고 있다. 모르는 문제에 부딪
치면 병원 사정에 대해 스스럼 없이 되물어오기도 하는 솔직한 모습도 보인
다. 따라서 원생들과 이 과장이 문제삼는 것은 자연인 조백헌이 아니다.
문제는 지난 과거를 통해 섬사람들의 가슴속에 살아있는 '배반의 경험'이다.
지난 원장들도 부임 초에는 섬의 문제를 환자의 입장에서 생각하는 듯했지
만 결국은 자신의 '동상' 문제 말고는 아무 것에도 관심을 두지 않았다.

---

8) 이와 관련하여 성민엽의 다음 주장을 참조할 만하다. "지배와 피지배의 관계는
   그 자체가 억압적 관계이다. 그 억압으로부터의 해방은 지배자의 선의에 의해 확
   보되지 않는다. 지배자는 지배자로서의 일반적 힘을 행사하고 피지배자는 피지배
   자로서 그 힘의 일방적인 지배를 받을 때 지배자의 선의는 그것까지도 일종의
   억압에 다름 아닌 것이다."(성민엽, 「겹의 삶, 겹의 문학」, 『이청준 깊이 읽기』,
   150쪽)
9) 『당신들의 천국』, 25쪽.

새로운 원장의 의욕도 지난 경험에 비추어 자연스러운 '과정'에 지나지 않는다는 것이 섬사람들의 생각이다. 이는 환자들이 조 원장이 시행한 마스크나 위생장갑의 착용 금지, 철조망 제거 및 미감아 면회 방식의 개선, 미감아 아동들과 직원지대 아이들의 공학 단행의 조치 등의 가시적인 성과들에 대해서도 마음이 닫혀 있는 이유이다.

3. 명분과 과정 또는 미래와 현재

지배와 피지배의 관계는 다시 명분과 과정 또는 미래와 현재의 관계로 치환된다. 환자들에게 약속된 낙원이 명분과 미래라면 그것을 위해 견뎌내야 하는 시간은 과정과 현재이다. 현재와 과정을 무시하는 미래와 명분의 강조는 환자들에게 가해진 지배의 구체적인 모습이면서 '배반'의 경험 내용이기도 하다.

이 소설에서 반복적으로 등장하는 '동상'은 소록도의 현재 모습을 만들었다고 할 수 있는 전임 주정수 원장과 직접 관련된다. 그는 누구보다 의욕적으로 섬의 문제점들을 개선했던 인물이었다. 섬의 환경을 개선하겠다는 그의 의욕에 호응해 환자들은 '자원'을 서슴지 않았다. 그러나 환자들에 대한 약속은 또 다른 약속을 낳고 그 과정에서 환자들의 삶은 점점 어려워져 갔다. '자원'의 의미는 없어지고 환자들은 섬의 외형을 만드는 일에 '동원'되는 처지가 된다. 어느 정도의 성과를 거두고 나서 주정수 원장은 살아 있는 자신의 동상을 세우기까지 한다. 그가 애초에 '섬을 위해' 해놓았던 모든 가치 있는 일들은 결국 '자신의 동상'을 짓기 위한 행위로 귀결되고 만 셈이다. 자신의 동상 앞에서 환자에게 처참하게 살해당하는 조 원장의 종말은 섬을 '낙원'으로 만들어주겠다던 약속의 허망함을 생각하게 한다. 조 원장이 환자들에게 경원되고 있는 이유, 끝내는 '동상'을 세우고 말 것이라고 의심받는 이유가 모두 이런 기억에서 나오는 셈이다.

소록도의 환자들에겐 낙원이 없었다.

환자들에게 낙원이 없는 한 소록도엔 낙원이 없었다. 그들이 이기적인 소문 속에서만 소록도의 천국은 존재하고 있었다.

명분은 믿을 것이 못 되었다. 섬사람들은 그것을 알고 있었다. 몇 십 년이 지난 지금까지도 섬사람들은 그것을 잊지 않고 있었다. 상욱도 그것을 알고 있었다.

문제는 명분이 아니라 그것을 갖게 되는 과정이었다. 명분이 과정을 속이지 말아야 한다. 명분이 제물을 요구하지 않아야 한다. 천국이 무엇인가. 천국은 결과가 아니라 과정 속에서 마음으로 얻어질 수 있는 것이었다. 스스로 구하고, 즐겁게 봉사하며, 그 천국을 위한 봉사를 후회하지 말아야 진짜 천국을 얻을 수 있게 된다.[10]

소설의 주제라고 할 수 있는 천국의 건설 문제에 대한 화자의 생각이 드러나는 부분이다. 예문에서 확인할 수 있듯이 무엇을 이루는가보다는 '그것을 갖게 되는 과정'이 강조된다. 그러나 일을 꾸미는 사람들이 내세우는 것은 언제나 명분이다.

조백헌 원장 역시 과정보다 명분을 중시하기는 마찬가지이다. 간척사업의 진행이 힘겨워지면서 원생들을 위한다는 논리가 부차적인 것으로 되어버리는 것이다. 빠른 성과를 얻기 위해 조 원장은 잠시 원생들을 속이는 일을 사양하지 않았던 것이다. 이러한 논리는 많은 위험을 안고 있는 것이 사실이다. 실제 일을 하는 환자들의 입장에서는 명분에 속아 과정을 희생하는 결과를 낳을 수도 있기 때문이다. 조백헌의 이런 변화를 통해, '동상'까지는 가지 않더라도, 명분을 강조하는 데 따르는 위험성은 충분히 드러난다. "5천 원생들의 전체 이익을 위해서는 그 정도 독단이나 원장으로서의 통치 기교를 사양해서는 안 된다고 생각했다."(200쪽)든지 "먼저 소문을 선수쳐서 장로회로 하여금 원생들이 새로운 여론을 발의시"키면서 "결과가 좋으면 방법이

---

10) 『당신들의 천국』, 121쪽.

나 과정은 양해가 되어야"(203쪽)한다고 자신을 합리화시키는 부분에서 이를 확인할 수 있다.

같은 맥락에서 '미래'를 위한 현재의 희생이 중요한 문제로 다루어진다. '자손들에게 낙원을 물려주기 위해', '현재보다 나은 미래의 삶을 위해' 라는 슬로건은 현재의 희생을 어느 정도 감수할 수 있게 하고, 나아가 기꺼운 것으로 생각하도록 만들어준다. 이는 지배자(治者)들이 흔히 제시하는 '비전'이라고 할 수 있는데, 이런 비전은 눈가림의 속임수일 수도 있고 진정한 치자의 꿈일 수도 있다. 조원장의 경우 속임수보다는 진정한 치자의 꿈이라고 해석된다.[11] 그러나 이것 역시 명분의 강조처럼 목적을 위해 현재의 문제점을 합리화하는 일과 다르지 않다.

작품 초반 한민의 죽음을 해석하는 조백헌 원장의 말에도 이 주제는 암시되어 있다. 원장이 한민의 죽음을 불만스러워 하는 이유는 그가 섬의 미래를 믿지 않았다는 점에 있다. "지금 이 섬을 낙토로 여기지 않은 것뿐 아니라 그 새낀 내일의 낙토도 믿지 않"(62쪽)았다는 것이 죽음에 대한 조 원장의 해석이다. 그러나 미래를 위해 현재의 삶을 계속 유예하는 데도 한계가 있다. 내일의 낙토를 믿고 현재를 견디어야 한다는 발상은 미래를 위해 현재를 담보로 맡기는 일이다. 그러나 미래가 이루어지지 않는다는 것을 알았을 때의 절망은 매우 큰 것이다. 그런 절망을 피하기 위해서는 미래의 약속을 믿지 말아야 한다. 미래를 믿지 않는다면 오히려 현재의 삶을 냉철하게 바라볼 수 있을지 모른다.

미래의 낙원에 대한 부정적 사고는 작품 후반부에서 분명하게 드러난다.

> "이 섬은 지금까지 문둥이들의 후손을 팔아 다스려지고 있었다는 것입니다. 후손의 이름을 빌린 그 미래를 구실로 하여 현재가 다스려지고 있다는 생각, 그러나 섬의 현실은 실패할 수밖에 없다는 생각, 현실이 미래로 인해 속고

---

11) 김천혜, 「치자와 피치자의 윤리」, 『이청준』, 은애, 1979, 247쪽.

있다는 생각, 그러나 사실 이 섬에선 미래보다도 현실이 더욱 중요하다는 생각, 그런 생각들 때문에 그런 반발이 생기고 있는 것 같아요. 현실을 위한 미래 부정이라기보다도, 근본적으로는 그 현실의 실패 때문에, 섬의 현실이 더 이상 속아넘어가지 않도록 하자는 생각이 그런 식의 반발로 연결이 되어나오고 있는 거란 말입니다. 자식을 갖지 않겠다는 건 결국은 현실의 실패에 대한 작자들 특유의 야유 어린 추궁이야요. 하고 보니 이쪽에선 수술을 해줄 수도 안 해줄 수도 없는 형편이지요. 수술을 해주는 건 곧 현실의 실패를 자인하는 행위가 되거든요."[12]

위의 예문은 음성병력자 윤해원이 가지고 있는 섬에 대한 절망감을 조백헌 나름대로 해석한 내용이다. 섬에 대한 윤해원의 절망은 말을 통해서만이 아니라 행동으로도 나타나는데, 그는 병력이 없는(사실은 음성 병력자이지만 정상인으로 알려져 있는) 서미연과의 결혼을 앞두고 자신의 단종수술을 요구한다. 현실의 실패에 대한 보상을 늘 미래에서 구하는 어떤 생각에도 넘어가지 않기 위해서는 자식을 갖지 않아야 한다는 것이 그는 주장이다. 물론 이는 상징적인 의미를 갖는다. 조백헌은 이를 '야유 어린 추궁'이라고 해석한다. 현실을 현실로 받아들이지 않고 미래의 희망으로 색칠하는 것에 대한 야유라는 말이다.

이상의 논의를 통해 알 수 있듯이 이 소설의 중심 이야기인 섬의 개발과 낙원 건설의 논리는 6 - 70년대 경제 개발 논리(또는 근대화 논리)와 크게 다르지 않다. 이 소설을 읽는 독자는 알게 모르게 섬의 상황을 시대의 알레고리로 받아들이게 된다. 개발 독재의 장점과 단점은 점차 밝혀지고 있는 상황이지만 개발 독재가 진행중인 한복판에서 이런 현실을 다루었다는 사실은 분명 주목할 만한 일이다. 개발 논리가 미래를 담보로 현재를 빼앗는다는 주장은 특히 설득력을 갖는다. 개발의 명분과 대상화되는 다수에 대한 고려 중 어느 것이 선행해야 하는지는 아직도 쉽게 풀 수 없는 문제이기는 하다.

---

12) 『당신들의 천국』, 288쪽.

그러나 그렇게 해서 만들어진 미래가 결코 약속된 그대로의 미래일 수 없음은 명확하다. 이런 알레고리적 성격이 장편 소설로서『당신들의 천국』이 갖는 중요한 의미라 할 수 있다.

4. 현실과 관념 또는 구체와 사변

앞서 언급한 대로 이 소설의 중심 이야기는 섬에 '당신'들의 천국을 세우려는 정상인과 그런 정상인들에게서 배반만을 경험한 환자들의 대립에서 발생한다.『당신들의 천국』은 이런 대립을 통해 소록도로 상징되는 현실 일반을 비판하기도 한다. 다른 한편으로는 이러한 대립에 대한 이해와 평가가 이 소설의 또 다른 이야기 층을 형성한다. 환자들이 정상인들에게서 느끼는 배반감을 어떻게 해석하고 풀어갈 것인가가 작품에서 중요한 문제로 다루어지는 것이다. 환자들의 배반감이 중요한 사건을 만들어나가고 그런 사건에 얽혀 있는 인물들이 그것에 대해 평가하는 것이다.

중심 인물이라 할 수 있는 조백헌과 이상욱과 황 장로는 섬의 이런 문제를 해결할 방법에 대해 각기 다른 생각을 가지고 있다. 이들이 서로의 견해를 비판하면서 벌이는 논쟁 아닌 논쟁은 이 소설을 여타 장편소설과 구분하는 중요한 특징이라 할 수 있다. 이는 특히 작품 중반 이후 본격화된다. 조백헌이 추진하는 간척 사업이 어려움에 처하자 원장과 환자들 사이의 불신이 표면에 드러나고 그 불신을 해결하는 과정에서 인물들의 생각은 첨예화되고 차이는 분명해지기 때문이다.

그의 모든 사고의 근거는 오직 이 섬의 어두운 내력 한 가지뿐이었다. 걸핏하면 그는 이 섬의 내력을 들추어내어 그것만을 생각하고 그 것 위에서 모든 일을 간단히 결론지어 버렸다. 그는 자기의 어두운 경험 세계와 불행스런 섬의 역사에 짓눌려 언제나 우중충하고 무기력한 얼굴을 하고 있었다. 그는 누구보다도 사람을 믿으려 하지 않았다. 뿐만 아니라 아무 것도 이루려 하지 않았고 아무 것도 이루어보려는 행동을 하지 않았다. 섬에서 먼저 구해내야 할 사람은 상욱 바로 그 사람이었다.13)

이상욱 과장이란 사람 모든 일을 그 자유로만 행하고 싶어했고, 또 오로지 자유로만 행할 줄은 알았어도 거기서 익혀진 몹쓸 버릇들, 일테면 덮어놓고 남을 의심하고 원망하고 미워하는 따위의 심성에 대해서까지는 미처 눈을 뜨지 못했던 게야. 남을 용서할 줄을 몰랐지. 모든 것을 그저 자유 한 가지로만 행하려 한 허물이지.14)

겉으로 보기에 문제를 만드는 쪽은 늘 환자들이다. 환자들이 정상인들에게 과도한 적대감을 가지고 있고 그 적대감으로 인해 문제가 발생한다. 섬을 위해 실제로 많은 일을 했고 어느 정도는 인정받을 만한 사람임에도 불구하고 조원장은 환자들에게 받아들여지지 않는다. 화자 역시 감정을 개입하여 "도대체 황 노인과 섬사람들은 그러면서도 무엇 때문에 아직 원장을 용납할 수가 없는가"(261쪽)라고 말하기까지 한다. 그 이유는 환자들을 통해서가 아니라 환자의 입장을 완전히 이해하는 듯한 이상욱을 통해 밝혀진다. 그가 강조하는 것은 자유이다. 자유의 강조는 작품 후반까지 계속 이어진다. 이 소설의 첫 번째 장에서 등장하는 탈출사건과 한민의 죽음 역시 자유의 문제로 해석되고 있다.

그러나 상욱의 이러한 생각은 황 장로에 의해 비판된다. 조백헌 원장을 어느 정도 이해하게 된 황 장로는 이상욱이 '자유로만 행할 줄'은 알았지만, 자유에 따르는 위험인 '덮어놓고 남을 의심하고 원망하고 미워하는 따위의 심성'에 대해서는 눈을 뜨지 못했다고 비판한다. 즉, 환자들 스스로의 허물에 대한 인식이 적었다는 의미이다. 배반에 대한 용서라든지 상대방 입장에 대한 고려가 없는 것이 자신을 포함한 환자들의 문제라는 것이 황장로의

---

13) 『당신들이 천국』, 134쪽.
14) 『당신들이 천국』, 263쪽.

생각이다.15)

사실 이런 지적은 타당한 면이 있다. 환자들은 정상인들이 자신들을 배반한다고 말한다. 또 상대방이 자신들의 입장을 십분 이해하지 않으면 받아들이려 노력하지 않는다. 언제나 사고의 중심에는 자신들의 처지만이 자리한다. 그들은 '자유'에 대해 말하면서도 정상인을 함께 할 동료로 인정하려 하지 않는 것이다. 자신들이 희생자 혹은 천형을 받은 사람들이라고 해서 그 책임을 그렇지 않은 이들에게 돌릴 수는 없는 일이다. 온갖 사회적 편견의 존재를 인정하더라도 정상인과의 편가르기는 환자들 편에서 앞장선 것일지 모른다.16)

이상욱의 생각을 비판하면서 황 장로가 내세우는 것은 사랑이다.

　　이제 이 섬에선 자유보다도 더 소중스런 사랑으로 행해 나갈 수가 있어야 한다는 소리일 뿐이야. 자유가 사랑으로 행해지고 사랑이 자유로 행해져서, 서로가 서로 속으로 깃들면서 행해질 수만 있다면야 사랑이고 자유고 굳이 나눠 따질 일이 없겠지만, 이 섬에서 일어난 일들로 해서는, 자유라는 것 속에 사랑이 깃들기는 어려웠어도, 사랑으로 행하는 길에 자유는 함께 행해질 수도 있다는 조짐은 보이거든. 그리고 아마 이 섬이 다시 사랑으로 충만해지고 그 사랑 속에서 진실로 자유가 행해지는 날이 오게 되면, 그때 가선 이 섬의 모습도 많이 사정이 달라질 게야.17)

황장로의 이력으로 볼 때 위와 같은 관념적이고 추상적인 말이 어울리지

---

15) 이러한 입장에서 쓰여진 대표적인 글은 김현의 「자유와 사랑의 실천적 화해」(『당신들의 천국』해설, 삼성출판사, 1985)이다.

16) 여기서 자유를 추상적이고 정치적인 의미의 자유로 확대하는 것은 적절하지 못하다. 소설에서 그런 것을 문제삼고 있지 않을 뿐 아니라 확대 해석할 근거가 매우 적다. 이청준의 제반 가치는 세계와의 가치의 비교 속에서 정당성을 획득하는 것이 나이라 그 자체 존재론적 정당성을 갖는 것이다. 이에 대해서는 차혜영의 「자율적 주체의 개인주의와 모더니즘적 글쓰기」(『1970년대 문학 연구』, 107쪽)참조.

17) 『당신들의 천국』, 264쪽.

않는다는 것은 차치하고라도 예언자적 풍모까지 갖추고 있는 모습은 적절하지 못하다. 쉽게 예를 들어도 '사랑 속에서 자유가 행해지는 날'과 같은 말은 매우 막연해서 떠돌이 출신 나병 환자가 사용할 만한 문장은 아니다. 자유가 가진 문제를 어떻게 풀어야 할 것인가에 대한 고민은 황 장로보다 화자에게 절실했던 것처럼 보이기도 한다. 여하튼 이런 말에는 조백헌 원장에 대한 긍정이 포함되어 있다. 환자나 조 원장이나 이상욱까지도 사랑보다는 증오를 통해 문제를 해결하려 노력한 경우가 많다. 조 원장 역시 내부의 문제를 밖으로 돌리기 위해 "육지 사람들에 대한 원망과 증오감을 일깨우기 위해 가능한 한 그 육지사람들로부터 당해온 지난날의 학대와 저주의 세월들을 과장적으로 상기"(210쪽)시키는 일이 있었다. 이는 정상인을 배제하는 섬 환자들의 논리와도 통하는 면이다.

황장로의 이런 생각에 원장은 완전히 동의하지는 않는다. 오히려 이상욱 쪽의 생각을 받아들이려 한다.

참다운 사랑이란 일방이 일방을 구하는 일이 아니라 그 공동의 운명을 수락하는 데서만 가능한 것이었어요. 그리고 그것은 곧 그가 그 천국을 꾸미더라도 그것을 꾸미고 나서 그 천국을 떠나지 않아야 한다는 뜻이 되지요. 아닌게 아니라 거기서는 진실한 믿음이 생길 수가 없는 것이지요. 그리고 아마 황 장로 역시 그것을 이미 알고 있었기 때문에 더 이상 내게는 믿음을 구하지 않으려 했는지 모르는 일이지요. 어쨌거나 난 작자의 편지에서 비로소 그것을 알았어요. 그리고 그것을 알았기 때문에 다시 한번 섬을 찾아온 것이지요. 나의 운명을 함께 할 각오로 말입니다. 그리고 믿음을 구하고자 말입니다……18)

조백헌은 사랑은 '공동의 운명을 수락하는 데' 있다고 생각한다. 공동의 운명을 수락하는 일은 현재의 삶을 함께 살아가는 것이다. 황장로가 말한 용서할 수 있는 마음을 완전히 받아들이지는 못하고 그 안에 '나의 운명을

18) 『당신들의 천국』, 318쪽.

함께 할 각오'를 의미 있게 두는 셈이다. 조 원장은 이상욱이나 황 장로가 자신을 믿으려 하지 않았던 이유가 여기에 있다고 생각한다. 실제로 조 원장은 공직을 마치고 다시 섬으로 돌아온다. 원장이 아니라 한 자연인으로 돌아와 그 섬에서 함께 살기 위해서이다. 결정을 내리고 사람을 이끄는 위치가 아니라 함께 생활하면서 '당신'으로 취급받았던 환자들과의 벽을 허물려는 것이다.

조백헌 대령과 이상욱 그리고 황 장로, 섬에 대한 이들의 인식 차이는 곧 섬을 어떻게 '당신들의 천국'이 아닌 섬사람들의 천국으로 만들 것인가의 문제와 이어진다. 앞서 살펴본 대로 이 소설에는 이들의 입장이 어떻게 다른지가 잘 드러나 있다. 그런데 여기서 주목할 것은 각 인물들의 생각이 소설에서 표현되는 방법이다. 화자는 인물의 성격과는 무관하게 인물들의 생각을 논리적으로 전달하는 데 많은 지면을 사용하고 있다. 사건의 진행보다 문제에 대한 논리적인 설명에 작가가 더 많은 애정을 쏟는 듯한 인상마저 준다.

이런 사변적 경향이 꼭 좋은 결과만을 낳는 것은 아니다. 사건 중심이 아니라 논리 경연 중심으로 이야기가 전달되기 때문에 이상욱이 그렇게 강조하는 섬의 현실이 본격적으로 다루어지지 못하는 결과를 낳는다. 섬의 현실이 몇 몇 인물들이 관념 속에서 활발히 논의될 뿐 실제 구체적인 상황으로 묘사되는 부분은 많지 않다. 작품에는 황희백과 이상욱이 말하는 현실이 있을 뿐 독자가 보고 판단할 수 있는 현실은 없다. 인물들간의 충돌도 직접적으로 묘사되기보다는 정리된 상황으로 간접적으로 전달되는 경우가 많다. 물론 이는 이청준 소설의 특징이라고도 할 수 있는 요소이다. 이청준 소설의 장점인 "주어진 현실의 외양보다는 그 외양 속에 감춰진 진실을 들춰내"고 "주어진 현실의 허울과 껍질 앞에 있지 않고 현실의 껍질을 비집고 그 안쪽을 집요하게 들여다 보"[19]는 성격은 곧 단점이 된다. 작가가 지향하는 열린 결말이 아닐 수도 있는 것이다. 계몽적 성격을 가질 수 있다는 지적[20] 역시

---

19) 오생근, 「갇혀 있는 자의 시선」, 앞의 책.

설득력을 갖게 된다.

이러한 구조는 단편에서 자주 사용되는 액자소설 형식과 맥을 같이 한다. 일반적으로 이청준 액자소설에 대한 평가는 둘로 나뉘어진다. 현상을 현상 그대로 보여주는 것에서 만족하지 못하고 여러 견해를 동시에 보여주어 작품이 주제를 열어 놓는다는 대부분의 평가는 긍정적인 쪽이라 할 수 있다. 이에 비해 "하나의 스토리를 여러 겹의 틀로 재조명한다고 해서 반드시 다각적인 시야를 확보하는 것은 아니다. 틀마다 시점이 달라진다고 해도 심층의 세계관이 동일한 경우에는 형식적 차원의 변주에 그치고 만다"[21]는 평가는 부정적인 쪽이다. 지배적인 평가는 앞의 것이지만 후자의 결정에도 동의할 필요가 있다. 구조 자체를 의미 있는 틀로 연결시키는 관점은 그리 바람직하다고 할 수 없다. 구조 자체에 주목하는 것보다 그 효과의 적절성을 보는 것이 더 중요하다고 생각한다.

또 이 소설의 인물들은 살아 숨쉬는 개성을 가지고 있지 못하다. 다른 어떤 소설에서보다 인물들은 집단을 대표하여 상징화되어 있다. 『당신들의 천국』의 인물들은 조백헌 대령으로 상징되는 외부, 황희백으로 상징되는 환자들 그리고 그들 중간에 놓여 있는 이상욱이나 서미연, 윤해원으로 구분된다. "황희백 노인만 만나면 장로회 사람들 뿐 아니라 섬사람 모두를 만난 것이 될 수 있었다"(77쪽)는 진술에서는 작가가 개인의 특성에 주목하고 있다기보다는 개인이 상징하는 상황 혹은 존재에 크게 의미를 부여하고 있음을 확인할 수 있다.

---

20) 지금까지 『당신들의 천국』에 대한 평가는 긍정 일색이라 해도 과장이 아니다. 비판적인 목소리가 느껴지는 비평으로는 정명환의 「소설의 세가지 차원」이 비교적 수긍할만한 글이다. 정명환은 이 글에서 작품 후반부의 문제점을 지적하는데 "『당신들의 천국』은 지적 분석으로부터 신념의 표명으로, 매우 현실적인 검증으로부터 근거가 약한 이상주의로 변조되어 마지막에 이르러서는 신소설이나 이광수의 계몽소설과의 거리가 멀지 않은 인상마저 남긴다"고 말한다.

21) 정영아, 「이청준 초기 소설연구」, 『상허학보』6집, 2000, 447쪽.

5. 맺음말

이청준의 소설 속에는 이야기꾼 하는 사람이 존재한다. 이야기하는 사람뿐 아니라 이야기를 듣는 사람도 소설 속에 등장하는 것이 보통이다. 단편소설에서 자주 쓰이는 이런 화자―청자 구조는『당신들의 천국』에도 그대로 사용되고 있다. 주요 등장 인물이라고 할 수 있는 이상욱과 조백헌 그리고 황장로는 때에 따라 화자가 되기도 하고 청자가 되기도 한다. 실제 벌어졌다고 하는 사건들의 많은 부분은 이들의 이야기를 통해 독자에게 전달된다.

이런 서술 방식을 사용한 까닭에『당신들의 천국』은 풍부한 현실감을 만들어내지는 못한다. 사건을 보고 있다기보다는 사건을 겪는 인물들의 고민을 듣고 있다는 인상을 준다. 주요 인물들 모두 자신의 생각을 장황하게 늘어놓는 버릇이 있다. 이 소설이 가진 사변적 성격이 여기에서 나온다. 이러한 특징은 현실에 대한 구체적인 인식을 현장감 있게 보여주는 데는 기여하지 못한다. 이 소설이 구체적인 사건이 매개되어 있으면서도 현장성이 부족한 이유이다. 이야기의 구조를 따라가면『당신들의 천국』이 장편소설로의 복합적 구조를 갖추고 있는지도 의문스럽다. 마지막의 결혼 장면도 매우 상투적인 처리 방식으로 평가할 수 있다.

그럼에도『당신들의 천국』은 70년대 소설의 일반적인 특징인 소외된 이들에 대한 관심과 권력에 대한 의문을 주제로 했다는 점에서 가볍게 다루어질 수 없는 작품이다. 대상을 다루는 방법은 독특하더라도 산업화 시대의 주요 문제에 관심을 보였다는 점에서 동시대 소설들과 특징을 공유하고 있다고 할 수 있다. 그런 의미에서 이 소설은 다양한 소재의 개발과 함께 다양한 형식의 실험까지 포함하는 70년대 소설의 성과 안에 중요한 작품으로 거론될 수 있을 것이다. 이것이 작품의 여타 평가를 떠나『당신들의 천국』이 갖는 소설사적 의미라 할 수 있다. 세미

박용래 시에 나타난 자연 인식의 태도

엄경희*

1. 문제 제기

자연은 우리 시에서뿐 아니라 인류 문학사에서 가장 보편적인 제재라 할 수 있다. 시대의 변화에도 불구하고, 그리고 오늘날 산업화와 도시화가 범지구적으로 진행되고 있는 상황에서도 자연이 그 중요성을 상실하지 않은 채 지속적으로 문학의 대상이 될 수 있는 것은 그것이 인간과 필연적 관계 속에 있기 때문이다. 즉 자연은 인간의 생명을 보육하는 근원적 에너지일 뿐만 아니라 우주의 질서와 섭리를 가르쳐주는 진리의 저장고라는 점, 그리고 그 자체 심미적 대상일 수 있다는 점에서 인간에게 본질적인 것이다. 따라서 향가와 고려가요, 조선조의 강호가도를 거쳐 지금의 생태시에 이르기까지 자연시의 위상은 위축됨이 없이 우리 시의 큰 줄기를 형성해 왔다.

그런데 인간의 의식과 정신의 외부에 존재하는 자연은 그것을 지각하는 주체의 시각에 따라 다양하게 정의될 수 있다. 즉 예술가와 자연과학자,

---

* 이화여대 강사

점술가, 환경 정책 집행자가 보는 자연은 각기 그 관점에 따라 다르게 나타날 수 있다. 우리의 관심사인 문학적 대상으로서의 자연은 객관적 사물로서의 자연도 아니며, 신의 창조물로서의 자연도 아니다. 그것은 "작가의 상상력에 의해 여과되고 굴절된 내면화"된 자연1)이다. 다시 말해 시인은 자신의 주관적 의식, 즉 감정, 관념, 이념 등에 따라 자연에 의미를 부여함과 동시에 자신의 정감의 세계를 표출한다. 시적 자연은 다분히 개인의 주관성에 의해 변형된 미적 상관물인 것이다. 이처럼 객관적 세계를 내면화하는 과정, 주관성을 실현하는 과정이 곧 시인의 세계 인식의 태도라 할 수 있다.

박용래는 처음부터 끝까지 자연을 시의 중심 대상으로 삼고 있다는 점에서, 그리고 자연을 다만 소재 차용의 차원이 아니라 자기 인식의 근원으로 삼고 있다는 점에서 자연시 전통을 잇는 중요 시인이라 할 수 있다. 박용래 시에 대한 기존의 연구는 크게 두 부분으로 대별된다.2) 하나는 박용래 시가 드러내고 있는 형식적 특성에 대한 논의로 단형의 시 형태, 병렬(운율)과 반복, 이미지의 병치, 감정의 사물화, 여백미 등에 대한 탐구이며, 다른 하나는 향토 의식과 애상성, 정한, 그리고 그로부터 도출되는 과거 지향적 태도와 대상에 대한 관조적 자세 등 시적 내용과 세계관을 문제 삼고 있는 논의이다. 이외에 약전(略傳) 형식으로 씌어진 전기물이 있다. 이와 같은 기존 연구 성과는 양적인 면에서는 풍성하다 할 수 없지만 질적인 면에서는 매우 심층적인 접근이 이루어진 것으로 평가된다. 그럼에도 불구하고 박용래 시의 주된 정서라 할 수 있는 애상성이 본질적으로 어디에서 기인한 것인가, 그리고 애상성을 절제된 미로 승화시킬 수 있었던 의식의 작용은 무엇인가에 대한 연구는 미흡한 편이라 하겠다. 따라서 본 논의는 이에 초점을 맞추어

---

1) 이숭원, 「한국근대시의 자연표상 연구」, 서울대 대학원 국어국문학과 박사학위 논문, 1989, 13쪽.

2) 박용래 시의 형식과 내용, 그리고 그것이 함의하는 세계관에 관한 논의는 사실상 명확하게 분리되어 있는 것이 아니라 서로 뒤섞여 있는 경우가 대부분이며, 논자들간에도 그 논의점이 상당 부분 겹치는 관계로 이 글에서는 연구자들의 개별 논의 제시를 생략하기로 한다.

그의 자연 인식의 태도(세계관)를 밝혀보고자 한다.

2. 현대성에 대한 반감과 소외된 자아

박용래(1925~1980)는 일제식민지와 해방, 6.25 사변, 산업화로 이어져온 우리의 현대사를 거쳐왔음에도 불구하고 그의 시는 이러한 역사의 흐름에 둔감한 것처럼 읽혀진다. 특히 그의 시작 활동 시기와 깊이 맞물려 있던 산업화, 도시화에 따른 변화에 대해 반응한 흔적을 거의 찾을 수 없는 것은 물론이요, 그의 시세계는 1956년『현대문학(現代文學)』지로 등단하기 이전 습작시절부터 1980년 타계하기까지 오로지 '향토적 자연'이라는 시적 대상을 일관되게 고집함으로써 현대사의 격변으로부터 분리된 인상을 남기고 있다. 이와 같은 박용래의 시세계를 김재홍은 다음과 같이 요약하고 있다.

> 詩集『싸락눈』과『강아지풀』그리고 近作『白髮의 꽃대궁』을 貫流하고 있는 것은 自然史와 人間史의 和應이며 아울러 靜止的이며 過去的이고 植物的인 落下의 상상력이다. 그의 詩는 자연친화의 田園象徵(natural symbolism)에 크게 의존하고 있으며 이러한 전원상징과 인간적인 生命感覺의 결합은 朴龍來 詩의 골격을 이룬다.3)

김재홍의 지적처럼 박용래의 시는 정적인 자연의 세계가 그 골격을 이룬다. "현대화된다는 것은 우리에게 모험, 권력, 쾌락, 발전, 우리 자신의 변화 및 세계의 변화를 보장해 주는 동시에 우리가 가지고 있는 모든 것, 우리가 알고 있는 모든 것, 지금 우리의 모든 모습을 파괴하도록 위협하는 환경 속에 자리잡고 있는 우리 자신을 발견하는 것"4) 이라는 마샬 버만(Marshall Berman)의 지적처럼 현대성의 세계를 생성과 쇠퇴가 함께 공존하면서 끊임

---

3) 김재홍, 「朴龍來 또는 田園象徵과 落下의 想像力」,『심상』, 1980. 12.
4) 마샬 버만(Marshall Berman),『현대성의 경험』, 윤호병·이만식(역), 현대미학사, 1998, 12쪽.

없이 운동하는 변증의 세계라 한다면 박용래의 자연시는 이러한 세계와는 정반대되는 방향에 그 거점을 마련하고 있는 것이다. 그런데 그의 자연에 대한 집착 이면에는 분명 도시적, 문명적, 기계적 세계로 대변되는 현대성 (modernity)에 대한 반감이 깊이 깔려 있는 것으로 생각된다.

우선 그의 생애5)를 일별해 보면 몇 가지 독특한 점을 발견할 수 있다. 첫째, 그가 도시적 생활에 적응하지 못하는 성격의 소유자였다는 점. 둘째, 여러 학교를 옮겨 다니다 결국 생계를 간호원인 아내에게 떠넘긴 것으로 보아 '직장'이라는 고정된 틀을 견디지 못했다는 점. 따라서 그는 현실의 차원에서 보면 무능한 사람이었다고도 할 수 있다. 셋째, 향토적 생활 세계를 지속적으로 지향하면서 간혹 농장이나 과수원에서 일을 했던 경험은 있으나 직접 농민의 삶을 살았던 것은 아니라는 점 등으로 미루어 볼 때 박용래는 도시적 삶의 형태가 요구하는 진취적이거나 도전적, 혹은 욕망 지향적 성향 과는 반대되는 인물로 파악되며, 향토성을 추구하면서도 전폭적으로 농사에 참여하지 않은 것으로 보아서는 실천보다는 관조적 성향이 강했던 인물로 판단된다. 이와 같은 그의 생래적 기질이 그를 현실 부적응자로 낙인찍기에 충분한 요소이기도 하지만, 이것이 그의 시의 근원이라 할 수 있는 '자연'을 심미적으로 통찰케 한 정신의 토양인 것만은 분명하다. 그의 현대성에 대한 반감은 다수의 작품에 포진해 있는 것은 아니나 몇몇 작품을 통해서 분명히 나타나고 있는 것이 사실이다.

> 남은 아지랑이가 홀홀
> 타오르는 어느 驛 構
> 內 모퉁이 어메는 노
> 오란 아베도 노란 貨
> 物에 실려 온 나도사
> 오요요 강아지풀. 목

5) 이문구, 「朴龍來 略傳」, 『먼 바다』, 창작과비평사, 1984, 230~273쪽 참조.

마른 枕木은 싫어 삐

걱 삐걱 여닫는 바람

소리 싫어 반딧불 뿌

리는 동네로 다시 이

사 간다. 다 두고 이

슬 단지만 들고 간다.

땅 밑에서 옛 喪輿 소

리 들이어라. 녹물이

든 오요요 강아지풀.

-「강아지풀」 전문

박용래가 자주 사용하는 행간걸침(enjambment)의 수법에 의해 구성된 이 시는 '화물(차)', '목마른 침목(枕木)', '삐걱 삐걱 여닫는 바람 소리'를 '반딧불''이슬' 등과 같은 자연 심상과 대립되는 문맥 속에 놓음으로써 도시적 세계에 대한 혐오의 감정을 드러내고 있는 작품이다. 즉 '나'를 신고 온 '화물차'는 인간을 물질의 차원으로 규정해버리는 비인간적 세계를, '목마른 침목'은 생명을 소진시키는 비생명적 상황을, '삐걱 삐걱 여닫는 바람 소리' 는 불안에 시달리는 존재의 의식을 각각 함축한다. 이러한 세계를 견뎌내지 못한 일가족은 '다시' 자연의 공간으로 되돌아온다. 이때 시인은 이들이 겪은 상처를 '녹물'이라는 부식된 금속성의 이미지와 '오요요'라는 떨림을 환기하는 소리 이미지로 감각화한다.

한편 '노란 녹물'로 물든 일가족은 '강아지풀'이라는 아주 연약한 식물로 그려지고 있는데, 이것이 박용래가 파악한 자연적 존재로서의 인간이라 할 수 있다. 그는 거대한 교목이나 사나운 맹수와도 같은 강인한 존재에 대해서는 별로 관심하지 않는다. 그런 의미에서 박용래가 애착한 것이 "작은 것들의 세계"6)라는 이은봉의 해석은 타당하다. 작고 연약한 '강아지풀'과도 같은

---

6) 이은봉, 「박용래 시 연구-시적 방법과 시세계를 중심으로」, 『한남어문학』(7, 8 합병호), 한남대학 국어국문학회, 1982, 86쪽.

존재들에게 진취적이고 도전적인 자세를 요구하는 도시적 세계가 결코 생명의 공간이 될 수 없음을 이 시는 암시한다. 「강아지풀」 외에 이와 같은 현대성에 대한 반감 의식은 "노을 밴 黃山메기 / 애꾸눈이 메기는 살더라,"(「황산메기」), "廢水가 흐르는 길, 하루 삼부교대의 女工들이 봇물 쏟아지듯 쏟아져나오는 시멘트 담벼락. // 밋밋한 담벼락 아니라, 유리쪽 가시철망 아니라, 삼삼한 찔레넝쿨 터널을 만들자,"(「연지빛 반달型」)와 같은 시구절을 통해서 드러나기도 한다. 한편 현대성에 대한 반감 의식은 곧 시인 자신의 부적응성을 함의하며 이러한 그의 의식성이 그를 '자연'이라는 반문명적, 반도시적 세계로 몰아가는 가장 큰 요인이라 할 수 있다.

현대성의 세계가 산업주의를 기반으로 진보와 발전에 대한 믿음을 실현시키고자 한 역동적 기획으로 이루어졌다면, 박용래가 보여주고 있는 자연 지향은 그것을 회의하거나 포기하는 것과 연관된다. 따라서 현대적 세계가 이루고자 한 '진보와 발전'이 허구이든 아니든 박용래가 추구했던 의식의 지향은 시대로부터 자신을 소외시킬 가능성을 지닌다. 그는 하나의 거대한 세계로부터 자신의 삶을 단절시킴으로써 누구보다 깊게 '자연'에 몰입할 수 있었는지는 모르지만, 그렇기 때문에 그의 의식 속에는 무능한 자아에 대한 자기 비하적 감정과 고립감, 혹은 자신이 갇혀있다는 감금 의식이 자리잡고 있다.

㉮ 난
　彩雲山
　민둥산
　돌담 아래
　손 짚고
　섰는
　성황당
　허수아비
　댕기풀이
　허수아비

난.

－「曲 5篇 중 마을」 전문

㉯ 한때 나는 한 봉지 솜과자였다가
한때 나는 한 봉지 붕어빵였다가
한때 나는 坐板에 던져진 햇살였다가
中國집 처마밑 鳥籠 속의 새였다가
먼 먼 輪廻 끝
이제는 돌아와
五柳洞의 銅錢.

－「五柳洞의 銅錢」 전문

시 ㉮와 ㉯는 '나'라는 현상적 화자를 내세움으로써 자기 고백적 성격을 강화시킨 예인데, 박용래 시에서 이처럼 '나'를 시의 표면에 내세운 경우는 그리 많지 않다.7) 중요한 것은 '나'로 드러난 화자가 대부분 긍정적으로 그려지고 있지 않다는 점이다. 시 ㉮에서 화자는 '나'를 '허수아비'라 말하고 있는데, 이때 주목할 것은 "돌담 아래 / 손 짚고" 서있는 허수아비의 엉성하고도 무기력한 형상이다. 시 ㉯에서 '나'는 ㉮에서 보다 한층 더 비인간화된 모습으로 드러나 있는데, 그 의미는 이질적 사물을 병치시킴으로써 만들어진다. '솜과자' '붕어빵' '좌판(坐板)에 던져진 햇살' '조롱(鳥籠) 속의 새' 등은 서로 매우 상이한 사물들이지만 부풀다, 퍼지다, 날다 등 확산적 성향을 내포하고 있다는 점에서, 그러면서 그러한 사물의 운동성이 한계에 부딪혀

---

7) '나'라는 시적 화자를 시의 전면에 내세울 때 시는 상대적으로 내적 정서를 직접 화하는 주관적, 고백적 성격이 두드러지게 된다. 박용래의 경우는 이와 반대되는 성향이 더 강한데 이은봉은 박용래의 이러한 특징을 다음과 같이 설명하고 있다. "박용래의 시엔 시적 화자, 즉 퍼소나(persona)가 대체로 감추어져서 드러난다. 화자의 입장을 가능한 한 객관화함으로써 시의 언어로 하여금 사물의 제시 혹은 사물의 던짐이 되도록 유도하는데 이는 아마도 시의 언어가 사물의 언어이어야 한다는 그의 평소의 신념 때문인 것으로 사료된다." 이은봉, 앞의 글, 78쪽.

있거나 억압되어 있다는 공통점을 지닌다. 따라서 이들은 '내'가 하찮은, 혹은 자유롭지 못한 존재임을 나타낸다. 그런데 이러한 '나'에 대한 부정적 의식은 이 시의 마지막 행에 이르면 더욱 극단화된다. "오류동의 동전"이라는 교환가치로 전락한 존재가 바로 '나'인 것이다. 참고로 말하자면 '오류동'은 박용래가 나이 사십에 초가집을 짓고 살았던 서대전에 속해있던 동네이다. 생계를 주로 부인에게 의탁하고, 가사나 아이들 돌보기를 해왔던 박용래의 이러한 고백 속에서 무력한 자아에 대한 자기 비하의 감정을 충분히 읽어낼 수 있다. 그의 자연시가 애상성이나 비극성을 갖게 되는 데는 이와 같은 자신에 대한 절망감이 한 요인으로 작용했을 것으로 짐작된다.

⏣ 깊은 밤 풀벌레 소리와 나뿐이로다
　시냇물은 흘러서 바다로 간다
　어두움을 저어 시냇물처럼 저렇게 떨며
　흐느끼는 풀벌레 소리……
　쓸쓸한 마음을 몰고 간다

－「가을의 노래」 부분

⏥ 감꽃 마슬의
　외따른 번지 위해
　감꽃 마슬의
　조각보 하늘 위해
　그림 없는
　액자 속에 살아라
　감꽃
　주렁주렁 달고
　감새,

－「감새」 부분

㉺ 비가 오고 있다
　안개 속에서
　가고 있다
　비, 안개, 하루살이가
　뒤범벅되어
　이내가 되어
　덫이 되어
　(며칠째)
　내 木양말은
　젖고 있다.

　　　　　　　　　　　　　　　　-「雨中行」 전문

　시 ㉮와 ㉯가 주로 무기력하고도 비인간화된 자기의 존재의 상태를 드러
내고 있는 작품이라면 시 ㉰와 ㉱는 그러한 시적 화자가 거처하고 있는
공간의 성격을 암시하고 있는 작품이라 할 수 있다. ㉰는 박용래의 등단작이
며 ㉱는 그의 유고작임에도 불구하고 이 두 작품에 깔려있는 기본 정서는
크게 차이를 보이지 않는다. ㉰의 "깊은 밤 풀벌레 소리와 나뿐이로다"에서
알 수 있듯이 화자는 타자와의 소통이 단절된 고립의 공간 속에서 고독하게
'떨며' 있다. 시 ㉱에서도 화자는 '감새'에게 '외따른 번지', '조각보 하늘'과
같은 좁은 공간 속에 묻혀 지낼 것을 권유한다. 이처럼 한정된 공간 의식은
이중의 의미를 지닌다. 하나는 문명적 세계와 단절된 자연의 공간이라는
것이며, 이 자연의 공간은 아름답지만 한편으로는 고립된 세계라는 사실이
또 다른 하나이다. 시 ㉰, ㉱와 마찬가지로 ㉺에서도 구속, 결박에 의한 고립
된 자아를 발견할 수 있다. 이 시에 나타난 비, 안개, 이내와 같은 공기적
물의 심상은 시인의 앞을 차단하는 '덫'으로 의미화할 수 있다. 그것은 삶을
습하고 눅눅한 것으로 묶어 놓는 부정적 이미지들인 것이다. 많은 논자들이
이미 지적한 바, 박용래 시에 자주 나타나는 소외된 사물, 소외된 인물은

이처럼 시인 스스로에 대한 자기 비하적 감정이나 고립감, 감금의식 등과의 긴밀한 연관성 속에서 생성된 것이라 할 수 있다.

3. 빈궁과 미적 거리

박용래의 반도시적, 반문명적 기질과 진취적, 도전적 성향의 결여는 필연적으로 그를 '자연' 공간으로 거듭 귀환하게 하는 중요 요인이라 할 수 있다. 그런데 그가 귀의한 삶의 터전으로서의 자연은 풍요로운 낙원의 상징도 아니며, 단순히 무욕(無慾)한 맑음의 서정을 담고 있는 순수 자연의 공간도 아니다. 그리고 심오한 이념이나 사상으로 채색된 그런 자연도 아니다. 예를 들어 박용래의 자연은 서정주의 「풀리는 漢江가에서」, 「無等을 보며」, 「上里果園」 등 시인의 현실 초월 의식을 반영하고 있는 자연이나 박목월의 「靑노루」, 「나그네」에서 보여지는 담박한 자연, 김현승의 「겨울 까마귀」나 「마지막 地上에서」와 같은 시가 함축하고 있는 종교적 상징물로서의 자연과 구별된다. 박용래의 '자연'의 성격을 권오만은 다음과 같이 설명한다.

> 그의 시에 나타나는 자연은 산이나 바다처럼 의식적으로 찾아가 만나는 자연은 아니다. 또한 그의 시의 자연은 고답적인 명상의 대상물로서의 자연도 아니며, 江湖歌道의 유풍으로서 은둔하는 이의 이상향으로서의 자연도 아니다. 그의 시에서의 자연은 향토에서 삶을 이어가면서 무심결에 만나게 되는 생활 속의 자연이다.[8]

권오만의 지적처럼 박용래의 자연은 명상이나 관념의 등가물도 아니고, 은둔자가 갈구하는 낙원도 아니다. 그야말로 '무심결'에 만나는 생활 세계

---

8) 권오만, 「박용래론—恨의 시각적 형상화」, 『한국현대시연구』(김용직 외 공저), 민음사, 1989, 230쪽.

의 한 모습으로서의 자연이라 할 수 있다. 그의 자연은 토속적 생활과 깊이 연관되어 있다는 점에서 인간의 삶과 분리되지 않는 자연이며, 그렇기 때문에 그의 자연시에 등장하는 고산식물(高山植物)처럼 늙으신 어머니, 함지박 아낙네, 체장수, 상투잡이 머슴들, 상둣군, 허드렛군, 후살이 아낙 등과 같은 인물들과 돗자리, 베잠방이, 반짇고리, 참빗, 꽃신, 목침, 놋대야, 소금 항아리, 옹배기, 쇠죽가마 등 생활 기물들은 문명보다는 자연에 동화된 형상으로 그려진다. 박용래 시에서 이와 같은 생활 공간으로서의 자연이 드러내고 있는 가장 두드러진 모습은 '가난'이라 할 수 있다. 그의 대부분의 시는 가난과 궁핍으로 물들어 있는 인간의 삶을 반복적으로 형상화하고 있다.

> 댕댕이 넝쿨, 가시덤불
> 헤치고 헤치면
> 그날 나막신
> 쌓여 들어 있네
> 나비 잔등에 앉은 보릿고개
> 작두로도 못 자르는
> 먼 삼십리
> 청솔가지 타고
> 아름 따던 고사리순
> 할머니 나막신도
> 포개 있네
> 빗물 고인 千의 山
> 겹겹이네
>
> —「千의 山」 전문

어두컴컴한 부엌에서 새어나는 불빛이여 늦은 저녁
床 치우는 달그락 소리여 비우고 씻는 그릇 소리여
어디선가 가랑잎 지는 소리여 밤이여 섧은 홀이여

어두컴컴한 부엌에서 새어나는 아슴한 불빛이여.

-「三冬」전문

　박용래의 대표 시라 할 수 있는 「저녁눈」「그 봄비」「시락죽」「막버스」
「샘터」와 같은 작품만이 아니라 「雜木林」「某日」「Q씨의 아침 한때」「點
描」「微吟」등에서도 자연과 어우러져 있는 빈궁한 삶의 형상은 지속적으
로 나타난다. 위에 인용한 「千의 山」「三冬」도 그러한 예에 해당되는 시라
할 수 있다.

　「千의 山」은 첩첩한 산자락과 겹겹의 가난을 등가의 관계로 의미화함으
로써 가난의 고통을 부피와 양으로 치환시키는 독특한 상상력을 드러내고
있는 시이다. 기억을 '헤치고' 시인은 노동의 고달픔을 상징하는 산더미처럼
'쌓여 들어 있는 나막신'과 마주친다. 그것은 '작두로도 못 자르는' 무시무시
한 가난의 유물이라 할 수 있다. 이를 통해 볼 때 박용래가 인식한 자연이
풍요와는 거리가 멀다는 것을 알 수 있다. 작고 연약하며 가벼운 나비의
잔등을 짓누르고 있는 '보릿고개'의 무거움이 박용래가 집요하게 추구했던
자연 속에 내재해 있는 것이다. 이처럼 청솔가지나 고사리순으로 연명해야
하는 '보릿고개'의 서러운 삶은 박용래 시가 지닌 애상미와 담박미를 생성해
내는 원천이기도 하다.

　따라서 그에게 일상의 애환은 진부한 대상이 아니라 삶의 진실을 드러낼
수 가장 중요한 부분이 된다. 「三冬」은 바로 이러한 시인의 지향을 잘 드러
내고 있는 예라 할 수 있다. 「三冬」은 깊은 겨울 저녁밥을 먹고 그것을 치우
는 아주 소박한 일상을 대상으로 한 작품이다. 그런데 이 시는 근원적 안식을
제공하는 '집'을 주요 공간으로 삼고 있음에도 불구하고 저녁밥을 먹고 난
겨울밤의 따뜻함이나 안온함보다는 쓸쓸함과 스산함을 정서화한다. 이러한
시적 분위기는 우선 시적 화자의 시선이 실내가 아닌 집(부엌) 밖에 머물러
있다는 것과 관계된다. 화자는 안에서 행위하는 자가 아니라 밖에서 바라보
는 자의 위치에 머물면서 생활 공간에서 이루어지는 일상의 행위를 전체적

으로 조감하는 시각을 획득하게 된다. 이때 시적 화자의 감각을 일깨우는 것은 '소리'와 '불빛'이다. 상(床)을 치우고 그릇을 씻는 소리는 '가랑잎 지는 소리'와 겹쳐지면서 늦은 저녁의 고요와 쓸쓸함을 동시에 느끼게 한다. 즉 이 시에서의 청각 이미지는 '소리' 자체를 지각시키는 것이 아니라 오히려 적막을 느끼게 하는 그런 소리라 할 수 있다. '소리'와 마찬가지로 이 시의 '불빛' 또한 휘황한 밝음보다는 '어둠'을 감지케 하는 그런 불빛이라 할 수 있다.

　그의 또 다른 시 「所感」의 "흥부네 문턱은 햇살이 한 말", 혹은 「창포」의 "햇살을 날으는 아침 床머리 /열무김치"와 같이 밝은 빛의 이미지를 드러내고 있는 예외적 경우도 있지만 박용래 시에서 '빛'(불)의 이미지는 「三冬」에서처럼 어둠과 뒤섞여 있는 경우가 대부분이다. "솔밭에 번지는 / 喪家의 /불빛"(「물기 머금 풍경 1」), "늦은 저녁때 오는 눈발은 말집 호롱불 밑에 붐비다"(「저녁눈」), "쌀 씻는 소리에 / 눈물 머금는 未明"(「某日」), "저문 山 / 새발 심지의 / 燈盞"(「겨울山」), "日落西山에 개구리 울음"(「西山」), "바닥에 지는 햇무리의 / 下棺"(「下棺」) 등에서 알 수 있듯이 박용래 시에 나타난 '빛'의 이미지는 호롱불처럼 희미한 영상을 떠올리게 하거나, 소멸하는 저녁 노을의 애잔함을 느끼게 하는 경우가 대부분이다. 이와 같이 박용래가 반복적으로 드러내고 있는 '빈약한 빛'의 이미지는 쓸쓸함으로서의 시적 분위기를 창출할 뿐 아니라 빈곤한 인간 삶의 고달픔과 처연함을 환기하는 데도 중요한 역할을 한다. 「三冬」의 '어두컴컴한 부엌에서 새어나는 아슴한 불빛' 또한 눈물겨운 가난살이를 환기해 주는 이미지라 할 수 있다.

　앞서 살펴 본 바와 같이 박용래의 자연 공간이 풍요가 아닌 빈곤으로 얼룩진 세계임에도 불구하고 시인은 이를 부정적으로 인식하거나 이로부터 벗어나고자 하지 않는다. 표면적으로 박용래의 자연(향토)적 세계가 빈곤한 생활과 유착되어 있음에도 불구하고 거기에는 시인의 의식을 끌어당기는 어떤 요소가 내재해 있는 것이다. 이는 박용래가 자연과 어우러져 있는 인간 삶에서 가난 이외에 무엇을 포착하고 있는가와 연관될 수 있다.

> 잠 이루지 못하는 밤 고향집 마늘밭에 눈은 쌓이리.
> 잠 이루지 못하는 밤 고향집 추녀밑 달빛은 쌓이리.
> 발목을 벗고 물을 건너는 먼 마을.
> 고향집 마당귀 바람은 잠을 자리.
>
> ―「겨울밤」 전문

> 坑 속 같은 마을. 꼴깍, 해가, 노루꼬리 해가 지면 집집마다 봉당에 불을
> 켜지요. 콩깍지, 콩깍지처럼 후미진 외딴집, 외딴집에도 불빛은 앉아 이슥토록
> 창문은 木瓜빛입니다.
> 기인 밤입니다. 외딴집 老人은 홀로 잠이 깨어 출출한 나머지 무우를 깎기도
> 하고 고구마를 깎다, 문득 바람도 없는데 시나브로 풀려 풀려내리는 짚단, 짚오
> 라기의 설레임을 듣습니다. 귀를 모으고 듣지요. 후루룩 후루룩 처마깃에 나래
> 묻는 이름 모를 새, 새들의 溫氣를 생각합니다. 숨을 죽이고 생각하지요.
>
> ―「月暈」 부분

위에 인용한 두 편의 시는 몇 가지 공통점을 통해서 박용래의 향토 의식을
드러내고 있는 예라 할 수 있다. 첫째 이 두 편의 시에서 묘사되고 있는
고향은 실제의 세계라기 보다는 시인의 추측과 상상에 의해 그려진 공간이
라는 점이다. 추측, 상상, 기억 등을 다르게 설명해 본다면 시인이 지향하는
바에 따라 경험적 사실을 변형시킬 가능성을 지닌 의식의 작용이라 할 수
있다. 「겨울밤」은 '잠 이루지 못하는' 사람의 '추측'에 의해 형상화된 고향의
모습을 나타내며, 「月暈」 또한 '설레임을 듣다' 온기(溫氣)를 생각하다'와
같은 '외딴집 노인(老人)'의 내적 의식을 관찰자가 상상하고 있다는 점에서
시인의 주관성이 투영된 고향의 형상이라 할 수 있다. 따라서 풀려 내리는
짚단의 소리나 새들의 온기를 감지하고 있는 것은 노인이라기보다 상상의
주체인 시인 자신이라 할 수 있다.

이와 같은 시인의 추측과 상상이 드러내고 있는 두 번째 공통점은 '고향'은 먼 곳, 혹은 여타의 세계와 두절된 곳이라는 점이다. '발목을 벗고 물을 건너는 먼 마을', '坑 속 같은 마을'과 같은 구절이 이를 말해 준다. 이는 박용래가 자연을 고립의 공간으로 인식하고 있는 것과 동일한 발상으로 볼 수 있다. 「가을의 노래」, 「감새」에서 본 것처럼 자연이 고립의 공간으로 의미화될 때는 시인의 고독이나 외로움이 부각되는 반면 「겨울밤」에서와 같이 고향이 시적 자아와 멀리 떨어져 있는 공간으로 의미화될 때는 아득함, 그리움 등의 정서가 전면화된다. 그리고 「月暈」과 같이 두절된 공간성을 드러내는 경우는 신비함이 보태지기도 한다.

박용래 시에서 고향과 자아와의 아득한 거리는 고향을 적막한 공간으로 가라앉힌다. 눈과 달빛이 쌓이고, 바람이 고요하게 잠드는 곳, 그리고 바람도 없는데 짚단이 풀려 내리는 곳, 미세한 움직임만이 남아있는 정적 세계가 박용래가 상상하는 고향인 것이다. 이것이 그의 향토 의식의 세 번째 특징이라 할 수 있다. 이와 같은 정적 세계는 끊임없는 변화에 의해 가동되는 도시적 공간과 대립되는 의미를 생성해낸다. 한편 멀리 떨어져 있는 이 적막의 공간은 가난하고 소박하지만 평화로운 온기를 간직한 세계이기도 하다. 그것은 변화에 위협받거나 동요되지 않은 채 정물화처럼 시인의 의식 속에 각인되어 있다. 박용래의 시에 시간적 거리감을 드러내고 있는 회상 장면이 많이 나타나는 것 또한 이와 같은 시인의 의식과 연관된다.

추측, 상상, 회상에 의한 형상화 방식과 유원함, 두절감, 정적감으로서의 향토 인식은 시인과 고향 사이에 성립된 심리적 거리를 나타낸다. 박용래의 자연이 "무심결에 만나게 되는 생활 속의 자연"[9]인 것은 사실이나 그것이 생활 자체의 재현이 아니라는 점을 간과해서는 안된다. 시인은 생활 속의 자연을 그리면서도 언제나 그로부터 일정한 거리를 유지하는 태도를 견지한다. 그는 자연 속에 묻혀있는 자가 아니라 그 밖에서 자연 생활을 몽상하는

---

9) 권오만, 앞의 글, 230쪽.

자의 위치에 있는 것이다. 이러한 거리 의식은 자연과 분리된 현대적 자아로서의 인식이 시인의 의식 속에 암암리에 영향을 끼치고 있음을 말해 준다. 즉 박용래는 애초부터 문명이나 도시와 완전히 절연된 상태에서 향토성에 주목한 것이 아니라 문명과 도시적 속성을 인식한 상태에서 그것의 대타적 세계로서 향토성을 탐색하고 있는 것이다. 따라서 그의 향토적 세계는 역동적 도시성과 대립되는 아득하고 따뜻한, 그러면서도 정적인 애상성을 간직한 모습으로 그려지게 된다. 그의 자연의 실상이 빈궁과 밀착되어 있음에도 미감을 획득하게 되는 이유가 여기에 있다. 따라서 여러 논자들이 지적하고 있는 자연에 대한 관찰, 응시, 관조 등의 태도는 대상에 대한 미적 거리[10]를 만들어 가는 박용래 특유의 시작 원리라 할 수 있다. 시적 대상에 대한 적절한 거리를 확보하지 못했다면 그의 시에서 느낄 수 있는 절제의 아름다움은 이루어질 수 없었을 것이다. 박용래의 향토 의식이 오탁번의 지적대로 "한 폭의 빛바랜 민화 조각"[11]의 형상을 이루게 되는 것은 이와 같은 미적 거리에 의한 것이라 할 수 있다.

> 노랗게 물든 미루나무 길섶 먼
> 고향길 해야 지는가
> 아버지
> 어머니
> 같은 사람들
> 느릿느릿 뒷짐 지르고 가는

---

10) 미적 거리에 대한 사전적 정의를 보면 다음과 같다. "심리적 거리란 우리가 작품에 임해서 작품에 표현된 행위, 인물, 정서들이 절박한 실제 생활과는 아무런 관련이 없다는 감각 기관의 인식이다. 이와 같이 작품을 공리적 관심으로부터 분리시킴으로써 이런 심리적 거리는 예술의 특수한 효과를 발휘케 한다. 부적당한 거리 작용은 부자연스럽고 인위적이게 한다." 이러한 정의에서 알 수 있듯이 미적 거리는 실제 생활에서 촉발되는 과도한 정념이나 관심을 여과해낸 상태를 의미한다. J.T. Shipley(ed), *Dictionary of World Literature Terms*(The Writer Inc.,1970), 258쪽. 김준오, 『詩論』, 삼지원, 1995, 248쪽에서 재인용.
11) 오탁번, 「콩깍지와 새의 溫氣」, 『現代文學散藁』, 1976, 67쪽.

木瓜빛 물든 길섶 해야 지는가

-「某日 2」전문

반쯤은 둠벙에 묻힌
菖蒲 실뿌리 눈물 지네
맨드래미 꽃판 총총 여물어
그늘만 길어가네
절구에 깻단을 털으시던
어머니 生時같이
오솔길에 낮달도 섰네.

-「낮달」전문

「某日 2」나 「낮달」은 아주 선명한 풍경을 연상케 한다. 앞서 「三冬」을 분석하면서 지적했듯이 이때 주목할 것은 시적 화자가 문면에 등장하지 않는다는 점이다. 화자는 대상을 관조하는 시점에서 풍경을 주도함으로써 독자 또한 자신의 시선과 동일한 위치에 있도록 유도한다. '보다'라는 것은 예를 들어 '살다' '행동하다'와 같이 밀착된 관계가 아니라 대상과의 일정 거리를 갖는 데서 비롯되는 태도로 볼 수 있다. 따라서 '보다'는 대상과 자아간의 거리를 만들어내는 방법이라 할 수 있다.[12] 한편 대상과 자아의 거리는 보는 자의 지향성이나 심리에 의해 조정된다는 점에서 주관적 의식

---

12) '보다'에 의해 발생하는 미적 거리는 박용래 시의 주요 특징이라 할 수 있는 여백미로 귀결될 수 있는데 조창환은 이에 대해 다음과 같이 설명하고 있다. "박용래의 시에는 여백이 많다. 그 여백은 문명적 현실에 적응하지 못하고 변두리의 삶을 살아가는 힘없는 자아의 모습을 그려내는 공간이다. 그러나 박용래의 경우는 그 좌절의 모습이 현실에의 순응주의적 태도로 발전하거나 좌절과 미련의 상반되는 감정의 갈등구조 속에서 방황하는 것으로 보여지지 않는다. 무력함에 대한 연민, 소외된 삶에 대한 애정, 사라져가는 힘없는 것들에 대한 미학적 탐구로 나타난다." 조창환, 「박용래 시의 운율론적 접근」, 『시와 시학』, 1991. 봄, 167쪽.

의 반영이라 할 수 있다. 그런 의미에서 「某日 2」와 「낮달」에서 보여지는 해질녘의 쓸쓸함이나 슬픔을 머금은 꽃과 낮달의 이미지는 박용래의 시선과 결합된 자연 풍경인 것이다. 이처럼 미적 거리에 의해 대상을 '풍경화'하는 방식은 박용래 시의 가장 두드러진 특성이라 할 수 있다.

5. 맺음말

박용래는 시종일관 향토적 자연을 대상으로 자신의 시적 세계를 창조해 낸 자연시인이라 할 수 있다. 그의 자연은 객관적 대상으로서의 자연도 아니며, 그렇다고 시인의 관념에 철저하게 종속된 이념적 상징으로서의 자연도 아니다. 향토적 생활상과 시인의 주관적 정감이 어우러져 이룩된 자연이라 할 수 있다. 이와 같은 박용래의 시적 자연이 애상적 아름다움을 환기하고 있다는 점은 기존 연구자들간에 이미 합의된 사항이라 할 수 있다. 이 글은 기존 논의를 바탕으로 박용래 시의 애상성이 어디로부터 기인한 것인가, 그리고 애상성을 미로 승화시킬 수 있는 의식의 작용은 무엇인가에 초점을 맞추어 그의 자연 인식의 태도를 밝혀보고자 했다.

현대시에서의 자연은 고전시와는 달리 현대성(modernity)의 여파와 직간접적인 관련을 갖는다. 박용래의 생애와 자연시 또한 산업화와 도시화가 야기하는 변화와 갈등하면서 이루어진 것으로 볼 수 있다. 그의 시는 현대성과의 불화를 첨예화하고 있지는 않지만 그것에 대한 반감과 갈등을 분명히 드러내고 있는 것이 사실이다. 특히 그의 시에 나타난 진취적, 도전적 성향과 맞지 않는 무력한 자아의 모습, 자기 비하적 감정, 고립감 등은 그가 고집했던 향토적 자연 세계의 이면에 놓여 있는 자체 모순을 말해 준다. 이와 같은 소외감은 그의 시의 애상성을 낳게 하는 근본 요인이라 할 수 있다.

그가 거듭 환기시키고 있는 향토적 자연이 풍요보다는 빈곤과 애환 쪽에 기울어져 있는 것은 이 때문이다. 박용래의 시에서 빈궁한 생활의 형상은 지속적으로 반복되는 주요 모티브라 할 수 있다. 그런데 그는 빈궁을 얘기하면서도 과도한 감정을 절제하는 태도를 견지한다. 구체적으로 말해 추측, 상상, 회상에 의한 형상화 방식, 유원함, 두절감, 정적감으로 요약되는 향토의식을 통해서 박용래는 대상에 대한 미적 거리 의식을 드러내고 있다. 이는 대상을 '풍경화'하는 시인의 시 형상화 원리를 의미하는데, 이러한 거리 의식의 기저에는 자연과 분리된 현대적 자아로서의 인식이 깔려 있는 것으로 보인다. 박용래는 애초부터 문명이나 도시와 완전히 절연된 상태에서 향토성에 주목한 것이 아니라 문명과 도시적 속성을 인식한 상태에서 그것의 대타적 세계로서 향토성을 탐색하고 있는 것이다. 그의 시선은 향토적 세계 안에 있는 것이 아니라 그것의 밖에 위치해 있는 것이다.

이와 같이 볼 때 박용래의 자연 인식의 태도는 순수한 자연 상찬의 의미를 벗어나 현대성 속에서 소외를 경험해야 했던 비애로운 삶의 이면을 반영한다. 그것을 애상적 아름다움으로 승화시키고 있는 시인의 시각 속에는 향토적 세계에 대한 애착이 담겨 있다. 인간미와 자연미가 어우러진 맑음의 서정을 드러내고 있는 박용래의 자연시는 극단의 비인간화를 초래하고 있는 현대적 세계를 되돌아보게 한다는 점에서 시사하는 바가 매우 크다 할 수 있다. 아울러 지금의 이러한 논의는 현대시에 나타난 자연과 모더니티의 관계 규명을 위한 기초적 작업임을 밝힌다. 새미

서 평

채만식 연구의 현재적 의미

김홍기 저, 『채만식 연구』, 국학자료원, 2001
방민호 저, 『채만식과 조선적 근대문학의 구상』, 소명출판, 2001

정홍섭*

1

일반적으로 말해 한국근대문학 작가 및 연구자들에게 있어서 서구중심주의적 사유만큼이나 문제적인 자기 성찰의 대상도 없을 것이다. 조선민족의 민족성에 대한 이광수의 노골적인 환멸감의 표현과 친일 행위가 서구의 '선진' 문명과 그것을 받아들인 일본 근대 문명에 대한 의식적·의도적 선망 없이 이루어질 수는 없었을 것이며, 19세기 서구 문학(론)을 준거 삼아 한국 근대 문학의 발전 방향을 모색한 1930년대 후반 임화의 일련의 논의의 핵심 역시 '서구 따라잡기 또는 따라하기'였다. 시간을 한참 격한 근래의 근대 및 탈근대에 관한 담론 역시 구미로부터의 '뒤늦은 수입 이론'을 근거로 한 것이었음을 새삼 반추한다면, 한국근대문학(론) 백 년의 역사 속에서 서구중심주의는 현실적인 '대세'가 되어 왔다고 해도 과언이 아니다. 오늘날 민족주의적·국수주의적 문학 작품이나 사유 경향에 대한 우려가 일각에서 제기되고 있지만, 그것이야말로 서구중심주의에 대한 배타주의적 반발의

---

* 서울대 강사

◀ 『채만식 연구』,
국학자료원, 2001

측면이 강하다는 점에서 양자는 근본적으로 본질을 같이 하는 동전의 양면 같은 것이다.

한국근대문학과 그 연구에 있어서 서구중심주의가 핵심적이고도 포괄적인 문제 범주라 할 때 채만식 문학에 대한 연구는 특별한 의미를 갖는다. 한국근대문학에 대한 서구중심주의적 관점의 문제점을 검토하는 데 있어서 채만식 문학만한 좋은 매개를 우리 문학사 속에서 찾아 보기 힘들기 때문이다. 이는 필자만의 생각이 아닌 듯하다. 올해 들어 공교롭게도 단 열흘 간격을 두고 출간된 위 두 저서의 저자들의 다음과 같은 공통된 발언이 채만식 문학의 본질과 의미에 대해 시사하는 바가 또한 그러하다.

> 말하자면, 안분지족의 지식인으로서 현실에 대한 열정을 갖는다거나, 현실에의 열정을 밖으로 밀고 나가지 못하는 이지적인 인물인 셈이다. 그런 존재로부터 많은 것을 요구하는 일 자체가 서구적 삶의 잣대에 따른 평가인 것이다. 채만식의 문학관은 다분히 유림적이기도 하다. 남승재의 나약성에 관한 여러 평자들의 지적은 이를 무시한 데 있다.(김홍기의 책, 138쪽)

> 한편, 나는 이 자리를 빌어 채만식을 매개로 내가 일종의 전통론자가 되었음

▲ 『채만식과 조선적 근대문학의
구상』, 소명출판, 2001

을 고백하고자 한다. 무엇보다, 채만식은 조선적인 독자·독특한 형식과 내용
을 가진 근대문학의 수립을 꿈꾸었던 문학인이었다.(중략) 채만식의 존재로
말미암아 나는 현재와 싸우는 '리얼리스트'에서 과거를 통해 현재를 창조하려
하는 전통론자로 거듭날 수 있었다.

실로 나는 이 자기의 발견과 정립이라는 문제가 오늘을 살아가는 한국 지식
인의 절대적 과제임을 믿는다.(방민호의 책, 6쪽)

두 저서의 내용과 체계에 대한 구체적인 소개와 검토도 하기 이전에 저자
들의 발언 내용을 다소 길게 인용한 것은 무엇보다 위 발언들이 채만식
문학에 대한 두 저자의 문제의식의 핵심을 담고 있다고 판단하기 때문이다.
두 저서는 위와 같이 채만식 문학의 본질에 대해 일면 공통된 판단을 내리면
서도 구체적인 작품 분석과 평가에 있어서는 전혀 상반된 견해를 드러내
보이기도 한다. 또 상대방 저서와 기존의 채만식 연구 논저들이 지니지 못한
특장을 지니고 있기도 하며, 작품 분석 방법론과 실제 분석에서 공통된 문제
점을 드러내 보이기도 한다.

2

김홍기의 저서가 채만식 연구사에서 가장 중요하게 기여했다고 생각되는 것은 바로 이 책의 제1장 '새로 밝혀진 필명과 작품' 부분이다. 그는 다양한 측면에서의 치밀한 분석을 통해 '호연당인(浩然堂人)', '활빈당(活貧黨)', '운정거사(雲庭居士)', '북웅(北熊)', '북웅생(北熊生)', '단(單)S', '쌍(雙)S' 등이 개벽사에 몸담고 있던 시절 채만식의 숨겨진 필명들임을 밝혀내고 이 필명들로 씌어진 여러 형식의 글들을 검토하고 있다. 이를 통해 그는 한편으로 제도적인 문학 장르의 작품들 속에서는 포착할 수 없었던 채만식의 다양한 문제의식 영역을 드러내 보여 주고 있고, 또 한편으로는 그와 같은 다양한 형식의 글쓰기 훈련이 채만식의 대표작들의 생산에 어떻게 기여하고 있는지를 검증한다. 또한 이와 같은 저자의 작업은 그 중요한 부수적 결과물로서 1927년에서 33년에 이르는 시기 즉 동아일보 퇴사 이래의 실직 기간과 개벽사 근무 시기의 채만식의 생활 및 활동상을 구성해 내는 데에 일정하게 성공하고 있다. 전기적 사실을 재구성하는 데 있어서 채만식의 경우만큼 관련 자료가 빈곤한 작가도 드묾을 고려할 때 이는 중요한 기여라 생각한다.

이 저서의 제1장 부분은 저자도 밝히고 있는 바와 같이 이미 1989년에 발표한 논문을 재정리한 것인데, 필자는 이 논문을 먼저 읽은 바 있다. 논문 형태로 읽었을 때에나 지금이나, 저자의 논증이 학계의 공식적이고도 폭넓은 인정을 받아 새로 발굴된 자료들에 대한 논의가 좀더 풍부하게 이루어질 필요하다는 것이 필자의 생각이다.[1] 저자는 물론 저서 말미 부록의 채만식

---

1) 그런데 필자는 저자의 논증에 따라 위의 여러 필명들을 채만식의 것으로 받아들인 상태에서 저자가 검토한 4종의 잡지 즉 『별건곤』, 『제일선』, 『혜성』, 『신여성』 등을 전체적으로 재검토한 바 있다. 검토 결과 저자가 추출해낸 글 이외에도 예의 필명으로 씌어진 글들이 여러 편 더 발견되었다. 저자의 논증을 보충하는 의

서지 목록에 자신이 발굴한 자료들을 포함시켜 놓고 있다. 참고로 말하자면 본 서평에서 함께 다루고 있는 방민호의 저서에서 역시 위 논증이 타당하다는 것을 전제로 한 논의를 하고 있다.(47쪽)

이 저서의 나머지 부분에서는 채만식의 문학 작품들을 소설, 희곡, 비평, 수필 장르의 순서로 나누어 검토하고 있다. 채만식의 작품들에 대한 저자의 분석 방법에서 특기할 만한 점은 그가 작품에 대한 '이론적 재단'을 최대한 자제하고 있다는 점이다. 예컨대 이 저서 전체 내용의 절반이 넘는 분량을 차지하고 있는 채만식 소설에 대한 분석에서 그가 언급하고 있는 이론적 기반이라 할 만한 것은 '리얼리즘론' 정도를 들 수 있을 뿐인데(51쪽), 이 역시 '총체성', '전형성', '전망' 등의 잘 알려진 개념들이 작품 분석의 압도적인 틀로 제시되는 경우는 한 번도 찾아 볼 수 없다. 이는 '시대와 삶의 진상이 각인된 소설의 세계'라는 장 타이틀에 걸맞게 채만식 문학의 '실상'에 대한 왜곡과 가감이 없는 이해에 이르기 위한 저자의 분명한 의도에서 도출된 방법론이라 보인다. 작가 채만식이 지니고 있었던 문제의식에 대한 충실한 추적이라는 접근 방법이 그 효과를 더욱 발휘하고 있는 부분은 이 저서의 채만식 희곡론 부분이다. 채만식의 희곡을 다루고 있는 장에서 특히

미에서 그 글들의 목록만이라도 일단 밝혀 두는 것이 옳다고 생각된다. 제목만을 일별해 보아도 알 수 있듯이 채만식의 의식세계를 짐작케 해 주는 문제적인 글들이 여러 편 포함되어 있다.

북웅생, 「流落東西 七顚八起 偉人奮戰記-革命 前後 <레닌>의 生活」, 『별건곤』, 1930.1
북웅생, 「숨은 일꾼-無産兒童의 恩師 大東學校長 金萬壽氏-불상한 老人을 食口로 모으는 養老院院長 金信媛氏」, 『별건곤』, 1930.2
북웅생, 「莫斯科夜話」, 『별건곤』, 1930.7
북웅생, 「世界各國 弱小民族의 生活相」, 『별건곤』, 1930.8(이 글은 발표 월 확인이 필요함)
북웅, 「黃金無用論」, 『제일선』, 1933.2
북웅, 「내 족하가 밋첫소」, 『제일선』, 1933.3
쌍S 주최, 「넌센스・架空大座談-시집사리 座談會」, 『신여성』, 1933.6

주목되는 부분은, 채만식이 1930년대라는 시기에 '읽히기 위한' 형식의 희곡을 의식적으로 다량 창작한 이유에 대해 천착하고 있는 부분이다. 저자는, 외국 작품의 번역을 중심으로 신극운동을 전개했던 극예술연구회와 현실적 조건을 무시한 채 무조건적으로 노동자 농민에 대한 선전선동극의 창작을 요구했던 카프 양자 모두에 대한 비판적 대타의식과 실천적인 문제의식이 바로 채만식의 '읽는 희곡' 창작의 동기였음을 실증해 낸다. 이는 특히 카프 및 카프 출신의 비평가들에 대해 채만식이 보였던 냉소적인 자신감의 근거를 이해하는 데 도움을 주는 분석이라 할 수 있다.

작품에 대한 '이론적 재단'의 회피가 보여 주는 이 저서의 미덕은, 그러나, 채만식 문학 전반에 나타나는 의식세계의 고유한 특질과 채만식 리얼리즘의 특유한 창작 원리를 밝히는 데에는 맹점을 보인다는 점과 동전의 양면을 이루고 있다. 한마디로 이론의 결핍이 낳는 문제라 할 것인데, 이는 저서의 각 장 제목들을 일별해 보아도 드러나는 문제이다.

II. 시대와 삶의 진상이 각인된 소설의 세계

III. 대결로 일관한 희곡의 세계

IV. 내용을 형식으로 조화시킨 비평의 세계

V. 슬픔과 고뇌마저 아름다움으로 초극한 수필의 세계

전체적으로 볼 때 각각의 장르 속에서, 그리고 장르들을 관통하여 흐르고 있는 채만식 특유의 사유 방식의 핵심이 포착되지 못하고 있음을 알 수 있다. 물론 소설을 분석하고 있는 2장에서는 『탁류』분석의 일부인 앞선 인용문에서처럼 인·의(仁·義)의 유림정신이 채만식의 의식 저변을 형성하고 있는 결정적인 요소라는 지적이 몇몇 군데에 있고 또 이런 관점에서 작품 분석이 이루어지고 있기는 하나, 긍정적 주인공들의 행위를 통틀어 '지절'의 옹호로 규정짓는 것은 큰 의미가 없을 뿐만 아니라 적절치 않아 보인다. 왜냐하면, 채만식의 유림정신을 작가의식 분석의 매개로 삼는 저자의 작업은 작가의 이른바 친일소설에 대해서도 일관되게 이루어지고 있는

데, 일제 말기에 이르기까지 신체제논리에 대해 채만식이 의식적으로 거부하고자 몸부림쳤음을 논증하는 데에서 일면 설득력이 있지만 다른 한편으로는 과잉 이해의 혐의를 갖게 하기 때문이다. 요컨대, 설사 채만식의 소설에서 유림정신의 요소가 강하게 드러난다 하더라도, 이때 정작 중요한 점은 그 유림정신이 훼손되고 왜곡당할 수밖에 없는 식민지 현실에 대해 작가가 어떤 창작 방법을 동원하여 문학적 대응을 하고자 했고 또 그러한 시도가 어떤 이유로 한계를 보이게 되었는가를 밝히는 일이라 생각된다.

3

책 표지를 열면 곧바로 마주치게 되는, 채만식의 모습과 채만식 당대에 간행된 작품 및 그의 육필 원고를 찍은 여러 장의 사진이 심심치 않은 볼거리를 제공하는 방민호의 저작은,『채만식과 조선적 근대문학의 구상』이라는 그 제목이 이미 채만식 문학에 대한 본질 규정을 드러내고 있다. 실제로 이 책은 몇몇 작품 분석 방법론을 동원하여 채만식 문학이 어떻게 '조선적인' 근대문학의 수립을 위한 작업을 수행했는지를 밝히고자 한다.

이 책의 전체 구성은 5장으로 되어 있는데, 제2장, 제3장, 제4장이 본론 부분으로서 이 각각의 장에서 서로 다른 작품 분석 방법론이 동원되고 있다. 채만식 소설에 나타나는 작가의 자전적 모습이 이른바 그의 '사소설'들을 중심으로 하여 어떤 분포를 보이는지를 분석함으로써 이와 같은 자전성의 소장(消長) 과정이 현실에 대응하는 작가의식의 변화와 어떤 관련을 맺는가를 증명하고자 하는 것이 제2장의 내용이다. 저자는 아마도 채만식이 당대의 여타 어느 작가보다도 강한 자의식을 지닌 작가였다는 판단을 실마리로 하여, 식민지의 억압적 현실 속에서 작가가 자신의 정신세계에 대한 자존심을 어떻게 지탱하면서 현실에 대응하고자 했는지를 채만식 '사소설'의 본질에 대한 천착을 매개로 하여 밝혀 보고자 한 듯하다. 그러나 저자의 주장과 같이 과연 채만식의 '사소설'이 동시대 여타 작가들의 비슷한 경향의 작품들과 다른 특별한 문제적 의미를 지니는가에 대해서는 의문이 앞선다. 저자는 채만식 사소설의 특질을 이상(李箱) 사소설과의 비교를 통해 드러내 보이고자 하는데(61쪽), 저자 역시 강조하는 바와 같이 채만식 사소설의 '사회적' 성격을 감안한다면 오히려 적절한 비교 대상은 카프 대표 작가들의 이른바 '전향소설'들이 아닐까 하는 생각이 든다. 즉 한설야의 유명한 「이녕」을 비롯한 카프 대표작가들의 전향소설들 역시 채만식의 사소설 못지 않은 지식인적 자의식을 매우 예각화하여 보여 주고 있다는 점에서 채만식의 사소설에 특권적 지위를 부여하는 것은 적절치 못하다는 것이다. 오히려 그의 사소설이 자신의 '니힐한 병폐'에 기인한 것이라는 채만식의 자조 섞인 고백(55쪽)을 일단 액면 그대로 받아들이는 것이 타당하지 않을까. 문제는 그 '니힐한 병폐'의 근원을 채만식 연구자들이 밝혀내는 일일 것이다.

제3장과 제4장은 각각, 채만식이 동(조선)·서양 고전의 패러디적 수용을 통해 독특한 문학 세계를 만들어 나가고자 했던 시도가 어떤 성과와 한계를 보였는지를 살피고, 채만식 문학의 '세대' 모티프에 담긴 미래에 대한 역사철학적 전망의 모색에 대해 분석하고 있다. 이 중 제3장이 이 저서의 가장 의미 있는 성취가 아닐까 한다. 무엇보다도 필자의 관심을 끈 것은 대상이 되는 작품들을 꼼꼼하게 비교·대조하여 읽고 분석하는 데 들인 저자의 적지 않은 공력이었다. 그 중에서도 특히 「심봉사」 작품군의 『심청전』 패러디 양상에 대한 분석, 『태평천하』와 신소설 『은세계』와의 비교 분석, 그리고 무엇보다도 저자가 야심차게 시도하고 있는 바 『탁류』와 『고리오 영감』과의 비교·대조 분석은 매우 흥미롭고 설득력도 있다. 『탁류』가 김남천의 『대하』에 끼친 영향에 대한 지적 역시 주목에 값한다. 그러나, 이와 같은 성취의 이면에, 채만식의 패러디 문학에 대한 저자의 평가에는 '전통 대 근대'라는 이분법의 오류가 있는 것으로 보인다. 저자는, 서양 작품에 대한

단순 패러디인 「당랑의 전설」, 『인형의 집을 나와서』 등을 정(正)으로 하고 조선 고전문학의 '순혈주의적' 혼성 패러디인 『태평천하』를 반(反)으로 하여 변증법적으로 지양된 작품적 성과가 바로 조선·서양 고전작품을 동시에 수용한 『탁류』라는 도식을 제시한다. 당연하게도 저자의 결론은 동서양 고전에 대한 '혼성적 패러디'를 성공적으로 수행한 『탁류』의 창작 방법이야말로 식민지 현실에서 채만식이 도달할 수 있었던 최선의 길이자 성취였다는 것으로 모아진다. 그런데 문제는 이와 같은 결론을 도출해 내게 된 이론적 근거이다.

> 패러디를 중심으로 한 채만식의 조선적인 근대문학 수립론은 전유 또는 혼합주의적 기획의 맥락에서 이해된다. 제국의 언어(고전)을 모방하기만 한다면 주체성이란 획득될 수 없다. 그러나 자국의 전통을 강조한다고 해서 곧 진정한 근대적 자아가 수립될 수 있는 것은 아니다. **후발 근대화의 길을 걷는 식민지의 문화적 상황 속에서는 조선주의나 상고주의는 근대성을 선취한 문학의 경험과 자산을 충분히 고려하지 못하는 약점을 드러낼 수 있다.** 그 왜곡된 경로에도 불구하고 **조선문학 앞에는 근대문학을 수립하고 이를 성숙시키는 것 외에 다른 선택지가 놓여 있지 않다면** 조선문학은 자국의 전통뿐만 아니라 **서구 및 일본의 문학으로부터도 더 많은 것을 획득하지 않으면 안 된다.** (중략)이 것이야말로 자기를 상대화함과 동시에 타자 역시 상대화함으로써 새로운 자기, 조선적인 근대문학을 수립하는 길이다. 채만식의 지속적인 패러디 기법이 의미하는 바를 바로 이것이다.(333~334쪽, 강조는 인용자)

저자의 논리 속에는 은연중 '자국 전통의 강조=조선주의나 상고주의'라는 도식이 자리잡고 있으며, 더욱 의아스러운 것은 식민지 조선의 경우 근대문학의 자양분이 기본적으로 서구 및 일본으로부터 주어질 수밖에 없다는 맥락의 진술이다. 저자는 물론 부정하고 있으나, 이러한 논리는 근대문학의 근대성을 일정하게 주어진 모델—서구 및 일본의 그것—에서 구하는 이식문학론적 사유와 근본적으로 다르지 않은 것이다. 물론 서구 및 일본의 근대

(문학) 모델 속에 바람직한 성분이 있는가 없는가를 판단할 필요는 당연히 있는 것인데, 그 판단의 준거는 또 무엇인가? 그것이 바로 (자국의) 전통이 아닐까? 두 말할 필요도 없이 전통이야말로 역사를 통해 '혼성적인' 방식으로 형성되어 온 것이지만─즉 '원래 우리 것'이냐 아니냐를 따질 만한 가시적인 '물건'이 아닐 터이지만─중요한 것은 역사적 검증을 통해 우리의 내면 속에서 바람직한 보편적 가치 체계로 인정되어 온 것이라야만 전통이라는 이름에 값할 수 있다는 것이다. 적어도 이것이 필자의 전통관이다. 따라서 전통적인 것과 근대적인 것을 이항 대립시키는 것은 어불성설이다. 특히나 '조선적' 근대문학이 문제시되는 식민지 현실 속에서 전통이란 바람직한 의미의 보편적 가치를 지향하는 근대문학 창출의 원천으로 자리매김되는 것이어야만 한다.

요컨대 필자의 입장에서 보자면, 채만식의 패러디문학 평가의 밑바탕에 깔려 있는 저자의 전통관에는 문제가 있다. 나아가, 이 문제는 채만식의 패러디문학이 『탁류』와 『태평천하』 이후 더 이상의 발전을 보지 못하고 채만식 문학이 허무주의적 경향으로 빠져들었다든지 '자라나는 소년' 세대에 대해 '절망적인 희망의 포즈'를 취하는 데서 '결론'을 맺을 수밖에 없었던 원인을 밝히는 데에도 걸림돌이 된다. 채만식이 찾아 낸 바 조선적 근대문학 수립의 원천으로서의 우리의 전통이 그만큼 빈약했음을 직시해야만 한다는 것이다. 이는 채만식 개인의 한계이기도 하지만 무엇보다 당대의 우리 지식인 전체가 짊어져야 할 문제였다. 채만식 문학이 이룩한 업적과 한계에 대한 우리 연구자들의 검토 작업은 이런 방향에서 이루어져야 하지 않을까. 과거에 채만식이 짊어져야 했던 과제를 이제는 우리 스스로 우리의 어깨 위에 옮겨 놓는다는 전제 하에서 말이다.

4

채만식 연구사에서 특별히 의미 있는 업적으로 기록될 두 노작에 대해 장황한 군소리를 하다 보니 서평 필자에게 주어진 지면을 훨씬 초과한 것 같다. 군소리의 분량이 이만큼 많아진 것은, 두 저작이 지닌 깊이와 넓이가 필자의 사유를 그만큼 강제해 냈기 때문이다. 그러다 보니 두 저작이 지닌 미덕의 항목에 대해서는 그 반도 채 소개하지 못했다. 그래서 내친 김에 두 저작을 읽고 난 이후의 불만 사항을 한 가지만 더 얘기해 보겠다. 그것은 아직도 채만식 문학의 독특한 풍자성의 본질에 대한 이론적·실증적 천착이 많이 미흡하다는 것이다. 채만식 문학의 풍자성이야말로 그 한계마저 포함하여 역사철학적인 관점에서, 그리고 비교문학적 관점에서 중요하게 다루어져야 할 대상이 아닌가 한다. 새미

시에서의 리얼리즘을 찾아가는 지난한 도정

김윤태 저, 『한국 현대시와 리얼리티』, 소명출판, 2001

황정산*

.

1

저자 김윤태는 서문에서 자신의 책에 대해 오래된 잡문들을 모아놓은 '낡고 무딘 앨범'이라고 겸손하게 표현하고 있다. 이런 저자의 겸양의 표현에서만이 아니라 이 책은 정말 낡은 앨범과 흡사하다. 구태여 '인문학의 위기'이니 '문학의 시대가 갔다' 등의 말을 하지 않더라도 시를 읽고 시를 공부하고 시에 대해 이야기한다는 것은 이제 너무나 시대착오적인 낡은 지적 활동이 돼버렸다. 더욱이 이 책이 수미일관 탐구해온 리얼리즘이라는 주제는 낡은 앨범 속의 오래된 교정의 사진처럼 쓸쓸함마저 던져주기까지 한다.

그렇다고 이 책이 정말 낡은 앨범인 것은 아니다. 이 책은 시류에 뒤떨어지고 유행에 밀려나 있는 주제와 글쓰기를 보여주고 있지만 그러나 여전히 유효하고 중요한 본질적인 문학적 질문에 대한 진지한 탐구를 보여준다. 더러 너무 오래되었거나 시효가 희미해진 논의들이 있긴 하지만 그런 것까

---

* 고려대 연구교수

▲ 『한국현대시와 리얼리티』,
소명출판, 2001

지를 포함해서 이 책에 실린 글들은 '시와 리얼리즘'이라는 주제에 대한
저자의 지적 편력과 학문적 도정을 보여주는 사고와 모색의 기록이다. 그리
고 그것은 '서정'이라는 이름으로 감상적인 싸구려 시가 난무하고 가벼운
말장난이 진정한 비평을 대신하는 작금의 우리 문학 풍토에서는 어쩌면 너
무나 고달프고 고독한 그러나 그렇기 때문에 진정으로 의미 있는 작업임은
부정하기 힘들다.

2

이 책의 1부는 우리 시사 속에서의 시적 리얼리즘의 발전에 관한 논의이
다. 저자는 우리 시에서의 리얼리즘적 지향을 가장 잘 보여준 시인으로 이상
화를 들고 있다. 이상화의 시는 초기에 「나의 침실로」로 대표되는 낭만주의
적 태도에서 「가상」 연작시들의 자연주의 또는 소재주의를 거쳐 「빼앗긴
들에도 봄은 오는가」의 리얼리즘의 성취로 이어진다고 저자는 보고 있다.

특히 그는 "「빼앗긴 들에도 봄은 오는가」가 성취한 예술적 완성도는 재론의 여지가 없는 뛰어난 것이다. 이와 비교하여 우리는 생경하고 관념적인 표현이나 슬로건의 차원을 크게 벗어나지 못한 시들을 이상화와 동시대 시인들 가운데서 심심찮게 발견할 수 있다."고 지적하고 있다. 저자에 따르면 이상화의 시 「빼앗긴 들에도 봄은 오는가」는 단지 당시의 농민의 현실을 동정하고 그것에 항거하는 시인의 울분과 염원을 표현한 것뿐이 아니라 그것을 체험적인 진실성을 토대로 현실성 있게 반영해냈다는 점에서 예술적 완성도를 이룰 수 있었다는 것이다.

이러한 저자의 지적과 판단이 크게 잘못된 것이라고 말할 수는 없겠으나 그 점을 좀더 이론적으로 깊이 있게 천착해 간다거나 아니면 정치한 작품 분석을 통해 해명하지 못했다는 점이 큰 아쉬움으로 남는다. 리얼리즘과 예술적 완성도가 어떤 관계가 있는지 시인의 체험적 진실성과 시의 현실성은 또한 어떻게 보아야 하는지, 그리고 이러한 점들이 실제 이 작품에서 어떤 장치와 표현방식을 통해 구현되었는지 이런 것들에 대한 깊이 있는 탐색이 부족하여 이상화의 시에 대한 저자의 판단과 평가에 설득력을 뒷받침하고 있지 못하다는 점을 지적하지 않을 수 없다.

저자는 또한 또 하나의 리얼리즘 시의 가능성으로서 이찬의 시들을 조명하고 있다. 이찬은 모더니즘적 경향을 통해 리얼리즘적 지향으로 나아간 보기 드문 경우의 시인임을 밝히고 이를 통해 '모더니즘'과 '기교주의'로만 평가되던 1930년대 시단의 또 다른 모습을 우리에게 보여주고 있다. 그에 따르면 이찬은 소시민적 감상주의로부터 시작하여 시집『분향』에서부터는 모더니즘의 영향 아래 회화적이고 감각적인 언어 구사를 통해 앞서의 감상성을 넘어선 모습을 보여주고 있다고 한다. 그런데 저자가 이찬의 시에 관심을 가진 것은 이러한 모더니즘적인 특성 때문이 아니라 모더니즘의 내성성을 넘어서서 부단히 사회적 현실로 확장하고자 하는 그의 시의 특이성 때문이다. 저자는 이찬의 시들에 대해 다음과 같이 지적하고 있다.

그는 모더니즘적 편향에서 보인 정물적이고 세부적인 시적 대상에 대한 관심을 타자의 운명에 대한 관심에로 시적 영역을 옮겨가면서, 이것을 민족 현실의 차원과 결합시키려는 소중한 노력을 보이기도 하였다. 우선 이찬은 모던 취향의 시에서 부분적으로 나타났던 감정의 절제가 어느 정도 확보되면서, 아직은 확연한 형태를 띠고 있지 못하지만 어떤 새로운 가능성이나 기대감을 저버리지 않고 그것을 부여잡으려는 시도를 이 지점에서 보여준다.(46쪽)

저자는, 명시적으로 말하고 있지는 않지만, 이찬의 시에서 내성적인 자기 추구가 감상성을 벗어나 진실성을 회복하고 언어적 객관성을 획득해가면서 점차 현실성을 확보해가게 되고 결국 민족의 현실과 민중적 삶에 대한 관심으로 확장되어 나아가는 리얼리즘의 가능성을 찾아내고 있다. 이찬의 시를 바라보는 이러한 입각점은 1930년대 시를 분석 평가하는 데 있어서도 더 나아가 우리의 현대시를 조망하는 데 있어서도 상당한 의의를 갖는 통찰을 담고 있다. 특히 리얼리즘과 모더니즘이라는 이분법으로 시를 평가하고 우리 시사의 흐름을 정리하던 그간의 연구 태도의 한계를 넘어설 수 있는 가능성을 보여주었다는 점에서 저자의 안목을 높이 사고 싶다. 하지만 이러한 관점의 탁월함을 좀더 밀고 나가지 못했다는 아쉬움이 여전히 남는다. 모더니즘적 내성화가 어떻게 현실적 지향으로 발전되어 나가는지 그리고 그것이 어떻게 작품으로 구체화되는지에 대한 분석이 좀체 보이지 않는다. 이러한 관련성에 대한 해명이 부족한 탓에 "그는 전망이 전혀 보이지 않는 시대를 절망하면서도 한편 비참한 민족의 현실을 나름대로 직시하고자 애쓴 모습 또한 보여주었던 것이다. 절망과 모색, 이 양자 사이에서 부단히 동요하고 있었음이 당시 그의 문학적 실상이자, 1930년대 후반기를 견뎌내온 양심적인 시인들의 일반적 처지이었으리라."(51쪽)라고 하는 다소 모호하고 피상적인 결론에 이르고 만다.

1960년 이후 한국 현대시에서 리얼리즘 시의 가능성과 성취로서 저자는 김수영과 신동엽 그리고 신경림의 시를 들고 있다. 김수영은 시민적 자유에의 갈망을 통해 그리고 신동엽은 반외세 자주화의 의지를 통해 당대 현실과의 접점을 만들어가고 이를 시적 언어로 형상화하여 시의 현실적 대응력을 강화해나갔다고 지적한다. 그런데 저자는 이들의 시가 이러한 현실적 대응력뿐 아니라 민중적 형상의 단초를 보여줌으로써 민중적 민족문학의 가능성을 보여주고 있다는 점에 보다 중요한 평가를 내리고 있다.

이러한 민중적 지향이 시적 형상으로 완성된 것이 비로 신경림의 시들이라고 저자는 보는 듯하다. 저자는 신경림의 「목계장터」라는 시를 들어 민요적 가락을 차용하여 민중적 자연관을 만들어낸 빼어난 작품으로 상찬하고 있다. 전원 세계로의 둔피와 자족적 공간 속으로의 안존과 같은 목월의 시적 정조와는 달리 신경림의 시는 전통적인 가락과 자연친화라는 목월시와의 공통적인 요소를 가짐에도 불구하고 현실과의 갈등과 긴장이 내재되어 있다고 평가한다. 그리고 그것이 바로 신경림 문학의 민중성이자 현실주의적 성격이라고 결론 내린다.

여기서 우리는 한가지 주목해 보아야 할 것이 있다. 저자는 알게 모르게 민중성과 현실주의적 성격을 등치시키고 있다는 점이다. 여기에는 민중성 자체가 현실주의적 성격을 강화하거나 보장해주고 있다는 전제가 암암리에 깔려 있고 그러한 전제 하에 신경림의 「목계장터」에서 보여준 민중적인 정서가 그의 시의 현실주의적 성격을 보여준다는 결론에 도달한다.

그런데 이 점에 대해서는 의심해볼 여지가 많다. 민중성이 꼭 현실주의적 성취를 보장해 준다고는 볼 수 없다. 저자가 상찬한 신경림의 「목계장터」는 신경림의 시 중 절창으로 꼽히는 작품이다. 전통적인 4음보 율격에 토속적이고 민요적인 정서가 들어 있어 우리의 핏속에 흐르는 생래적인 가락을 느끼게 해주는 것은 물론이고 이는 하나의 새로운 민요를 만들어내려는 노력이고, 민중들이 스스로 만들고 부르는 민중 창작의 방향을 제시하려는 시도이기도 하다는 것이 일반적인 평가이다. 시인은 이 시를 통해 스스로가 민중이

되어 그들의 노래인 민요를 부름으로써 민중성을 확보하고자 했다고 이해할 수 있다. 그러나 이러한 시도가 시적 성취를 이루었는지 더 나아가 현실주의적 성취로 이어졌는지는 의문이다. 현실과의 팽팽한 긴장에서 생겨나는 시적 언어의 긴장감은 사라지고 없기 때문이다. 「목계장터」는 현실과의 긴장보다는 현실을 견디는 삶의 긍정성을 강조하고 있다. 신경림의 또다른 민요시 「달 넘세」에서는 "버릴 것은 버리고/ 챙길 것은 챙기고/ 디딜 것은 디디고/ 밟은 것은 밟으면서/ 넘어가세 넘어가세/ 세상 끝까지 넘어가세"하는 근거 없는 낙관을 보여준다. 이를 두고 민중의 건강성에 대한 믿음이라고 말할 수도 있다. 그러나 이러한 긍정적 태도는 스스로의 역사적 역할에 대한 근대적 자각이 전제되지 않는다면 현실의 모순을 스스로 은폐하는 자기 위안일 뿐이다. 대부분의 민요들이 보여주는 이러한 현실긍정의 태도나 해학의 방식은 현실을 내면화해서 견딜 수 있는 것으로 만들려는, 봉건적 압제하의 민중의 태도이다. 이렇게 볼 때, 민중성의 강화라는 그의 민요시의 지향은 근대적 민요의 재창조라는 점에 대한 깊은 성찰이 없는 한 시적 태도나 성취 면에서는 후퇴일 수밖에 없다.

3

이 책의 2부는 우리 현대시의 중요한 시인들의 시에 대한 실제 평론들로 묶여 있다. 서로 다른 무게의 시인들을 일관된 주제나 관점으로부터 자유롭게 모아 놓고 있어 전체적인 성격을 분석하고 평가하기는 곤란한 감이 있다. 하지만 이 글들을 읽으면 저자가 일관되게 시 비평을 통해 추구해 온 것이 무엇인지 쉽게 알 수 있다. 그것은 바로 민중성과 현실성이다. 민중들의 정서로 민중들의 삶을 표현하는 민중의 언어를 발견하는 것이 시에서의 민중성이라면 당대 현실과의 부단한 대응을 통해 현실의 객관적 실체와 그것의 극복 가능성을 파악하여 시적 언어로 표현하는 것이 현실성이라 할 수 있다. 그리고 저자는 신경림과 최두석으로부터 각각에 대한 가장 진전된 가능성을 발견한다.

저자는 3부 문학론을 다룬 글에서 신경림에 시론에 대해 다음과 같이 얘기하고 있다.

> 그에게 있어 민요정신은 민중성과 동질적인 것임을 어렵지 않게 짐작할 수 있다. 그는 무엇보다도 가난하고 억눌린 사람들의 의지와 저항을 민요정신의 핵심으로 간주하고 있다. 시가 본질적으로 버려진 사람들, 천대받는 것들, 비천하고 못난 목숨들에 대한 따뜻한 사랑과 깊은 정을 표현한 것이라고 보는한, 민요정신은 그의 비평론에서뿐만 아니라 창작방법론 내지 시론에서도 중요한 미적 자질이 될 것이다.(255쪽)

신경림 시와 시론의 민요정신은 참다운 민중성의 획복을 통한 민중문학의 커다란 진전이라는 것이 저자의 평가이다. 그런데 이 점에 대해서는 좀더 생각해 보아야 할 것이 있다.

민중의 언어로 민중의 정서를 표현하려고 애쓴 신경림의 노력으로 대표되는 70년대 시의 민중지향적 요구는 물론 정당할 뿐 아니라 커다란 역사적 의의를 갖는 것이었다. 그것은 역사의 전면에 등장하기 시작하여 폭압적인 체제를 거부하는 민중의 힘에 대한 시대적 역사적 의미의 깨달음이었다. 또한 민중적 언어와 민중적 정서에 대한 요구는 자기폐쇄적 세계와 소외된 언어 속에 함몰되어 있던 당시 시단의 안이함을 깨뜨리는 전위적인 노력에 대한 요청이었으며, 문학의 영역에서 소외되었던 삶과 언어를 새롭게 등장시키는 문학의 해방적인 기능을 회복하고자 하는 노력이었다고 평가할 수 있다.

그러나 민중성이라는 개념은 70년대 민중시의 발전을 거치면서 점차 협애하게 이해되고 적용되어 왔음도 부정할 수 없다. 70년대의 민중시들은 민중성의 가장 순연한 형태를 과거 민중들의 노래인 민요에서 찾으려고 하고, 민중이라는 신원을 가짐으로써 보다 철저한 민중성에 도달할 수 있다는 믿음으로 나아가는 경향을 보여준다. 신경림의 시와 시론이 이런 경향의 대표적인 예라 할 수 있다. 그의 민요시론은 민중성을 '민중의 이해가능성' 아니면 '민중 창작'이라는 협소한 개념으로 몰고 나가 결국 시적 가능성의 한계를 축소하는 결과를 가져왔음도 부정할 수는 없을 것 같다. 하지만 저자는 신경림의 민요시론의 의의만을 강조하면서 그것이 가지는 여러 함의에 대해서는 철저한 분석과 비판을 보여주지 못하고 있다. 큰 아쉬움으로 남는 대목이다.

이 책은 또한 최두석의 시에 대해서도 이렇다할 비판적 거리를 보여주고 있지 못하다. 이야기시를 통한 시적 리얼리즘의 성취라는 최두석에 대한 일반적 평가를 강조하면서, '냉정히 현실을 직시코자 긴장'하는 비판적 리얼리즘 태도를 견지하고 이를 좀더 확장하기 위해 '시=서정'이라는 등식을 벗어나 이야기의 차용을 통해 우리 현대시의 영역을 확대했다고 상찬하고 있다.

물론 이러한 저자의 평가가 전혀 잘못된 것은 아니다. 하지만 시의 현실성이나 이야기성에 대해서는 좀더 세밀한 논의가 필요한 것이 아닌가 한다. 현실을 벗어난 도피적 문학이나 현실과는 유리된 유유자적의 문학전통 위에 서구의 모더니즘의 기교만이 들어와 허황한 문학이 주류적 문학이 되어가는 때에 문학의 현실성을 강조하는 것은 문학의 진정성을 되찾고 우리 문학의 폭과 깊이를 확대하는 것임은 두말할 여지가 없다. 또한 그것은 현실도피적 문학이 결국은 억압적 체제의 수호자나 방관자의 역할을 한다는 현실을 생각할 때 대항 문학 또는 비판 문학으로의 시대적 의의를 갖는 것이기도 했다. 또한 보다 넓게 보면 모든 진정한 문학은 기존 사고의 고정성을 뒤흔들어 끊임없이 인식의 경계를 허물고 억압을 거부하면서 인간의 자유를 부단히 확대해나간다는 점에서 현실성을 그 정신으로 한다고 할 수 있다.

그런데 최두석처럼 현실의 객관적 재현으로 현실성을 확보하려는 방향으로 나아가는 것이 시의 현실성의 강화이며 시적 리얼리즘의 완성인지는 의문의 여지가 많다. 어쩌면 이는 현실성을 폭넓게 생각하기보다는, 현실을 그려내는 방법과 기법을 통해 현실성을 보장받으려는 협애한 시각이 아닌지 의심해 볼 만하다. 또한 이는 현실성을 현실에의 대응력과 자세의 확립이라는 문학적 정신의 문제가 아니라 '핍진한 묘사', '현실의 객관적 제시'라는 단순한 기법의 문제로 환원시켜 버린 것이다. 특히 최두석의 시론은 시의 현실성을 아주 협소하게 이해하여 시의 현실성은 곧 서사지향성이라는 아주 간편한 등식을 만들기까지에 이른다. 단편서사시, 이야기시, 장시 등, 서사적인 성격을 가미한 시를 통해 사회 현실을 객관적으로 그려내는 것이 시의 현실성을 확대하는 길이라는 생각이 일반화되고. 감각적 언어와 정서적 충격으로 현실을 새롭게 바라보도록 하는 서정시의 힘을 경시하고 현실의 객관적 제시와 구체적 묘사가 덕목으로 간주되어 왔다. 그 결과 서정시의 현실적 대응력을 포기하고 현실의 산만한 현상 나열의 시가 보다 평가받는 현상이 생겨나기까지 하였다. 최두석의 시론과 시적 지향이 가져올 수 있는 이러한 문제점에 대한 좀더 진지하고 예리한 분석이 있었으면 하는 아쉬움이 끝까지 남는다.

4

이상으로 김윤태의 저서 『한국 현대시와 리얼리티』에 대해 소개와 몇 가지의 지적을 했다. 앞서도 말했지만 그의 논의는 유행과 시류에서 벗어난 색바랜 것들임은 분명하다. 하지만 정말로 저자가 자신의 글들을 앨범 속의 오래된 사진으로 간주하여 스스로 화석화시켜버리고 여기에서 논의를 끝내버릴까 지극히 염려된다. 진지한 문학과 진정한 시적 통찰이 사라져가고 가볍고 감상적인 읽을거리가 문학적 고민을 대신해버린 이 시대에 문학과 시의 진정성을 되찾으려는 저자의 노력이야말로 같이 문학을 공부하는 우리들에게는 너무나 큰 힘이 되고 있음을 누구도 부정하기 힘들다. 그러나 이 힘든 작업을 이 책의 저자에게 계속 강요하는 것은 너무 힘든 짐을 지우는 것은 아닐까? 새미

나무의 그늘은 뿌리를 반영한다 – 기억의 재생, 고향의 복원
『이호철 문학선집』, 국학자료원, 2001

이호규*

1

여전히 우리는 짙은 안개와도 같은 세상 속에서 어느 쪽으로 길을 틀어야 할지 어지럽기만 하다. 수많은 예측이 난무하고, 또한 수많은 선택의 기로들이 우리 앞에 제 각각의 흉악한 혀를 날름대고 있다. 이런 세상 속에서 우리가 간절히 바라는 것은 아슴푸레하게나마 앞길을 비추는 불빛, 짙은 안개 속에서 독으로 발려진 혀를 날름대며 우리를 혼란하게 만드는 악귀들을 눈멀게 하고 그들의 혀를 굳게 만들어 안개를 걷어낼 수 있는 혜안일 터이다.

겨울이 바쁜 뒷걸음질을 치던 올해 3월 초에 세종홀에서 이호철 선생의 고희 기념 출판 기념행사가 있었다. 그때 세상을 본 것이 바로 총 7권으로 된 『이호철 문학선집』이다. 그 행사장에 참석했던 필자가 본 것은 우리 한국 문단의 대가, 통일문학의 새로운 정점에 서 있는 작가의 만찬이 아니었다. 내가 본 것은 주름살이 이미 얼굴에 가득한, 50여 년을 월남민으로 힘겹게 살아 온 이 땅의 순박하고 성실한 어른의 해맑은 미소였다. 그 미소는 바로

---

* 연세대 강사

든든한 뿌리였다. 열매부터 맺는 나무란 없는 법이다. 잘디잔 뿌리가 단단한 땅을 파고 들어가 흔들리지 않는 튼실한 나무가 되면 자연스레 탐스런 열매는 맺는 법이다. 우리 문단의 대가, 통일 문학의 정점은 그 해맑은 미소라는 뿌리가 자연스레 맺어 올린 열매일 것이다.

이번 문학선집을 제대로 보는 길은 그 뿌리를 보아내는 것이다. 그것은 이호철이라는 '작가'를 보는 것이 아니라, '이호철'이라는 한 인간의 주름진 미소가 담고 있는 인생을 보는 것이다. 그랬을 때, '작가' 이호철은 오히려 오롯이 살아나 바위 같은, 흐르는 물 같은 모습을 드러낸다.

2001년에 새로이 나온 이호철 문학선집은 이호철의 지난 50년 동안의 주요 작품과 더불어 이호철의 문학 세계를 다룬 주요한 연구 성과들이 거의 총망라되어 있어 이 선집을 통해 우리는 이호철 문학 세계를 한 눈에 조망해 볼 수 있다. 저간에도 이호철의 소설은 전집의 형태로 꾸려져 출간되었다. 그러한 전집에 비해 이번에 출간된 선집은 물론 시간적 선후에서 오는 수록 작품의 변화라는 것뿐만 아니라 질적인 면에서 이호철 문학의 새로운 텍스트가 될 수 있는 이유들을 지니고 있다. 무엇보다 이호철 문학의 부흥기(?)라고 할 수 있는 최근의 작품들이 망라되어 있어 지난 50년 간 소설 여정의 시작과 끝(또 하나의 시작이라고 하는 것이 더 나을 것인데) 매듭을 지어볼 수 있게 되었다는 점이다. 필자가 이호철 문학의 여정을 살펴보면서 개인적으로 하는 생각은 지난 50년 간의 문학이 거대한 원천으로 다시 거슬러 올라가는 지난한 여정이었다는 것이다. 연어가 장성하여 오로지 몸만이 알고 있는 근원적 체험에 의지하여 강물을 거슬러 자기가 태어난 곳을 찾듯이 그의 문학은 이제 새로운 산란을 위해 자신의 문학의 시작으로 되돌아가고 있는 듯하다. 장성한 연어가 되어.

▲ 『이호철 문학선집』, 국학자료원, 2001

2

이번 문학 선집에 실린 그의 소설들은 대표 장편인 『소시민』을 비롯, 1980년대까지의 주요한 중 단편작들이 수록되어 있다. 총 7권으로 되어 있는 이번 선집은 기존 작가의 선집이나 전집류에 비해 특기할 점은 대표작과 아울러 작가와 작품에 관한 주요한 연구 성과들이 함께 모아져 있다는 점이다. 작가 스스로 자신에 대한 연구 성과들을 자신의 작품들과 함께 묶어 낸다는 것은 짐작컨대 숙고와 용기가 필요한 일이지 않았을까 싶다. 우리는 이 선집에 실린 연구 성과물들을 통해 이호철 한 개인의 문학의 여정뿐만 아니라 한국 현대 소설의 흐름 또한 살펴볼 수 있는 덤을 얻을 수 있을 것이다. 여기에는 물론 선자(選者)의 균형 감각이 주요한 버팀목으로 작용하고 있음은 말할 나위가 없다. 그러한 치우침이 없는 선정의 균형감이 작가의 힘일 수도 있을 것이다.

우선 이 선집의 면면을 간략히 살펴보면, 총 7권 중 다섯 권이 작품으로 이루어져 있다. 1권과 2권은 장편 소설이 수록되어 있는데, 1권에는 60년대를 대표하는『소시민』을 비롯,『심천도』가 실려 있고, 2권에는『문』과『물은 흘러서 강』이 수록되어 있다. 이 장편들은 60년대와 70년대 한국 사회의 단면을 통해 일상과 이념의 문제를 진지하게 탐색하고 있는 소설들이다. 1권 말미에는 <작가 주요 연보>가 실려 있는데, 필자가 개인적으로 좋아하는 것이다. 작가의 연보를 좋아한다는 것 자체가 어쩌면 어불성설일지도 모를 일인데, 이 선집에 실린 연보을 읽어보면 필자의 말을 이해할 수 있으리라 여긴다. 예전에 전집(청계에서 나온 것으로 기억하는데)에 실었던 것을 더 시기를 늘려 새로 쓴 것으로 보이는데, 이 연보를 읽는 재미가 여간 쏠쏠하지 않다. 예전에는 <자서전적 연보>라는 제목이었는데, 작가가 직접 쓴 연보로, 한 편의 소설을 읽는 듯한 재미를 준다. 더욱이 그것이 실화이고 보니, 야릇한 감회마저 인다. 작가가 쓰는 개인사에다가 문단 이면사까지 더하여져 직접 체험하지 못하고 목도하지 못했던 한국 현대 문단사가 눈앞에 생생하다. 이 선집을 읽은 이에게 절대 놓치지 말고 통독할 것을 권한다.

3권에는 연작, 장편소설이란 제목 하에『남녘 사람 북녘 사람』연작소설과『4월과 5월』이 수록되어 있다.『남녘 사람 북녘 사람』은 80년대 발표된 일련의 연작 소설들로, 이호철 작가의 개인사와 문학과 통일에 대한 사고가 집약된 작품이 아닌가 한다. 이 소설을 읽지 않고서는 이호철과 그의 문학에 대해 논할 수는 없으리라. 해방 직후에서부터 전쟁의 와중에 휩쓸리기까지, 그 혼란과 절망의 격류에서 살아나가는 인간들의 안간힘이 작가의 냉정하면서도 따뜻한 인간관에 녹아나고 있다. 무릇 역사는 인간이 결국 만들어 내는 것, 역사를 만드는 인간의 됨됨이가 종내에 그 역사의 결과 무늬를 이루어내는 것이다. 그 결과 무늬에 우리네 삶의 질기디질긴 인연과 애증이 살아 숨쉬고 있다. 이호철은 그것을 짚어내 보여줄 수 있는, 우리 시대에 몇 안 되는 작가다.

4권과 5권은 60년대, 70년대 발표했던 대표적인 중, 단편들이 실려 있다. 이호철 문학을 논함에 있어 『소시민』이나 다른 대표작들에 비해 그렇게 많이 조명을 받지 못한 감이 있는 이 중, 단편들은 진정 이호철 문학의 진수를 보여주는 것이라고 생각된다. 이호철 문학은 깔끔한 단편에서 더욱 그 빛을 발한다. 단순한 듯한 상황, 지나친 갈등 구조의 배제, 그러나 그 속에 깊이를 알 수 없는 작가의 인간에 대한 통찰이 있다. 그 통찰과 마주치는 순간, 우리는 이호철 작가 스스로 말한 바 있는 '둔감과 예지'의 놀라운 조화를 느끼게 된다. 50년대 후반 발표된 초기작 「탈향」과 「나상」을 비롯하여, 6・70년대 발표된 주옥같은 작품들이 실려 있다. 「탈향」과 「나상」은 이호철 문학을 연구하는 데 있어 출발점이면서 핵심이기도 한데, 그런 면에서 여전히 새로운 모습으로 다가온다. 짧은 단편이, 그것도 이미 50년 가까운 세월이 흘렀음에도 여전히 비경(秘境)을 여기 저기 감추고 있다는 사실은 놀라울 뿐이다. 그것이 이호철 문학의 힘이기도 하지만, 우리 사회의 현 조건이 그 작품들을 현재성으로 만들고 있다는 사실 역시 간과할 수 없는 사실일 터인데, 그러한 내력과 외적 조건들이 두 작품을 읽을 때마다 묘한 감회를 불러 일으킨다.

　이 선집의 또 하나 중요한 성과는 '만남'이다. 「탈향」과 「나상」의 지난한 행로는 이제 돌아갈 수 없는 언덕의 한 구비에서 지나간 기억을 끌어올리기 시작한다. 그것은 새로운 변증법의 구현이다. 「탈향」과 「나상」은 『남녘 사람 북녘 사람』과 만날 때 그 감추고 있었던 기억과 아픔이 생생하게 되살아난다. 오랫동안 기다려왔던, 언젠가는 맞추리라 남겨 두었던 퍼즐의 한 조각을 맞추게 되었다는 말이다. 그러한 맞추기는 90년대 후반 발표된 일련의 작품들과 만남으로써 강력한 현재성으로서의 힘을 지니게 된다. 그렇기 때문에 이 선집은 이호철 문학의 마무리 매듭의 의미를 지니고 있지 않다. 이호철 문학은 진행형이고, 확장중이다. 이 선집에 최근의 작품들이 채 수록되지 못한 이유는 바로 거기에 있는 듯 하다.

6권과 7권에는 이호철 문학에 대한 연구 성과들이 수록되어 있는데, 그 면면들이 놀랍다. 6권은 3부로 되어 있는데, 1부에는 1960년대 발표된 천이두 선생의 「묵계와 배신─이호철론」을 비롯, 김치수, 백낙청, 김윤식, 구중서, 권영민, 염무웅 선생들의 연구논문들이, 2부에는 60년대와 70년대 이호철 소설을 집중적으로 다루고 있는 논문들이 수록되어 있다. 거기에는 이호철 문학을 연구하는 데 있어서는 필수적으로 읽어야 할 주요한 연구 성과들이 총망라되어 있어, 연구자로서 여간 반갑지가 않다. 박사 논문을 준비하던 시절, 도서관을 찾아다니며 낡은 잡지를 복사하던 때가 생각이 난다. 기존의 논문을 그대로 재수록한 경우도 있고, 연구자가 새롭게 고쳐 수록한 경우도 있다고 들었다. 앞으로 이호철 문학을 연구하는 연구자에게나 60년대 이후 한국 소설사를 연구하는 이들에게 모두 소중한 자료로 활용될 것이 분명하다. 이 논문들은 이호철 문학에만 소용되는 것들이 아니라, 60년대 이후 한국 소설사를 조망하는 데 많은 시사를 주고 있기 때문이다.

3부에는 신진 연구자들, 활발한 활동을 펼치고 있는 젊은 평론가들의 논문들이 수록되어 있어 이호철 문학이 끊임없이 조명되어 왔음을 확인할 수 있다. 하정일, 이상갑, 강진호, 한수영, 권명아 같은 젊은 연구자들은 기존의 연구자들과는 또 다르게 각자 탄탄한 이론과 감식안으로 이호철 문학을 새롭게 분석하고 있어, 지금 문학 연구의 흐름 또한 그들의 글을 통해 헤아려 볼 수 있다.

7권은 학계의 연구 동향에 대한 작가의 관심이 만든 결과물이다. 7권에는 학계에서 생산된 학위 논문이나 학술 논문들을 수록하고 있는데, 이러한 기획은 다른 선집이나 전집에서 볼 수 없는 것이라 할 것이다. 젊은 연구자들의 성과에까지 관심을 기울이고 있는 작가에게서 지독한 문학에의 열정을 본다. 이렇게 선집에 대해 한 마디 하게 된 연유도 작가의 그러한 관심의 결과라고 할 수 있다. 7권 1부가 바로 그것인데, 학위 논문 중 60년대 이호철 소설에 대한 부분과 최근의 발표작에까지 이호철 문학의 전반적 흐름을 살

퍼보고자 하였다. 60년대 소설을 다룬 부분을 제외하고는 이번 선집 출간에 맞춰 새로 쓴 것들이다. 이호철 문학 연구에 조금이나마 보탬이 되었으면 하는 바람이다. 2부는 그야말로 신선한 젊은 연구자들의 재기발랄한 연구 논문이 실려 있다. 학계의 동향과 젊은 연구자들의 의욕이 생생하게 눈에 들어올 것이다.

<h2 style="text-align:center">3</h2>

가을이 점점 깊어가는 요즘이다. 계절의 변화는 이렇듯 우리 살아온 경험으로, 우리가 보아왔던 그대로 흘러가건만, 우리네 삶은 어디로 흘러갈지, 가늠하기조차 어렵다. 그러나 이번 선집은 우리에게 어떻게 살아야 할 것인가에 대한 지혜를 빌려준다. 그것을 어떻게 실천해내는가 하는 더 어려운 문제가 놓여있기는 하지만 말이다. '탈향'했을 때, 남겨진 것은 어떻게 살아야 할 것인가 였을 터이다. 이제 이호철은 선집을 내놓으면서 그렇게 지내온 세월이 그저 무턱대고 앞만 보고 달려온 것이 아니었음을 분명히 보여준다. 가슴속에 깊이 쟁여두었던 소망과 열정, 삶에 대한 굳건한 신념을 찬찬히 드러내 펼쳐 놓는다.

실향민의 삶을 통해 드러나는 그들의 애환, 희망, 의지는 소시민의 복잡다단하고 속물적이며 또한 미래지향적인 일상과 동떨어져 있지 않다. 결국 모든 것은 제대로 살고자 하는, 삶에 대한 소망에 다름 아닐 것이기 때문이다. 그 소망의 현실적 방안이기도 하며 실현태이기도 한 것이 새로운 공동체, 몸이 먼저 알고 먼저 깨닫는 그 본능적 자유로움, 그 자유로움에 근거한 어울림인 것이다. 이호철 문학은 이제 그것을 제대로 정리해서 세상에 내놓아야 한다고 작정하였던 듯하다. 이 선집이 바로 그 증거이다.

90년대 후반에 들면서 이호철의 문학은 청년의 패기와 어르신의 통찰과 혜안으로 오히려 점입가경이라고 할 만큼 왕성한 창작욕을 보이고 있다.

그렇기 때문에 이 선집은 새로운 시작을 위한 또 한번의 정리가 될 것이다. 즉 이 선집이 "선생의 문학 총결산은 아니다. 선생의 귀향은 이제 시작되었으며 닫힌 세계인 북의 오연함과 열린 세계인 남의 창의성은 화학반응을 일으켜 비로소 한 살림을 모색하는 단계에 이르렀기 때문이다. 탈향에서 시작해 귀향에 이르는 고단한 작업을 계속해 오고 있는 선생은 앞으로 남과 북의 한 살림 과정 속에서 부대끼는 사람살이의 생생한 구상화를 또 온몸으로 증거해내야 한다."라는 이번 선집 발간사는 누구라도 공감 못할 바가 아니다. 근데 놀라운 것은 그러한 당부 이전에 이미 이호철은 이 선집이 나오는 그 시기에도 새로운 작품들을 생산해내고 있었다는 사실이다. 그는 작품으로 실천할 뿐이다.

　조만간 우리는 전혀 새로운 또 다른 이호철 문학 선집을 대하게 되지 않을까 싶다. 여전히 그는 작품을 쏟아내고 있고, 그의 문학에 대한 새로운 연구 성과들이 생산되고 있기 때문이다. 그의 뿌리는 갈수록 탄탄해지고 있고, 그의 그늘은 갈수록 짙어진다. 이호철 문학은 지금도 진행형이다. 이 시대에 그런 작가를 우리가 동시대인으로 지니고 있다는 것, 그것은 우리가 누릴 수 있는 커다란 복일 것이다. 새미

[원고 투고 및 심사규정]

『작가연구』는 한국의 현대 문학에 대한 개방적이고 진취적인 문학 연구를 지향하는 국문학 전문학술지입니다.

『작가연구』는 이론적 깊이와 비평적 통찰을 겸비한 문학 연구를 통해 우리 시대의 문학과 주요 작가들을 새롭게 조명함으로써 엄정하면서도 개방적인 문학사를 지향합니다.

『작가연구』는 인간 정신의 참 의미를 구현해 나갈 인문학이 전반적으로 침체된 시대 상황의 제한 속에서도 한국 문학의 정수를 끈질기고 깊이 있게 성찰함으로써, 인문학의 진정한 위엄을 되찾고 한국 문학이 새롭게 도약할 수 있도록 노력하고 있습니다.

『작가연구』는 참신하고 진지한 문제 의식이 담긴 연구자 및 독자 여러분의 글을 기다리고 있습니다. 이러한 편집취지와 뜻을 같이 하는 분의 글이라면 어떤 것이나 환영합니다.

다음은 『작가연구』에서 정한 투고원칙 및 심사규정입니다.

1. 모집분야 : 현대시, 소설, 희곡 등 현대 문학 관련 논문, 서평 및 자료.
2. 원고분량 : 학술 논문의 경우 200자 원고지 100장 내외로 디스켓과 같이 제출, 관련 자료는 제한하지 않는다.
3. 논문심사는 아래의 기준에 의한다.
   (1) 심사기준
      ① 기고 논문의 심사는 『작가연구』 편집위원회(이하 편집위원회)에서 주관한다.
      ② 『작가연구』에 게재될 수 있는 논문은 연구자가 이미 지면에 발표하지 않은 새로운 논문이어야 한다.
      ③ 논문 심사는 독창성, 분량과 체재, 논리적 타당성, 학문적 기여도 등을 고려하여 '게재 가', '수정 후 게재', '게재 불가'로 등급을 매긴다.
   (2) 심사절차
      ① 편집위원회에서는 매호 논문 마감 후 편집회의를 개최하여 기고 논문을 심사하며, 이때 반드시 편집회의록을 작성한다.
      ② 편집위원회는 등급 판정의 이유를 해당 연구자에게 편집위원회 소정 양식의 공문으로 알려야 한다. 편집위원회로부터 '수정 후 게재' 판정을 받은 연구자는 통보를 받은 날로부터 14일 이내에 수정하여 편집위원회의 확인을 받는다.

③편집위원회는 논문 1편 당 3명의 심사위원을 선정하고 과반수 이상의 의견으로 판정 등급을 결정한다.

④편집위원회는 필요에 따라 기고논문에 대한 의부심사(전임교수 이상)를 의뢰할 수 있고, 심사 기준은 편집위원회의 심사 기준에 준한다.

4. 논문의 기고 자격은 제한을 두지 않는다.

5. 논문기고 절차와 요령

(1) 기고자는 논문을 수록한 컴퓨터 디스켓(글)과 출력된 논문 4부를 편집위원회에 매년 2월과 8월 말일까지 제출하여야 한다.

(2) 기고한 모든 논문은 돌려 받을 수 없다.

(3) 논문 양식은 다음에 따른다.

①논문은 한국어로 작성함을 원칙으로 하고 영문 제목을 첨부하여야 한다. 또한 한자와 영문은 괄호( ) 안에 병기하며, 외국인명일 경우에도 한글로 원음을 표기하고 괄호( ) 안에 원래의 문자를 병기한다.

②논문의 체제는 반드시 제목－성명－본문－참고문헌의 순서를 따른다.

③논문의 분량은 200자 원고지 100매 내외를 원칙으로 한다.

④논문에서 사용되는 주(註)는 각주(脚註) 형식을 원칙으로 한다. 문헌일 경우는 저자명－서명－출판사－발행년도－면수 등의 순서로, 잡지 또는 정기간행물을 경우는 필자명－논문제목－잡지명－발행년도－면수 등으로 기재한다. 단, 영문으로 각주를 작성할 때에는 기호를 생략하며 논문은 명조체로, 저서는 이탤릭체로 표기한다.

⑤인용문은 가능한 한 현대 철자법으로 표기한다. 인용문이 외국어일 경우 번역하여 인용하고, 인용한 부분의 원문을 밝힐 필요가 있을 경우에는 각주에 병기한다.

⑥참고문헌은 기본자료, 단행본, 논문의 순서로 작성하며 저자의 가나다(또는 ABC)순에 의거한다. 또한 참고문헌이 외국 자료일 경우 원어 그대로를 표기하는 것을 원칙으로 한다.

6. 모집기간 : 매년 2월과 8월말 마감.

서울시 강동구 암사4동 452-20 럭키빌딩3층 301호(134-054) 도서출판새미 우리어문학회 내 『작가연구』 편집위원회

전화 : (02) 442-4624~4626 팩스 : (02) 442-4625

e-mail:kookhak@orgio.net, kookhak@kornet.net

※ 접수된 원고의 게재 여부는 본지 편집위원회에서 결정하며, 채택된 원고에 대해서는 소정의 고료를 지급합니다. 접수된 원고의 반환에 대해서는 책임지지 않습니다. 원고는 디스켓과 함께 보내시거나 통신을 이용해 주시기 바랍니다.

1. 이상한 행진

이성준 창작집
신국 반양장 / 280p / 8,500원

1993년 문학사상으로 등단 한 작가의 첫 창작집. 저자는 이 시대를 사는 사람들의 불운은 그들이 스스로를 현대인이라는 가장 우월한 성격 속으로 내몰리고 있는 강박에서 비롯된다고 보고 있다. 등단작인 「공범」과 「생고무 사나이」「체리」「뿔」「환상실」 등과 같은 작품을 통해 저자는 현대인에게 '강박' 이 어떻게 작용하는지를 예리하게 드러내고 있다. 작가는 환상과 현실이 구분되지 않는 분위기로 독자를 시종 긴장하게 만들고 있다. 가볍고 사소한 것에 짓눌려 있는 우리 소설사에 새로운 실험 방식으로 물음을 제기하고 담론을 형성 해 가는 화제의 소설집.

[새미 소설선]

---

2. 남아 있는 사람들

소설 『동강』으로 우리에게 널리 알려진 작가의 창작집. 서민들의 삶을 풍자한 「못의 밥」과 「도여사의 돼지꿈」 인간 실존의 끝머리를 찾아가는 역작 『남아있는 사람들』과 「그 계곡의 소리」 같은 작품들은 읽는 재미와 함께 아련한 감동으로 독자의 가슴에 와닿는다.

박충훈 창작집
신국 반양장 / 322p / 8,500원

전화: (02)442-4626 팩스: (02)442-4625 새미

풍경과 시간

국 변형 양장, 208쪽, 가격 7,000원

우리 앞에 놓인 풍경과 사물들이 있다. 그것은 음악과 같이 움직이며 그림과 같이 우리 앞에 나타난다. 그 흐르는 것들은 붙잡아 맬 수 없는 것이어서 어느 틈엔가 저만큼 물러나 있곤 한다. 그리하여 그것들은 늘 정의되어야 할 대상이 아니라 명상되어야 할 대상으로 우리 앞에 서 있는 것이다.

이 책은 그 우울한 몽상과 배회의 시간들을 모은 것이다. 여기저기 흩어진 글들을 묶으면서 나는 문득 위험한 소파에 나앉은 자의 권태도 함께 보았다. 내가 마침내 그 풍경 속으로 걸어갈 수 있는 통로는 없는 것일까?

－저자 머리말

서종택
전남 강진출생으로 고려대학교 국문학과를 졸업했다.
1969년 『월간문학』 신인상으로 등단하여, 『외출』(1977), 『선주하평전』(1989), 『백치의여름』(1998)등의 창작집과 『한국근대소설의구조』(1982), 『한국현대소설사론』(1999), 『바람의 화가 변시지』(2000) 등의 저서를 냈다.
현재 고려대 문예창작학과 교수.
joytag@tiger.korea.ac.kr

새미
전화: (02)442-4626 팩스: (02)442-4625

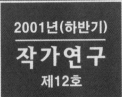

2001년(하반기)
작가연구
제12호

발 행 인	정구형
편 집 인	강진호
편집주간	서종택
편집위원	유성호 이상갑 채호석 하정일 안남일
발 행	**새미**
	서울 강동구 암사 4동 452-20 럭키빌딩 3층 (134-054)
	전화: 442-4623~4626, 팩스: 442-4625
	www.kookhak.co.kr
	kookhak@kornet.net, kookhak@orgio.net
등록번호	공보사 1883
등 록 일	1997년 2월 17일
인 쇄 인	박유복
발 행 일	2001년 10월 31일

• 본지는 한국간행물윤리위원회의 도서잡지 윤리강령 및
  잡지윤리 실천요강을 준수합니다.

• 본지는 한국문화예술진흥원의 문예진흥기금의 후원을 받습니다.

값 12,000원

▶ 도서출판 **새미** 는 국학자료원의 자매회사입니다.

한국 문단 작가 연구 총서 6

| 초판 1쇄 인쇄일 | │2015년 1월 2일 |
| 초판 1쇄 발행일 | │2015년 1월 5일 |

편집인	│작가 연구
펴낸이	│정구형
총괄	│박지연
편집 · 디자인	│이솔잎 채지영 김민주
마케팅	│정찬용
관리	│한미애
인쇄처	│은혜사
펴낸곳	│**국학자료원**

등록일 2006 11 02 제2007-12호
서울시 강동구 성내동 447-11 현영빌딩 2층
Tel 442-4623 Fax 442-4625
www.kookhak.co.kr
kookhak2001@hanmail.net

ISBN	│978-89-279-0042-9 *94800
	978-89-279-0047-4 *94800 [set]
전6권	│400,000원